中國國家圖書館編

國家圖書館藏敦煌遺書

第三十一册　北敦〇二二〇一號——北敦〇二二五四號

北京圖書館出版社

圖書在版編目(CIP)數據

國家圖書館藏敦煌遺書·第三十一册/中國國家圖書館編;任繼愈主編.—北京:北京圖書館出版社,2006.6

ISBN 7-5013-2973-7

Ⅰ.國…　Ⅱ.①中…②任…　Ⅲ.敦煌學-文獻　Ⅳ.K870.6

中國版本圖書館 CIP 數據核字(2006)第 027543 號

書　名　國家圖書館藏敦煌遺書·第三十一册
著　者　中國國家圖書館編　任繼愈主編
責任編輯　徐　蜀　孫　彦
封面設計　李　璀

出　版　北京圖書館出版社　(100034　北京西城區文津街 7 號)
發　行　010-66139745　66151313　66175620　66126153
66174391(傳真)　66126156(門市部)
E-mail　cbs@nlc.gov.cn(投稿)　btsfxb@nlc.gov.cn(郵購)
Website　www.nlcpress.com
經　銷　新華書店
印　刷　北京文津閣印務有限責任公司

開　本　八開
印　張　56
版　次　2006 年 8 月第 1 版第 1 次印刷
印　數　1-250 册(套)

書　號　ISBN 7-5013-2973-7/K·1256
定　價　990.00 圓

目錄

无忘失法清淨若安忍波羅蜜多清淨无二
无二分无別无斷故一切智智清淨故恒住捨
性清淨恒住捨性淨清故安忍波羅蜜多
清淨何以故若一切智智清淨若恒住捨性
清淨若安忍波羅蜜多清淨无二无二分无
別无斷故善現一切智智清淨故一切智智清
淨一切智智清淨故安忍波羅蜜多清淨何
以故若一切智智清淨若一切智清淨若安忍
波羅蜜多清淨无二无二分无別无斷故一
切智智清淨故道相智一切相智清淨道相
智一切相智清淨故安忍波羅蜜多清淨何
以故若一切智智清淨若道相智一切相智清
淨若安忍波羅蜜多清淨无二无二分无
別无斷故善現一切智智清淨故一切陁羅
尼門清淨一切陁羅尼門清淨故安忍波羅
蜜多清淨何以故若一切智智清淨若一切
陁羅尼門清淨若安忍波羅蜜多清淨无二
无二分无別无斷故一切智智清淨故一切
三摩地門清淨一切三摩地門清淨故安忍
波羅蜜多清淨何以故若一切智智清淨若
一切三摩地門清淨若安忍波羅蜜多清淨

BD02201號　大般若波羅蜜多經卷二四六

（3–1）

无二分无別无斷故一切智智清淨故一切
三摩地門清淨一切三摩地門清淨故安忍
波羅蜜多清淨何以故若一切智智清淨若
一切三摩地門清淨若安忍波羅蜜多清淨
无二无二分无別无斷故
善現一切智智清淨故預流果清淨預流果
清淨故安忍波羅蜜多清淨何以故若一切
智智清淨若預流果清淨若安忍波羅蜜多
清淨无二无二分无別无斷故一切智智清
淨故一來不還阿羅漢果清淨一來不還
阿羅漢果清淨故安忍波羅蜜多清淨何以
故若一切智智清淨若一來不還阿羅漢果清
淨若安忍波羅蜜多清淨无二无二分无別
无斷故善現一切智智清淨故獨覺菩提清
淨獨覺菩提清淨故安忍波羅蜜多清淨何
以故若一切智智清淨若獨覺菩提清淨若
安忍波羅蜜多清淨无二无二分无別无斷
故善現一切智智清淨故一切菩薩摩訶薩
行清淨一切菩薩摩訶薩行清淨故安忍波
羅蜜多清淨何以故若一切智智清淨若一
切菩薩摩訶薩行清淨若安忍波羅蜜多清
淨无二无二分无別无斷故善現一切智智
清淨故諸佛无上正等菩提清淨諸佛无上
正等菩提清淨故安忍波羅蜜多清淨何以
故若一切智智清淨若諸佛无上正等菩提
清淨若安忍波羅蜜多清淨无二无二分无
別无斷故

BD02201號　大般若波羅蜜多經卷二四六

（3–2）

正等菩提清淨故安忍波羅蜜多清淨何以
故若一切智智清淨若諸佛无上正等菩提
清淨若安忍波羅蜜多清淨无二无二分无
別无斷故
復次善現一切智智清淨故色清淨色清淨
故淨戒波羅蜜多清淨何以故若一切智智
清淨若色清淨若淨戒波羅蜜多清淨无二
无二分无別无斷故一切智智清淨故受想
行識清淨受想行識清淨故淨戒波羅蜜
清淨何以故若一切智智清淨若受想行識
清淨若淨戒波羅蜜多清淨无二无二分无
別无斷故善現一切智智清淨故眼處清淨
眼處清淨故淨戒波羅蜜多清淨何以故若
若一切智智清淨若眼處清淨若淨戒波羅蜜
多清淨无二无二分无別无斷故一切智智
清淨故耳鼻舌身意處清淨耳鼻舌身意
處清淨故淨戒波羅蜜多清淨何以故若一
切智智清淨若耳鼻舌身意處清淨若淨
戒波羅蜜多清淨无二无二分无別无斷故

大般若波羅蜜多經卷第二百卌六

BD02201 號　大般若波羅蜜多經卷二四六　　（3–3）

諸受清淨若安忍波羅蜜多清淨无二无二
分无別无斷故善現一切智智清淨故舌界
清淨舌界清淨故安忍波羅蜜多清淨何以
故若一切智智清淨若舌界清淨若安忍波
羅蜜多清淨无二无二分无別无斷故一切
智智清淨故味界舌識界及舌觸舌觸為緣
所生諸受清淨味界乃至舌觸為緣所生諸
受清淨故安忍波羅蜜多清淨何以故若一
切智智清淨若味界乃至舌觸為緣所生諸
受清淨若安忍波羅蜜多清淨无二无二分
無別无斷故善現一切智智清淨故身界清
淨身界清淨故安忍波羅蜜多清淨何以故
若一切智智清淨若身界清淨若安忍波羅
蜜多清淨无二无二分无別无斷故一切智
智清淨故觸界身識界及身觸身觸為緣所
生諸受清淨觸界乃至身觸為緣所生諸受
清淨安忍波羅蜜多清淨何以故若一切
智智清淨若觸界乃至身觸為緣所生諸受
清淨若安忍波羅蜜多清淨无二无二分无
別无斷故善現一切智智清淨故意界清淨
意界清淨故安忍波羅蜜多清淨何以故

BD02202 號　大般若波羅蜜多經卷二四六　　（7–1）

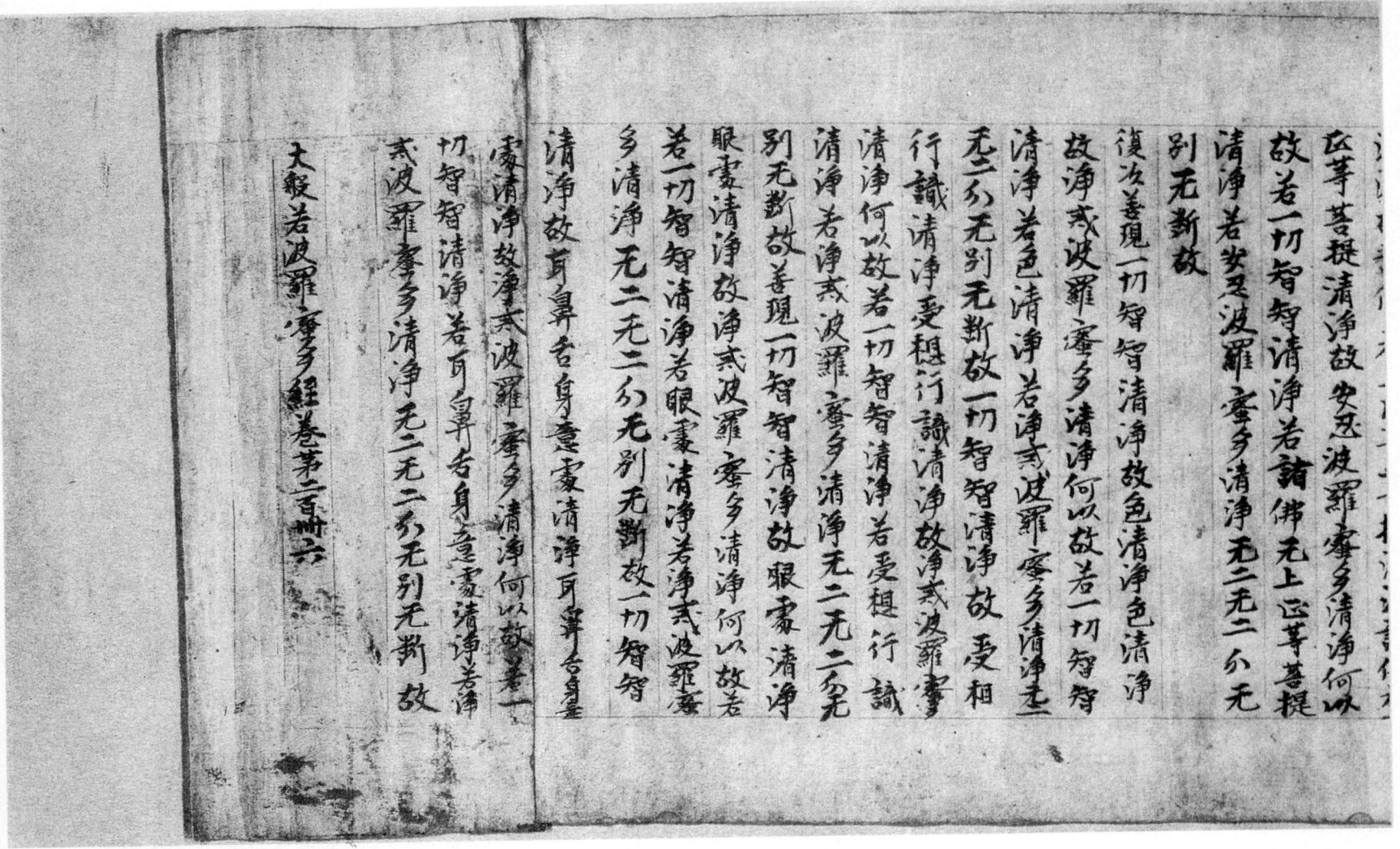

清淨安忍波羅蜜多清淨何以故若一切
智智清淨若觸界乃至身觸為緣所生諸受
清淨若安忍波羅蜜多清淨无二无二分无
別无斷故善現一切智智清淨故意界清淨
意界清淨故安忍波羅蜜多清淨何以故
若一切智智清淨若意界清淨若安忍波羅蜜
多清淨无二无二分无別无斷故一切智智清
淨故法界意識界及意觸意觸為緣所生
諸受清淨法界乃至意觸為緣所生諸受清
淨故安忍波羅蜜多清淨何以故若一切智智
清淨若法界乃至意觸為緣所生諸受
淨若安忍波羅蜜多清淨无二无二分无別
无斷故善現一切智智清淨故地界清淨地
界清淨故安忍波羅蜜多清淨何以故若一
切智智清淨若地界清淨若安忍波羅蜜多
清淨无二无二分无別无斷故一切智智清
淨故水火風空識界清淨水火風空識界清
淨故安忍波羅蜜多清淨何以故若一切智
智清淨若水火風空識界清淨若安忍波羅
蜜多清淨无二无二分无別无斷故善現一切智
智清淨故无明清淨无明清淨故安忍
波羅蜜多清淨何以故若一切智智清淨若
无明清淨若安忍波羅蜜多清淨无二无二
分无別无斷故一切智智清淨故行識名色
六處觸受愛取有生老死愁歎苦憂惱清淨
行乃至老死愁歎苦憂惱清淨故安忍波羅

BD02202 號　大般若波羅蜜多經卷二四六

（7–2）

分无別无斷故一切智智清淨故行識名色
六處觸受愛取有生老死愁歎苦憂惱清淨
行乃至老死愁歎苦憂惱清淨故安忍波羅
蜜多清淨何以故若一切智智清淨若行乃
至老死愁歎苦憂惱清淨若安忍波羅蜜多
清淨无二无二分无別无斷故善現一切智
智清淨故布施波羅蜜多清淨布施波羅蜜
多清淨故安忍波羅蜜多清淨何以故若一切
智智清淨若布施波羅蜜多清淨若安忍
波羅蜜多清淨无二无二分无別无斷故一
切智智清淨故淨戒精進靜慮般若波羅
蜜多清淨淨戒乃至般若波羅蜜多清淨故安
忍波羅蜜多清淨何以故若一切智智清淨
若淨戒乃至般若波羅蜜多清淨若安忍波
羅蜜多清淨无二无二分无別无斷故善現
一切智智清淨故內空清淨內空清淨故安
忍波羅蜜多清淨何以故若一切智智清淨
若內空清淨若安忍波羅蜜多清淨无二无二
分无別无斷故一切智智清淨故外空內
外空空空大空勝義空有為空无為空畢竟
空无際空散空无變異空本性空自相空共
相空一切法空不可得空无性空自性空无
性自性空清淨外空乃至无性自性空清淨
故安忍波羅蜜多清淨何以故若一切智智
清淨若外空乃至无性自性空清淨若安忍
波羅蜜多清淨无二无二分无別无斷故善
現一切智智清淨故真如清淨真如清淨故

BD02202 號　大般若波羅蜜多經卷二四六

（7–3）

清淨若外空乃至无性自性空清淨若安忍
波羅蜜多清淨无二无二分无別无斷故善
現一切智智清淨故真如清淨真如清淨故
安忍波羅蜜多清淨何以故若一切智智清
淨若真如清淨若安忍波羅蜜多清淨无二
无二分无別无斷故一切智智清淨故法界
法性不虛妄性不變異性平等性離生性法
定法住實際虛空界不思議界清淨法界乃
至不思議界清淨故安忍波羅蜜多清淨何
以故若一切智智清淨若法界乃至不思議
界清淨若安忍波羅蜜多清淨无二无二分
无別无斷故善現一切智智清淨故苦聖諦
清淨苦聖諦清淨故安忍波羅蜜多清淨何
以故若一切智智清淨若苦聖諦清淨若安
忍波羅蜜多清淨无二无二分无別无斷故
一切智智清淨故集滅道聖諦清淨集滅道
聖諦清淨故安忍波羅蜜多清淨何以故若
一切智智清淨若集滅道聖諦清淨若安忍
波羅蜜多清淨无二无二分无別无斷故善
現一切智智清淨故四靜慮清淨四靜慮清
淨故安忍波羅蜜多清淨何以故若一切智
智清淨若四靜慮清淨若安忍波羅蜜多
清淨无二无二分无別无斷故一切智智清淨
故四无量四无色定清淨四无量四无色定
清淨故安忍波羅蜜多清淨何以故若一切
智智清淨若四无量四无色定清淨若安忍
波羅蜜[illegible]

BD02202號　大般若波羅蜜多經卷二四六　（7–4）

清淨故安忍波羅蜜多清淨何以故若一切
智智清淨若四无量四无色定清淨若安忍
波羅蜜多清淨无二无二分无別无斷故善
現一切智智清淨故八解脫清淨八解脫清
淨故安忍波羅蜜多清淨何以故若一切智
智清淨若八解脫清淨若安忍波羅蜜多清
淨无二无二分无別无斷故一切智智清淨
故八勝處九次第定十遍處清淨八勝處九
次第定十遍處清淨故安忍波羅蜜多清淨
何以故若一切智智清淨若八勝處九次第定
十遍處清淨若安忍波羅蜜多清淨无二无
二分无別无斷故善現一切智智清淨故四
念住清淨四念住清淨故安忍波羅蜜多
清淨何以故若一切智智清淨若四念住清
淨若安忍波羅蜜多清淨无二无二分无別
无斷故一切智智清淨故四正斷四神足五
根五力七等覺支八聖道支清淨四正斷乃
至八聖道支清淨故安忍波羅蜜多清淨何
以故若一切智智清淨若四正斷乃至八聖
道支清淨若安忍波羅蜜多清淨无二无二
分无別斷故善現一切智智清淨故空解
脫門清淨空解脫門清淨故安忍波羅蜜多
清淨何以故若一切智智清淨若空解脫門
清淨若安忍波羅蜜多清淨无二无二分无
別无斷故一切智智清淨故无相无願解脫門
清淨无相无願解脫門清淨故安忍波羅

BD02202號　大般若波羅蜜多經卷二四六　（7–5）

清淨若安忍波羅蜜多清淨无二无二分无
別无斷故一切智智清淨故无相无願解脫門
清淨无相无願解脫門清淨故安忍波羅
蜜多清淨何以故若一切智智清淨若无相
无願解脫門清淨若安忍波羅蜜多清淨无
无二无二分无別无斷故善現一切智智清淨
故菩薩十地清淨菩薩十地清淨故安忍波
羅蜜多清淨何以故若一切智智清淨若菩
薩十地清淨若安忍波羅蜜多清淨无二无
二分无別无斷故
善現一切智智清淨故五眼清淨五眼清淨
故安忍波羅蜜多清淨何以故若一切智智
清淨若五眼清淨若安忍波羅蜜多清淨
无二无二分无別无斷故一切智智清淨故六
神通清淨六神通清淨故安忍波羅蜜多
清淨何以故若一切智智清淨若六神通清淨
若安忍波羅蜜多清淨无二无二分无別无
斷故善現一切智智清淨故佛十力清淨佛
十力清淨故安忍波羅蜜多清淨何以故若
一切智智清淨若佛十力清淨若安忍波羅
蜜多清淨无二无二分无別无斷故一切智
智清淨故四无所畏四无㝵解大慈大悲大
喜大捨十八佛不共法清淨四无所畏乃至
十八佛不共法清淨故安忍波羅蜜多清淨
何以故若一切智智清淨若四无所畏乃至
十八佛不共法清淨若安忍波羅蜜多清淨

BD02202號　大般若波羅蜜多經卷二四六

（7–6）

清淨若五眼清淨若安忍波羅蜜多清淨
无二无二分无別无斷故一切智智清淨故六
神通清淨六神通清淨故安忍波羅蜜多
清淨何以故若一切智智清淨若六神通清淨
若安忍波羅蜜多清淨无二无二分无別无
斷故善現一切智智清淨故佛十力清淨佛
十力清淨故安忍波羅蜜多清淨何以故若
一切智智清淨若佛十力清淨若安忍波羅
蜜多清淨无二无二分无別无斷故一切智
智清淨故四无所畏四无㝵解大慈大悲大
喜大捨十八佛不共法清淨四无所畏乃至
十八佛不共法清淨故安忍波羅蜜多清淨
何以故若一切智智清淨若四无所畏乃至
十八佛不共法清淨若安忍波羅蜜多清淨
无二无二分无別无斷故善現一切智智清
淨故无忘失法清淨无忘失法清淨故安忍
波羅蜜多清淨何以故若一切智智清淨若

BD02202號　大般若波羅蜜多經卷二四六

（7–7）

諸比丘諦聽 佛子所行道 善學方便故 不可得思議
知衆樂小法 而畏於大智 是故諸菩薩 作聲聞緣覺
以无數方便 化諸衆生類 自說是聲聞 去佛道甚遠
度脫无量衆 皆悉得成就 雖小欲懈怠 漸當令作佛
內秘菩薩行 外現是聲聞 少欲厭生死 實自淨佛土
示衆有三毒 又現邪見相 我弟子如是 方便度衆生
若我具足說 種種現化事 衆生聞是者 心則懷疑惑
今此富樓那 於昔千億佛 勤修所行道 宣護諸佛法
為求无上慧 而於諸佛所 現居弟子上 多聞有智慧
所說无所畏 能令衆歡喜 未曾有疲惓 而以助佛事
已度大神通 具四无礙智 知衆根利鈍 常說清淨法
演暢如是義 教諸千億衆 令住大乘法 而自淨佛土
未來亦供養 无量无數佛 護助宣正法 亦自淨佛土
常以諸方便 說法无所畏 度不可計衆 成就一切智
供養諸如來 護持法寶藏 其後當作佛 号名曰法明
其國名善淨 七寶所合成 劫名為寶明 菩薩衆甚多
其數无量億 皆度大神通 威德力具足 充滿其國土
聲聞亦无數 三明八解脫 得四无㝵智 以是等為僧
其國諸衆生 婬欲皆已斷 純一變化生 具相莊嚴身

聲聞亦无數 三明八解脫 得四无㝵智 以是等為僧
其國諸衆生 婬欲皆已斷 純一變化生 具相莊嚴身
法喜禪悅食 更无餘食想 无有諸女人 亦无諸惡道
富樓那比丘 功德悉成滿 當得斯淨土 賢聖衆甚多
如是无量事 我今但略說
尒時千二百阿羅漢心自在者作是念 我等
歡喜得未曾有 若世尊各見授記 如餘大
弟子者 不亦快乎 佛知此等心之所念 告摩訶
迦葉 是千二百阿羅漢 我今當現前次第與受
阿耨多羅三藐三菩提記 於此衆中 我大
弟子憍陳如比丘 當供養六萬二千億佛 然
後得成為佛 号曰普明如來應供正遍知明
行足善逝世間解无上士調御丈夫天人師
佛世尊 其五百阿羅漢 優樓頻螺迦葉 伽耶
迦葉 那提迦葉 迦留陁夷 優陁夷 阿㝹樓馱
離婆多 劫賓那 薄拘羅 周陁 莎伽陁等 皆當
得阿耨多羅三藐三菩提 盡同一号 名曰普
明 尒時世尊欲重宣此義 而說偈言
憍陳如比丘 當見无量佛 過阿僧祇劫 乃成等正覺
常放大光明 具足諸神通 名聞遍十方 一切之所敬
常說无上道 故号為普明 其國土清淨 菩薩皆勇猛
咸昇妙樓閣 遊諸十方國 以无上供具 奉獻於諸佛
作是供養已 心懷大歡喜 須臾還本國 有如是神力
佛壽六萬劫 正法住倍壽 像法復倍是 法滅天人憂
其五百比丘 次第當作佛 同号曰普明 轉次而授記

作是供養已　心懷大歡喜　須臾還本國　有如是神力
佛壽六萬劫　正法住倍壽　像法復倍是　法滅天人憂
其五百比丘　次第當作佛　同號曰普明　轉次而授記
我滅度之後　某甲當作佛　其所化世間　亦如我今日
國土之嚴淨　及諸神通力　菩薩聲聞眾　正法及像法
壽命劫多少　皆如上所說　迦葉汝已知　五百自在者
餘諸聲聞眾　亦當復如是　其不在此會　汝當為宣說
尒時五百阿羅漢於佛前得授記已歡喜踊
躍即從座起到於佛前頭面礼足悔過自責
世尊我等常作是念自謂已得究竟滅度今
乃知之如无智者所以者何我等應得如來
智慧而便自以小智為足世尊譬如有人至親
友家醉酒而臥是時親友官事當行以无
價寶珠繫其衣裏與之而去其人醉臥都不
覺知起已遊行到於他國為衣食故勤力求
索甚大艱難若少有所得便以為足於後親
友會遇見之而作是言咄哉丈夫何為衣食
乃至如是我昔欲令汝得安樂五欲自恣於
某年日月以无價寶珠繫汝衣裏今故現在
而汝不知勤苦憂惱以求自活甚為癡也汝
今可以此寶貿易所須常可如意无所乏短
佛亦如是為菩薩時教化我等令發一切智
心而尋廢忘不知不覺既得阿羅漢道自謂
滅度資生艱難得少為足一切智願猶在不
失今者世尊悟我等作如是言諸比丘汝
等所得非究竟滅我久令汝等種佛善根以

滅度資生艱難得少為足一切智願猶在不
失今者世尊悟我等作如是言諸比丘汝
等所得非究竟滅我久令汝等種佛善根以
方便故示涅槃相汝謂為實得滅度世尊
我今乃知實是菩薩得受阿耨多羅三藐三
菩提記以是因緣甚大歡喜得未曾有尒時
阿若憍陳如等欲重宣此義而說偈言
我等聞无上　安隱授記聲　歡喜未曾有　礼无量智佛
今於世尊前　自悔諸過咎　於无量佛寶　得少涅槃分
如无智愚人　便自以為足　譬如貧窮人　往至親友家
其家甚大富　具設諸餚饍　以无價寶珠　繫著內衣裏
默與而捨去　時臥不覺知　是人既已起　遊行詣他國
求衣食自濟　資生甚艱難　得少便為足　更不願好者
不覺內衣裏　有无價寶珠　與珠之親友　後見此貧人
苦切責之已　示以所繫珠　貧人見此珠　其心大歡喜
富有諸財物　五欲而自恣　我等亦如是　世尊於長夜
常愍見教化　令種无上願　我等无智故　不覺亦不知
得少涅槃分　自足不求餘　今佛覺悟我　言非實滅度
得佛无上慧　尒乃為真滅　我今從佛聞　授記莊嚴事
及轉次受決　身心遍歡喜

妙法蓮華經授學无學人記品第九

尒時阿難羅睺羅而作是念我等每自思惟
設得受記不亦快乎即從座起到於佛前頭
面礼足俱白佛言世尊我等於此亦應有分
唯有如來我等所歸又我等為一切世間天
人阿修羅所見知識阿難常為侍者護持法

說得受記不亦快乎即從座起到於佛前頭
面礼足俱白佛言世尊我等於此亦應有分
唯有如來我等所歸又我等為一切世間天
人阿脩羅所見知識阿難常為侍者護持法
藏羅睺羅是佛之子若佛見授阿耨多羅三
藐三菩提記者我願既滿衆望亦足尒時學
无學聲聞弟子二千人皆從座起偏袒右肩
到於佛前一心合掌瞻仰世尊如阿難羅睺羅
所願住立一面尒時佛告阿難汝於来世當
得作佛号山海慧自在通王如來應供正遍
知明行足善逝世間解无上士調御丈夫
天人師佛世尊當供養六十二億諸佛護持
法藏然後得阿耨多羅三藐三菩提教化二
十千萬億恒河沙諸菩薩等令成阿耨多羅
三藐三菩提國名常立勝幡其土清淨瑠璃
為地劫名妙音遍滿其佛壽命无量千萬億
阿僧祇劫若人於千萬億无量阿僧祇劫中
筭數校計不能得知正法住世倍於壽命像
法住世復倍正法阿難是山海慧自在通王
佛為十方无量千万億恒河沙等諸佛如來
所共讚嘆稱其功德尒時世尊欲重宣此義
而說偈言
我今僧中說　阿難持法者　當供養諸佛　然後成正覺
号曰山海慧　自在通王佛　其國土清淨　名常立勝幡
教化諸菩薩　其數如恒沙　佛有大威德　名聞滿十方

BD02203號　妙法蓮華經卷四

(29–5)

号曰山海慧　自在通王佛　其國土清淨　名常立勝幡
教化諸菩薩　其數如恒沙　佛有大威德　名聞滿十方
壽命无有量　以愍衆生故　正法倍壽命　像法復倍是
如恒河沙等　无數諸衆生　於此佛法中　種佛道因緣
尒時會中新發意菩薩八千人咸作是念我
等尚不聞諸大菩薩得如是記有何因緣而
諸聲聞得如是決尒時世尊知諸菩薩心之
所念而告之曰諸善男子我與阿難等於空
王佛所同時發阿耨多羅三藐三菩提心阿
難常樂多聞我常勤精進是故我已得成
阿耨多羅三藐三菩提而阿難護持我法亦護
將來諸佛法藏教化成就諸菩薩衆其本願
如是故獲斯記阿難面於佛前自聞受記及
國土莊嚴所願具足心大歡喜得未曾有即
時憶念過去无量千萬億諸佛法藏通達
无㝵如今所聞亦識本願尒時阿難而說偈言
世尊甚希有　令我念過去　无量諸佛法　如今日所聞
我今无所疑　安住於佛道　方便為侍者　護持諸佛法
尒時佛告羅睺羅汝於來世當得作佛号蹈
七寶華如來應供正遍知明行足善逝世間
解无上士調御丈夫天人師佛世尊當供養
十世界微塵等數諸佛如來常為諸佛而作
長子猶如今也是蹈七寶華佛國土莊嚴壽
命劫數所化弟子正法像法亦如山海慧自
在通王如來无異亦為此佛而作長子過是
已後當得阿耨多羅三藐三菩提尒時世尊

BD02203號　妙法蓮華經卷四

(29–6)

命劫數所化弟子正法像法亦如山海慧自
在通王如來无異亦為此佛而作長子過是
已後當得阿耨多羅三藐三菩提尒時世尊
欲重宣此義而說偈言
我為太子時　羅睺為長子　我今成佛道　受法為法子
於未來世中　見无量億佛　皆為其長子　一心求佛道
羅睺羅密行　唯我能知之　現為我長子　以示諸衆生
无量億千万　功德不可數　安住於佛法　以求无上道
尒時世尊見學无學二千人其意柔軟寂然
清淨一心觀佛佛告阿難汝見是學无學二
千人不唯然已見阿難是諸人等當供養五
十世界微塵數諸佛如來恭敬尊重護持法
藏末後同時於十方國各得成佛皆同一号
名曰寶相如來應供正遍知明行足善逝世
間解无上士調御丈夫天人師佛世尊壽命
一劫國土莊嚴聲聞菩薩正法像法皆悉同
等尒時世尊欲重宣此義而說偈言
是二千聲聞　今於我前住　悉皆與授記　未來當成佛
所供養諸佛　如上說塵數　護持其法藏　後當成正覺
各於十方國　悉同一名号　俱時坐道場　以證无上慧
皆名為寶相　國土及弟子　正法與像法　悉等无有異
咸以諸神通　度十方衆生　名聞普周遍　漸入於涅槃
尒時學无學　二千人聞佛　授記歡喜踊躍而
說偈言
世尊慧燈明　我聞授記音　心歡喜充滿　如甘露見灌

BD02203號　妙法蓮華經卷四

(29–7)

尒時學无學二千人聞佛授記歡喜踊躍而
說偈言
世尊慧燈明　我聞授記音　心歡喜充滿　如甘露見灌
妙法蓮華經法師品第十
尒時世尊因藥王菩薩告八万大士藥王汝
見是大衆中无量諸天龍王夜叉乾闥婆阿
脩羅迦樓羅緊那羅摩睺羅伽人與非人及
比丘比丘尼優婆塞優婆夷求聲聞者求辟
支佛者求佛道者如是等類咸於佛前聞妙
法華經一偈一句乃至一念隨喜者我皆與
授記當得阿耨多羅三藐三菩提佛告藥王
又如來滅度之後若有人聞妙法華經乃至
一偈一句一念隨喜者我亦與授阿耨多羅
三藐三菩提記若復有人受持讀誦解說書
寫妙法華經乃至一偈於此經卷敬視如佛
種種供養華香瓔珞末香塗香燒香繒蓋幢
幡衣服伎樂乃至合掌恭敬藥王當知是諸
人等已曾供養十万億佛於諸佛所成就大
願愍衆生故生此人間
藥王若有人問何等衆生於未來世當得作
佛應示是諸人等於未來世必得作佛何以
故若善男子善女人於法華經乃至一句受
持讀誦解說書寫種種供養經卷華香瓔珞
末香塗香燒香繒蓋幢幡衣服伎樂合掌恭

BD02203號　妙法蓮華經卷四

(29–8)

持讀誦解說書寫種種供養經卷華香瓔珞
末香塗香燒香繒蓋幢幡衣服伎樂合掌恭
敬是人一切世間所應瞻奉應以如來供養
而供養之當知此人是大菩薩成就阿耨多
羅三藐三菩提哀愍衆生願生此間廣演分
別妙法華經何況盡能受持種種供養者藥
王當知是人自捨清淨業報於我滅後愍衆
生故生於惡世廣演此經若是善男子善女
人我滅度後能竊為一人說法華經乃至一
句當知是人則如來使如來所遣行如來事
何況於大衆中廣為人說藥王若有惡人以
不善心於一劫中現於佛前常毀罵佛其
罪尚輕若人以一惡言毀呰在家出家讀誦法
華經者其罪甚重藥王其有讀誦法華經者
當知是人以佛莊嚴而自莊嚴則為如來肩
所荷擔其所至方應隨向礼一心合掌恭敬
供養尊重讚歎華香瓔珞末香塗香燒香繒
蓋幢幡衣服餚饌作諸伎樂人中上供而供
養之應持天寶而以散之天上寶聚應以奉
獻所以者何是人歡喜說法須臾聞之即得
究竟阿耨多羅三藐三菩提故尒時世尊欲
重宣此義而說偈言
若欲住佛道　成就自然智　常當勤供養　受持法華者
其有欲疾得　一切種智慧　當受持是經　并供持經者

BD02203號　妙法蓮華經卷四　（29–9）

重宣此義而說偈言
若欲住佛道　成就自然智　常當勤供養　受持法華者
其有欲疾得　一切種智慧　當受持是經　并供持經者
若有能受持　妙法華經者　當知佛所使　愍念諸衆生
諸有能受持　妙法華經者　捨於清淨土　愍衆故生此
當知如是人　自在所欲生　能於此惡世　廣說无上法
應以天華香　及天寶衣服　天上妙寶聚　供養說法者
吾滅後惡世　能持是經者　當合掌礼敬　如供養世尊
上饌衆甘美　及種種衣服　供養是佛子　兾得須臾聞
若能於後世　受持是經者　我遣在人中　行於如來事
若於一劫中　常懷不善心　作色而罵佛　獲无量重罪
其有讀誦持　是法華經者　須臾加惡言　其罪復過彼
有人求佛道　而於一劫中　合掌在我前　以无數偈讚
由是讚佛故　得无量功德　歎美持經者　其福復過彼
於八十億劫　以最妙色聲　及與香味觸　供養持經者
如是供養已　若得須臾聞　則應自欣慶　我今獲大利
藥王今告汝　我所說諸經　而於此經中　法華最第一
尒時佛復告藥王菩薩摩訶薩我所說經典
无量千億已說今說當說而於其中此法華
經最為難信難解藥王此經是諸佛秘要之
藏不可分布妄授與人諸佛世尊之所守護
從昔已來未曾顯說而此經者如來現在猶
多怨嫉況滅度後藥王當知如來滅後其能
書持讀誦供養為他人說者如來則為以衣
覆之又為他方現在諸佛之所護念是人有

BD02203號　妙法蓮華經卷四　（29–10）

從昔已來未曾顯說而此經者如來現在猶
多怨嫉況滅度後藥王當知如來滅後其能
書持讀誦供養為他人說者如來則為以衣
覆之又為他方現在諸佛之所護念是人有
大信力及志願力諸善根力當知是人與如
來共宿則為如來手摩其頭藥王在在處處
若說若讀若誦若書若經卷所住之處皆應
起七寶塔極令高廣嚴飾不須復安舍利所
以者何此中已有如來全身此塔應以一切華
香瓔珞繒蓋幢幡伎樂歌頌供養恭敬尊重
讚歎若有人得見此塔禮拜供養當知是等
皆近阿耨多羅三藐三菩提藥王多有人在
家出家行菩薩道若不能得見聞讀誦書持
供養是法華經者當知是人未善行菩薩道
若有得聞是經典者乃能善行菩薩之道其
有衆生求佛道者若見若聞是法華經聞已
信解受持者當知是人得近阿耨多羅三藐
三菩提
藥王譬如有人渴之須水於彼高原穿鑿求
之猶見乾土知水尚遠施功不已轉見濕土
遂漸至泥其心決定知水必近菩薩亦復如
是若未聞未解未能修習是法華經當知是
人去阿耨多羅三藐三菩提尚遠若得聞解
思惟修習必知得近阿耨多羅三藐三菩提
所以者何一切菩薩阿耨多羅三藐三菩提

BD02203號　妙法蓮華經卷四

(29-11)

是若未聞未解未能修習是法華經當知是
人去阿耨多羅三藐三菩提尚遠若得聞解
思惟修習必知得近阿耨多羅三藐三菩提
所以者何一切菩薩阿耨多羅三藐三菩提
皆屬此經此經開方便門示真實相是法華
經藏深固幽遠无人能到今佛教化成就菩
薩而為開示藥王若有菩薩聞是法華經驚
疑怖畏當知是為新發意菩薩若聲聞人聞
是經驚疑怖畏當知是為增上慢者藥王若
有善男子善女人如來滅後欲為四衆說是
法華經者云何應說是善男子善女人入如
來室著如來衣坐如來座尒乃應為四衆廣
說斯經如來室者一切衆生中大慈悲心是
如來衣者柔和忍辱心是如來座者一切法
空是安住是中然後以不懈怠心為諸菩薩
及四衆廣說是法華經藥王我於餘國遣化
人為其集聽法衆亦遣化比丘比丘尼優婆
塞優婆夷聽其說法是諸化人聞法信受隨
順不逆若說法者在空閑處我時廣遣天龍
鬼神乾闥婆阿脩羅等聽其說法我雖在異
國時時令說法者得見我身若於此經忘失
句逗我還為說令得具足尒時世尊欲重宣
此義而說偈言
欲捨諸懈怠　應當聽此經　是經難得聞　信受者亦難
如人渴須水　穿鑿於高原　猶見乾燥土　知去水尚遠

BD02203號　妙法蓮華經卷四

(29-12)

此義而說偈言
欲捨諸懈怠　應當聽此經　是經難得聞　信受者亦難
如人渴須水　穿鑿於高原　猶見乾燥土　知去水尚遠
漸見濕土泥　決定知近水　藥王汝當知　如是諸人等
不聞法華經　去佛智甚遠　若聞是深經　決了聲聞法
是諸經之王　聞已諦思惟　當知此人等　近於佛智慧
若人說此經　應入如來室　著於如來衣　而坐如來座
處衆无所畏　廣為分別說　大慈悲為室　柔和忍辱衣
諸法空為座　處此為說法　若說此經時　有人惡口罵
加刀杖瓦石　念佛故應忍　我千万億土　現淨堅固身
於无量億劫　為衆生說法　若我滅度後　能說此經者
我遣化四衆　比丘比丘尼　及清信士女　供養於法師
引導諸衆生　集之令聽法　若人欲加惡　刀杖及瓦石
則遣變化人　為之作衛護　若說法之人　獨在空閑處
寂寞无人聲　讀誦此經典　我尒時為現　清淨光明身
若忘失章句　為說令通利　若人具是德　或為四衆說
空處讀誦經　皆得見我身　若人在空閑　我遣天龍王
夜叉鬼神等　為作聽法衆　是人樂說法　分別无罣礙
諸佛護念故　能令大衆喜　若親近法師　速得菩薩道
隨順是師學　得見恒沙佛
妙法蓮華經見寶塔品第十一
尒時佛前有七寶塔高五百由旬縱廣二百
五十由旬從地踊出住在空中種種寶物而
莊校之五千欄楯龕室千万无數幢幡以為
嚴飾垂寶瓔珞寶鈴万億而懸其上四面皆

BD02203號　妙法蓮華經卷四　（29–13）

莊校之五千欄楯龕室千万无數幢幡以為
嚴飾垂寶瓔珞寶鈴万億而懸其上四面皆
出多摩羅跋栴檀之香充遍世界其諸幡蓋
以金銀瑠璃車𤦲馬瑙真珠玫瑰七寶合成
高至四天王宮三十三天雨天曼陁羅華供
養寶塔餘諸天龍夜叉乾闥婆阿脩羅迦樓
羅緊那羅摩睺羅伽人非人等千万億衆以
一切華香瓔珞幡蓋伎樂供養寶塔恭敬尊
重讚歎尒時寶塔中出大音聲歎言善哉善
哉釋迦牟尼世尊能以平等大慧教菩薩法
佛所護念妙法華經為大衆說如是如是釋
迦牟尼世尊如所說者皆是真實
尒時四衆見大寶塔住在空中又聞塔中所
出音聲皆得法喜怪未曾有從座而起恭敬
合掌却住一面尒時有菩薩摩訶薩名大樂
說知一切世間天人阿脩羅等心之所疑而
白佛言世尊以何因緣有此寶塔從地踊出
又於其中發是音聲尒時佛告大樂說菩薩
此寶塔中有如來全身乃往過去東方无量
千万億阿僧祇世界國名寶淨彼中有佛号
曰多寶其佛本行菩薩道時作大誓願若我
成佛滅度之後於十方國土有說法華經處我
之塔廟為聽是經故踊現其前為作證明讚
言善哉彼佛成道已臨滅度時於天人大衆
中告諸比丘我滅度後欲供養我全身者應

BD02203號　妙法蓮華經卷四　（29–14）

之塔廟為聽是經故踊現其前為作證明讚
言善哉彼佛成道已臨滅度時於天人大衆
中告諸比丘我滅度後欲供養我全身者應
起一大塔其佛以神通願力十方世界在在
處處若有說法華經者彼之寶塔皆踊出其
前全身在於塔中讚言善哉善哉大樂說今
多寶如来塔聞說法華經故從地踊出讚言
善哉善哉是時大樂說菩薩以如来神力故
白佛言世尊我等願欲見此佛身佛告大樂
說菩薩摩訶薩是多寶佛有深重願若我寶
塔為聽法華經故出於諸佛前時其有欲以
我身示四衆者彼佛分身諸佛在於十方世
界說法盡還集一處然後我身乃出現耳大
樂說我分身諸佛在於十方世界說法者今
應當集大樂說白佛言世尊我等亦願欲見
世尊分身諸佛礼拜供養
尒時佛放白豪一光即見東方五百万億那
由他恒河沙等國土諸佛彼諸國土皆以頗
梨為地寶樹寶衣以為莊嚴无數千万億菩
薩充滿其中遍張寶幔寶網羅上彼國諸佛
以大妙音而說諸法及見无量千万億菩薩
遍滿諸國為衆說法南西北方四維上下白
豪相光所照之處亦復如是尒時十方諸佛
各告衆菩薩言善男子我今應往娑婆世界

豪相光所照之處亦復如是尒時十方諸佛
各告衆菩薩言善男子我今應往娑婆世界
釋迦牟尼佛所并供養多寶如来寶塔時娑
婆世界即變清淨瑠璃為地寶樹莊嚴黃金
為繩以界八道无諸聚落村營城邑大海江
河山川林藪燒大寶香曼陁羅華遍布其地
以寶網幔羅覆其上懸諸寶鈴唯留此會衆
移諸天人置於他土是時諸佛各將一大菩
薩以為侍者至娑婆世界各到寶樹下一一
寶樹高五百由旬枝葉華菓次苐莊嚴諸寶
樹下皆有師子之座高五由旬亦以大寶而
挍飾之
尒時諸佛各於此座結跏趺坐如是展轉遍
滿三千大千世界而於釋迦牟尼佛一方所
分之身猶故未盡時釋迦牟尼佛欲容受所
分身諸佛故八方各更變二百万億那由他
國皆令清淨无有地獄餓鬼畜生及阿脩羅
又移諸天人置於他土所化之國亦以瑠璃
為地寶樹莊嚴樹高五百由旬枝葉華菓次
苐嚴飾樹下皆有寶師子座高五由旬種種
諸寶以為莊挍亦无大海江河及目真隣陁
山摩訶目真隣陁山鐵圍山大鐵圍山須弥
山等諸山王通為一佛國土寶地平正寶交
露縵遍覆其上懸諸幡蓋燒大寶香諸天

山摩訶目真隣陁山鐵圍山大鐵圍山須弥
山等諸山王通爲一佛國土寶地平正寶交
露縵遍覆其上懸諸幡蓋燒大寶香諸天
寶華遍布其地釋迦牟尼佛爲諸佛當来坐
故復於八方各變二百万億那由他國皆令清
淨无有地獄餓鬼畜生及阿脩羅又移諸天
人置於他土所化之國亦以瑠璃爲地寶樹
莊嚴樹高五百由旬枝葉華菓次苐莊嚴樹
下皆有寶師子座高五由旬亦以大寶而挍
飾之亦无大海江河及目真隣陁山摩訶目
真隣陁山鐵圍山大鐵圍山須弥山等諸山
王通爲一佛國土寶地平正寶交露縵遍覆
其上懸諸幡蓋燒大寶香諸天寶華遍布其
地尒時東方釋迦牟尼所分之身百千万億
那由他恒河沙等國土中諸佛各各說法来
集於此如是次苐十方諸佛皆悉来集坐於
八方
尒時一一方四百万億那由他國土諸佛如
来遍滿其中是時諸佛各在寶樹下坐師子
座皆遣侍者問訊釋迦牟尼佛各賫寶華滿
掬而告之言善男子汝往詣耆闍崛山釋迦
牟尼佛所如我辞曰少病少惱氣力安樂及
菩薩聲聞衆悉安隱不以此寶華散佛供養
而作是言彼某甲佛與欲開此寶塔諸佛遣

BD02203號　妙法蓮華經卷四

（29–17）

菩薩聲聞衆悉安隱不以此寶華散佛供養
而作是言彼某甲佛與欲開此寶塔諸佛遣
使亦復如是尒時釋迦牟尼佛見所分身佛
悉已来集各各坐於師子之座皆聞諸佛與
欲同開寶塔即從座起住虛空中一切四衆
起立合掌一心觀佛於是釋迦牟尼佛以右
指開七寶塔戶出大音聲如却關鑰開大城
門即時一切衆會皆見多寶如来於寶塔中
坐師子座全身不散如入禪定又聞其言善
哉善哉釋迦牟尼佛快說是法華經我爲聽
是經故而来至此尒時四衆等見過去无量
千万億劫滅度佛說如是言歎未曾有以天
寶華聚散多寶佛及釋迦牟尼佛上尒時多
寶佛於寶塔中分半座與釋迦牟尼佛而作
是言釋迦牟尼佛可就此座即時釋迦牟尼
佛入其塔中坐其半座結加趺坐尒時大衆
見二如来在七寶塔中師子座上結加趺坐
各作是念佛座高遠唯願如来以神通力令
我等輩俱處虛空即時釋迦牟尼佛以神通
力接諸大衆皆在虛空以大音聲普告四衆
誰能於此娑婆國土廣說妙法華經今正是
時如来不久當入涅槃佛欲以此妙法華經
付囑有在尒時世尊欲重宣此義而說偈言
聖主世尊　雖久滅度　在寶塔中　尚爲法来
諸人云何　不勤爲法　此佛滅度　无央數劫

BD02203號　妙法蓮華經卷四

（29–18）

時如來不久當入涅槃佛欲以此妙法華經
付囑有在尒時世尊欲重宣此義而說偈言
聖主世尊　雖久滅度　在寶塔中　尚為法來
諸人云何　不勤為法　此佛滅度　无央數劫
處處聽法　以難遇故　彼佛本願　我滅度後
在在所往　常為聽法　又我分身　无量諸佛
如恒沙等　來欲聽法　及見滅度　多寶如來
各捨妙土　及弟子眾　天人龍神　諸供養事
令法久住　故來至此　為坐諸佛　以神通力
移无量眾　令國清淨　諸佛各各　詣寶樹下
如清淨池　蓮華莊嚴　其寶樹下　諸師子座
佛坐其上　光明嚴飾　如夜闇中　然大炬火
身出妙香　遍十方國　眾生蒙薰　喜不自勝
譬如大風　吹小樹枝　以是方便　令法久住
告諸大眾　我滅度後　誰能護持　讀說斯經
令於佛前　自說誓言　其多寶佛　雖久滅度
以大誓願　而師子吼　多寶如來　及與我身
所集化佛　當知此意　諸佛子等　誰能護法
當發大願　令得久住　其有能護　此經法者
則為供養　我及多寶　此多寶佛　處於寶塔
常遊十方　為是經故　亦復供養　諸來化佛
莊嚴光飾　諸世界者　若說此經　則為見我
多寶如來　及諸化佛　諸善男子　各諦思惟
此為難事　宜發大願　諸餘經典　數如恒沙
雖說此等　未足為難

BD02203號　妙法蓮華經卷四

（29–19）

若說此經　則為見我　多寶如來　及諸化佛
諸善男子　各諦思惟　此為難事　宜發大願
諸餘經典　數如恒沙　雖說此等　未足為難
若接須弥　擲置他方　无數佛土　亦未為難
若以足指　動大千界　遠擲他國　亦未為難
若立有頂　為眾演說　无量餘經　亦未為難
若佛滅後　於惡世中　能說此經　是則為難
假使有人　手把虛空　而以遊行　亦未為難
於我滅後　若自書持　若使人書　是則為難
若以大地　置足甲上　昇於梵天　亦未為難
佛滅度後　於惡世中　暫讀此經　是則為難
假使劫燒　擔負乾草　入中不燒　亦未為難
我滅度後　若持此經　為一人說　是則為難
若持八万　四千法藏　十二部經　為人演說
令諸聽者　得六神通　雖能如是　亦未為難
於我滅後　聽受此經　問其義趣　是則為難
若人說法　令千万億　无量无數　恒沙眾生
得阿羅漢　具六神通　雖有此益　亦未為難
於我滅後　若能奉持　如斯經典　是則為難
我為佛道　於无量土　從始至今　廣說諸經
而於其中　此經第一　若有能持　則持佛身
諸善男子　於我滅後　誰能受持　讀誦此經
令於佛前　自說誓言　此經難持　若暫持者
我則歡喜　諸佛亦然　如是之人　諸佛所歎
是則勇猛　是則精進

BD02203號　妙法蓮華經卷四

（29–20）

今於佛前　自說誓言
此經難持　若暫持者　我則歡喜　諸佛亦然
如是之人　諸佛所歎　是則勇猛　是則精進
是名持戒　行頭陀者　則為疾得　无上佛道
能於來世　讀持此經　是真佛子　住純善地
佛滅度後　能解其義　是諸天人　世間之眼
於恐畏世　能須臾說　一切人天　皆應供養

妙法蓮華經提婆達多品第十二

尒時佛告諸菩薩及天人四衆吾於過去无
量劫中求法華經无有懈倦於多劫中常作
國王發願求於无上菩提心不退轉為欲滿
足六波羅蜜勤行布施心无悋惜象馬七珎
國城妻子奴婢僕從頭目髓腦身肉手足不
惜軀命時世人民壽命无量為於法故捐捨
國位委政太子擊鼓宣令四方求法誰能為
我說大乘者吾當終身供給走使時有仙人
來白王言我有大乘名妙法蓮華經若不違
我當為宣說王聞其言歡喜踊躍即隨仙人
供給所須採菓汲水拾薪設食乃至以身而
為林座身心无倦于時奉事經於千歲為於
法故精勤給侍令无所乏尒時世尊欲重宣
此義而說偈言
我念過去劫　為求大法故　雖作世國王　不貪五欲樂
揵鍾告四方　誰有大法者　若為我解說　身當為奴僕

BD02203號　妙法蓮華經卷四　（29–21）

我念過去劫　為求大法故　雖作世國王　不貪五欲樂
揵鍾告四方　誰有大法者　若為我解說　身當為奴僕
時有阿私仙　來白於大王　我有微妙法　世間所希有
若能脩行者　吾當為汝說　時王聞仙言　心生大喜悅
即便隨仙人　供給於所須　採薪及菓蓏　隨時恭敬與
情存妙法故　身心无懈倦　普為諸衆生　勤求於大法
亦不為己身　及以五欲樂　故為大國王　勤求獲此法
遂致得成佛　今故為汝說
佛告諸比丘尒時王者則我身是時仙人者
今提婆達多是由提婆達多善知識故令我
具足六波羅蜜慈悲喜捨三十二相八十種
好紫磨金色十力四无所畏四攝法十八不
共神通道力成等正覺廣度衆生皆因提婆
達多善知識故告諸四衆提婆達多却後過
无量劫當得成佛号曰天王如來應供正遍
知明行足善逝世間解无上士調御丈夫天
人師佛世尊世界名天道時天王佛住世二
十中劫廣為衆生說於妙法恒河沙衆生得
阿羅漢果无量衆生發緣覺心恒河沙衆生
發无上道心得无生法忍至不退轉時天王
佛般涅槃後正法住世二十中劫全身舍利
起七寶塔高六十由旬縱廣四十由旬諸天
人民悉以雜華末香燒香塗香衣服瓔珞幢
幡寶蓋伎樂歌頌礼拜供養七寶妙塔无量
衆生得阿羅漢果无量衆生悟辟支佛不可

BD02203號　妙法蓮華經卷四　（29–22）

起七寶塔高六十由旬縱廣四十由旬諸天
人民悉以雜華末香燒香塗香衣服瓔珞幢
幡寶蓋伎樂歌頌礼拜供養七寶妙塔无量
衆生得阿羅漢果无量衆生悟辟支佛不可
思議衆生發菩提心至不退轉佛告諸比丘
未來世中若有善男子善女人聞妙法華經
提婆達多品淨心信敬不生疑惑者不墮地
獄餓鬼畜生生十方佛前所生之處常聞此
經若生人天中受勝妙樂若在佛前蓮華化
生於時下方多寶世尊所從菩薩名曰智積
白多寶佛當還本土釋迦牟尼佛告智積曰
善男子且待須臾此有菩薩名文殊師利可
與相見論說妙法可還本土
尒時文殊師利坐千葉蓮華大如車輪俱來
菩薩亦坐寶蓮華從於大海娑竭羅龍宮自
然踊出住虛空中詣靈鷲山從蓮華下至於
佛所頭面敬礼二世尊足脩敬已畢往智積
所共相慰問却坐一面智積菩薩問文殊師
利仁往龍宮所化衆生其數幾何文殊師利
言其數无量不可稱計非口所宣非心所測
且待須臾自當有證所言未竟无數菩薩坐
寶蓮華從海踊出詣靈鷲山住在虛空此諸
菩薩皆是文殊師利之所化度具菩薩行皆
共論說六波羅蜜本聲聞人在虛空中說聲
聞行今皆脩行大乘空義文殊師利謂智積

BD02203號　妙法蓮華經卷四

（29–23）

菩薩皆是文殊師利之所化度具菩薩行皆
共論說六波羅蜜本聲聞人在虛空中說聲
聞行今皆脩行大乘空義文殊師利謂智積
曰於海教化其事如此尒時智積菩薩以偈
讚曰
大智德勇健　化度无量衆　今此諸大會　及我皆已見
演暢實相義　開闡一乘法　廣導諸群生　令速成菩提
文殊師利言我於海中唯常宣說妙法華經
智積問文殊師利言此經甚深微妙諸經中
寶世所希有頗有衆生懃加精進脩行此經
速得佛不文殊師利言有娑竭羅龍王女年
始八歲智慧利根善知衆生諸根利鈍得陁
羅尼諸佛所說甚深秘藏悉能受持深入禪
定了達諸法於剎那頃發菩提心得不退轉
辯才无礙慈念衆生猶如赤子功德具足心
念口演微妙廣大慈悲仁讓志意和雅能至
菩提智積菩薩言我見釋迦如來於无量劫
難行苦行積功累德求菩提道未曾止息觀
三千大千世界乃至无有如芥子許非是菩
薩捨身命處為衆生故然後乃得成菩提道
不信此女於須臾頃便成正覺言論未訖時
龍王女忽現於前頭面礼敬却住一面以偈
讚曰
深達罪福相　遍照於十方　微妙淨法身　具相三十二

BD02203號　妙法蓮華經卷四

（29–24）

讚曰
深達罪福相　遍照於十方　微妙淨法身　具相三十二
以八十種好　用莊嚴法身　天人所戴仰　龍神咸恭敬
一切衆生類　无不宗奉者　又聞成菩提　唯佛當證知
我闡大乘教　度脫苦衆生 ·
時舍利弗語龍女言汝謂不久得无上道是
事難信所以者何女身垢穢非是法器云何
能得无上菩提佛道懸曠經无量劫勤苦積
行具脩諸度然後乃成又女人身猶有五鄣
一者不得作梵天王二者帝釋三者魔王四者
轉輪聖王五者佛身云何女身速得成佛尒
時龍女有一寶珠價直三千大千世界持以
上佛佛即受之龍女謂智積菩薩尊者舍利
弗言我獻寶珠世尊納受是事疾不荅言甚
疾女言以汝神力觀我成佛復速於此當時
衆會皆見龍女忽然之間變成男子具菩薩
行即往南方无垢世界坐寶蓮華成等正覺
三十二相八十種好普為十方一切衆生演
說妙法尒時娑婆世界菩薩聲聞天龍八部
人與非人皆遙見彼龍女成佛普為時會人
天說法心大歡喜悉遙礼敬无量衆生聞法
解悟得不退轉无量衆生得受道記无垢世
界六反震動娑婆世界三千衆生住不退地
三千衆生發菩提心而得受記智積菩薩及
舍利弗一切衆會嘿然信受

界六反震動娑婆世界三千衆生住不退地
三千衆生發菩提心而得受記智積菩薩及
舍利弗一切衆會嘿然信受
妙法蓮華經勸持品第十三
尒時藥王菩薩摩訶薩及大樂說菩薩摩訶
薩與二万菩薩眷屬俱皆於佛前作是誓言
唯願世尊不以為慮我等於佛滅後當奉持
讀誦說此經典後惡世衆生善根轉少多增
上慢貪利供養增不善根遠離解脫雖難可
教化我等當起大忍力讀誦此經持說書寫
種種供養不惜身命尒時衆中五百阿羅漢
得受記者白佛言世尊我等亦自誓願於異
國土廣說此經復有學无學八千人得受記
者從座而起合掌向佛作是誓言世尊我等
亦當於他國土廣說此經所以者何是娑婆
國中人多弊惡懷增上慢功德淺薄瞋濁諂
曲心不實故
尒時佛姨母摩訶波闍波提比丘尼與學无
學比丘尼六千人俱從座而起一心合掌瞻
仰尊顏目不暫捨於時世尊告憍曇弥何故
憂色而視如來汝心將无謂我不說汝名授
阿耨多羅三藐三菩提記耶憍曇弥我先揔
說一切聲聞皆已授記今汝欲知記者將來
之世當於六万八千億諸佛法中為大法師

說一切聲聞皆已授記今汝欲知記者將來
之世當於六万八千億諸佛法中為大法師
及六千學无學比丘尼俱為法師汝如是漸
漸具菩薩道當得作佛号一切衆生喜見如
來應供正遍知明行足善逝世間解无上士
調御丈夫天人師佛世尊憍曇弥是一切衆
生喜見佛及六千菩薩轉次授記得阿耨多
羅三藐三菩提尒時羅睺羅母耶輸陁羅比
丘尼作是念世尊於授記中獨不說我名佛
告耶輸陁羅汝於來世百千万億諸佛法中
脩菩薩行為大法師漸具佛道於善國中當
得作佛号具足千万光相如來應供正遍知
明行足善逝世間解无上士調御丈夫天人
師佛世尊佛壽无量阿僧祇劫尒時摩訶波
闍波提比丘尼及耶輸陁羅比丘尼并其眷
屬皆大歡喜得未曾有即於佛前而說偈言
世尊導師　安隱天人　我等聞記　心安具足
諸比丘尼說是偈已白佛言世尊我等亦能
於他方國土廣宣此經
尒時世尊視八十万億那由他諸菩薩摩訶
薩是諸菩薩皆是阿惟越致轉不退法輪得
諸陁羅尼即從座起至於佛前一心合掌而
作是念若世尊告勅我等持說此經者當如
佛教廣宣斯法復作是念佛今嘿然不見告
勅我當云何時諸菩薩敬順佛意并欲自滿

BD02203號　妙法蓮華經卷四

（29–27）

作是念若世尊告勅我等持說此經者當如
佛教廣宣斯法復作是念佛今嘿然不見告
勅我當云何時諸菩薩敬順佛意并欲自滿
本願便於佛前作師子吼而發誓言世尊我
等於如來滅後周旋往反十方世界能令衆
生書寫此經受持讀誦解說其義如法脩行
正憶念皆是佛之威力唯願世尊在於他方
遥見守護即時諸菩薩俱同發聲而說偈言
唯願不為慮　於佛滅度後　恐怖惡世中　我等當廣說
有諸无智人　惡口罵詈等　及加刀杖者　我等皆當忍
惡世中比丘　邪智心諂曲　未得謂為得　我慢心充滿
或有阿練若　納衣在空閑　自謂行真道　輕賤人間者
貪著利養故　與白衣說法　為世所恭敬　如六通羅漢
是人懷惡心　常念世俗事　假名阿練若　好出我等過
而作如是言　此諸比丘等　為貪利養故　說外道論議
自作此經典　誑惑世間人　為求名聞故　分別於是經
常在大衆中　欲毀我等故　向國王大臣　婆羅門居士
及餘比丘衆　誹謗說我惡　謂是邪見人　說外道論議
等敬佛故　悉忍是諸惡　為斯所輕言　汝等皆是佛
此輕慢言　皆當忍受之
劫惡世中　多有諸恐怖　惡鬼入其身　罵詈毀辱我
等敬信佛　當著忍辱鎧　為說是經故　忍此諸難事
不愛身命　但惜无上道　我等於來世　護持佛所囑
尊自當知　濁世惡比丘　不知佛方便　隨宜所說法

BD02203號　妙法蓮華經卷四

（29–28）

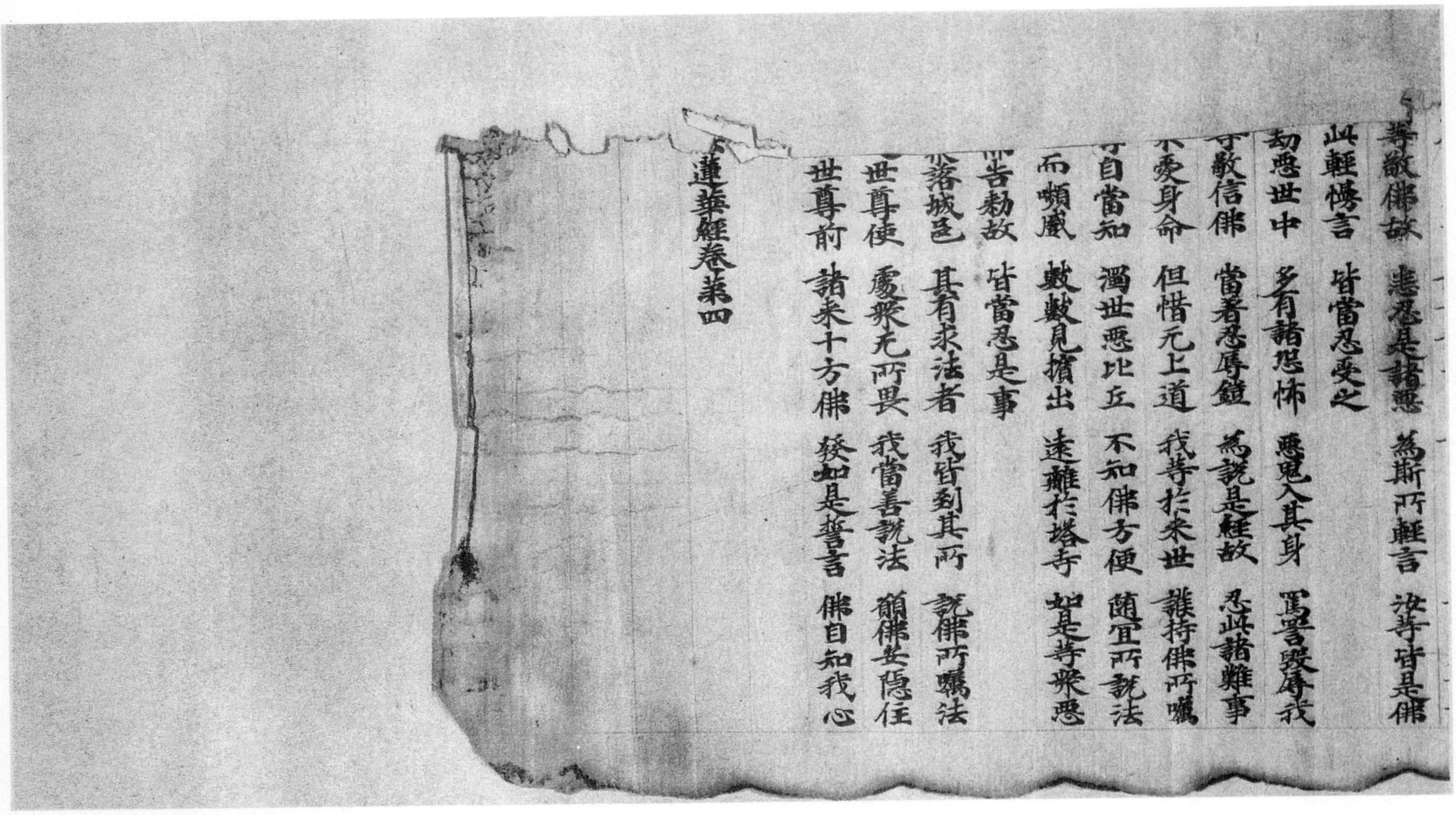

尊敬佛故　悉忍是諸惡　為斯所輕言　汝等皆是佛
如此輕慢言　皆當忍受之
濁劫惡世中　多有諸恐怖　惡鬼入其身　罵詈毀辱我
我等敬信佛　當著忍辱鎧　為說是經故　忍此諸難事
我不愛身命　但惜无上道　我等於來世　護持佛所囑
世尊自當知　濁世惡比丘　不知佛方便　隨宜所說法
惡口而顰蹙　數數見擯出　遠離於塔寺　如是等衆惡
念佛告勑故　皆當忍是事
諸聚落城邑　其有求法者　我皆到其所　說佛所囑法
我是世尊使　處衆无所畏　我當善說法　願佛安隱住
我於世尊前　諸來十方佛　發如是誓言　佛自知我心
妙法蓮華經卷第四

BD02203 號　妙法蓮華經卷四　　（29–29）

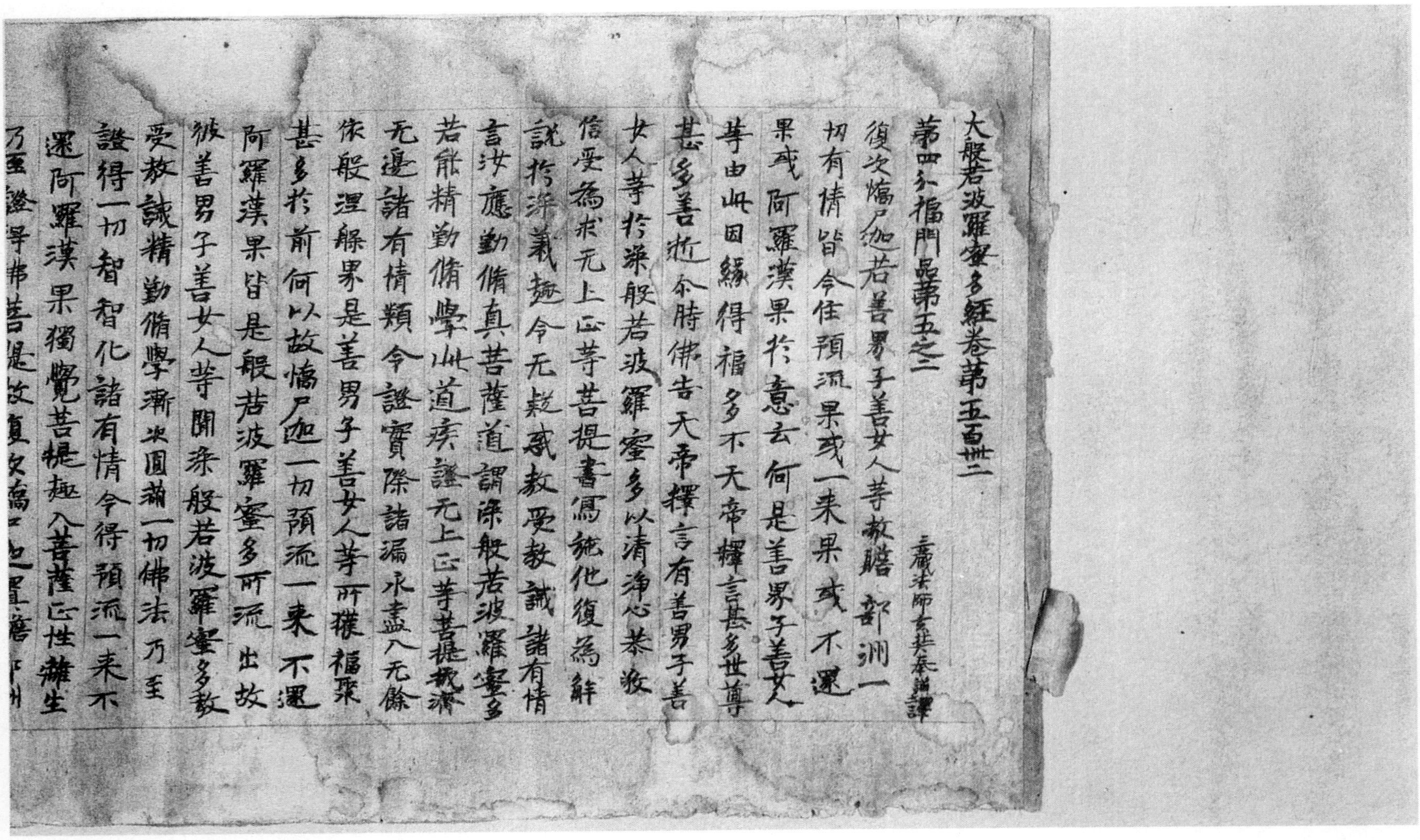

大般若波羅蜜多經卷第五百卌二
第四分福門品第五之三　　三藏法師玄奘奉詔譯
復次憍尸迦若善男子善女人等教贍部洲一
切有情皆令住預流果或一來果或不還
果或阿羅漢果於意云何是善男子善女人
等由此因緣得福多不天帝釋言甚多世尊
甚多善逝尒時佛告天帝釋言有善男子善
女人等於深般若波羅蜜多以清淨心恭敬
信受為求无上正等菩提書寫施他復為解
說於深義趣令无疑惑教受教誡諸有情
言汝應勤脩真菩薩道謂深般若波羅蜜多
若能精勤脩學此道疾證无上正等菩提拔濟
无邊諸有情類令證實際諸漏永盡入无餘
依般涅槃界是善男子善女人等所獲福聚
甚多於前何以故憍尸迦一切預流一來不還
阿羅漢果皆是般若波羅蜜多所流出故
彼善男子善女人等開深般若波羅蜜多教
受教誡精勤脩學漸次圓滿一切佛法乃至
證得一切智智化諸有情令得預流一來不
還阿羅漢果獨覺菩提趣入菩薩正性離生
乃至證得佛菩提故復次憍尸迦置贍部洲

BD02204 號　大般若波羅蜜多經卷五四二　　（20–1）

受教誡精勤脩學漸次圓滿一切佛法乃至
證得一切智智化諸有情令得預流一來不
還阿羅漢果獨覺菩提趣入菩薩正性離生
乃至證得佛菩提故復次憍尸迦置贍部洲
一切有精若善男子善女人等教四大洲一切
有情皆令住預流果或一來果或不還果
或阿羅漢果於意云何乃至廣說復次憍尸
迦置四大洲一切有精若善男子善女人等
教小千界一切有情皆令住預流果或一來
果或不還果或阿漢果於意云何乃至廣
說復次憍尸迦置小千界一切有情若善男
子善女人等教中千界一切有情皆令住預
流果或一來果或不還果或阿羅漢果於意
云何乃至廣說復次憍尸迦置中千界一切
有情若善男子善女人等教大千界一切有
情皆令住預流果或一來果或不還果或阿
羅漢果於意云何乃至廣說復次憍尸迦置
大千界一切有情若善男子善女人等教化
十方各如殑伽沙等世界一切有情皆令住
預流果或一來果或不還果或阿羅漢果於
意云何是善男子善女人等由此因緣得福多
不天帝釋言甚多世尊甚多善逝佛告
天帝釋言有善男子善女人等於深般若
波羅蜜多以清淨心恭敬信受為求无上正
等菩提書寫施他復為解說於深義趣令无
疑惑教受教誡諸有情言汝應勤脩真菩薩
道謂深般若波羅蜜多若能精勤脩學此
道疾證无上正等菩提拔濟无邊諸有情類

BD02204號　大般若波羅蜜多經卷五四二　（20–2）

疑惑教受教誡諸有情言汝應勤脩真菩薩
道謂深般若波羅蜜多若能精勤脩學此
道疾證无上正等菩提拔濟无邊諸有情類
令證實際諸漏永盡入无餘依般涅槃界是善
男子善女人等所獲福聚甚多於前何以故
憍尸迦一切預流一來不還阿羅漢果皆是般
若波羅蜜多所流出故彼善男子善女人等
聞深般若波羅蜜多教受教誡精勤脩學漸
次圓滿一切佛法乃至證得一切智智化有
情類令得預流一來不還阿羅漢果獨覺菩
提趣入菩薩正性離生乃至證得佛菩提故
復次憍尸迦若善男子善女人等教贍部洲
一切有情皆令安住獨覺菩提於意云何是
善男子善女人等由此因緣得福多不天帝
釋言甚多世尊甚多善逝佛告天
帝釋言有善男子善女人等於深般若波羅
蜜多以清淨心恭敬信受為求无上正等菩提
書寫施他復為解脫於深義趣令无疑惑
教受教誡諸有情言汝應勤脩真菩薩道謂
深般若波羅蜜多若能精勤脩學此道疾證
无上正等菩提拔濟无邊諸有情類令證實
際諸漏永盡入无餘依般涅槃界是善男子
善女人等所獲福聚甚多於前何以故憍尸
迦一切獨覺所證菩提皆是般若波羅蜜多
所流出故彼善男子善女人等聞深般若波
羅蜜多教受教誡精勤脩學漸次圓滿一切
佛法乃至證得一切智智化有情類令得預
流一來不還阿羅漢果獨覺菩提趣入菩薩

BD02204號　大般若波羅蜜多經卷五四二　（20–3）

所流出故彼善男子善女人等開深般若波
羅蜜多教授教誡精勤脩學漸次圓滿一切
佛法乃至證得一切智智化有情類令得預
流一來不還阿羅漢果獨覺菩提趣入菩薩
正性離生乃至證得佛菩提故復次憍尸迦
若贍部洲一切有情若善男子善女人等教四
大洲一切有情皆令安住獨覺菩提於意
云何乃至廣說復次憍尸迦若四大洲一切
有情若善男子善女人等教小千界一切有
情皆令安住獨覺菩提於意何乃至廣說
復次憍尸迦若小千界一切有情若善男子
善女人等教中千界一切有情皆令安住獨
覺菩提於意云何乃至廣說復次憍尸迦若
中千界一切有情若善男子善女人等教大
千界一切有情皆令安住獨覺菩提於意云
何乃至廣說復次憍尸迦若大千界一切有
情若善男子善女人等普教十方各如殑伽沙
等世界一切有情皆令安住獨覺菩提於意
云何是善男子善女人等由此因緣得福多
不天帝釋言甚多世尊甚多善逝佛告
天帝釋言有善男子善女人等於深若波
羅蜜多以清淨心恭敬信受爲求无上正等
菩提書寫施他復爲解說於深義趣令无疑
惑教授教誡諸有情言汝應勤脩真菩薩
道謂深般若波羅蜜多若能精勤脩學此道疾
證无上正等菩提拔濟无邊諸有情類令證
實際諸漏永盡入无餘依般涅槃界是善男
子善女人等所獲福聚甚多於前何以故憍

道謂深般若波羅蜜多若能精勤脩學此道疾
證无上正等菩提拔濟无邊諸有情類令證
實際諸漏永盡入无餘依般涅槃界是善男
子善女人等所獲福聚甚多於前何以故憍
尸迦一切獨覺所證菩提皆是般若波羅蜜
多所流出故彼善男子善女人等聞深般若
波羅蜜多教授教誡精勤脩學漸次圓滿一
切佛法乃至證得一切智智化有情類令得
預流一來不還阿羅漢果獨覺菩提趣入菩
薩正性離生乃至證得佛菩提故
復次憍尸迦若善男子善女人等教贍部洲
諸有情類皆發无上正等覺心於意云何是
善男子善女人等由此因緣得福多不天帝
釋言甚多世尊甚多善逝佛告天帝釋
言有善男子善女人等書深般若波羅蜜多
衆寶莊嚴供養恭敬尊重讚歎轉施與已
發无上菩提心者受持讀誦復作是言汝善
男子汝當於此甚深般若波羅蜜多至心聽
聞受持讀誦令善通利如理思惟隨此法門
應正信解若正信解則能脩學甚深般若波
羅蜜多若能脩學甚深般若波羅蜜多則能
證得一切智智若能證得一切智法則脩般
若波羅蜜多疾得圓滿若脩般若波羅蜜多
疾得圓滿便能證得一切智智是善男子善
女人等所獲福聚甚多於前復次憍尸迦若贍
部洲諸有情類若善男子善女人等教四
大洲諸有情類皆發无上正等覺心於意云
何乃至廣說復次憍尸迦若四大洲諸有情
類若善男子善女人等教小千界諸有情類

部洲諸有情類若善男子善女人等教四
大洲諸有情類皆發无上正等覺心於意云
何乃至廣說復次憍尸迦置四大洲諸有情
類若善男子善女人等教小千界諸有情類
皆發无上正等覺心於意云何乃至廣說復
次憍尸迦置小千界諸有情類若善男子善
女人等教中千界諸有情類皆發无上正等
覺心於意云何乃至廣說復次憍尸迦置中
千界諸有情類若善男子善女人等教大千
界諸有情類皆發无上正等覺心於意云何
乃至廣說復次憍尸迦置大千界諸有情類
若善男子善女人等普教十方各如殑伽沙
等世界諸有情類皆發无上正等覺心於意
云何是善男子善女人等由此因緣得福多
不天帝釋言甚多世尊甚多善逝尒時佛告
天帝釋言有善男子善女人等書寫般若波
羅蜜多衆寶莊嚴供養恭敬尊重讚歎轉
施與一已發无上菩提心者受讀誦復作是
言来善男子汝當於此甚深般若波羅蜜多
至心聽聞受持讀誦令善通利如理思惟隨
此法門應正信解若正信解則能修學甚深
般若波羅蜜多若能修學甚深般若波羅蜜
多則能證得一切智法若能證得一切智法
則修般若波羅蜜多疾得圓滿若修般若波
羅蜜多疾得圓滿便能證得一切智智是善
男子善女人等所獲福聚甚多於前復次憍
尸迦若善男子善女人等教贍部洲諸有情
類皆於无上正等菩提得不退轉於意云何

BD02204號　大般若波羅蜜多經卷五四二

（20–6）

羅蜜多疾得圓滿便能證得一切智智是善
男子善女人等所獲福聚甚多於前復次憍
尸迦若善男子善女人等教贍部洲諸有情
類皆於无上正等菩提得不退轉於意云何
是善男子善女人等由此因緣得福多不天
帝釋言甚多世尊甚多善逝尒時佛告天帝
釋言有善男子善女人等書寫般若波羅蜜
多衆寶莊嚴供養恭敬尊重讚歎轉施與
一已於无上正等菩提不退轉者受持讀誦
復作是言来善男子汝當於此甚深般若波
羅蜜多至心聽聞受持讀誦令善通利如理
思惟隨此法門應正信解若正信解則能修學
甚深般若波羅蜜多若能修學甚深般若波
羅蜜多則能證得一切智法若能證得一切
智法則修般若波羅蜜多疾得圓滿若修般
若波羅蜜多疾得圓滿便能證得一切智智
是善男子善女人等所獲福聚甚多於前復
次憍尸迦置贍部洲諸有情類若善男子善
女人等教四大洲諸有情類皆於无上正等
菩提得不退轉於意云何乃至廣說復次憍
尸迦置四大洲諸有情類若善男子善女人
等教小千界諸有情類皆於无上正等菩提
得不退轉於意云何乃至廣說復次憍尸迦
置小千界諸有情類若善男子善女人等教
中千界諸有情類皆於无正等菩提得不
退轉於意云何乃至廣說復次憍尸迦置中
千界諸有情類若善男子善女人等教大千
界諸有情類皆於无上正等菩提得不退轉
於意云何乃至廣說復次憍尸迦置大千界

BD02204號　大般若波羅蜜多經卷五四二

（20–7）

千界諸有情類若善男子善女人等教大千
界諸有情類皆於无上正等菩提得不退轉
於意云何乃至廣說復次憍尸迦置大千界
諸有情類若善男子善女人等教十方各
如殑伽沙等世界諸有情類皆於无上正等
菩提得不退轉於意云何是善男子善女人
等由此因緣得福多不天帝釋言甚多世尊
甚多善逝尒時佛告天帝釋言有善男子善
女人等書寫般若波羅蜜多衆寶嚴飾供養
恭敬尊重讚歎轉施與一已於无上正等菩
提不退轉者受持讀誦復作是言来善男子
汝當於此甚深般若波羅蜜多至心聽聞受
持讀誦令善通利如理思惟隨此法門應正
信解若正信解則能脩學甚深般若波羅蜜
若能脩學甚深般若波羅蜜多則能證得一
切智法若能證得一切智法則脩般若波羅
蜜多疾得圓滿若脩般若波羅蜜多疾得
圓滿便能證得一切智智是善男子善女人等所
獲福聚甚多於前復次憍尸迦若贍部洲諸
有情類皆發无上正等覺心有善男子善女
人等書寫般若波羅蜜多衆寶嚴飾供養恭
敬尊重讚歎善施與彼受持讀誦作復是言
来善男子汝等於此甚深般若波羅蜜多至
心聽聞受持讀誦令善通利如理思惟隨此
法門應正信解若正信解則能脩學甚深般
若波羅蜜多若能脩學甚深般若波羅蜜多
則能證得一切智法若能證得一切智法則能
脩般若波羅蜜多疾得圓滿若脩般若波羅
蜜多疾得圓滿便能證得一切智智於意云

BD02204 號　大般若波羅蜜多經卷五四二　（20–8）

若波羅蜜多若能脩學甚深般若波羅蜜多
則能證得一切智法若能證得一切智法則能
脩般若波羅蜜多疾得圓滿若脩般若波羅
蜜多疾得圓滿便能證得一切智智於意云
何是善男子善女人等由此因緣得福多不
天帝釋言甚多世尊甚多善逝尒時佛告
天帝釋言若善男子善女人等書寫般若波羅
蜜多衆寶嚴飾供養恭敬尊重讚歎轉施
與一已於无上正等菩提不退轉者受持讀誦復
作是言来善男子汝當於此甚深般若波羅
蜜多至心聽聞受持讀誦令善通利如理
思惟隨此法門應正信解若正信解則能脩
學甚深般若波羅蜜多若能脩學甚深般若
波羅蜜多則能證得一切智法若能證得一
切智法則脩般若波羅蜜多疾得圓滿若脩
般若波羅蜜多疾得圓滿便能得一切智智
是善男子善女人等所獲福聚甚多於前
所以者何彼菩薩摩訶薩定證无上正等菩
提與諸有情作苦邊際令其速證三乘涅槃
復次憍尸迦置贍部洲諸有情類若四大洲
諸有情類若小千界諸有情類若中千界諸
有情類若大千界諸有情類若復十方各如
殑伽沙等世界諸有情類皆發无上正等覺
心有善男子善女人等書寫般若波羅蜜多
衆寶嚴飾供養恭敬尊重讚歎善施與彼
受持讀誦復作是言来善男子汝等於此甚
深般若波羅蜜多至心聽聞受持讀誦令善通
利如理思惟隨此法門應正信解若正信解
則能脩學甚深般若波羅蜜多若能脩學甚

BD02204 號　大般若波羅蜜多經卷五四二　（20–9）

受持讀誦復作是言來善男子汝等於此甚
深般若波羅蜜多至心聽聞受持讀誦令善通
利如理思惟隨此法門應正信解若正信解
則能修學甚深般若波羅蜜多若能修學甚
深般若波羅蜜多則能證得一切智法若能
證得一切智法則修般若波羅蜜多疾得圓
滿若修般若波羅蜜多疾得圓滿便能證得
一切智智於意云何是善男子善女人等由
此因緣得福多不天帝釋言甚多世尊甚多
善逝尒時佛告天帝釋言若善男子善女人
等書深般若波羅蜜多衆寶莊嚴供養
恭敬尊重讚歎轉施與一已於无上正等菩提不
退轉者受持讀誦復作是言來善男子汝當
於此甚深般若波羅蜜多至心聽聞受持讀
誦令善通利如理思惟隨此法門應正信解若
正信解則能修學甚深般若波羅蜜多若能
修學甚深般若波羅蜜多則能證得一切
智法若能證得一切智法則修般若波羅蜜
多疾得圓滿若修般若波羅蜜多疾得圓滿
便能證得一切智智是善男子善女人等所
獲福聚甚多於前所以者何彼菩薩摩訶薩
定證无上正等菩提與諸有情作善邊際令
其速證三乘涅槃
復次憍尸迦若贍部洲諸有情類皆於无上
正等菩提得不退轉有善男子善女人等書
深般若波羅蜜多衆寶莊嚴供養恭敬尊重
讚歎普施與彼受持讀誦復作是言來善男
子汝等於此甚深般若波羅蜜多至心聽聞
受持讀誦令善通利如理思惟隨此法門

BD02204號　大般若波羅蜜多經卷五四二

（20–10）

讚歎普施與彼受持讀誦復作是言來善男
子汝等於此甚深般若波羅蜜多至心聽聞
受持讀誦令善通利如理思惟隨此法門應
正信解若正信解則能修學甚深般若波羅
蜜多若能修學甚深般若波羅蜜多則能證
得一切智法若能證得一切智法則修般若
波羅蜜多疾圓滿若修般若波羅蜜多疾
得圓滿便能證得一切智智於意云何是善
男子善女人等由此因緣得福多不天帝釋
言甚多世尊甚多善逝尒時佛告天帝釋言
已於无上正等菩提得不退轉諸菩薩中有一（菩薩作如是言我今應速證无上正等菩）
提濟拔有情生死衆苦令得殊勝畢竟安
樂若善男子善女人等為成彼事書深般若
波羅蜜多衆寶莊嚴供養恭敬尊重讚歎
轉施與彼受持讀誦復作是言來善男子汝
當於此甚深般若波羅蜜多至心聽聞受持
讀誦令善通利如理思惟隨此法門應正信
解若正信解則能修學甚深般若波羅蜜多
若能修學甚深般若波羅蜜多則能證得
一切智法若能證得一切智法則修般若波羅
蜜多疾得圓滿若修般若波羅蜜多疾得圓滿
便能證得一切智智是善男子善女人等所
獲福聚甚多於前无量无邊不可稱數復次
憍尸迦置贍部洲諸有情類若四大洲諸有
情類若小千界諸有情類若中千界諸有情
類若大千界諸有情類若復十方各如殑伽
沙等世界諸有情類皆於无上正等菩提得
不退轉有善男子善女人等書深般若波羅

BD02204號　大般若波羅蜜多經卷五四二

（20–11）

類若大千界諸有情類若復十方各如殑伽
沙等世界諸有情類皆於无上正等菩提得
不退轉有善男子善女人等書寫般若波羅
蜜多衆寶莊嚴供養恭敬尊重讚歎普施
與彼受持讀誦復作是言善男子汝等於此
甚深般若波羅蜜多至心聽聞受持讀誦令
善通利如理思惟隨此法門應正信解若正
信解則能脩學甚深般若波羅蜜多若能脩
學甚深般若波羅蜜多則能證得一切智法
若能證得一切智法則脩般若波羅蜜多疾
得圓滿若脩般若波羅蜜多疾得圓滿便能
證得一切智智於意云何是善男子善女人
等由此因緣得福多不天帝釋言甚多世尊
甚多善逝尒時佛告天帝釋言已於无上正
等菩提得不退轉諸菩薩中一菩薩作如
是言我今欣樂速證无上正等菩提濟拔有
情生死衆苦令得殊勝畢竟安樂若善男子
善女人等為成彼事書寫般若波羅蜜多衆
寶莊嚴供養恭敬尊重讚歎轉施與彼受持
讀誦復作是言來善男子汝當於此甚深般
若波羅蜜多至心聽聞受持讀誦令善通利
如理思惟隨此法門應正信解若正信解則
能脩學甚深般若波羅蜜多若能脩學甚深
般若波羅蜜多則能證得一切智法若能證
得一切智法則脩般若波羅蜜多疾得圓滿
若脩般若波羅蜜多疾得圓滿便能證得一
切智智是善男子善女人等所獲福聚甚多
於前无量无邊不可稱數
復次憍尸迦若贍部洲

BD02204 號　大般若波羅蜜多經卷五四二　（20–12）

若脩般若波羅蜜多疾得圓滿便能證得一
切智智是善男子善女人等所獲福聚甚多
於前无量无邊不可稱數
復次憍尸迦若贍部洲諸有情類皆發无上
正等覺心有善男子善女人等書寫般若波
羅蜜多衆寶莊嚴供養恭敬尊重讚歎普
施與彼受持讀誦令善通利如理思惟於意云
何是善男子善女人等由此因緣得福多不
天帝釋言甚多世尊甚多善逝尒時佛告天
帝釋言若善男子善女人等書寫般若波羅
蜜多衆寶莊嚴供養恭敬尊重讚歎於彼衆
中隨施與一受持讀誦令善通利如理思惟
復以種種巧妙文義廣為解釋分別義趣令
其解了教受教誡令勤脩學是善男子善女
人等所獲福聚甚多於前无量无邊不可稱
數復次憍尸迦置贍部洲諸有情類若四大洲
諸有情類若小千界諸有情類若中千界
諸有情類若大千界諸有情類若復十方各
如殑伽沙等世界諸有情類皆發無上正等
覺心有善男子善女人等書寫般若波羅蜜
多衆寶莊嚴供養恭敬尊重讚歎普施與彼
受持讀誦令善通利如理思惟於意云何是
善男子善女人等由此因緣得福多不天帝
釋言甚多世尊甚多善逝尒時佛告天帝釋
言若善男子善女人等書寫般若波羅蜜多
衆寶莊嚴供養恭敬尊重讚歎於彼衆中隨
施與一受持讀誦令善通利如理思惟復以
種種巧妙文義廣為解釋分別義趣令其解
了教受教誡令勤脩學是善男子

BD02204 號　大般若波羅蜜多經卷五四二　（20–13）

衆寶荘嚴供養恭敬尊重讃歎於彼中随
施與一受持讀誦令善通利如理思惟復以
種種巧妙文義廣為解釋分別義趣令其解
了教受教誡令勤脩學是善男子善女人等
所獲福聚甚多於前无量无邊不可稱數復
次憍尸迦若贍部洲諸有精類皆於无上正
等菩提得不退轉有善男子善女人等書染
般若波羅蜜多衆寶荘嚴供養恭敬尊重
讃歎善施與彼受持讀誦令善通利如理思
惟於意云何是善男子善女人等由此因緣
得福多不天帝釋言甚多世尊甚多善逝尒
時佛告天帝釋言若善男子善女人等書染般
若波羅蜜多衆寶荘嚴供養恭敬尊重讃歎
於彼衆中随施與一受持讀誦令善通利如
理思惟復以種種巧妙文義廣為解釋分別
義趣令其解了教受教誡令勤脩學是善男
子善女人等所獲福聚甚多於前无量无邊
不可稱數復次憍尸迦置贍部洲諸有情類
若四大洲諸有情類若小千界諸有情類若
中千界諸有情類若大千界諸有情類若復
十方各如殑伽沙等世界諸有情類皆於无
上正等菩提得不退轉有善男子善女人等
書染般若波羅蜜多衆寶荘嚴供養恭敬
尊重讃歎善施與彼受持讀誦令善通利如理
思惟於意云何是善男子善女人等由此因緣
得福多不天帝釋言甚多世尊甚多善逝
尒時佛告天帝釋言若善男子善女人等書
染般若波羅蜜多衆寶荘嚴供養恭敬尊重
讃歎於彼衆中随施與一受持讀誦令善通

BD02204號　大般若波羅蜜多經卷五四二　（20–14）

染般若波羅蜜多衆寶荘嚴供養恭敬尊重
讃歎於彼衆中随施與一受持讀誦令善通
利如理思惟復以種種巧妙文義廣為解釋
分別義趣令其解了教受教誡令勤脩學是
善男子善女人等所獲福聚甚多於前无量
无邊不可稱數
復次憍尸迦若贍部洲諸有精類皆發无上
正等覺心既發无上菩提心已同作是言我
今欣樂速證无上正等菩提濟拔有情生死
衆苦令得殊勝畢竟安樂有善男子善女人
等為成彼事書染般若波羅蜜多衆寶
荘嚴供養恭敬尊重讃歎善施與彼受持讀
誦令善通利如理思惟於意云何是善男子善女
人等由此因緣得福多不天帝釋言甚多世
尊甚多善逝尒時佛告天帝釋言若善男子
善女人等書染般若波羅蜜多衆寶荘嚴供
養恭敬尊重讃歎於彼衆中随施與一受持
讀誦令善通利如理思惟以无量門巧妙文
義廣為解釋分別義趣令其解了教受教誡
令勤脩學是善男子善女人等所獲福聚甚
多於前无量无邊不可稱數復次憍尸迦置
贍部洲諸有精類若四大洲諸有情類若小
千界諸有情類若中千界諸有情類若大千
界諸有情類若復十方各如殑伽沙等世界
諸有情類皆發无上正等覺心既發无上菩
提心已同作是言我今欣樂速證无上正等菩
提濟拔有情生死衆苦令得殊勝畢竟安樂
有善男子善女人等為成彼事書染般若波

BD02204號　大般若波羅蜜多經卷五四二　（20–15）

提心所作是言我令於其速證无上正等菩
提濟拔有情生死衆苦令得殊勝畢竟安樂
有善男子善女人等為成彼事書寫般若波
羅蜜多衆寶莊嚴供養恭敬尊重讚歎普施
與彼受持讀誦令善通利如理思惟於意云
何是善男子善女人等由此因緣得福多不
天帝釋言甚多世尊甚多善逝尒時佛告天
帝釋言若善男子善女人等書寫般若波羅
蜜多衆寶莊嚴供養恭敬尊重讚歎於彼衆
中隨施與一受持讀誦令善通利如理思惟
以无量門巧妙文義廣為解釋分別義趣令
其解了教受教誡令勤修學是善男子善女
人等所獲福聚甚多於前无量无邊不可稱
數復次憍尸迦若贍部洲諸有情類皆於无
上正等菩提得不退轉同作是言我今欣樂
速證无上正等菩提濟拔有情生死衆苦令
得殊勝畢竟安樂有男子善女人等為成
彼事書寫般若波羅蜜多衆寶莊嚴供養
恭敬尊重讚歎普施與彼持受讀誦令善通利
如理思惟於意云何是善男子善女人等由此
因緣得福多不天帝釋言甚多世尊甚多善
逝尒時佛告天帝釋言若善男子善女人等
書寫般若波羅蜜多衆寶莊嚴供養
恭敬尊重讚歎於彼衆中隨施與一受持讀誦
令善通利如理思惟以无量門巧妙文義廣為
解釋分別義趣令其解了教受教誡令勤修
學是善男子善女人等所獲福聚甚多於前无
量无邊不可稱數復次憍尸迦置贍部洲諸
有情類若四大洲諸有情類若小千界諸有

BD02204 號　大般若波羅蜜多經卷五四二　（20–16）

學是善男子善女人等所獲福聚甚多於前无
量无邊不可稱數復次憍尸迦置贍部洲諸
有情類若四大洲諸有情類若小千界諸有
情類若中千界諸有情類若大千界諸有情
類若復十方各如殑伽沙等世界諸有情類
皆於无上正等菩提得不退轉同作是言我
今欣樂速證无上正等菩提濟拔有情生死
衆苦令得殊勝畢竟安樂有善男子善女人
等為成彼事書寫般若波羅蜜多衆寶莊
嚴供養恭敬尊重讚歎普施與彼受持讀誦
令善通利如理思惟於意云何是善男子善女
人等由此因緣得福多不天帝釋言甚多世
尊甚多善逝尒時佛告天帝釋言若善男子
善女人等書寫般若波羅蜜多衆寶莊嚴供
養恭敬尊重讚歎於彼中隨施與一受持
讀誦令善通利如理思惟以无量門巧妙文
義廣為解釋分別義趣令其解了教受教誡
令勤修學是善男子善女人等所獲福聚甚
多於前无量无邊不可稱數復次憍尸迦若善
男子善女人等書寫般若波羅蜜多種種莊
嚴供養恭敬尊重讚歎施贍部洲一切有情
是善男子善女人等由此因緣得福多不天
帝釋言甚多世尊甚多善逝尒時佛告天帝
釋言有善男子善女人等為一有情於深般
若波羅蜜多分別解脫甚深義趣令其解了
是善男子善女人等所獲福聚甚多於前无
量无邊不可稱數復次憍尸迦若善男子善
女人等書寫般若波羅蜜多種種莊嚴供養

BD02204 號　大般若波羅蜜多經卷五四二　（20–17）

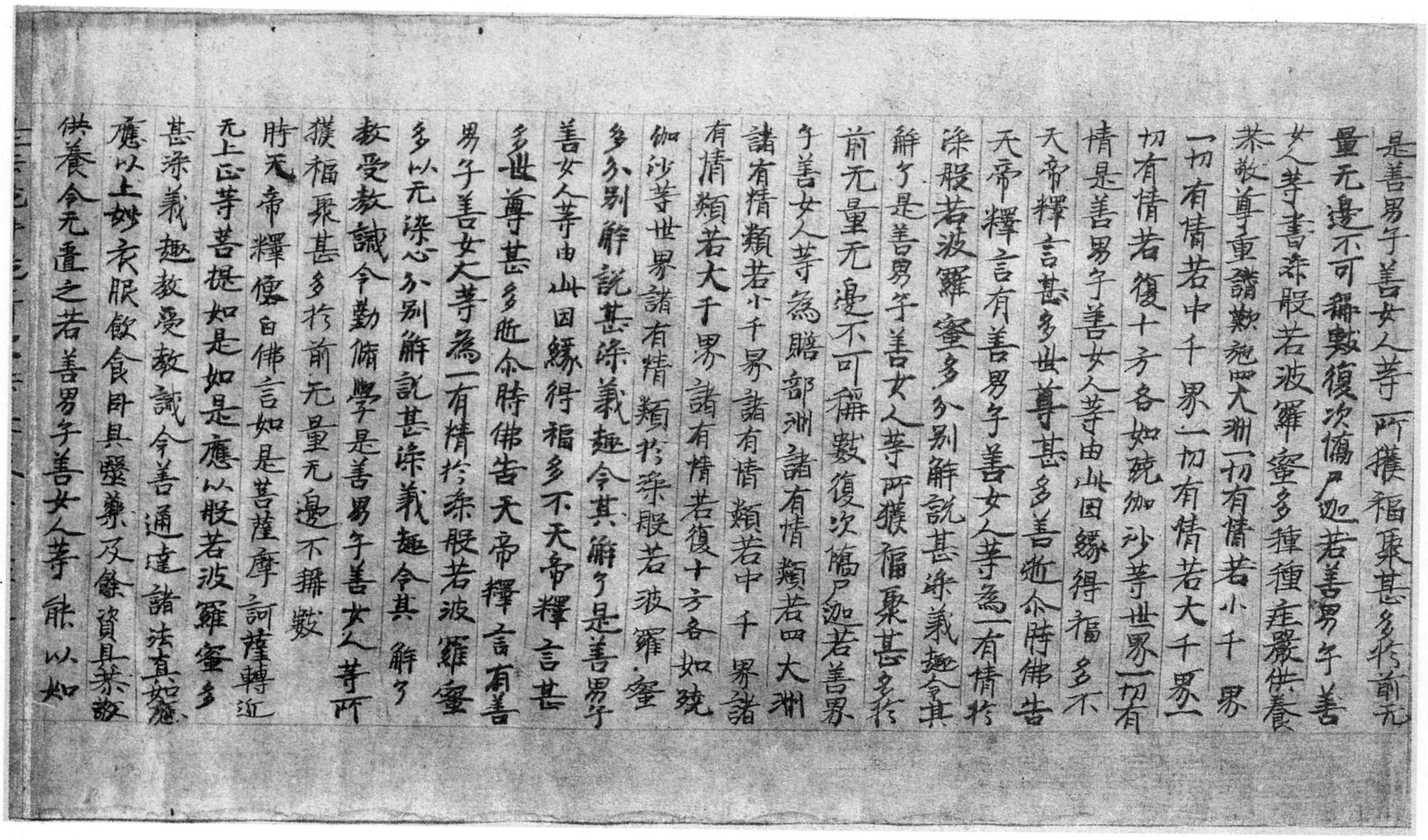

是善男子善女人等所獲福聚甚多於前无
量无邊不可稱數復次憍尸迦若善男子善
女人等書寫般若波羅蜜多種種莊嚴供養
恭敬尊重讚歎施四大洲一切有情若小千界
一切有情若中千界一切有情若大千界一
切有情若復十方各如殑伽沙等世界一切有
情是善男子善女人等由此因緣得福多不
天帝釋言甚多世尊甚多善逝佛告
天帝釋言有善男子善女人等為一有情於
深般若波羅蜜多分別解說甚深義趣令其
解了是善男子善女人等所獲福聚甚多於
前无量无邊不可稱數復次憍尸迦若善男
子善女人等為贍部洲諸有情類若四大洲
諸有情類若小千界諸有情類若中千界諸
有情類若大千界諸有情若復十方各如殑
伽沙等世界諸有情類於深般若波羅蜜
多分別解說甚深義趣令其解了是善男子
善女人等由此因緣得福多不天帝釋言甚
多世尊甚多善逝佛告天帝釋言有善
男子善女人等為一有情於深般若波羅蜜
多以无染心分別解說甚深義趣令其解了
教受教誡令勤修學是善男子善女人等所
獲福聚甚多於前无量无邊不稱數
時天帝釋便白佛言如是菩薩摩訶薩轉近
无上正等菩提如是如是應以般若波羅蜜多
甚深義趣教受教誡令善通達諸法真如應
應以上妙衣服飲食卧具醫藥及餘資具恭敬
供養令无匱乏若善男子善女人等能以如

BD02204 號　大般若波羅蜜多經卷五四二　（20–18）

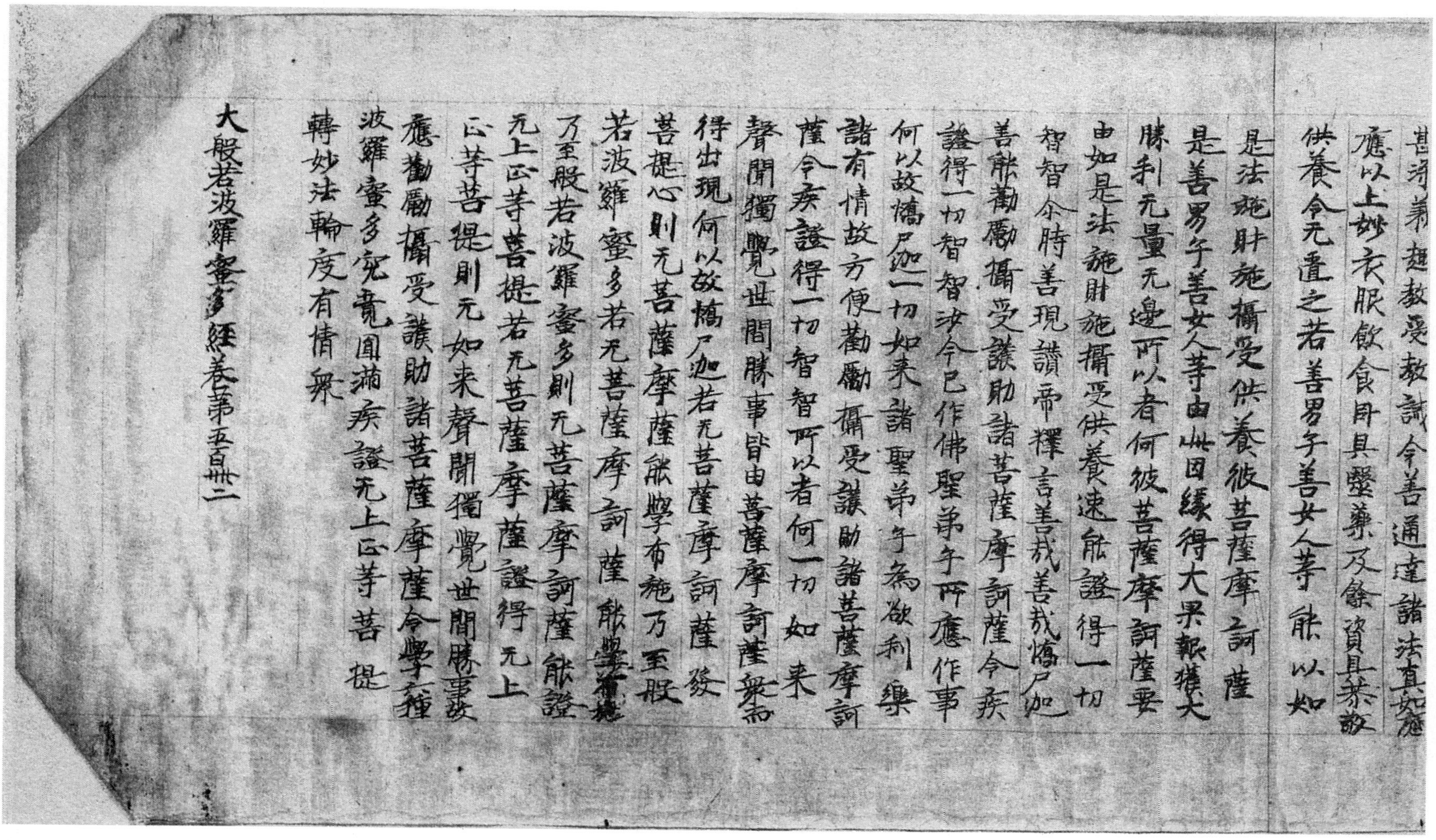

甚深義趣教受教誡令善通達諸法真如應
應以上妙衣服飲食卧具醫藥及餘資具恭敬
供養令无匱乏若善男子善女人等能以如
是法施財施攝受供養彼菩薩摩訶薩
是善男子善女人等由此因緣得大果報獲大
勝利无量无邊所以者何彼菩薩摩訶薩要
由如是法施財施攝受供養速能證得一切
智智尒時善現讚帝釋言善哉善哉憍尸迦
善能勸勵攝受讚助諸菩薩摩訶薩令疾
證得一切智智汝今已作佛聖弟子所應作事
何以故憍尸迦一切如來諸聖弟子為欲利樂
諸有情故方便勸勵攝受讚助諸菩薩摩訶
薩令疾證得一切智智所以者何一切如來
聲聞獨覺世間勝事皆由菩薩摩訶薩而
得出現何以故憍尸迦若无菩薩摩訶薩發
菩提心則无菩薩摩訶薩能學布施乃至般
若波羅蜜多若无菩薩摩訶薩能學布施
乃至般若波羅蜜多則无菩薩摩訶薩能證
无上正等菩提若无菩薩摩訶薩證得无上
正等菩提則无如來聲聞獨覺世間勝事
應勸勵攝受讚助諸菩薩摩訶薩令學種
波羅蜜多究竟圓滿疾證无上正等菩提
轉妙法輪度有情衆

大般若波羅蜜多經卷第五百冊二

BD02204 號　大般若波羅蜜多經卷五四二　（20–19）

諸有情故方便勸勵攝受讚助諸菩薩摩訶
薩令疾證得一切智智所以者何一切如来
聲聞獨覺世間勝事皆由菩薩摩訶薩衆而
得出現何以故憍尸迦若无菩薩摩訶薩發
菩提心則无菩薩摩訶薩能學布施乃至般
若波羅蜜多若无菩薩摩訶薩能學布施
乃至般若波羅蜜多則无菩薩摩訶薩能證
无上正等菩提若无菩薩摩訶薩證得无上
正等菩提則无如来聲聞獨覺世間勝事故
應勸勵攝受讚助諸菩薩摩訶薩令學種
波羅蜜多究竟圓滿疾證无上正等菩提
轉妙法輪度有情衆

大般若波羅蜜多經卷第五百卌二

BD02204號　大般若波羅蜜多經卷五四二　　（20–20）

五百卌二

五十五

二

BD02204號背　勘記　　（1–1）

BD02205 號　無量壽宗要經

（5–1）

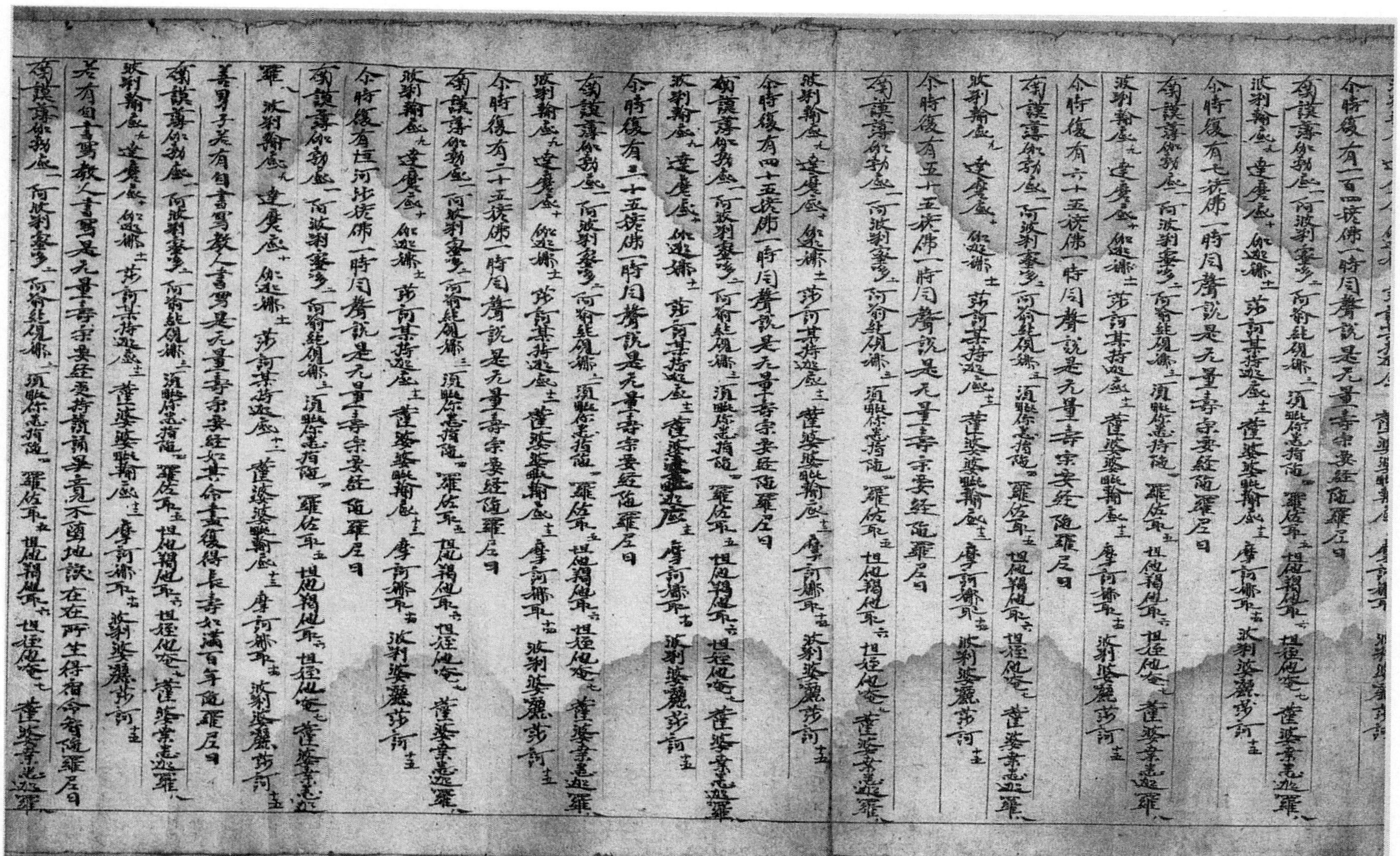

BD02205 號　無量壽宗要經

（5–2）

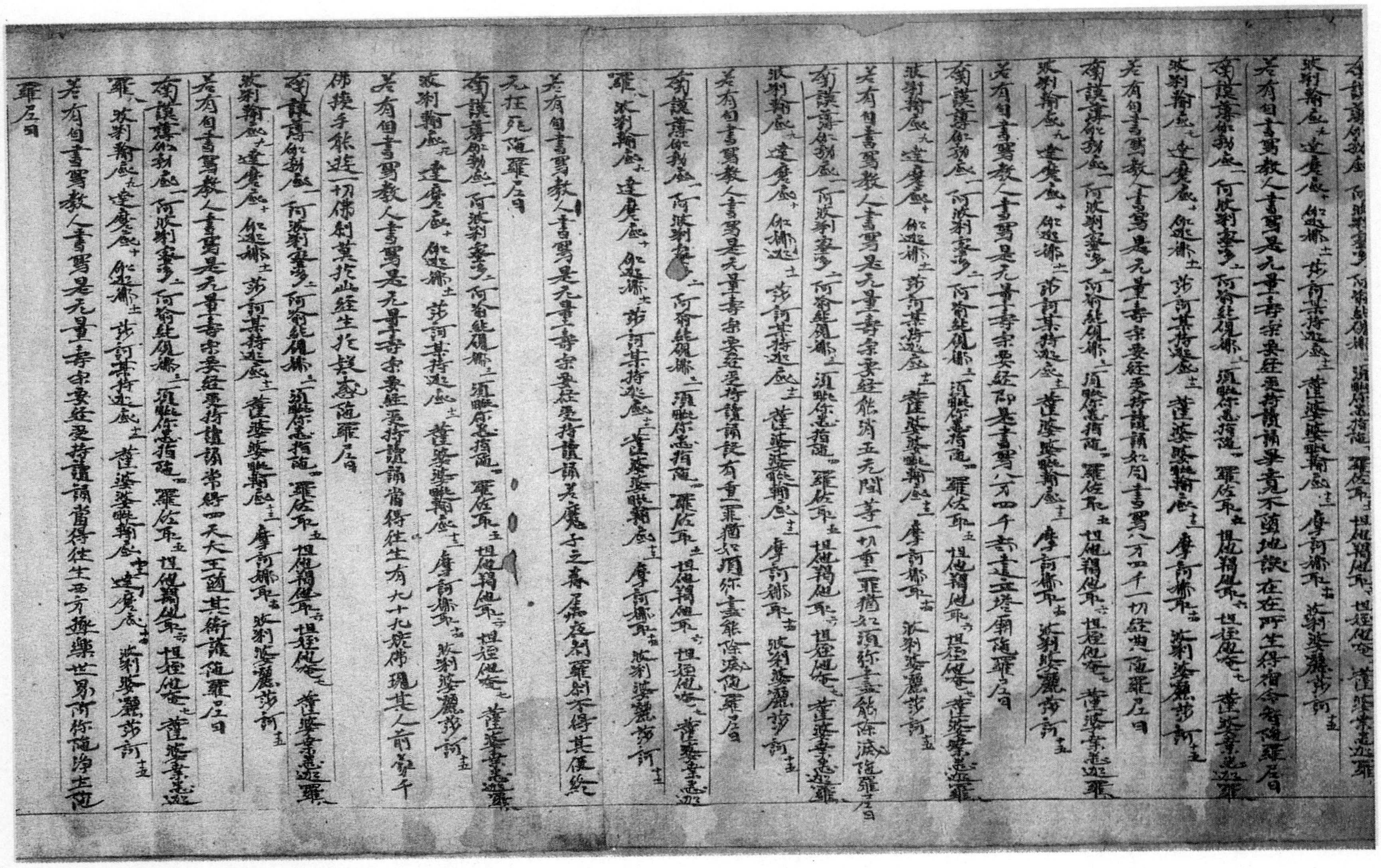

南謨薄伽勃底一 阿波唎蜜多二 阿喻紇硯那三 須毗你悉指陀四 羅佐耶五 怛他羯他耶六 怛姪他七 薩婆桑悉迦羅八
波唎輸底九 達磨底十 伽伽那十一 娑訶某持迦底十二 薩婆婆毗輸底十三 摩訶娜耶十四 波唎婆嚟莎訶十五
若有自書寫教人書寫是无量壽宗要經受持讀誦畢竟不墮地獄在在所生得宿命智陀羅尼曰
南謨薄伽勃底一 阿波唎蜜多二 阿喻紇硯那三 須毗你悉指陀四 羅佐耶五 怛他羯他耶六 怛姪他七 薩婆桑悉迦羅八
波唎輸底九 達磨底十 伽伽那十一 娑訶某持迦底十二 薩婆婆毗輸底十三 摩訶娜耶十四 波唎婆嚟莎訶十五
若有自書寫教人書寫是无量壽宗要經受持讀誦如同書寫八万四千一切經典陀羅尼曰
南謨薄伽勃底一 阿波唎蜜多二 阿喻紇硯那三 須毗你悉指陀四 羅佐耶五 怛他羯他耶六 怛姪他七 薩婆桑悉迦羅八
波唎輸底九 達磨底十 伽伽那十一 娑訶某持迦底十二 薩婆婆毗輸底十三 摩訶娜耶十四 波唎婆嚟莎訶十五
若有自書寫教人書寫是无量壽宗要經即是書寫八万四千部建立塔廟陀羅尼曰
南謨薄伽勃底一 阿波唎蜜多二 阿喻紇硯那三 須毗你悉指陀四 羅佐耶五 怛他羯他耶六 怛姪他七 薩婆桑悉迦羅八
波唎輸底九 達磨底十 伽伽那十一 娑訶某持迦底十二 薩婆婆毗輸底十三 摩訶娜耶十四 波唎婆嚟莎訶十五
若有自書寫教人書寫是无量壽宗要經能消五無間等一切重罪猶如須彌山盡能除滅陀羅尼曰
南謨薄伽勃底一 阿波唎蜜多二 阿喻紇硯那三 須毗你悉指陀四 羅佐耶五 怛他羯他耶六 怛姪他七 薩婆桑悉迦羅八
波唎輸底九 達磨底十 伽伽那十一 娑訶某持迦底十二 薩婆婆毗輸底十三 摩訶娜耶十四 波唎婆嚟莎訶十五
若有自書寫教人書寫是无量壽宗要經受持讀誦設有重罪猶如須彌山盡能除滅陀羅尼曰
南謨薄伽勃底一 阿波唎蜜多二 阿喻紇硯那三 須毗你悉指陀四 羅佐耶五 怛他羯他耶六 怛姪他七 薩婆桑悉迦
羅八 波唎輸底九 達磨底十 伽伽那十一 娑訶某持迦底十二 薩婆婆毗輸底十三 摩訶娜耶十四 波唎婆嚟莎訶十五
若有自書寫教人書寫是无量壽宗要經受持讀誦若魔子之眷屬夜叉羅刹不得其便終
无枉死陀羅尼曰
南謨薄伽勃底一 阿波唎蜜多二 阿喻紇硯那三 須毗你悉指陀四 羅佐耶五 怛他羯他耶六 怛姪他七 薩婆桑悉迦羅八
波唎輸底九 達磨底十 伽伽那十一 娑訶某持迦底十二 薩婆婆毗輸底十三 摩訶娜耶十四 波唎婆嚟莎訶十五
若有自書寫教人書寫是无量壽宗要經受持讀誦當得往生有九十九殑佛現其人前數千
佛授手從遊一切佛刹莫於此經生於疑惑陀羅尼曰
南謨薄伽勃底一 阿波唎蜜多二 阿喻紇硯那三 須毗你悉指陀四 羅佐耶五 怛他羯他耶六 怛姪他七 薩婆桑悉迦羅八
波唎輸底九 達磨底十 伽伽那十一 娑訶某持迦底十二 薩婆婆毗輸底十三 摩訶娜耶十四 波唎婆嚟莎訶十五
若有自書寫教人書寫是无量壽宗要經受持讀誦常得四天大王隨其衛護陀羅尼曰
南謨薄伽勃底一 阿波唎蜜多二 阿喻紇硯那三 須毗你悉指陀四 羅佐耶五 怛他羯他耶六 怛姪他七 薩婆桑悉迦
羅八 波唎輸底九 達磨底十 伽伽那十一 娑訶某持迦底十二 薩婆婆毗輸底十三 摩訶娜耶十四 波唎婆嚟莎訶十五
若有自書寫教人書寫是无量壽宗要經受持讀誦當得往生西方極樂世界阿彌陀淨土陀
羅尼曰

BD02205號　無量壽宗要經　（5–3）

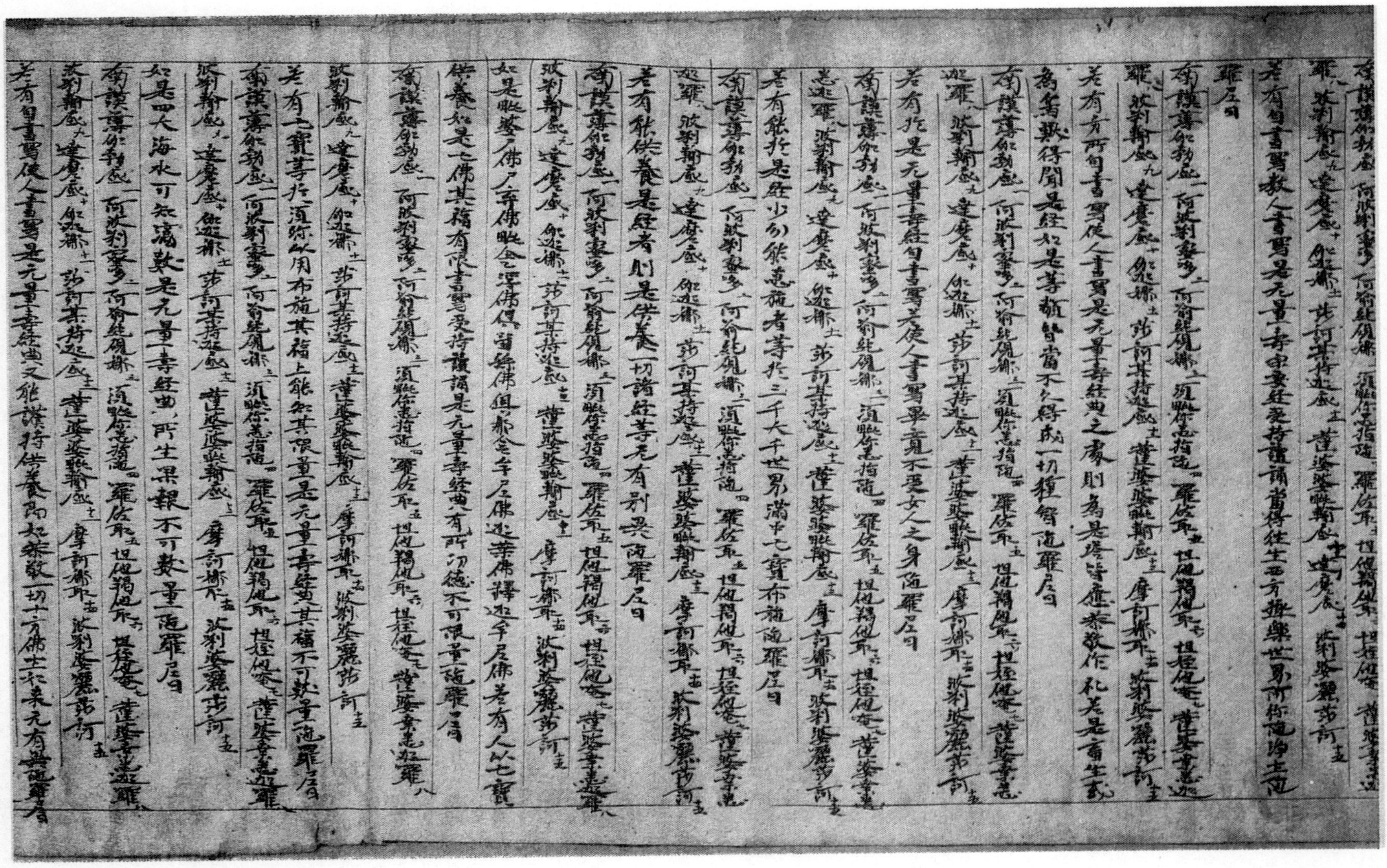

南謨薄伽勃底一 阿波唎蜜多二 阿喻紇硯那三 須毗你悉指陀四 羅佐耶五 怛他羯他耶六 怛姪他七 薩婆桑悉迦
羅八 波唎輸底九 達磨底十 伽伽那十一 娑訶某持迦底十二 薩婆婆毗輸底十三 摩訶娜耶十四 波唎婆嚟莎訶十五
若有自書寫教人書寫是无量壽宗要經受持讀誦當得往生西方極樂世界阿彌陀淨土陀
羅尼曰
南謨薄伽勃底一 阿波唎蜜多二 阿喻紇硯那三 須毗你悉指陀四 羅佐耶五 怛他羯他耶六 怛姪他七 薩婆桑悉迦
羅八 波唎輸底九 達磨底十 伽伽那十一 娑訶某持迦底十二 薩婆婆毗輸底十三 摩訶娜耶十四 波唎婆嚟莎訶十五
若有有所自書寫使人書寫是无量壽經典之處則為是塔皆應恭敬作礼若是畜生
為鳥獸得聞是經如是等類皆當不久得成一切種智陀羅尼曰
南謨薄伽勃底一 阿波唎蜜多二 阿喻紇硯那三 須毗你悉指陀四 羅佐耶五 怛他羯他耶六 怛姪他七 薩婆桑悉
迦羅八 波唎輸底九 達磨底十 伽伽那十一 娑訶某持迦底十二 薩婆婆毗輸底十三 摩訶娜耶十四 波唎婆嚟莎訶十五
若有於是无量壽經自書寫若使人書寫畢竟不受女人之身陀羅尼曰
南謨薄伽勃底一 阿波唎蜜多二 阿喻紇硯那三 須毗你悉指陀四 羅佐耶五 怛他羯他耶六 怛姪他七 薩婆桑
悉迦羅八 波唎輸底九 達磨底十 伽伽那十一 娑訶某持迦底十二 薩婆婆毗輸底十三 摩訶娜耶十四 波唎婆嚟莎訶十五
若有能於是經少分能惠施者等於三千大千世界滿中七寶布施陀羅尼曰
南謨薄伽勃底一 阿波唎蜜多二 阿喻紇硯那三 須毗你悉指陀四 羅佐耶五 怛他羯他耶六 怛姪他七 薩婆桑悉
迦羅八 波唎輸底九 達磨底十 伽伽那十一 娑訶某持迦底十二 薩婆婆毗輸底十三 摩訶娜耶十四 波唎婆嚟莎訶十五
若有能供養是經者則是供養一切諸經等无有別異陀羅尼曰
南謨薄伽勃底一 阿波唎蜜多二 阿喻紇硯那三 須毗你悉指陀四 羅佐耶五 怛他羯他耶六 怛姪他七 薩婆桑悉迦羅八
波唎輸底九 達磨底十 伽伽那十一 娑訶某持迦底十二 薩婆婆毗輸底十三 摩訶娜耶十四 波唎婆嚟莎訶十五
如是毗婆尸佛尸棄佛毗舍浮佛俱留孫佛俱那含牟尼佛迦葉佛釋迦牟尼佛若有人以七寶
供養如是七佛其福有限書寫受持讀誦是无量壽經典所有功德不可限量陀羅尼曰
南謨薄伽勃底一 阿波唎蜜多二 阿喻紇硯那三 須毗你悉指陀四 羅佐耶五 怛他羯他耶六 怛姪他七 薩婆桑悉迦羅八
波唎輸底九 達磨底十 伽伽那十一 娑訶某持迦底十二 薩婆婆毗輸底十三 摩訶娜耶十四 波唎婆嚟莎訶十五
若有七寶等於須彌山用布施其福上能知其限量是无量壽經典其福不可數量陀羅尼曰
南謨薄伽勃底一 阿波唎蜜多二 阿喻紇硯那三 須毗你悉指陀四 羅佐耶五 怛他羯他耶六 怛姪他七 薩婆桑悉迦羅八
波唎輸底九 達磨底十 伽伽那十一 娑訶某持迦底十二 薩婆婆毗輸底十三 摩訶娜耶十四 波唎婆嚟莎訶十五
如是四大海水可知滴數是无量壽經典所生果報不可數量陀羅尼曰
南謨薄伽勃底一 阿波唎蜜多二 阿喻紇硯那三 須毗你悉指陀四 羅佐耶五 怛他羯他耶六 怛姪他七 薩婆桑悉迦羅八
波唎輸底九 達磨底十 伽伽那十一 娑訶某持迦底十二 薩婆婆毗輸底十三 摩訶娜耶十四 波唎婆嚟莎訶十五
若有自書寫使人書寫是无量壽經典又能護持供養即如恭敬一切十方佛土如来无有異陀羅尼曰

BD02205號　無量壽宗要經　（5–4）

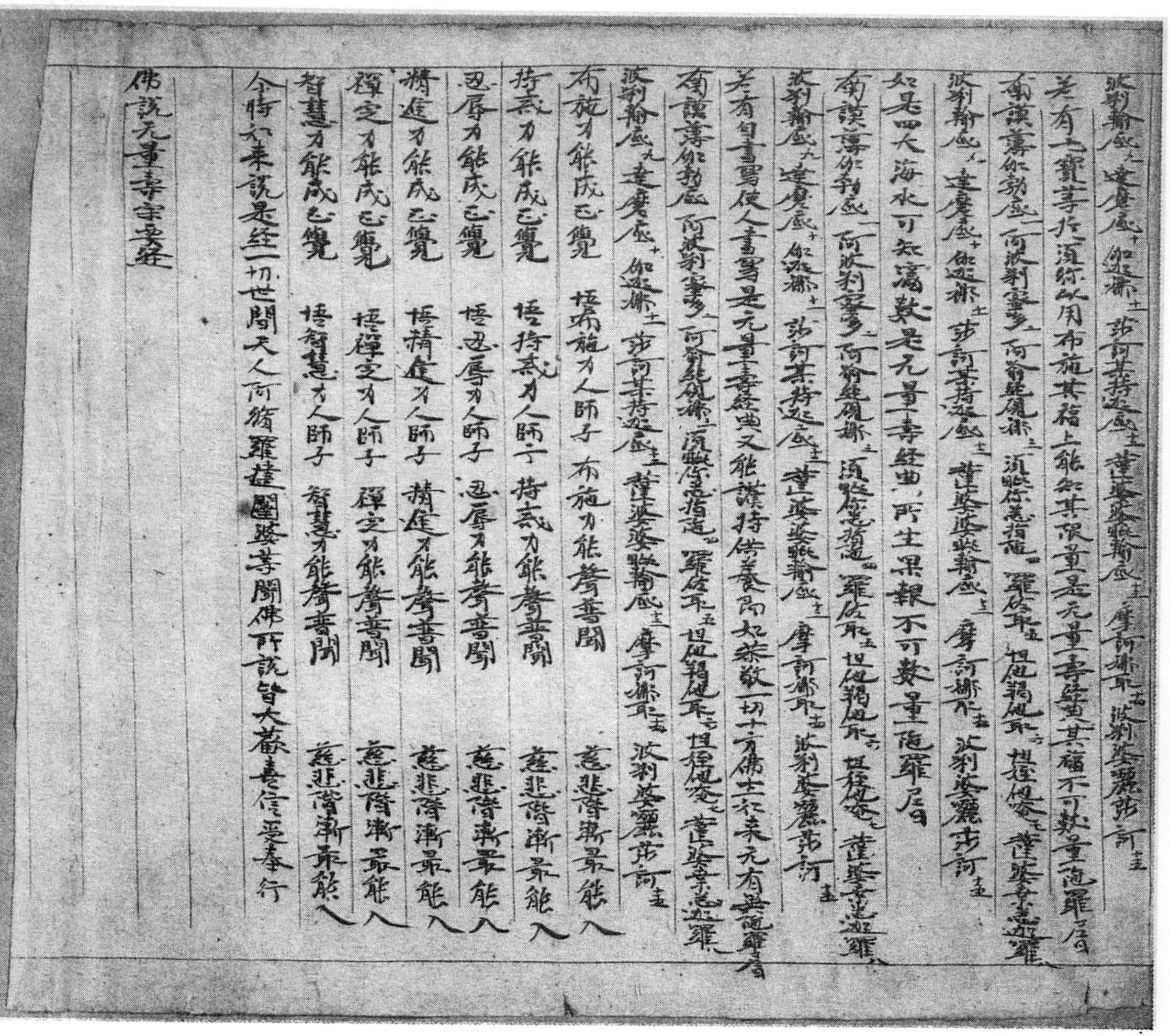

波唎輸底九 達磨底十 伽伽娜十一 莎訶謨持迦底十二 薩婆婆毗輸底十三 摩訶娜耶十四 波唎婆麗莎訶十五
若有七寶等於須彌山用布施其福上能知其限量是無量壽經典其福不可數量陁羅尼曰
南謨薄伽勃底一 阿波唎蜜多二 阿喻紇硯娜三 須毗你悉指陁四 囉佐耶五 怛他羯他耶六 怛姪他七 薩婆桑悉迦囉八
波唎輸底九 達磨底十 伽伽娜十一 莎訶謨持迦底十二 薩婆婆毗輸底十三 摩訶娜耶十四 波唎婆麗莎訶十五
如是四大海水可知滴數是無量壽經典所生果報不可數量陁羅尼曰
南謨薄伽勃底一 阿波唎蜜多二 阿喻紇硯娜三 須毗你悉指陁四 囉佐耶五 怛他羯他耶六 怛姪他七 薩婆桑悉迦囉八
波唎輸底九 達磨底十 伽伽娜十一 莎訶謨持迦底十二 薩婆婆毗輸底十三 摩訶娜耶十四 波唎婆麗莎訶十五
若有自書寫使人書寫是無量壽經典又能護持供養禮拜如恭敬一切十方佛土如來無有異陁羅尼曰
南謨薄伽勃底一 阿波唎蜜多二 阿喻紇硯娜三 須毗你悉指陁四 囉佐耶五 怛他羯他耶六 怛姪他七 薩婆桑悉迦囉八
波唎輸底九 達磨底十 伽伽娜十一 莎訶謨持迦底十二 薩婆婆毗輸底十三 摩訶娜耶十四 波唎婆麗莎訶十五
布施力能成正覺　悟布施力人師子　布施力能聲普聞　慈悲譬漸最能入
持戒力能成正覺　悟持戒力人師子　持戒力能聲普聞　慈悲譬漸最能入
忍辱力能成正覺　悟忍辱力人師子　忍辱力能聲普聞　慈悲譬漸最能入
精進力能成正覺　悟精進力人師子　精進力能聲普聞　慈悲譬漸最能入
禪定力能成正覺　悟禪定力人師子　禪定力能聲普聞　慈悲譬漸最能入
智慧力能成正覺　悟智慧力人師子　智慧力能聲普聞　慈悲譬漸最能入
介時如來說是經已一切世間天人阿脩羅揵闥婆等聞佛所說皆大歡喜信受奉行
佛說無量壽宗要經

BD02205 號　無量壽宗要經　（5–5）

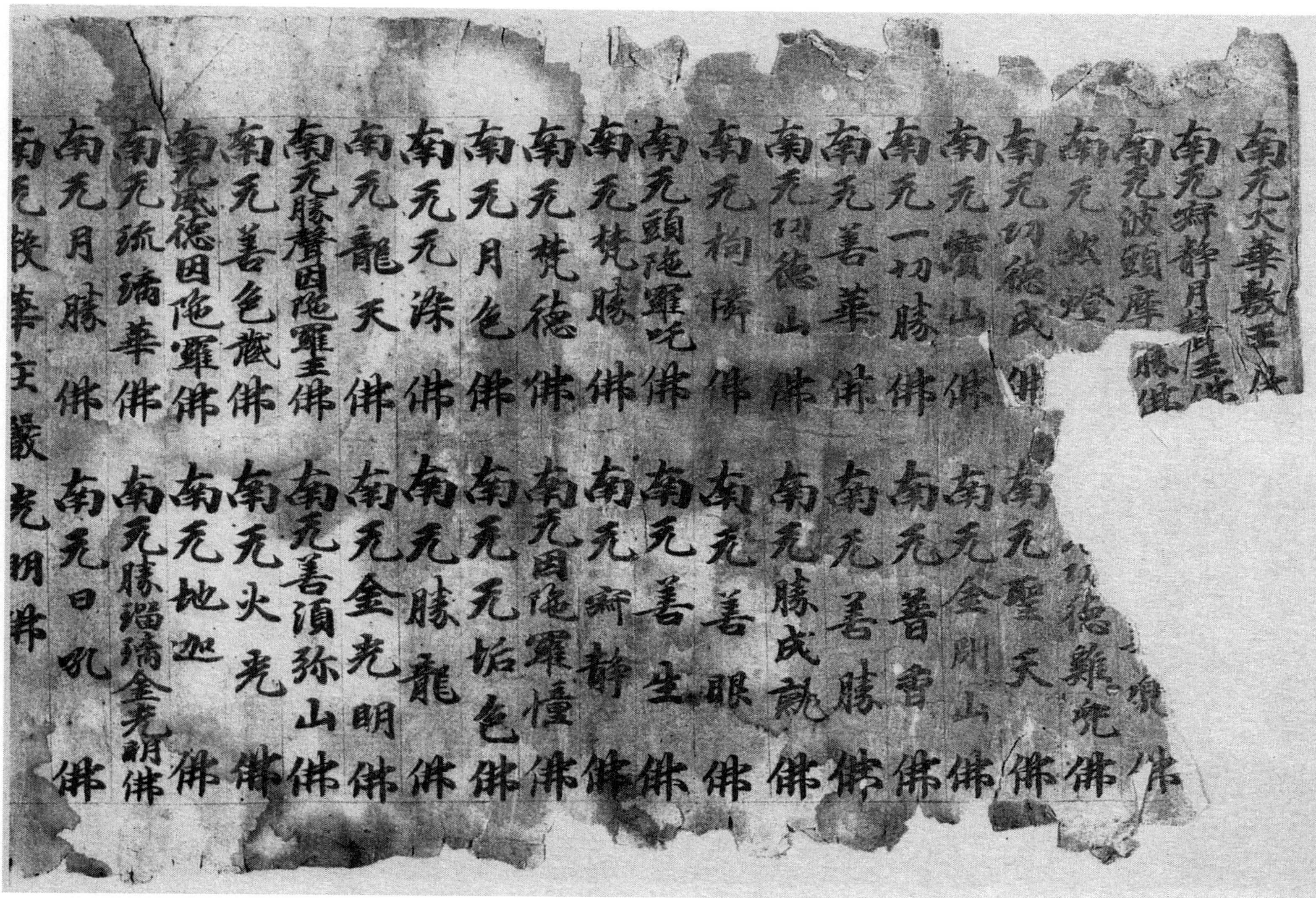

南无大華嚴王佛
南无獅靜月聲王佛
南无波頭摩勝佛　[illegible]佛
南无然燈佛　[illegible]功德難[illegible]佛
南无功德成佛　南无聖天佛
南无寶山佛　南无金剛山佛
南无一切勝佛　南无普會佛
南无善華佛　南无善勝佛
南无功德山佛　南无勝成就佛
南无拘隣佛　南无善眼佛
南无頭陁羅吒佛　南无善生佛
南无梵勝佛　南无獅靜佛
南无梵德佛　南无因陁羅幢佛
南无月色佛　南无无垢色佛
南无无深佛　南无勝龍佛
南无龍天佛　南无金光明佛
南无勝聲因陁羅王佛　南无善須弥山佛
南无善色藏佛　南无火光佛
南无德因陁羅佛　南无地迦佛
南无琉璃華佛　南无勝瑠璃金光明佛
南无月勝佛　南无日叽佛
南无[illegible]華主嚴光明佛

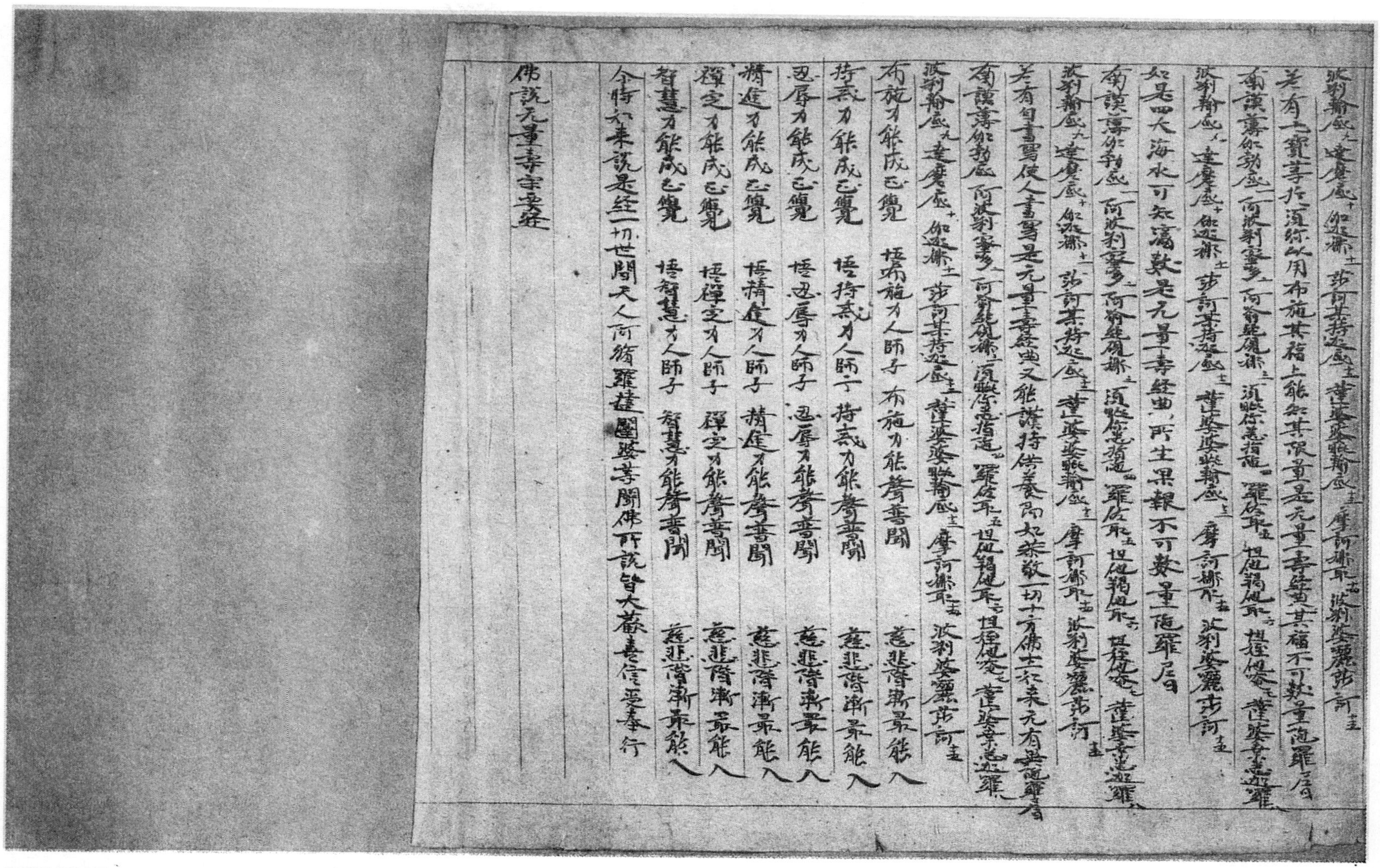

BD02206 號　佛名經（十六卷本）卷一六　（26–1）

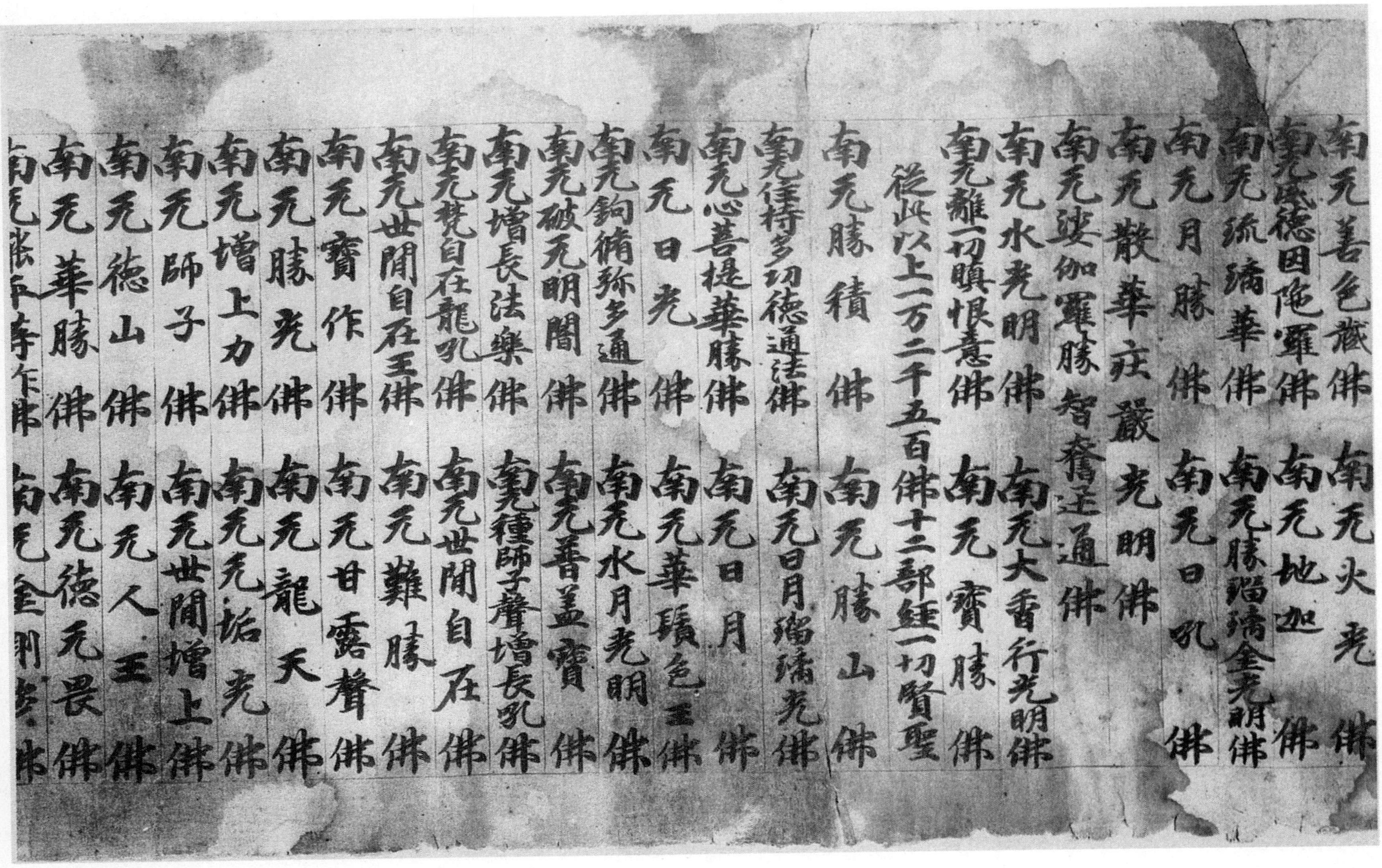

南无善色藏佛　南无火光佛
南无功德因陁羅佛　南无地迦佛
南无琉璃華佛　南无勝瑠璃金光明佛
南无月勝佛　南无日吼佛
南无散華莊嚴光明佛
南无婆伽羅勝智奮迅通佛
南无離一切瞋恨意佛　南无寶勝佛
南无水光明佛　南无大香行光明佛
從此以上一万二千五百佛十二部經一切賢聖
南无勝積佛　南无勝山佛
南无住持多功德通法佛　南无日月瑠璃光佛
南无心菩提華勝佛　南无日月佛
南无日光佛　南无華鬚色王佛
南无鉤脩弥多通佛　南无水月光明佛
南无破无明闇佛　南无普蓋寶佛
南无增長法樂佛　南无種師子聲增長吼佛
南无梵自在龍吼佛　南无世間自在佛
南无世間自在王佛　南无難勝佛
南无寶作佛　南无甘露聲佛
南无勝光佛　南无龍天佛
南无增上力佛　南无无垢光佛
南无師子佛　南无世間增上佛
南无德山佛　南无人王佛
南无華勝佛　南无德无畏佛
南无能平等作佛　南无金剛步

BD02206號　佛名經（十六卷本）卷一六　（26–2）

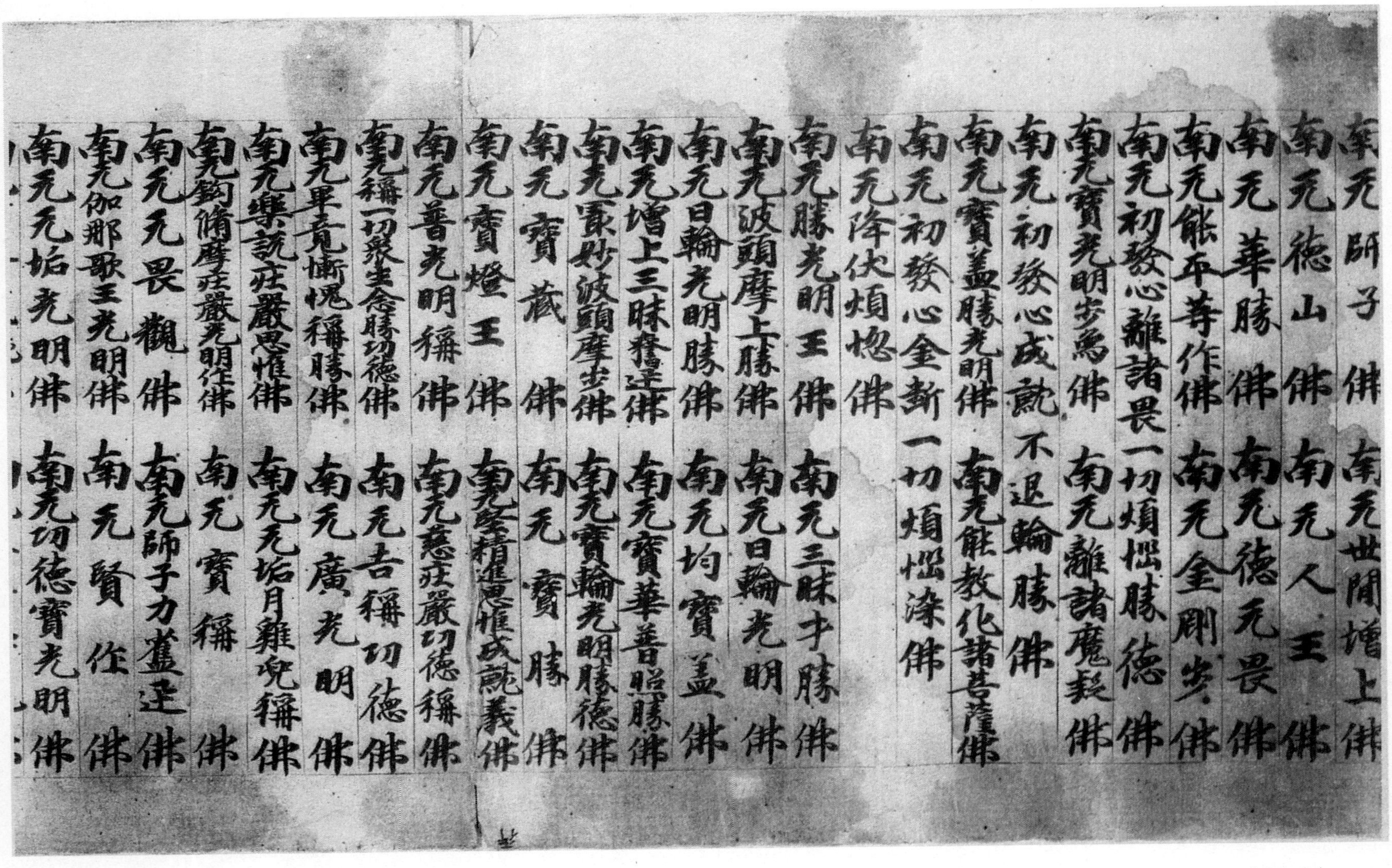

南无師子佛　南无世間增上佛
南无德山佛　南无人王佛
南无華勝佛　南无德无畏佛
南无能平等作佛　南无金剛步佛
南无初發心離諸畏一切煩惱勝德佛
南无寶光明步為佛　南无離諸魔髮佛
南无初發心成就不退輪勝佛
南无寶蓋勝光明佛　南无能教化諸菩薩佛
南无初發心念斷一切煩惱滌佛
南无降伏煩惱佛
南无勝光明王佛　南无三昧手勝佛
南无波頭摩上勝佛　南无日輪光明佛
南无日輪光明勝佛　南无均寶蓋佛
南无增上三昧奮迅佛　南无寶華善眙勝佛
南无最妙波頭摩步佛　南无寶輪光明勝德佛
南无寶藏佛　南无寶勝佛
南无寶燈王佛　南无發精進思惟成就義佛
南无普光明稱佛　南无慈莊嚴功德稱佛
南无稱一切衆生念勝功德佛　南无吉稱功德佛
南无畢竟斷愧稱勝佛　南无廣光明佛
南无樂說莊嚴思惟佛　南无无垢月雜兜稱佛
南无鉤脩摩莊嚴光明作佛　南无寶稱佛
南无无畏觀佛　南无師子力奮迅佛
南无伽耶歌王光明佛　南无賢作佛
南无无垢光明佛　南无功德寶光明佛

BD02206號　佛名經（十六卷本）卷一六　（26–3）

南无[illegible]佛 南无[illegible]佛
南无伽耶歌王光明佛 南无賢 作 佛
南无无垢光明佛 南无功德寶光明佛
南无精進力成就佛 南无善清淨光佛
南无得奮一切欲佛 南无无垢波頭摩藏勝佛
南无得无障礙力解脫佛 南无十方稱名无畏佛
南无金剛勢佛 南无大寶聚佛
南无无邊功德莊嚴威德王劫佛
南无功德寶山佛 南无說一切莊嚴勝佛
南无无邊樂說莊嚴成就智佛
南无千雲雷聲王佛
南无妙金色光明威德勝照佛
南无種種威德王劫佛
南无阿僧祇億劫成就智佛
南无清淨金蓋空雷光明佛
南无善光明佛 南无功德多寶海王佛
南无不空功德佛
南无照一切處佛 南无妙鼓聲佛
南无法自在佛 南无普見佛
南无大炎聚佛 南无光明幢佛
南无智難勝佛 南无婆羅胎佛
從此以上一万二千六百佛十二部經一切賢聖
南无寶尸棄佛 南无寶波頭摩藏佛
南无一切勝佛 南无婆伽羅佛
南无波頭摩[illegible]佛 南无婆羅自[illegible]佛

BD02206號　佛名經（十六卷本）卷一六

（26–4）

從此以上一万二千六百佛十二部經一切賢聖
南无寶尸棄佛 南无寶波頭摩藏佛
南无一切勝佛 南无婆伽羅佛
南无波頭摩藏佛 南无婆羅自在王佛
南无華佛 南无勝稱佛
次礼十二部尊經大藏法輪
南无五恐怖經 南无父母因緣經
南无内外无爲經 南无五失蓋經
南无浮木經 南无内外六波羅蜜經
南无佛立莊嚴淨經 南无鬼子母經
南无難陁龍王經 南无佛說菩提意經
南无觀行移四事經 南无難提和羅經
南无佛有百比丘經 南无旃陁越經
南无光世音大勢至受決經 南无梅有八事經
南无佛從上所行四十二碣經 南无目連上淨居士經
南无佛在竹園經 南无堅心經
南无目佉經 南无佛告舍利日經
次礼十方諸大菩薩
南无日慧世界堅固林菩薩
南无清淨慧世界如来林菩薩
南无梵慧世界智林菩薩
南无因陁羅世界法慧菩薩
南无蓮華世界一切慧菩薩
南无衆寶世界勝慧菩薩
南无優鉢羅世界功德慧菩薩

BD02206號　佛名經（十六卷本）卷一六

（26–5）

南无因陁羅世界法慧菩薩
南无蓮華世界一切慧菩薩
南无衆寶世界勝慧菩薩
南无優鉢羅世界功德慧菩薩
南无妙行世界精進慧菩薩
南无善行世界善慧菩薩
南无歡喜世界智慧菩薩
南无星宿世界真寶慧菩薩
南无歡慈世界无上慧菩薩
南无壹壹世界堅固慧菩薩
南无堅固寶世界金剛慧菩薩
南无堅固寶王世界幢菩薩
南无堅固金世界夜光幢菩薩
南无堅固摩尼世界智幢菩薩
南无堅固金剛世界寶幢菩薩
南无堅固蓮華世界精進幢菩薩
南无堅固青蓮華世界離垢菩薩
南无堅固旃檀世界真寶幢菩薩
南无堅固香世界法幢菩薩
南无淨世界念意菩薩
次礼聲聞緣覺一切賢聖
南无香辟支佛　南无有香辟支佛
南无見人飛騰辟支佛　南无可波羅辟支佛

次礼聲聞緣覺一切賢聖
南无香辟支佛　南无有香辟支佛
南无見人飛騰辟支佛　南无可波羅辟支佛
南无秦摩利辟支佛　南无月淨辟支佛
南无善智辟支佛　南无脩陁羅辟支佛
南无善法辟支佛　南无應求辟支佛
南无脩求辟支佛　南无大勢辟支佛
南无脩行不著辟支佛　南无難捨辟支佛
南无寶辟支佛　南无不可比辟支佛
南无歡喜辟支佛　南无喜辟支佛
南无隨喜辟支佛　南无十二波羅墮辟支佛
南无十同名婆羅辟支佛　南无大身辟支佛
礼三寶已次復懺悔
弟子今以揔相懺悔一切諸業今當次第
更復一一別相懺悔若揔若別若麁若細
若輕若重若說不說品類相從願皆消滅
別相懺者先懺身三次懺口四其餘諸障次
第發露身三業者第一殺害如經所明恕己
可為喻勿殺勿行杖雖復禽獸之殊保命畏
死其事是一若尋此衆生无始已來或是我父
母六親眷屬以業因緣輪迴六道出生入死改
形易報不復相識而今興害食噉其肉傷慈
之甚是故佛語設得餘食當如飢世食子肉
想何況食噉此魚肉也又言為利煞衆生以錢

形易報不復相讎而今興害食噉其肉傷慈
之甚是故佛語設得餘食當如飢世食子肉
想何況食噉此魚肉也又言為利煞衆生以錢
納肉二俱是惡業死墮叫呼地獄故知煞害及
以食噉罪深河海過重丘岳然弟子等无始
以來不遇善友皆為此業是故經言煞害之
罪能令衆生墮於地獄餓鬼受苦若在畜生
則受虎豹豺狼鷹鷂等身或受毒虵蝮蝎等
身常懷惡心或受麞鹿熊羆等身常懷恐
怖若生人中得二種果報一者多病二者短命
煞害食噉既有如是无量種種諸惡果報是
故弟子至到稽顙歸依佛
南无東方滅諸根畏佛　南无南方日月燈明佛
南无西方覺華光佛　南无北方發功德佛
南无東南方除衆惑冥佛　南无西南方无生自在佛
南无西北方大神通王佛　南无東北方空離垢心佛
南无上方瑠璃藏勝佛　南无下方同像空无佛
如是十方盡虛空界一切三寶至心歸命
常住三寶
弟子自從无始以來至於今日有此心識常
懷慘毒无慈愍心或因貪起煞因瞋因癡
及以慢（決）煞或興惡方便誓煞願煞及以呪
煞或破湖池焚燒山野田獵魚捕或因風
放火飛鷹放犬惱害一切如是等罪今

BD02206號　佛名經（十六卷本）卷一六

（26–8）

及以慢（決）煞或興惡方便誓煞願煞及以呪
煞或破湖池焚燒山野田獵魚捕或因風
放火飛鷹放犬惱害一切如是等罪今
悉懺悔至心歸命常住三寶
或以檻撥坑撥牧戟弓弩彈射飛鳥走獸之
類或以罛網罾釣料渡水性魚鱉黿鼉蝦
蜆螺蜯濕居之屬使水陸之與空行藏竄无
地或畜養雞豬牛羊犬豕鵝鴨之屬自供庖
廚或貨他宰煞使哀聲未盡毛羽脫落鱗甲
傷毀身首分離骨肉銷碎剝裂屠割炮燒
煮炙楚酸（毒）切橫加无辜但取一時之快口得味
甚實不過三寸舌根而已然其罪報殃各累劫如
是等罪今日至誠皆悉懺悔至心歸命常住三寶
又復无始以來至於今日或復興師相伐壃埸
交諍兩陣相向更相煞害或自煞教煞聞煞歡
喜或習屠膾債為刑戮烹宰他命行於不
忍或（自）恣忿怒揮戈擧刃或斬或刺或推著坑
塹或以水沉溺或塞穴壞巢土石磓砰或以車
馬雷轢踐蹋一切衆生如是等罪无量无邊今
日發露皆悉懺悔至心歸命常住三寶
又復无始以來或墮胎破卵毒藥蠱道傷煞衆
生墾土掘地種殖田園養蠶煑繭傷煞滋甚
或打撲蚊蚋掐齧蚤虱或燒除糞掃開決溝渠
枉害一切或噉菓實或用穀米或水或菜橫煞
衆生或然樵新或路燈燭焚諸虫類或食醬酢

BD02206號　佛名經（十六卷本）卷一六

（26–9）

或打撲蚊蚋拍嗞蚤虱或燒除糞掃開決溝渠
枉害一切或燉藥實或用穀米或水或菜橫煞
衆生或然燒新或路燈燭焚諸虫類或食醬酢
不看搖動或寫湯水澆煞虫蟻如是乃至行住
坐卧四威儀中恒常傷煞飛空著地細微衆生
弟子以凡夫識暗不覺不知今日發露皆悉懺
悔至心歸命常住三寶
又復弟子无始以來至於今日或以鞭杖枷鏁行
械壓拉考掠打擲手足蹴蹹拘縛籠繫斷絶
水穀如是種種諸惡方便苦惱衆生今日至誠
向十方佛尊法聖衆皆悉懺悔至心歸命常住三寶
願弟子等承是懺悔煞害等罪所生功德生生世
世得金剛身壽命无窮永離怨憎无煞害想於
諸衆生得一子地若見危難急厄之者不惜身命
方便救解令得解脫然後爲說微妙正法使諸
衆生覩形見影皆蒙安樂聞名聽聲恐怖悉
除至心歸命常住三寶
佛說罪業報應教化地獄經
復有衆生五根不具何罪所致佛言以前世時飛
鷹走狗彈射鳥獸或破其頭或斷其足生拔羽翼
故獲斯罪
復有衆生癃殘背僂腰髖不隨蹶跛手折不能
行步何罪所致佛言以前世時爲人殖刻行道
安鏘或施射弋陷墜衆生前後非一故獲斯罪

BD02206號　佛名經（十六卷本）卷一六　（26–10）

復有衆生癃殘背僂腰髖不隨蹶跛手折不能
行步何罪所致佛言以前世時爲人殖刻行道
安鏘或施射弋陷墜衆生前後非一故獲斯罪
復有衆生爲諸獄卒執繫其身枷杻苦厄不能
得勉何罪所致佛言以前世時網捕衆生籠繫
六畜或爲宰主命長貪取民物枉繫良善悲
訴无所故獲斯罪
復有衆生或顛或癡或狂或騃不別好醜何罪
所致佛言以前世時飲酒醉亂犯三十六失後
得癡身如似醉人不別尊卑故獲斯罪
南无見寶佛　南无智弥留佛
南无龍德佛　南无勝行佛
南无星宿佛　南无大莊嚴佛
南无光明王佛　南无能人佛
南无自在山佛　南无日面佛
南无善意佛　南无龍勝佛
南无非沙佛　南无藥王佛
從此以上一万二千七百佛十二部經一切賢聖
南无師子山佛　南无住持勝功德佛
南无飲甘露佛　南无放炎佛
南无山佛　南无讚世間供養佛
南无多伽羅尸棄佛　南无難勝佛
南无大燈佛　南无波頭摩上佛
南无法幢佛　南无能然燈佛

BD02206號　佛名經（十六卷本）卷一六　（26–11）

南无山佛　南无讃世間供養佛
南无多伽羅尸棄佛　南无難勝佛
南无大燈佛　南无波頭摩上佛
南无法憧佛　南无能然燈佛
南无難勝佛　南无難可意佛
南无真聲佛　南无妙聲佛
南无婆羅步佛　南无寶炎佛
南无愛見佛　南无須弥劫佛
南无旃檀光佛　南无日光佛
南无藥樹勝佛　南无覺佛
南无記佛　南无愛作佛
南无作无畏佛　南无波頭摩寶香佛
南无勝德佛　南无无垢佛
南无照佛　南无无煩惱佛
南无善來佛　南无善光佛
南无金色佛　南无能作光明佛
南无清淨佛　南无得脫佛
南无迦陵頻伽聲佛　南无能与法佛
南无善讃諸門佛　南无得意佛
南无離愛佛　南无未生寶佛
南无善讃諸根佛　南无梵聲佛
南无勝聲佛　南无妙聲佛
南无大慧佛　南无无諸濁佛
南无不可動佛　南无樂解脫佛

BD02206號　佛名經（十六卷本）卷一六

（26–12）

南无大慧佛　南无无諸濁佛
南无不可動佛　南无樂解脫佛
南无勝二足佛　南无具足一切德莊嚴佛
南无相莊嚴佛　南无拘牟陁語佛
南无不可降伏語佛　南无常想應語佛
南无梵聲安隱衆生佛　南无娑羅華佛
南无金枝華佛　南无拘牟陁相佛
南无妙頂佛　南无大牟尼佛
南无一切法到彼岸佛　南无无染佛
南无不散心佛　南无荷吒伽色佛
南无善寂成就佛　南无睺頭羅步佛
南无清淨手佛　南无常來佛
南无畢竟成就大悲佛　南无成就堅佛
南无常行成佛　南无離諍濁佛
南无清淨切德相佛　南无不干尼羅佛
南无勝藏佛　南无般若齋佛
南无般若寶畢竟佛　南无滿足意佛
南无世間自在王佛　南无无量命佛
南无火炎積佛　南无无邊寶佛
南无淨勝天佛　南无內外淨佛
南无寂諸根佛　南无衆燈佛
南无成就不思惟願娑羅王佛　南无師子意佛
南无降伏力佛　南无住持速行佛
南无放光明王佛　南无毗頭奚孔佛

BD02206號　佛名經（十六卷本）卷一六

（26–13）

南无師子意佛
南无降伏力佛　南无住持速行佛
南无放光明王佛　南无毗頭奚吼佛
南无无念覺法王佛　南无國王莊嚴身佛
南无智根本華憶佛　南无化稱佛
從此以上一万二千八百佛十二部經一切賢聖
南无一切色尊居藏佛　南无法藏自在佛
南无法獻波婆羅佛　南无无邊寶功德藏佛
南无淨華聲佛　南无大法王鉤脩摩勝佛
南无一切无盡藏佛　南无功德山藏佛
南无星宿藏佛　南无虛空智山佛
南无智力天王佛　南无无障尋海隨順智佛
南无无邊覺海藏佛　南无智王无盡稱佛
南无心意奮迅王佛　南无自性清淨智佛
南无智自在法王佛　南无善別去佛
南无自在見佛　南无隨順香見法滿佛
南无龍月佛　南无因陁羅波婆羅无障尋王佛
南无智雞兜佛　南无智燈佛
南无大光明照佛　南无不可勝佛
南无照佛　南无銀雞兜幢蓋佛
南无威德自在王佛　南无覺王佛
南无寶藏佛　南无大婆伽羅佛
南无十方善佛　南无降伏魔佛
南无降伏貪佛　南无降伏瞋佛
南无降伏癡佛　南无无惱愣佛

BD02206號　佛名經（十六卷本）卷一六　（26–14）

南无十方善佛　南无降伏魔佛
南无降伏貪佛　南无降伏瞋佛
南无降伏癡佛　南无无惱愣佛
南无降伏瞋根垢佛　南无清淨佛
南无業勝得名佛　南无如意清淨得名佛
南无得施起名佛　南无得清淨戒名佛
南无起忍辱成就佛　南无得起精進名佛
南无得起禪名佛　南无得起般若名佛
南无成就施不可思議名佛　南无成就戒不可思議名佛
南无成就禪不可思議名佛　南无成就般若不可思議名佛
南无行成就得名佛　南无成就陁羅尼施清淨得名佛
南无陁羅尼色清淨得名佛　南无成就陁羅尼清淨得名佛
南无空无我自在得名佛　南无眼陁羅尼自在佛
南无耳陁羅尼自在佛　南无鼻陁羅尼自在佛
南无舌陁羅尼自在佛　南无身陁羅尼自在佛
南无意陁羅尼自在佛　南无色陁羅尼自在佛
南无聲陁羅尼自在佛　南无香陁羅尼自在佛
南无味陁羅尼自在佛　南无觸陁羅尼自在佛
南无法陁羅尼自在佛　南无地陁羅尼自在佛
南无水陁羅尼自在佛　南无火陁羅尼自在佛
南无風陁羅尼自在佛　南无苦自在佛
南无集自在佛　南无滅自在佛
南无道自在佛　南无陰自在佛

BD02206號　佛名經（十六卷本）卷一六　（26–15）

南无火陁[illegible]自在佛　南无火陁[illegible]自在佛
南无風陁羅尼自在佛　南无普自在佛
南无集自在佛　南无滅自在佛
南无道自在佛　南无陰自在佛
南无冢自在佛　南无入自在佛
南无三世自在佛　南无陁羅華自在佛
南无吉光明佛　南无香燈衣自在光明佛
南无法幢佛　南无師子聲佛
南无照藏佛　南无法明敷身佛
南无一切通光佛　南无月智佛
南无妙勝佛　南无賢勝佛
南无普滿佛　南无善賢佛
南无那羅延王佛　南无成就一切義佛
南无住持威德佛　南无无畏觀佛
從此以上一万二千九百佛十二部經一切賢聖
南无如是善現在過去未来无量无邊佛
南无十千同名滿足佛　南无三万同名飫聖佛
南无二千同名拘隣佛　南无八億同名寶體法式佛
南无十八億同名日月燈佛　南无千五百同名大威德佛
南无一万五千同名歡喜佛　南无八万四千同名龍王佛
南无一万五千同名日佛　南无一万八千同名娑羅王佛
南无一万八千同名因陁羅幢王佛　南无八千同名善光佛
南无八百同名齊滅佛　南无卅六億十一佛
九十五百同名佛此諸佛名百千万劫不聞
如憂鉢華善人受持讀誦此諸佛名畢竟

BD02206號　佛名經（十六卷本）卷一六　（26–16）

南无八百同名齊滅佛　南无卅六億十一佛
九十五百同名佛此諸佛名百千万劫不聞
如憂鉢華善人受持讀誦此諸佛名畢竟
遠離諸煩惱
舍利弗應當敬礼波頭摩勝如来佛
南无齊王佛　南无佛
南无天光佛　南无德山佛
南无勝上佛　南无婆羅王佛
南无淨王佛　南无大慧梁佛
南无須弥佛　南无大智慧須慧佛
南无寶作佛　南无寶藏佛
南无破金剛佛　南无賢智不動佛
南无香普佛　南无甘露命佛
南无難勝佛　南无月光佛
南无日照佛　南无智雞兜佛
南无大師子佛　南无弥留山佛
南无香光佛　南无德山佛
南无大光佛　南无阿摩羅藏佛
南无寶園佛　南无金剛藏佛
南无優波羅藏佛　南无大日佛
南无橋梁載佛　南无月勝佛
南无樂堅固佛　南无不可思議法身佛
南无勝藏佛　南无不空王佛
南无金剛无畏智佛　南无寶炎佛
[illegible]

BD02206號　佛名經（十六卷本）卷一六　（26–17）

南无橋梁載佛　南无月勝佛
南无樂堅固佛　南无不可思議法身佛
南无勝藏佛　南无不空王佛
南无金剛无导智佛　南无寶炎佛
南无賒施燈佛　南无降伏一切怨佛
南无自在佛　南无大智真聲佛
南无般若香爲佛
舍利弗善男子善女人聞此諸佛名
受持讀誦不生疑者是人八千億劫不入地
獄不入畜生不入鬼道不生邊地不生貧窮
家不生下賤家常生天人豪貴之處常得
歡喜適樂无导得一切世間尊重供養
乃至得大涅槃
舍利弗汝等應當敬礼不可燒身佛
南无稱聲佛　南无稱威德佛
南无稱名佛　南无葉陁佛
南无聲炎佛　南无聲分勇猛佛
南无智勝佛　南无智善智佛
南无梵勝佛　南无淨娑藪佛
南无淨佛　南无淨天佛
南无淨聲佛　南无梵自在佛
南无威德佛　南无毗摩勝佛
南无毗摩意佛　南无毗摩面佛
南无毗摩聲佛　南无无邊聲佛
南无[illegible]

BD02206號　佛名經（十六卷本）卷一六　（26–18）

南无威德佛　南无毗摩勝佛
南无毗摩意佛　南无毗摩面佛
南无毗摩聲佛　南无无邊聲佛
南无寶見佛　南无善明月佛
南无深聲佛　南无放聲佛
南无驚怖魔力聲佛　南无淨眼佛
南无无邊眼佛　南无普眼佛
南无勝眼佛　南无不可行佛
南无寂勝佛　南无善寂心佛
南无善寂根佛　南无善寂意佛
南无善寂德佛　南无善住佛
南无衆自在王佛　南无大自在佛
南无衆解脫佛　南无法幢佛
從此以上一万三千佛十二部經一切賢聖
南无法山佛　南无法勝佛
南无法體佛　南无法力佛
南无法勇猛佛　南无法體決定佛
南无第二劫八十億同名法體決定佛
舍利弗若善男子善女人受持是佛
名畢竟不入地獄速得三昧
舍利弗過是佛名无量无邊阿僧祇劫有
佛名人自在聲汝當歸命彼人自在聲佛
壽命七十千万劫住世初會三億聲聞衆
集八十那由他千万菩薩衆集皆得諸神通
[illegible]

BD02206號　佛名經（十六卷本）卷一六　（26–19）

佛名人自在聲汝當歸命彼人自在聲佛
壽命七十千万劫住世初會三億聲聞衆
集八十那由他千万菩薩衆集皆得諸神通
具四无导通達一切空到彼岸我若无量劫住
世說彼佛大會國土莊嚴如大海水中一渧之分
次礼十二部尊經大藏法輪
南无文殊師利五體論過經　南无閑居經
南无大愛道受戒經　南无文陀竭經
南无分和檀王經　南无度世經
南无解无常經　南无大善權經
南无要真經　南无八念經
南无大本藏經　南无照明三昧經
南无八正道經　南无大六向拜經
南无胡般泥洹經　南无諸神呪經
南无大愛道泥洹經　南无本相猗致經
南无六淨經　南无十思惟經
南无流攝經　南无六十二見經
次礼十方諸大菩薩
南无淨世界陁羅尼自在王菩薩
南无善見世界堅固莊嚴菩薩
南无淨光世界功德山王菩薩
南无淨世界法慧菩薩　南无淨光世界山王菩薩
南无淨光世界師子吼菩薩　南无淨光世界弥勒菩薩
南无淨光世界功德聚菩薩　南无好成世界智積菩薩

南无淨光世界法慧菩薩　南无淨光世界山王菩薩
南无淨光世界師子吼菩薩　南无淨光世界弥勒菩薩
南无淨光世界功德聚菩薩　南无好成世界智積菩薩
南无寂靜世界進淨菩薩　南无喜信淨菩薩
現在西北方菩薩名
南无旃檀香世界善明菩薩　南无旃檀香世界大光菩薩
南无金剛世界法首菩薩　南无思惟樹世界善首菩薩
南无離闇冥世界光曜內菩薩
南无日慧世界福德王菩薩
南无星宿世界然燈菩薩
南无旃檀香世界海慧菩薩
南无意入世界无量華照乘跃菩薩
南无金色世界文殊師利菩薩
南无樂色世界覺首菩薩
南无華色世界財首菩薩
南无瞻蔔華色世界寶首菩薩
次礼聲聞緣覺一切賢聖
南无脩行不著辟支佛　南无難捨辟支佛
南无寶辟支佛　南无不可比辟支佛
南无歡喜辟支佛　南无喜辟支佛
南无隨喜辟支佛　南无十二婆羅墮辟支佛
南无十同名婆羅辟支佛　南无火身辟支佛
南无同善提辟支佛　南无摩訶男辟支佛
南无心上辟支佛　南无跃淨辟支佛

南无十同名婆羅辟支佛　南无火身辟支佛
南无同善提辟支佛　南无摩訶男辟支佛
南无心上辟支佛　南无躍淨辟支佛
南无善杖辟支佛　南无園隨辟支佛
南无吉沙辟支佛　南无優波吉辟支佛
南无斷有辟支佛　南无優波支羅辟支佛
礼三寶已次復懺悔
次懺劫盜之業經中說言若物屬他他所守
護於此物中一草一葉不與不取何况盜竊
但自衆生唯見現在利故以種種非道而取
致使未來受此殃累是故經言劫盜之罪能
令衆生墮於地獄餓鬼受苦若在畜生則
受牛馬驢騾駱駞等形以其所有身力血
肉償他宿債若生人中為他奴婢衣不蔽形
食不充命貧寒困苦人理殆盡劫盜既有如
是苦報是故弟子今日至到稽首歸依於佛
南无東方壞諸煩惱佛　南无南方妙音自在佛
南无西方大雲光佛　南无北方雲自在佛
南无東南方无緣莊嚴佛　南无西南方過諸魔界佛
南无西北方見无怨懼佛　南无東北方一切德嚴佛
南无上方蓮華藏光佛　南无下方妙善住王佛
如是十方盡虛空界一切三寶至心歸命常
住三寶
弟子自從无始以來至于今日或盜他財寶

BD02206號　佛名經（十六卷本）卷一六　（26–22）

如是十方盡虛空界一切三寶至心歸命常
住三寶
弟子自從无始以來至于今日或盜他財寶
興刃强奪或自恃持逼迫而取或恃公威
或假勢力高桁挍大枉砷良善吞納姧貨考
直為曲為此因緣身羅憲網或任耶治或領
他財物假公益私假私益公損彼利此損此
利彼割他自饒口與心悋或竊沒租估偷度關
稅爆公課輸藏隱使役如是等罪今悉懺
悔至心歸命常住三寶
或是佛物法物僧物不與而取或經像物或
治營塔寺物或供養常住僧物或擬招提僧
物或盜取悞用恃勢不還或自借或貸人或
復模餬遍忘或三寶物混亂雜用或以衆物
穀米薪𧂐豉醬酢菜茹菓實錢帛竹
木繒綵幡蓋香花油燭隨情逐意或自用或
與人或摘佛華菓用僧鬘物因三寶財私自
利己如是等罪无量无邊今日慚愧皆悉懺
悔至心歸命常住三寶
又復无始以來至于今日或作周旋朋友師僧
同學父母兄弟六親眷屬共住同止百一所須
更相欺罔或於鄉鄰比近移籬拓墻侵他
地宅改攑易相畧田園因公託私奪人邸店
及以毛野如是等罪今日懺悔至心歸命常

BD02206號　佛名經（十六卷本）卷一六　（26–23）

更相欺因或於鄉鄰比近移蘺拓墻侵他
地宅改欄易相虜略田園因公託私囊人邸店
及以毛野如是等罪今日慚愧至心歸命常
住三寶
又復无始以來或攻城破邑燒村壞柴偷賣
良民誘他奴婢或復枉砰无罪之人使其形
殂血刃身被徒鏁家業破散骨肉生離分
張異域生死隔絕如是等罪无量无邊今
悉至心皆盡懺悔至心歸命常住三寶
又復无始以來至於今日或商侶博貨邸店
市易輕秤小斗減割尺寸盜竊分銖欺因
圭合以麤易好以短換長巧欺百端希望豪
利如是等罪今悉懺悔至心歸命常住三寶
又復无始以來至於今日穿踰墻壁斷道抄
掠抵拒債息負情違要面欺心口或非道陵
囊鬼神禽獸四生之物或假託卜相取人財寶
如是乃至以利求利惡求多求无猒无足如是
等罪无量无邊不可說盡今日向十方佛尊法
聖衆皆悉懺悔至心歸命常住三寶
願弟子等承是懺悔劫盜等罪所生功德生
生世世得如意寶常雨七珎上妙衣服百味甘
露種種湯藥隨意所須應念即至一切衆生
无偷奪想一切皆能少欲知足不耽不染常樂
惠施行急濟道頭目髓腦捨如棄涕唾迴

BD02206號　佛名經（十六卷本）卷一六

（26–24）

露種種湯藥隨意所須應念即至一切衆生
无偷奪想一切皆能少欲知足不耽不染常樂
惠施行急濟道頭目髓腦捨如棄涕唾迴
向滿足檀波羅蜜至心歸命常住三寶
佛說罪業報應教化地獄經
復有衆生其形短小陰藏甚大挽之身皮皆
復引進行步坐卧以之為妨何罪所致佛言
以前世時於市販賣自譽己物毀辱他財蹋
斗抹斗蹋秤前後故獲斯罪
復有衆生其形甚醜身黑如漆兩目復青高
類俱埠面平鼻昇兩眼黃赤牙齒踈缺
口氣腥臭痤短癃腫大腹盡遠寬脚復了戾
膢脊傴勒背衣健食惡瘡膿血水腫干消
疥癩癰疽種種諸惡集在其身雖親附人人
不在意若他作罪橫羅其殃永不見佛永不
聞法永不識僧何罪所致佛言以前世時坐
為子不孝父母為臣不忠其君為上不接其下
為下不敬其上朋友不實其信鄉黨不以
其齒朝廷不以其爵心意顛倒无有期度
不信三尊弒君害師代國掠民攻城破塢偷
寨過盜惡業非一美己惡人侵欺孤老誣謗
賢善輕慢尊長欺誑下賤一切罪業集俱
犯之衆生業報故獲斯罪

BD02206號　佛名經（十六卷本）卷一六

（26–25）

塞遏盜惡業非一義惡人偏其孤老誣謗
賢善輕慢尊長欺誑下賤一切罪業集俱
犯之衆生業報故獲斯罪
佛名經卷第十六

BD02206 號　佛名經（十六卷本）卷一六　　（26–26）

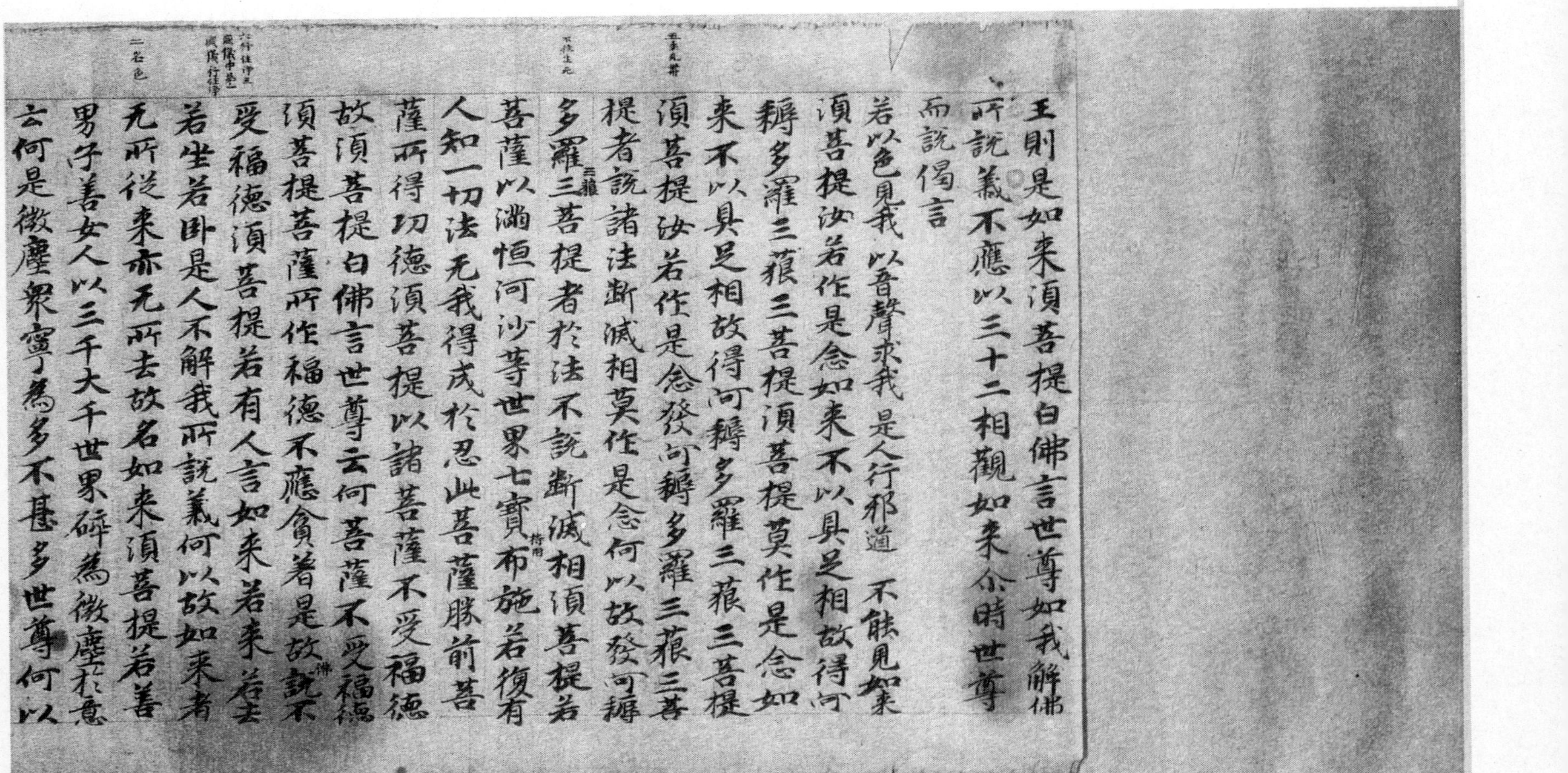

王則是如來須菩提白佛言世尊如我解佛
所說義不應以三十二相觀如來尒時世尊
而說偈言
若以色見我　以音聲求我　是人行邪道　不能見如來
須菩提汝若作是念如來不以具足相故得阿
耨多羅三藐三菩提須菩提莫作是念如
來不以具足相故得阿耨多羅三藐三菩提
須菩提汝若作是念發阿耨多羅三藐三菩
提者說諸法斷滅相莫作是念何以故發阿耨
多羅三藐三菩提者於法不說斷滅相須菩提若
菩薩以滿恒河沙等世界七寶持用布施若復有
人知一切法无我得成於忍此菩薩勝前菩
薩所得功德須菩提以諸菩薩不受福德
故須菩提白佛言世尊云何菩薩不受福德
須菩提菩薩所作福德不應貪著是故佛說不
受福德須菩提若有人言如來若來若去
若坐若卧是人不解我所說義何以故如來者
无所從來亦无所去故名如來須菩提若善
男子善女人以三千大千世界碎為微塵於意
云何是微塵衆寧為多不甚多世尊何以

BD02207 號　金剛般若波羅蜜經　　（3–1）

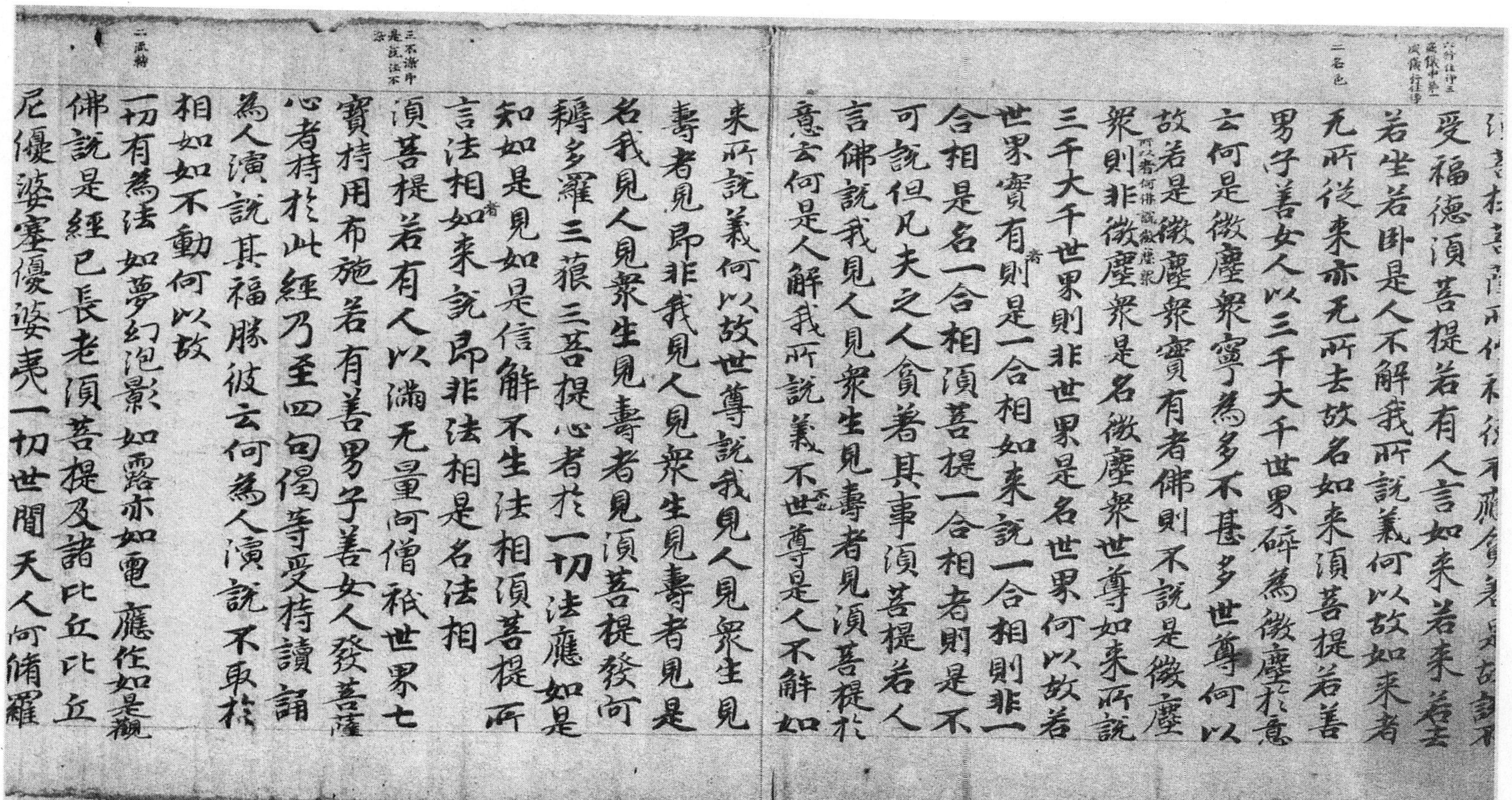
須菩提菩薩所作福德不應貪著是故說不
受福德須菩提若有人言如来若来若去
若坐若卧是人不解我所説義何以故如来者
无所從来亦无所去故名如来須菩提若善
男子善女人以三千大千世界碎為微塵於意
云何是微塵衆寧為多不甚多世尊何以
故若是微塵衆實有者佛則不説是微塵
衆則非微塵衆是名微塵衆世尊如来所説
三千大千世界則非世界是名世界何以故若
世界實有則是一合相如来説一合相則非一
合相是名一合相須菩提一合相者則是不
可説但凡夫之人貪著其事須菩提若人
言佛説我見人見衆生見壽者見須菩提於
意云何是人解我所説義不世尊是人不解如
来所説義何以故世尊説我見人見衆生見
壽者見即非我見人見衆生見壽者見是
名我見人見衆生見壽者見須菩提發阿
耨多羅三藐三菩提心者於一切法應如是
知如是見如是信解不生法相須菩提所
言法相如来説即非法相是名法相
須菩提若有人以滿无量阿僧祇世界七
寶持用布施若有善男子善女人發菩薩
心者持於此經乃至四句偈等受持讀誦
為人演説其福勝彼云何為人演説不取於
相如如不動何以故
一切有為法 如夢幻泡影 如露亦如電 應作如是觀
佛説是經已長老須菩提及諸比丘比丘
尼優婆塞優婆夷一切世間天人阿脩羅

BD02207號　金剛般若波羅蜜經

(3–2)

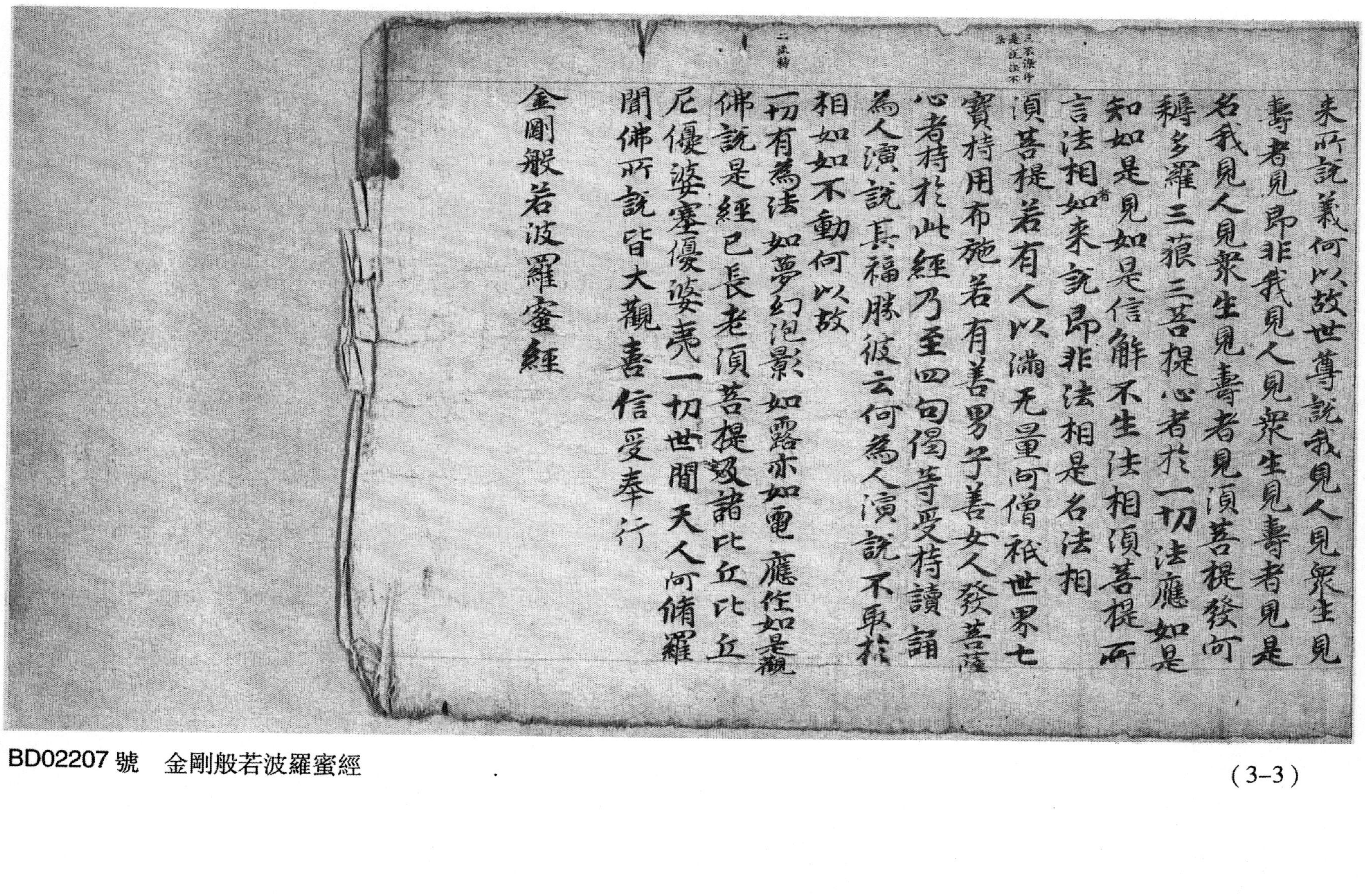
来所説義何以故世尊説我見人見衆生見
壽者見即非我見人見衆生見壽者見是
名我見人見衆生見壽者見須菩提發阿
耨多羅三藐三菩提心者於一切法應如是
知如是見如是信解不生法相須菩提所
言法相如来説即非法相是名法相
須菩提若有人以滿无量阿僧祇世界七
寶持用布施若有善男子善女人發菩薩
心者持於此經乃至四句偈等受持讀誦
為人演説其福勝彼云何為人演説不取於
相如如不動何以故
一切有為法 如夢幻泡影 如露亦如電 應作如是觀
佛説是經已長老須菩提及諸比丘比丘
尼優婆塞優婆夷一切世間天人阿脩羅
聞佛所説皆大歡喜信受奉行
金剛般若波羅蜜經

BD02207號　金剛般若波羅蜜經

(3–3)

大般若波羅蜜多經卷第八十八
初分學般若品第廿六之四　三藏法師玄奘奉　詔譯
善現答言如是如是舍利子菩薩摩訶薩如
是學時不為色攝受壞滅故學不為受想行
識攝受壞滅故學如是如是舍利子菩薩摩
訶薩如是學時不為眼處攝受壞滅故學不
為耳鼻舌身意處攝受壞滅故學如是如是
舍利子菩薩摩訶薩如是如學時不為色處
攝受壞滅故學不為聲香味觸處攝受壞
滅故學如是如是舍利子菩薩摩訶薩如是
學時不為眼界攝受壞滅故學不為色界眼識
界及眼觸眼觸為緣所生諸受攝受壞滅故
學如是如是舍利子菩薩摩訶薩如是學時
不為耳界攝受壞滅故學不為聲界耳識界及
耳觸耳觸為緣所生諸受攝受壞滅故學如
是如是舍利子菩薩摩訶薩如是學時不為
鼻界攝受壞滅故學不為香界鼻識界及
鼻觸鼻觸為緣所生諸受攝受壞滅故學如
是如是舍利子菩薩摩訶薩如是學時不為

BD02208號　大般若波羅蜜多經卷八八　（4–1）

耳觸耳觸為緣所生諸受攝受壞滅故學如
是如是舍利子菩薩摩訶薩如是學時不為
鼻界攝受壞滅故學不為香界鼻識界及
鼻觸鼻觸為緣所生諸受攝受壞滅故學如
是如是舍利子菩薩摩訶薩如是學時不為
舌界攝受壞滅故學不為味界舌識界及舌
觸舌觸為緣所生諸受攝受壞滅故學如是
如是舍利子菩薩摩訶薩如是學時不為身
界攝受壞滅故學不為觸界身識界及身觸
身觸為緣所生諸受攝受壞滅故學如是如
是舍利子菩薩摩訶薩如是學時不為意界
攝受壞滅故學不為法界意識界及意觸意
觸為緣所生諸受攝受壞滅故學如是如是舍
利子菩薩摩訶薩如是如是不為地界攝
受壞滅故學不為水火風空識界攝受壞滅
故學如是如是舍利子菩薩摩訶薩如是學
時不為苦聖諦攝受壞滅故學不為集滅道
聖諦攝受壞滅故學如是如是舍利子菩薩
摩訶薩如是學時不為无明攝受壞滅故學
不為行識名色六處觸受愛取有生老死愁
歎苦憂惱攝受壞滅故學如是如是舍利子
菩薩摩訶薩如是學時不為內空攝受壞滅
故學不為外空內外空空空大空勝義空有
為空无為空畢竟空无際空散空无變異空
本性空自性空共相空一切法空不可得空
无性空自性空无性自性空攝受壞滅故學
如是如是舍利子菩薩摩訶薩如是學時不

BD02208號　大般若波羅蜜多經卷八八　（4–2）

為空无為空畢竟空无際空散空无變異空
本性空自性空共相空一切法空不可得空
无性空自性空无性自性空稱受壞滅故學
如是如是舍利子菩薩摩訶薩如是學時不
為真如稱受壞滅故學不為法界法性不虛
妄性不變異性平等性離生性法定法住實
際虛空界不思議界稱受壞滅故學
如是如是舍利子菩薩摩訶薩如是學時不
為布施波羅蜜多稱受壞滅故學不為淨戒
安忍精進靜慮般若波羅蜜多稱受壞滅故
學如是如是舍利子菩薩摩訶薩如是學時
不為四靜慮稱受壞滅故學不為四无量四
无色定稱受壞滅故學如是如是舍利子菩
薩摩訶薩如是學時不為八解脫稱受壞滅
故學不為八勝處九次第定十遍處稱受壞
滅故學如是如是舍利子菩薩摩訶薩如是
學時不為四念住稱受壞滅故學不為四正
斷四神足五根五力七覺支八聖道支稱
受壞滅故學如是如是舍利子菩薩摩訶薩
如是學時不為空解脫門稱受壞滅故學不
為无相无願解脫門稱受壞滅故學如是如
是舍利子菩薩摩訶薩如是學時不為五眼
稱受壞滅故學不為六神通稱受壞滅故學
如是如是舍利子菩薩摩訶薩如是學時不
為佛十力稱受壞滅故學不為四无所畏四
无礙解大慈大悲大喜大捨十八佛不共法
稱受壞滅故學如是如是舍利子菩薩摩訶

BD02208 號　大般若波羅蜜多經卷八八　（4–3）

為佛十力稱受壞滅故學不為四无所畏四
无礙解大慈大悲大喜大捨十八佛不共法
稱受壞滅故學如是如是舍利子菩薩摩訶
薩如是學時不為无忘失法稱受壞滅故學
不為恒住捨性稱受壞滅故學如是如是舍
利子菩薩摩訶薩如是學時不為一切智稱
受壞滅故學不為道相智一切相智稱受壞
滅故學如是如是舍利子菩薩摩訶薩如是
學時不為一切陀羅尼門稱受壞滅故學不
為一切三摩地門稱受壞滅故學如是如是
舍利子菩薩摩訶薩如是學時不為預流果
受壞滅故學不為一來不還阿羅漢稱受壞
滅故學如是如是舍利子菩薩摩訶薩如是
學時不為預流向預流果稱受壞滅故學不
為一來向一來果不還向不還果阿羅漢向
阿羅漢稱受壞滅故學如是如是舍利子菩
薩摩訶薩如是學時不為獨覺稱受壞
滅故學不為獨覺向獨覺果稱受壞滅故學
如是如是舍利子菩薩摩訶薩如是學時不
為菩薩摩訶薩稱受壞滅故學不為三藐三佛
陀稱受壞滅故學如是如是舍利子菩薩摩
訶薩如是學時不為菩薩摩訶薩法稱受壞

BD02208 號　大般若波羅蜜多經卷八八　（4–4）

BD02208 號背　勘記及寺院題名　　（1–1）

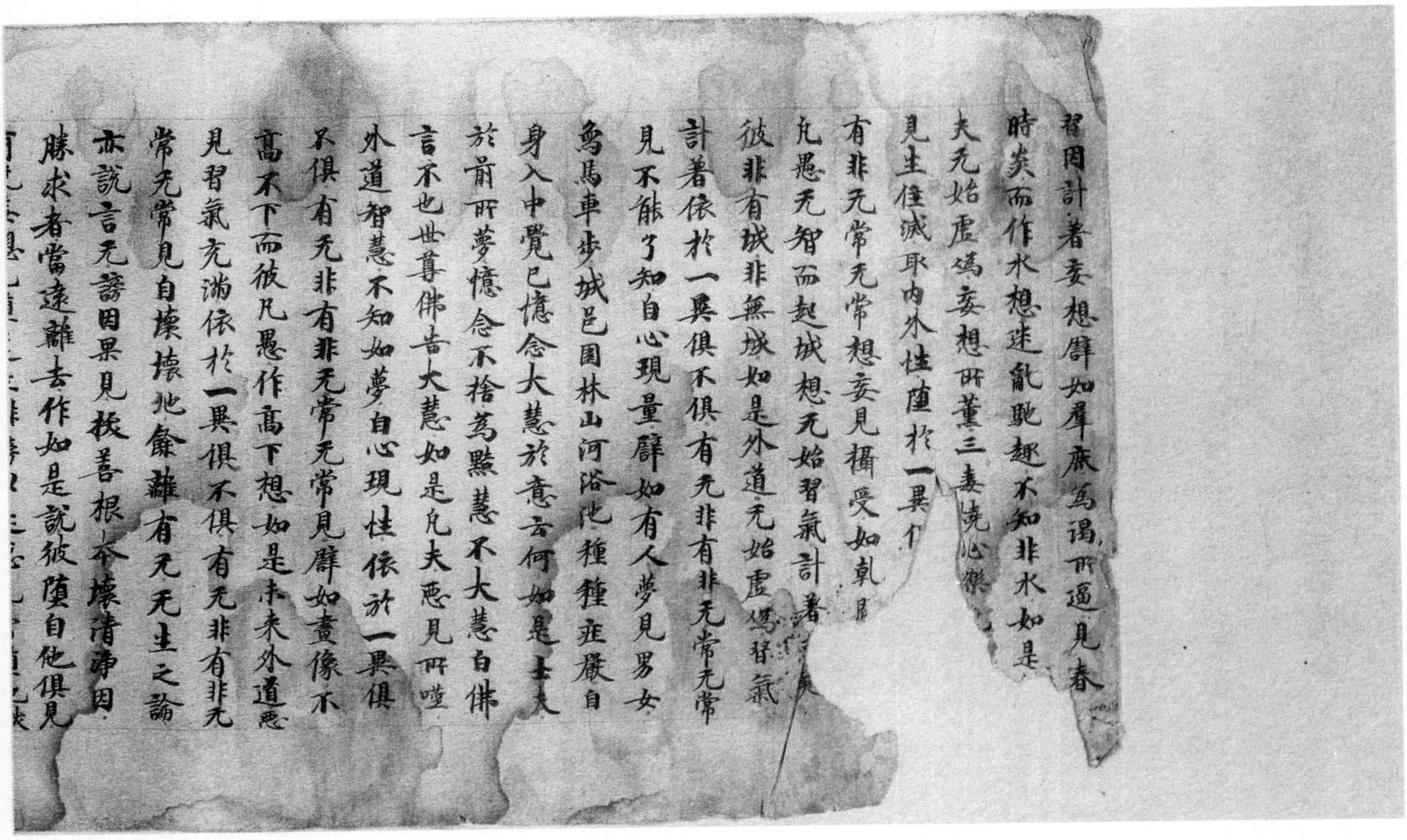

習因計著妄想譬如羣鹿爲渴所逼見春
時炎而作水想迷亂馳趣不知非水如是
夫无始虛僞妄想所薰三毒燒心樂
見生住滅取內外性墮於一異俱
有非无常无常想妄見攝受如乾闥
凡愚无智而起城想无始習氣計著
彼非有城非無城如是外道无始虛僞習氣
計著依於一異俱不俱有无非有非无常无常
見不能了知自心現量譬如有人夢見男女
象馬車步城邑園林山河浴池種種莊嚴自
身入中覺已憶念大慧於意云何如是士夫
於前所夢憶念不捨爲黠慧不大慧白佛
言不也世尊佛告大慧如是凡夫惡見所噬
外道智慧不知如夢自心現性依於一異俱
不俱有无非有非无常无常見譬如畫像不
高不下而彼凡愚作高下想如是未來外道惡
見習氣充滿依於一異俱不俱有无非有非无
常无常見自壞壞他餘離有无无生之論
亦說言无謗因果見拔善根壞清淨因
勝求者當遠離去作如是說彼墮自他俱見
[illegible]

BD02209 號　楞伽阿跋多羅寶經卷二　　（23–1）

常无常見自壞壞他餘離有无无生之論
亦說言无謗因果見拔善根本壞清淨因
勝求者當遠離去作如是說彼墮自他俱見
有无妄想已墮建立誹謗以是惡見當墮地獄
譬如翳目見有垂髮謂衆人言汝等觀此而
是垂髮畢竟非性非无性見不見故如是外
道妄見悕望依於一異俱不俱有无非有非
无常无常見誹謗正法自陷陷他譬如火輪
非輪愚夫輪想非有智者如是外道惡見悕
望依於一異俱不俱有无非有非无常　无
常想一切性生譬如水泡似摩尼珠愚小无
智作摩尼想計著追逐而彼水泡非摩尼非非
摩尼取不取故如是外道惡見妄想習氣所
薰於无所有說有生緣有者言滅
復次大慧有三種量五分論各建立已得聖
智自覺離二自性事而作有性妄想計著大
慧心意意識身心轉變自心現攝所攝諸妄
想斷如來地自覺聖智脩行者不應於彼作
性非性想若復脩行者如是境界性非性攝
取相生者彼即取長養及取我人
大慧若說彼性自性共相一切皆是化佛說
非法佛說又諸言說悉由愚夫悕望見生不
爲別建立趣自性法得聖智自覺三昧樂住
者分別顯示譬如水中有樹影現彼非影非
非影非樹形非非樹形如是外道見習所薰
妄想計著依於一異俱不俱有无非有非无

BD02209 號　楞伽阿跋多羅寶經卷二

(23–2)

非影非樹形非非樹形如是外道見習所薰
妄想計著依於一異俱不俱有无非有非无
常无常想而不能知自心現量譬如明鏡隨
緣顯現一切色像而无妄想彼非像非非像
而見像非像妄想愚夫而作像想如是外道
惡見自心像現妄想計著依一異俱不俱
有无非有非无常无常見譬如風水和合出
聲彼非性非非性如是外道惡見妄想依於
一異俱不俱有无非有非无常无常見譬如
大地无草木處熱炎川流洪浪雲踊彼非性
非非性貪无貪故如是愚夫无始虛僞習氣
所薰妄想計著依生住滅一異俱不俱有无
非有非无常无常緣自住事門亦復如彼熱
炎波浪譬如有人呪術機發以非衆生數毗
舍闍鬼方便合成動搖云爲凡愚妄想計著
往來如是外道惡見悕望依於一異俱不俱
有无非有非无常无常見戲論計著不實建
立大慧是故欲得自覺聖智事當離生住滅
一異俱不俱有无非有非无常无常等惡見妄
想尒時世尊欲重宣此義而說偈言
幻夢水樹影　垂髮熱時炎　如是觀三有　究竟得解脫
譬如鹿渴想　動轉迷亂心　鹿想謂爲水　而實无水事
如是識種子　動轉見境界　愚夫妄想生　如爲翳所翳
於无始生死　計著攝受性　如逆楔出楔　捨離貪攝受
如幻呪機發　浮雲夢電光　觀是得解脫　永斷三相續
於彼无有作　猶如炎虛空　如是知諸法　則爲无所知

BD02209 號　楞伽阿跋多羅寶經卷二

(23–3)

於无始生死　計着攝受性　如逄楔出楔　捨離貪攝受
如幻呪機發　浮雲夢電光　觀是得解脫　永斷三相續
於彼无有作　猶如炎虛空　如是知諸法　則為无所知
言教唯假名　彼亦无有相　於彼起妄想　陰行如垂髮
如畫垂髮幻　夢乾闥婆城　火輪熱時炎　无而現衆生
常无常一異　俱不俱亦然　无始過相續　愚夫癡妄想
明鏡水淨眼　摩尼妙寶珠　於中現色像　而實无所有
一切性顯現　如畫熱時炎　種種衆色現　如夢无所有
復次大慧如來說法離如是四句謂一異俱
不俱有无非有非无常无常離於有无建立
誹謗分別結集真諦緣起道滅解脫如來說
法以是為首非性非自在非无因非微塵非
時非自性相續而為說法復次大慧為淨煩
惱尒炎障故譬如商主次第建立百八句无
所有善分別諸乘及諸地相
復次大慧有四種禪云何為四謂愚夫所行禪
觀察義禪攀緣如禪如來禪云何愚夫所
行禪謂聲聞緣覺外道脩行者人无我性自
相共相骨瑣无常苦不淨相計著為首如是
相不異觀前後轉進想不除滅是名愚夫所
行禪云何觀察義禪謂人无我自相共相外
道自他俱无性已觀法无我彼地相義漸次
增進是名觀察義禪云何攀緣如禪謂妄想
二无我妄想如實處不生妄想是名攀緣如
禪云何如來禪謂入如來地行自覺聖智相
三種樂住成辦衆生不思議事是名如來禪

BD02209 號　楞伽阿跋多羅寶經卷二　（23–4）

二无我妄想如實處不生妄想是名攀緣如
禪云何如來禪謂入如來地行自覺聖智相
三種樂住成辦衆生不思議事是名如來禪
尒時世尊欲重宣此義而說偈言
凡夫所行禪　觀察相義禪　攀緣如實禪　如來清淨禪
譬如日月形　鉢頭摩深險　如虛空火盡　脩行者觀察
如是種種相　外道道通禪　亦復墮聲聞　及緣覺境界
捨離彼一切　則是无所有　一切剎諸佛　以不思議手
一時摩其頂　隨順入如相
尒時大慧菩薩摩訶薩復白佛言世尊般涅
槃者說何等法謂為涅槃佛告大慧一切自
性習氣藏意意識見習轉變名為涅槃諸佛
及我涅槃自性空事境界復次大慧涅槃者
聖智自覺境界離斷常妄想性非性云何非
常謂自相共相妄想斷故非常云何非斷謂
一切聖去來現在得自覺故非斷大慧涅槃
不壞不死若涅槃死者復應受生相續若壞
者應墮有為相是故涅槃離壞離死是故脩
行者之所歸依復次大慧涅槃非捨非得非
斷非常非一義非種種義是名涅槃復次大
慧聲聞緣覺涅槃者覺自相共相不習近境
界不顛倒見妄想不生彼等於彼作涅槃覺
復次大慧二種自性相云何為二謂言說自
性相計着事自性相計着言說自性相計着
者從无始言說虛僞習氣計着生事自性相
計着者從不覺自心現分齊生

BD02209 號　楞伽阿跋多羅寶經卷二　（23–5）

性相計著事自性相計著言說自性相計著
者從无始言說虛僞習氣計著生事自性相
計著者從不覺自心現分齊生
復次大慧如來以二種神力建立菩薩摩訶
薩頂礼諸佛聽受問義云何二種神力建立
謂三昧正受爲現一切身面言說神力及手
灌頂神力大慧菩薩摩訶薩初菩薩地住佛
神力所謂入菩薩大乘照明三昧入是三昧
已十方世界一切諸佛以神通力普現一切
身面言說如金剛藏菩薩摩訶薩及餘如是
相功德成就菩薩摩訶薩大慧是名初菩薩
地菩薩摩訶薩得菩薩三昧正受神力於百
千劫積集善根之所成就次第諸地對治所
治相通達究竟至法雲地住大蓮華微妙宮
殿坐大蓮華寶師子座同類菩薩摩訶薩眷
屬圍繞衆寶瓔珞莊嚴其身如黃金瞻蔔日
月光明諸最勝手從十方來就大蓮華宮殿
座上而灌其頂譬如自在轉輪聖王及天帝
釋太子灌頂是名菩薩手灌頂神力大慧是
名菩薩摩訶薩二種神力若菩薩摩訶薩
住二種神力面見諸佛如來若不如是則不能
見
復次大慧菩薩摩訶薩凡所分別三昧神足
說法之行是等一切悉住如來二種神力大
慧若菩薩摩訶薩離佛神力能辯說者一
切凡夫亦應能說所以者何謂不住神力故

BD02209 號　楞伽阿跋多羅寶經卷二

（23–6）

說法之行是等一切悉住如來二種神力大
慧若菩薩摩訶薩離佛神力能辯說者一
切凡夫亦應能說所以者何謂不住神力故
大慧山石樹木及諸樂器城郭宮殿以如來入
城威神力故皆自然出音樂之聲何況有心
者聾盲瘖瘂无量衆苦皆得解脫如來有
如是等无量神力利安衆生大慧菩薩復
白佛言世尊以何因緣如來應供等正覺菩薩
摩訶薩住三昧正受時及勝進地灌頂時
加其神力
佛告大慧爲離魔業煩惱故及不墮聲聞地
禪爲得如來自覺地故及增進所得法故是
故如來應供等正覺咸以神力建立諸菩薩
摩訶薩若不以神力建立者則墮外道惡見
妄想及諸聲聞衆魔悕望不得阿耨多羅
三藐三菩提以是故諸佛如來咸以神力攝
受諸菩薩摩訶薩尒時世尊欲重宣此義而
說偈言
神力人中尊　大願悉清淨　三摩提灌頂　初地及十地
尒時大慧菩薩摩訶薩復白佛言世尊佛說
緣起如是說因緣不自說道世尊外道亦說
因緣謂勝自在時微塵生如是諸性生然世
尊所說因緣生諸性言說有間悉檀无間悉
檀（悉檀者譯義或言宗或言成或言理）世尊外道亦說有无有生
世尊亦說无有生生已滅如世尊所說无明
緣行乃至老死此是世尊无因說非有因說

BD02209 號　楞伽阿跋多羅寶經卷二

（23–7）

尊所說因緣生諸性言說有間悉檀无間悉
檀（悉檀者譯義或言宗或言或言默）世尊外道亦說有无有生
世尊亦說无有生生已滅如世尊所說无明
緣行乃至老死此是世尊无因說非有因說
世尊建立作如是說此有故彼有非建立漸
生觀外道說勝非如來也所以者何世尊外
道說因不從緣生而有所生世尊說觀因有
事觀事有因如是因緣雜亂如是展轉无窮
佛告大慧我非无因說及因緣雜亂說此有
故彼有者攝所攝非性覺自心現量大慧若
攝所攝計著不覺自心現量外境界性非性
彼有如是過非我說緣起大慧復白佛言世
尊非言說有性有一切性耶世尊若无性者
言說不生世尊是故言說有性有一切性佛
告大慧无性而作言說謂菟角龜毛等世間（現）
言說大慧非性非非性但言說耳如汝所說言
說自性有一切性者汝論則壞大慧非一切刹
土有言說言說者是作耳或有佛刹瞪視顯
法或有作相或有楊眉或有動精或笑或欠或
謦咳或念刹土或動搖大慧如瞻視及香積
世界普賢如來國土但以瞻視令諸菩薩得无
生法忍及諸勝三昧是故非言說有性有一切性大
慧見此世界蚊蚋虫蟻是等衆生无有言說而
各辦事尒時世尊欲重宣此義而說偈言
如虛空菟角　及與槃太子　无如有言說　如是性妄想
因緣和合法　凡愚起妄想　不能如實知　輪迴三有宅

BD02209號　楞伽阿跋多羅寶經卷二　（23–8）

各辦事尒時世尊欲重宣此義而說偈言
如虛空菟角　及與槃太子　无如有言說　如是性妄想
因緣和合法　凡愚起妄想　不能如實知　輪迴三有宅
尒時大慧菩薩摩訶薩復白佛言世尊常聲
者何事說佛告大慧為惑亂以彼惑亂諸聖
亦現而非顛倒大慧如春時炎火輪垂髮乾
闥婆城幻夢鏡像世間顛倒非明智也然非
不現大慧彼惑亂者有種種現非惑亂作无
常所以者何謂離性非性故大慧云何離性
非性惑亂謂一切愚夫種種境界故如彼恒
河餓鬼見不見故无惑亂性於餘現故非无
性如是惑亂諸聖離顛倒不顛倒是故惑亂
常謂相相不壞故大慧非惑亂種種相妄
想相壞是故惑亂常大慧云何惑亂真實若復
因緣諸聖於此惑亂不起顛倒覺非不顛倒覺
大慧除諸聖於此惑亂有少分想非聖智事
相大慧凡有者愚夫妄說非聖言說彼惑亂
者倒不倒妄想起二種種性謂聖種性及愚
夫種性聖種性者三種分別謂聲聞乘緣覺
乘佛乘云何愚夫妄想起聲聞乘種性謂自
共相計著起聲聞乘種性是名妄想起聲聞
乘種性大慧即彼惑亂妄想起緣覺乘種
性謂即彼惑亂自共相不觀計著起緣覺乘
種性云何智者即彼惑亂想起佛乘種性謂覺
自心現量外性非性不妄想起佛乘種性是名
即彼惑亂起佛乘種性又種種事性凡夫惑

BD02209號　楞伽阿跋多羅寶經卷二　（23–9）

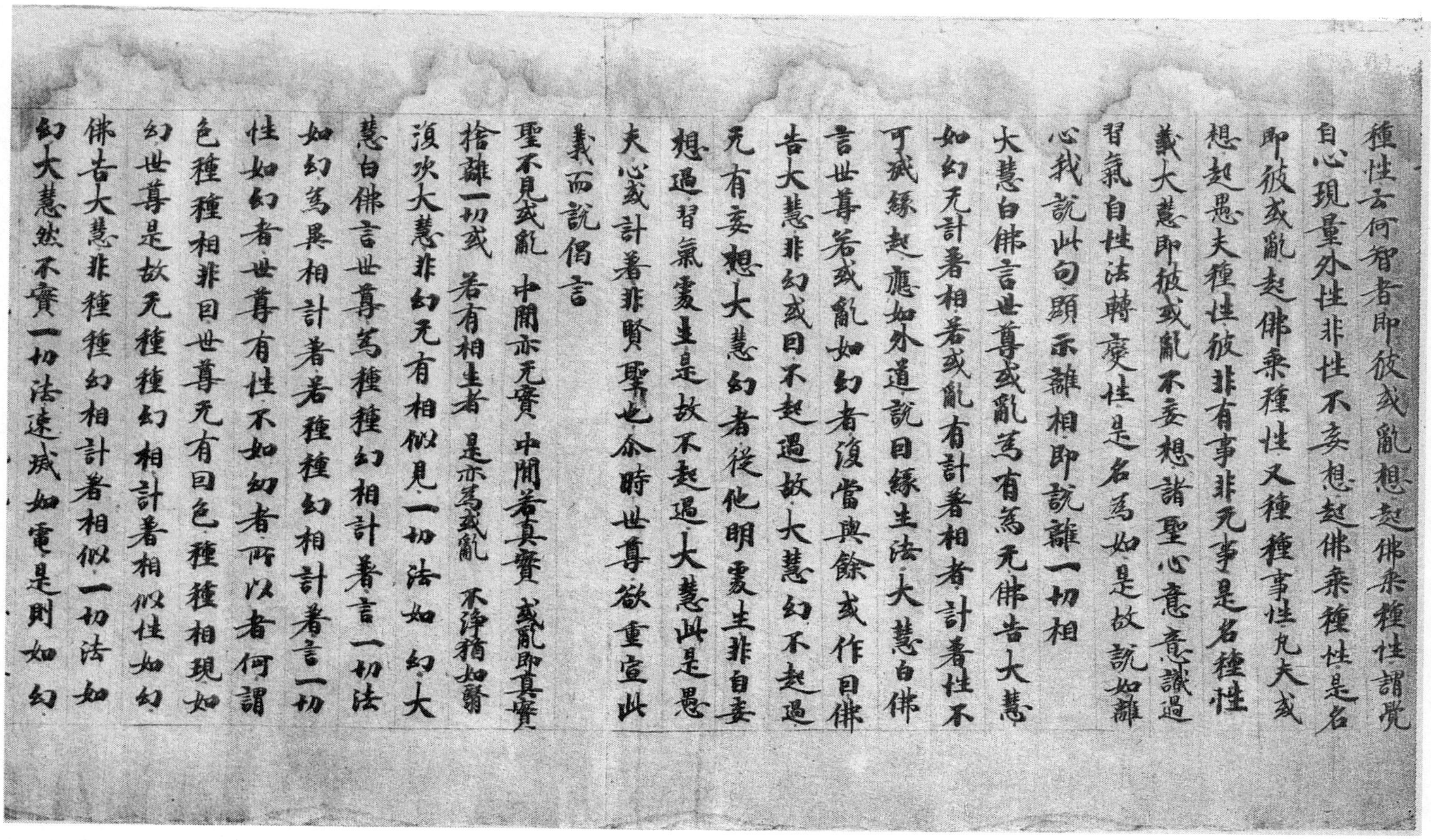
種性云何智者即彼惑亂想起佛乘種性謂覺
自心現量外性非性不妄想起佛乘種性是名
即彼惑亂起佛乘種性又種種事性凡夫惑
想起愚夫種性彼非有事非无事是名種性
義大慧即彼惑亂不妄想諸聖心意意識過
習氣自性法轉變性是名為如是故說如離
心我說此句顯示離相即說離一切相
大慧白佛言世尊惑亂為有為无佛告大慧
如幻无計著相若惑亂有計著相者計著性不
可滅緣起應如外道說因緣生法大慧白佛
言世尊若惑亂如幻者復當與餘惑作因佛
告大慧非幻惑因不起過故大慧幻不起過
无有妄想大慧幻者從他明處生非自妄
想過習氣處生是故不起過大慧此是愚
夫心惑計著非賢聖也尒時世尊欲重宣此
義而說偈言
聖不見惑亂　中間亦无實　中間若真實　惑亂即真實
捨離一切惑　若有相生者　是亦為惑亂　不淨猶如翳
復次大慧非幻无有相似見一切法如幻大
慧白佛言世尊為種種幻相計著言一切法
如幻為異相計著若種種幻相計著言一切
性如幻者世尊有性不如幻者所以者何謂
色種種相非因世尊无有因色種種相現如
幻世尊是故无種種幻相計著相似性如幻
佛告大慧非種種幻相計著相似一切法如
幻大慧然不實一切法速滅如電是則如幻

BD02209號　楞伽阿跋多羅寶經卷二　（23–10）

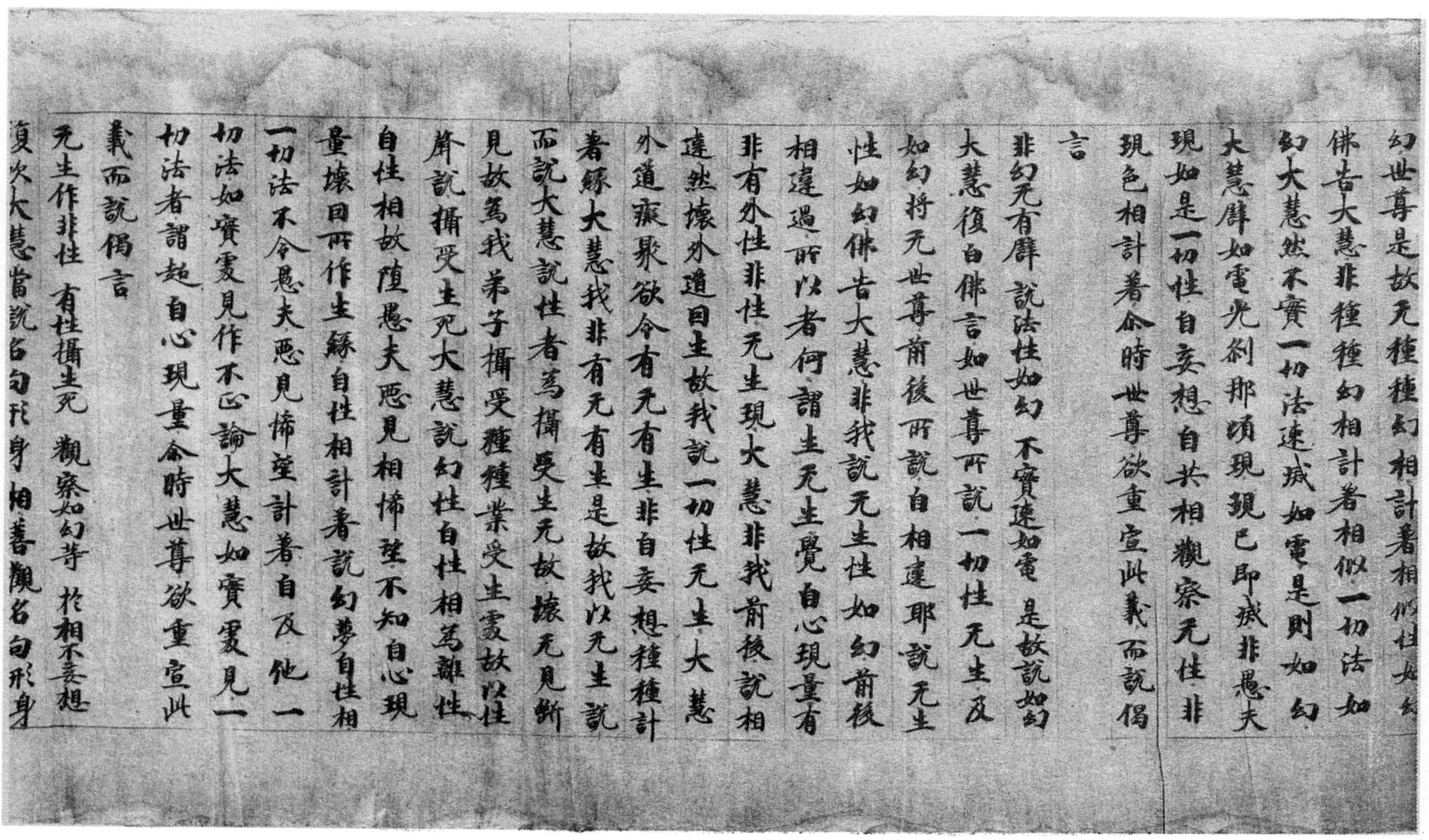
幻世尊是故无種種幻相計著相似性如幻
佛告大慧非種種幻相計著相似一切法如
幻大慧然不實一切法速滅如電是則如幻
大慧譬如電光剎那頃現現已即滅非愚夫
現如是一切性自妄想自共相觀察无性非
現色相計著尒時世尊欲重宣此義而說偈
言
非幻无有譬　說法性如幻　不實速如電　是故說如幻
大慧復白佛言如世尊所說一切性无生及
如幻將无世尊前後所說自相違耶說无生
性如幻佛告大慧非我說无生性如幻前後
相違過所以者何謂生无生覺自心現量有
非有外性非性无生現大慧非我前後說相
違然壞外道因生故我說一切性无生大慧
外道癡聚欲令有无有生非自妄想種種計
著緣大慧我非有无有生是故我以无生說
而說大慧說性者為攝受生死故壞无見斷
見故為我弟子攝受種種業受生處故以性
聲說攝受生死大慧說幻性自性相為離性
自性相故墮愚夫惡見相悕望不知自心現
量壞因所作生緣自性相計著說幻夢自性相
一切法不令愚夫惡見悕望計著自及他一
切法如實處見作不正論大慧如實處見一
切法者謂超自心現量尒時世尊欲重宣此
義而說偈言
无生作非性　有性攝生死　觀察如幻等　於相不妄想
復次大慧當說名句形身相善觀名句形身

BD02209號　楞伽阿跋多羅寶經卷二　（23–11）

切法者謂趣自心現量尒時世尊欲重宣此
義而說偈言
无生作非性　有性攝生死　觀察如幻等　於相不妄想
復次大慧當說名句形身相善觀名句形身
菩薩摩訶薩隨入義句形身疾得阿耨多羅
三藐三菩提如是覺已覺一切衆生大慧名身
者謂若依事立名是名名身句身者謂句有
義身自性決定究竟是名句身形身者謂
顯示名句是名形身（形身卯字）又形身者謂長短高
下又句身者謂徑跡如象馬人獸等所行徑
跡得句身名大慧名及形者謂以名說无色
四陰故說名自相顯現故說形是名名句形
身說名句形身相分齊應當修學尒時世
尊欲重宣此義而說偈言
名身與句身　及形身差別　凡夫愚計著　如象溺深泥
復次大慧未來世智者當以離一異俱不俱
見相我所通義問无智者彼即答言此非正
問謂色等无常爲異不異如是涅槃諸行相
所相求那所求那造所造見所見塵及微塵
修與修者如是比展轉相如是等問而言佛
說无記止論非彼癡人之所能知謂聞慧不
具故如來應供等正覺令彼離恐怖句故說
言无記不爲記說又止外道見論故而不爲
說大慧外道作如是說謂命即是身如是等
无記論大慧彼諸外道愚癡於因作无記
論非我所說大慧我所說者離攝所攝妄想

BD02209號　楞伽阿跋多羅寶經卷二　（23–12）

說大慧外道作如是說謂命即是身如是等
无記論大慧彼諸外道愚癡於因作无記
論非我所說大慧我所說者離攝所攝妄想
不生云何止彼大慧若攝所攝計著者不知自
心現量故止彼大慧如來應供等正覺以四
種記論爲衆生說法大慧止記論者我時
時說爲根未熟不爲熟者
復次大慧一切法離所作因緣不生无作者
故一切法不生大慧何故一切性離自性以
自覺觀時自共性相不可得故說一切法不
生何故一切法不可持來不可持去以自共
相欲持來无所來欲持去无所去是故一切
法離持來去大慧何故一切諸法不滅謂性
自性相无故一切法不可得故一切法不滅
大慧何故一切法无常謂相起无常性是故
說一切法无常大慧何故一切法常謂相起
无生性无常常故說一切法常尒時世尊欲
重宣此義而說偈言
記論有四種　一向反詰問　分別及止論　以制諸外道
有及非有生　僧佉毗舍師　一切悉无記　彼如是顯示
正覺所分別　自性不可得　以離於言說　故說離自性
尒時大慧菩薩摩訶薩復白佛言世尊唯願
爲說諸須陀洹須陀洹趣差別通相若菩薩
摩訶薩善解須陀洹趣差別通相及斯陀
含阿那含阿羅漢方便相分別知已如是如是
爲衆生說法謂二无我相及二障淨度諸地

BD02209號　楞伽阿跋多羅寶經卷二　（23–13）

摩訶薩善解須陀洹趣差別通相及斯陀
含阿那含阿羅漢方便相分別知已如是如是
爲衆生説法謂二无我相及二障淨度諸地
相究竟通達得諸如來不思議究竟境界如
衆色摩尼善能饒益一切衆生以一切法境
界无盡身財攝養一切佛告大慧諦聽諦聽
善思念之今爲汝説大慧白佛言善哉世尊
唯然聽受佛告大慧有三種須陀洹須陀洹
果差別云何爲三謂下中上下者極七有生
中者三五有而般涅槃上者即彼生而般涅
槃此三種有三結下中上云何三結謂身見
疑戒取是三結差別上上昇進得阿羅漢大
慧身見有二種謂俱生及妄想如緣起妄想
自性妄想譬如依緣起自性種種妄想自性
計着生以彼非有非无非有无无實妄想相
故愚夫妄想種種妄想自性相計着如熱時
炎鹿渴水想是須陀洹妄想身見彼以人无
我攝受无性斷除久遠无知計着大慧俱生
者須陀洹身見自他身等四陰无色相故色
生造及所造故展轉相因相故大種及色不
集故須陀洹觀有无品不現身見則斷如是
身見斷貪則不生是名身見相大慧疑相者
謂得法善見相故及先二種身見妄相斷故
疑法不生不於餘處起大師見爲淨不淨是
名疑相須陀洹斷大慧戒取者云何須陀洹
不取戒謂善見受生處苦相故是故不取大

BD02209號　楞伽阿跋多羅寶經卷二　（23–14）

疑法不生不於餘處起大師見爲淨不淨是
名疑相須陀洹斷大慧戒取者云何須陀洹
不取戒謂善見受生處苦相故是故不取大
慧取者謂愚夫決定受習苦行爲衆具樂故
求受生彼則不取除迴向自覺勝離妄想无
漏法相行方便受持戒支是名須陀洹取戒
相斷須陀洹斷三結貪癡不生若須陀洹作
是念此諸結我不成就者應有二過墮身見
及諸結不斷大慧白佛言世尊世尊説衆多
貪欲彼何者貪斷佛告大慧愛樂女人纏綿
貪着種種方便身口惡業受現在樂種未來
苦彼則不生所以者何得三昧正受樂故是
故彼斷非趣涅槃貪斷大慧云何斯陀含
相謂頓照色相妄想生想見相不生善見禪
趣相故頓來此世盡苦際得涅槃是故名斯
陀含大慧云何阿那含謂過去未來現在色
相性非性生見過患使妄想不來故及結斷
故名阿那含大慧阿羅漢者謂禪三昧解
脫力明煩惱苦妄想非性故名阿羅漢
大慧白佛言世尊世尊説三種阿羅漢此説
何等阿羅漢世尊爲得寂靜一乘道爲菩薩
摩訶薩方便示現阿羅漢爲佛化化佛告大
慧得寂靜一乘道聲聞非餘餘者行菩薩行
及佛化化巧方便本願故於大衆中示現受
生爲莊嚴佛眷屬故大慧於妄想處種種説
法謂得果禪禪者入禪悉遠離故示現得自

BD02209號　楞伽阿跋多羅寶經卷二　（23–15）

及佛化化巧方便本願故於大衆中示現受
生爲莊嚴佛眷屬故大慧於妄想處種種說
法謂得果禪禪者入禪悉遠離故示現得自
心現量得果相說名得果復次大慧欲起禪
无量无色界者當離自心現量相大慧受想
正受超自心現量者不然何以故有心量故
尒時世尊欲重宣此義而說偈言
諸禪四无量　无色三摩提　一切受想滅　心量彼无有
須陁槃那果　往來及不還　及與阿羅漢　斯等心惑亂
禪者禪及緣　斷知見真諦　此則妄想量　若覺得解脫
復次大慧有二種覺謂觀察覺及妄想相攝
受計著建立覺大慧觀察覺者謂若覺性自
性相選擇離四句不可得是名觀察覺大慧
彼四句者謂離一異俱不俱有无非有非无常
无常是名四句大慧此四句離是名一切
法大慧此四句觀察一切法應當脩學大慧
云何妄想相攝受計著建立覺謂妄想相攝
受計著堅濕煖動不實妄想相四大種宗因
相譬計著不實建立而建立是名妄想相攝
受計著建立覺是名二種覺相若菩薩摩訶
薩成就此二覺相人法无我相究竟善知无
所有覺觀察行地得初地入百三昧得无差
別三昧見百佛及百菩薩知前後際各百劫
事光照百剎土知上上地相大願殊勝神力
自在法雲灌頂當得如來自覺地善繫心十

別三昧見百佛及百菩薩知前後際各百劫
事光照百剎土知上上地相大願殊勝神力
自在法雲灌頂當得如來自覺地善繫心十
无盡句成熟衆生種種變化光明莊嚴得自
覺樂三昧正受
復次大慧菩薩摩訶薩當善四大造色云
何菩薩善四大造色大慧菩薩摩訶薩作是
彼真諦者四大不生於彼四大不生作如是
觀察觀察已覺名相妄想分齊自心現分
齊外性非性名心現妄想分齊謂三界觀彼
四大造色性離四句通淨離我我所如實相自
相分齊住无生自相成
大慧彼四大種云何生造色謂津潤妄想大
種生內外水界堪能妄想大種生內外火界
飄動妄想大種生內外風界斷截色妄想大
種生內外地界色及虛空俱計著邪諦五陰
集聚四大造色生大慧識者因樂種種跡境
界故餘趣相續大慧地等四大及造色等有
四大緣非彼四大緣所以者何謂性形相處
所作方便无性大種不生大慧性形相處所
作方便和合生非无形是故四大造色相外
道妄想非我
復次大慧當說諸陰自性相云何諸陰自性
相謂五陰云何五謂色受想行識彼四陰非
色謂受想行識大慧色者四大及造色色各各

復次大慧當說諸陰自性相云何諸陰自性
相謂五陰云何五謂色受想行識彼四陰非
色謂受想行識大慧色者四大及造色各各
異相大慧非无色有四數如虛空辟如虛空
過數相離於數而妄想言一虛空大慧如是
陰過數相離於數離性非性離四句數相者
愚夫言說所說非聖賢也大慧聖者如幻種
種色像離異不異施設又如夢影士夫身離
異不異故大慧聖智趣同陰妄想現是名諸
陰自性相汝當除滅滅已說寂靜法斷一切
佛刹諸外道見大慧說寂靜時法无我見淨
及入不動地入不動地已无量三昧自在及
得意生身得如幻三昧通達究竟力明自在
救攝饒益一切衆生猶如大地載育衆生菩
薩摩訶薩普濟衆生亦復如是
復次大慧諸外道有四種涅槃云何爲四謂
性自性非性涅槃種種相性非性涅槃自相
自性非性覺涅槃諸陰自共相相續流注
斷涅槃是名諸外道四種涅槃非我所說法
大慧我所說者妄想識滅名爲涅槃
大慧白佛言世尊不建立八識耶佛言建立
大慧白佛言若建立者云何離意識非七識
佛告大慧彼因及彼攀緣故七識不生意識
者境界分段計著生習氣長養藏識意俱我
者所計著思惟因緣生不壞身相藏識因攀

BD02209號　楞伽阿跋多羅寶經卷二

（23–18）

者境界分段計著生習氣長養藏識意俱我
者所計著思惟因緣生不壞身相藏識因攀
緣自心現境界計著心聚生展轉相因辟如
海浪自心現境界風吹若生若滅亦如是是
故意識滅七識亦滅尒時世尊欲重宣此義
而說偈言
我不涅槃性　所作及與相　妄想尒炎識　此滅我涅槃
彼因彼攀緣　意趣等成身　與因者是心　爲識之所依
如水大流盡　波浪則不起　如是意識滅　種種識不生
復次大慧今當說妄想自性分別通相若妄
想自性分別通相善分別汝及餘菩薩摩
訶薩離妄想到自覺聖外道通趣善見覺
攝所攝妄想斷緣起種種相妄想自性行不
復妄想大慧云何妄想自性分別通相謂言說
妄想所說事妄想相妄想利妄想自性妄想
因妄想見妄想成妄想生妄想不生妄想相
續妄想縛不縛妄想是名妄想自性分別通
相大慧云何言說妄想謂種種妙音歌詠之
聲美樂計著是名言說妄想大慧云何所說
事妄想謂有所說事自性聖智所知依彼而
生言說妄想是名所說事妄想大慧云何相
妄想謂即彼所說事如鹿渴想種種計著
而計著謂堅濕煖動相一切性妄想是名相
妄想大慧云何利妄想謂樂種種金銀珎寶
是名利妄想大慧云何自性妄想謂自性持

BD02209號　楞伽阿跋多羅寶經卷二

（23–19）

妄想謂即彼所說事如鹿渴想種種計著
而計著謂堅濕煖動相一切性妄想是名相
妄想大慧云何利妄想謂樂種種金銀珎寶
是名利妄想大慧云何自性妄想謂自性持
此如是不異惡見妄想是名自性妄想大慧
云何因妄想謂若因若緣有无分別因相生是
名因妄想大慧云何見妄想謂有无一異俱
不俱惡見外道妄想計著妄想是名見妄
想大慧云何成妄想謂我我所相成決定論是
名成妄想大慧云何生妄想謂緣有无性生
計著是名生妄想大慧云何不生妄想謂
一切性本无生无種因緣生无因身是名不生
妄想大慧云何相續妄想謂彼俱相續如金
縷是名相續妄想大慧云何縛不縛妄想謂
縛因縛計著如士夫方便若縛若解是名縛
不縛妄想於此妄想自性分別通相一切愚
夫計著有无大慧計著緣起而計著者種
種妄想計著自性如幻示現種種之身凡夫妄
想見種異幻大慧幻與種非異非不異若異
者幻非種種因若不異者幻與種種无差
別而見差別是故非異非不異是故大慧
汝及餘菩薩摩訶薩如幻緣起妄想自性
異不異有无莫計著尒時世尊欲重宣此義
而說偈言
心縛於境界　覺想智隨轉　无所有及勝　平等智慧生

BD02209號　楞伽阿跋多羅寶經卷二

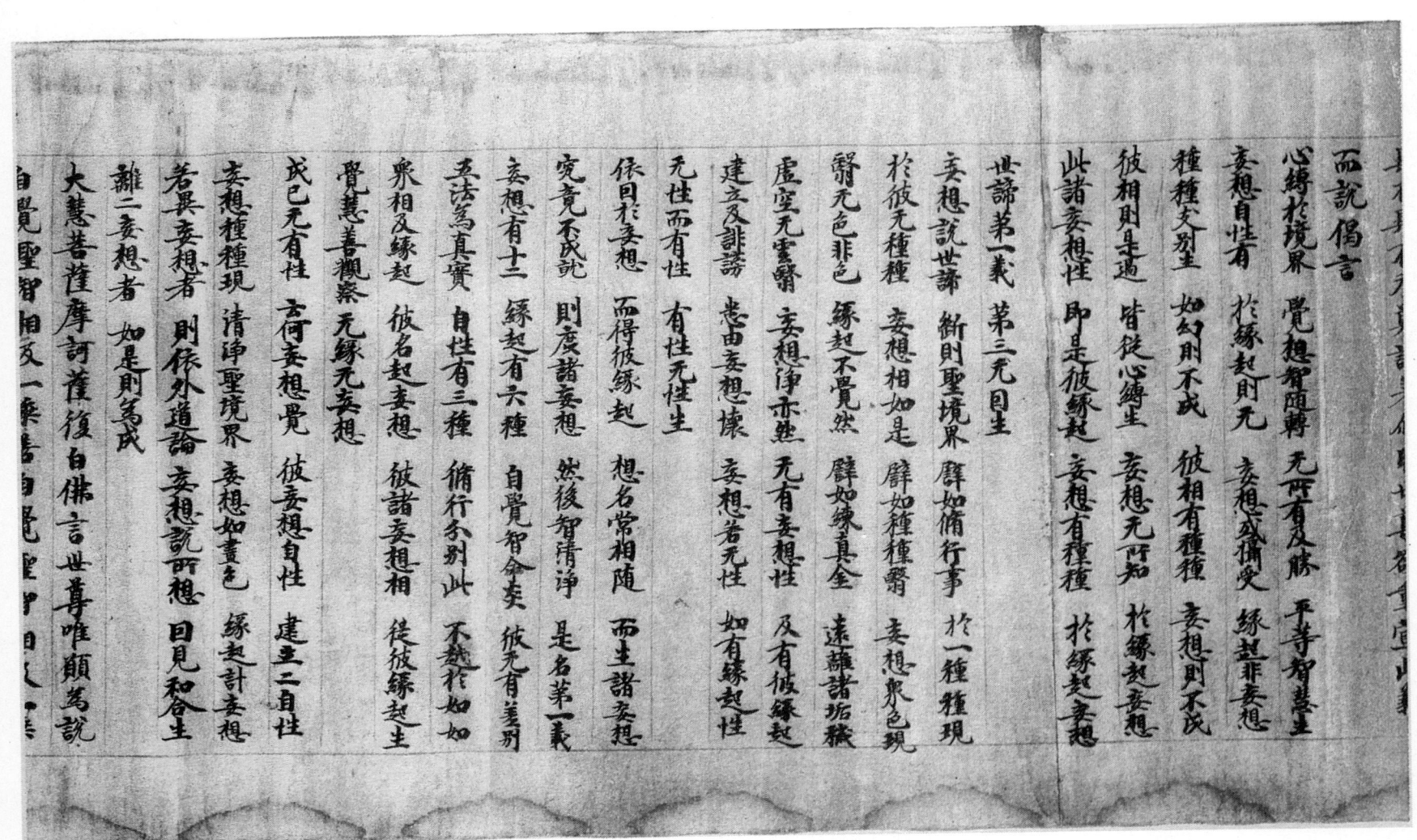

(23-20)

異不異有无莫計著尒時世尊欲重宣此義
而說偈言
心縛於境界　覺想智隨轉　无所有及勝　平等智慧生
妄想自性有　於緣起則无　妄想或攝受　緣起非妄想
種種支分生　如幻則不成　彼相有種種　妄想則不成
彼相則是過　皆從心縛生　妄想无所知　於緣起妄想
此諸妄想性　即是彼緣起　妄想有種種　於緣起妄想
世諦第一義　第三无因生
妄想說世諦　斷則聖境界　譬如修行事　於一種種現
於彼无種種　妄想相如是　譬如種種翳　妄想衆色現
翳无色非色　緣起不覺然　譬如鍊真金　遠離諸垢穢
虛空无雲翳　妄想淨亦然　无有妄想性　及有彼緣起
建立及誹謗　悉由妄想壞　妄想若无性　如有緣起性
无性而有性　有性无性生
依因於妄想　而得彼緣起　想名常相隨　而生諸妄想
究竟不成就　則度諸妄想　然後智清淨　是名第一義
妄想有十二　緣起有六種　自覺智尒焰　彼无有差別
五法為真實　自性有三種　修行分別此　不越於如如
衆相及緣起　彼名起妄想　彼諸妄想相　從彼緣起生
覺慧善觀察　无緣无妄想
成已无有性　云何妄想覺　彼妄想自性　建立二自性
妄想種種現　清淨聖境界　妄想如畫色　緣起計妄想
若異妄想者　則依外道論　妄想說所想　因見和合生
離二妄想者　如是則為成
大慧菩薩摩訶薩復白佛言世尊唯願為說
自覺聖智相及一乘若自覺聖智相及一乘

BD02209號　楞伽阿跋多羅寶經卷二

(23-21)

離二妄想者　如是則為説
大慧菩薩摩訶薩復白佛言世尊唯願為説
自覺聖智相及一乘善自覺聖智相及一乘
我及餘菩薩善自覺聖智相及一乘不由於
他通達佛法佛告大慧諦聽諦聽善思念之
當為汝説大慧白佛言唯然受教佛告大慧
前聖所知轉相傳授妄想无性菩薩摩訶薩
獨一靜處自覺觀察不由於他離見妄想上
昇進入如來地是名自覺聖智相大慧云
何一乘相謂得一乘道覺我説一乘云何得
一乘道覺謂攝所攝妄想如實處不生妄想
是名一乘覺大慧一乘覺者非餘外道聲聞
緣覺梵天王等之所能得唯除如來以是故
説名一乘大慧白佛言世尊何故説三乘而
不説一乘佛告大慧不自般涅槃法故不説
一切聲聞緣覺一乘以一切聲聞緣覺如來
調伏授寂靜方便而得解脫非自己力是故
不説一乘
復次大慧煩惱障業習氣不斷故不説一切
聲聞緣覺一乘不覺法无我不離分段死故
説三乘大慧彼諸一切起煩惱過習氣斷
及覺法无我彼一切起煩惱過習氣斷三昧
樂味著非性无漏界覺覺已復入出世間上
上无漏界滿足衆具當得如來不思議自在法
身爾時世尊欲重宣此義而説偈言

BD02209號　楞伽阿跋多羅寶經卷二　（23–22）

調伏授寂靜方便而得解脫非自己力是故
不説一乘
復次大慧煩惱障業習氣不斷故不説一切
聲聞緣覺一乘不覺法无我不離分段死故
説三乘大慧彼諸一切起煩惱過習氣斷
及覺法无我彼一切起煩惱過習氣斷三昧
樂味著非性无漏界覺覺已復入出世間上
上无漏界滿足衆具當得如來不思議自在法
身爾時世尊欲重宣此義而説偈言
諸天及梵乘　聲聞緣覺乘　諸佛如來乘　我説此諸乘
乃至有心轉　諸乘非究竟　若彼心滅盡　无乘及乘者
无有乘建立　我説為一乘　引導衆生故　分別説諸乘
解脫有三種　及與法无我　煩惱智慧等　解脫則遠離
譬如海浮木　常隨波浪轉　聲聞愚亦然　相風所飄蕩
彼起煩惱滅　餘習煩惱愚　味著三昧樂　安住无漏界
无有究竟趣　亦復不退還

BD02209號　楞伽阿跋多羅寶經卷二　（23–23）

苐六陰如苐七情如十三入如十九界菩薩觀
衆生為若此如无色界色如焦穀牙如須陁
洹身見如阿那含入胎如阿羅漢三毒如得
忍菩薩貪恚毀禁如佛煩惱習如盲者見
色如入滅盡定出入息如空中鳥跡如石女
兒如化人煩惱如夢所見已悟如滅度者受
身如无烟之火菩薩觀衆生為若此
文殊師利言若菩薩作是觀者云何行慈維
摩詰言菩薩作是觀已自念我當為衆生說
如斯法是即真實慈也行寂滅慈无所生故
行不熱慈无煩惱故行等之慈等三世故行
无諍慈无所起故行不二慈內外不合故行不
壞慈畢竟盡故行堅固慈心无毀故行清淨
慈諸法性淨故行无邊慈如虛空故行阿羅
漢慈破結賊故行菩薩慈安衆生故行如來
慈得如相故行佛之慈覺衆生故行自然慈
无因得故行菩提慈等一味故行无等慈斷
諸愛故行大悲慈導以大乘故行无猒慈觀
空无我故行法施慈无遺惜故行持戒慈化
毀禁故行忍辱慈護彼我故行精進慈荷負

BD02210 號　維摩詰所說經卷中

（15–1）

諸愛故行大悲慈導以大乘故行无猒慈觀
空无我故行法施慈无遺惜故行持戒慈化
毀禁故行忍辱慈護彼我故行精進慈荷負
衆生故行禪定慈不受味故行智慧慈无不
知時故行方便慈一切示現故行无隱慈直
心清淨故行深心慈无雜行故行无誑慈不
虛假故行安樂慈令得佛樂故菩薩之慈為
若此也
文殊師利又問何謂為悲荅曰菩薩所作功
德皆與一切衆生共之何謂為喜荅曰有所
饒益歡喜无悔何謂為捨荅曰所作福祐无
所希望文殊師利又問生死有畏菩薩當何
所依維摩詰言菩薩於生死畏中當依如來
功德之力文殊師利又問菩薩欲依如來功
德之力當於何住荅曰菩薩欲依如來功德
力者當住度脫一切衆生又問欲度衆生當
何所除荅曰欲度衆生除其煩惱又問欲除
煩惱當何所行荅曰當行正念又問云何行於
正念荅曰當行不生不滅又問何法不生何法
不滅荅曰不善不生善法不滅又問善不善
孰為本荅曰身為本又問身孰為本荅　曰
欲貪為本又問欲貪孰為本荅曰虛妄分
別為本又問虛妄分別孰為本荅曰顛倒想
為本又問顛倒想孰為本荅曰无住為本又
問无住孰為本荅曰无住則无本文殊師利
從无住本立一切法
時維摩詰室有一天女見諸大人聞所說法

BD02210 號　維摩詰所說經卷中

（15–2）

問无住孰為本荅曰无住則无本文殊師利
從无住本立一切法
時維摩詰室有一天女見諸大人聞所說法
便現其身即以天華散諸菩薩大弟子上華
至諸菩薩即皆墮落至大弟子便著不墮一
切弟子神力去華不能令去尒時天問舍利弗
何故去華荅曰此華不如法是以去之天曰勿
謂此華為不如法所以者何是華无所分別
仁者自生分別想耳若於佛法出家有所分
別為不如法若无分別是則如法觀諸菩薩
華不著者以斷一切分別想故譬如人畏時
非人得其便如是弟子畏生死故色聲香味
觸得其便也已離畏者一切五欲无能為也結
習未盡華著身耳結習盡者華不著也舍
利弗言天止此室其已久如荅曰我止此室
如耆年解脫舍利弗言止此久耶天曰耆年
解脫亦何如久舍利弗默然不荅天曰如何
耆舊大智而默荅曰解脫者无所言說故吾
於是不知所云天曰言說文字皆解脫相所
以者何解脫者不內不外不在兩閒文字亦
不內不外不在兩閒是故舍利弗无離文字
說解脫也所以者何一切諸法皆解脫相舍
利弗言不復以離婬怒癡為解脫乎天曰佛
為增上慢人說離婬怒癡為解脫耳若无增
上慢者佛說婬怒癡性即是解脫舍利弗言
善哉善哉天女汝何所得以何為證辯乃如
是天曰我无得无證故辯如是所以者何若

BD02210號　維摩詰所說經卷中

（15–3）

上慢者佛說婬怒癡性即是解脫舍利弗言
善哉善哉天女汝何所得以何為證辯乃如
是天曰我无得无證故辯如是所以者何若
有得有證者則於佛法為增上慢
舍利弗問天汝於三乘為何志求天曰以聲
聞法化衆生故我為聲聞以因緣法化衆生
故我為辟支佛以大悲法化衆生故我為大乘
舍利弗如人入瞻蔔林唯齅瞻蔔不齅餘香
如是若入此室但聞佛功德之香不樂聲
聞辟支佛功德香也舍利弗其有釋梵四天
王諸天龍鬼神等入此室者聞斯上人講說
正法皆樂佛功德之香發心而出舍利弗吾止
此室十有二年初不聞說聲聞辟支佛法但
聞菩薩大慈大悲不可思議諸佛之法舍利
弗此室常現八未曾有難得之法何等為八
此室常以金色光照晝夜无異不以日月所
照為明是為一未曾有難得之法此室入者
不為諸垢之所惱也是為二未曾有難得之
法此室常有釋梵四天王他方菩薩來會
不絕是為三未曾有難得之法此室常說六
波羅蜜不退轉法是為四未曾有難得之法
此室常作天人第一之樂絃出无量法化之聲
是為五未曾有難得之法此室有四大藏衆
寶積滿周窮濟乏求得无盡是為六未曾
有難得之法此室釋迦牟尼佛阿弥陁佛阿
閦佛寶德寶炎寶月寶嚴難勝師子響一切
利成如是等十方无量諸佛是上人念時即

BD02210號　維摩詰所說經卷中

（15–4）

有難得之法此室釋迦牟尼佛阿彌陀佛阿
閦佛寶德寶炎寶月寶嚴難勝師子響一切
利成如是等十方无量諸佛是上人念時即皆
為來廣說諸佛祕要法藏說已還去是為七
未曾有難得之法此室一切諸天嚴飾宮殿
諸佛淨土皆於中現是為八未曾有難得
之法舍利弗此室常現八未曾有難得之法
誰有見斯不思議事而復樂於聲聞法乎舍
利弗言汝何以不轉女身天曰我從十二年來
求人相了不可得當何所轉譬如幻師化作幻
女若有人問何以不轉女身是人為正問不舍
利弗言不也幻无定相當何所轉天曰一切諸
法亦復如是无有定相云何乃問不轉女身
即時天女以神通力變舍利弗身令如天女天
自化身如舍利弗而問言何以不轉女身舍
利弗以天女像而答言我今不知何轉而變
為女身天曰舍利弗若能轉此女身則一切
女人亦當能轉如舍利弗非女而現女身一
切女人亦復如是雖現女身而非女也是故
佛說一切諸法非男非女即時天女還攝神
力舍利弗身還復如故天問舍利弗女身
色相今何所在舍利弗言女身色相无在
无不在天曰一切諸法亦復如是无在无不
在夫无在无不在者佛所說也舍 利弗問
天汝於此沒當生何所天曰佛化所生
吾如彼生曰佛化所生非沒生也天曰眾生
猶然无沒生也舍利弗問天汝久如當得

BD02210號　維摩詰所說經卷中　（15–5）

天汝於此沒當生何所天曰佛化所生
吾如彼生曰佛化所生非沒生也天曰眾生
猶然无沒生也舍利弗問天汝久如當得
阿耨多羅三藐三菩提天曰如舍利弗還為
凡夫我乃當成阿耨多羅三藐三菩提舍利
弗言我作凡夫无有是處天曰我得阿耨多
羅三藐三菩提亦无是處所以者何菩提无
住處是故无有得者舍利弗言今諸佛得阿
耨多羅三藐三菩提已得當得如恒河
沙皆何謂乎天曰皆以世俗文字數故說有
三世非謂菩提有去來今天曰舍利弗汝得
阿羅漢道耶曰无所得故而得天曰諸佛菩薩
亦復如是无所得故而得尒時維摩詰語舍
利弗是天女曾已供養九十二億佛已能遊
戲菩薩神通所願具足得无生忍住不退轉
以本願故隨意能現教化眾生

佛道品第八

尒時文殊師利問維摩詰言菩薩云何通達
佛道維摩詰言若菩薩行於非道是為通
達佛道又問云何菩薩行於非道答曰若菩
薩行五无間而无惱恚至于地獄无諸罪垢
至于畜生无有无明憍慢等過至于餓鬼而
具足功德行色无色界道不以為勝示行貪
欲離諸染著示行瞋恚於諸眾生无有恚礙
示行愚癡而以智慧調伏其心示行慳貪而
捨內外所有不惜身命示行毀禁而安住淨
戒乃至小罪猶懷大懼示行瞋恚而常慈忍

BD02210號　維摩詰所說經卷中　（15–6）

亦行愚癡而以智慧調伏其心亦行慳貪而
捨内外所有不惜身命亦行毀禁而安住淨
戒乃至小罪猶懷大懼亦行瞋恚而常慈忍
亦行懈怠而勤修功德亦行亂意而常念定
亦行愚癡而通達世間出世間慧亦行諂偽
而善方便隨諸經義亦行憍慢而於衆生猶
如橋梁亦行諸煩惱而心常清淨亦入於魔
而順佛智慧不隨他教亦入聲聞而爲衆生
說未聞法亦入辟支佛而成就大悲教化衆
生亦入貧窮而有寶手功德无盡亦入形殘而
具諸相好以自莊嚴亦入下賤而生佛性中
具諸功德亦入羸劣醜陋而得那羅延身一切
衆生之所樂見亦入老病死而永斷病根超
越死畏亦有資生而恒觀无常无所貪著有
妻妾婇女而常遠離五欲淤泥現於訥鈍而
成就辯才總持无失亦入邪濟而以正濟度
諸衆生現遍入諸道而斷其因緣現於涅
槃而不斷生死文殊師利菩薩能如是行於
非道是爲通達佛道
於是維摩詰問文殊師利何等爲如來種文
殊師利言有身爲種无明有愛爲種貪恚癡
爲種四顛倒爲種五蓋爲種六入爲種七識
處爲種八邪法爲種九惱處爲種十不善道
爲種以要言之六十二見及一切煩惱皆是
佛種曰何謂也答曰若見无爲入正位者不
能復發阿耨多羅三藐三菩提心譬如高原
陸地不生蓮華卑濕淤泥乃生此華如是見

BD02210號　維摩詰所說經卷中　　（15–7）

佛種曰何謂也答曰若見无爲入正位者不
能復發阿耨多羅三藐三菩提心譬如高原
陸地不生蓮華卑濕淤泥乃生此華如是見
无爲法入正位者終不復能生於佛法煩惱
泥中乃有衆生起佛法耳又如殖種於空終不
得生糞壤之地乃能滋茂如是入无爲正位
者不生佛法起於我見如須弥山猶能發于
阿耨多羅三藐三菩提心生佛法矣是故當
知一切煩惱爲如來種譬如不入巨海不能
得无價寶珠如是不入煩惱大海則不能生
一切智寶之心
尒時大迦葉歎言善哉善哉文殊師利快說
此語誠如所言塵勞之疇爲如來種我等今
者不復堪任發阿耨多羅三藐三菩提心乃至
五无間罪猶能發意生於佛法而今我等永
不能發譬如根敗之士其於五欲不能復利
如是聲聞諸結斷者於佛法中无所復益永
不志願是故文殊師利凡夫於佛法有反復
而聲聞无也所以者何凡夫聞佛法能起无
上道心不斷三寶正使聲聞終身聞佛法力
无畏等永不能發无上道意尒時會中有菩
薩名普現色身問維摩詰言居士父母妻子
親戚眷屬吏民知識悉爲是誰奴婢僮僕象
馬車乘皆何所在於是維摩詰以偈答曰
智度菩薩母　方便以爲父　一切衆導師　无不由是生
法喜以爲妻　慈悲心爲女　善心誠實男　畢竟空寂舍
弟子衆塵勞　隨意之所轉　道品善知識　由是成正覺

BD02210號　維摩詰所說經卷中　　（15–8）

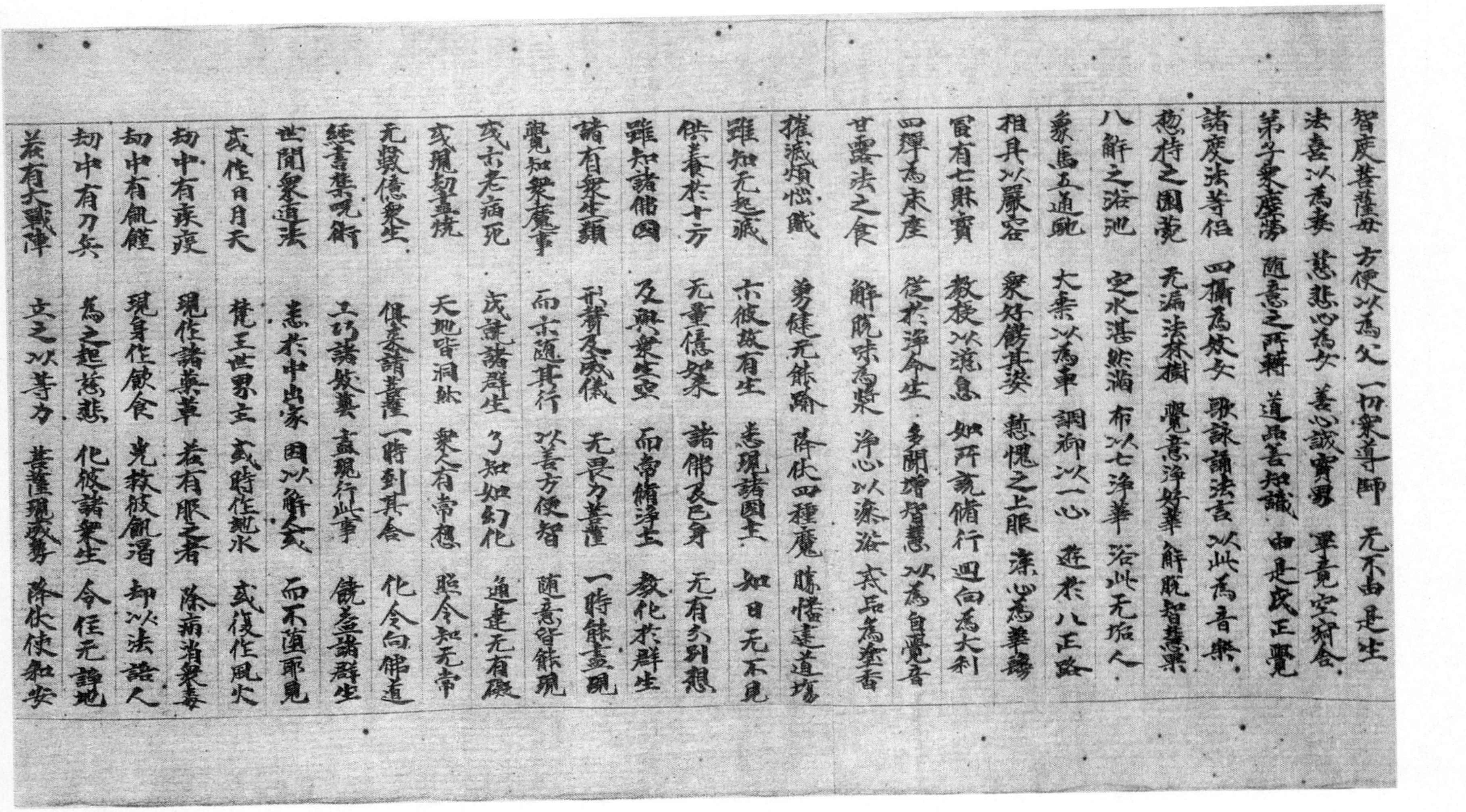
智度菩薩母　方便以為父　一切衆導師　无不由是生
法喜以為妻　慈悲心為女　善心誠實男　畢竟空寂舍
弟子衆塵勞　隨意之所轉　道品善知識　由是成正覺
諸度法等侶　四攝為伎女　歌詠誦法言　以此為音樂
總持之園苑　无漏法林樹　覺意淨妙華　解脫智慧果
八解之浴池　定水湛然滿　布以七淨華　浴此无垢人
象馬五通馳　大乘以為車　調御以一心　遊於八正路
相具以嚴容　衆好飾其姿　慙愧之上服　深心為華鬘
富有七財寶　教授以滋息　如所說修行　迴向為大利
四禪為床座　從於淨命生　多聞增智慧　以為自覺音
甘露法之食　解脫味為漿　淨心以澡浴　戒品為塗香
摧滅煩惱賊　勇健无能踰　降伏四種魔　勝幡建道場
雖知无起滅　示彼故有生　悉現諸國土　如日无不見
供養於十方　无量億如來　諸佛及己身　无有分別想
雖知諸佛國　及與衆生空　而常脩淨土　教化於群生
諸有衆生類　形聲及威儀　无畏力菩薩　一時能盡現
覺知衆魔事　而示隨其行　以善方便智　隨意皆能現
或示老病死　成就諸群生　了知如幻化　通達无有礙
或現劫盡燒　天地皆洞然　衆人有常想　照令知无常
无數億衆生　俱來請菩薩　一時到其舍　化令向佛道
經書禁呪術　工巧諸伎藝　盡現行此事　饒益諸群生
世間衆道法　悉於中出家　因以解人惑　而不墮邪見
或作日月天　梵王世界主　或時作地水　或復作風火
劫中有疾疫　現作諸藥草　若有服之者　除病消衆毒
劫中有飢饉　現身作飲食　先救彼飢渴　却以法語人
劫中有刀兵　為之起慈悲　化彼諸衆生　令住无諍地
若有大戰陣　立之以等力　菩薩現威勢　降伏使和安

BD02210號　維摩詰所說經卷中　（15–9）

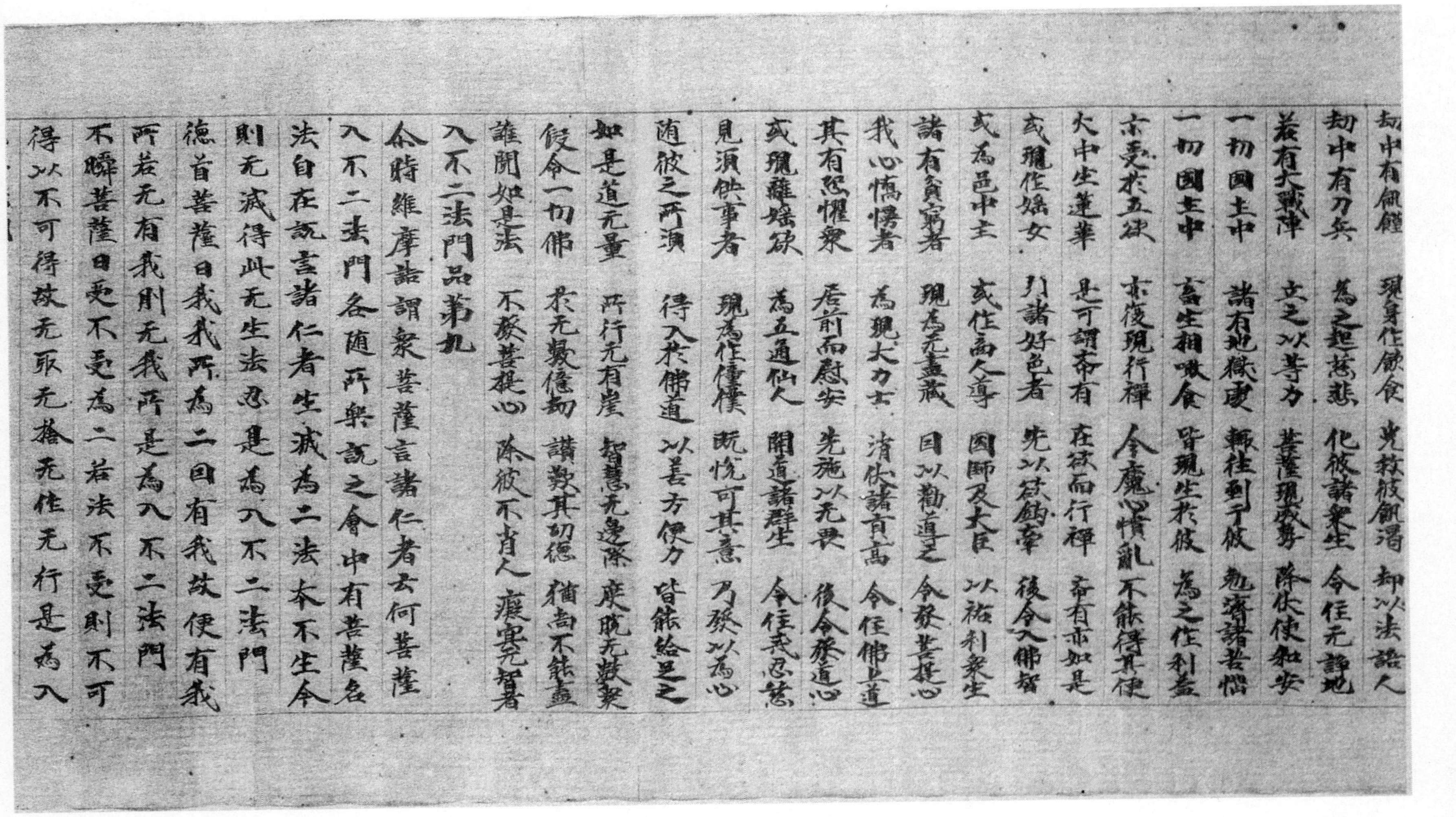
劫中有飢饉　現身作飲食　先救彼飢渴　却以法語人
劫中有刀兵　為之起慈悲　化彼諸衆生　令住无諍地
若有大戰陣　立之以等力　菩薩現威勢　降伏使和安
一切國土中　諸有地獄處　輒往到于彼　勉濟諸苦惱
一切國土中　畜生相食噉　皆現生於彼　為之作利益
示受於五欲　亦復現行禪　令魔心憒亂　不能得其便
火中生蓮華　是可謂希有　在欲而行禪　希有亦如是
或現作婬女　引諸好色者　先以欲鈎牽　後令入佛智
或為邑中主　或作商人導　國師及大臣　以祐利衆生
諸有貧窮者　現作无盡藏　因以勸導之　令發菩提心
我心憍慢者　為現大力士　消伏諸貢高　令住无上道
其有恐懼衆　居前而慰安　先施以无畏　後令發道心
或現離婬欲　為五通仙人　開導諸群生　令住戒忍慈
見須供事者　現為作僮僕　既悅可其意　乃發以道心
隨彼之所須　得入於佛道　以善方便力　皆能給足之
如是道无量　所行无有崖　智慧无邊際　度脫无數衆
假令一切佛　於无數億劫　讚歎其功德　猶尚不能盡
誰聞如是法　不發菩提心　除彼不肖人　癡冥无智者
入不二法門品第九
尒時維摩詰謂衆菩薩言諸仁者云何菩薩
入不二法門各隨所樂說之會中有菩薩名
法自在說言諸仁者生滅為二法本不生今
則无滅得此无生法忍是為入不二法門
德首菩薩曰我我所為二因有我故便有我
所若无有我則无我所是為入不二法門
不瞬菩薩曰受不受為二若法不受則不可
得以不可得故无取无捨无作无行是為入

BD02210號　維摩詰所說經卷中　（15–10）

所若无有我則无我所是為入不二法門
不眴菩薩曰受不受為二若法不受則不可
得以不可得故无取无捨无作无行是為入
不二法門
德頂菩薩曰垢淨為二見垢實性則无淨相
順於滅相是為入不二法門
善宿菩薩曰是動是念為二不動則无念无
念則无分別通達此者是為入不二法門
善眼菩薩曰一相无相為二若知一相即是
无相亦不取无相入於平等是為入不二法門
妙臂菩薩曰菩薩心聲聞心為二觀心相空
如幻化者无菩薩心无聲聞心是為入不二
法門
弗沙菩薩曰善不善為二若不起善不善入
无相際而通達者是為入不二法門
師子菩薩曰罪福為二若達罪性則與福无
異以金剛慧決了此相无縛无解者是為入
不二法門
師子意菩薩曰有漏无漏為二若得諸法等
則不起漏不漏想不著於相亦不住无相是
為入不二法門
淨解菩薩曰有為无為為二若離一切數則
心如虛空以清淨慧无所礙者是為入不二
法門
那羅延菩薩曰世間出世間為二世間性空
即是出世間於其中不入不出不溢不散是
為入不二法門

BD02210號　維摩詰所說經卷中　（15–11）

那羅延菩薩曰世間出世間為二世間性空
即是出世間於其中不入不出不溢不散是
為入不二法門
善意菩薩曰生死涅槃為二若見生死性則
无生死无縛无解不然不滅如是解者是為
入不二法門
現見菩薩曰盡不盡為二法若究竟盡若不
盡皆是无盡相无盡相即是空空則无有盡
不盡相如是入者是為入不二法門
普首菩薩曰我无我為二我尚不可得非我
何可得見我實性者不復起二是為入不二
法門
電天菩薩曰明无明為二无明實性即是明
明亦不可取離一切數於其中平等无二者
是為入不二法門
喜見菩薩曰色色空為二色即是空非色滅
空色性自空如是受想行識識空為二識即
是空非識滅空識性自空於其中而通達者
是為入不二法門
明相菩薩曰四種異空種異為二四種性即
是空種性如前際後際空故中際亦空若能
如是知諸種性者是為入不二法門
妙意菩薩曰眼色為二若知眼性於色不貪
不恚不癡是名寂滅如是耳聲鼻香舌味身
觸意法為二若知意性於法不貪不恚不癡
是名寂滅安住其中是為入不二法門
无盡意菩薩曰布施迴向一切智為二布[illegible]施

BD02210號　維摩詰所說經卷中　（15–12）

觸意法為二若知意性於法不貪不恚不癡
是名寂滅安住其中是為入不二法門
无盡意菩薩曰布施迴向一切智為二布施
性即是迴向一切智性如是持戒忍辱精進
禪定智慧迴向一切智為二智慧性即是迴
向一切智性於其中入一相者是為入不二
法門
深慧菩薩曰是空是无相是无作為二空即是
无相无相即是无作若空无相无作則无心意
識於一解脫門即是三解脫門者是為入不
二法門
寂根菩薩曰佛法衆為二佛即是法法即是
衆是三寶皆无為相與虛空等一切法亦尒
能隨此行者是為入不二法門
心无㝵菩薩曰身身滅為二身即是身滅所
以者何見身實相者不起見身及見滅身身
與滅身无二无分別於其中不驚不懼者是
為入不二法門
上善菩薩曰身口意善為二是三業皆无作
相身无作相即口无作相口无作相即意无作
相是三業无作相即一切法无作相能如是隨
无作慧者是為入不二法門
福田菩薩曰福行罪行不動行為二三行實
性即是空空則无福行无罪行无不動行於
三行而不起者是為入不二法門
華嚴菩薩曰從我起二為二見我實相者不
起二法若不住二法則无有識无所識者是

BD02210號　維摩詰所說經卷中

（15-13）

三行而不起者是為入不二法門
華嚴菩薩曰從我起二為二見我實相者不
起二法若不住二法則无有識无所識者是
為入不二法門
德藏菩薩曰有所得相為二若无所得則无
取捨无取捨者是為入不二法門
月上菩薩曰闇與明為二无闇无明則无有
二所以者何如入滅受想定无闇无明一切法
亦復如是於其中平等入者是為入不二法門
寶印手菩薩曰樂涅槃不樂世間為二若不
樂涅槃不猒世間則无有二所以者何若有
縛則有解若本无縛其誰求解无縛无解則
无樂猒是為入不二法門
珠頂王菩薩曰正道邪道為二住正道者則
不分別是邪是正離此二法是為入不二法
門
樂實菩薩曰實不實為二實見者尚不見實
何況非實所以者何非肉眼所見慧眼乃能
見而此慧眼无見无不見是為入不二法門
如是諸菩薩各各說已問文殊師利何等是
菩薩入不二法門文殊師利曰如我意者於
一切法无言无說无示无識離諸問荅是為
入不二法門於是文殊師利問維摩詰言我
等各自說已仁者當說何等是菩薩入不二
法門時維摩詰默然无言文殊師利歎言善
哉善哉乃至无有文字語言是真入不二法
門說是不二法門時於此衆中五千菩薩皆

BD02210號　維摩詰所說經卷中

（15-14）

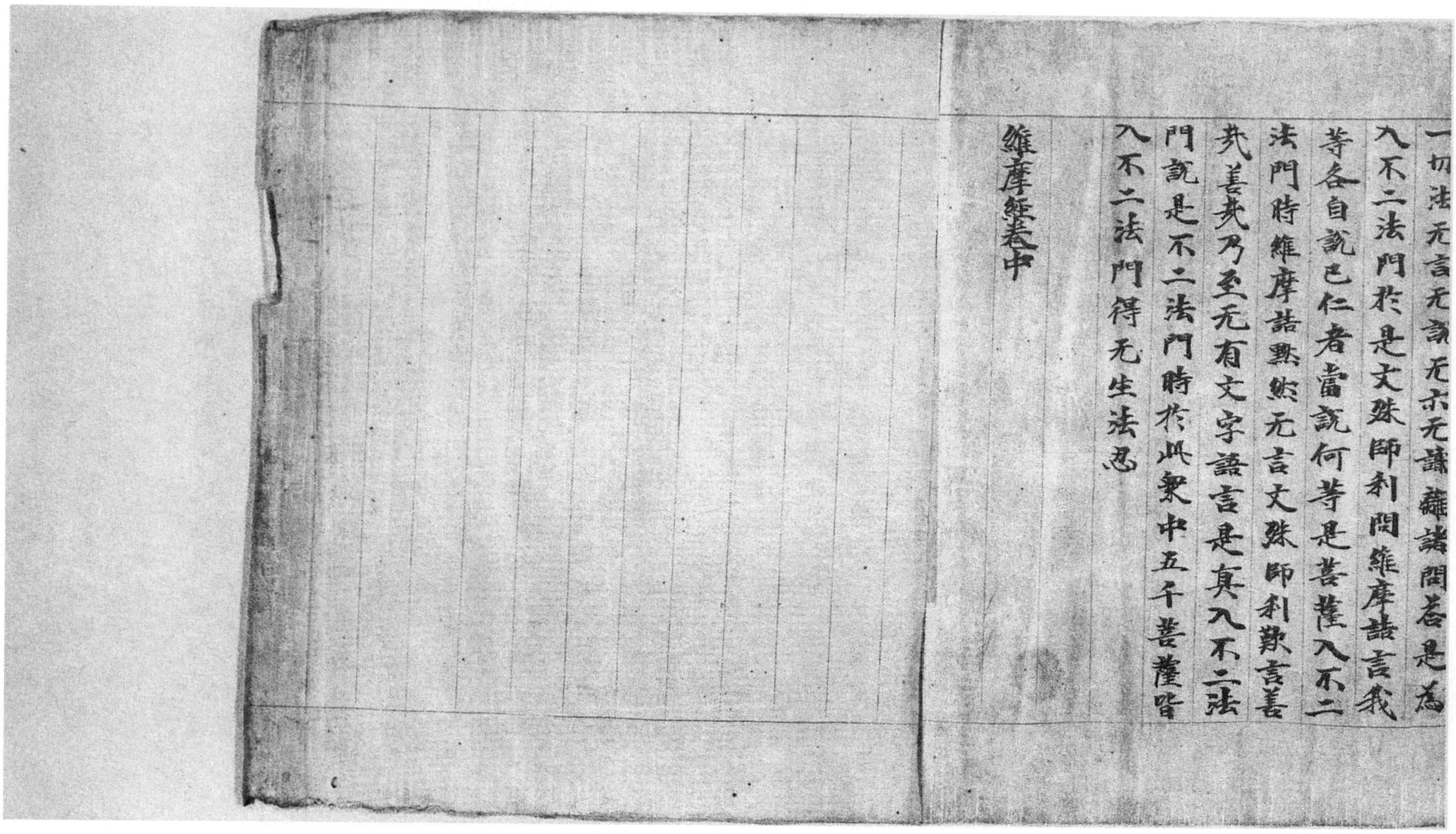
一切法无言无說无示无識離諸問荅是為
入不二法門於是文殊師利問維摩詰言我
等各自說已仁者當說何等是菩薩入不二
法門時維摩詰默然无言文殊師利歎言善
哉善哉乃至无有文字語言是真入不二法
門說是不二法門時於此衆中五千菩薩皆
入不二法門得无生法忍

維摩經卷中

BD02210 號　維摩詰所說經卷中

（15–15）

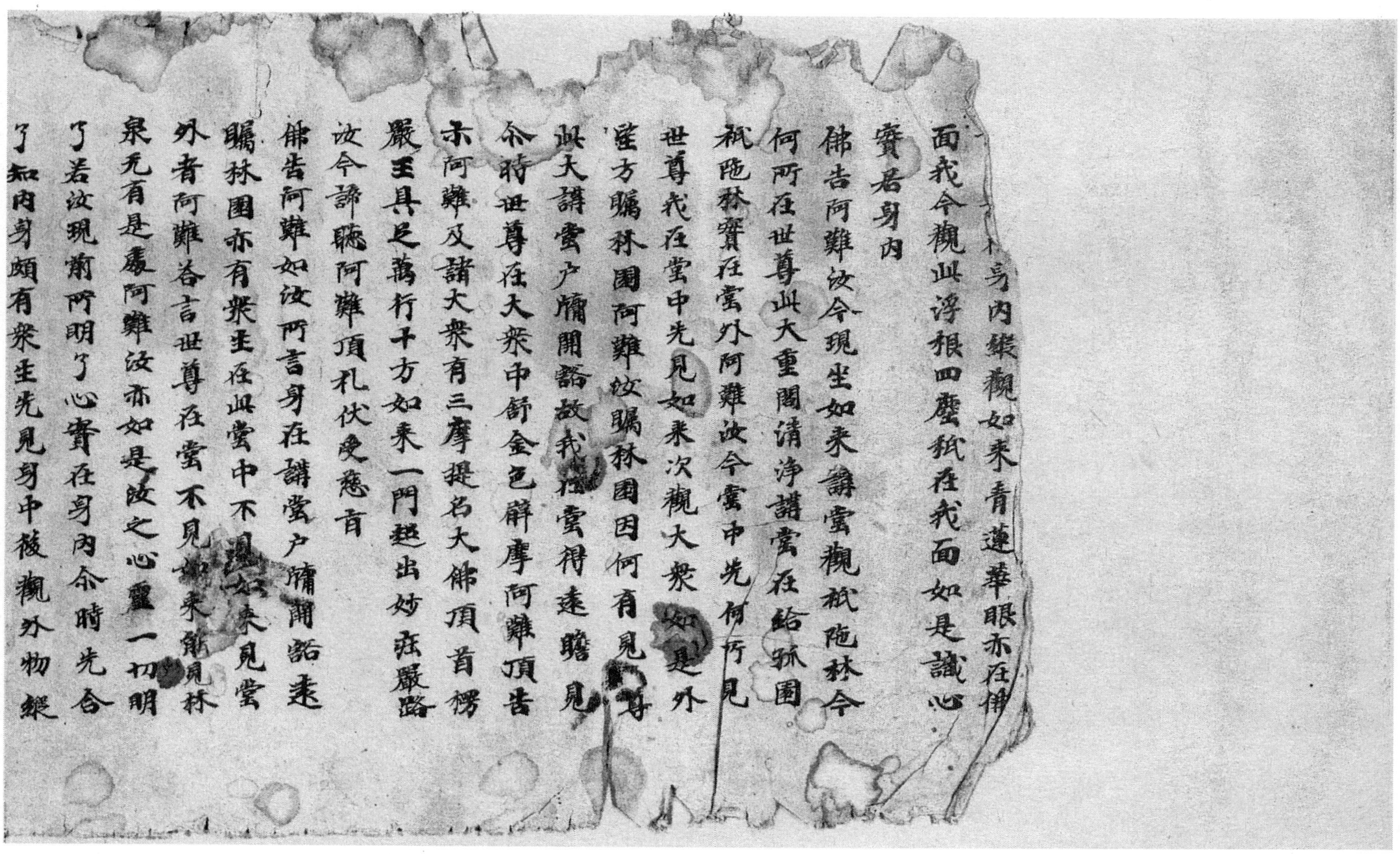
身內縱觀如來青蓮華眼亦在佛
面我今觀此浮根四塵秖在我面如是識心
實居身內
佛告阿難汝今現坐如來講堂觀祇陁林今
何所在世尊此大重閣清淨講堂在給孤園
祇陁林實在堂外阿難汝今堂中先何所見
世尊我在堂中先見如來次觀大衆如是外
望方矚林園阿難汝矚林園因何有見世尊
此大講堂戶牖開豁故我在堂得遠瞻見
尒時世尊在大衆中舒金色臂摩阿難頂告
示阿難及諸大衆有三摩提名大佛頂首楞
嚴王具足萬行十方如來一門超出妙莊嚴路
汝今諦聽阿難頂禮伏受慈旨
佛告阿難如汝所言身在講堂戶牖開豁遠
矚林園亦有衆生在此堂中不見如來見堂
外者阿難荅言世尊在堂不見如來能見林
泉无有是處阿難汝亦如是汝之心靈一切明
了若汝現前所明了心實在身內尒時先合
了知內身頗有衆生先見身中後觀外物縱

BD02211 號　大佛頂如來密因修證了義諸菩薩萬行首楞嚴經卷一

（13–1）

泉无有是處阿難汝亦如是汝之心靈一切明
了若汝現前所明了心實在身內今時先合
了知內身頗有衆生先見身中後觀外物縱
不能見心肝脾胃爪生髮長筋轉脉搖誠合
明了如何不知必不內知云何知外是故應
知汝言覺了能知之心住在身內无有是
處阿難稽首而白佛言我聞如來如是法音
悟知我心實居身外所以者何譬如燈光然於
室中是燈必能先照室內從其室門後及庭
際一切衆生不見身中獨見身外亦如燈光居
在室外不能照室是義必明將无所惑同佛了
義得无妄耶
佛告阿難是諸比丘適來從我室羅筏城循
乞摶食歸祇陁林我已宿齋汝觀比丘一人食
時諸人飽不阿難荅言不也世尊何以故是諸
比丘雖阿羅漢軀命不同云何一人能令衆飽
佛告阿難若汝覺了知見之心實在身外
身心相外自不相干則心所知身不能覺覺
在身際心不能知我今視汝兜羅綿手汝眼見
時心分別不阿難荅言如是世尊佛告阿難若
相知者云何在外是故應知汝言覺了能知之
心住在身外无有是處
阿難白佛言世尊如佛所言不見內故不居身
內身心相知不離故不在身外我今思惟知
在一處佛言處今何在阿難言此了知心既不

阿難白佛言世尊如佛所言不見內故不居身
內身心相知不離故不在身外我今思惟知
在一處佛言處今何在阿難言此了知心既不
知內而能見外如我思忖潛伏根裏猶如有
人取瑠璃椀合其兩眼雖有物合而不留礙
彼根隨見隨即分別然我覺了能知之心
不見內者為在根故分明矚外无障礙者潛
潛根內故
佛告阿難如汝所言潛根內者猶如瑠璃彼
人當以瑠璃籠眼當見山河見瑠璃不如是
世尊是人當以瑠璃籠眼實見瑠璃佛告阿
難汝心若同琉璃合者當見山河何不見眼
若見眼者眼即同境不得成道若不能見云何
說言此了知心潛在根內如瑠璃合是故應
知汝言覺了能知之內潛伏根裏如琉璃合
无有是處
阿難白佛言世尊我今又作如是思惟是衆生
身府藏在中竅穴居外有藏則暗有竅則明
明今我對佛開眼見明名為見外閉眼見暗名
為見內是義云何
佛告阿難汝當閉眼見暗之時此暗境界為
與眼對為不對眼若與眼對暗在眼前云何
成內若成內者居暗室中无日月燈此室暗
中皆汝焦府若不對者云何成見若離外見
內對所成合眼見暗名為身中開眼見明何

與眼對為不對眼若與眼對暗在眼前云何
成內若成內者居暗室中无日月燈此室暗
中皆汝焦府若不對者云何成見若離外見
內對所成合眼見暗名為身中開眼見明何
不見面若不見面內對不成見面若成此了
知心及與眼根乃在虛空何成在內若在虛空
自非汝體即應如來今見汝面亦是汝身汝
眼已知身合非覺必汝執言身眼兩覺應有
二知即汝一身應成兩佛是故應知汝言
見暗名見內者无有是處
阿難言我常聞佛開示四衆由心生故種種
法生由法生故種種心生我今思惟即思惟
體實我心性隨所合處心則隨有亦非內外
中間三處
佛告阿難汝今說言由法生故種種心生隨
所合處心隨有者是心无體則无所合若无有
體而能合者則十九界因七塵合是義不然
若有體者如汝以手自挃其體汝所知心為
復內出為從外入若復內出還見身中若從
外來先合見面
阿難言見是其眼心知非眼為見非義佛言
若眼能見汝在室中門能見不則諸已死尚
有眼存應皆見物若見物者云何名死阿難
又汝覺了能知之心若必有體為復一體為
有多體今在汝身為復遍體為不遍體若一

BD02211號　大佛頂如來密因修證了義諸菩薩萬行首楞嚴經卷一　（13–4）

若眼能見汝在室中門能見不則諸已死尚
有眼存應皆見物若見物者云何名死阿難
又汝覺了能知之心若必有體為復一體為
有多體今在汝身為復遍體為不遍體若一
體者則汝以手挃一支時四支應覺若咸覺
者挃應无在若挃有所則汝一體自不能成
若多體者則成多人何體為汝若遍體者同
前所挃若不遍者當汝觸頭亦觸其足頭有
所覺足應无知今汝不然是故應知隨所合
處心則隨有无有是處
阿難白佛言世尊我亦聞佛與文殊等諸
法王子談實相時世尊亦言心不在內亦不
在外如我思惟內無所見外不相知內無知
故在內不成身心相知在外非義今相知故復
內無見當在中間
佛言汝言中間中必不迷非無所在今汝推中
中何為在為復在處為當在身若在身者
在邊非中在中同內若在處者為有所表為
无所表无表同无表則无定何以故如人以表
表為中時東看則西南觀成北表體既混心
應雜亂阿難言我所說中非此二種如世尊
言眼色為緣生於眼識眼有分別色塵无知
識生其中則為心在佛言汝心若在根塵之中
此之心體為復兼二為不兼二若兼二者物體
雜亂物非體知成敵兩立云何為中兼二不

BD02211號　大佛頂如來密因修證了義諸菩薩萬行首楞嚴經卷一　（13–5）

言眼色為緣生於眼識眼有分別色塵无知
識生其中則為心在佛言汝心若在根塵之中
此之心體為復兼二為不兼二若兼二者物體
雜亂物非體知成敵兩立云何為中兼二不
成非知不知即无體性中何為相是故應知
當在中間无有是處
阿難白佛言世尊我昔見佛與大目連須菩
提富樓那舍利弗四大弟子共轉法輪常言
覺知分別心性既不在內亦不在外不在中間
俱无所在一切无著名之為心則我无著名為
心不佛告阿難汝言覺知分別心性俱无在者
世間虛空水陸飛行諸所物象名為一切汝不
著者為在為无无則同於龜毛兔角云何不
著有不著者不可名无无相則无非无則相
相有則在云何无著是故應知一切无著名
覺知心无有是處
尒時阿難在大眾中即從座起偏袒右肩右
膝著地合掌恭敬而白佛言我是如來最小之
弟蒙佛慈愛雖今出家猶恃憍憐所以多聞
未得无漏不能折伏娑毗羅呪為彼所轉溺
於婬舍當由不知真際所指唯願世尊大慈
哀愍開示我等奢摩他路令諸闡提隳彌戾
車作是語已五體投地及諸大眾傾渴翹佇
欽聞示誨
尒時世尊從其面門放種種光其光晃耀如

BD02211號　大佛頂如來密因修證了義諸菩薩萬行首楞嚴經卷一　（13–6）

欽聞示誨
尒時世尊從其面門放種種光其光晃耀如
百千日普佛世界六種震動如是十方微塵
國土一時開現佛之威神令諸世界合成一界
其世界中所有一切諸大菩薩皆住本國合
掌承聽
佛告阿難一切眾生從无始來種種顛倒業
種自然如惡叉聚諸脩行人不能得成无上
菩提乃至別成聲聞緣覺及成外道諸天魔
王及魔眷屬皆由不知二種根本錯亂脩習
猶如煮沙欲成嘉饌縱經塵劫終不能得云何
二種阿難一者无始生死根本則汝今者與諸
眾生用攀緣心為自性者二者无始菩提涅
槃元清淨體則汝今者識精元明能生諸
緣所遺失者由諸眾生遺此本明雖終
日行而不自覺枉入諸趣
阿難汝今欲知奢摩他路願出生死今湏問
汝即時如來舉金色臂屈五輪指語阿難言
汝今見不阿難言見佛言汝何所見阿難言
我見如來舉臂屈指為光明拳耀我心目佛
言汝將誰見阿難言我與大眾同將眼見
佛告阿難汝今答我如來屈指為光明拳耀
汝心目汝目可見以何為心當我拳耀阿難
言如來現今徵心所在而我以心推窮尋逐
即能推者我將為心

BD02211號　大佛頂如來密因修證了義諸菩薩萬行首楞嚴經卷一　（13–7）

佛告阿難汝今荅我如來屈指為光明拳耀
汝心目汝目可見以何為心當我拳耀阿難
言如來現今徵心所在而我以心推窮尋逐
即能推者我將為心
佛言咄阿難此非汝心阿難矍然避座合掌
起立白佛此非我心當名何等佛告阿難此
是前塵虛妄相想惑汝真性由汝无始至于
今生認賊為子失汝元常故受輪轉
阿難白佛言世尊我佛寵弟心愛佛故令我
出家我心何獨供養如來乃至遍歷恒沙國
土承事諸佛及善知識發大勇猛行諸一切
難行法事皆用此心縱令謗法永退善根亦
因此心若此發明不是心者我乃无心同諸土
木離此覺知更无所有云何如來說此非心
我實驚怖兼此大眾无不疑惑唯垂大悲開
示未悟
尒時世尊開示阿難及諸大眾欲令心入无
生法忍於師子座摩阿難頂而告之言如來
常說諸法所生唯心所現一切因果世界微塵
因心成體阿難若諸世界一切所有其中乃
至草葉縷結詰其根元咸有體性縱令虛
空亦有名貌何況清淨妙淨明心性一切心而
自无體若汝執悋分別覺觀所了知性必為
心者此心即應離諸一切色香味觸諸塵事
業別有全性如汝今者承聽我法此則因聲

BD02211 號　大佛頂如來密因修證了義諸菩薩萬行首楞嚴經卷一　（13–8）

空亦有名貌何況清淨妙淨明心性一切心而
自无體若汝執悋分別覺觀所了知性必為
心者此心即應離諸一切色香味觸諸塵事
業別有全性如汝今者承聽我法此則因聲
而有分別縱滅一切見聞覺知內守幽閑猶為
法塵分別影事我非勅汝執為非心但汝
於心微細揣摩若離前塵有分別性即真
汝心若分別性離塵无體斯則前塵分別影
事塵非常住若變滅時此心則同龜毛兔角
則汝法身同於斷滅其誰修證无生法忍
即時阿難與諸大眾默然自失佛告阿難世
間一切諸修學人現前雖成九次第定不得
漏盡成阿羅漢皆由執此生死妄想誤為真
實是故汝今雖得多聞不成聖果阿難聞已
重復悲淚五體投地長跪合掌而白佛言自
我從佛發心出家恃佛威神常自思惟无勞
我脩將謂如來惠我三昧不知身心本不相代
失我本心雖身出家心不入道譬如窮子捨
父逃逝今日乃知雖有多聞若不脩行與不
聞等如人說食終不能飽世尊我等今者二
障所纏良由不知寂常心性唯願如來哀愍窮
露發妙明心開我道眼
即時如來從胷卍字涌出寶光其光晃昱
有百千色十方微塵普佛世界一時周遍遍灌
十方所有寶剎諸如來頂旋至阿難及諸大

BD02211 號　大佛頂如來密因修證了義諸菩薩萬行首楞嚴經卷一　（13–9）

有百千色十方微塵普佛世界一時周遍遍灌
十方所有寶刹諸如來頂旋至阿難及諸大
衆告阿難言吾今為汝建大法幢亦令十方
一切衆生獲妙微密性淨明心得清淨眼阿
難汝先荅我見光明拳此拳光明因何所有
云何成拳汝將誰見阿難言由佛全體閻浮
檀金艶如寶山清淨所生故有光明我實眼
觀五輪指端屈握示人故有拳相
佛告阿難如來今日實言告汝諸有智者要
以譬喻而得開悟阿難譬如我拳若无我手
不成我拳若无汝眼不成汝見以汝眼根例我
拳理其義均不阿難言唯然世尊既无我眼
不成我見例如來拳事義相類
佛言阿難汝言相類是義不然何以故如无
手人拳畢竟滅彼无眼者非見全无所以者
何汝試於途詢問盲人汝何所見彼諸盲人
必來荅汝我今眼前唯見黑暗更无他矚以
是義觀前塵自暗見何虧損阿難言諸盲
眼前唯覩黑暗云何成見佛告阿難諸盲
无眼唯觀黑暗與有眼人處於暗室二黑
有別為无有別如是世尊此暗中人與彼群盲
二黑校量曾无有異阿難若无眼人全見前
黑忽得眼光還於前塵見種種色名眼見者彼
暗中人全見前黑忽獲燈光亦於前塵見種
種色應名燈見若燈見者燈能有見自不名
燈又則燈觀何關汝事是故當知燈能顯色

BD02211號　大佛頂如來密因修證了義諸菩薩萬行首楞嚴經卷一　（13–10）

黑忽得眼光還於前塵見種種色名眼見者彼
暗中人全見前黑忽獲燈光亦於前塵見種
種色應名燈見若燈見者燈能有見自不名
燈又則燈觀何關汝事是故當知燈能顯色
如是見者是眼非燈眼能顯色如是見性是
心非眼
阿難雖復得聞是言與諸大衆口已默然心
未開悟猶兾如來慈音宣示合掌清心佇佛
悲誨
尒時世尊舒兜羅綿網相光手開五輪指誨
勅阿難及諸大衆我初成道於鹿園中為阿
若多五比丘等及汝四衆言一切衆生不成菩
提及阿羅漢皆由客塵煩惱所誤汝等當
時因何開悟今成聖果
時憍陳那起立白佛我今長老於大衆中獨
得解名因悟客塵二字成果世尊譬如行客
投寄旅亭或宿或食食宿事畢俶裝前途
不遑安住若實主人自无攸往如是思惟不住
名客住名主人以不住者名為客義又如新
霽清暘昇天光入隙中發明空中諸有塵相
塵質搖動虛空寂然如是思惟澄寂名空搖
動名塵以搖動者名為客義佛言如是
即時如來於大衆中屈五輪指屈已復開開
已又屈謂阿難言汝今何見阿難言我見如
來百寶輪掌衆中開合佛告阿難汝見我手
衆中開合為是我手有開有合為復汝見有開

BD02211號　大佛頂如來密因修證了義諸菩薩萬行首楞嚴經卷一　（13–11）

動名塵以搖動者名為客義佛言如是
即時如來於大衆中屈五輪指屈已復開開
已又屈謂阿難言汝今何見阿難言我見如
來百寶輪掌衆中開合佛告阿難汝見我手
衆中開合為是我手有開有合為復汝見有開
有合阿難言世尊寶手衆中開合我見如來
手自開合非我見性自開自合佛言誰動
誰靜阿難言佛手不住而我見性尚无有靜
誰為无住佛言如是
如來於是從輪掌中飛一寶光在阿難右即
時阿難迴首右眄又放一光在阿難左阿難
又則迴首左眄佛告阿難汝頭今日何因搖
動阿難言我見如來出妙寶光來我左右故
左右觀頭自搖動阿難汝辨佛光左右動頭
為汝頭動為復見動世尊我頭自動而我見
性尚无有止誰為搖動佛言如是
於是如來普告大衆若復衆生以搖動者名
之為塵以不住者名之為客汝觀阿難頭自
動搖見无所動又汝觀我手自開合見无舒
卷云何汝今以動為身以動為境從始洎終
念念生滅遺失真性顛倒行事性心失真認
物為己輪迴是中自取流轉

大佛頂萬行首楞嚴經卷第一

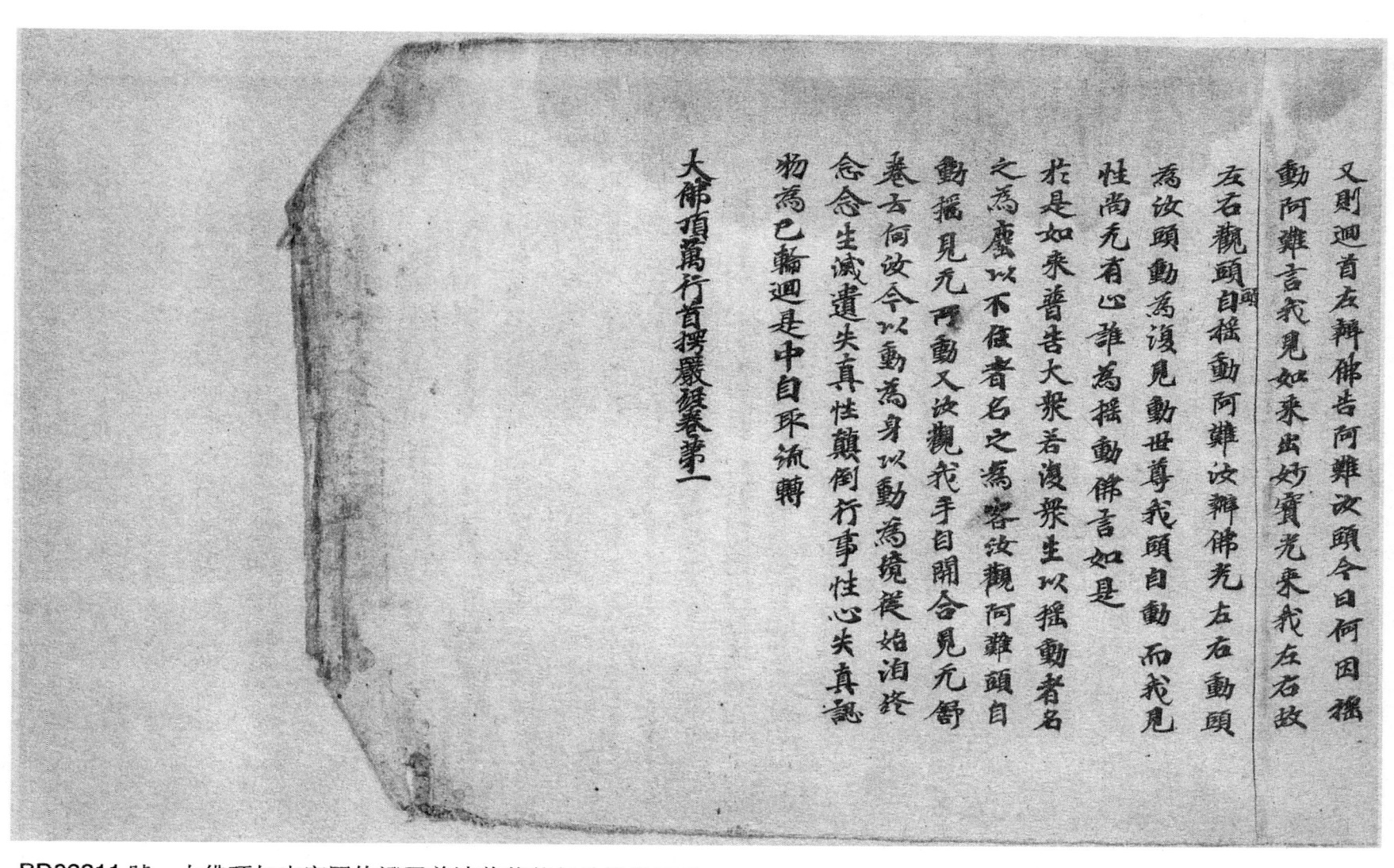

BD02211 號　大佛頂如來密因修證了義諸菩薩萬行首楞嚴經卷一　（13–12）

又則迴首左眄佛告阿難汝頭今日何因搖
動阿難言我見如來出妙寶光來我左右故
左右觀頭自搖動阿難汝辨佛光左右動頭
為汝頭動為復見動世尊我頭自動而我見
性尚无有止誰為搖動佛言如是
於是如來普告大衆若復衆生以搖動者名
之為塵以不住者名之為客汝觀阿難頭自
動搖見无所動又汝觀我手自開合見无舒
卷云何汝今以動為身以動為境從始洎終
念念生滅遺失真性顛倒行事性心失真認
物為己輪迴是中自取流轉

大佛頂萬行首楞嚴經卷第一

BD02211 號　大佛頂如來密因修證了義諸菩薩萬行首楞嚴經卷一　（13–13）

為此諸佛子　說是大乘經　我記如是人　來世成佛道
以深心念佛　脩持淨戒故　此等聞得佛　大喜充遍身
佛知彼心行　故為說大乘　聲聞若菩薩　聞我所說法
乃至於一偈　皆成佛无疑　十方佛土中　唯有一乘法
无二亦无三　除佛方便說　但以假名字　引導於眾生
說佛智慧故　諸佛出於世　唯此一事實　餘二則非真
終不以小乘　濟度於眾生　佛自住大乘　如其所得法
定慧力莊嚴　以此度眾生　自證无上道　大乘平等法
若以小乘化　乃至於一人　我則墮慳貪　此事為不可
若人信歸佛　如來不欺誑　亦无貪嫉意　斷諸法中惡
故佛於十方　而獨无所畏　我以相嚴身　光明照世間
无量眾所尊　為說實相印　舍利弗當知　我本立誓願
欲令一切眾　如我等无異　如我昔所願　今者已滿足
化一切眾生　皆令入佛道　若我遇眾生　盡教以佛道
无智者錯亂　迷惑不受教　我知此眾生　未曾脩善本
堅著於五欲　癡愛故生惱　以諸欲因緣　墜墮三惡道
輪迴六趣中　備受諸苦毒　受胎之微形　世世常增長
薄福少德人　眾苦所逼迫　入邪見稠林　若有若无等
依止此諸見　具足六十二　深著虛妄法　堅受不可捨
我慢自矜高　諂曲心不實　於千万億劫　不聞佛名字

BD02212 號　妙法蓮華經卷一　（6–1）

堅著於五欲　癡愛故生惱　以諸欲因緣　墜墮三惡道
輪迴六趣中　備受諸苦毒　受胎之微形　世世常增長
薄福少德人　眾苦所逼迫　入邪見稠林　若有若无等
依止此諸見　具足六十二　深著虛妄法　堅受不可捨
我慢自矜高　諂曲心不實　於千万億劫　不聞佛名字
亦不聞正法　如是人難度　是故舍利弗　我為設方便
說諸盡苦道　示之以涅槃　我雖說涅槃　是亦非真滅
諸法從本來　常自寂滅相　佛子行道已　來世得作佛
我有方便力　開示三乘法　一切諸世尊　皆說一乘道
今此諸大眾　皆應除疑惑　諸佛語无異　唯一无二乘
過去无數劫　无量滅度佛　百千万億眾　其數不可量
如是諸世尊　種種緣譬喻　无數方便力　演說諸法相
是諸世尊等　皆說一乘法　化无量眾生　令入於佛道
又諸大聖主　知一切世間　天人群生類　深心之所欲
更以異方便　助顯第一義　若有眾生類　值諸過去佛
若聞法布施　或持戒忍辱　精進禪智等　種種脩福德
如是諸人等　皆已成佛道　諸佛滅度已　若人善軟心
如是諸眾生　皆已成佛道　諸佛滅度已　供養舍利者
起万億種塔　金銀及頗梨　車璩與馬瑙　玫瑰琉璃珠
清淨廣嚴飾　莊挍於諸塔　或有起石廟　栴檀及沉水
木蜜并餘材　塼瓦泥土等　若於曠野中　積土成佛廟
乃至童子戲　聚沙為佛塔　如是諸人等　皆已成佛道
若人為佛故　建立諸形像　刻雕成眾相　皆已成佛道
或以七寶成　鍮石赤白銅　白鑞及鉛錫　鐵木及與泥
或以膠漆布　嚴飾作佛像　如是諸人等　皆已成佛道
綵畫作佛像　百福莊嚴相　自作若使人　皆已成佛道
乃至童子戲　若草木及筆　或以指爪甲　而畫作佛像

BD02212 號　妙法蓮華經卷一　（6–2）

或以膠漆布　嚴飾作佛像　如是諸人等　皆已成佛道
彩畫作佛像　百福莊嚴相　自作若使人　皆已成佛道
乃至童子戲　若草木及筆　或以指爪甲　而畫作佛像
如是諸人等　漸漸積功德　具足大悲心　皆已成佛道
但化諸菩薩　度脫无量衆　若人於塔廟　寶像及畫像
以華香幡蓋　敬心而供養　若使人作樂　擊鼓吹角貝
簫笛琴箜篌　琵琶鐃銅鈸　如是妙衆音　盡持以供養
或以歡喜心　歌唄頌佛德　乃至一小音　皆已成佛道
若人散亂心　乃至以一華　供養於畫像　漸見无數佛
或有人禮拜　或復但合掌　乃至舉一手　或復小低頭
以此供養像　漸見无量佛　自成无上道　廣度无數衆
入无餘涅槃　如薪盡火滅　若人散亂心　入於塔廟中
一稱南无佛　皆已成佛道　於諸過去佛　在世或滅後
若有聞是經　皆已成佛道　未來諸世尊　其數无有量
是諸如來等　亦方便說法　一切諸如來　以无量方便
度脫諸衆生　入佛无漏智　若有聞法者　无一不成佛
諸佛本誓願　我所行佛道　普欲令衆生　亦同得此道
未來世諸佛　雖說百千億　无數諸法門　其實為一乘
諸佛兩足尊　知法常无性　佛種從緣起　是故說一乘
是法住法位　世間相常住　於道場知已　導師方便說
天人所供養　現在十方佛　其數如恒沙　出現於世間
安隱衆生故　亦說如是法　知第一寂滅　以方便力故
雖示種種道　其實為佛乘　知衆生諸行　深心之所念
過去所習業　欲性精進力　及諸根利鈍　以種種因緣
譬喻亦言辭　隨應方便說　今我亦如是　安隱衆生故
以種種法門　宣示於佛道　我以智慧力　知衆生性欲
方便說諸法　皆令得歡喜　舍利弗當知　我以佛眼觀

BD02212號　妙法蓮華經卷一

（6–3）

譬喻亦言辭　隨應方便說　今我亦如是　安隱衆生故
以種種法門　宣示於佛道　我以智慧力　知衆生性欲
方便說諸法　皆令得歡喜　舍利弗當知　我以佛眼觀
見六道衆生　貧窮无福慧　入生死險道　相續苦不斷
深著於五欲　如猫牛愛尾　以貪愛自蔽　盲瞑无所見
不求大勢佛　及與斷苦法　深入諸邪見　以苦欲捨苦
為是衆生故　而起大悲心　我始坐道場　觀樹亦經行
於三七日中　思惟如是事　我所得智慧　微妙最第一
衆生諸根鈍　著樂癡所盲　如斯之等類　云何而可度
尒時諸梵王　及諸天帝釋　護世四天王　及大自在天
并餘諸天衆　眷屬百千万　恭敬合掌禮　請我轉法輪
我即自思惟　若但讚佛乘　衆生沒在苦　不能信是法
破法不信故　墜於三惡道　我寧不說法　疾入於涅槃
尋念過去佛　所行方便力　我今所得道　亦應說三乘
作是思惟時　十方佛皆現　梵音慰喻我　善哉釋迦文
第一之導師　得是无上法　隨諸一切佛　而用方便力
我等亦皆得　最妙第一法　為諸衆生類　分別說三乘
少智樂小法　不自信作佛　是故以方便　分別說諸果
雖復說三乘　但為教菩薩　舍利弗當知　我聞聖師子
深淨微妙音　喜稱南无佛　復作如是念　我出濁惡世
如諸佛所說　我亦隨順行　思惟是事已　即趣波羅㮈
諸法寂滅相　不可以言宣　以方便力故　為五比丘說
是名轉法輪　便有涅槃音　及以阿羅漢　法僧差別名
從久遠劫來　讚示涅槃法　生死苦永盡　我常如是說
舍利弗當知　我見佛子等　志求佛道者　无量千万億
咸以恭敬心　皆來至佛所　曾從諸佛聞　方便所說法
我即作是念　如來所以出　為說佛慧故　今正是其時
舍利弗當知　鈍根小智人　著相憍慢者　不能信是法

BD02212號　妙法蓮華經卷一

（6–4）

舍利弗當知　我見佛子等　志求佛道者　无量千万億
咸以恭敬心　皆來至佛所　曾從諸佛聞　方便所說法
我即作是念　所以出於世　爲說佛慧故　今正是其時
舍利弗當知　鈍根小智人　著相憍慢者　不能信是法
今我喜无畏　於諸菩薩中　正直捨方便　但說无上道
菩薩聞是法　疑網皆已除　千二百羅漢　悉亦當作佛
如三世諸佛　說法之儀式　我今亦如是　說无分別法
諸佛興出世　懸遠值遇難　正使出于世　說是法復難
无量无數劫　聞是法亦難　能聽是法者　斯人亦復難
譬如優曇華　一切皆愛樂　天人所希有　時時乃一出
聞法歡喜讚　乃至發一言　則爲已供養　一切三世佛
是人甚希有　過於優曇華　汝等勿有疑　我爲諸法王
普告諸大衆　但以一乘道　教化諸菩薩　无聲聞弟子
汝等舍利弗　聲聞及菩薩　當知是妙法　諸佛之秘要
以五濁惡世　但樂著諸欲　如是等衆生　終不求佛道
當來世惡人　聞佛說一乘　迷惑不信受　破法墮惡道
有慚愧清淨　志求佛道者　當爲如是等　廣讚一乘道
舍利弗當知　諸佛法如是　以万億方便　隨宜而說法
其不習學者　不能曉了此　汝等既已知　諸佛世之師
隨宜方便事　无復諸疑惑　心生大歡喜　自知當作佛
妙法蓮華經卷第一

BD02212 號　妙法蓮華經卷一　（6–5）

普告諸大衆　但以一乘道　教化諸菩薩　无聲聞弟子
汝等舍利弗　聲聞及菩薩　當知是妙法　諸佛之秘要
以五濁惡世　但樂著諸欲　如是等衆生　終不求佛道
當來世惡人　聞佛說一乘　迷惑不信受　破法墮惡道
有慚愧清淨　志求佛道者　當爲如是等　廣讚一乘道
舍利弗當知　諸佛法如是　以万億方便　隨宜而說法
其不習學者　不能曉了此　汝等既已知　諸佛世之師
隨宜方便事　无復諸疑惑　心生大歡喜　自知當作佛
妙法蓮華經卷第一

BD02212 號　妙法蓮華經卷一　（6–6）

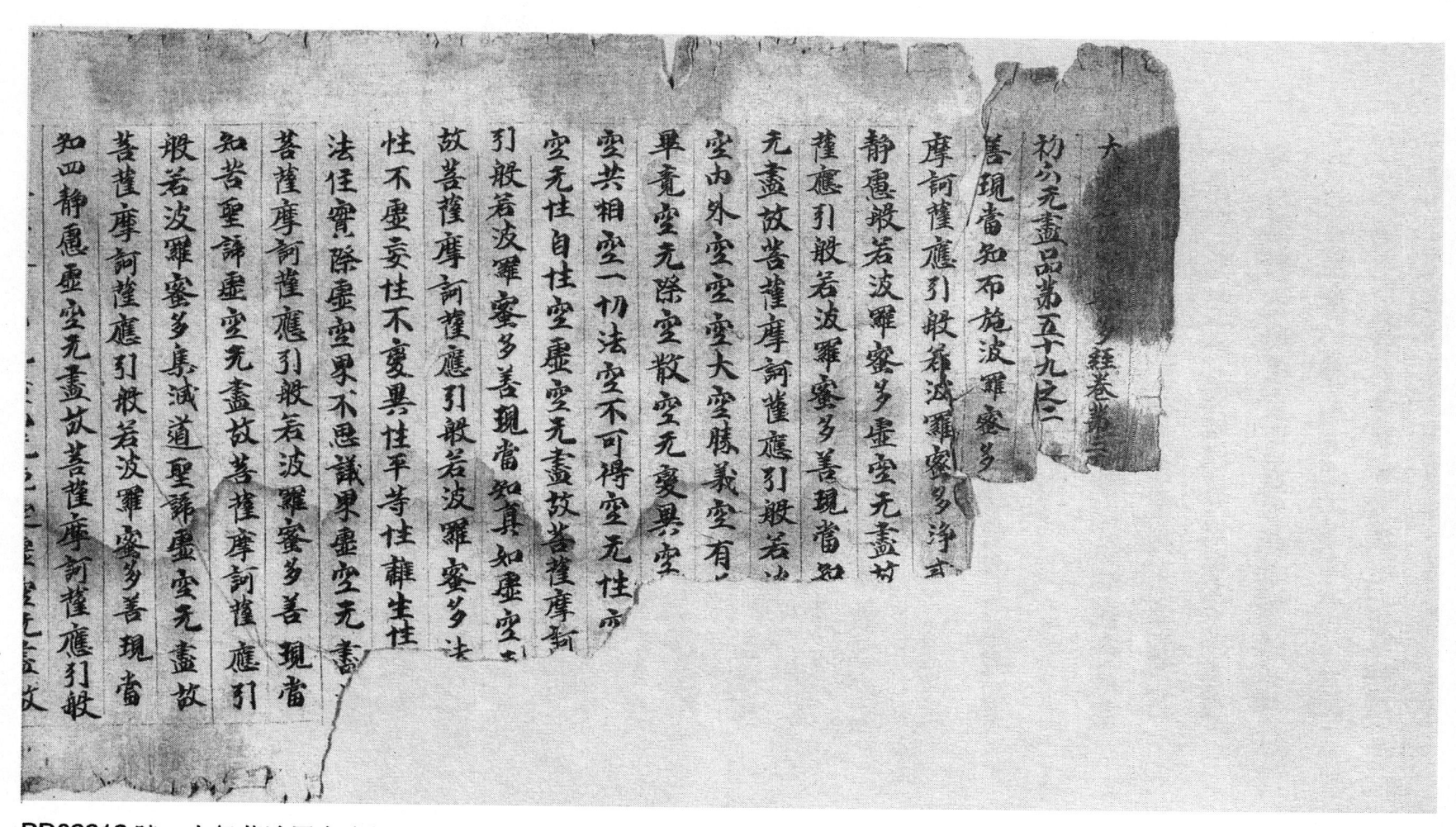

大……經卷第三
初分无盡品第五十九之二
善現當知布施波羅蜜多
摩訶薩應引般若波羅蜜多淨戒
静慮般若波羅蜜多虛空无盡故
薩應引般若波羅蜜多善現當知
无盡故菩薩摩訶薩應引般若波
空内外空空空大空勝義空有為
畢竟空无際空散空无變異空
空共相空一切法空不可得空无性空
空无性自性空虛空无盡故菩薩摩訶
引般若波羅蜜多善現當知真如虛空无
故菩薩摩訶薩應引般若波羅蜜多法
性不虛妄性不變異性平等性離生性
法住實際虛空界不思議界虛空无盡
菩薩摩訶薩應引般若波羅蜜多善現當
知苦聖諦虛空无盡故菩薩摩訶薩應引
般若波羅蜜多集滅道聖諦虛空无盡故
菩薩摩訶薩應引般若波羅蜜多善現當
知四静慮虛空无盡故菩薩摩訶薩應引般

BD02213號　大般若波羅蜜多經卷三四八　(20–1)

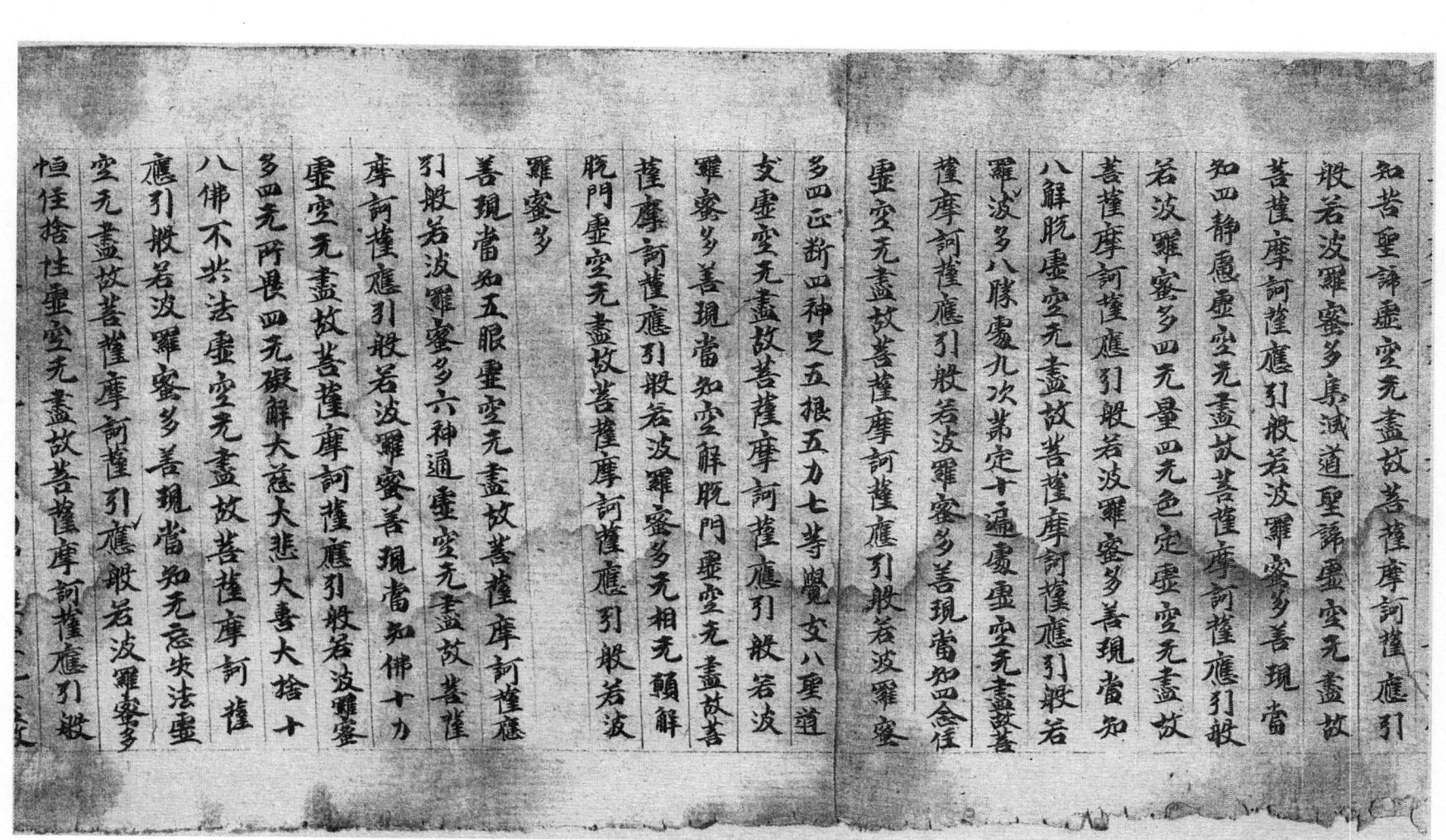

知苦聖諦虛空无盡故菩薩摩訶薩應引
般若波羅蜜多集滅道聖諦虛空无盡故
菩薩摩訶薩應引般若波羅蜜多善現當
知四静慮虛空无盡故菩薩摩訶薩應引般
若波羅蜜多四无量四无色定虛空无盡故
菩薩摩訶薩應引般若波羅蜜多善現當知
八解脫虛空无盡故菩薩摩訶薩應引般若
羅波多八勝處九次第定十遍處虛空无盡故菩
薩摩訶薩應引般若波羅蜜多善現當知四念住
虛空无盡故菩薩摩訶薩應引般若波羅蜜
多四正斷四神足五根五力七等覺支八聖道
支虛空无盡故菩薩摩訶薩應引般若波
羅蜜多善現當知空解脫門虛空无盡故菩
薩摩訶薩應引般若波羅蜜多无相无願解
脫門虛空无盡故菩薩摩訶薩應引般若波
羅蜜多
善現當知五眼虛空无盡故菩薩摩訶薩應
引般若波羅蜜多六神通虛空无盡故菩薩
摩訶薩應引般若波羅蜜多善現當知佛十力
虛空无盡故菩薩摩訶薩應引般若波羅蜜
多四无所畏四无礙解大慈大悲大喜大捨十
八佛不共法虛空无盡故菩薩摩訶薩
應引般若波羅蜜多善現當知无忘失法虛
空无盡故菩薩摩訶薩引應般若波羅蜜多
恒住捨性虛空无盡故菩薩摩訶薩應引般

BD02213號　大般若波羅蜜多經卷三四八　(20–2)

應引般若波羅蜜多善現當知[illegible]
空无盡故菩薩摩訶薩引應般若波羅蜜多
恒住捨性虛空无盡故菩薩摩訶薩應引般
若波羅蜜多善現當知一切智虛空无盡故
菩薩摩訶薩應引般若波羅蜜多道相智一
切相智虛空无盡故菩薩摩訶薩應引般若
波羅蜜多善現當知一切陁羅尼門虛空无盡
故菩薩摩訶薩應引般若波羅蜜多一切三摩
地門虛空无盡故菩薩摩訶薩應引般若波
羅蜜多
善現當知預流果虛空无盡故菩薩摩訶薩
應引般若羅蜜多一來不還阿羅漢果虛空
无盡故菩薩摩訶薩應引般若波羅蜜多
善現當知獨覺菩提虛空无盡故菩薩摩
訶薩應引般若波羅蜜多善現當知一切菩薩
摩訶薩行虛空无盡故菩薩摩訶薩應引
般若羅蜜多善現當知諸佛无上正等菩提
虛空无盡故菩薩摩訶薩應引般若波羅蜜
多
復次善現菩薩摩訶薩觀无明如虛空无盡
故應引般若波羅蜜多菩薩摩訶薩觀行
如虛空无盡故應引般若波羅蜜多菩薩
摩訶薩觀識如虛空无盡故應引般若波羅
蜜多菩薩摩訶薩觀名色如虛空无盡故應
引般若波羅蜜多菩薩摩訶薩觀六處如虛
空无盡故應引般若波羅蜜多菩薩摩訶薩

蜜多菩薩摩訶薩觀名色如虛空无盡故應
引般若波羅蜜多菩薩摩訶薩觀六處如虛
空无盡故應引般若波羅蜜多菩薩摩訶薩
觀觸如虛空无盡故應引般若波羅蜜多菩
薩摩訶薩觀受如虛空无盡故應引般若羅
蜜多菩薩摩訶薩觀愛如虛空无盡故應引
般若波羅蜜多菩薩摩訶薩觀取如虛空无
盡故應引般若波羅蜜多菩薩摩訶薩觀有
如虛空无盡故應引般若波羅蜜多菩薩摩
訶薩觀生如虛空无盡故應引般若波羅蜜多
菩薩摩訶薩觀老死愁歎苦憂惱如虛空无
盡故應引般若波羅蜜多如是善現菩薩摩
訶薩應引般若波羅蜜多善現當知諸菩薩
摩訶薩如是觀察十二緣起遠離二邊是諸
菩薩不共妙觀善現當知諸菩薩摩訶薩
處菩提座如實觀察十二緣起猶如虛空不
可盡故速能證得一切智智善現當知若菩
薩摩訶薩以如虛空无盡行相行深般若波
羅蜜多如實觀察十二緣起不隨聲聞及獨
覺地當住无上正等菩提善現諸有住菩薩
乘補特伽羅若於无上正等菩提有退轉者
皆悉不依引發般若波羅蜜多善巧方便由彼
不了云何菩薩摩訶薩脩行般若波羅蜜多
能以如虛空无盡行相如實觀察十二緣起
引發般若波羅蜜多善現當知諸有安住菩
薩乘者若於无上正等菩提而有退轉皆

能以如虛空无盡行相如實觀察十二緣起
引發般若波羅蜜多善現當知諸有安住菩
薩乘者若於无上正等菩提而有退轉皆
由遠離引發般若波羅蜜多善巧方便善現當
知若菩薩摩訶薩能於无上正等菩提不退
轉者皆依引發甚深般若波羅蜜多善巧方
便是菩薩摩訶薩由依如是善巧方便脩行
般若波羅蜜多以如虛空无盡行相如實觀
察十二緣起引發般若波羅蜜多是菩薩摩
訶薩由依如是善巧方便脩行般若波羅蜜
多以如虛空无盡行相如實觀察甚深般
若波羅蜜多由此引發甚深般若波羅蜜多
復次善現若菩薩摩訶薩如是觀緣起法
時不見有法无因而生不見有法无因而滅
不見有法常住不滅不見有法有我有情命
者生者養者士夫補特伽羅意生儒童作者
使作者起者使起者受者使受者知者使知
者見者使見者不見有法若常若无常若樂
若苦若我若无我若淨若不淨若寂靜若不
寂靜若遠離若不遠離善現當知諸菩薩
摩訶薩欲行般若波羅蜜多應當如是觀察
緣起而行般若波羅蜜多善現當知若時菩薩
摩訶薩行深般若波羅蜜多是時菩薩摩訶
薩不見色若常若无常若樂若苦若我若无
我若淨若不淨若寂靜若不寂靜若遠離若

BD02213號　大般若波羅蜜多經卷三四八

（20–5）

摩訶薩行深般若波羅蜜多是時菩薩摩訶
薩不見色若常若无常若樂若苦若我若无
我若淨若不淨若寂靜若不寂靜若遠離若
不遠離亦不見受想行識若常若无常若樂
若苦若我若无我若淨若不淨若寂靜若不
寂靜若遠離若不遠離若時菩薩摩訶薩行
深般若波羅蜜多是時菩薩摩訶薩不見眼
處若常若无常若樂若苦若我若无我若淨
若不淨若寂靜若不寂靜若遠離若不遠離
亦不見耳鼻舌身意處若常若无常若樂若
苦若我若无我若淨若不淨若寂靜若不寂
靜若遠離若不遠離若時菩薩摩訶薩行深
般若波羅蜜多是時菩薩摩訶薩不見色
處若常若无常若樂若苦若我若无我若淨
若不淨若寂靜若不寂靜若遠離若不遠離亦
不見聲香味觸法處若常若无常若樂若苦
若我若无我若淨若不淨若寂靜若不寂靜
若遠離若不遠離若時菩薩摩訶薩行深
般若波羅蜜多是時菩薩摩訶薩不見眼界
若常若无常若樂若苦若我若无我若淨若
淨若寂靜若不寂靜若遠離若不遠離亦不
見耳鼻舌身意界若常若无常若樂若苦若
我若无我若淨若不淨若寂靜若不寂靜若
遠離若不遠離若時菩薩摩訶薩行深般
若波羅蜜多是時菩薩摩訶薩不見色界若

BD02213號　大般若波羅蜜多經卷三四八

（20–6）

我若无我若淨若不淨若寂靜若不寂靜若
遠離若不遠離若時菩薩摩訶薩行深般
若波羅蜜多是時菩薩摩訶薩不見色界若
常若无常若樂若苦若我若无我若淨若不
淨若寂靜若不寂靜若遠離若不遠離亦不見
聲香味觸法界若常若无常若樂若苦若我
若无我若淨若不淨若寂靜若不寂靜若遠
離若不遠離若時菩薩摩訶薩行深般若波
羅蜜多是時菩薩摩訶薩不見眼識界若常
若无常若樂若苦若我若无我若淨若不淨
若寂靜若不寂靜若遠離若不遠離亦不見
耳鼻舌身意識界若常若无常若樂若苦
若我若我无若淨若不淨若寂靜若不寂
靜若遠離若不遠離若時菩薩摩訶薩
行深般若波羅蜜多是時菩薩摩訶
薩不見眼觸若常若无常若樂若苦若我
若无我若淨若不淨若寂靜若不寂靜若遠
離若不遠離亦不見耳鼻舌身意觸若常若无
常若樂若苦若我若无我若淨若不淨若
寂靜若不寂靜若遠離若不遠離若時菩薩
摩訶薩行深般若波羅蜜多是時菩薩摩訶
薩不見眼觸為緣所生諸受若常若无常若樂若
苦若我若无我若淨若不淨若寂靜若不寂靜若
遠離若不遠離亦不見耳鼻舌身意觸為緣所生
諸受若常若无常若樂若苦若我若无我若淨
若不淨若寂靜若不寂靜若遠離若不遠離

BD02213號　大般若波羅蜜多經卷三四八　（20–7）

苦若我若无我若淨若不淨若寂靜若不寂靜若
遠離若不遠離亦不見耳鼻舌身意觸為緣所生
諸受若常若无常若樂若苦若我若无我若淨
若不淨若寂靜若不寂靜若遠離若不遠離
若時菩薩摩訶薩行深般若波羅蜜多是時
菩薩摩訶薩不見地界若常若无常若樂若
苦若我若无我若淨若不淨若寂靜若不寂
靜若遠離若不遠離亦不見水火風空識界若
常若无常若樂若苦若我若无我若淨若
不淨若寂靜若不寂靜若遠離若不遠離若
時菩薩摩訶薩行深般若波羅蜜多是時菩
薩摩訶薩不見无明若常若无常若樂若苦
若我若无我若淨若不淨若寂靜若不寂靜
若遠離若不遠離亦不見行識名色六處觸
受愛取有生老死愁歎苦憂惱若常若无常
若樂若苦若我若无我若淨若不淨若寂靜
若不寂靜若遠離若不遠離
若時菩薩摩訶薩行深般若波羅蜜多是時
菩薩摩訶薩不見布施波羅蜜多若常若无
常若樂若苦若我若无我若淨若不淨若寂
靜若不寂靜若遠離若不遠離亦不見淨戒
安忍精進靜慮般若波羅蜜多若常若无常
若樂若苦若我若无我若淨若不淨若寂靜
若不寂靜若遠離若不遠離若時菩薩摩訶
薩行深般若波羅蜜多是時菩薩摩訶薩不
見內空若常若无常若樂若苦若我若无我

BD02213號　大般若波羅蜜多經卷三四八　（20–8）

若樂若苦若我若无我若淨若不淨若寂靜
若不寂靜若遠離若不遠離若時菩薩摩訶
薩行深般若波羅蜜多是時菩薩摩訶薩不
見內空若常若无常若樂若苦若我若无我
若淨若不淨若寂靜若不寂靜若遠離若不
遠離亦不見外空內外空空空大空勝義空
有為空无為空畢竟空无際空散空无變異
空本性空自相空共相空一切法空不可得
空无性空自性空无性自性空若常若无常
若樂若苦若我若无我若淨若不淨寂靜
若不寂靜若遠離若不遠離若時菩薩摩
訶薩行深般若波羅蜜多是時菩薩摩訶薩不
見真如若常若无常若樂若苦若我若无我若
淨若不淨若寂靜若不寂靜若遠離若不
遠離亦不見法界法性不虛妄性不變異性平
等性離生性法定法住實際虛空界不思
議界若常若无常若樂若苦若我若无我若
淨若不淨若寂靜若不寂靜若遠離若不遠
離若時菩薩摩訶薩行深般若波羅蜜多是
時菩薩摩訶薩不見苦聖諦若常若无常若
樂若苦若我若无我若淨若不淨若寂靜若
不寂靜若遠離若不遠離亦不見集滅道聖
諦若常若无常若樂若苦若我若无我若
淨若不淨若寂靜若不寂靜若遠離若不遠
離若時菩薩摩訶薩行深般若波羅蜜多是
時菩薩摩訶薩不見四靜慮若常若无常若樂

BD02213 號　大般若波羅蜜多經卷三四八　（20–9）

淨若不淨若寂靜若不寂靜若遠離若不遠
離若時菩薩摩訶薩行深般若波羅蜜多是
時菩薩摩訶薩不見四靜慮若常若无常若樂
若苦若我若无我若淨若不淨若寂靜若不
寂靜若遠離若不遠離亦不見四无量四无色
定若常若无常若樂若苦若我若无我若
淨若不淨若寂靜若不寂靜若遠離若不遠
離若時菩薩摩訶薩行深般若波羅蜜多是
時菩薩摩訶薩不見八解脫若常若无常若樂
若苦若我若无我若淨若不淨若寂靜若
不寂靜若遠離若不遠離亦不見八勝處九
次第定十遍處若常若无常若樂若苦若我
若无我若淨若不淨若寂靜若不寂靜若遠
離若不遠離若時菩薩摩訶薩行深般若波
羅蜜多是時菩薩摩訶薩不見四念住若常
若无常若樂若苦若我若无我若淨若不淨
若寂靜若不寂靜若遠離若不遠離亦不見
四正斷四神足五根五力七等覺支八聖道
支若常若无常若樂若苦若我若无我若淨
若不淨若寂靜若不寂靜若遠離若不遠離
若時菩薩摩訶薩行深般若波羅蜜多是時
菩薩摩訶薩不見空解脫門若常若无常若
樂若苦若我若无我若淨若不淨若寂靜若
不寂靜若遠離若不遠離亦不見无相无願
解脫門若常若无常若樂若苦若我若无我
若淨若不淨若寂靜若不寂靜若遠離若不

BD02213 號　大般若波羅蜜多經卷三四八　（20–10）

樂若苦若我若无我若淨若不淨若寂靜若
不寂靜若遠離若不遠離亦不見无相无願
解脫門若常若无常若樂若苦若我若无我
若淨若不淨若寂靜若不寂靜若遠離若不
遠離
若時菩薩摩訶薩行深般若波羅蜜多是時菩
薩摩訶薩不見五眼若常若无常若樂若苦
若我若无我若淨若不淨若寂靜若不寂
靜若遠離若不遠離亦不見六神通若常若
无常若樂若苦若我若无我若淨若不淨若寂
靜若不寂靜若遠離若不遠離若時菩薩摩
訶薩行深般若波羅蜜多是時菩薩摩訶薩
不見佛十力若常若无常若樂若苦若我若无
我若淨若不淨若寂靜若不寂靜若遠離若
不遠離亦不見四无所畏四无礙解大慈大悲大
喜大捨十八佛不共法若常若无常若樂若
苦若我若无我若淨若不淨若寂靜若不
寂靜若遠離若不遠離若時菩薩摩訶薩
行深般若波羅蜜多是時菩薩摩訶薩不見
无忘失法若常若无常若樂若苦若我若无
我若淨若不淨若寂靜若不寂靜若遠離
若不遠離亦不見恒住捨性若常若无常若樂
若苦若我若无我若淨若不淨若寂靜若不
寂靜若遠離若不遠離若時菩薩摩訶薩
行深般若波羅蜜多是時菩薩摩訶薩不見
一切智若常若无常若樂若苦若我若我
无若淨若不淨若寂靜若不寂靜若遠離若

BD02213號　大般若波羅蜜多經卷三四八　（20–11）

寂靜若遠離若不遠離若時菩薩摩訶薩
行深般若波羅蜜多是時菩薩摩訶薩不見
一切智智若常若无常若樂若苦若我若我
无若淨若不淨若寂靜若不寂靜若遠離若
不遠離亦不見道相智一切相智若常若无常
若樂若苦若我若无我若淨若不淨若寂靜
若不寂靜若遠離若不遠離若時菩薩摩訶
薩行深般若波羅蜜多是時菩薩摩訶薩不
見一切陀羅尼門若常若无常若樂若苦若
我若无我若淨若不淨若寂靜若不寂靜
若遠離若遠不離亦不見一切三摩地門若
常若无常若樂若苦若我若无我若淨若不
淨若寂靜若不寂靜若遠離若不遠離
若時菩薩摩訶薩行深般若波羅蜜多是時
菩薩摩訶薩不見預流果若常若无常若樂
若苦若我若无我若淨若不淨若寂靜若不
寂靜若遠離若不遠離亦不見一來不還阿
羅漢果若常若无常若樂若苦若我若无我
若淨若不淨若寂靜若不寂靜若遠離若不
遠離若時菩薩摩訶薩行深般若波羅蜜多
是時菩薩摩訶薩不見獨覺菩提若常若无
常若樂若苦若我若无我若淨若不淨若寂
靜若不寂靜若遠離若不遠離若時菩薩摩
訶薩行深般若波羅蜜多是時菩薩摩訶薩
不見一切菩薩摩訶薩行若常若无常若樂
若苦若我若无我若淨若不淨若寂靜若不
寂靜若遠離若不遠離若時菩薩摩訶薩行

BD02213號　大般若波羅蜜多經卷三四八　（20–12）

訶薩行深般若波羅蜜多是時菩薩摩訶薩
不見一切菩薩摩訶薩行若常若无常若樂
若苦若我若无我若淨若不淨若寂靜若不
寂靜若遠離若不遠離若時菩薩摩訶薩行
深般若波羅蜜多是時菩薩摩訶薩不見諸
佛无上正等菩提若常若无常若樂若苦若
我若无我若淨若不淨若寂靜若不寂靜若
遠離若不遠離
復次善現若時菩薩摩訶薩行深般若波羅
蜜多是時菩薩摩訶薩雖行般若波羅蜜多
而不見有所行般若波羅蜜多亦復不見有法
能見所行般若波羅蜜多若時菩薩摩訶薩
行深般若波羅蜜多是時菩薩摩訶薩雖
行靜慮精進安忍淨戒布施波羅蜜多而不
見有所行靜慮乃至布施波羅蜜多亦復不
見有所行靜慮乃至布施波羅蜜多亦復不
見有法能見所行靜慮乃至布施波羅蜜多
若時菩薩摩訶薩行深般若波羅蜜是時
菩薩摩訶薩雖住內空不見有所住內空
亦復不見有法能見所住內空若時菩薩摩
訶薩行深般若波羅蜜多是時菩薩摩訶
薩雖住外空內外空空空大空勝義空有為
空无為空畢竟空无際空散空无變異空本性
空自相空共相空一切法空不可得空无性
空自性空无性自性空而不見有所住外空
乃至无性自性空亦復不見有法能見所住
外空乃至无性自性空若時菩薩摩訶薩

BD02213號　大般若波羅蜜多經卷三四八　（20–13）

空自性空无性自性空而不見有所住外空
乃至无性自性空亦復不見有法能見所住
外空乃至无性自性空若時菩薩摩訶薩
行深般若波羅蜜多是時菩薩摩訶薩雖住
真如而不見有所住真如亦復不見有法能見
所住真如若時菩薩摩訶薩行深般若波羅
蜜多是時菩薩摩訶薩雖住法界法性不
虛妄性不變異性平等性離生性法定法住
實際虛空界不思議界而不見有所住法界
乃至不思議界亦復不見有法能見所住法界
乃至不思議界若時菩薩摩訶薩行深般若
波羅蜜多是時菩薩摩訶薩雖住苦聖諦而
不見有所住苦聖諦亦復不見有法能見所住
苦聖諦若時菩薩摩訶薩行深般若波羅
蜜多是時菩薩摩訶薩住雖集滅道聖諦
而不見有所住集滅道聖諦亦復不見有法能
見所住集滅道聖諦若時菩薩摩訶薩行深
般若波羅蜜多是時菩薩摩訶薩雖修四靜慮
而不見有所修四靜慮亦復不見有法能見
所修四靜慮若時菩薩摩訶薩行深般若
波羅蜜多是時菩薩摩訶薩雖修四无量四
无色定而不見有所修四无量四无色定亦
復不見有法能見所修四无量四无色定若
時菩薩摩訶薩行深般若波羅蜜多是時
菩薩摩訶薩雖修八解脫而不見有所修八
解脫亦復不見有法能見所修八解脫若時菩
薩摩訶薩行深般若波羅蜜多是時菩薩摩

BD02213號　大般若波羅蜜多經卷三四八　（20–14）

復不見有法能見所脩四无量四无色定若
時菩薩摩訶薩行深般若波羅蜜多是時
菩薩摩訶薩雖脩八解脫而不見有所脩八
解脫亦復不見有法能見所脩八解脫若時菩
薩摩訶薩行深般若波羅蜜多是時菩薩摩
訶薩雖脩八勝處九次第定十遍處而不見
有所脩八勝處九次第定十遍處亦復不見
有法能見所脩八勝處九次第定十遍處若
時菩薩摩訶薩行深般若波羅蜜多是時菩
薩摩訶薩雖脩四念住而不見有所脩四念住
亦復不見有法能見所脩四念住若時菩薩
摩訶薩行深般若波羅蜜多是時菩薩摩
訶薩雖脩四正斷四神足五根五力七等覺支
八聖道支而不見有所脩四正斷乃至八聖
道支亦復不見有法能見所脩四正斷乃至
八聖道支若時菩薩摩訶薩行深般若波
羅蜜多是時菩薩摩訶薩雖脩空解脫門而
不見有所脩空解脫門亦復不見有法能見
所脩空解脫門若時菩薩摩訶薩行深般若
波羅蜜多是時菩薩摩訶薩雖脩无相无願
解脫門而不見有所脩无相无願解脫門亦
復不見有法能見所脩无相无願解脫門若
時菩薩摩訶薩行深般若波羅蜜多是時菩
薩摩訶薩雖脩五眼而不見有所脩五眼亦
復不見有法能見所脩五眼若時菩薩摩訶
薩行深般若波羅蜜多是時菩薩摩訶薩
雖脩六神通而不見有所脩六神通亦復不見

復不見有法能見所脩五眼若時菩薩摩訶
薩行深般若波羅蜜多是時菩薩摩訶薩
雖脩六神通而不見有所脩六神通亦復不見
有法能見所脩六神通若時菩薩摩訶薩行
深般若波羅蜜多是時菩薩摩訶薩雖脩佛
十力而不見有所脩佛十力亦復不見有法能
見所脩佛十力若時菩薩摩訶薩行深般若
波羅蜜多是時菩薩摩訶薩雖脩四无所畏
四无礙解大慈大悲大喜大捨十八佛不共
法而不見有所脩四无所畏乃至十八佛不
共法亦復不見有法能見所脩四无所畏
乃至十八佛不共法若時菩薩摩訶薩行
深般若波羅蜜多是時菩薩摩訶薩雖脩
無忘失法而不見有所脩無忘失法亦復不見
有法能見所脩無忘失法若時菩薩摩訶薩行
深般若波羅蜜多是時菩薩摩訶薩雖脩恒
住捨性而不見有所脩恒住捨性亦復不見
有法能見所脩恒住捨性若時菩薩摩訶
薩行深般若波羅蜜多是時菩薩摩訶薩
雖脩一切智而不見有所脩一切智亦復不見有
法能見所脩一切智若時菩薩摩訶薩行深
般若波羅蜜多是時菩薩摩訶薩雖脩道相
智一切相智而不見有所脩道相智一切相智
亦復不見有法能見所脩道相智一切相智
若時菩薩摩訶薩行深般若波羅蜜多是時
菩薩摩訶薩雖脩一切陀羅尼門而不見有
所脩一切陀羅尼門亦復不見有法能見所

若時菩薩摩訶薩行深般若波羅蜜多是時
菩薩摩訶薩雖脩一切陁羅尼門而不見有
所脩一切陁羅尼門亦復不見有法能見所
脩一切陁羅尼門若時菩薩摩訶薩行深般
若波羅蜜多是時菩薩摩訶薩雖脩一切三
摩地門而不見有所脩一切三摩地門亦復
不見有法能見所脩一切三摩地門若時菩
薩摩訶薩行深般若波羅蜜多是時菩薩
摩訶薩雖脩一切薩菩摩訶薩行而不見有
所脩一切菩薩摩訶薩行亦復不見有法能
見所脩一切菩薩摩訶薩行若時菩薩摩
訶薩行深般若波羅蜜多是時菩薩摩訶
薩雖諸佛无上正等菩提而不見有所脩无
上正等菩提亦復不見有法能見所脩无上
正等菩提
善現當知諸菩薩摩訶薩於一切法都无所
得而為方便應行如是甚深般若波羅蜜
多善現若時菩薩摩訶薩於一切法以无所
得而為方便脩行如是甚深般若波羅蜜多
是時惡魔生大憂惱如中毒箭譬如有人
新父母深生痛切惡魔尒時見諸菩薩摩
訶薩於一切法以无所得而為方便脩行如
是甚深般若波羅蜜多生大憂惱如中毒箭
亦復如是尒時具壽善現白佛言世尊為一惡
魔見諸菩薩摩訶薩於一切法以无所得而為
方便行深般若波羅蜜多生大愁惱如中毒
箭為遍三千大千世界一切惡魔見諸菩薩

BD02213號　大般若波羅蜜多經卷三四八　（20–17）

亦復如是尒時具壽善現白佛言世尊為一惡
魔見諸菩薩摩訶薩於一切法以无所得而為
方便行深般若波羅蜜多生大愁惱如中毒
箭為遍三千大千世界一切惡魔見諸菩薩
摩訶薩於一切法以无所得而為方便行深般
若波羅蜜多生大愁惱如中毒箭佛言善現遍
滿三千大千世界一切惡魔見諸菩薩摩訶
薩於一切法以无所得而為方便行深般若
波羅蜜多生大愁惱如中毒箭各於其座
不能自安善現當知諸菩薩摩訶薩應常
安住甚深般若波羅蜜多最勝行住若菩薩
摩訶薩常能安住甚深般若波羅蜜多最勝
行住世門天人阿素洛等伺求其短无能得
便亦復不能令生憂惱是故善現若菩薩摩
訶薩欲證无上正等菩提當勤安住甚深般
若波羅蜜多最勝行住
復次善現若菩薩摩訶薩能正安住甚深般
若波羅蜜多最勝行住則能脩滿布施淨戒
安忍精進靜慮般若波羅蜜多若菩薩摩
訶薩能忍脩行甚深般若波羅蜜多便能具
足脩滿一切波羅蜜多尒時具壽善現白佛言
世尊云何菩薩摩訶薩能正脩行甚深般若波
羅蜜多便能具足脩滿布施淨戒安忍精進
靜慮般若波羅蜜多佛告善現若菩薩摩
訶薩无倒脩行甚深般若波羅蜜多時以
一切智智心而脩布施復持如是布施功德与一
切有情平等共有迴向无上正等菩提善現是

BD02213號　大般若波羅蜜多經卷三四八　（20–18）

訶薩无倒脩行甚深般若波羅蜜多時以
一切智智心而脩布施復持如是布施功德与一
切有情平等共有迴向无上正等菩提善現是
為菩薩摩訶薩能正脩行甚深般若波羅
蜜多便能具足脩滿布施波羅蜜多若菩
薩摩訶薩无倒脩行甚深般若波羅蜜多時
以一切智智心而脩淨戒復持如是淨戒功德
与一切有情平等共有迴向无上正等菩提
善現是為菩薩摩訶薩能正脩行甚深般
若波羅蜜多便能具足脩滿淨戒波羅蜜多
若菩薩摩訶薩无倒脩行甚深般若波羅蜜
多時以一切智智心而脩安忍復持如是安忍功
德与一切有情平等共有迴向无无上正等
菩提善現是為菩薩摩訶薩能正脩行甚
深般若波羅蜜多便能具足脩滿安忍波羅
蜜多若菩薩摩訶薩能倒脩行甚深般若
波羅蜜多時以一切智智心而脩精進復持如
是精進功德与一切有情平等共有迴向无上
正等菩提善現是為菩薩摩訶薩能正脩行
甚深般若波羅蜜多便能具足脩滿精進波
羅蜜多若菩薩摩訶薩无脩倒行甚深般
若波羅蜜多時以一切智智心而脩靜慮復
持如是靜慮功德与一切有情平等共有迴
向无上正等菩持善現是為菩薩摩訶薩能
正脩行甚深般若波羅蜜多便能具足脩滿
靜慮波羅蜜多若菩薩摩訶薩无倒脩行
甚深般若波羅蜜多時以一切智智心而脩般

BD02213號　大般若波羅蜜多經卷三四八　（20–19）

[illegible]
持如是靜慮功德与一切有情平等共有迴
向无上正等菩持善現是為菩薩摩訶薩能
正脩行甚深般若波羅蜜多便能具足脩滿
靜慮波羅蜜多若菩薩摩訶薩无倒脩行
甚深般若波羅蜜多時以一切智智心而脩般
若復持如是般若功德与一切有情平等共有
迴向无上正等菩提善現是為菩薩摩訶薩
能正脩行甚深般若波羅蜜多便能具足脩
滿般若波羅蜜多如是善現諸菩薩摩訶
薩能正脩行甚深般若波羅蜜多便能具足
脩滿布施淨戒安忍精進靜慮般若波羅蜜多

大般若波羅蜜多經卷第三百卌八

BD02213號　大般若波羅蜜多經卷三四八　（20–20）

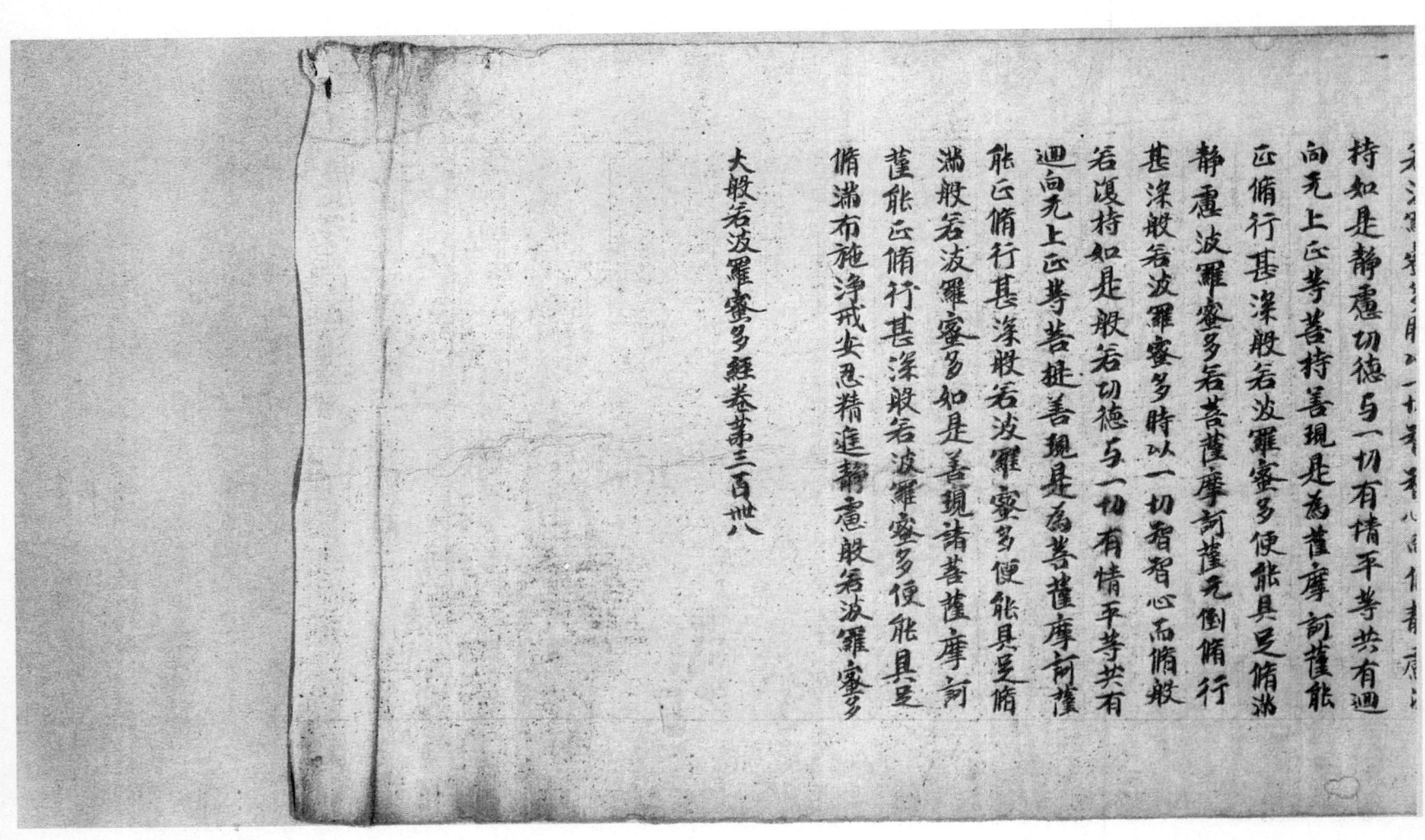

BD02213 號背　勘記　（1–1）

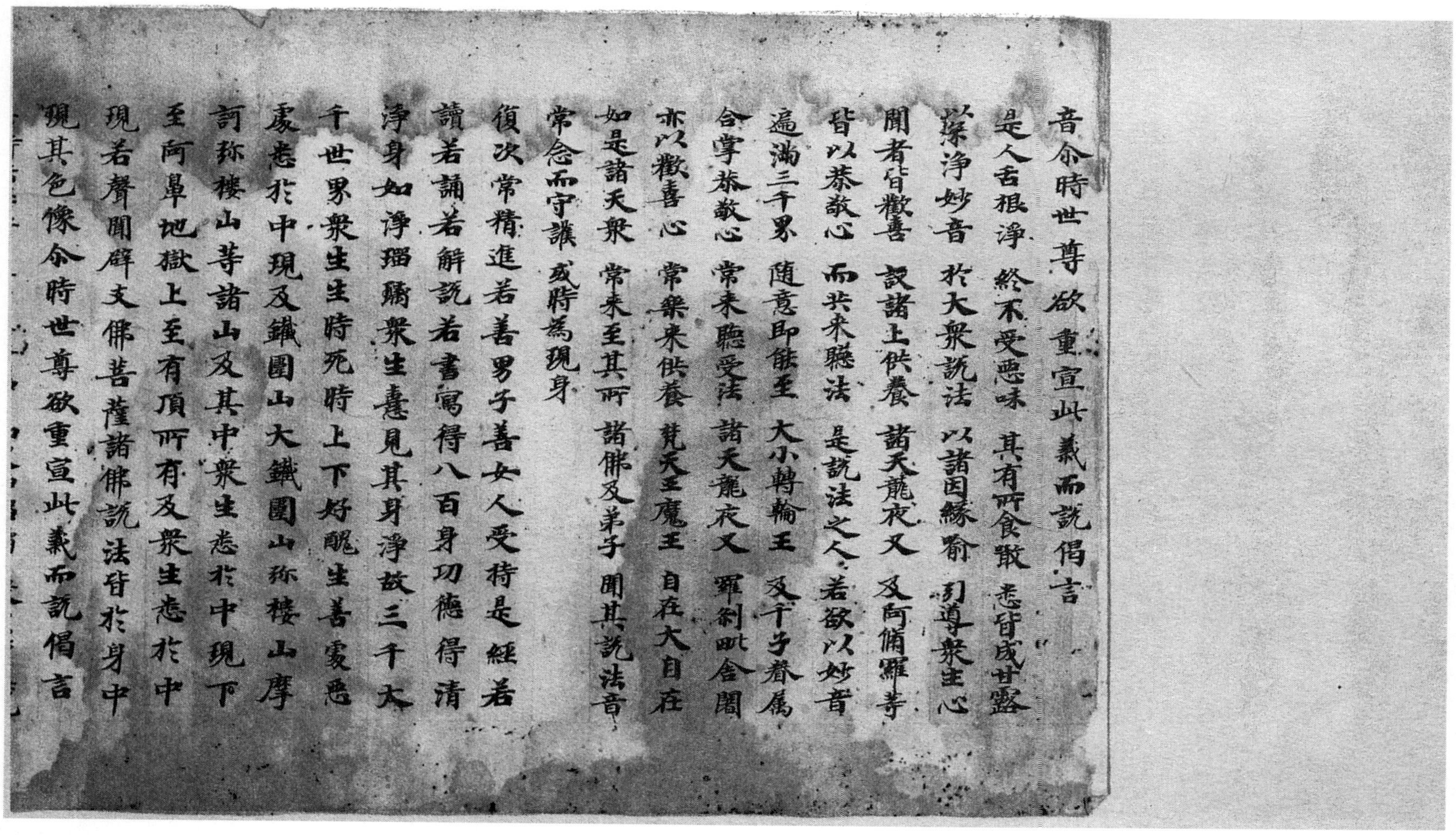

音尒時世尊欲重宣此義而說偈言
是人舌根淨　終不受惡味　其有所食噉　悉皆成甘露
以深淨妙音　於大衆說法　以諸因緣喻　引導衆生心
聞者皆歡喜　設諸上供養　諸天龍夜叉　及阿脩羅等
皆以恭敬心　而共來聽法　是說法之人　若欲以妙音
遍滿三千界　隨意即能至　大小轉輪王　及千子眷屬
合掌恭敬心　常來聽受法　諸天龍夜叉　羅剎毗舍闍
亦以歡喜心　常樂來供養　梵天王魔王　自在大自在
如是諸天衆　常來至其所　諸佛及弟子　聞其說法音
常念而守護　或時爲現身
復次常精進若善男子善女人受持是經若
讀若誦若解說若書寫得八百身功德得清
淨身如淨瑠璃衆生憙見其身淨故三千大
千世界衆生生時死時上下好醜生善處惡
處悉於中現及鐵圍山大鐵圍山弥樓山摩
訶弥樓山等諸山及其中衆生悉於中現下
至阿鼻地獄上至有頂所有及衆生悉於中
現若聲聞辟支佛菩薩諸佛說法皆於身中
現其色像尒時世尊欲重宣此義而說偈言

BD02214 號　妙法蓮華經卷六　（5–1）

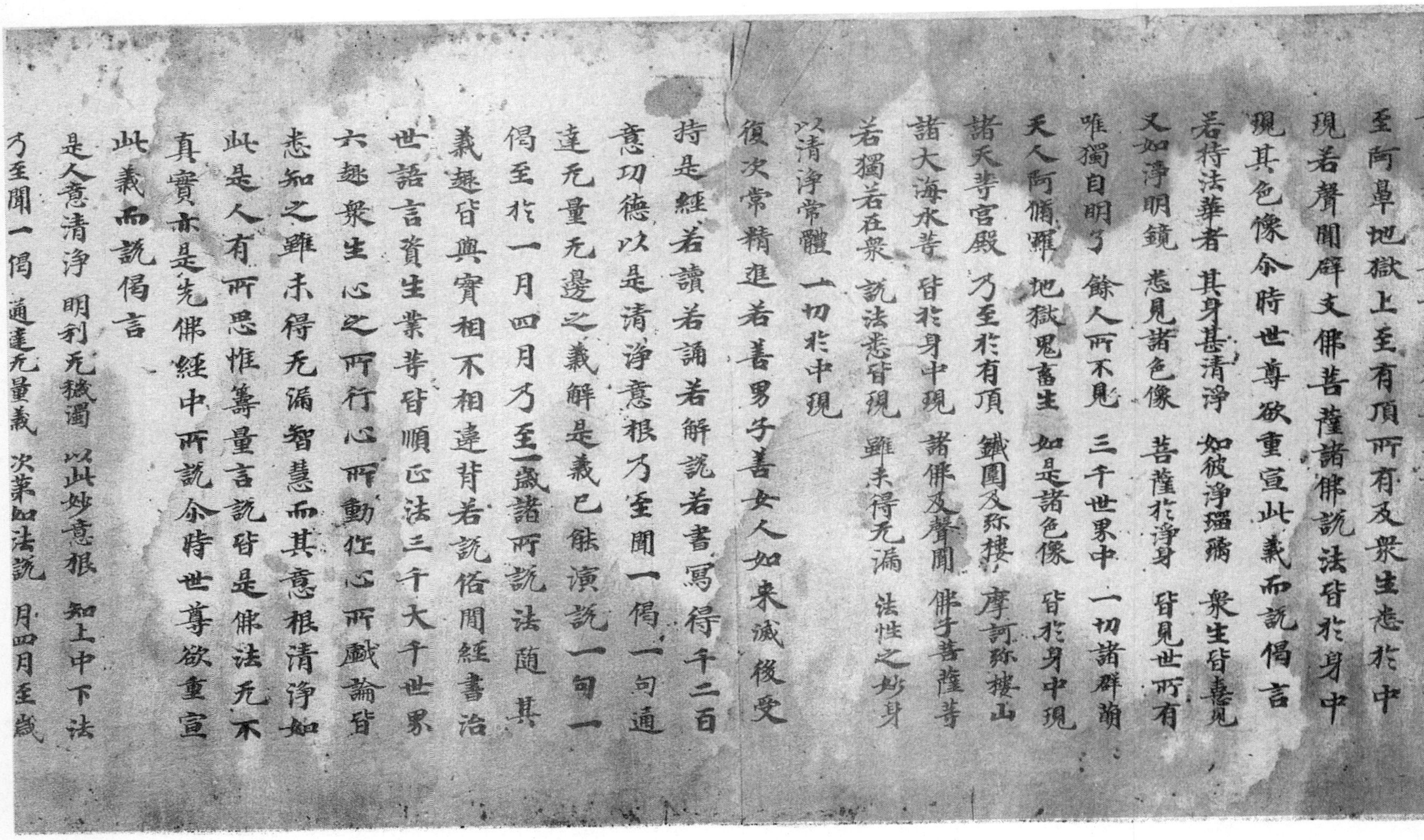

至阿鼻地獄上至有頂所有及衆生悉於中
現若聲聞辟支佛菩薩諸佛說法皆於身中
現其色像尒時世尊欲重宣此義而說偈言
若持法華者　其身甚清淨　如彼淨琉璃　衆生皆憙見
又如淨明鏡　悉見諸色像　菩薩於淨身　皆見世所有
唯獨自明了　餘人所不見　三千世界中　一切諸群萌
天人阿脩羅　地獄鬼畜生　如是諸色像　皆於身中現
諸天等宮殿　乃至於有頂　鐵圍及弥樓　摩訶弥樓山
諸大海水等　皆於身中現　諸佛及聲聞　佛子菩薩等
若獨若在衆　說法悉皆現　雖未得无漏　法性之妙身
以清淨常體　一切於中現
復次常精進若善男子善女人如來滅後受
持是經若讀若誦若解說若書寫得千二百
意功德以是清淨意根乃至聞一偈一句通
達无量无邊之義解是義已能演說一句一
偈至於一月四月乃至一歲諸所說法隨其
義趣皆與實相不相違背若說俗間經書治
世語言資生業等皆順正法三千大千世界
六趣衆生心之所行心所動作心所戲論皆
悉知之雖未得无漏智慧而其意根清淨如
此是人有所思惟籌量言說皆是佛法无不
真實亦是先佛經中所說尒時世尊欲重宣
此義而說偈言
是人意清淨　明利无穢濁　以此妙意根　知上中下法
乃至聞一偈　通達无量義　次第如法說　月四月至歲

BD02214 號　妙法蓮華經卷六　（5–2）

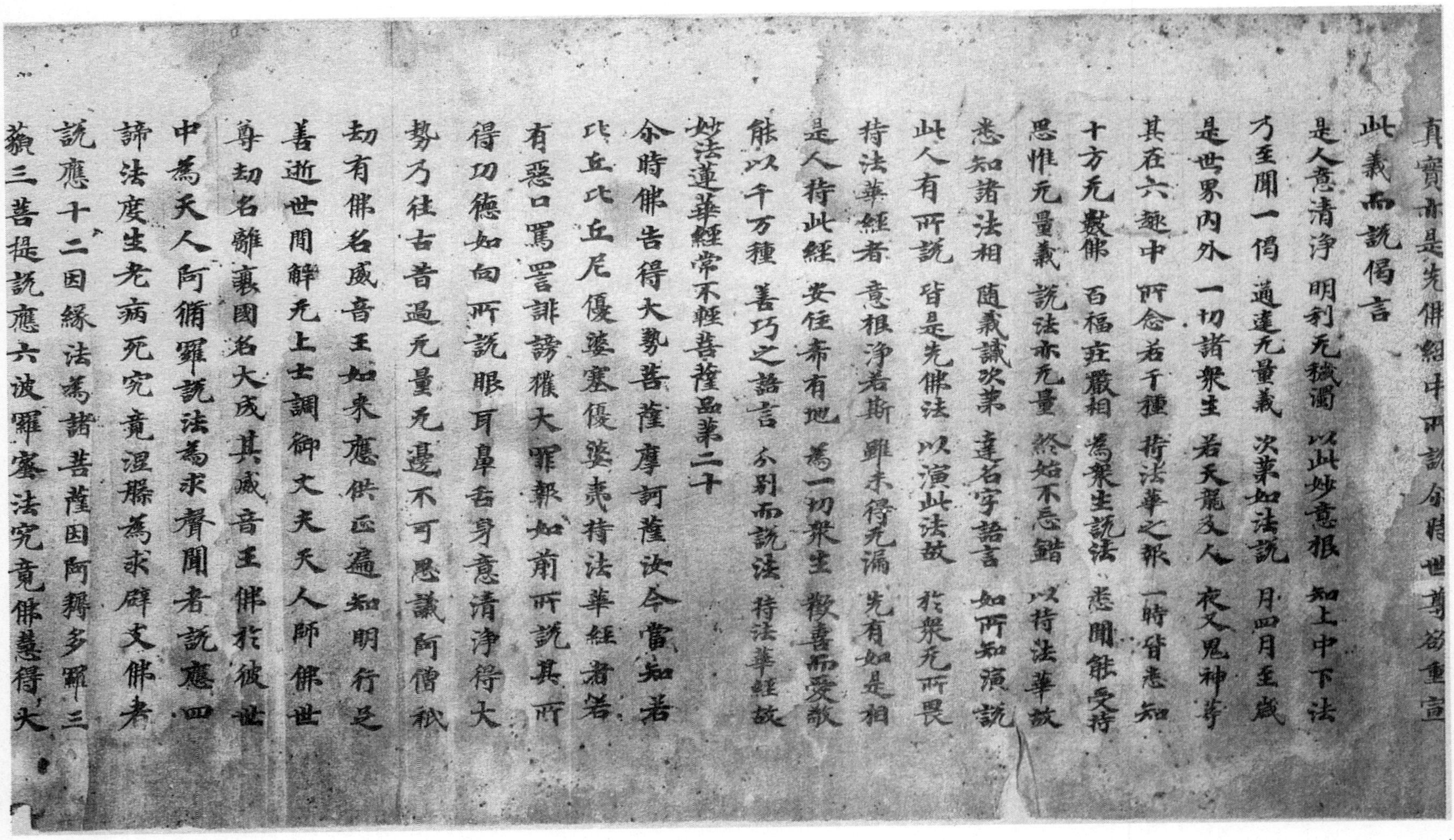

真實亦是先佛經中所說尒時世尊欲重宣
此義而說偈言
是人意清淨　明利无穢濁　以此妙意根　知上中下法
乃至聞一偈　通達无量義　次第如法說　月四月至歲
是世界內外　一切諸衆生　若天龍及人　夜叉鬼神等
其在六趣中　所念若干種　持法華之報　一時皆悉知
十方无數佛　百福莊嚴相　爲衆生說法　悉聞能受持
思惟无量義　說法亦无量　終始不忘錯　以持法華故
悉知諸法相　隨義識次第　達名字語言　如所知演說
此人有所說　皆是先佛法　以演此法故　於衆无所畏
持法華經者　意根淨若斯　雖未得无漏　先有如是相
是人持此經　安住希有地　爲一切衆生　歡喜而愛敬
能以千万種　善巧之語言　分別而說法　持法華經故
妙法蓮華經常不輕菩薩品第二十
尒時佛告得大勢菩薩摩訶薩汝今當知若
比丘比丘尼優婆塞優婆夷持法華經者若
有惡口罵詈誹謗獲大罪報如前所說其所
得功德如向所說眼耳鼻舌身意清淨得大
勢乃往古昔過无量无邊不可思議阿僧祇
劫有佛名威音王如來應供正遍知明行足
善逝世間解无上士調御丈夫天人師佛世
尊劫名離衰國名大成其威音王佛於彼世
中爲天人阿脩羅說法爲求聲聞者說應四
諦法度生老病死究竟涅槃爲求辟支佛者
說應十二因緣法爲諸菩薩因阿耨多羅三
藐三菩提說應六波羅蜜法究竟佛慧得大

BD02214 號　妙法蓮華經卷六　（5–3）

中為天人阿脩羅說法為求聲聞者說應四
諦法度生老病死究竟涅槃為求辟支佛者
說應十二因緣法為諸菩薩因阿耨多羅三
藐三菩提說應六波羅蜜法究竟佛慧得大
勢是威音王佛壽四十万億那由他恒河沙
劫正法住世劫數如一閻浮提微塵像法住
世劫數如四天下微塵其佛饒益衆生已然
後滅度正法像法滅盡之後於此國土復有
佛出亦号威音王如來應供正遍知明行足
善逝世間解无上士調御丈夫天人師佛世
尊如是次第有二万億佛皆同一号最初威
音王如来既已滅度正法滅後於像法中增
上慢比丘有大勢力尒時有一菩薩比丘名常
不輕得大勢以何因緣名常不輕是比丘
凡有所見若比丘比丘尼優婆塞優婆夷皆
悉礼拜讚歎而作是言我深敬汝等不敢輕
慢所以者何汝等皆行菩薩道當得作佛而
是比丘不專讀誦經典但行礼拜乃至遠見
四衆亦復故往礼拜讚歎而作是言我不敢
輕於汝等汝等皆當作佛故四衆之中有
瞋恚心不淨者惡口罵詈言是无智比丘
何所来自言我不輕汝而與我等受
作佛我等不用如是虛妄說受記如此
年常被罵詈不生瞋恚常作是言汝當
說是語時衆人或以杖石而打

BD02214號　妙法蓮華經卷六　（5-4）

佛出亦号威音王如來應供正遍知明行足
善逝世間解无上士調御丈夫天人師佛世
尊如是次第有二万億佛皆同一号最初威
音王如来既已滅度正法滅後於像法中增
上慢比丘有大勢力尒時有一菩薩比丘名常
不輕得大勢以何因緣名常不輕是比丘
凡有所見若比丘比丘尼優婆塞優婆夷皆
悉礼拜讚歎而作是言我深敬汝等不敢輕
慢所以者何汝等皆行菩薩道當得作佛而
是比丘不專讀誦經典但行礼拜乃至遠見
四衆亦復故往礼拜讚歎而作是言我不敢
輕於汝等汝等皆當作佛故四衆之中有
瞋恚心不淨者惡口罵詈言是无智比丘
何所来自言我不輕汝而與我等受
作佛我等不用如是虛妄說受記如此
年常被罵詈不生瞋恚常作是言汝當
說是語時衆人或以杖石而打

BD02214號　妙法蓮華經卷六　（5-5）

BD02215 號背　佛名經（十六卷本）卷一二護首　　（1–1）

BD02215 號背　佛名經（十六卷本）卷一二引首　　（34–1）

佛說佛名經卷第十二
南无无量意功德王佛　南无地自在王佛
南无无盡光佛　南无離塵功德佛
南无難知佛　南无金剛妙佛
南无无垢勝佛　南无月勝佛
南无一味勝佛　南无勝頭華佛
南无勝香勝佛　南无多摩羅跋香勝佛
南无月藏佛　南无沉水香佛
南无樹提光明佛　南无海香佛
南无龍藏佛　南无寶光明佛
南无大雲藏佛　南无智德佛
南无金剛藏佛　南无住持地佛
南无虛空平等佛　南无·勝藏佛
南无濡語佛　南无有德佛
南无山藏佛　南无妙鼓佛
南无愛勝佛　南无鼓僧上佛
南无歡喜藏佛　南无日藏佛
南无行勝佛　南无寶語佛
南无智勝佛　南无妙聲佛

BD02215 號　佛名經（十六卷本）卷一二　（34–2）

南无行勝佛　南无寶語佛
南无智勝佛　南无妙聲佛
南无自在勝佛　南无勝妙勝佛
南无佛寶幢佛　南无隨順式佛
南无寶勝佛　南无无垢琉璃佛
南无滿足金剛住持佛
南无甘露幢佛　南无成就功德佛
南无香山佛　南无根本勝藏佛
南无不可知佛　南无无邊知佛
南无无量佛　南无无量自在佛
南无火光明佛　南无德藏佛
南无根本莊嚴奮迅佛　南无根本光佛
南无一切衆生見愛奮迅莊嚴王佛
從此以上八千九百佛十二部經一切賢聖
南无忍王佛　南无離一切煩惱佛
南无寶色勝佛　南无香勝王佛
南无憶藏佛　南无見一切佛
南无見愛佛　南无不可見佛
南无甘露功德稱佛　南无一切異差別能斷疑佛
南无師子吼佛　南无散華佛
南无勝佛　南无无身智作佛

BD02215 號　佛名經（十六卷本）卷一二　（34–3）

南无甘露功德稱佛　南无一切[illegible]佛
南无師子吼佛　南无散華佛
南无勝佛　南无无㝵智作佛
南无一切作樂佛　南无尊勝佛
南无吉王佛　南无一切世間道自在王佛
南无須弥劫佛　南无勝須弥佛
南无解勝佛　南无世間讚佛
南无堅奮迅佛　南无堅自在佛
南无旃檀勝佛　南无不差别佛
南无息切德佛　南无善思惟佛
南无能斷一切業佛　南无相佛
南无寶勝佛　南无寶輪佛
南无大寶佛　南无无垢光明佛
南无樂説莊嚴稱佛　南无无垢月幢稱佛
南无華莊嚴光明佛　南无出火佛
南无畏觀佛　南无師子奮迅力佛
南无寶精進日月光明莊嚴功德知讚王佛
南无初發心念斷一切疑煩惱佛
南无破一心闇勝佛
南无寶炎佛　南无旃檀香佛
南无火寶炎佛　南无華幢佛
南无普勝帝沙佛　南无滿賢佛

BD02215 號　佛名經（十六卷本）卷一二　（34–4）

南无寶炎佛　南无旃檀香佛
南无火寶炎佛　南无華幢佛
南无普勝帝沙佛　南无滿賢佛
南无最力精進奮迅佛　南无香勝佛
南无勝稱佛　南无淨鏡佛
南无華勝佛　南无離慶佛
南无得切德佛　南无不動佛
南无旃檀佛　南无回陁羅財佛
南无樂山佛　南无能化佛
南无回陁羅幢佛　南无无畏作佛
南无富樓那佛　南无弗沙佛
南无法水清淨虛空雲聲佛　南无普智光明勝王佛
南无香光明切德寶莊嚴王佛
南无普智讚王佛　南无一切四无畏然燈佛
南无普喜速勝王佛　南无善光火光佛
南无普門智聚讚佛　南无无量切德海藏光明佛
南无法界電光无障㝵切德佛
南无清淨眼无垢飛燈佛　南无師子光明勝光佛
南无廣光明智勝幢佛　南无金光明无邊力精進成佛
南无香光明歡喜力海佛　南无成就王佛
南无自在高佛　南无歡喜大海速行佛
南无稱自在光佛　南无廣稱智佛

BD02215 號　佛名經（十六卷本）卷一二　（34–5）

南无香光明歡喜力藏佛　南无成就王佛
南无自在高佛　南无歡喜大海速行佛
南无稱自在光佛　南无廣稱智佛
南无智成就海王幢佛　南无相頭文殊月佛
南无一切法海勝王佛　南无智功德法住佛
南无梵自在勝佛　南无過法界勝贊佛
南无不可燃力普照光明幢佛
南无无垢功德日眼佛　南无无导智普照光明佛
南无无量勝難勝幢佛　南无法界虛空普邊光明佛
南无福德相雲勝成德佛　南无照勝頂光明佛
南无法風大海意佛　南无法相化普光明佛
從此以上九千佛十二部經一切賢聖
南无善成就眷屬善佛　南无法盡疾速歡喜悲佛
南无无垢清淨普光明佛
南无清淨眼華勝佛　南无善智力威德佛
南无虛空清淨眼月佛　南无然金色須弥燈佛
南无智勝寶法光明佛　南无然寶燈佛
南无普光明高山佛　南无大勝佛
南无波頭摩奮迅佛　南无善天照佛
南无无盡功德佛　南无華威德佛
南无无盡功德佛　南无華威德佛

BD02215號　佛名經(十六卷本)卷一二　(34–6)

南无无盡功德佛　南无華威德佛
南无无盡功德佛　南无華威德佛
南无甘露力佛　南无贊邊佛
南无妙贊勝威德成就佛　南无普光明贊虛空照佛
南无普門見勝佛　南无无邊功德照佛
南无普光功德然燈鏡像佛
南无善樂現華火佛　南无寶須弥然燈王佛
南无善化法界金光明電贊佛
南无可降伏力顯佛　南无虛空城惠吼贊佛
南无十方廣遍稱智然藏佛　南无師子光明滿足功德海佛
南无智數華光明佛　南无普眼滿足法界難勝幢佛
南无勝惠善導師佛
南无光明作佛　南无月幢佛
南无東方善護四天下名金剛良如來為上首
南无南方難勝四天下曰陁羅如來為上首
南无西方親意四天下婆樓那如來為上首
南无北方師子意四天下摩訶牟尼如來為上首
南无東北方善擇四天下降伏諸魔如來為上首
南无東南方樂四天下毗沙門如來為上首
南无西南方堅固四天下不動如來為上首
南无西北方善地四天下普門如來為上首

BD02215號　佛名經(十六卷本)卷一二　(34–7)

南无東南方樂四天下毗沙門如來為上首
南无西南方堅固四天下不動如來為上首
南无西北方善地四天下普門如來為上首
南无上妙四天下得智者意如來為上首
南无下方炎四天下善集如來為上首
歸命如是等无量无邊諸佛
南无盧舍那勝威德王佛　南无普光明勝藏王佛
南无法界佛　南无智燈佛
南无法界虛空智幢王佛　南无阿彌濫波浪佛
南无龍自在王佛　南无法月普智光明佛
南无普勝彌留王佛　南无无障虛空智難勝幢王佛
南无普輪到聲佛　南无无量宿自在王佛
南无普香佛　南无彌留然燈王佛
南无阿那羅睺境界佛　南无香毗頭羅佛
南无旃檀難兜佛　南无一切佛寶勝王佛
南无无邊世間智輪難兜佛　南无阿僧伽智難兜佛
南无不可思量命佛　南无不可用佛
南无師子佛　南无月智佛
南无照佛　南无燈佛
南无无垢佛　南无山勝佛
南无波頭勝藏佛　南无盧舍那佛
南无普眼佛　南无梵命佛

BD02215號　佛名經（十六卷本）卷一二　（34–8）

南无无垢佛　南无山勝佛
南无波頭勝藏佛　南无盧舍那佛
南无普眼佛　南无梵命佛
南无婆藪天佛
南无无邊光明平等法界莊嚴王佛
南无力光明佛　南无高行佛
南无旃檀遮佛　南无金色意佛
南无妙飲佛　南无高聲佛
南无最勝佛　南无高見佛
南无吉妙佛　南无非沙佛
南无高稱佛　南无妙波頭摩佛
南无普切德佛　南无作燈佛
南无善自佛　南无一切法佛孔王佛
南无山幢身眼勝佛　南无寶勝然燈切德幢佛
南无普智寶炎勝切德佛　南无切德幢佛
南无回陀羅幢勝難兜佛
從此以上九千一百佛十二部經一切賢聖
南无勝輪佛　南无大悲雲幢佛
南无金剛那羅延難兜佛　南无障身勝安隱滿足佛
南无大炎山勝莊嚴佛　南无一切法海勝王佛
南无深法海光佛　南无寶髻炎滿足燈佛
南无一切十億國土微塵同名金剛藏佛

BD02215號　佛名經（十六卷本）卷一二　（34–9）

南无大炎山勝莊嚴佛　南无一切法海勝王佛
南无深法海光佛　南无寶髻炎滿足燈佛
南无一切千億國土微塵同名金剛藏佛
南无千億國土微塵同名金剛難兜佛
南无千百千國土微塵數同名金剛幢佛
南无千百千國土微塵數同名善法佛
南无千百千國土微塵數同名稱心佛
南无千國土微塵數同名普切德佛
南无不可說佛國土微塵數同名不可勝佛
南无不可說佛國土微塵數同名毗婆尸佛
南无千佛國土微塵數同名普幢佛
南无八千億佛國土微塵數不可數百千万億那由他同名普賢佛
南无一切佛國土微塵數同名佛勝佛
南无千佛國土微塵數百千万億那由他不可說同名普稱自在佛
南无賢勝王佛　南无切德海光明勝照藏佛
南无法界虛空滿足不退佛　南无法界吼佛
南无不退轉法輪界聲佛　南无法樹山威德佛
南无一切法堅固吼王佛　南无寶光然燈幢王佛
南无切德山光明威德王佛　南无法雲吼王佛
南无智炬王佛　南无法電幢王勝佛
南无法燈智師力山威德王佛　南无一切法印吼威德王佛
南无旋法山威德燈佛　南无法輪光明頂佛

南无智炬王佛　南无法雷幢王勝佛
南无法燈智師力山威德王佛　南无一切法印吼威德王佛
南无旋法山威德燈佛　南无法輪光明頂佛
南无法光明勝雲佛　南无法海說聲王佛
南无法日智輪然燈佛　南无法峯高幢雲佛
南无法炎山難兜王佛　南无法行深勝月佛
南无法智普光明藏佛　南无常知作化佛
南无山王勝藏王佛
南无普門賢弥留法疾精進幢佛
南无一切法寶俱蘇摩勝雲佛
南无寂靜光明身髻佛　南无法光明慈鏡像月佛
南无炎勝海佛　南无智日普照佛
南无普輪佛　南无智照頂王佛
南无智山法界十方光明威德王佛
　次礼十二部尊經大藏法輪
南无國土薩經　南无阿毗曇佛
南无金剛密迹經　南无持世經
南无阿那律八念經　南无菩集經
南无迦羅越經　南无阿難問曰緣持戒經
南无薩和達王經　南无阿難邠利四時施經
南无阿闍世王經　南无阿閦佛經
南无德光太子經　南无小阿闍經

南无薩和達王經　南无阿難邠利四時施經
南无阿闍世王經　南无阿閦佛經
南无德光太子經　南无小阿闍經
南无阿陁三昧經　南无胞藏經
南无阿鳩留經　南无漸備一切智經
南无菩薩悔過經　南无阿闍世女經
南无曉所諍不解者經　南无菩薩十適和經
南无阿披經　南无惡人經
南无菩薩等行分懸國經　南无阿毗曇九十八結經
南无越度世道經　南无惟越經
次礼十方諸大菩薩
南无文殊師利菩薩摩訶薩　南无觀世音菩薩
南无大勢至菩薩　南无普賢菩薩
南无龍勝菩薩　南无龍德菩薩
南无勝氏菩薩　南无勝藏菩薩
南无波頭勝菩薩　南无成就有菩薩
南无地持菩薩　南无寶掌菩薩
南无寶印手菩薩　南无子意菩薩
南无虛空藏菩薩　南无師子奮迅吼賛菩薩
南无發心即轉法輪菩薩
從此以上九千二百佛十二部經一切賢聖
南无一切賛菩別說樂菩薩　南无山樂說菩薩

BD02215號　佛名經（十六卷本）卷一二　（34–12）

南无虛空藏菩薩　南无師子奮迅吼賛菩薩
南无發心即轉法輪菩薩
從此以上九千二百佛十二部經一切賢聖
南无一切賛菩別說樂菩薩　南无山樂說菩薩
南无大海音菩薩　南无大山菩薩
南无愛見菩薩　南无歡喜王菩薩
南无無邊觀菩薩
次礼賛聞緣覺一切賢聖
南无善快辟支佛　南无遮陁辟支佛
南无吉沙辟支佛　南无憂波吉沙辟支佛
南无斷有辟支佛　南无憂波支羅辟支佛
南无斷愛辟支佛　南无施婆羅辟支佛
南无轉覺辟支佛　南无吉塘辟支佛
南无高去辟支佛　南无阿惹多辟支佛
歸命如是等无量无邊辟支佛
礼三寶已次復懺悔
已懺地獄報竟今當次復懺悔三惡道報經中佛說多
欲之人多求利故苦惱亦多知足之人雖卧地上猶以為樂
不知足者雖處天堂猶不稱意但世間人忽有急難便
能捨財不計多少而不知此身臨於三塗深坑之上一
息不還便應墮落忽有知識勸營功德今脩未來
善法資粮執此慳心无肯作理夫如此者無為愚惑

BD02215號　佛名經（十六卷本）卷一二　（34–13）

能捨財不言身命而不知此身……
息不還便應墮落忽有知識勸營功德令脩未來
善法資粮執此慳心无肯作理夫如此者甚爲愚惑
何以故佘經中佛說生時不賷一文而來死亦不持一文
而去苦身積聚爲之憂惱於已无益徒爲他有无善
可恃无德可怙致使命終墮諸惡道是故 弟子等
今日稽顙歸依於佛
南无東方大光明曜佛　南无南方虛空住佛
南无西方金剛步佛　南无北方无邊力佛
南无東南方无邊王佛　南无西南方壞諸怨賊佛
南无西北方離垢光佛　南无東北方金色光音佛
南无下方師子遊戲佛　南无上方月幢王佛
如是十方盡虛空界一切三寶
弟子等今日次須懺悔畜生道中无所識知罪報
懺悔畜生道中負重牽犁償他宿債罪報懺悔畜
生道中不得自在爲他所刺屠割罪報懺悔畜生
道中无足二足四足多足罪報懺悔畜生道中身
諸毛羽鱗甲之內爲諸小虫之所唼食罪報如是畜
生道中有无量罪報今日至誠皆悉懺悔
次須懺悔餓鬼道中長飢罪報懺悔餓鬼百千万
歲劫初不曾聞漿水之名罪報懺悔餓鬼食噉膿血
糞穢罪報懺悔餓鬼動身之時一切支節火然罪報

BD02215號　佛名經（十六卷本）卷一二

（34–14）

次須懺悔餓鬼道中長飢罪報懺悔餓鬼百千万
歲劫初不曾聞漿水之名罪報懺悔餓鬼食噉膿血
糞穢罪報懺悔餓鬼動身之時一切支節火然罪報
懺悔餓鬼腹大咽小罪報如是餓鬼道中无量苦報
今日稽顙悉皆懺悔
次須懺悔一切鬼神脩羅道中諂誑詐稱罪報懺悔鬼
神道中擔沙負石填河塞海罪報懺悔鬼神羅剎
鳩槃荼諸惡鬼神生噉血肉受此醜陋罪報如是
鬼神道中无量无邊一切罪報今日稽顙向十方佛
大地菩薩求哀懺悔悉令消滅
願弟子等承是懺悔畜生等報所生功德生生世世
滅愚癡垢自識業緣智慧明照斷惡道身願以懺悔
餓鬼等報所生功德生生世世永離慳貪飢渴之苦
常飡甘露解脫之味願以懺悔鬼神脩羅等報所生
功德生生世世質直无諂離邪命因除醜陋果福利人
天願弟子等從今以去乃至道場決定不受四惡道
報唯除大悲爲衆生故以誓願力處之无厭 礼一拜
此經有六千品略此一品流行
佛言云何菩提樹葉悉皆墮落其葉光色不如常
一切大衆皆生疑或唯願天尊爲我解說令此衆中
諸坐大士疑惑悉除佘時世尊從三昧起光顏巍巍
[illegible]

BD02215號　佛名經（十六卷本）卷一二

（34–15）

一切大衆皆生疑惑唯願天尊爲我解說令此衆中
諸坐大士疑惑悉除尒時世尊從三昧起光顏巍巍
舉身毛孔皆悉出光語寶達菩薩言汝等善聽
今爲汝說所以菩提樹華墮落失光者何如上
所說沙門行惡墮畜處受罪无殃是故菩提樹華
失光墮落寶達前白佛言唯願爲我說此惡行
沙門果報之處佛告寶達菩薩東方乃有鐵圍
大山其山中間幽冥之處日月光明及以火光所不
能照名曰地獄其獄之中有行惡沙門受如是罪汝可
往詣閻諸罪人去何因緣來生此處備何等行受
如是罪寶達白佛言世尊我无威神何能往詣願
佛大悲乘神願念乃使我等得見東方阿鼻地獄
佛言善哉善哉汝今但往令汝得見寶達菩薩礼
佛而去龍飛虛空俳佪自在當尒之時大地震動
於虛空中雨寶蓮華飛流而下
尒時寶達一念之頃往詣東方鐵圍山間其山崦嵫
幽冥高峻其山四方了无草木日月威光都不能照
寶達須前使道兩邊有卅六王典主地獄其王名曰恒伽
嗏王波吉頭王廣目都王安頭羅王虎目見王陽聲
吉王大諍訟王吸血鬼王安得羅王陀達王多羅王
吉梨善王安侯羅王寶首王金樹吉王大惡聲王
烏頭王等虎眼王業烏牙王等震聲王等歸首王衣

BD02215號　佛名經（十六卷本）卷一二

（34–16）

吉王大諍訟王吸血鬼王安得羅王陀達王多羅王
吉梨善王安侯羅王寶首王金樹吉王大惡聲王
烏頭王等虎眼王業烏牙王等震聲王等歸首王衣
首王依見首王廣安王廣定王王頭王立正王立見王
摩尼羅王都書王都見王惡目王善王龍口王鬼王
南安王等卅六王遥見寶達菩薩悉皆叉手合掌前行
作礼白言大智尊王去何因緣入此苦處亦如旃檀
在伊蘭而生　寶達荅言我聞如來三界人尊說言
言東方有鐵圍山其山幽冥日月之光所不能照
我故聞之故來詣汝諸王前入地獄行諸罪人汝等諸王
誰能共我往詣大王前見罪人受苦之者尒時恒伽
嗏王即便與寶達菩薩往詣大王尒時大鬼王遥見
寶達菩薩從門而來光顏瑽瑢即便下坐往前礼敬
白言大士令此惡處去何依我伊蘭林中忽生旃檀
尒時寶達便前就以問鬼王曰今此東方地獄可有
幾獄鬼王荅言此山之中有无量地獄今此一方有卅
二沙門地獄寶達問曰卅二地獄其名去何鬼王荅曰鐵
車鐵馬鐵牛鐵驢地獄鐵衣地獄鐵鉢洋銅灌口
地獄流火地獄鐵林地獄鏵田地獄斫首地獄燒脚地
獄鐵鏘地獄飲鐵鉢地獄飛刀地獄火箭地獄腿肉
地獄身燃地獄火丸御口地獄諍論地獄雨火地獄流
火地獄糞屎地獄鈎膗地獄火烏地獄咩聲咬叩地獄

BD02215號　佛名經（十六卷本）卷一二

（34–17）

地獄身然地獄火丸御口地獄諍論地獄雨火地獄流
火地獄糞屎地獄鈎䏶地獄火烏地獄咩齧咬吓地獄
諸鋸鏟地獄崩埋地獄然手脚地獄銅狗鋸牙地獄
剥皮飲血地獄解身地獄鐵屋地獄鐵山地獄飛大
交吓分頭地獄
尒時鬼王荅寶達曰地獄受罪其名如是寶達即便
入地獄中上高樓頭四顧望視見罪人等各從四門涘
吼而入寶達前入鐵車鐵馬鐵牛鐵驢此四小獄并
爲一地獄云何名曰鐵車鐵馬鐵牛鐵驢地獄此地獄
方圓縱廣十五由旬其中鐵城高一由旬猛火燀赫烟
然其車鐵作焱赫熾然中有鐵牛其身亦然頭角毛尾
背如鋒鉅其中火然烟炎俱出其鐵馬者身毛豪
尾鬣如鈎鋒毛尾火然烟炎俱出其鐵驢者亦復如
是其地獄中有鐵鋸鏟鬣如鋒鉅鐵鍇遶匝遍布其
地其鍇火然猛盛於前
尒時北門之中有五百沙門咩齧咬吼口眼火出唱如是
言云何我今受如是苦獄卒夜叉馬頭羅刹手捉三鈷
鐵叉壁背而鐘胷前而出復有鐵索來繫其髀其
索火然燒罪人髀復有鐵枷枷罪人咽其枷八方裂鬣而
鋒鉅烟火猛熾來燒罪人頸
尒時罪人宛轉倒地而不肯前馬頭羅刹手捉鐵鋒壁

BD02215號　佛名經（十六卷本）卷一二　（34–18）

鋒鉅烟火猛熾來燒罪人頸
尒時罪人宛轉倒地而不肯前馬頭羅刹手捉鐵鋒壁
頭而打罪人身體碎如微塵復有餓鬼來食其肉復
有餓狗來飲其血馬頭羅刹蹹敭地言活活罪人
即活
尒時鐵牛吼喚跳地其牛吼喚來向罪人罪人迫迮
悤轉於地馬頭羅刹手捉鐵叉叉著車上罪人跳踉
復墮牛上牛毛御刺從腹而入背上而出牛復跳踉復墮
馬上馬毛御刺亦如鋒鉅馬尾𤀐之身即碎爛須臾還活
尒時鐵馬舉脚連蹹身碎如塵須臾還活復騎鐵驢
驢即跳踉罪人墮地驢便大瞋舉脚連蹴須臾還活
一日一夜受罪无量寶達聞馬頭羅刹曰此諸沙門
云何如是
羅刹荅曰此諸沙門受佛禁戒不惜將來但取現在
違犯淨戒故作惡業畜不淨物乘車騎馬走驢活
生㓕无慈善不護威儀受人信施惡回綵故墮此地獄
百千万劫若得爲人身不具足聾盲閉塞不見三寶
不聞正法寶達聞之悲泣歎曰云何沙門應爲出三
界云何惡業受如是罪寶達即去
南无智山界十方光明威德王佛
南无一切德光俱纈摩燈佛　南无智炬高雞兜幢王佛

BD02215號　佛名經（十六卷本）卷一二　（34–19）

南无智山界十方光明威德王佛
南无一切德光俱蘓摩燈佛 南无智炬高雞兜幢王佛
南无日照光明王佛 南无相山佛
南无莊嚴山佛 南无日步普照佛
南无法王網勝切德佛 南无四无畏金剛那羅延師子佛
南无普智幢勇猛佛 南无法波頭摩數身佛
南无切德俱蘓摩身重擔佛
南无道場覺勝月佛 南无然法炬勝月佛
南无普賢光明頂佛 南无法幢燈金剛堅幢佛
南无稱山勝雲佛 南无旃檀勝月佛
南无普勝俱蘓摩威德菩提佛
南无照一切王佛 南无波頭摩勝藏佛
南无香炎照王佛 南无曰波頭摩佛
南无相山照佛 南无普稱切德王佛
南无普門光明須弥山佛
南无法城光明勝切德山威德王佛
南无勝相佛 南无法力勇猛幢佛
南无轉法輪光明吼聲佛 南无光明切德山智惠王佛
南无轉法輪月勝波頭摩照佛
南无佛幢自在切德不可勝幢佛
南无寶波頭摩光明藏佛 南无光明峯雲燈佛

BD02215號　佛名經（十六卷本）卷一二　（34–20）

南无轉法輪月勝波頭摩照佛
南无佛幢自在切德不可勝幢佛
南无寶波頭摩光明藏佛 南无光明峯雲燈佛
南无普覺俱蘓摩佛 南无種種光明勝山藏佛
南无明輪峯王佛 南无切德雲盡佛
南无法峯雲幢佛 南无法曰雲燈王佛
南无切德山威德佛 南无法雲十方稱王佛
南无法輪蓋雲佛 南无覺智智幢佛
南无智威德佛 南无法輪清淨勝月佛
南无金山威德賢佛 南无賢勝山威德佛
南无普慧雲聲佛 南无法力勝山佛
南无香炎勝王佛 南无伽耶迦摩尼山威德佛
南无頂藏一切法光輪佛 南无然法輪威德佛
南无山峯勝威德佛 南无普精進炬佛
南无三昧海廣頂冠光佛 南无寶妙勝王佛
南无曰勝妙佛 南无法炬寶帳聲佛
南无法壷雲无邊光師子佛
南无相莊嚴幢月佛 南无光明山雷電雲佛
南无法壷雲无㝵光佛 南无妙智數身佛
南无世間曰陁羅妙光明雲佛
南无法三昧光佛 南无法善莊嚴藏佛
南无法然燈炎堅固聲佛 南无三世相鏡像威德佛

BD02215號　佛名經（十六卷本）卷一二　（34–21）

南无世[illegible]佛
南无法三昧光佛　南无法善莊嚴藏佛
南无法然燈炎堅固佛贊　南无三世相鏡像威德佛
南无法輪峯光明佛　南无法界師子光明佛
從此以上九千三百佛十二部經一切賢聖
南无盧舍那勝須弥山三昧堅固師子佛
南无普光明城燈佛　南无寶俱蘇摩藏佛
南无轉妙法輪贊佛　南无虛空劫燈佛
南无法幢佛　南无安隱世間月佛
南无摩訶伽羅那師子佛　南无可樂佛
南无安隱佛　南无增上信威德佛
南无醫王佛　南无法虛空上勝王佛
南无天藏佛　南无地峯王佛
南无轉法輪光明吼王佛　南无智虛空樂王佛
南无一切吼王佛　南无不可降伏佛
南无力難勝佛　南无轉法輪化普光佛明贊
南无相勝山佛　南无具足堅聚佛
南无垢婆羞佛　南无住持疾行佛
南无遍相佛　南无无垢婆侯佛
南无師子步脩佛　南无天自在頂佛
南无法起稱佛　南无火无憂嗏佛
南无虛空燈佛　南无无垢幢佛

BD02215 號　佛名經（十六卷本）卷一二　（34–22）

南无法起稱佛　南无火无憂嗏佛
南无虛空燈佛　南无无垢幢佛
南无恒河沙同名賢行佛　南无恒河沙同名无邊命佛
南无恒河沙同名不動佛　南无恒河沙同名月智佛
南无恒河沙同名金剛幢佛　南无恒河沙同名善光佛
南无恒河沙同名日藏佛　南无恒河沙同名金剛佛
南无五百同名大慈悲佛
南无普智安切德幢王佛　南无善迹法幢集勝佛
南无頂須弥佛　南无切德聚佛
南无自在佛　南无宿王佛
南无无量愛佛　南无本稱切德佛
南无須弥山佛　南无日月面佛
南无如是等无量佛　南无虛空行佛
南无普照佛　南无方城任佛
南无勝光佛　南无雲勝佛
南无法炎山佛　南无波頭摩王佛
南无法界華佛　南无海燈佛
南无宿佛　南无如是等无量无邊佛
南无寶難勝王佛　南无智意佛
南无思議佛　南无日陁羅勝佛
南无天智佛　南无雲王无畏佛

BD02215 號　佛名經（十六卷本）卷一二　（34–23）

南无思議佛　南无回陁羅勝佛
南无天智佛　南无雲王无畏佛
南无智勝佛　南无光明王雞兜佛
南无勝舊迟威德去佛　南无法界波頭摩佛
南无行廣見佛　南无如是寿无量无邊佛
南无寶炎山佛　南无勝光佛
南无寶切德佛　南无海勝佛
南无法光明佛　南无波頭摩佛
南无藏勝佛　南无世間眼佛
南无如是寿无量无邊佛　南无香光佛
南无須弥勝佛　南无嶽王佛
南无深佛　南无勝摩尼佛
南无藏王佛　南无勝威德无畏佛
南无寂色去佛　南无如是寿无量无邊佛
南无廣知佛　南无寶光明佛
南无虛空雲勝佛　南无妙相佛
從此以上九千四百佛十二部經一切賢聖
南无勝相佛　南无莊嚴佛
南无行輪佛　南无光勝佛
南无光明勝佛　南无如是寿无量无邊佛
南无那羅延行佛　南无須弥勝佛

BD02215號　佛名經（十六卷本）卷一二　（34–24）

南无光明勝佛　南无如是寿无量无邊佛
南无那羅延行佛　南无須弥勝佛
南无切德輪佛　南无勝王佛
南无不可降伏佛　南无山王樹佛
南无如是寿无量无邊佛
南无莎羅自在王佛　南无勝藏佛
南无世間自在身佛　南无鏡像光明佛
南无地出佛　南无光明切德佛
南无金剛色佛　南无住持威德勝佛
南无如是寿无量无邊佛
南无深法光明身佛　南无法海吼聲佛
南无弥留幢勝光明意佛　南无寶光明勝佛
南无梵光佛　南无虛空聲佛
南无法界鏡像勝佛　南无輪光明佛
南无智光高雞兜意佛　南无伽伽那燈佛
南无集勝照佛　南无切德光明勝佛
南无寂勝佛　南无大悲速疾佛
南无地力光明意佛　南无一切脩面色佛
南无勝身光明佛　南无法勝宿佛
南无阿尼羅速行佛　南无清淨幢蓋勝佛
南无三世鏡像佛　南无願海樂說勝佛
南无毗嵬須弥山勝佛　南无念雞兜王勝佛

BD02215號　佛名經（十六卷本）卷一二　（34–25）

南无阿尼羅速行佛　南无清淨幢蓋勝佛
南无三世鏡像佛　南无願海樂說勝佛
南无慙愧須弥山勝佛　南无念雞兜王勝佛
南无法意佛　南无惠燈佛
南无光雞兜勝佛　南无廣智佛
南无法界行智意佛　南无法海意智勝佛
南无法寶勝佛　南无功德輪佛
南无勝雲佛　南无忍辱燈佛
南无勝威德意佛　南无速光明賒摩他聲佛
南无寂幢佛　南无世間燈佛
南无大願勝佛　南无不可降伏幢佛
南无智炎勝功德佛　南无法自在佛
南无无畏意佛　南无世間言語堅固吼光佛
南无一切聲分吼勝精進自在佛
南无具足意佛　南无諸方天佛
南无現面世間佛　南无知衆生心平等身佛
南无最勝佛　南无行佛行佛
南无清淨身佛　南无勝賢佛
南无如是等上首不可說不可說无量无邊佛
南无彼諸佛所說妙法　南无彼諸佛妙法身
南无彼佛三十二相八十種好无量无邊功德
南无彼佛種種道場菩提樹種種形像種種妙塔

BD02215號　佛名經（十六卷本）卷一二

（34–26）

南无彼諸佛所說妙法　南无彼諸佛妙法身
南无彼佛三十二相八十種好无量无邊功德
南无彼佛種種道場菩提樹種種形像種種妙塔
去來坐卧妙處歸命彼諸佛不退法輪菩薩大衆
不退聲聞僧比丘比丘尼優婆塞優婆夷天龍夜
叉乾闥婆阿脩羅迦樓羅緊那羅摩睺羅伽種種
狀狼信如來法輪轉如來法輪不可思議菩薩摩
訶薩悉皆歸命歸命如來法身十力四无畏貳憙
解脫解脫知見如是等无量无邊功德如是功德迴
施一切衆生願得阿耨多羅三藐三菩提
舍利弗有善根劫中有七十那由他佛出世
舍利弗善見劫中有七十二佛出世
舍利弗梵讚歎劫中有一万八千佛出世
舍利弗名過去劫中有三十二千佛出世
舍利弗莊嚴劫中有八万四千佛出世
舍利弗應當歸命如是等无量无邊佛
舍利弗善男子善女人欲滅一切罪當應淨洗浴著
新淨衣稱如是等佛名礼拜應作是言我无始世來
來身口意業作不善行乃至謗方等經五逆罪
等願皆消滅
舍利弗善男子善女人欲滿足波羅蜜行欲迴向无

BD02215號　佛名經（十六卷本）卷一二

（34–27）

等願皆消滅
舍利弗善男子善女人欲滿足波羅蜜行欲迴向无
上菩提欲滿足一切菩薩諸波羅蜜應作是言我學
過去未來現在菩薩摩訶薩脩行大捨披胷出
心施於衆生如智勝菩薩及迦尸王等
捨妻子等布施貧乏如不退菩薩及阿翅羅那王
須達拏及莊嚴王等
入於地獄救苦衆生如大悲菩薩及善眼天子等
救惡行衆生如善行菩薩及勝行王等捨頂上寶
天冠并剝頭皮而與如勝上身菩薩及寶髻天子
等捨眼如愛作菩薩及月光王等　捨耳鼻如无怨
菩薩及勝去天子等　捨齒如華齒菩薩及六
牙象王等　捨舌如不退菩薩及善面王等
捨手如常精進菩薩及堅意王等
捨血如法作菩薩及月愛天子等
捨肉髓如安隱菩薩及一切施王等
捨大腸小腸肝肺脾腎如善德菩薩及自遠離惡王
捨身一切大小支節如法自在菩薩及光明勝天子等
捨皮如清淨藏菩薩及色天子金色鹿王等
捨手足指如堅精進菩薩及金色王等
捨肉指甲如不可盡菩薩及求善法天子等為求

BD02215號　佛名經（十六卷本）卷一二

（34–28）

捨皮如清淨藏菩薩及色天子金色鹿王等
捨手足指如堅精進菩薩及金色王等
捨肉指甲如不可盡菩薩及求善法天子等為求
法故入大火坑如精進菩薩及求妙法王等
受一切苦惱如妙法菩薩及速行大王等捨四天下
大地及一切莊嚴如得大勢至菩薩及勝切月天子善
捨身如摩訶薩埵菩薩及摩訶薩婆羅王等　自
身與一切貧窮苦惱衆生作給使侍者如尸毗王
等舉要言之過去未來現在諸菩薩一切波羅蜜
行願我亦如是成就十方世界諸妙香華繒諸妙伎
樂我隨喜供養佛法僧復迴此福德施一切衆生
願回此福德諸衆生等莫隨要道回此福德滿
足八万四千諸波羅蜜行速得授阿耨多羅三藐
三菩提記速得不退轉速成无上菩提
次禮十二部尊經大藏法輪
南无五十法式經　南无受欲聲佛
南无惟明經　南无五蓋離疑經
南无一切義要經　南无慧行經
南无五陰喻經　南无恩道經
南无王舍城鷲山經　南无賢劫五百佛經
南无五百弟子本起經　南无權變經
南无五恐怖經　南无父母因緣經

BD02215號　佛名經（十六卷本）卷一二

（34–29）

南无五陰喻經　南无思道經
南无王舍城鷲山經　南无賢劫五百佛經
南无五百弟子本起經　南无權變經
南无内外无為經　南无父母因緣經
南无五恐怖經　南无五失蓋經
南无浮木經　南无内外六波羅蜜經
南无佛立莊嚴淨經　南无鬼子母經
從此以上九千五百佛十二部經一切賢聖
南无難龍王經　南无佛説善意經
南无觀行移四事經　南无難提和羅經
南无佛有百比丘經　南无旃陁越經
南无光世音大勢至力受决經
南无海有八事經
次礼十方諸大菩薩
南无導師菩薩　南无那羅達菩薩
南无星得菩薩　南无水天菩薩
南无主天菩薩　南无大意菩薩
南无益意菩薩　南无增意菩薩
南无不虛見菩薩　南无善進菩薩
南无勢勝菩薩　南无常懃菩薩
南无不捨精進菩薩　南无日藏菩薩
南无不歇意菩薩　南无觀世意菩薩

BD02215號　佛名經（十六卷本）卷一二　（34–30）

南无勢勝菩薩　南无常懃菩薩
南无不捨精進菩薩　南无日藏菩薩
南无不歇意菩薩　南无觀世意菩薩
南无濡濡尸利菩薩　南无執寶印菩薩
南无常舉手菩薩　南无弥勒菩薩
次礼聲聞緣覺一切賢聖
南无无漏辟支佛　南无憍慢辟支佛
南无盡憍慢辟支佛　南无親辟支佛
南无得脫辟支佛　南无无垢辟支佛
南无獨辟支佛　南无離盡辟支佛
南无能作憍慢辟支佛　南无退辟支佛
南无不退去辟支佛　南无尋辟支佛
歸命如是等无量无邊辟支佛
礼三寶已次復懺悔
已懺三途等報今當次復稽顙懺悔人天餘報
相與禀此閻浮壽命雖曰百年滿者无幾於其中
間盛年夭枉其數无量但有衆苦煎迫形心悲憂
恐怯未曾暫離如此皆是善根微弱惡業滋多
致使現在心有所為皆不稱意當知悉是過去已
来惡業餘報是故弟子今日至誠歸依佛
南无東方蓮華上佛　南无南方調伏王佛
南无西方无量明佛　南无北方勝諸根佛

BD02215號　佛名經（十六卷本）卷一二　（34–31）

来惡業餘報是故弟子今日至誠歸依佛
南无東方蓮華上佛　南无南方調伏王佛
南无西方无量明佛　南无北方勝諸根佛
南无東南方蓮華尊佛　南无西南方无量華佛
南无西北方自在智佛　南无東北方赤蓮華光德佛
南无下方分別佛　南无上方伏怨智佛
如是十方盡虛空界一切三寶
弟子等无始以來至於今日所有現在及以未來人
天之中无量餘報流殃宿對癃殘百疾六根不具
罪報懺悔人間邊地邪見三塗八難罪報懺悔人
間多疾消瘦促命夭枉罪報懺悔人間六親眷屬
不能得常相保守罪報懺悔人間親友彫喪愛別
離苦罪報懺悔人間怨家聚會愁憂怖畏罪報懺
悔人間水火盜賊刀兵危險驚恐怯弱罪報懺悔人間
孤獨困苦流離波迸亡失國土罪報懺悔人間牢獄繫
閉幽執倒懸鞭撻拷捧抱理不由罪報懺悔人間公私口
舌更相羅涤更相誣謗罪報懺悔人間惡病連年
累月不差枕卧床蓆不能起居罪報懺悔人間冬溫
夏疫毒厲傷寒罪報懺悔人間賊風腫滿閉塞
罪報懺悔人間為諸惡神祠求其便欲作禍祟罪
報懺悔人間有鳥鳴百怪蜚尸邪鬼為作妖異罪
報懺悔人間為虎豹豺狼水陸一切諸惡禽獸所傷罪

BD02215號　佛名經（十六卷本）卷一二　（34–32）

夏疫毒厲傷寒罪報懺悔人間賊風腫滿閉塞
罪報懺悔人間為諸惡神祠求其便欲作禍祟罪
報懺悔人間有鳥鳴百怪蜚尸邪鬼為作妖異罪
報懺悔人間為虎豹豺狼水陸一切諸惡禽獸所傷罪
報懺悔人間自經自刺自煞罪報懺悔人間投坑赴
水自沉自墮罪報懺悔人間无有威德名聞罪報懺
悔人間衣服資生不稱心罪報懺悔人間行來出入
有所[illegible]為作留難罪報如是現在未來
[illegible]无量禍橫災疫厄難衰惱罪報
弟子等今日向十方佛尊法聖衆求哀懺悔令此報
障釋然除滅願弟子等承是懺悔人天餘報所生
功德願弟子現身福命長遠禍橫消滅多饒七珍
眷屬成就於未來世在在處處遠離八難常生中
國見佛聞法信受教誨截斷生死險道輪轉種
植无上法之根栽身心自在无諸緣障智惠方便所
作不空衆生見者畢定作佛至心頂禮常住三
寶

佛說佛名經卷第十二

BD02215號　佛名經（十六卷本）卷一二　（34–33）

功德願弟子現身福命長遠禍橫消滅多饒七珎
眷屬成就於未來世在在處處遠離八難常生中
國見佛聞法信受教誨截斷生死險道輪轉種
植无上法之根栽身心自在无諸緣障智惠方便所
作不虛衆生見者畢定作佛至心頂礼常住三
寶

佛説佛名經卷第十二

BD02215號　佛名經（十六卷本）卷一二　（34–34）

BD02215號背　雜劃　（1–1）

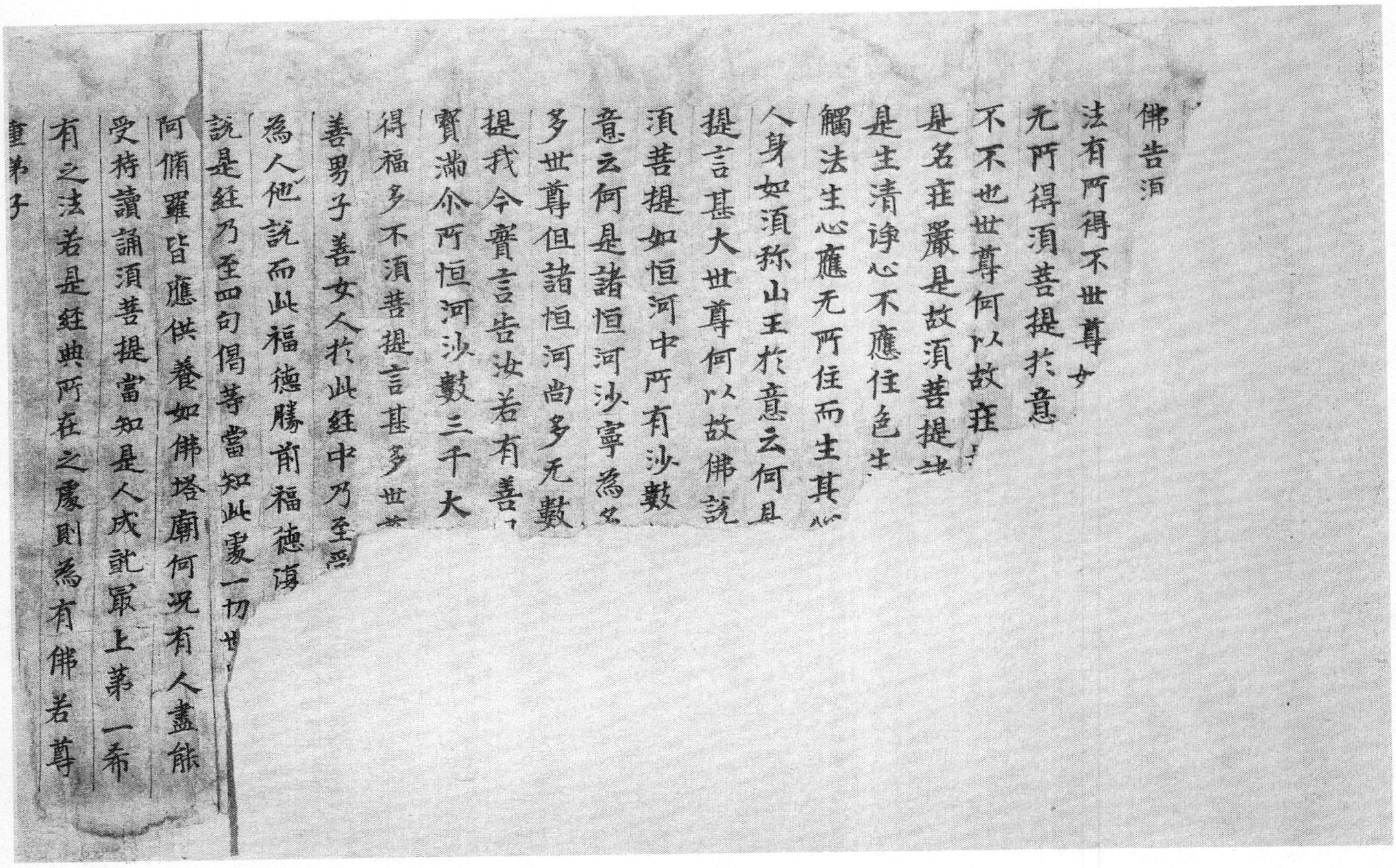
佛告須
法有所得不世尊女
无所得須菩提於意
不不也世尊何以故莊
是名莊嚴是故須菩提諸
是生清淨心不應住色生
觸法生心應无所住而生其
人身如須弥山王於意云何是
提言甚大世尊何以故佛說
須菩提如恒河中所有沙數
意云何是諸恒河沙寧為多
多世尊但諸恒河尚多无數
提我今實言告汝若有善
寶滿尒所恒河沙數三千大
得福多不須菩提言甚多世
善男子善女人於此經中乃至四
為人他說而此福德勝前福德須
說是經乃至四句偈等當知此處一切世
阿脩羅皆應供養如佛塔廟何況有人盡能
受持讀誦須菩提當知是人成就最上第一希
有之法若是經典所在之處則為有佛若尊
重弟子

BD02216 號　金剛般若波羅蜜經　（10–1）

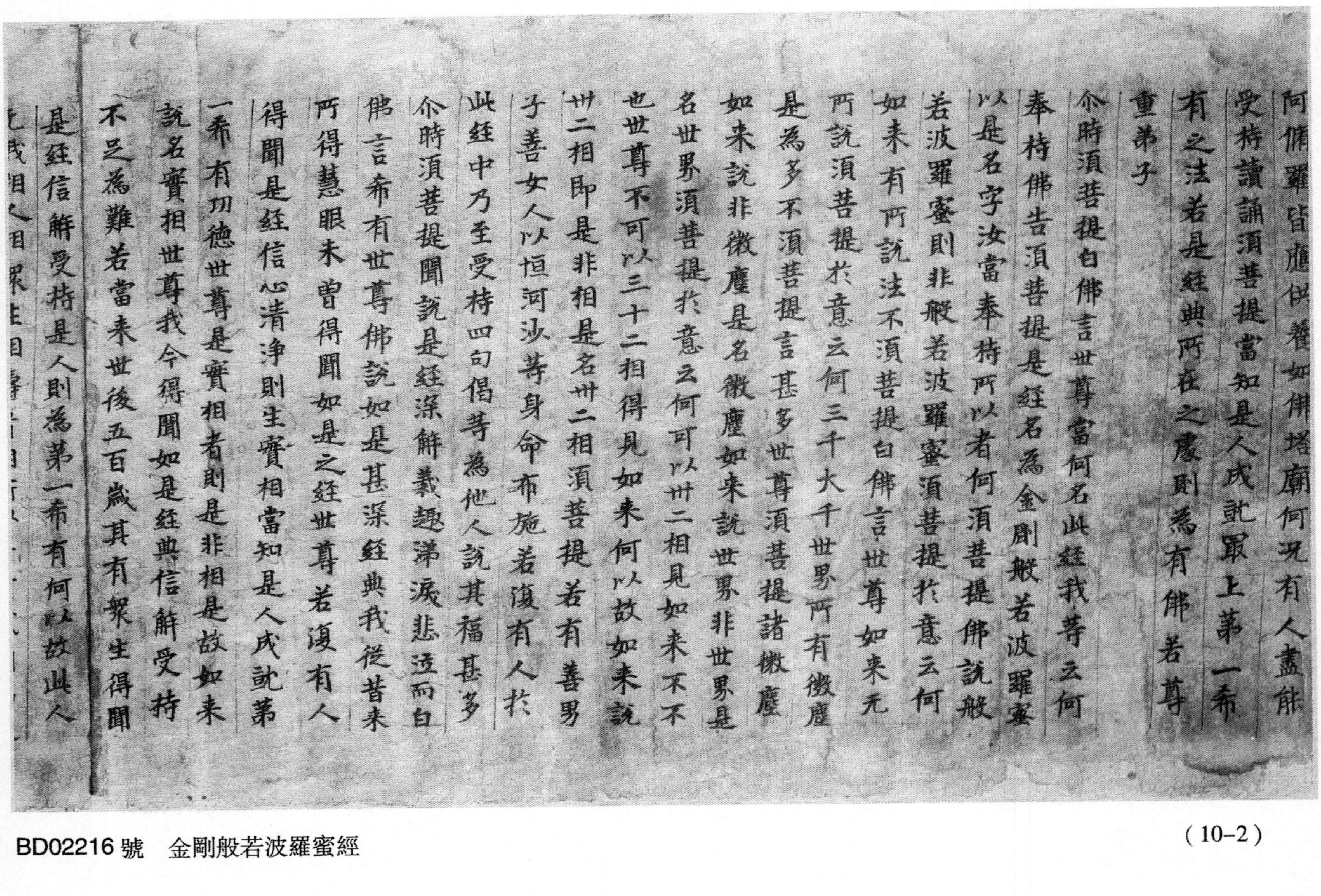
阿脩羅皆應供養如佛塔廟何況有人盡能
受持讀誦須菩提當知是人成就最上第一希
有之法若是經典所在之處則為有佛若尊
重弟子
尒時須菩提白佛言世尊當何名此經我等云何
奉持佛告須菩提是經名為金剛般若波羅蜜
以是名字汝當奉持所以者何須菩提佛說般
若波羅蜜則非般若波羅蜜須菩提於意云何
如來有所說法不須菩提白佛言世尊如來无
所說須菩提於意云何三千大千世界所有微塵
是為多不須菩提言甚多世尊須菩提諸微塵
如來說非微塵是名微塵如來說世界非世界是
名世界須菩提於意云何可以卅二相見如來不不
也世尊不可以三十二相得見如來何以故如來說
卅二相即是非相是名卅二相須菩提若有善男
子善女人以恒河沙等身命布施若復有人於
此經中乃至受持四句偈等為他人說其福甚多
尒時須菩提聞說是經深解義趣涕淚悲泣而白
佛言希有世尊佛說如是甚深經典我從昔來
所得慧眼未曾得聞如是之經世尊若復有人
得聞是經信心清淨則生實相當知是人成就第
一希有功德世尊是實相者則是非相是故如來
說名實相世尊我今得聞如是經典信解受持
不足為難若當來世後五百歲其有衆生得聞
是經信解受持是人則為第一希有何以故此人
无我相人相衆生相

BD02216 號　金剛般若波羅蜜經　（10–2）

世尊我今得聞如是經典信解受持
不足為難若當来世後五百歲其有衆生得聞
是經信解受持是人則為第一希有何以故此人
无我相人相衆生相壽者相所以者何我相即是
非相人相衆生相壽者相即是非相何以故離
一切諸相則名諸佛佛告須菩提如是如是若
復有人得聞是經不驚不怖不畏當知是人甚
為希有何以故須菩提如来說第一波羅蜜非
第一波羅蜜是名第一波羅蜜
須菩提忍辱波羅蜜如来說非忍辱波羅蜜
何以故須菩提如我昔為歌利王割截身體我
於尒時无我相无人相无衆生相无壽者相何以
故我於往昔節節支解時若有我相人相衆
生相壽者相應生瞋恨須菩提又念過去於
五百世作忍辱仙人於尒所世无我相无人相无
衆生相无壽者相是故須菩提菩薩應離一
切相發阿耨多羅三藐三菩提心不應住色生
心不應住聲香味觸法生心應生无所住心若心
有住則為非住是故佛說菩薩心不應住色布
施須菩提菩薩為利益一切衆生應如是布施
如来說一切諸相即是非相又說一切衆生則非
衆生須菩提如来是真語者實語者如語者
不誑語者不異語者須菩提如来所得法此法
无實无虛須菩提若菩薩心住於法而行布施
如人入闇則无所見若菩薩心不住法而行布
施如人有目日光明照見種種色須菩提當来之

BD02216號　金剛般若波羅蜜經

（10–3）

无實无虛須菩提若菩薩心住於法而行布施
如人入闇則无所見若菩薩心不住法而行布
施如人有目日光明照見種種色須菩提當来之
世若有善男子善女人能於此經受持讀誦
則為如来以佛智慧悉知是人悉見是人皆得
成就无量无邊功德
須菩提若有善男子善女人初日分以恒河沙
等身布施中日分復以恒河沙等身布施後日
分亦以恒河沙等身布施如是无量百千万億
劫以身布施若復有人聞此經典信心不逆其
福勝彼何況書寫受持讀誦為人解說須菩提
以要言之是經有不可思議不可稱量无邊功
德如来為發大乘者說為發最上乘者說若有
人能受持讀誦廣為人說如来悉知是人悉見是
人皆成就不可量不可稱无有邊不可思議功德
如是人等則為荷擔如来阿耨多羅三藐三菩提
何以故須菩提若樂小法者著我見人見衆生見
壽者見則於此經不能聽受讀誦為人解說須
菩提在在處處若有此經一切世間天人阿脩羅
所應供養當知此處則為是塔皆應恭敬作礼
圍繞以諸華香而散其處
復次須菩提善男子善女人受持讀誦此經若為
人輕賤是人先世罪業應墮惡道以今世人輕賤
故先世罪業則為消滅當得阿耨多羅三藐三
菩提須菩提我念過去无量阿僧祇劫於燃燈佛
前得值八百四千万億那由他諸佛悉皆供養承
事无空過者若復有人於後末世能受持讀誦

BD02216號　金剛般若波羅蜜經

（10–4）

人輕賤是人先世罪業應墮惡道以今世人輕賤
故先世罪業則為消滅當得阿耨多羅三藐三
菩提須菩提我念過去无量阿僧祇劫於然燈佛
前得值八百四千万億那由他諸佛悉皆供養承
事无空過者若復有人於後末世能受持讀誦
此經所得功德於我所供養諸佛功德百分不及一
千万億分乃至筭數譬喻所不能及須菩提若
善男子善女人於後末世有受持讀誦此經所
得功德我若具說者或有人聞心則狂亂狐疑不
信須菩提當知是經義不可思議果報亦不可思
議
尒時須菩提白佛言世尊善男子善女人發阿耨
多羅三藐三菩提心云何應住云何降伏其心佛告
須菩提善男子善女人發阿耨多羅三藐三菩提
者當生如是心我應滅度一切眾生已而无有一眾生
實滅度者何以故若菩薩有我相人相眾生相壽
者相則非菩薩所以者何須菩提實无有法發阿
耨多羅三藐三菩提者須菩提於意云何如来
於然燈佛所有法得阿耨多羅三藐三菩提
不不也世尊如我解佛所說義佛於然燈佛
所无有法得阿耨多羅三藐三菩提佛言如是
如是須菩提實无有法如来得阿耨多羅三藐
三菩提須菩提若有法如来得阿耨多羅三藐
三菩提者然燈佛則不與我受記汝於来世當
得作佛號釋迦牟尼以實无有法得阿耨多
羅三藐三菩提是故然燈佛與我受記作是言
汝於来世當得作佛號釋迦牟尼何以故如来

BD02216號　金剛般若波羅蜜經　（10–5）

三菩提須菩提若有法如来得阿耨多羅三藐
三菩提者然燈佛則不與我受記汝於来世當
得作佛號釋迦牟尼以實无有法得阿耨多
羅三藐三菩提是故然燈佛與我受記作是言
汝於来世當得作佛號釋迦牟尼何以故如来
者即諸法如義若有人言如来得阿耨多羅
三藐三菩提須菩提實无有法佛得阿耨多羅
三藐三菩提須菩提如来所得阿耨多羅三藐
三菩提於是中无實无虛是故如来說一切法皆
是佛法須菩提所言一切法者即非一切法是故
名一切法須菩提譬如人身長大須菩提言世尊
如来說人身長大則為非大身是名大身
須菩提菩薩亦如是若作是言我當滅度无量
眾生則不名菩薩何以故須菩提實无有法
為菩薩是故佛說一切法无我无人无眾生无壽
須菩提若菩薩作是言我當莊嚴佛土是不
名菩薩何以故如来說莊嚴佛土者即非莊
嚴是名莊嚴須菩提若菩薩通達无　如
来說名真是菩薩
須菩提於意云何如来有肉眼不如是世尊
有肉眼須菩提於意云何如来有天眼不如是
世尊如来有天眼須菩提於意云何如来有慧
眼不如是世尊如来有慧眼須菩提於意云何
如来有法眼不如是世尊如来有法眼須菩提
於意云何如来有佛眼不如是世尊如来有佛
眼須菩提於意云何恒河中所有沙佛說是沙

BD02216號　金剛般若波羅蜜經　（10–6）

眼不如是世尊如来有慧眼須菩提扵意云何
如来有法眼不如是世尊如来有法眼須菩提
扵意云何如来有佛眼不如是世尊如来有佛
眼須菩提扵意云何恒河中所有沙佛說是沙
不如是世尊如来說是沙須菩提扵意云何如一
恒河中所有沙有如是等恒河是諸恒河所有沙
數佛世界如是寧為多不甚多世尊佛告須菩
提尒所國土中所有衆生若干種心如来悉知何
以故如来說諸心皆為非心是名為心所以者何須
菩提過去心不可得現在心不可得未来心不可
得須菩提扵意云何若有人滿三千大千世界七
寶以用布施是人以是因緣得福多不如是世尊此
人以是因緣得福甚多須菩提若福德有實如来
不說得福德多以福德无故如来說得福德多
須菩提扵意云何佛可以具足色身見不不也世
尊如来不應以具足色身見何以故如来說具足
色身即非具足色身是名具足色身須菩提扵意
云何如来可以具足諸相見不不也世尊如来不應
以具足諸相見何以故如来說諸相具足即非具足
是名諸相具足須菩提汝勿謂如来作是念我當
有所說法莫作是念何以故若有人言如来有所
說法即為謗佛不能解我所說故須菩提說法
者无法可說是名說法須菩提白佛言世尊如是
如是須菩提我扵阿耨多羅三藐三菩提乃至无
有少法可得是名阿耨多羅三藐三菩提復次
須菩提是法平等无有高下是名阿耨多羅
三藐三菩提以无我无人无衆生无壽者脩一

BD02216號　金剛般若波羅蜜經

（10-7）

有少法可得是名阿耨多羅三藐三菩提復次
須菩提是法平等无有高下是名阿耨多羅
三藐三菩提以无我无人无衆生无壽者脩一
切善法則得阿耨多羅三藐三菩提須菩提
所言善法者如来說非善法是名善法須菩
提若三千大千世界中所有諸須弥山王如是
等七寶聚有人持用布施若人以此般若波
羅蜜經乃至四句偈等受持為他人說扵前福
德百分不及一百千万億分乃至筭數譬喻所
不能及須菩提扵意云何汝等勿謂如来作是
念我當度衆生須菩提莫作是念何以故實
无有衆生如来度者若有衆生如来度者如
来則有我人衆生壽者須菩提如来說有我
者則非有我而凡夫之人以為有我須菩提凡夫
者如来說則非凡夫須菩提扵意云何可以卅二
相觀如来不須菩提言如是如是以卅二相觀
如来佛言須菩提若以卅二相觀如来者轉
輪聖王則是如来須菩提白佛言世尊如我
解佛所說義不應以卅二相觀如来尒時世尊
而說偈言
若以色見我　以音聲求我　是人行邪道　不能見如来
須菩提汝若作是念如来不以具足相故得阿耨
多羅三藐三菩提須菩提莫作是念如来不以
具足相故得阿耨多羅三藐三菩提須菩提汝
若作是念發阿耨多羅三藐三菩提者說諸法
斷滅相莫作是念何以故發阿耨多羅三藐三
菩提者扵法不說斷滅相須菩提若菩薩以滿

BD02216號　金剛般若波羅蜜經

（10-8）

若住是念發阿耨多羅三藐三菩提者說諸法
斷滅相莫住是念何以故發阿耨多羅三藐三
菩提者於法不說斷滅相須菩提若菩薩以滿
恒河沙等世界七寶布施若復有人知一切法
无我得成於忍此菩薩勝前菩薩所得功德
須菩提以諸菩薩不受福德故須菩提白佛言
世尊云何菩薩不受福德須菩提菩薩所作福
德不應貪著是故說不受福德須菩提若有
人言如來若來若去若坐若卧是人不解我所說
義何以故如來者无所從來亦无所去故名如來
須菩提若善男子善女人以三千大千世界碎
為微塵於意云何是微塵衆寧為多不甚多
世尊何以故若是微塵衆實有者佛則不說是
微塵衆所以者何佛說微塵衆則非微塵衆
是名微塵衆世尊如來所說三千大千世界則
非世界是名世界何以故若世界實有者則是
一合相如來說一合相則非一合相是名一合相須
菩提一合相者則是不可說但凡夫之人貪著
其事須菩提若人言佛說我見人見衆生見壽
者見須菩提於意云何是人解我所說義不世
尊是人不解如來所說義何以故世尊說我見
人見衆生見壽者見即非我見人見衆生見壽
者見是名我見人見衆生見壽者見須菩提發
阿耨多羅三藐三菩提心者於一切法應如是
知如是見如是信解不生法相須菩提所言法
相者如來說即非法相是名法相須菩提若有

BD02216 號　金剛般若波羅蜜經　（10–9）

者見須菩提於意云何是人解我所說義不世
尊是人不解如來所說義何以故世尊說我見
人見衆生見壽者見即非我見人見衆生見壽
者見是名我見人見衆生見壽者見須菩提發
阿耨多羅三藐三菩提心者於一切法應如是
知如是見如是信解不生法相須菩提所言法
相者如來說即非法相是名法相須菩提若有
人以滿无量阿僧祇世界七寶持用布施若有
善男子善女人發菩薩心者持於此經乃至
四句偈等受持讀誦為人演說其福勝彼云何
為人演說不取於相如如不動何以故
一切有為法　如夢幻泡影　如露亦如電　應作如是觀
佛說是經已長老須菩提及諸比丘比丘尼優婆
塞優婆夷一切世間天人阿脩羅聞佛所說皆
大歡喜信受奉行

金剛般若波羅蜜經

BD02216 號　金剛般若波羅蜜經　（10–10）

南无寶波頭摩善住山自在王佛
南无光明幢大衆生莊嚴光王佛
南无妙平等法界智起聲佛
南无廣福德藏普光明照佛
南无□照大應羅網盧舍那佛
南无最勝大師子意佛
南无到法界勝光盧舍那王佛
南无常无垢功德遍至稱佛
南无日華勝王佛　南无法自在智幢佛
南无廣善无垢威德梵聲佛
南无根本勝善導師佛
南无□力佛　南无弥樓威德佛
南无光□清淨月光佛
從此以上六千七百佛十二部經一切賢聖
南无法海願出聲光佛
南无寶功德相莊嚴住光佛
南无妙聲地主天佛
南无精進窮盡佛　南无見衆生歡喜佛
南无不動縣光明盧舍集慧佛
南无□放光明不可思議王佛

BD02217 號　佛名經（十六卷本）卷八　（2–1）

南无廣善无垢威德梵聲佛
南无根本勝善導師佛
南无□力佛　南无弥樓威德佛
南无光□清淨月光佛
從此以上六千七百佛十二部經一切賢聖
南无法海願出聲光佛
南无寶功德相莊嚴住光佛
南无妙聲地主天佛
南无精進窮盡佛　南无見衆生歡喜佛
南无不動縣光明盧舍集慧佛
南无□放光明不可思議王佛
南无不等妙功德威德佛
南无速光明梵眼佛　南无解脫精進晃明佛
南无普法身覺慧佛
南无普門照一切衆生門見佛
南无迦那迦无垢光明日光雲佛
南无因陀羅光明超幢佛
南无一切地處无垢月佛
南无覺虛空平等相佛

BD02217 號　佛名經（十六卷本）卷八　（2–2）

BD02217 號背　勘記　　（1–1）

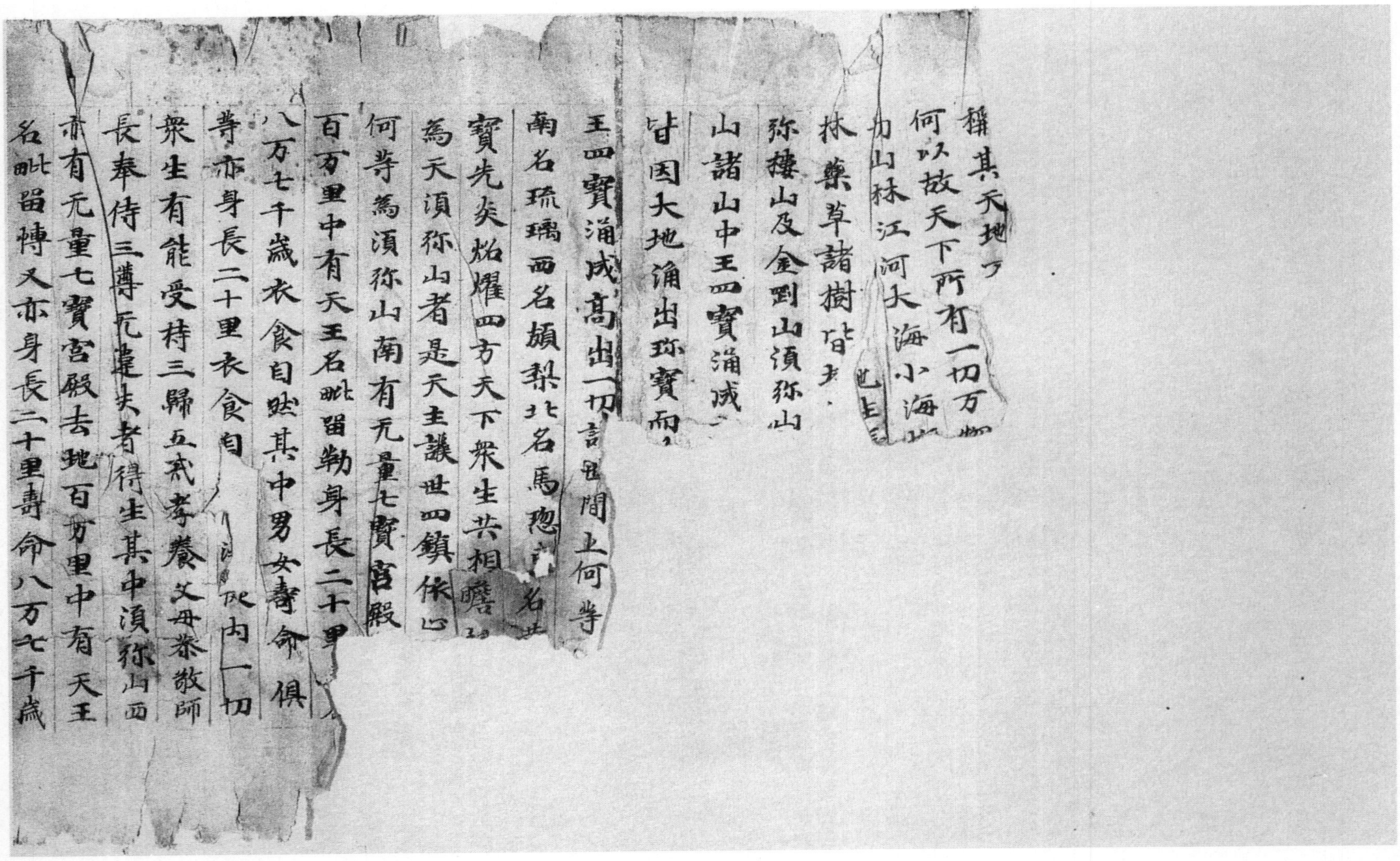

稱其天地
何以故天下所有一切万物
山林江河大海小海
林藥草諸樹皆生
弥樓山及金剛山須弥山
山諸山中王四寶涌成
皆因大地涌出珎寶而
王四寶涌成高出一切言世間上何等
南名琉璃西名頗梨北名馬瑙　名
寶先炎焰耀四方天下衆生共相磨
為天須弥山者是天主讓世四鎮依心
何等為須弥山南有无量七寶宮殿
百万里中有天王名毗留勒身長二十里
八万七千歲衣食自然其中男女壽命俱
等亦身長二十里衣食自　　欣內一切
衆生有能受持三歸五戒孝養父母恭敬師
長奉侍三尊无違失者得生其中須弥山西
亦有无量七寶宮殿去地百万里中有天王
名毗留博叉亦身長二十里壽命八万七千歲

BD02218 號　妙法蓮華經度量天地品　　（12–1）

長奉侍三尊元違失者得生其中須弥山西
亦有无量七寶宮殿去地百万里中有天王
名毗留博叉亦身長二十里壽命八万七千歲
衣食自然其中亦有男女身長二十里閻浮
提內一切衆生有能受持三歸五戒孝養父
母奉事三尊者得生其中須弥山北皆有
无量七寶宮殿去地亦尒中有天王名毗沙
門身長二十里壽命八万七千歲亦衣食自
然其中亦有男女身長廿里閻浮提內一切
衆生有能受持三歸五戒孝養父母恭敬師
長奉事三尊者得生其中須弥山東各有无
量七寶宮殿亦去地百万里中有天王名提
頭賴吒及諸男女壽命多少人身長短及諸
衣食皆悉同等閻浮提衆生有脩行三歸
五戒恭敬父母者得生其中轉輪聖王所住
之處亦有无量七寶宮殿去地二百万里時
轉輪王及諸男女并及一切羣臣眷屬皆身
長廿里壽命廿世五万歲衣食自然轉輪聖王
及諸王子一切皆乘七寶大象遊四天下教
化衆生一切衆生有能受持三歸五戒脩行
善行不犯諸惡受持讀誦妙法蓮華經隨意
所願得生其中亦身長廿里壽命二十五万歲
衣食自然无所之之少須弥頂上名忉利天
此天第一壽命一劫其中天人亦身長廿里一
切皆受自然快樂衣食自然閻浮提內一切
衆生若有受持五戒十善懃行精進供養

BD02218號　妙法蓮華經度量天地品　　（12–2）

此天第一壽命一劫其中天人亦身長廿里一
切皆受自然快樂衣食自然閻浮提內一切
衆生若有受持五戒十善懃行精進供養
諸佛受持讀誦妙法蓮華經晝夜一心護持
經戒清淨具足无違失者盡其壽命
所願得生其中亦受无量自在快樂其第二天
壽命二劫衣食自然其中亦有男女身長二十
里受持五戒十善得生其中其第三天壽命四
劫衣食自然其中亦有男女身長廿里受持
五戒十善得生其中其第四天壽命八劫衣
食自然其中亦有男女身長廿里受持五
戒十善得生其中其第五天壽命十六劫衣
食自然其中亦有男女身長廿里受持五戒
十善得生其中其第六天壽命三十二劫衣
食自然其中亦有男女身長二十里受持[illegible]
戒十善得生其中其第七天壽命六十四劫
其中天人見食即飽亦有男女身長廿里
受持五戒十善得生其中其第八天壽命一
百廿八劫見食即飽其中亦有男女身長二
十里受持五戒十善得生其中其第九天壽
命二百五十六劫見食即飽其中亦有男女
身長廿里受持五戒十善得生其中其第
十天壽命五百三十二劫見食即飽其中亦
有男女身長二十里受持五戒十善得生其
中其十一天壽命一千六百四劫見食即飽其
其中亦有男女身長廿里受命五戒十善得

BD02218號　妙法蓮華經度量天地品　　（12–3）

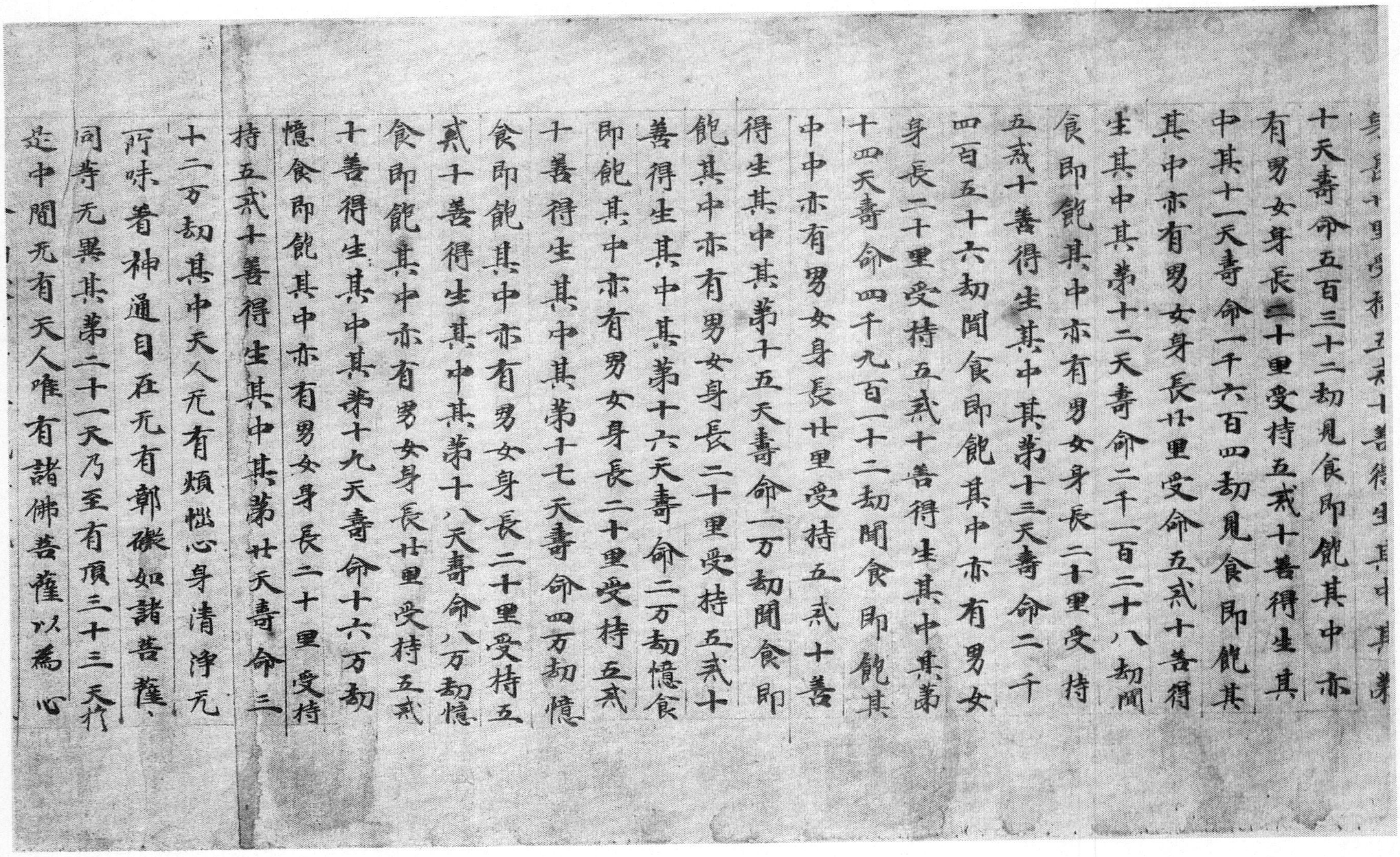

身長十里受持五戒十善得生其中其弟
十天壽命五百三十二劫見食即飽其中亦
有男女身長二十里受持五戒十善得生其
中其十一天壽命一千六百四劫見食即飽其
其中亦有男女身長廿里受命五戒十善得
生其中其弟十二天壽命二千一百二十八劫聞
食即飽其中亦有男女身長二十里受持
五戒十善得生其中其弟十三天壽命二千
四百五十六劫聞食即飽其中亦有男女
身長二十里受持五戒十善得生其中其弟
十四天壽命四千九百一十二劫聞食即飽其
中中亦有男女身長廿里受持五戒十善
得生其中其弟十五天壽命一万劫聞食即
飽其中亦有男女身長二十里受持五戒十
善得生其中其弟十六天壽命二万劫憶食
即飽其中亦有男女身長二十里受持五戒
十善得生其中其弟十七天壽命四万劫憶
食即飽其中亦有男女身長二十里受持五
戒十善得生其中其弟十八天壽命八万劫憶
食即飽其中亦有男女身長廿里受持五戒
十善得生其中其弟十九天壽命十六万劫
憶食即飽其中亦有男女身長二十里受持
持五戒十善得生其中其弟廿天壽命三
十二万劫其中天人无有煩惱心身清淨无
所味着神通自在无有鄣礙如諸菩薩、
同等无異其弟二十一天乃至有頂三十三天於
是中間无有天人唯有諸佛菩薩以爲心

BD02218號　妙法蓮華經度量天地品

（12–4）

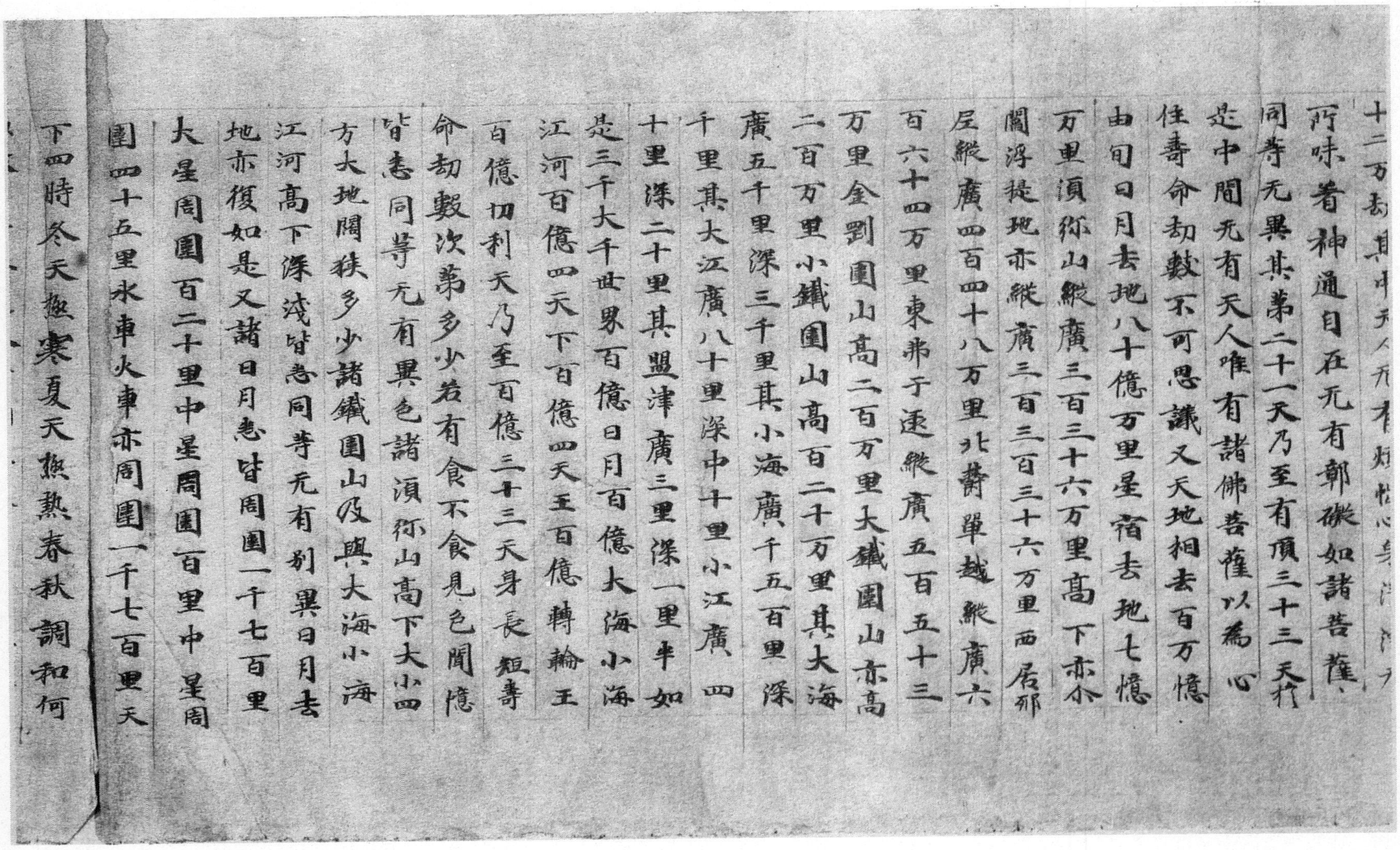

十二万劫其中天人无有煩惱心身清淨无
所味着神通自在无有鄣礙如諸菩薩、
同等无異其弟二十一天乃至有頂三十三天於
是中間无有天人唯有諸佛菩薩以爲心
住壽命劫數不可思議又天地相去百万億
由旬日月去地八十億万里星宿去地七億
万里須弥山縱廣三百三十六万里高下亦尒
閻浮提地亦縱廣三百三十六万里西居邪
屋縱廣四百四十八万里北欝單越縱廣六
百六十四万里東弗于逮縱廣五百五十三
万里金剛圍山高二百万里大鐵圍山亦高
二百万里小鐵圍山高百二十万里其大海
廣五千里深三千里其小海廣千五百里深
千里其大江廣八十里深中十里小江廣四
十里深二十里其盟津廣三里深一里半如
是三千大千世界百億日月百億大海小海
江河百億四天下百億四天王百億轉輪王
百億忉利天乃至百億三十三天身長短壽
命劫數次弟多少若有食不食見色聞憶
皆悉同等无有異色諸須弥山高下大小四
方大地闊狭多少諸鐵圍山及與大海小海
江河高下深淺皆悉同等无有別異日月去
地亦復如是又諸日月悉皆周圍一千七百里
大星周圍百二十里中星周圍百里中星周
圍四十五里水車火車亦周圍一千七百里天
下四時冬天極寒夏天極熱春秋調和何

BD02218號　妙法蓮華經度量天地品

（12–5）

大星周匝百二十里中星周匝百里
匝四十五里水車火車亦周匝一千七百里天
下四時冬天熱寒夏天熱熱春秋調和何
以故日行三道冬行南道夏行北道春秋中
道黃金水精爲日白銀琉璃爲月及餘星
宿悉皆白銀諸星宿上各有諸天皆白銀、
身隨星大小以爲居心皆受使樂自在无礙
黃金水精爲日夏天之時水精盡退黃金
心現火車助之其須弥山有百億金剛皆共助
熱夏行北道當人之上是故天下悉皆大熱
冬天之時攝去火車黃金盡退水精正現水
車助之冬行南道氷山之上是故天下悉皆大
寒月在天中照曜天下一月之中而有生滅
明時熱明暗時熱暗所以者何白銀琉璃
爲月何須輪王而典之日以身手番覆轉側
初生之時現於琉璃少出白銀如是日日漸
漸而轉至十五日琉璃隱沒白銀正現是故天
下一切皆明過十五日已漸復而轉至三十日
白銀盡沒琉璃正現是故天下悉皆大暗
佛告觀世音天下一切四方衆生各有差別
汝今善聽當爲汝說何以故閻浮提內一切
衆生身長八尺壽命百歲西瞿耶尼諸衆生
等身長千里壽命千二百歲北欝單越所有
衆生身長二十里壽命千歲東弗于逮衆生之
類身長九里壽命五百歲閻浮衆生多受苦
惱多有憂悲煩惱恚難壽命百歲夜消其

BD02218號　妙法蓮華經度量天地品　（12–6）

等身長千里壽命千二百歲北欝單越所有
衆生身長二十里壽命千歲東弗于逮衆生之
類身長九里壽命五百歲閻浮衆生多受苦
惱多有憂悲煩惱恚難壽命百歲夜消其
半長命者得壽百歲短命者胞胎傷墮無復
中夭人生之時父母養育年既長大自特徑健
擔輕負重不自裁量勉身營務以爲給濟
如是日夜不能自足衣不盖形食不充口無復
王調於時課領方復横爲水火賊盜契剠劫
棄如是憂惱勉苦无量此中衆生雖受苦惱
能脩行五戒十善受持讀誦妙法華經勉行
精進供養諸佛晝夜一心奉持經戒清淨具
足无缺漏者因是果報得成佛身西瞿耶尼
諸衆生等一切皆受无量快樂无有一人受苦
惱者皆不由父母胞胎各各皆當蓮華化
生珂玻瑠衣自然著體若欲食時有七寶
鉢器所謂金銀琉璃車𤦲馬瑙珊瑚虎珀諸
妙珎寶如是之鉢隨其時節自然而現百味
天厨充滿其中馨香芬馥食之甘美身心
柔濡氣力調和身體平正端嚴微妙聰明智
慧高才明達神通功德不可思議初生之
時各各皆有玻瑠珂衣在其身體又其衣
隨身長大至於年老不著餘衣如是清淨
實是大快樂北欝單越一切衆生雖有男女
无有婬慾男從父膝而生女從母膝化生須衣
衆上而取須食有粳米飯皆長七隨其時節

BD02218號　妙法蓮華經度量天地品　（12–7）

随身長大至於年老不著餘衣如是清淨
寶是大快樂北欝單越一切衆生雖有男女
无有婬慾男從父膝而生女從母膝化生須衣
衆上而取須食有粳米飯皆長七随其時節
自生盂中如是諸食不施功力食之甘美氣
力充實身體安寧无有病苦如是清淨亦
大快樂東弗于逮无量衆生雖為田殖耕犁
種作无有王調於時課領亦无惡家水火賊盜
自在自得无有尊者如是安穩亦无憂惱西瞿
耶尼閻浮提内一切衆生不問貧富貴賤好醜有
能端心捨家棄俗行作沙門脩口四時過護
持禁戒清淨具足无鈠漏者随意所願得
生其中北欝單越閻浮衆生亦復不問貧富
貴賤善惡好醜有能脩行受持五戒一月六齋
一年三長齋供養諸佛常无闕時脩口攝意
不犯五事者盡其壽命必得往生東弗于逮
閻浮衆生亦復不問貧富貴賤善惡好醜有
能信心受持三歸護持三事无違犯者得生
其中如是三千大千世界百億閻浮提百億
瞿耶尼百億欝單越百億弗于逮如是百億
四方衆生貧富貴賤善惡好醜衣食不衣食
性尒大小壽命長短皆悉同等无有別異随
本業力生於西方尒時世尊欲重宣此義而
説偈言
佛告觀世音　及諸菩薩衆　并及於一切　諸天人民等
汝等今善聽　當為汝分別　令汝諸大衆　一切皆得聞

BD02218號　妙法蓮華經度量天地品　（12–8）

本業力生於西方尒時世尊欲重宣此義而
説偈言
佛告觀世音　及諸菩薩衆　并及於一切　諸天人民等
汝等今善聽　當為汝分別　令汝諸大衆　一切皆得聞
吾今説實事　勿得有疑惑　此大地深遠　二十億万里
次有香潤澤　亦二十万里　其次有雜寶　金銀及頗梨
車𤦲與馬瑙　玫瑰琉璃珠　是諸珎寶等　四十万億里
金粟及銀剛　皆八十万億　銀粟百万里　金剛二百億
无擲大風持　不使得傾動　如是諸大地　是天之所持
天下一切物　皆因依於地　一切諸川流　大海與小海
江河及溪谷　藥草諸樹木　如是之等類　皆因地而生
土山與黑山　及諸彌樓山　鐵圍大鐵圍　金剛及須彌
并及於一切　衆如七寶山　皆因此大地　涌出珎寶成
又諸須彌山　於諸山中王　四寶涌出地　高出於世間
何等以為四　南名為琉璃　西名為頗梨　北名為馬瑙
東名為黄金　故名為四寶　琉璃光炎色　照燿於南方
衆生得見者　謂名為清天　頗梨光炎照　天下悉皆白
馬瑙與黄金　随色而照曜　其四寶光明　照燿於四方
一切衆生見　皆言謂為天　護世四天王　皆依此四住
无量寶宮殿　去地百万里　王及諸男女　身長至二十里
一切悉皆壽　八万七千歳　衣服諸飲食　各各皆自然
閻浮諸衆生　孝養父母者　盡其壽命已　必得生世間
諸聖轉輪王　亦依此此山　七寶諸宮殿　去地二百万
王及諸男女　羣臣眷屬等　一切皆當壽　二十五万歳
身長二十里　衣食皆自然　尒時轉輪聖　乘大千寶象
遊行四天下　教化於一切　天下諸衆生　脩行十善行

BD02218號　妙法蓮華經度量天地品　（12–9）

王及諸男女 羣臣眷屬等 一切皆當壽 二十五万歲
身長二十里 衣食皆自然 亦時轉輪王 乘大千寶象
遊行四天下 教化於一切 天下諸衆生 脩行十善行
讀誦法華經 必得生於彼 衣服諸飯食 悉等无有異
有切利諸天 居在須弥頂 其中諸天人 自在受快樂
壽命於一劫 衣食皆自然 閻浮諸衆生 若有能受持
五戒十善行 讀誦法華經 懃行於精進 供養於諸佛
晝夜常一心 奉持於經戒 清淨无缺漏 必得生此天
衣服諸飲食 一切皆自然 此天名第一 第二及第三
第四與第五 及至第六天 壽命轉轉倍 衣食亦如是
第七及第八 乃至第二十 其壽命劫數 轉轉而增倍
其中諸天人 不復須衣食 但見色聞香 自然而飽滿
其身意清淨 心无有味着 切德智慧力 不可得稱量
神通力自在 无有諸觸欲 若有能受持 妙法華經者
得解其義趣 說如而脩行 懃行供養佛 及供養經卷
晝夜讓禁戒 清淨具足者 隨其心所願 必得生彼間
切德神通力 悉等无有異 其第二十一 乃至有頂天
而於是中間 无有諸天人 諸佛菩薩等 於中而止住
其壽命劫數 不可得思議 其天地相去 百万億由旬
日月去於地 八十億万里 諸星宿去地 皆七十億万
其次須弥山 縱廣有三百 三十六万里 高下亦如是
閻浮提縱廣 其數皆如是 西方瞿邪尼 其縱廣有四百
四十八万里 清淨无瑕穢 北方欝單越 縱廣於六百
六十四万里 无有諸煩惱 弗于逮縱廣 五百五万里
金剛大鐵圍 高二百万里 其小鐵圍山 高百二十万
大海廣五千 深於三千里 小海千五百 其水深一千

BD02218 號 妙法蓮華經度量天地品

（12–10）

四十八万里 清淨无瑕穢 北方欝單越 縱廣於六百
六十四万里 无有諸煩惱 弗于逮縱廣 五百五万里
金剛大鐵圍 高二百万里 其小鐵圍山 高百二十万
大海廣五千 深於三千里 小海千五百 其水深一千
大江八十里 水深於四十 小海廣四十 深於二十里
其河廣三里 深於一里半 其日月周圍 一千七百里
大星百二十 中星廣八十 其諸小星等 皆四十五里
觀世音當知 天下有四時 寒熱及調和 其事何因緣
日行於三道 冬行於南道 夏行於北道 春秋行中道
是故令天下 調和无寒熱 黃金水精白 白銀琉璃月
及諸星宿等 悉皆爲白銀 於上有諸天 皆爲白銀身
隨諸星大小 於上而止息 夏行於北道 晝退於水精
黃金皆正現 金剛及火車 皆悉而佐助 是故天下熱
冬行於南道 攝去於火車 晝退於黃金 水精而正現
以水車助之 是故天下寒 月在於天下 照耀於天下
而有生滅相 是故何因緣 何須輪王等 而與知於月
自以於身手 轉倒而審覆 日於初生時 而現於琉璃
少出於白銀 故名爲初生 過初生日已 日月漸漸轉
隱弊於琉璃 而漸見白銀 至於十五日 琉璃盡隱沒
白銀皆正現 是故天下明 是大三千界 一切百億天
壽命及劫數 多少與次第 若食若不食 悉皆同一等
百億須弥山 高下及大小 四方諸大地 闊狹與多少
鐵圍大鐵圍 諸大海水等 小海江河水 高下及深淺
如是種種事 悉等无有異 百億諸日月 高下及周圍
寒熱與明闇 一切皆同等 天下諸衆生 性行及大小
衣食不衣食 貧富與貴賤 受樂及受苦 長短與好惡

BD02218 號 妙法蓮華經度量天地品

（12–11）

壽命及穀 多少與次第 若食若不食 悉皆同等
百億須弥山 高下及大小 四方諸大地 闊狹與多
鐵圍大鐵圍 諸大海水等 小海江河水 高下及深淺
如是種種事 悉等无有異 百億諸日月 高下及周圍
寒熱與明闇 一切皆同等 天下諸衆生 性分及大小
衣食下衣食 貧富與貴賤 受樂及受苦 長短與好惡
善惡業力報 在於四方生 三千世界中 一切皆如是
觀世音菩薩 聞佛說是已 心懷大歡喜 以偈而讚言
稱讚言善哉 善哉无上尊 我常遊諸國 蔭蓋於衆生
下至阿鼻獄 上至有頂天 盡皆入其中 現身為說法
而未知天地 深淺及遠近 我等於今日 得聞佛所說
心皆大歡喜 无有諸疑惑
妙法蓮華經卷第九

BD02218號　妙法蓮華經度量天地品　（12–12）

世尊大藏□名德稱无量 令此大…
云何即是道 大音方便說 云何諸法性 畢竟无有导 其性如… 亦同於解脫
云何涅槃相 与世法无異 諸法无有二 大悲為演說 云何諸法性 畢竟无有导
其性如涅槃 亦同於解脫 无縛亦无解 亦復如虛空 迦羅頻伽音 天梵清淨聲
身色喻真金 淨命无量德 演說實相法 畢竟无縛解 云何此五蓋 而等於菩提
云何是菩提 即同諸業性 是法是非法 云何同一相 如是畢竟淨 唯願為演說
无數无非數 諸法畢竟滅 一切皆相 及以菩提道 二法云何无 唯願為演說
无作无非作 无著无非著 畢竟无衆生 諸法中无导 无戒无忍辱 亦无有毀戒
无智亦无恚 亦无非智恚 是法常清淨 唯願為演說 云何一切法 寂滅如虛空
无心心數法 无見斷證脩 一切諸衆生 同如虛空相 一相法亦无 心行亦已得
諸法无生滅 无學无羅漢 亦无辟支佛 亦无求菩薩 无住无依止 无來亦无去
諸法无動相 常住如須弥 无相亦无色 色性即是道 色性佛道一 如是法願說
云何无佛法 亦无有衆僧 是三寶一相 唯願為演說 无空无无相 亦无有无作
不合亦不散 名相法亦无 諸法畢竟空 如響无作者 无生无无生 无滅无往來
无天无龍神 夜叉緊那等 无人无地獄 无餓鬼畜生 无衆生五道 願說如是法
如導師世尊 外道邪見者 其有所演說 云何等无二 諸文字語言 是法皆一相
世尊大慈悲 願聞是法門 尒時世尊讚師子遊步菩薩摩訶薩言
善哉善哉善男子汝所問者甚為希有一切世間之所難信善男子此比物
問所以者何新發意菩薩於此空見无相見无作見无生見无所有見无
取相見佛見菩提見所不能及善男子如此法者不應在新學菩薩前說何
以故若聞是法或斷善業於佛道中則行邪道若墮斷滅若墮計常不知
如來以何方便隨宜所說尒時師子遊步菩薩摩訶薩白佛言世尊長慈世
間願必為說當來世中有菩薩空見无相見无作見无生見无所有見无卑相
見佛見菩提見者分別是空是无相好常讀學勤於事業樂著文辭以辯說
為沙貴名利如是之人聞如來說是无文字法畢竟清淨當捨是諸見是

BD02219號 1　諸法無行經卷上　（19–1）

以故若聞是法或斷善業於佛道中則行邪道若墮斷滅若墮常有
如來以何方便隨宜所說尒時師子遊步菩薩摩訶薩白佛言世尊我念世
間願必為說當來世中有菩薩空見无相見无作見无生見无所有見无取相
見佛見菩提見者分別是空是无相好常讀學勤於事業樂著文辭以辯說
為妙貴於名利如是之人聞如來說是无文字法畢竟清淨當捨是諸見是
諸菩薩隨眾生所能信解以方便力而為說法雖說少欲知足而不以為宗
雖說戒經亦不以為宗說在眾過惡亦知一切法遠離相常稱讚獨處不在憒
丙而不以為宗雖讚發菩提心而知心性即是菩提雖讚大乘經而知一切諸法
皆是大相雖說菩薩道而不分別阿羅漢辟支佛諸佛雖讚布施而通達布
施平等相雖讚而了知諸法同是戒性雖讚忍辱而知諸法无生无滅无
盡相雖讚精進而知諸法不發不行相雖種種讚歎禪定而知一切法常定之相
雖種種讚於慧而了知慧之性實雖說貪欲之過而不見法有可貪者雖說
嗔恚之過而不見法有可嗔者雖說愚癡之過而知諸法无癡无礙雖示眾生
墮三惡道怖畏之苦而不得地獄餓鬼畜生之相如是諸菩薩雖隨眾生而
能信解以方便力而為說法而自信解一相之法所謂空无相无作无生无所
有无取相世尊唯願說是不可思議方便之法一切聲聞辟支佛与新發意
菩薩所不能及但為信解甚深一相法者說之　尒時佛告師子遊步菩
薩摩訶薩言善男子汝今諦聽諦聽善思念之吾當為汝解說此義唯
然世尊我當受之尒時世尊以偈答曰　若人欲成佛　勿壞於貪欲
諸法即貪欲　知是則成佛　貪欲及恚癡　无有能得者　是法皆如空　知是則成佛
見非見一相　着不着亦然　此无佛无法　知是名世智　譬如人於夢中　得佛道度眾生
此无道无眾生　佛法性亦復然　坐道場无所得　若不得則不有　明无明同一相　知如是為世尊
眾生性即菩提　菩提性即眾生　菩提眾生不二　知如是為世尊　譬如巧幻師　幻作種種事
所見无有實　无智數若干　貪嗔癡如幻　幻不異三毒　凡夫自分別　我貪我嗔恚
如是愚癡人　則墮三惡道　實相无貪恚　癡亦不可得　分別如幻法　自生煩惱熱
實相无煩惱　无眾生无佛　分別无生法　凡夫願佛佛　不見佛及法　亦不見眾生
知是法相者　疾成眾生尊　若人求菩提　則无有菩提　是人遠菩提　譬如天与地
知諸法如幻　速成人中上　若人分別戒　是則无有戒　若有見戒者　是則為失戒
戒非戒一相　知是為導師　如夢受五欲　娛樂自快樂　分別見女色　此中實无女
戒毀戒如夢　凡夫分別二　實无戒毀戒　知是為導師　凡夫著名字　不知語言性
名字非名字　知是得无生　自謂是菩薩　讀誦為人說　已身无所行　但依持種姓
但讀經求道　常見他人過　着威儀文頌　見人欲自貴　恃種性文頌　不知法實相

戒非戒一相
戒毀戒如夢　凡夫分別二　實无戒毀戒　知是為導師　凡夫著名字　不知語言性
名字非名字　知是得无生　自謂是菩薩　讀誦為人說　已身无所行　但依持種姓
但讀經求道　常見他人過　着威儀文頌　見人欲自貴　恃種性文頌　不知法實相
如是之人等　終不能得佛　為說諸法空　惡心好諍訟　是人无佛法　亦无有菩提
知嗔恚同相　達是終不嗔　不了眾生性　是則生嗔恚　自言菩薩者　須恢如是說
我慈悲一切　成佛度眾生　他惱生嗔恚　懷忿不与語　常求他人過　樂於閙諍訟
亦稱歎忍辱　及說諸法空　我心多憍慢　常觀他人過　貪着於美味　晝夜念五欲
是人入城邑　自說度人者　悲念於眾生　常為求饒益　口雖如是說　而心好惱他
我亦曾見聞　慈悲而行惱　手共相嗔惱　願生阿彌陀　若人如恒沙　惡口加刀杖
如是皆能忍　則生清淨土　佛土非佛土　知如虛空相　不分別國土　及國土功德
如是之人等　能生諸佛國　自言忍眾惡　見菩薩如佛　我亦曾見聞　佛想而[illegible]
各自美毀他　樂擅越知識　言我所教化　誑使令如法　彼應我所度　莫親近餘人
彼人行不純　常處於憒丙　是人非佛道　不能勤脩行　真求佛道者　晝夜各三時
頂礼諸菩薩　應生恭敬心　隨其所行道　不說其過失　若見著五欲　不說其過惡
應當念彼人　久後亦得道　次第行業道　不可頓成佛　或非久發心　是以行此事
多分別貪欲　貪欲性是道　煩惱先自无　未來亦无有　能如是信解　便得无生忍
觀好惡音聲　知非音聲性　當入无文字　實相之法門　若能信是法　則无嫉恚癡
觀貪欲恚癡　即是无量相　是二无文字　以文字故說　諸有文字處　是皆无有實
一切諸音聲　觀是一音性　佛說及邪說　是皆无分別　法雖以言說　實无法无說
能入一相門　則得无生忍　是忍是非忍　勿作是分別　於欲嗔恚心　勿計其中利
知是二无生　當為世中尊　東西南北方　如恒河沙土　皆碎為微塵　一塵為一國
滿中諸珎寶　於无數劫　供養諸如來　其所得功德　若人聞是經　過彼百千倍
若有出家人　一心求佛道　我囑累此人　此秘密要法　若有誦是經　及以解其義
无量億持辯　自然皆當得　利根无盡慧　樂說之辯才　无量億諸佛　亦皆與是人
諸經妙法寶　自然皆能說　　尒時師子遊步菩薩白佛言世尊今說
是偈有幾所人得自利益佛言善男子汝見是大眾不唯然已見佛言今說
此法會中有无量无數眾生共集與天龍夜叉乾闥婆阿脩羅緊那羅
迦樓羅摩睺羅伽等滿在虛空以說法之明乃至他方世界多所饒益八
九万二千夜叉神皆發阿耨多羅三藐三菩提心增上慢比丘有五百人未
得謂得聞是无增上慢真法信解一切法皆是一相不受諸法故漏盡得
解脫於是菩薩眾中六万二千人信解諸法无障导相得无生法忍何以
故如是說法於諸說法中最為第一善男子如我於然燈佛所信解諸法一相

得謂得聞是无增上慢真法信解一切法皆是一相不受諸法故滿盡得
解脫於是菩薩衆中六万二千人信解諸法无障㝵相得无生法忍何以
故如是說法於諸說法中最爲第一善男子如我於然燈佛所信解諸法一相
无㝵然後乃得无生法忍具足六波羅蜜所以者何若菩薩於恒河沙劫
布施持戒忍辱精進禪定智慧若不知如是法相是人或能斷滅一切善
根善男子汝見提婆達多有大功德善根成就三十二大人相有如是功德
不知如是法相故斷滅善根墮大地獄善男子當知雖久發心有大功德
不入是法門皆名滅善根功德善男子如是過去无量无邊不可思議
阿僧祇劫有佛名高須弥山王如來應供正遍知明行足善逝世間解无上士
調御丈夫天人師佛世尊壽命九千九百千万億那由他歲國土名金炎明
其國皆以黄金爲地其所說法亦以三乘度脫衆生其佛初會有八十百千
万億那由他聲聞弟子次第二會七十百千万億那由他聲聞弟子次第三
會六十百千億万那由他聲聞弟子次第四會五十百千億那由他聲聞弟
子皆得阿羅漢捨諸重擔逮得己利盡諸有結正智得解脫比丘尼衆倍
於上數優婆塞衆亦倍上數優婆夷衆亦倍上數菩薩衆復倍上數皆
得阿惟越致无生法忍皆得无量无邊陁羅尼門三昧門能轉不退法輪
何況新發菩提心者又發辟支佛道心者亦无量无邊善男子尒時彼佛
會中弟子衆數无量无邊彼金炎國中皆以七寶爲樹於其寶樹常出
法音所謂一切諸法空音无相音无作音无生音无所有音无取相音其
國人民聞是法音自然皆得諸法實相心得解脫其佛滅後法住千歲諸
寶樹音亦不復出善男子是高須弥山王佛以法囑累淨威儀菩薩令
守護法囑累已後便入无餘涅槃時有比丘名有威儀持戒不爭得四
禪四无色定及五神通善誦毗尼藏樂於苦行不能善知他心其弟子
亦皆苦行貴頭陁法是淨威儀法師持戒清淨於无所有法中得巧方
便復於一時淨威儀法師將諸弟子到有威儀比丘住處與共同止淨威
儀法師憐愍衆生故從所住處常入聚落食訖而還教化百千万家皆作弟
子令發阿耨多羅三藐三菩提心其弟子衆亦善教化到諸人民而爲說
法令若干百千衆生皆發阿耨多羅三藐三菩提心有威儀比丘常樂住
塔寺其弟子衆不持淨戒而樂行頭陁有威儀比丘勤行精進其心決定
自以所行化諸弟子貪著善法有所見得所謂說一切法有爲法皆无常皆
苦空一切法无我不能善行諸禪定法亦不能善於菩薩所行之道本心
不純故淨威儀法師善知衆生諸根利鈍知有威儀比丘心故不復常入聚

BD02219號1　諸法無行經卷上

(19–4)

法令若干百千衆生皆發阿耨多羅三藐三菩提心有威儀比丘常樂住
塔寺其弟子衆不持淨戒而樂行頭陁有威儀比丘勤行精進其心決定
自以所行化諸弟子貪著善法有所見得所謂說一切法有爲法皆无常皆
苦空一切法无我不能善行諸禪定法亦不能善於菩薩所行之道本心
不純故淨威儀法師善知衆生諸根利鈍知有威儀比丘心故不復常入聚
落其諸弟子如本不異有威儀比丘見淨威儀法師諸弟子衆常入聚落
生不淨心即鳴揵搥集衆立制汝等自今已去不應入於聚落不能一心徐
行靜嘿數入聚落得何等利佛所稱讚阿練若住處汝等當行禪樂莫
好入他家淨威儀法師諸弟子衆不受其語猶入聚落行於一時有威儀
比丘見從聚落中出更鳴揵搥集衆說如是言若復更入聚落者不復得
住於此尒時淨威儀法師將護有威儀比丘故告諸弟子汝等從今已去
勿入聚落即如師教不入聚落尒時諸人民衆不見其師及諸弟子故皆
懷憂惱善根退失淨威儀法師過三月自恣竟從是中至餘僧坊於其
所止師徒還入城邑聚落爲人說法後時有威儀比丘見淨威儀法師還
入他家見其弟子毀失常儀便生不淨惡心作是念是比丘破戒毀戒何
有菩提便語衆人是比丘雜行去佛道甚遠有威儀比丘起是業已後
時命終是業果報故墮阿鼻大地獄九十百千億劫受諸苦惱從地獄
出六十三万世常被誹謗其罪漸薄後作比丘三十二万世出家之後是
業因緣退道入俗又餘善業因緣故於淨明佛所出家入道懃勤精進
如救頭然千万億歲中乃至不得柔順法忍无量千万世諸根闇鈍師子
遊步於汝意云何尒時有威儀比丘豈異人乎勿造斯觀則我身是我時
起是麁細不淨心受此罪業墮於地獄師子遊步若人不欲起是麁細
罪業者於彼菩薩不應起於惡心菩薩諸所行道皆當信解不應起於
瞋恨之心應作是念我不能善知他人心衆生所行是亦難知善男子如
來見是利故常說是法是故行者不應平量於人唯有如來及似如來者
乃能知是是故行者若欲自護其身慎莫平量於人而相違逆菩薩若
欲脩集佛法常當晝夜勤心專念深發菩薩心者不當好求人長短菩
薩若能教三千大千世界中衆生令行十善不如菩薩如一食頃一心靜處
入一相法門乃至聞受持讀誦解說是人福德勝彼甚多何以故諸菩薩
用是法門能滅一切業障罪亦於一切衆生之中離愛憎心便能疾得一切
種智尒時文殊師利法王子白佛言世尊如佛所說滅業障罪云何滅業
障罪佛告文殊師利若菩薩見一切法性无業无報則能畢滅業障之
罪文殊師利若菩薩見貪欲際即是真際見瞋恚際即是真際見愚

BD02219號1　諸法無行經卷上

(19–5)

用是法門能滅一切業障罪而於一切衆生之中離憂惱心復能願得一切
種智尒時文殊師利法王子白佛言世尊如佛所說滅業障罪云何滅業
障罪佛告文殊師利若菩薩見一切法性无業无報則能畢滅業障之
罪又文殊師利若菩薩見貪欲際即是真際見嗔恚際即是真際見愚
癡際即是真際則能畢滅業障之罪又文殊師利若菩薩能見一切衆生
性即涅槃性則能畢滅業障之罪所以者何若人自有所見即能起業无
知无聞凡夫愚人不知諸法畢竟滅相故自見其身亦見他人以是見故便起
身口意業是人妄見憶想分別作是念我是貪欲嗔恚愚癡如是分別故
於佛法中出家學道復作是念我是持戒脩梵行人我當越度生死得於
涅槃免諸苦惱是人分別諸法是善是不善是應知是應斷是應證是應
脩所謂苦應見集應斷滅應證道應脩而復分別一切諸行皆是无常一
切諸行皆苦一切諸行皆三毒熾然我當疾捨此有為法常作如是思惟於
諸行中厭相而生猒心尒時便作是念見諸行如是是名見苦惡猒諸行是
名斷集分別諸行見於滅諦即作是念我今見滅是名證滅行我當脩道
便生靜處念如是法作是念已攝心一住是人先得猒心今得定心故於諸
行中心便捨離而自愧猒不喜不樂復作是念我今於一切法中已得解脫更
无所作我身已得阿羅漢道是人命終之時見受生處即菩提中心生疑悔
以此疑故命終之後墮大地獄何以故是人於无生法中而分別故尒時文殊
師利法王子白佛言世尊今云何應觀四聖諦佛告文殊師利若行者能
見一切法不集不起是名斷集若能見一切法畢竟滅相是名證滅若能見
一切法无所有性是名脩道文殊師利若行者能如是見四聖諦是人不作
如是分別是法是善法不善是法應見是法應斷是法應證是法應脩所
謂苦應見集應斷滅應證道應脩所以者何凡夫所行貪欲嗔恚愚癡
行者見是法皆空无生无所有不可分別但積集虛妄尒時於法无所取
无所捨於三界中心无所得見一切三界畢竟不生見一切善不善法虛誑
不實如幻如夢如聲如響如炎行者見貪欲性即是涅槃性嗔恚性即是
涅槃性愚癡性即是涅槃性若能見一切法性如是便於一切衆生之中不起
憎愛所以者何是行者不得是法若生愛處若生憎處安住虛空心中乃
至不見佛不見法不見僧是則不見一切法於諸法中則不生疑不生疑故
則不受一切法不受一切法故則自歸滅文殊師利長老須菩提知如是法故不
來礼佛之須菩提尚不得自身何況得如來身不得自身而得如來身者无
有是處文殊師利復白佛言世尊行者云何應觀四念處佛告文殊師利
當來世有比丘如是說觀內身處若觀不淨是身念處觀樂皆苦是受念
處觀心生滅性是心念處觀衆和合相但得法相是法念處文殊師利白

BD02219 號 1　諸法無行經卷上　（19–6）

則不受一切法不受一切法故則自歸滅文殊師利長老須菩提知如是法故不
來礼佛之須菩提尚不得自身何況得如來身不得自身而得如來身者无
有是處文殊師利復白佛言世尊行者云何應觀四念處佛告文殊師利
當來世有比丘如是說觀內身處若觀不淨是身念處觀樂皆苦是受念
處觀心生滅性是心念處觀壞和合相但得法相是法念處文殊師利白
佛言世尊今云何真觀四念處佛言止止文殊師利不須問也如來隨宜說
法難可得解文殊師利言世尊慈念衆生故願必為說佛告文殊師利
若行者見身如虛空是為身念處若行者見諸受內外空是為受念
處若行者知心但有名字是為心念處若行者不得善法不得不善法是
為法念處文殊師利行者應如是觀四念處文殊師利復白佛言世尊行
者云何應觀八聖道分佛告文殊師利若行者見一切法平等无二无分別
是名正見見一切法无思惟无分別以是見故是名正思惟見一切法无言无
說相善脩語言平等相故是名正語見一切法平等作相作者不可得故是
名正業不分別正命邪命善脩習平等命故是名正命不獲不起一切法以
无所行故是名正精進於一切法无所憶念諸憶念性離故是名正念見一切
法性常定以不散不緣不可得故是名正定文殊師利行者應如是觀八聖
道分文殊師利復白佛言世尊行者云何應觀五根佛告文殊師利若行
者信一切法畢竟不生從本已來常自尒故是名信根於一切法中心无所住
遠近相離故是名精進根於一切法无所憶念緣性離故不繫念於緣是[illegible]
念根於一切法无所思惟一一法不可得故是名定根見一切法常空離於生相
是名慧根文殊師利行者應如是觀五根文殊師利復白佛言世尊行者云
何應觀七菩提分佛告文殊師利行者能見一切法无憶念是名念菩提分
若一切法若善若不善若无記不可選擇不可得无決定故是名擇菩提
分若不取一切三界相善壞三界故是名精進菩提分若一切有為法中不
生喜根善壞有喜相故是名喜菩提分若一切法中除却其心緣相不可得
故是名除菩提分若一切法不可得善脩壞相故是名定菩提分若於一切
法无所依止不貪不著不見一切法故得捨心是名捨菩提分文殊師利行者
應如是觀七菩提分若行者能如是見四聖諦四念處八聖道分五根七菩
提分我說是人名為已得度者到於彼岸出在陸地无畏之處已離重擔除
諸塵垢是人名為无所有者无所得者无所受者名阿羅漢是名沙門是
名婆羅門是名比丘是名澡浴潔淨者是名智者解者是名聞者是名佛子
是名釋子是名破刺棘者是名却關鍵者是名已度塹者是名出欲求者
是名開門扇者是名賢聖勝相者文殊師利若有比丘成就如是法者於

BD02219 號 1　諸法無行經卷上　（19–7）

提分我說是人名為已得度者到於彼岸出在陸地无畏之處已離重擔除
諸塵垢是人名為无所有者无所得者无所受者名向羅漢是名沙門是
名婆羅門是名比丘是名淨浴潔淨者是名智者解者是名聞者是名佛子
是名釋子是名破煩棘者是名却關鍵者是名已度塹者是名出欲求者
是名開門扉者是名賢聖勝相者文殊師利若有比丘成就如是法者於
天人世間名為福田應受供養文殊師利是比丘若欲不虛食國中施者破
壞魔網者欲度生死海者欲得涅槃者欲脫一切苦惱者欲為一切天人世
間作福田者應當勤脩習如是之法說是法時三万二千諸天得諸法
相各以天曼陀羅華散佛上作是言世尊若人得聞如是之法是人名為
善出家者何況信受讀誦如所說行世尊若有須臾聞是法者是則名為
无皆上暑　尒時文殊師利法王子白佛言唯願世尊當說陀羅尼以是
陀羅尼故令諸菩薩得无礙辯才於諸音聲无所怖畏能令諸法皆依
佛法又信解諸法皆是一相佛告文殊師利汝今諦聽當為汝說不動種性
法門諸菩薩得入是法門者能以智慧光明照一切法疾得无生法忍文殊
師利白佛言世尊云何名不動處種性法門佛告文殊師利一切衆生其心
皆一是名種性世尊云何是事名為種性佛言文殊師利一切衆生皆无有
心緣性不可得故是名種性文殊師利一切衆生皆同一量是名種子世尊
云何是事名為種性佛言一切衆生皆如虛空量終歸无障导是故名種子
文殊師利一切衆生皆是一衆生是名種子世尊云何是事名為種性文
殊師利一切衆生皆是一相畢竟不生離諸名字一異不可得故是名種性
文殊師利貪欲是不動相世尊云何是事名不動相佛言文殊師利貪欲
是不動相安住法性中以不住故是貪欲不可得性常離故是名不動相文
殊師利真恚是金剛世尊云何是事名為金剛文殊師利真恚不可斷不
可壞一切法亦如金剛不可斷不可壞一切法亦如是不可斷不可壞諸法本不
決定故是名如金剛文殊師利愚癡是智慧性世尊云何是事名智慧性
文殊師利一切法離智慧亦離愚癡譬如虛空无有智慧亦无愚癡一切法
亦如是无有智慧亦无愚癡智慧愚癡智所可知法從本已來俱寂滅故
是名愚癡智慧處文殊師利色陰是不動處世尊云何是事名不動搖
處文殊師利如天帝之幡深根安固不可動搖一切法亦如是以不住法故安
住法性中是法无來處无去處无取无捨安住无住處故是故色陰名
不動相文殊師利受陰是滅性世尊云何是事名為滅性文殊師利一
切諸受性相常寂滅故諸受非內非外非東方非南西北方四維上下來何

BD02219 號 1　諸法無行經卷上　（19–8）

亦如是无有智慧亦无愚癡智慧愚癡智所可知法從本已來俱寂滅故
是名愚癡智慧處文殊師利色陰是不動處世尊云何是事名不動搖
處文殊師利如天帝之幡深根安固不可動搖一切法亦如是以不住法故安
住法性中是法无來處无去處无取无捨安住无住處故是故色陰名
不動相文殊師利受陰是滅性世尊云何是事名為滅性文殊師利一
切諸受性相常寂滅故諸受非內非外非東方非南西北方四維上下來何
以故若樂受在內一切衆生常應是樂若苦受在內一切衆生常應受苦若
不苦不樂受在內一切衆生應受不苦不樂文殊師利今一切諸受實不在
內不在外不在兩中間不在東方南西北方四維上下是故一切諸受如草
木瓦石畢竟不生不滅无相是故受相名寂滅相文殊師利想陰是種性
世尊云何是事名為種性文殊師利是想皆憶想分別起從虛妄中生
如空拳如野馬本性自離是故想陰名種性文殊師利行陰是種性世尊
云何是事名為種性文殊師利一切諸法離數无數入平等數譬如芭蕉
畢竟无實本性自尒一切法亦如是无名字无性故是故行陰名為種性
文殊師利識陰是種性世尊云何是事名為種性文殊師利是識如幻
无實无起无生空无想无性如五指塗空空无相現是故識陰名為種性
文殊師利色是種性世尊云何色為種性文殊師利譬如鏡中像雖可目
見而无有實一切色亦如是雖見无實但誑眼誑心虛妄不實是故色名
種性文殊師利聲是種性世尊云何聲為種性文殊師利一切法无別異
相畢竟空如山中響是故聲為種子文殊師利香是種子世尊云何香是
種子文殊師利一切法无香相性无知故空如虛空鼻香識者皆不可得是
故香為種性文殊師利味是種性世尊云何味為種性文殊師利味性即
是不可思議性不可知離於知故自性常離故是故名味種性文殊師利觸
是種子世尊云何觸為種性文殊師利觸如虛空其性自離无觸无合一切
法亦如是善壞身故離於觸相觸者不可得故是故觸是種性文殊師利法
是種性世尊云何法為種性文殊師利一切法无相无心離心性離名字无
決定故皆是法性相是故法是種性文殊師利地是種性世尊云何地為
種性文殊師利一切法无堅相无軟相虛妄和合以為堅是故地為種性
文殊師利水是種性世尊云何水為種性文殊師利一切法无濕无合如
野馬无水是故水為種性文殊師利火是種性世尊云何火是種性文殊
師利一切无熱離虛妄熱相本性寂滅顛倒故分別其實无之无生是故
火為種性文殊師利風是種性世尊云何風為種性文殊師利一切法无障
无导相无无性无動搖故離風相是故風名種性文殊師利佛是種性世尊

BD02219 號 1　諸法無行經卷上　（19–9）

野馬无水是故水為種性文殊師利火是種性世尊云何火是種性文殊
師利一切无熱離虛妄熱相本性寂滅顛倒故分別其實无定无生是故
火為種性文殊師利風是種性世尊云何風為種性文殊師利一切法无障
无导相无无性无動搖故離風相是故風名種性文殊師利佛是種性世尊
云何佛為種性文殊師利一切法无覺无知離知相故是故佛名種性文殊
師利法是種性世尊云何法為種性文殊師利諸法不可壞不可斷離壞
斷故无相无名无性出言語道是故法名種性文殊師利僧是不動相世
尊云何僧為不動相文殊師利聖衆安住如法性實際之亂平等中安住
智慧愚癡辯脫煩惱平等一切法中心无所住住法不可得故是故僧名
不動性文殊師利一切法行處名為不動處世尊云何是事名為不動相
文殊師利一切虛空行虛空不可思議行處斷處行无根本无別異不可
得故是故一切法行處名不動相文殊師利一切法无緣名不動相世尊云
何是事名不動相文殊師利一切法无依止无住處无緣无性離諸緣故是
故一切法无緣名不動相文殊師利一切法不取不捨相名不動相世尊云何
是事名不動相文殊師利一切法皆歸於如同於法性是法不可取不可捨
无求无願諸願斷故從本已來常寂滅相同於虛空是故不取不捨名不
動相文殊師利一切法无咎名不動相世尊云何是事名不動相文殊師利
一切法无咎无所有清淨顯耀如虛空无翳諸罪之相不可得故是故一
切法无咎名不動相文殊師利一切法无歸處名不動相世尊云何是事
名不動相文殊師利一切法空无根本故无歸處是故无歸處名不動相
文殊師利一切法无學名不動相世尊云何是事名不動相文殊師利一
切法无性學不應學不應脩不應思不應念不應住不應發不應行
不應斷不應證不應語不應言不應說不應求不應取不應捨不應
離不應除何以故文殊師利一切法相畢竟離故從本已來无取所常是
捨相諸法非智慧所及非愚癡所及是故无學名不動相

卷上

諸法无行經卷下

介時文殊師利法王子白佛言世尊我亦樂說不動相佛言汝樂說者便
可說之文殊師利言世尊一切衆生皆得菩提是名不動相文殊師利云
何是事名不動相世尊一切法无向无得一切衆生皆入菩提性中是故說
一切衆生皆得菩提又是菩提非是得相何以故衆生性即是菩提故是故

BD02219 號 1　諸法無行經卷上

(19-10)

諸法无行經卷下

介時文殊師利法王子白佛言世尊我亦樂說不動相佛言汝樂說者便
可說之文殊師利言世尊一切衆生皆得菩提是名不動相文殊師利云
何是事名不動相世尊一切法无向无得一切衆生皆入菩提性中是故說
一切衆生皆得菩提又是菩提非是得相何以故衆生性即是菩提故是故
一切衆生皆得菩提名不動相世尊一切衆生皆成就一切智慧名不動相
文殊師利云何是事名不動相世尊一切衆生无性无性故入如來平等中
從本已來是一切智慧性性同故名不動相世尊一切衆生皆是道場是
不動相文殊師利云何是事名不動相世尊道場者有何義文殊師利
一切法寂滅相无相无生相无所有相不可取相是名道場義世尊一切
衆生不入此道場耶佛言如是如是是故世尊一切衆生皆是道場名
不動相世尊一切衆生皆得无生法忍名不動相文殊師利云何是事名
不動相世尊一切衆生无盡无生无滅性離无性入平等忍故是故一切衆
生皆得无生法忍名不動相世尊一切衆生皆得无礙辯才名為不動相
文殊師利云何是事名不動相世尊一切衆生諸所有樂說於十方刹
索不可得所以者何皆入无礙辯才平等法中故世尊諸所樂說自性
皆離无決定故无所有故是故一切衆生皆得无礙辯才名不動相世
尊一切衆生皆得陁羅尼名不動相文殊師利云何是事名不動相世
尊一切衆生以衆生相能持色聲香味觸法以虛誑不實憶想分別
平相故是故一切衆生皆得陁羅尼名不動相世尊一切衆生皆得慈心
名不動相文殊師利云何是事名不動相世尊一切衆生无衆生性從本
已來已眞无悲得眼慈平等无分別故是故一切衆生皆得慈心名不
動相世尊一切衆生皆成就大悲名不動相文殊師利云何是事名不
動相世尊一切衆生无起无作相皆入如來平等法中不出大悲之性以
大悲无分別故是故一切衆生皆成就大悲名不動相世尊一切衆生皆
得三昧名不動相文殊師利云何是事名不動相世尊一切衆生性常
定離諸緣故若衆生從緣生知於緣中生知不名為知所以者何諸知
念念无常畢竟空故是故一切衆生皆成就三昧名不動相世尊一切
諸佛成就貪欲名不動相文殊師利云何是事名不動相世尊一切諸
佛皆入貪欲平等法中故遠離諍訟通達貪欲性故又世尊貪欲即是
菩提何以故知貪欲實性說名菩提是故一切諸佛皆成就貪欲名不

BD02219 號 2　諸法無行經卷下

(19-11)

念念无常畢竟空故是故一切衆生皆成就三昧名不動相世尊一切
諸佛成就貪欲名不動相文殊師利云何是事名不動相世尊一切諸
佛皆入貪欲平等法中故遠離諍訟通達貪欲性故又世尊貪欲即是
菩提何以故知貪欲實性說名菩提是故一切諸佛皆成就貪欲名不
動相世尊一切諸佛皆成就瞋恚名不動相文殊師利云何是事名不
動相世尊一切諸佛皆說有為法過罪者安住瞋恚平等性中通達
瞋恚性故是名一切諸佛皆成就瞋恚名不動相世尊一切諸佛皆成
就愚癡名不動相文殊師利云何是事名不動相世尊一切諸佛能度
一切貪着字名衆生住愚癡平等性中通達愚癡性故是名一切諸佛
成就愚癡名不動相世尊一切諸佛皆成就身見名不動相文殊師利
云何是事名不動相世尊一切諸佛安住身見性中於一切法中不退不
畏不動畢竟安住以不住法故通達知身見无生无起无性故是故一切
諸佛皆成就身見名不動相世尊一切諸佛皆是邪見名不動相文
殊師利云何是事名不動相世尊一切諸佛一切有為法是邪虛誑不
實者通達邪見性平等故是故一切諸佛皆是邪見名不動相世尊
一切諸佛住四顛倒五蓋五欲三毒得阿耨多羅三藐三菩提名不動相文殊
師利云何是事名不動相世尊住處性即是非住處文殊師利非住處有
何義世尊非住處者退動還相即是一切凡夫人一切諸佛安住是貪欲
瞋恚愚癡四顛倒五蓋五欲平等中是諸佛安住貪欲性故得阿耨多
羅三藐三菩提安住瞋恚愚癡四顛倒五蓋五欲性故得阿耨多羅三
藐三菩提是故一切諸佛住四顛倒五蓋五欲毒三中得阿耨多羅三
藐三菩提名不動相　　尒時佛告文殊師利法王子若有人問汝斷一切
不善法成就一切善法名為如來汝云何荅文殊師利言世尊若有人問
我斷一切不善法成就一切善法名為如來者我當如是荅善男子汝先
當親近善知識脩進善道於法无所合无所散勿取勿捨莫緣勿求
勿舉勿下莫求莫覓勿願勿分別諸法是上是中是下然後當知不可
思議行處无行處斷行行處佛所行處佛告文殊師利汝如是荅者
為荅何義文殊師利言世尊我如是荅者名為无所荅世尊如佛坐於
道場頓見法有所生滅不佛言不也世尊若法无生无滅是法可得說
斷一切不善法成就一切善法不佛言不也世尊若法不生不滅不斷一切
不善法不成就一切善法是何所見何所斷何所證何所脩何所得說是
語時虛空中万天子以天青黃赤白蓮華散佛及文殊師利上皆下札
佛及文殊師利之而作是言世尊文殊師利名為无导尸利文殊師利

BD02219 號 2　諸法無行經卷下　　(19–12)

斷一切不善法成就一切善法不佛言不也世尊若法不生不滅不斷一切
不善法不成就一切善法是何所見何所斷何所證何所脩何所得說是
語時虛空中万天子以天青黃赤白蓮華散佛及文殊師利上皆下札
佛及文殊師利之而作是言世尊文殊師利名為无导尸利文殊師利
名為不二尸利名為无餘尸利名為无所有尸利名為如尸利法性尸利
實際尸利第一尸利上尸利无上尸利文殊師利語諸天子言止止諸天
子汝等勿取相分別我不見諸法是上是中是下不如汝說文殊師利言
我是貪欲尸利瞋恚尸利愚癡尸利是故我名文殊師利諸天子我不出
貪欲瞋恚愚癡凡夫人分別諸法求過出至到諸菩薩於法无過无出
无至无到諸天子言菩薩不到十地不到佛法邪文殊師利言於諸天
子意云何幻人能到十地至佛法不諸天子言幻化人尚无住處何況起所
住地至於餘地文殊師利言諸天子一切法如幻无去无來无過无出无至
到諸天子言汝不當得阿耨多羅三藐三菩提耶文殊師利言諸天子
於意云何凡夫貪欲覆心能坐道場得一切智不諸天子言不也諸天子言文
殊師利汝今貪欲覆心是凡夫邪文殊師利言如是如是我是凡夫從貪欲
起從瞋恚起從愚癡起我是外道是邪行人諸天子言以何事故自言我
是凡夫從貪欲起瞋恚起愚癡起文殊師利言是貪欲瞋恚愚癡性十
方求之不可得我以不住法住是性中故說我是凡夫三毒所覆文殊師
利汝云何名外道文殊師利言我終不到外道諸道性不可得故我於一
切道為外諸天子言汝云何是邪行人文殊師利言我已知一切法皆是邪
虛妄不實是故我是邪行人說是法時万天子得聞是語皆得无生法
忍各作是言是諸衆生皆得大利得聞真法金剛語句何況聞已信解
受持讀誦為人解說如說脩行當得无导辯才一切法中得真慧照明
巧說諸法一相一門能示衆生一切諸法皆是佛法　　尒時華獻惠菩
薩白佛言世尊頗說入音聲慧法門今當來菩薩聞如是法不驚不怖
亦知一切音聲究竟之性不疑不悔於諸音聲无所障导佛言止止用
聞是事為是入音聲慧法門不應於新發意菩薩前說所以者何新
發意者不能解不能知不能思若菩薩摩訶薩入是音聲慧法門者
假使有人於恒河沙劫惡口罵詈誹謗毀呰是人不生恚恨若人於恒河
沙劫以一切樂具供養不生愛心譬如漏盡阿羅漢一切愛處不生愛
心一切瞋處不生瞋心善男子是音聲慧法門菩薩於利衰毀譽稱
譏苦樂等八法已過心不傾動譬如須弥山王尒時華獻惠菩薩復白

BD02219 號 2　諸法無行經卷下　　(19–13)

沙刧以一切樂具供養不生愛心辟如漏盡阿羅漢一切愛處不生愛
心一切嗔處不生嗔心善男子是音聲惠法門菩薩於利衰毀譽稱
譏苦樂等八法已過心不傾動辟如須弥山王尒時華戲惠菩薩復白
佛言願必爲說入音聲惠法門當來菩薩得聞是法門當自知過咎亦
教餘人尒時佛告華戲惠菩薩善男子汝今諦聽善思念之當爲汝
說唯然世尊佛告華戲惠菩薩若菩薩聞貪欲音聲生過咎想聞
離貪欲音聲生利益想即是不學佛法若聞嗔恚音聲生過罪想
聞離嗔恚音聲生利益想即是不學佛法若聞愚癡音聲生過罪
想於離愚癡音聲生利益想則是不學佛法若於少欲音聲生喜想
於多欲音聲生瘨想即是不行音聲法門於知足音聲生喜想於不知足
音聲生瘨想則是不行音聲法門若於細行音聲生喜想於麁行音
聲生瘨想則是不行音聲法門若於樂靜音聲則喜於憒鬧音
聲則瘨則是不學佛法若於忍辱音聲生利想於嗔恚音聲生瘨
想則不學佛法若於精進音聲生利想於懈怠音聲生瘨想則是
不學佛法於禪定音聲生利想於散乱音聲生瘨想則不學佛法於
智惠音聲生利想於愚癡音聲生瘨想則不學佛法若於近道音
聲則喜於遠道音聲則瘨則不學音聲法門於生死見過咎想於
涅槃見利益想則不學音聲法門於彼岸則喜於此岸則瘨則不學
音聲法門於聚落音聲生瘨想於空閑音聲生喜想則不學音聲
法門若於獨行音聲生喜想於衆行音聲生瘨想則不學音聲法
門於比丘所行音聲生喜想於白衣所行音聲生瘨想則不學音聲
法門於有威儀則喜於无威儀則瘨則不學佛法於清淨行則喜於
不清淨行則瘨則不學佛法於不雜行則喜於雜行則瘨則不學佛法
於離欲行則喜於不離欲行則瘨則不學佛法於離嗔想則喜於嗔
想則瘨則不學佛法於離癡想則喜於癡想則瘨則不學佛法於空想
則喜於有想則瘨則不學佛法於无想則喜於有想則瘨則不學佛法
於无作則喜於有作則瘨則不學佛法於菩薩行則喜於聲聞辟支佛
行則瘨則不學佛法若說善薩過咎則遠阿耨多羅三藐三菩提亦受
業障罪若說菩薩威儀過罪則遠阿耨多羅三藐三菩提若菩薩於
他菩薩生下想於已生勝想則爲自傷亦受業障罪若菩薩欲教餘
菩薩當生佛想然後教之菩薩若欲不捨阿耨多羅三藐三菩提不
應生心輕恚餘菩薩善男子无有威失功德如輕恚餘菩薩者是

BD02219 號 2　諸法無行經卷下　（19–14）

行則瘨則不學佛法若說菩薩過咎則遠阿耨多羅三藐三菩提亦受
業障罪若說菩薩威儀過罪則遠阿耨多羅三藐三菩提若菩薩於
他菩薩生下想於已生勝想則爲自傷亦受業障罪若菩薩欲教餘
菩薩當生佛想然後教之菩薩若欲不捨阿耨多羅三藐三菩提不
應生心輕恚餘菩薩善男子无有威失功德如輕恚餘菩薩者是
故菩薩若欲守護功德善根亦於一切法中得无障导惠應當晝夜
各三時礼一切求佛道菩薩　尒時文殊師利法王子白佛言世尊
如我知佛所說義貪欲音聲佛音聲等嗔恚音聲佛音聲
等愚癡音聲佛音聲等外道音聲佛音聲等少欲音聲多欲音
聲等知之音聲不知之音聲等麁音聲細音聲等樂獨音聲樂衆生
音聲等此岸音聲彼岸音聲等遠音聲近音聲等生死音聲
涅槃音聲等聚落音聲空音聲等布施音聲慳音聲等持戒音
聲毀戒音聲等忍辱音聲嗔恚音聲等精進音聲懈怠音聲等
禪定音聲乱意音聲等智惠音聲愚癡音聲等　尒時華戲惠
菩薩問文殊師利法王子以何因緣故皆等文殊師利言天子於意云何
貪欲音聲何者爲是天子言是貪欲音聲空如響文殊師利言汝知
佛音聲亦復云何天子言不出於空亦如響法文殊師利言以是因緣故
我說二聲皆是平等　尒時佛告文殊師利汝先世住初發意地未入
如是諸法相時爲起何障导罪汝今說之當來世假名菩薩聞汝所說障
导之罪當自守護文殊師利白佛言唯然世尊我當自說障导之罪雖聞
是者當有憂怖然其能滅業障之罪亦於一切法中得无导惠世尊有
過去无量无邊不可思議阿僧祇劫尒時有　号師子吼鼓音王如来
應供正遍知明行足善逝世間解无上士調御丈夫天人師佛世尊其佛
壽命十万億那由他歲以三乘法而度衆生國名千光明其國樹木皆七
寶成其樹皆出如是妙音所謂空音无相音无作音无生音无所有音
无取相音以是諸法之音令衆生得道其師子吼鼓音王佛初會說法九
十九億聲聞弟子皆得阿羅漢諸漏已盡捨諸重擔逮得已利盡諸
有結以正智得解脫菩薩衆亦九十九億皆得无生法忍能善入種種
法門親近供養若千百千万億諸佛亦爲若千百千万億諸佛之所稱
歎能度若干百千万億无量衆生能生无量陁羅尼門能起无量百千
万億三昧門及餘新發意菩薩者不可稱數其佛國土无量莊嚴說不
可盡彼佛住世教化已訖入无餘涅槃滅度之後法住六万歲諸樹法音
皆不能出尒時有菩薩比丘名曰喜根時爲法師質直端正不壞威儀

BD02219 號 2　諸法無行經卷下　（19–15）

法門親近供養若干百千万億諸佛亦爲若干百千万億諸佛之所稱
歎能度若干百千万億无量衆生能生无量陁羅尼門能起无量百千
万億三昧門及餘新發菩薩意者不可稱數其佛國土无量莊嚴說不
可盡彼佛住世教化已訖入无餘涅槃滅度之後法住六万歲諸樹法音
皆不能出尒時有菩薩比丘名曰喜根時爲法師質直端正不壞威儀
不捨世法尒時衆生普皆利根樂聞深論其喜根法師於衆人前不稱
讚少欲知足細行獨處但教衆人諸法實相所謂一切法性即是貪欲之
性貪欲性即是諸法性嗔恚性即是諸法性愚癡性即是諸法性其喜
根法師以是方便教化衆生衆生所行皆是一相各不相是非所行之道
心无嗔礙以无嗔礙因緣故速得法忍於佛法中決定不壞世尊尒時
復有比丘法師行菩薩道名曰勝意其勝意比丘護持禁戒得四禪四无
色定行十二頭陁世尊是勝意比丘有諸弟子其心輕動樂見他過世尊
後於一時勝意菩薩入聚落乞食誤至喜根弟子家見舍主居士子即
到其所敷座而坐爲居士子稱讚少欲知足細行說无利語過讚歎遠
衆樂獨行者又於居士子前說喜根法師過失是比丘不實行以邪見
道教化衆生是雜行者說婬欲无障㝵嗔恚无障㝵愚癡无障㝵一切
諸法皆无障㝵是居士子利根得无生法忍即語勝意比丘大德汝知
貪欲爲是何法勝意比丘言居士我知貪欲是煩惱居士子言大德是
煩惱爲在內在外耶勝意比丘言不在內不在外大德若貪欲不在內
不在外不在東西南北四維上下十方即是无生若无生者云何若垢若
淨尒時勝意比丘嗔恚不喜從坐起去作如是言是喜根比丘以妄語法
多惑衆人是人以不學入音聲法門故聞佛音聲則喜聞外道音聲則
嗔於梵行音聲則喜於非梵行音聲則嗔以不學入音聲法門故於淨
音聲則喜於垢音聲則嗔以不學入音聲法門故於道果无㝵音聲
則喜於凡夫音聲則㝵以不學入音聲法門故於樂音聲則喜於苦
音聲則㝵以不學入音聲法門故於出家音聲則喜於在家音聲則
㝵以不學入音聲法門故於出世間音聲則喜於世間音聲則㝵以不
學入音聲法門故於布施則生利想於慳則生㝵想以不學佛法故
於持戒則生利想於毀戒則生㝵想以不學佛法故是時勝意比丘出
其舍已還到所止衆僧中見喜根菩薩語衆人言是比丘多以虛妄邪
見教化衆生所謂婬欲非障㝵嗔恚非障㝵愚癡非障㝵一切法非
障㝵尒時喜根菩薩作是念是比丘今者必當起於障㝵罪業我

BD02219 號 2　諸法無行經卷下

(19–16)

其舍已還到所止衆僧中見喜根菩薩語衆人言是比丘多以虛妄邪
見教化衆生所謂婬欲非障㝵嗔恚非障㝵愚癡非障㝵一切法非
障㝵尒時喜根菩薩作是念是比丘今者必當起於障㝵罪業我
今當爲說如是深法乃至令作有助菩提道法因緣尒時喜根菩
薩於衆僧前說是諸偈
貪欲是涅槃　恚㝵亦如是　如此三事中
有无量佛道　若有人分別　貪欲嗔恚癡　是人去佛遠　譬如天与地　菩提与貪欲
是一而非二　皆入一法門　平等无有異　凡夫聞怖畏　去佛道甚遠　貪欲不生滅
不能令心惱　若人有我心　及有得見者　是人爲貪欲　將入於地獄　貪欲之實性
即是佛法性　佛法之實性　亦是貪欲性　是二法一相　所謂是无相　若能如是知
則爲世間道　若有人分別　是持戒毀戒　以持戒驕故　輕蔑於他人　是人无菩提
亦无有佛法　但自安住立　有所得見中　若住空閑處　自貴而賤人　尚不得生天
何況於菩提　皆由著空閑　住於邪見故　邪見与菩提　皆等无有異　但以名字數
語言故別異　若人通達此　則爲近菩提　分別煩惱垢　即是著淨見　无菩提佛法
住有得見中　若貪著佛法　是則遠佛法　貪无㝵法故　則還受苦惱　若人无分別
貪欲嗔恚癡　入三毒性故　則爲見菩提　是人近佛道　疾得无生忍　若見有爲法
與无爲法異　是人終不得　脫於有爲法　若知二性同　必爲人中尊　佛不見菩提
亦不見佛法　不著諸法故　降魔成佛道　若欲度衆生　勿分別其性　一切諸衆生
皆同於涅槃　若能如是見　是則得成佛　其心不閑寂　而現閑靜相　是於天人中
則爲是大賊　是人无菩提　亦无有佛法　若作如是願　我當得作佛　如是之凡夫
无明力所牽　佛法湛清淨　其喻如虛空　此中无可取　亦无有可捨　佛不得佛道
亦不度衆生　凡夫強分別　作佛度衆生　是人於佛法　則爲甚大遠　若見衆生苦
則是受苦者　衆生无衆生　而說有衆生　住衆生相中　則无有菩提　若人見衆生
是畢竟解脫　无有婬恚癡　知是爲世將　若人見衆生　不見非衆生　不得佛法實
佛同衆生性　若能如是知　則爲世間將　若人欲成佛　莫壞貪欲性　貪欲性即是
諸佛之功德　若人欲發心　隨順菩提道　若有人分別　貪欲嗔恚癡　是人去佛遠
譬如天与地　莫自有分別　心異於菩提　發心即菩提　知是爲世將　若說外道惡
稱佛世中尊　是二說非異　知是爲世將　若人求菩提　是人无菩提　若見菩提相
是則遠菩提　菩提非菩提　佛以及非佛　若如是一相　是爲世間道　若人作是念
我當度衆生　即著衆生相　是人无菩提　亦无有佛法　住於有見中　貪欲无內外
亦不在諸方　分別是空法　凡夫爲所燒　如幻如炎響　如夢石女兒　諸煩惱如是
決定不可得　不知是空故　凡夫爲誑惑　若求煩惱性　煩惱即是道　若有人分別
是道是非道　是人終不得　无分別菩提　凡夫畏佛法　去佛法甚遠　若不疑空法
是人得菩提　一切有爲法　即是无爲法　是數不可得　无數故无爲　若以菩提心

BD02219 號 2　諸法無行經卷下

(19–17)

是則遠菩提 菩提非菩提 佛以及非佛 若如是一相 是為世間道 若人作是念
我當度衆生 即著衆生相 是人无菩提 亦无有佛法 住於有見中 貪欲无內外
亦不在諸方 分別是空法 凡夫為所燒 如幻如炎響 如夢石女兒 諸煩惱如是
決定不可得 不知是空故 凡夫為誑惑 若求煩惱性 煩惱即是道 若有人分別
是道是非道 是人終不得 无分別菩提 凡夫畏佛法 去佛法甚遠 若不疑空法
是人得菩提 一切有為法 即是无為法 是數不可得 无數故无為 若以菩提心
自高无所畏 自念當作佛 是人无菩提 亦无有佛法 離菩提甚遠 若有但誦經
憶想作分別 不淨思義趣 但為貪名利 自念當作佛 必成无有疑 唯貪於名利
讀經住閑靜 分別少欲行 還為貪心牽 若欲捨遠貪 不得遠離貪 若達貪實
是人能離貪 不得法實除 雖長夜持戒 得諸无量禪 不入佛法味 知法无有性
不畏一切法 不言戒非戒 得脫有見中 以无持戒性 知於持戒法 如是知戒相
終不毀於戒 諸佛之法王 法藏叵思議 无量方便力 引導諸衆生 以一相法門
令入寂滅道 凡夫聞佛說 无我无有法 一相自性空 不信墮深坑 雖白衣受欲
聞是法不畏 勝於頭陀者 住在有見中 現在十方佛 利益諸世間 知佛如虛空
皆以得菩提 若有无智者 樂於分別法 聞是實法者 則生疑怖畏 是人无量劫
備受諸苦分 說是諸偈法時三万諸天子得无生法忍万八千人
漏盡解脫即時地裂勝意比丘墮大地獄以是業障罪因緣故百千億
那由他劫於大地獄受諸苦毒從地獄出七十四万世常被誹謗若干百
千劫乃至不聞佛之名字自是已後還得值佛出家學道而无志樂
於六十二万世返道入俗亦以業障餘罪故於若干百千世諸根闇鈍世
尊尒時喜根法師於今東方過十万億佛土有國名寶莊嚴於中得
阿耨多羅三藐三菩提号勝曰光明威德王如来應供正遍知今現在其
勝意比丘今我身是世尊我未入如是法相門時受如是苦分別若顛倒
苦是故若菩薩心者若發小乘心者不欲起如是業障罪不欲受如
是苦惱者不應拒逆佛法无有處所可生瞋㝵佛告文殊師利汝聞是諸
偈得何等利世尊我畢是業障罪已聞是偈因緣故所在生處利根
智慧得深法忍得決定忍巧說深法文殊師利為誰力故能憶如是无
量阿僧祇劫罪業因緣世尊諸菩薩有所念有所說有所思惟皆
是佛之神力所以者何一切諸法皆從佛出 佛告文殊師利若得佛
十力若有聞是經者等无有異若得无生法忍聞是經者亦等无異文
殊師利言如我知佛所說義聞此經者得无量不思議功德之利文殊師
利如是如是聞是經者得无量不可思議功德之利但佛不廣說何以故
不脩道不精進者如是惡人聞說是利則不能信受尒時文殊師利法

BD02219 號 2　諸法無行經卷下

(19–18)

阿耨多羅三藐三菩提号勝曰光明威德王如来應供正遍知今現在其
勝意比丘今我身是世尊我未入如是法相門時受如是苦分別若顛倒
苦是故若菩薩心者若發小乘心者不欲起如是業障罪不欲受如
是苦惱者不應拒逆佛法无有處所可生瞋㝵佛告文殊師利汝聞是諸
偈得何等利世尊我畢是業障罪已聞是偈因緣故所在生處利根
智慧得深法忍得決定忍巧說深法文殊師利為誰力故能憶如是无
量阿僧祇劫罪業因緣世尊諸菩薩有所念有所說有所思惟皆
是佛之神力所以者何一切諸法皆從佛出 佛告文殊師利若得佛
十力若有聞是經者等无有異若得无生法忍聞是經者亦等无異文
殊師利言如我知佛所說義聞此經者得无量不思議功德之利文殊師
利如是如是聞是經者得无量不可思議功德之利但佛不廣說何以故
不脩道不精進者如是惡人聞說是利則不能信受尒時文殊師利法
王子及弥勒菩薩白佛言世尊念護是經於未來世後五百歲當令
此經普宣流布皆得受持魔若魔天不得其便尒時佛欲護念是
法故左右顧視即時十方恒河沙无量國土六種震動如是則為護念
是經及十方恒河沙諸佛亦護念是經說是經時十方國土中恒河沙
等无量衆生得无生法忍何況得聲聞无學者何況住學地者
尒時阿難即從座起偏袒右肩白佛言世尊當以何名此經云何奉持
佛告阿難是經名為諸法无行說是經已文殊師利法王子弥勒菩薩
摩訶薩師子遊步菩薩摩訶薩華戩惠天子等一切菩薩及衆阿
難天人阿脩羅聞佛所說皆大歡喜

諸法无行經卷下

BD02219 號 2　諸法無行經卷下

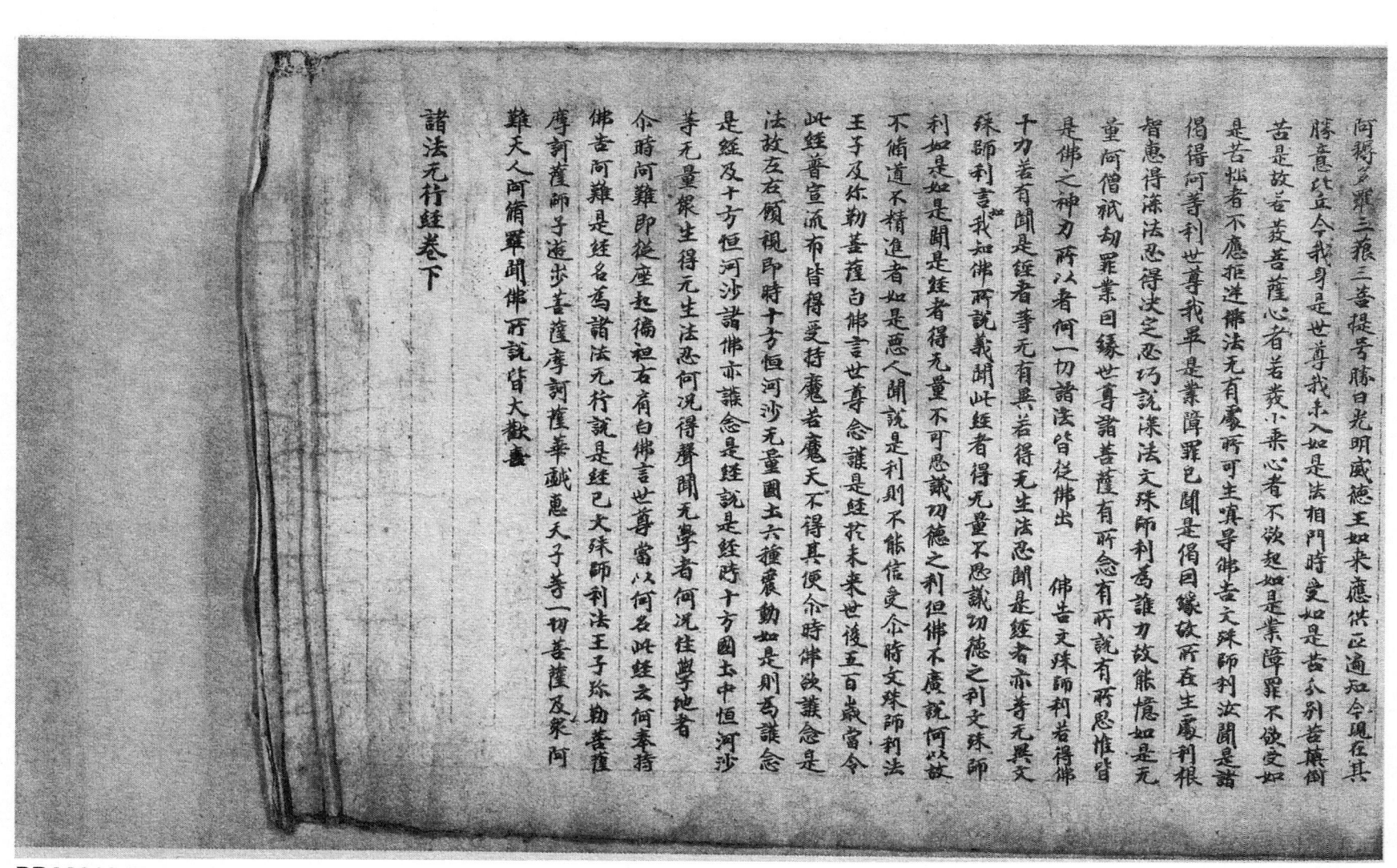

(19–19)

如是不思惟於外空乃至无性自
性空
甚深般若波羅蜜多於真如不思惟一切相
亦不思惟一切所緣如是不思惟真如於法
界法性不虛妄性不變異性平等性離生性
法定法住實際虛空界不思議界不思
切相亦不思惟一切所緣如是不思惟法界
乃至不思議界甚深般若波羅蜜多於苦聖
諦不思惟一切相亦不思惟一切所緣如是
不思惟苦聖諦於集滅道聖諦不思惟一切
相亦不思惟一切所緣如是不思惟集滅道
聖諦甚深般若波羅蜜多於四靜慮不思惟
一切相亦不思惟一切所緣如是不思惟四靜
慮於四无量四无色定不思惟一切相亦不
思惟一切所緣如是不思惟四无量四无
色定甚深般若波羅蜜多於八解脫不思惟
一切相亦不思惟一切所緣如是不思惟八解
脫於八勝處九次第定十遍處不思惟一
切相亦不思惟一切所緣如是不思惟八勝
處九次第定十遍處甚深般若波羅蜜多於
四念住不思惟一切相亦不思惟一切所緣
如是不思惟四念住於四正斷四神足五根

BD02220 號　大般若波羅蜜多經卷三五二　（20–1）

切相亦不思惟一切所緣如是不思惟八勝
處九次第定十遍處甚深般若波羅蜜多於
四念住不思惟一切相亦不思惟一切所緣
如是不思惟四念住於四正斷四神足五根
五力七等覺支八聖道支不思惟一切相亦
不思惟一切所緣如是不思惟四正斷乃至
八聖道支甚深般若波羅蜜多於空解脫門
不思惟一切相亦不思惟一切所緣如是不
思惟空解脫門於无相无願解脫門不思惟
一切相亦不思惟一切所緣如是不思惟无相
无願解脫門甚深般若波羅蜜多於五眼不
思惟一切相亦不思惟一切所緣如是不思
惟五眼於六神通不思惟一切相亦不思惟
一切所緣如是不思惟六神通甚深般若波
羅蜜多於佛十力不思惟一切相亦不思惟
一切所緣如是不思惟佛十力於四无所畏
四无礙解大慈大悲大喜大捨十八佛不共
法不思惟一切相亦不思惟一切所緣如是
不思惟四无所畏乃至十八佛不共法甚深
般若波羅蜜多於无忘失法不思惟一切相
亦不思惟一切所緣如是不思惟无忘失法
於恒住捨性不思惟一切相亦不思惟一切
所緣如是不思惟恒住捨性甚深般若波
羅蜜多於一切智不思惟一切相亦不思惟一
切所緣如是不思惟一切智於道相智一切
相智不思惟一切相亦不思惟一切所緣如

BD02220 號　大般若波羅蜜多經卷三五二　（20–2）

所緣如是不思惟相住捨性甚深般若波
羅蜜多於一切智不思惟一切相亦不思惟一
切所緣如是不思惟一切智於道相智一切
相智不思惟一切相亦不思惟一切所緣如
是不思惟道相智一切相智甚深般若波羅
蜜多於一切陁羅尼門不思惟一切相亦不
思惟一切所緣如是不思惟一切陁羅尼門
於一切三摩地門不思惟一切相亦不思惟
一切所緣如是不思惟一切三摩地門甚深
般若波羅蜜多於預流果不思惟一切相亦
不思惟一切所緣如是不思惟預流果於一
來不還阿羅漢果不思惟一切相亦不思惟
一切所緣如是不思惟一來不還阿羅漢果
甚深般若波羅蜜多於獨覺菩提不思惟
一切相亦不思惟一切所緣如是不思惟獨覺
菩提甚深般若波羅蜜多於一切菩薩摩訶
薩行不思惟一切相亦不思惟一切所緣如
是不思惟一切菩薩摩訶薩行甚深般若波
羅蜜多於諸佛无上正等菩提不思惟一切
相亦不思惟一切所緣如是不思惟諸佛无
上正等菩提
具壽善現復白佛言世尊若菩薩摩訶薩
不思惟色亦不思惟受想行識云何增長所
種善根若不增長所種善根云何圓滿波羅蜜
多若不圓滿波羅蜜多云何能得一切智智
世尊若菩薩摩訶薩不思惟眼處亦不思惟
耳鼻舌身意處云何增長所種善根若不增

BD02220號　大般若波羅蜜多經卷三五二　（20–3）

不思惟色亦不思惟受想行識云何增長所
種善根若不增長所種善根云何圓滿波羅蜜
多若不圓滿波羅蜜多云何能得一切智智
世尊若菩薩摩訶薩不思惟眼處亦不思惟
耳鼻舌身意處云何增長所種善根若不增
長所種善根云何圓滿波羅蜜多若不圓滿
波羅蜜多云何能得一切智智世尊若菩薩
摩訶薩不思惟色處亦不思惟聲香味觸法
處云何增長所種善根若不增長所種善根
云何圓滿波羅蜜多若不圓滿波羅蜜多云
何能得一切智智世尊若菩薩摩訶薩不思
惟眼界亦不思惟耳鼻舌身意界云何增長
所種善根若不增長所種善根云何圓滿波
羅蜜多若不圓滿波羅蜜多云何能得一切
智智世尊若菩薩摩訶薩不思惟色界亦不
思惟聲香味觸法界云何增長所種善根若
不增長所種善根云何圓滿波羅蜜多若不
圓滿波羅蜜多云何能得一切智智世尊若
菩薩摩訶薩不思惟眼識界亦不思惟耳鼻
舌身意識界云何增長所種善根若不增長
所種善根云何圓滿波羅蜜多若不圓滿波
羅蜜多云何能得一切智智世尊若菩薩摩
訶薩不思惟眼觸亦不思惟耳鼻舌身意觸
云何增長所種善根若不增長所種善根云
何圓滿波羅蜜多若不圓滿波羅蜜多云何
能得一切智智世尊若菩薩摩訶薩不思惟
眼觸為緣所生諸受亦不思惟耳鼻舌身意

BD02220號　大般若波羅蜜多經卷三五二　（20–4）

云何增長所種善根若不增長所種善根云
何圓滿波羅蜜多若不圓滿波羅蜜多云何
能得一切智智世尊若菩薩摩訶薩不思惟
眼觸為緣所生諸受亦不思惟耳鼻舌身意
觸為緣所生諸受云何增長所種善根若不
增長所種善根云何圓滿波羅蜜多若不圓
滿波羅蜜多云何能得一切智智世尊若菩
薩摩訶薩不思惟地界亦不思惟水火風空
識界云何增長所種善根若不增長所種善
根云何圓滿波羅蜜多若不圓滿波羅蜜多
云何能得一切智智世尊若菩薩摩訶薩不
思惟无明亦不思惟行識名色六處觸受愛
取有生老死愁歎苦憂惱云何增長所種善
根若不增長所種善根云何圓滿波羅蜜多
若不圓滿波羅蜜多云何能得一切智智世
尊若菩薩摩訶薩不思惟布施波羅蜜多亦
不思惟淨戒安忍精進靜慮般若波羅蜜多
云何增長所種善根若不增長所種善根云
何圓滿波羅蜜多若不圓滿波羅蜜多云何
能得一切智智世尊若菩薩摩訶薩不思惟
內空亦不思惟外空內外空空空大空勝義
空有為空无為空畢竟空无際空散空无變
異空本性空自相空共相空一切法空不可
得空无性空自性空无性自性空云何增長
所種善根若不增長所種善根云何圓滿波
羅蜜多若不圓滿波羅蜜多云何能得一切
智智世尊若菩薩摩訶薩不思惟真如亦不

BD02220 號　大般若波羅蜜多經卷三五二　（20–5）

所種善根若不增長所種善根云何圓滿波
羅蜜多若不圓滿波羅蜜多云何能得一切
智智世尊若菩薩摩訶薩不思惟真如亦不
思惟法界法性不虛妄性不變異性平等性
離生性法定法住實際虛空界不思議界云
何增長所種善根若不增長所種善根云何
圓滿波羅蜜多若不圓滿波羅蜜多云何能
得一切智智世尊若菩薩摩訶薩不思惟
苦聖諦亦不思惟集滅道聖諦云何增長所
種善根若不增長所種善根云何圓滿波羅
蜜多若不圓滿波羅蜜多云何能得一切智智
世尊若菩薩摩訶薩不思惟四靜慮亦不思
惟四无量四无色定云何增長所種善根若
不增長所種善根云何圓滿波羅蜜多若不
圓滿波羅蜜多云何能得一切智智世尊若
菩薩摩訶薩不思惟八解脫亦不思惟八勝
處九次第定十遍處云何增長所種善根若
不增長所種善根云何圓滿波羅蜜多若不
圓滿波羅蜜多云何能得一切智智世尊若
菩薩摩訶薩不思惟四念住亦不思惟四正
斷四神足五根五力七等覺支八聖道支云
何增長所種善根若不增長所種善根云何
圓滿波羅蜜多若不圓滿波羅蜜多云何能
得一切智智世尊若菩薩摩訶薩不思惟空
解脫門亦不思惟无相无願解脫門云何增
長所種善根若不增長所種善根云何圓滿

BD02220 號　大般若波羅蜜多經卷三五二　（20–6）

得一切智智世尊若菩薩摩訶薩不思惟空
解脫門亦不思惟无相无願解脫門云何增
長所種善根若不增長所種善根云何圓滿
波羅蜜多若不圓滿波羅蜜多云何能得一
切智智世尊若菩薩摩訶薩不思惟五眼亦
不思惟六神通云何增長所種善根若不增
長所種善根云何圓滿波羅蜜多若不圓滿
波羅蜜多云何能得一切智智世尊若菩薩
摩訶薩不思惟佛十力亦不思惟四无所畏
四无礙解大慈大悲大喜大捨十八佛不共
法云何增長所種善根若不增長所種善根
云何圓滿波羅蜜多若不圓滿波羅蜜多云
何能得一切智智世尊若菩薩摩訶薩不思
惟无忘失法亦不思惟恒住捨性云何增長
所種善根若不增長所種善根云何圓滿波
羅蜜多若不圓滿波羅蜜多云何能得一切
智智世尊若菩薩摩訶薩不思惟一切智亦
不思惟道相智一切相智云何增長所種善
根若不增長所種善根云何圓滿波羅蜜多
若不圓滿波羅蜜多云何能得一切智智世
尊若菩薩摩訶薩不思惟一切陁羅尼門亦
不思惟一切三摩地門云何增長所種善根若
不增長所種善根云何圓滿波羅蜜多若不
圓滿波羅蜜多云何能得一切智智世尊
若菩薩摩訶薩不思惟預流果亦不思惟一
來不還阿羅漢果云何增長所種善根若不
[illegible]

BD02220號　大般若波羅蜜多經卷三五二　（20–7）

圓滿波羅蜜多云何能得一切智智世尊
若菩薩摩訶薩不思惟預流果亦不思惟一
來不還阿羅漢果云何增長所種善根若不
增長所種善根云何圓滿波羅蜜多若不圓
滿波羅蜜多云何能得一切智智世尊若菩
薩摩訶薩不思惟獨覺菩提云何增長所種
善根若不增長所種善根云何圓滿波羅蜜
多若不圓滿波羅蜜多云何能得一切智智
世尊若菩薩摩訶薩不思惟一切菩薩摩訶
薩行云何增長所種善根若不增長所種善
根云何圓滿波羅蜜多若不圓滿波羅蜜多
云何能得一切智智世尊若菩薩摩訶薩不
思惟諸佛无上正等菩提云何增長所種善
根若不增長所種善根云何圓滿波羅蜜多
若不圓滿波羅蜜多云何能得一切智智
佛言善現若時菩薩摩訶薩不思惟色亦不
思惟受想行識是時菩薩摩訶薩便能增長
所種善根所種善根增長故便能圓滿波
羅蜜多波羅蜜多得圓滿故便能證得一切
智智善現若時菩薩摩訶薩不思惟眼處亦
不思惟耳鼻舌身意處是時菩薩摩訶薩便
能增長所種善根所種善根得增長故便能
圓滿波羅蜜多波羅蜜多得圓滿故便能證
得一切智智善現若時菩薩摩訶薩不思惟
色處亦不思惟聲香味觸法處是時菩薩摩
訶薩便能增長所種善根所種善根得增長
故便能圓滿波羅蜜多波羅蜜多得圓滿故

BD02220號　大般若波羅蜜多經卷三五二　（20–8）

訶薩便能增長所種善根所種善根得增長
故便能圓滿波羅蜜多得圓滿故
便能證得一切智智善現若時菩薩摩訶薩
不思惟眼界亦不思惟耳鼻舌身意界是時
菩薩摩訶薩便能增長所種善根所種善根
得增長故便能圓滿波羅蜜多波羅蜜多得
圓滿故便能證得一切智智善現若時菩薩
摩訶薩不思惟色界亦不思惟聲香味觸法
界是時菩薩摩訶薩便能增長所種善根
所種善根得增長故便能圓滿波羅蜜多波羅
蜜多得圓滿故便能證得一切智智善現若
時菩薩摩訶薩不思惟眼識界亦不思惟耳
鼻舌身意識界是時菩薩摩訶薩便能增
長所種善根所種善根得增長故便能圓滿波
羅蜜多波羅蜜多得圓滿故便能證得一切
智智善現若時菩薩摩訶薩不思惟眼觸亦
不思惟耳鼻舌身意觸是時菩薩摩訶薩便
能增長所種善根所種善根得增長故便能
圓滿波羅蜜多得圓滿故便能證
得一切智智善現若時菩薩摩訶薩不思惟
眼觸為緣所生諸受亦不思惟耳鼻舌身意
觸為緣所生諸受是時菩薩摩訶薩便能增
長所種善根所種善根得增長故便能圓滿
波羅蜜多波羅蜜多得圓滿故便能證得一
切智智善現若時菩薩摩訶薩不思惟地界
亦不思惟水火風空識界是時菩薩摩訶薩
便能增長所種善根所種善根得增長故便

BD02220號　大般若波羅蜜多經卷三五二　（20–9）

切智智善現若時菩薩摩訶薩不思惟地界
亦不思惟水火風空識界是時菩薩摩訶薩
便能增長所種善根所種善根得增長故便
能圓滿波羅蜜多波羅蜜多得圓滿故便能
證得一切智智善現若時菩薩摩訶薩不思
惟无明亦不思惟行識名色六處觸受愛取
有生老死愁歎苦憂惱是時菩薩摩訶薩
便能增長所種善根所種善根得增長故便能
圓滿波羅蜜多波羅蜜多得圓滿故便能證
得一切智智善現若時菩薩摩訶薩不思惟
布施波羅蜜多亦不思惟淨戒安忍精進靜
慮般若波羅蜜多是時菩薩摩訶薩便能增
長所種善根所種善根得增長故便能圓滿
波羅蜜多波羅蜜多得圓滿故便能證得一
切智智善現若時菩薩摩訶薩不思惟內空
亦不思惟外空內外空空空大空勝義空有
為空无為空畢竟空无際空散空无變異空
本性空自相空共相空一切法空不可得空
无性空自性空无性自性空是時菩薩摩訶
薩便能增長所種善根所種善根得增長故
便能圓滿波羅蜜多波羅蜜多得圓滿故便
能證得一切智智善現若時菩薩摩訶薩不
思惟真如亦不思惟法界法性不虛妄性不
變異性平等性離生性法定法住實際虛空
界不思議界是時菩薩摩訶薩便能增長所
種善根所種善根得增長故便能圓滿波羅

BD02220號　大般若波羅蜜多經卷三五二　（20–10）

變異性平等性離生性法定法住實際虛空
界不思議界是時菩薩摩訶薩便能增長
種善根所種善根得增長故便能圓滿波羅
蜜多波羅蜜多得圓滿故便能證得一切智
智善現若時菩薩摩訶薩不思惟苦聖諦亦
不思惟集滅道聖諦是時菩薩摩訶薩便能
增長所種善根所種善根得增長故便能圓
滿波羅蜜多波羅蜜多得圓滿故便能證得
一切智智善現若時菩薩摩訶薩不思惟四
靜慮亦不思惟四無量四無色定是時菩薩
摩訶薩便能增長所種善根所種善根得增
長故便能圓滿波羅蜜多波羅蜜多得圓滿
故便能證得一切智智善現若時菩薩摩訶
薩不思惟八解脫亦不思惟八勝處九次第
定十遍處是時菩薩摩訶薩便能增長所
種善根所種善根得增長故便能圓滿波羅蜜
多波羅蜜多得圓滿故便能證得一切智智
善現若時菩薩摩訶薩不思惟四念住亦
不思惟四正斷四神足五根五力七等覺支
八聖道支是時菩薩摩訶薩便能增長所種
善根所種善根得增長故便能圓滿波羅蜜
多波羅蜜多得圓滿故便能證得一切智智善
現若時菩薩摩訶薩不思惟空解脫門亦不
思惟無相無願解脫門是時菩薩摩訶薩便
能增長所種善根所種善根得增長故便能
圓滿波羅蜜多波羅蜜多得圓滿故便能證
得一切智智善現若時菩薩摩訶薩不思惟

BD02220 號　大般若波羅蜜多經卷三五二　（20–11）

思惟無相無願解脫門是時菩薩摩訶薩便
能增長所種善根所種善根得增長故便能
圓滿波羅蜜多波羅蜜多得圓滿故便能證
得一切智智善現若時菩薩摩訶薩不思惟
五眼亦不思惟六神通是時菩薩摩訶薩便
能增長所種善根所種善根得增長故便能
圓滿波羅蜜多波羅蜜多得圓滿故便能證
得一切智智善現若時菩薩摩訶薩不思惟
佛十力亦不思惟四無所畏四無礙解大慈
大悲大喜大捨十八佛不共法是時菩薩摩
訶薩便能增長所種善根所種善根得增長
故便能圓滿波羅蜜多波羅蜜多得圓滿故
便能證得一切智智善現若時菩薩摩訶薩
不思惟無忘失法亦不思惟恒住捨性是時
菩薩摩訶薩便能增長所種善根所種善根
得增長故便能圓滿波羅蜜多波羅蜜多得
圓滿故便能證得一切智智善現若時菩薩
摩訶薩不思惟一切智亦不思惟道相智一
切相智是時菩薩摩訶薩便能增長所種善
根所種善根得增長故便能圓滿波羅蜜多
波羅蜜多得圓滿故便能證得一切智智善
現若時菩薩摩訶薩不思惟一切陀羅尼門
亦不思惟一切三摩地門是時菩薩摩訶薩
便能增長所種善根所種善根得增長故便
能圓滿波羅蜜多波羅蜜多得圓滿故便能
證得一切智智善現若時菩薩摩訶薩不思
惟預流果亦不思惟一來不還阿羅漢果是

BD02220 號　大般若波羅蜜多經卷三五二　（20–12）

能圓滿波羅蜜多得圓滿故便能
證得一切智智善現若時菩薩摩訶薩不思
惟預流果亦不思惟一來不還阿羅漢果是
時菩薩摩訶薩便能增長所種善根所種善
根得增長故便能圓滿波羅蜜多波羅蜜多
得圓滿故便能證得一切智智善現若時菩
薩摩訶薩不思惟獨覺菩提是時菩薩摩
訶薩便能增長所種善根所種善根得增長
故便能圓滿波羅蜜多波羅蜜多得圓滿故便
能證得一切智智善現若時菩薩摩訶薩不
思惟一切菩薩摩訶薩行是時菩薩摩訶薩
便能增長所種善根所種善根得增長故便
能圓滿波羅蜜多波羅蜜多得圓滿故便能
證得一切智智善現若時菩薩摩訶薩不思
惟諸佛无上正等菩提是時菩薩摩訶薩便
能增長所種善根所種善根得增長故便能
圓滿波羅蜜多波羅蜜多得圓滿故便能證
得一切智智
所以者何善現諸菩薩摩訶薩要不思惟色
亦不思惟受想行識乃能具足脩諸菩薩摩
訶薩行證得無上正等菩提善現諸菩薩摩
訶薩要不思惟眼處亦不思惟耳鼻舌身意
處乃能具足脩諸菩薩摩訶薩行證得无上
正等菩提善現諸菩薩摩訶薩要不思惟色
處亦不思惟聲香味觸法處乃能具足脩諸
菩薩摩訶薩行證得无上正等菩提善現諸
菩薩摩訶薩要不思惟眼界亦不思惟耳鼻

BD02220號　大般若波羅蜜多經卷三五二　（20-13）

正等菩提善現諸菩薩摩訶薩要不思惟色
處亦不思惟聲香味觸法處乃能具足脩諸
菩薩摩訶薩行證得无上正等菩提善現諸
菩薩摩訶薩要不思惟眼界亦不思惟耳鼻
舌身意界乃能具足脩諸菩薩摩訶薩行證
得无上正等菩提善現諸菩薩摩訶薩要不
思惟色界亦不思惟聲香味觸法界乃能具
足脩諸菩薩摩訶薩行證得无上正等菩提
善現諸菩薩摩訶薩要不思惟眼識界亦不
思惟耳鼻舌身意識界乃能具足脩諸菩薩
摩訶薩行證得无上正等菩提善現諸菩薩
摩訶薩要不思惟眼觸亦不思惟耳鼻舌身
意觸乃能具足脩諸菩薩摩訶薩行證得无
上正等菩提善現諸菩薩摩訶薩要不思惟
眼觸為緣所生諸受亦不思惟耳鼻舌身意
觸為緣所生諸受乃能具足脩諸菩薩摩訶
薩行證得无上正等菩提善現諸菩薩摩訶
薩要不思惟地界亦不思惟水火風空識界
乃能具足脩諸菩薩摩訶薩行證得无上正
等菩提善現諸菩薩摩訶薩要不思惟无明
亦不思惟行識名色六處觸受愛取有生老
死愁歎苦憂惱乃能具足脩諸菩薩摩訶薩
行證得无上正等菩提善現諸菩薩摩訶
薩要不思惟布施波羅蜜多亦不思惟淨戒
安忍精進靜慮般若波羅蜜多乃能具足脩諸
菩薩摩訶薩行證得无上正等菩提善現
諸菩薩摩訶薩要不思惟內空亦不思惟外空

BD02220號　大般若波羅蜜多經卷三五二　（20-14）

安忍精進靜慮般若波羅蜜多乃能具足脩諸
菩薩摩訶薩行證得无上正等菩提善現
諸菩薩摩訶薩要不思惟內空亦不思惟外空
內外空空空大空勝義空有為空无為空畢
竟空无際空散空无變異空本性空自相空
共相空一切法空不可得空无性空自性空
无性自性空乃能具足脩諸菩薩摩訶薩行
證得无上正等菩提善現諸菩薩摩訶薩要
不思惟真如亦不思惟法界法性不虛妄性
不變異性平等性離生性法定法住實際虛
空界不思議界乃能具足脩諸菩薩摩訶薩
行證得無上正等菩提善現諸菩薩摩訶薩
要不思惟苦聖諦亦不思惟集滅道聖諦乃
能具足脩諸菩薩摩訶薩行證得无上正等
菩提善現諸菩薩摩訶薩要不思惟四靜慮
亦不思惟四无量四无色定乃能具足脩諸
菩薩摩訶薩行證得无上正等菩提善現諸
菩薩摩訶薩要不思惟八解脫亦不思惟八
勝處九次第定十遍處乃能具足脩諸菩薩
摩訶薩行證得无上正等菩提善現諸菩薩
摩訶薩要不思惟四念住亦不思惟四正斷
四神足五根五力七等覺支八聖道支乃能
具足脩諸菩薩摩訶薩行證得无上正等菩
提善現諸菩薩摩訶薩要不思惟空解脫門
亦不思惟无相无願解脫門乃能具足脩諸
菩薩摩訶薩行證得无上正等菩提善現諸

BD02220號　大般若波羅蜜多經卷三五二　（20–15）

提善現諸菩薩摩訶薩要不思惟空解脫門
亦不思惟无相无願解脫門乃能具足脩諸
菩薩摩訶薩行證得无上正等菩提善現諸
菩薩摩訶薩要不思惟五眼亦不思惟六神
通乃能具足脩諸菩薩摩訶薩行證得无上
正等菩提善現諸菩薩摩訶薩要不思惟佛
十力亦不思惟四无所畏四无礙解大慈大
悲大喜大捨十八佛不共法乃能具足脩諸
菩薩摩訶薩行證得无上正等菩提善現諸
菩薩摩訶薩要不思惟无忘失法亦不思惟
恒住捨性乃能具足脩諸菩薩摩訶薩行證
得无上正等菩提善現諸菩薩摩訶薩要不
思惟一切智亦不思惟道相智一切相智乃
能具足脩諸菩薩摩訶薩行證得无上正等
菩提善現諸菩薩摩訶薩要不思惟一切陀
羅尼門亦不思惟一切三摩地門乃能具足
脩諸菩薩摩訶薩行證得无上正等菩提善
現諸菩薩摩訶薩要不思惟預流果亦不思
惟一來不還阿羅漢果乃能具足脩諸菩薩
摩訶薩行證得无上正等菩提善現諸菩薩
摩訶薩要不思惟獨覺菩提乃能具足脩諸
菩薩摩訶薩行證得无上正等菩提善現
菩薩摩訶薩要不思惟一切菩薩摩訶薩行
乃能具足脩諸菩薩摩訶薩行證得无上正
等菩提善現諸菩薩摩訶薩要不思惟諸佛
无上正等菩提乃能具足脩諸菩薩摩訶薩
行證得无上正等菩提

BD02220號　大般若波羅蜜多經卷三五二　（20–16）

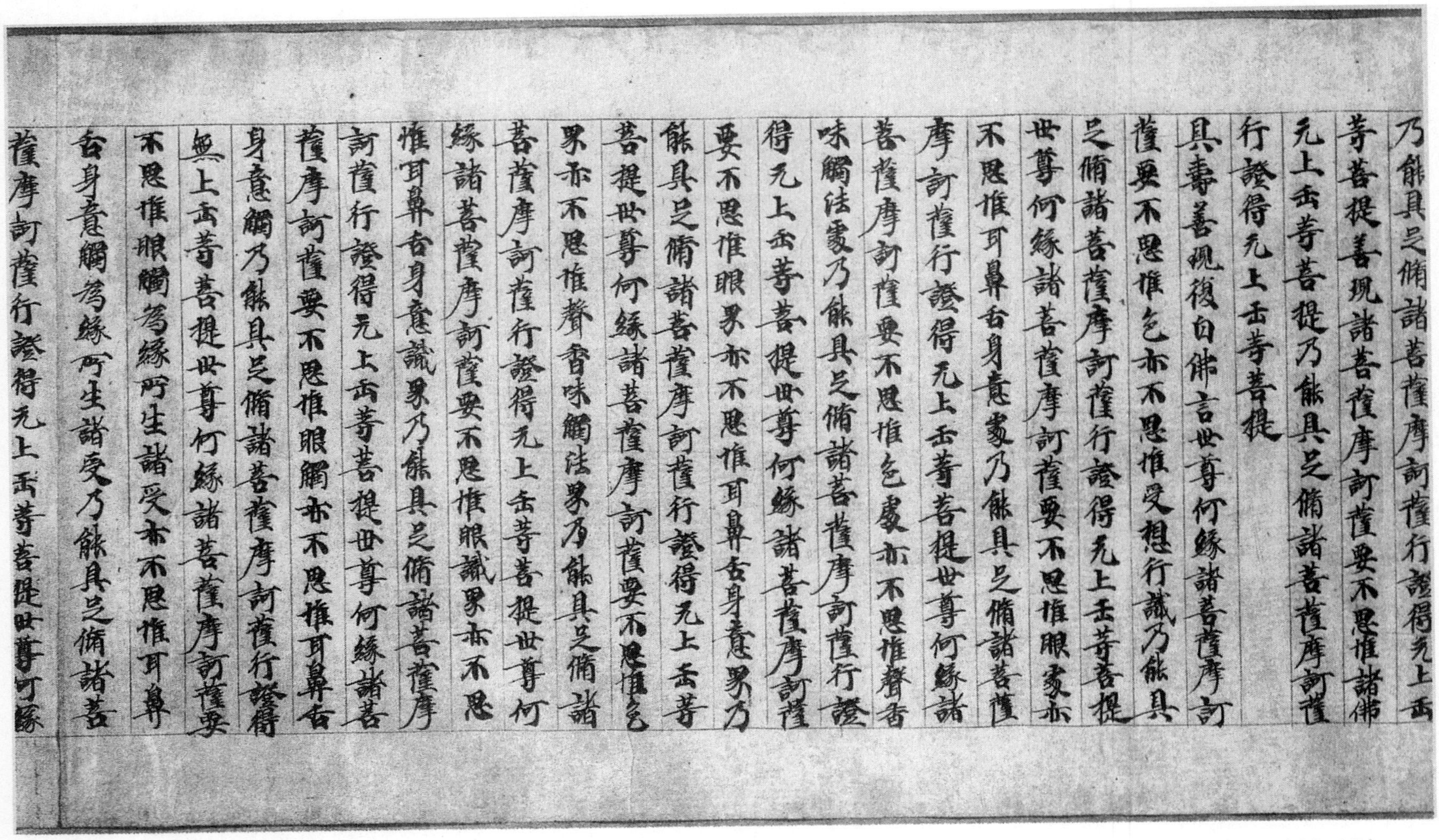

乃能具足修諸菩薩摩訶薩行證得无上正
等菩提善現諸菩薩摩訶薩要不思惟諸佛
无上正等菩提乃能具足修諸菩薩摩訶薩
行證得无上正等菩提
具壽善現復白佛言世尊何緣諸菩薩摩訶
薩要不思惟色亦不思惟受想行識乃能具
足修諸菩薩摩訶薩行證得无上正等菩提
世尊何緣諸菩薩摩訶薩要不思惟眼處亦
不思惟耳鼻舌身意處乃能具足修諸菩薩
摩訶薩行證得无上正等菩提世尊何緣諸
菩薩摩訶薩要不思惟色處亦不思惟聲香
味觸法處乃能具足修諸菩薩摩訶薩行證
得无上正等菩提世尊何緣諸菩薩摩訶薩
要不思惟眼界亦不思惟耳鼻舌身意界乃
能具足修諸菩薩摩訶薩行證得无上正等
菩提世尊何緣諸菩薩摩訶薩要不思惟色
界亦不思惟聲香味觸法界乃能具足修諸
菩薩摩訶薩行證得无上正等菩提世尊何
緣諸菩薩摩訶薩要不思惟眼識界亦不思
惟耳鼻舌身意識界乃能具足修諸菩薩摩
訶薩行證得无上正等菩提世尊何緣諸菩
薩摩訶薩要不思惟眼觸亦不思惟耳鼻舌
身意觸乃能具足修諸菩薩摩訶薩行證得
無上正等菩提世尊何緣諸菩薩摩訶薩要
不思惟眼觸為緣所生諸受亦不思惟耳鼻
舌身意觸為緣所生諸受乃能具足修諸菩
薩摩訶薩行證得无上正等菩提世尊何緣

BD02220號　大般若波羅蜜多經卷三五二　（20–17）

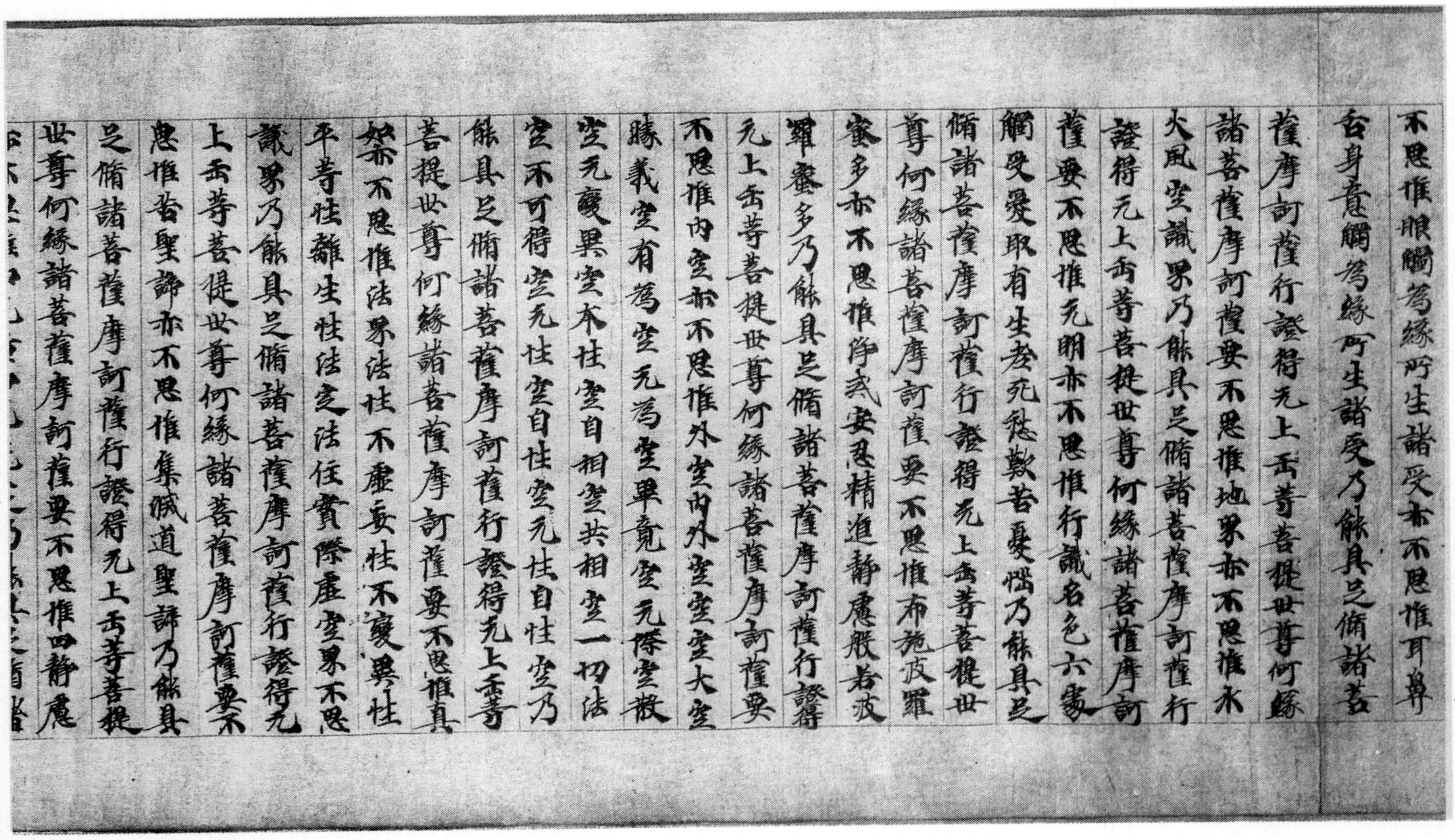

不思惟眼觸為緣所生諸受亦不思惟耳鼻
舌身意觸為緣所生諸受乃能具足修諸菩
薩摩訶薩行證得无上正等菩提世尊何緣
諸菩薩摩訶薩要不思惟地界亦不思惟水
火風空識界乃能具足修諸菩薩摩訶薩行
證得无上正等菩提世尊何緣諸菩薩摩訶
薩要不思惟无明亦不思惟行識名色六處
觸受愛取有生老死愁歎苦憂惱乃能具足
修諸菩薩摩訶薩行證得无上正等菩提世
尊何緣諸菩薩摩訶薩要不思惟布施波羅
蜜多亦不思惟淨戒安忍精進靜慮般若波
羅蜜多乃能具足修諸菩薩摩訶薩行證得
无上正等菩提世尊何緣諸菩薩摩訶薩要
不思惟內空亦不思惟外空內外空空空大空
勝義空有為空无為空畢竟空无際空散
空无變異空本性空自相空共相空一切法
空不可得空无性空自性空无性自性空乃
能具足修諸菩薩摩訶薩行證得无上正等
菩提世尊何緣諸菩薩摩訶薩要不思惟真
如亦不思惟法界法性不虛妄性不變異性
平等性離生性法定法住實際虛空界不思
議界乃能具足修諸菩薩摩訶薩行證得无
上正等菩提世尊何緣諸菩薩摩訶薩要不
思惟苦聖諦亦不思惟集滅道聖諦乃能具
足修諸菩薩摩訶薩行證得无上正等菩提
世尊何緣諸菩薩摩訶薩要不思惟四靜慮
[illegible]

BD02220號　大般若波羅蜜多經卷三五二　（20–18）

患惟苦聖諦亦不思惟集滅道聖諦乃能具
足脩諸菩薩摩訶薩行證得无上正等菩提
世尊何緣諸菩薩摩訶薩要不思惟四靜慮
亦不思惟四无量四无色定乃能具足脩諸
菩薩摩訶薩行證得无上正等菩提世尊何
緣諸菩薩摩訶薩要不思惟八解脫亦不思
惟八勝處九次第定十遍處乃能具足脩諸
菩薩摩訶薩行證得无上正等菩提世尊何
緣諸菩薩摩訶薩要不思惟四念住亦不思
惟四正斷四神足五根五力七等覺支八聖
道支乃能具足脩諸菩薩摩訶薩行證得无
上正等菩提世尊何緣諸菩薩摩訶薩要不
思惟空解脫門亦不思惟无相无願解脫門乃
能具足脩諸菩薩摩訶薩行證得无上正
等菩提世尊何緣諸菩薩摩訶薩要不思惟
五眼亦不思惟六神通乃能具足脩諸菩薩
摩訶薩行證得无上正等菩提世尊何緣諸
菩薩摩訶薩要不思惟佛十力亦不思惟四
无所畏四无礙解大慈大悲大喜大捨十八
佛不共法乃能具足脩諸菩薩摩訶薩行證
得无上正等菩提世尊何緣諸菩薩摩訶薩
要不思惟无忘失法亦不思惟恒住捨性乃
能具足脩諸菩薩摩訶薩行證得无上正等
菩提世尊何緣諸菩薩摩訶薩要不思惟一
切智亦不思惟道相智一切相智乃能具足
脩諸菩薩摩訶薩行證得無上正等菩提世
尊何緣諸菩薩摩訶薩要不思惟一切陁羅

BD02220號　大般若波羅蜜多經卷三五二　（20–19）

菩提世尊何緣諸菩薩摩訶薩要不思惟一
切智亦不思惟道相智一切相智乃能具足
脩諸菩薩摩訶薩行證得無上正等菩提世
尊何緣諸菩薩摩訶薩要不思惟一切陁羅
尼門亦不思惟一切三摩地門乃能具足脩
諸菩薩摩訶薩行證得无上正等菩提世尊
何緣諸菩薩摩訶薩要不思惟預流果亦不
思惟一來不還阿羅漢果乃能具足脩諸菩
薩摩訶薩行證得无上正等菩提世尊何緣
諸菩薩摩訶薩要不思惟獨覺菩提乃能具
足脩諸菩薩摩訶薩行證得无上正等菩提
世尊何緣諸菩薩摩訶薩要不思惟一切菩
薩摩訶薩行乃能具足脩諸菩薩摩訶薩行
證得无上正等菩提世尊何緣諸菩薩摩訶
薩要不思惟諸佛无上正等菩提乃能具足
脩諸菩薩摩訶薩行證得无上正等菩提

大般若波羅蜜多經卷第三百五十二

法應

BD02220號　大般若波羅蜜多經卷三五二　（20–20）

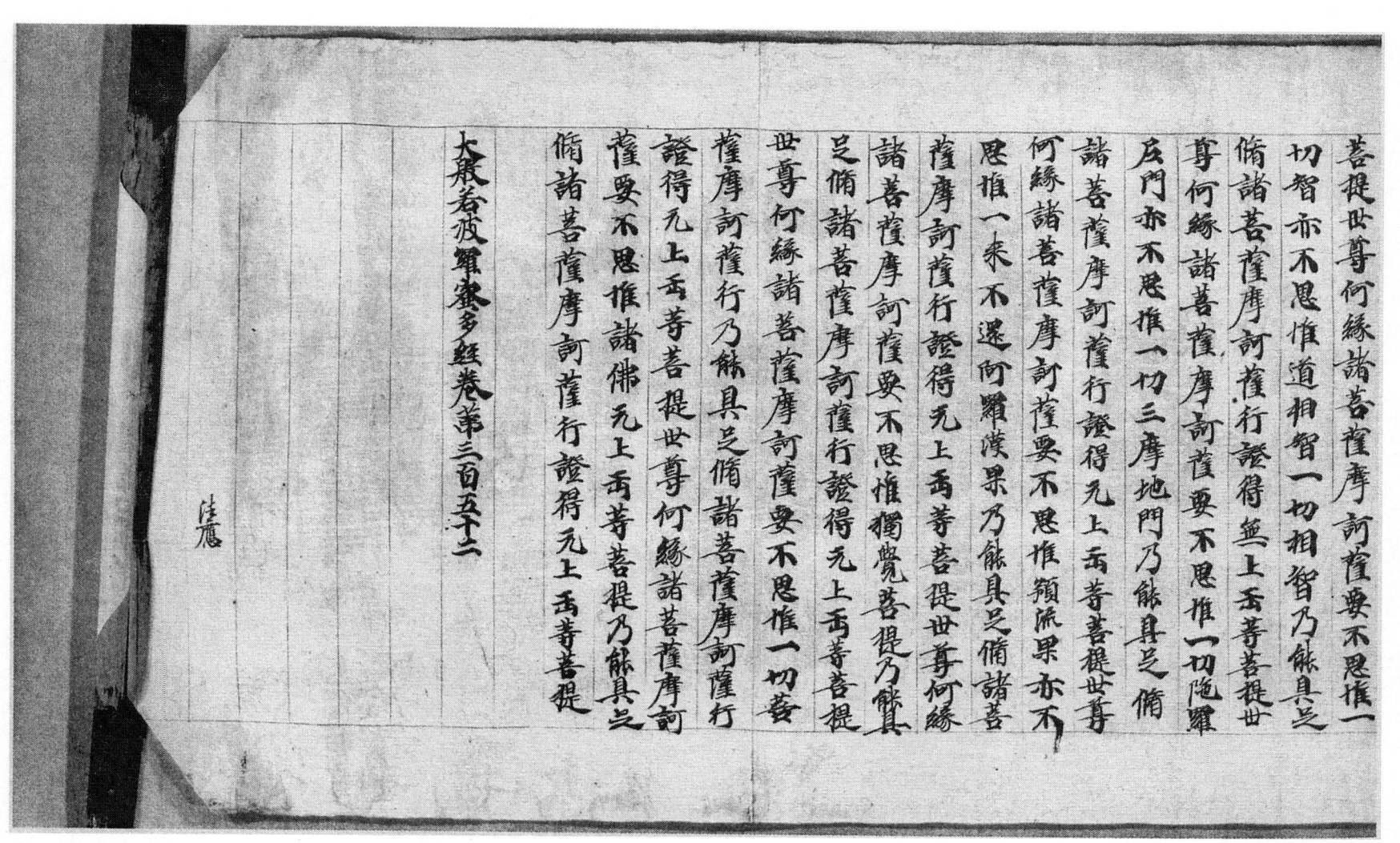

BD02220 號背　勘記　　（1–1）

今亦應有昔若無者釋迦菩薩不應從然燈ㄟ得道今若無者弥
勒不應依釋迦ㄟ受記只可無自體神我菩薩可無非色非心假名菩
薩為斷此疑故為斯問前說然燈今復重說二文何別案前則起法
可取今則疑人能取文雖大同疑則不一經曰須菩提至上
此答也善吉既玄悟聖旨故答ㄟ無得既無所取於
得菩薩提者此有二義一者菩薩介時猶在性地
實證無生真理故言無得二者初地已去得無生實證不見一法是
菩提而為智證方得授記故言無得所以明此二者此經前後具說
二種人故又佛藏華嚴發菩提心等諸經中皆明供佛以有所
得故佛不授記末後遇然燈佛方得授記以無所得故又大品經名
字集散十無燒城喻四品中廣明有菩薩無菩薩義五陰十二入
十八界中無菩薩三毒十二因緣中無三世六度卅七品道
十力無畏十八不共法一切種智中無乃至善不善
常等諸觀中亦無如是一一法非菩薩諸法和合
如是說即真說般若如是觀即是真行般若聞如是說不驚不
畏即住阿鞞跋致性中後言即空離空無菩薩行般若即般若
離般若無菩薩行般若五陰六度乃至實際一一法中無菩薩行般
般若諸法和合中亦無菩薩行般若如是所見無法亦不可得亦無
有生無有無於是法中通達無疑是名菩薩住無生法忍五陰假
名菩薩得是法故名行般若此是世俗故說第一義中
是無生菩薩得是法故便得授記發菩提心論
無解無相無念無取無舍無名無爭

者般若無七行般若五陰六度乃至實際一切法中無菩薩行般
般若諸法和合中亦無菩薩行般若如是所見無法亦不可得亦無
有生無有無於是法中通達無疑是名菩薩住無生法忍五陰假
名菩薩得是法故名行般若此是世俗故說第一義中
是無生菩薩得是法故便得授記發菩提心論
無解無相無念無取無捨無垢無淨乃至空中
名為空若菩薩如是知陰界入性即不取著是名法忍菩薩以是
忍故得授記忍如是等說豈有一菩薩體實不空而得授記也
經曰佛告如是如是至得菩提者此述也義其言得故再言如是以然
燈時行非上故不得授記　經曰須菩提至釋迦牟尼者此成
其義也二意　一返釋　二順成反釋也授者示其果記者定其時
然燈既遠授以當來明釋迦未即成於最日故也
授記然燈行非上後時者授記後時方得佛也
得果也此明有所得故不記　經曰以實至釋迦牟尼者山
也正以無所得心悟無生忍故然燈記我得佛也前有所得行非是
上今無所得乃名為上有得即地前無得即地上也依首楞嚴
經授記有四一不現前授記二現前三發心四無生忍經但列四名不配
位地而解者不同或位上下不現前者謂三賢菩薩積行未遠雖
未現證宜与授記故現前者謂初地菩薩見解現前而得授記發
心者二地已去七地已還發心備道而得授記無生
法雲悟無生忍時而得授記又解不現前者佛
去其不在會者皆亦得仙也現前者即在會面与記也發心者或
在外凡或住三賢或在初地當發心時即得授記也無生忍者或在
初地或在八地而得記也　摩那婆者此云無方行人舊未相傳譯
者亦云儒童真諦譯為有意年少如因果經中說善慧仙人因五大夢
欲問普光佛於其中路值五百婆羅門論義得勝彼五百各施一銀
錢盡用買花如經具說佛授善慧記已猶見善慧作仙人香之

初地或在八地而得記也　摩那婆者此云無方行人舊來相傳譯
者亦云儒童真諦譯為有意年少如因果經中說善慧仙人因五大夢
欲問普光佛於其中路值五百婆羅門論義得勝彼五百各施一銀
錢盡用買花如經具說佛授善慧記已猶見善慧作仙人皆之
鹿皮衣如來欲令捨此服儀即便化地以為淤泥善
行而地濁濕心自念言云何乃令千輻輪足蹈此而
以用布施不足掩泥仍又解髮亦以覆之如來即便蹈之而度因記
之曰汝後得佛當於五濁惡世度諸人天不以為難如我也善慧即
時解一切法空得無生忍身昇虛空說偈讚佛說白普光佛言我
昔在山得五奇夢一者夢臥大海二夢枕須弥山三夢海中一切衆生
入我身內四夢手執日五夢手執月願為我說此夢之相普光仙說
夢臥大海者汝身即時在於生死大海之中枕須彌[illegible]
得般涅槃相一切衆生入身內者當於生死大海為[illegible]
處手執日者智慧光明普照法界手執月者以方便智入於生死
以清涼法化導衆生令離惱熱此夢因緣是汝將來成佛之相也
經曰何以故至即實真如者此第二斷無如來疑々云前舉然燈明
法不可取今舉然燈明人不得可若示本以菩薩備方行故而得
菩提故名如來今既無菩薩得法將非一向無如來故々言何以故此疑
意謂行未滿果未圓未成佛者是法身為斷此疑即[illegible]
來者如來即實真如也此明法身如來真實不倒
不倒故如理不同報佛報佛備得法佛性淨實者非顛倒[illegible]
如者不變異故稱理故不倒常故不變此明人無別體即以法為人余
證故名法如已證故名如來名雖不同其體一也法既實有即如如來不
無無著論曰如清淨故名為如來清淨如名為真如　經曰須菩提
至不實語者此第三斷如來有得疑　先舉疑後正斷此舉疑也
疑云前無菩薩故可使無得菩提者今既有如來則如來自證菩提疑不

BD02221號　金剛般若疏（擬）卷下

（9–3）

無無著論曰如清淨故名為如來清淨如名為真如　經曰須菩提
若不實語者此第三斷如來有得疑　先舉疑　後正斷此舉疑也
疑云前無菩薩故可使無得菩提者今既有如來則如來自證菩提疑不
當理故言不實　經曰須菩提至得菩提者此正斷
語前說菩薩得菩提彼為不實今謂如來得菩提此一[illegible]
實無有法佛得菩提也菩提以真如為其體真如者妙有妙無非
因非果言語道斷心行處滅難以覺觀求不可以身心得所謂如來
得之於色心求之以覺觀此不實也故言實無有法佛得菩提故離
摩經云菩提者不可以身得不可以心得寂滅是菩提滅諸相故不觀
是菩提離諸緣故　經曰須菩提至三菩提者第四斷如來無得疑四
重　一標有得　二遣虛實　三示虛實　四辟虛實　此[illegible]
有得也前明如來無所得或謂如來一向不得菩提為斷此[illegible]
來所得菩提如來者即報身如來所得菩提者得報果也世親論云非
實有為相故報佛如來非三相故有為相者謂五陰相彼菩提法
無色等相故　經曰於是中不實不妄語者此第二遣虛實也
疑云前言有得非實今言有得非虛此何謂也為斷此疑故明報
佛菩提無世間虛妄等相可得故不實而有法界淨色可證故不
妄語又彼法身如如非世間虛妄等相故不實即是菩提相故不
妄故世親論偈言彼即非非又以不虛妄故不妄語若以言取即
實不實即遣有相中有謗不妄即遣無相中無謗　經曰故是如[illegible]
皆是佛法者此第三示虛實　初引說　後正示此引說也一切法者謂真如
法是一切諸佛所得法一切法中如如為自體故　問真如應一云何言一切
解云如如非多法故言一切故論云彼法如來所證故言一切諸佛法故此
來所得不不妄語　經曰須菩提至名一切法者此正示虛實也然
真如是諸法之通體諸法於如有違有順順則真持違則[illegible]
離所持真處有所離者真處無真處有者是一切法亦名佛

果所得亦不妄語　經曰須菩提至名一切法者此正示虛實也然
真如是諸法之通體諸法於如有違有順順則真持違則漏
離所持真處有所離者真處無真處有者是一切法亦名佛
妄等法非如如真實法故是名一切法者即是如如真實法故此果
不得亦不實也故無著論云顯一切法法如清淨故如者遍一切法
故　經曰須菩提譬如有人其身妙大者此第四譬虛實也
光立　後答此立也前明大身顯報佛無取今辨大身彰法身
無相大身雖同而所顯各異故無著論云為入證道故　經曰須菩
提譬如有人妙身大身如是等顯示入證道時得智惠故離慢論云
云何得智有二種智謂攝種性智及平等智若得智已得生
家得決定紹佛種此為攝種性智此智已能得妙身論云平等智
復有五種平等因緣謂麁惡平等法無我平等斷相應平等
無怖望心相應平等一切菩薩證道平等得此等故得為大身
攝一切眾生大身故世親論云依彼法身佛故說大身前故論釋
大有二義一者遍一切處故名大此約法身二者功德大故名大此約應
身遍故名大明真如為一切法通體功德大明報身出過世間出世間
法身稱妙出二障之外報身名妙契二空之理与無著釋殊彼
得攝種姓智故妙得平等智故大今言妙者屬報身大者約法身
亦不乖前首　經曰須菩提言至說名大身者此答釋也上說人身
妙大者引佛所即說法身為人身也則非大身者非是相報身世親
論云無有諸相故是名非身大者有真如體如是即名妙大身說名大
身者即是法身法也此明法身為所依報身為能依身者依正義
法身依自性身報身依法身化身如攝論說上來第一約得記斷
疑　經曰佛言至非菩薩者次第二約化生斷疑無著論名離
日證菩提者是自行度眾生者是化他昔無菩提則無自行今無菩

BD02221號　金剛般若疏（擬）卷下　（9–5）

法身依自性身報身依法身化身如攝論說上來第一約得記斷
疑　經曰佛言至非菩薩者次第二約化生斷疑無著論名離
自證菩提者是自行度衆生者是化他若無菩提則無自行今無菩
薩誰化衆生耶兩重　一標疑起問　二答釋正斷　初中復兩
一就教無總標　二約理無正問前則無邊慧後則如實智此總標
也菩薩亦如是者上來就佛明法身菩提對彼情執彰有虛實
自下還明菩薩行相有是有非与上法身無異故云亦如是我當
滅度衆生此是惕者非實菩薩无著論云若菩薩有衆生念則
不得妙身大身故　經曰佛言至名爲菩薩不者此約理無
也於五陰中頗有實我爲菩薩不　經曰須菩提言至名爲菩
薩者此答釋正斷也兩意　一依理答無　二引說正斷此答
無也明陰界入中本來空寂無有一法豈得有我名爲菩薩
經曰是故至無壽者者此引說也衆生無故無所度主宰無故無
能度壽者無故無恒度此三若寂即是人空人既是空何有菩薩而
度衆生　經曰須菩提至是不名菩薩者次第三約嚴土斷疑疑
曰若無菩薩者誰起心脩行清淨佛土自他兩利耶爲此
疑三重　一標疑　二正斷　三示真此標疑也　經曰何以故
至是名莊嚴佛國土者此正斷也上言莊嚴顯所嚴之土不可取
今說莊嚴明能嚴之人不可得所嚴亦所取即顯法空能嚴不
可得即顯人空人法既空何有菩薩能嚴佛土乎故世親論曰
不達真法界起度衆生意及清淨國土生心即是倒所以是倒
由不達真法界故若起此心即是顛倒非菩薩者起何等心名
爲菩薩　經曰須菩提至真是菩薩菩薩者此示真也
二空名真菩薩成生自熟嚴淨佛土也初無我者即人空無
我法者法即空菩薩菩薩者顯有二智一知世間智知凡夫二知
出世間智知聖人以慈悲故不捨世間以智惠故不取流盡如是二處

BD02221號　金剛般若疏（擬）卷下　（9–6）

爲菩薩　經曰須菩提至真是菩薩菩薩者此亦真也
二空名真菩薩成生自熟嚴淨佛土也初無我者即人空無
我法者法即空菩薩菩薩者顯有二智一知世間智知凡夫二知
出世間智知聖人以慈悲故不捨世間以智惠故不取流盡如是二處
不以着故重菩薩菩薩亦凡夫聖人二菩薩凡即三賢聖即十聖
故無着論云爲於彼二種無我中二種正覺故世親論曰此言攝世
諦菩薩是故重說菩薩菩薩上來約菩薩斷疑竟　經曰須菩
提至有佛眼者此第二約如來斷疑世親論曰復有疑前說
不見彼是衆生不見我爲菩薩不見清淨佛國土何以故以不見
諸法名爲佛故若如是或謂諸佛如來不見諸法爲斷此疑故說
五眼無着論曰爲見智淨具足故經說因眼等又上言不見者但
法體空無定性可見非謂佛不能見故世親論曰雖不見諸法非
無了境眼諸佛五種實以見彼顛倒兩重　一即果斷疑
二可以卅二相下推因斷疑　即果三重　一約應身斷疑　二約
化身斷疑　三約法身疑斷　應身兩重　一約智身
福身　智身三重　一出體　二顯用　三判境此初出體也無
着論曰爲見智淨具足故經言如來有肉眼不如是等肉眼以人中
淨眼爲體緣障內色爲境天眼以天中淨根爲體緣障外色
爲境無着論曰色攝惠眼以如理智爲體緣真諦爲境無
着論云第一義諦攝法眼以如量智爲體緣俗諦爲境無着
論云世諦攝佛眼以無功用智爲體緣一切法爲境無着論云一切種
切應知攝佛在人中生故有肉眼常在三昧故有天眼得不思議
空智故有惠眼隨機說法故有法眼以一念相應惠知一切法故有
佛眼通局云何肉天二眼凡聖通有後之三眼唯聖非凡大小者前
三通大小乘後二大非小若尔小乘人得法眼淨此云何通　解云此
乃見法生滅遠離我相名淨非謂五眼中善知根欲性名爲法眼

BD02221號　金剛般若疏（擬）卷下　（9–7）

佛眼通處云何肉天二眼凡聖通有後之三眼唯聖非凡大小者前
三通大小乘後二大非小若尒小乘人得法眼淨此云何通　解云此
乃見法生滅遠離我相名淨非謂五眼中善知根欲性名為法眼
也因果者前四通因果後一唯果對治者肉天二眼對治皮惑慧眼
破肉惑法眼亦伏亦斷心惑如斷初地伏二地佛眼清淨斷三惑盡
脩報者肉眼唯報得無著論云去果天眼亦報亦脩無著論同得餘
三脩得五眼中各二一問二荅可知　經曰佛言至如來悉知者此第二顯
用也展轉三意　初問荅訖　次問荅累　後正顯用前二可知顯
用中無著論云為教彼眾生寂靜心故安立智若干種心者出所知
也謂攝心亂心垢心淨心三毒四倒等條緒繁廣故以若干攝之廣如
大品經佛母品說無著論云若干種者謂染淨也如來悉知者四顯智
用如來智淨所以悉知但心細難知尚能盡知況復麁色也　經曰何以
故至是名為心住者此第三判境也兩重　一就境顯倒　二即性明
塵此就境顯也何以故者眾生心性各各不同何故如來以一心知故如來說
諸心住者明住六塵皆為非心住者遠離四念處故非住是名心住者
明住六塵者是顛倒心故不真言解說諸心住者是三相心住皆非心
住者有為諸法不停故非心住是名為心住者即是法性真實心住即
問云何知法性心是真實心住耶解云餘心有為虛妄三相遷移不得
名住法性不動不變故名心住也　經曰何以故至未來心不可得者此即
性相空也何以故者何以得知諸心有住皆非住故即荅云過去心已滅空
故不可得未來心未有空故不可得現在心虛妄分別念念不住即體
是空故不可得無得以為得此為虛妄然諸心雖妄唯佛體妄故能
知之心非倒也上來約智身斷疑竟　經曰須菩提至得福多不者次約
福身斷疑故無著論說福自在具足故三重　一問　二荅　三述此問
也疑云若前心是倒此心脩福為倒非倒如真是倒不應名善如其非
倒何以依倒而生為斷斯疑亦現心住雖倒福德非倒偈言佛智慧
根本故無相之體能生佛智故非倒也又復此體依智而起故不倒也

[illegible]
故至是名為心住者此第三判境也兩重　一迷境顛倒　二即性明
塵此迷境顛也何以故者衆生心性各不同何故如來以一心知故如來說
諸心住者明住六塵皆為非心住者遠離四念處故非住是名心住者
明住六塵者是顛倒心故又真言解說諸心住者是三相心住皆非心
住者有為諸法不停故非心住是名為心住者即是法性真實心住即
問云何知法性心是真實心住耶解云餘心有為虛妄三相遷移不得
名住法性不動不變故名心住也　經曰何以故至未來心不可得者此即
性相空也何以故者何以得知諸心有住皆非住故即答云過去心已滅空
故不可得未來心未有空故不可得現在心虛妄分別念念不住即體
是空故不可得無得以為得此為虛妄然諸心雖妄唯佛體妄故能
知之心非倒也上來約智身斷疑竟　經曰須菩提至得福多不者次約
福身斷疑故無著論說福自在具是故三重　一問　二答　三述此問
也疑云若前心是倒此心脩福為倒非倒如真是倒不應名善如其非
倒何以依倒而生為斷斯疑亦現心住雖倒福德非倒偈言佛智慧
根本故無相之禮能生佛智故非倒也又復此禮依智而起故不倒也
經曰須菩提至甚多者此答也若為慈行施則心福俱倒以不求恩慈
二俱非倒故云以是因緣得福多　經曰佛言至福德聚福德聚者此
述釋也先述　後釋如是如是者述也　若福德有實下釋時衆復
疑聞向福德非倒便謂前三千恒沙亦應非倒爲是故佛即告善吉若

如来
須菩提於
耶如来有所
義无有定法名
法如来可說何以故如
非法非非法所以者何
差別
須菩提於意云何若人滿三千大
用布施是人所得福德寧為多不
世尊何以故是福德性是故如来說
有人於此經中受持乃至四句偈等為他人說其
福勝彼何以故須菩提一切諸佛及諸佛阿耨多羅
三藐三菩提法皆從此經出須菩提所謂佛法
即非佛法
須菩提於意云何須陁洹能作是念我得須陁洹
果不須菩提言不也世尊何以故須陁洹名為入
流而无所入不入色聲香味觸法是名須陁洹須
菩提於意云何斯陁含能作是念我得斯陁果
不須菩提言不也世尊何以故斯陁含名一往来而
實无往来是名斯陁含須菩提於意云何阿那含
能作是念我得阿那含果不須菩提言不也世尊
何以故阿那含名為不来而實无来是故名阿那

BD02222號　金剛般若波羅蜜經　　（11–1）

不須菩提言不也世尊何以故斯陁含名一往来而
實无往来是名斯陁含須菩提於意云何阿那含
能作是念我得阿那含果不須菩提言不也世尊
何以故阿那含名為不来而實无来是故名阿那
含須菩提於意云何阿羅漢能作是念我得阿羅
漢道不須菩提言不也世尊何以故實无有法名阿
羅漢世尊若阿羅漢作是念我得阿羅漢道即
為着我人衆生壽者世尊佛說我得无諍三昧人
中最為第一是第一離欲阿羅漢我不作是念我是
離欲阿羅漢世尊我若作是念我得阿羅漢道世尊
則不說須菩提是樂阿蘭那行者以須菩提實无所
行而名須菩提是樂阿蘭那行
佛告須菩提於意云何如来昔在然燈佛所於法有
所得不世尊如来在然燈佛所於法實无所得須
菩提於意云何菩薩莊嚴佛土不不也世尊何以故
莊嚴佛土者則非莊嚴是名莊嚴是故須菩提諸
菩薩摩訶薩應如是生清淨心不應住色生心不
應住聲香味觸法生心應无所住而生其心須菩提
譬如有人身如須弥山王於意云何是身為大不須
菩提言甚大世尊何以故佛說非身是名大身須
菩提如恒河中所有沙數如是沙等恒河於意
云何是諸恒河沙寧為多不須菩提言甚多世
尊但諸恒河尚多无數何況其沙須菩提我今
實言告汝若有善男子善女人以七寶滿尔所恒
河沙數三千大千世界以用布施得福多不須菩提
言甚多世尊佛告須菩提若有善男子善女人
於此經中乃至受持四句偈等為他人說而此福德

BD02222號　金剛般若波羅蜜經　　（11–2）

河沙數三千大千世界以用布施得福多不須菩提
言甚多世尊佛告須菩提若有善男子善女人
於此經中乃至受持四句偈等為他人說而此福德
勝前福德復次須菩提隨說是經乃至四句偈等
當知此處一切世間天人阿脩羅皆應供養如佛塔
廟何況有人盡能受持讀誦須菩提當知是人
成就最上苐一希有之法若是經典所在之處則
為有佛若尊重弟子
尒時須菩提白佛言世尊當何名此經我等云何
奉持佛告須菩提是經名為金剛般若波羅蜜
以是名字汝當奉持所以者何須菩提佛說般若
波羅蜜則非般若波羅蜜須菩提於意云何如来
有所說法不須菩提白佛言世尊如来无所說須菩
提於意云何三千大千世界所有微塵是為多不須
菩提言甚多世尊須菩提諸微塵是名微塵如来
說世界非世界是名世界須菩提於意云何可以三十
二相見如来不不也世尊何以故如来說三十二相即
是非相是名三十二相須菩提若有善男子善女
人以恒河沙等身命布施若復有人於此經中乃至
受持四句偈等為他人說其福甚多
尒時須菩提聞說是經深解義趣涕淚悲泣而白
佛言希有世尊佛說如是甚深經典我從昔来
所得慧眼未曾得聞如是之經世尊若復有人得
聞是經信心清淨則生實相當知是人成就苐一
希有功德世尊是實相者則是非相是故如来
說名實相世尊我今得聞如是經典信解受持不

BD02222號　金剛般若波羅蜜經　（11–3）

佛言希有世尊佛說如是甚深經典我從昔来
所得慧眼未曾得聞如是之經世尊若復有人得
聞是經信心清淨則生實相當知是人成就苐一
希有功德世尊是實相者則是非相是故如来
說名實相世尊我今得聞如是經典信解受持不
足為難若當来世後五百歲其有衆生得聞是
經信解受持是人則為苐一希有何以故此人无我
相人相衆生相壽者相所以者何我相即是非相
人相衆生相壽者相即是非相何以故離一切諸
相則名諸佛
佛告須菩提如是如是若復有人得聞是經不驚
不怖不畏當知是人甚為希有何以故須菩提如
来說苐一波羅蜜非苐一波羅蜜是名苐一波羅蜜
須菩提忍辱波羅蜜如来說非忍辱波羅蜜何
以故須菩提如我昔為歌利王割截身體我於尒
時无我相无人相无衆生相无壽者相何以故我
於往昔節節支解時若有我相人相衆生相壽
者相應生瞋恨須菩提又念過去於五百世作忍
辱仙人於尒所世无我相无人相无衆生相无壽者
相是故須菩提菩薩應離一切相發阿耨多羅三
藐三菩提心不應住色生心不應住聲香味觸法
生心應生无所住心若心有住則為非住是故佛說
菩薩心不應住色布施須菩提菩薩為利益一切衆
生應如是布施如来說一切諸相即是非相又說一切
衆生則非衆生須菩提如来是真語者實語者
如語者不誑語者不異語者須菩提如来所得法
此法无實无虛須菩提若菩薩心住於法而行布施

BD02222號　金剛般若波羅蜜經　（11–4）

是非相又說一切
衆生則非衆生須菩提如来是真語者實語者
如語者不誑語者不異語者須菩提如来所得法
此法无實无虛須菩提若菩薩心住於法而行布施
如人入闇則无所見若菩薩心不住法而行布施如
人有目日光明照見種種色須菩提當来之世若有
善男子善女人能於此經受持讀誦則為如来以佛
智慧悉知是人悉見是人皆得成就无量无邊功德
須菩提若有善男子善女人初日分以恒河沙等身
布施中日分復以恒河沙等身布施後日分亦以恒河
沙等身布施如是无量百千萬億劫以身布施若復
有人聞此經典信心不逆其福勝彼何況書寫受持
讀誦為人解說須菩提以要言之是經有不可思議
不可稱量无邊功德如来為發大乘者說為發最
上乘者說若有人能受持讀誦廣為人說如来悉
知是人悉見是人皆得成就不可量不可稱无有邊
不可思議功德如是人等則為荷擔如来阿耨多羅
三藐三菩提何以故須菩提若樂小法者著我見人
見衆生見壽者見則於此經不能聽受讀誦為人
解說須菩提在在處處若有此經一切世間天人阿
脩羅所應供養當知此處則為是塔皆應恭敬作
礼圍繞以諸華香而散其處
復次須菩提善男子善女人受持讀誦此經若為人
輕賤是人先世罪業應墮惡道以今世人輕賤故先
世罪業則為消滅當得阿耨多羅三藐三菩提須菩提
我念過去无量阿僧祇劫於然燈佛前得值八百四
千萬億那由他諸佛悉皆供養承事无空過者若

BD02222號　金剛般若波羅蜜經　（11-5）

輕賤是人先世罪業應墮惡道以今世人輕賤故先
世罪業則為消滅當得阿耨多羅三藐三菩提須菩提
我念過去无量阿僧祇劫於然燈佛前得值八百四
千萬億那由他諸佛悉皆供養承事无空過者若
復有人於後末世能受持讀誦此經所得功德於我
所供養諸佛功德百分不及一千萬億分乃至算數
譬喻所不能及須菩提若善男子善女人於後末
世有受持讀誦此經所得功德我若具說者或有
人聞心則狂亂狐疑不信須菩提當知是經義不
可思議果報亦不可思議
尒時須菩提白佛言世尊善男子善女人發阿耨
多羅三藐三菩提心云何應住云何降伏其心佛告須
菩提善男子善女人發阿耨多羅三藐三菩提者
當生如是心我應滅度一切衆生滅度一切衆生已而
无有一衆生實滅度者何以故若菩薩有我相人
相衆生相壽者相則非菩薩所以者何須菩提
實无有法發阿耨多羅三藐三菩提者須菩提於
意云何如来於然燈佛所有法得阿耨多羅三藐
三菩提不不也世尊如我解佛所說義佛於然燈
佛所无有法得阿耨多羅三藐三菩提佛言如是如
是須菩提實无有法如来得阿耨多羅三藐三菩
提若有法如来得阿耨多羅三藐三菩提者然燈
佛則不與我受記汝於来世當得作佛号釋迦
牟尼以實无有法得阿耨多羅三藐三菩提是故
然燈佛與我受記作是言汝於来世當得作佛
号釋迦牟尼何以故如来者即諸法如義若有人
言如来得阿耨多羅三藐三菩提須菩提實无

BD02222號　金剛般若波羅蜜經　（11-6）

牟尼以實无有法得阿耨多羅三藐三菩提是故
然燈佛與我受記作是言汝於来世當得作佛
号釋迦牟尼何以故如来者即諸法如義若有人
言如来得阿耨多羅三藐三菩提須菩提實无
有法佛得阿耨多羅三藐三菩提須菩提如来所
得阿耨多羅三藐三菩提於是中无實无虚是故
如来說一切法皆是佛法須菩提所言一切法者即
非一切法是故名一切法須菩提譬如人身長大須菩提
言世尊如来說人身長大則為非大身是名大身
須菩提菩薩亦如是若作是言我當滅度无量
衆生則不名菩薩何以故須菩提實无有法名為
菩薩是故佛說一切法无我无人无衆生无壽者
須菩提若菩薩作是言我當莊嚴佛土是不
名菩薩何以故如来說莊嚴佛土者即非莊嚴
是名莊嚴須菩提若菩薩通達无我法者如来
說名真是菩薩
須菩提於意云何如来有肉眼不如是世尊如来
有肉眼須菩提於意云何如来有天眼不如是世
尊如来有天眼須菩提於意云何如来有慧
眼不如是世尊如来有慧眼須菩提於意云何
如来有法眼不如是世尊如来有法眼須菩提
於意云何如来有佛眼不如是世尊如来有佛眼
須菩提於意云何恒河中所有沙佛說是沙不如
是世尊如来說是沙須菩提於意云何如一
恒河中所有沙有如是等恒河是諸恒河所
有沙數佛世界如是寧為多不甚多世尊
佛告須菩提介所國土中所有衆生若干種心
如来悉知何以故如来說諸心皆為非心是名

BD02222號 金剛般若波羅蜜經 (11–7)

是世尊如来說是沙須菩提於意云何如一
恒河中所有沙有如是等恒河是諸恒河所
有沙數佛世界如是寧為多不甚多世尊
佛告須菩提介所國土中所有衆生若干種心
如来悉知何以故如来說諸心皆為非心是名
為心所以者何須菩提過去心不可得現在心不
可得未来心不可得須菩提於意云何若有人
滿三千大千世界七寶以用布施是人以是因
緣得福多不如是世尊此人以是因緣得福甚
多須菩提若福德有實如来不說得福德多
以福德无故如来說得福德多
須菩提於意云何佛可以具足色身見不不也
世尊如来不應以色身見何以故如来說具
足色身即非具足色身是名具足色身須菩
提於意云何如来可以具足諸相見不不也世
尊如来不應以具足諸相見何以故如来說
諸相具足即非具足是名諸相具足須菩
提汝勿謂如来作是念我當有所說法莫是念
何以故若人言如来有所說法即為謗佛不
能解我所說故須菩提說法者无法可說是
名說法須菩提白佛言世尊佛得阿耨多羅
三藐三菩提為无所得耶如是如是須菩提
我於阿耨多羅三藐三菩提乃至无有少法
可得是名阿耨多羅三藐三菩提復次須菩
提是法平等无有高下是名阿耨多羅三藐
三菩提以无我无人无衆生无壽者修一切善法

BD02222號 金剛般若波羅蜜經 (11–8)

三菩提以无我无人无衆生无壽者脩一切善法
則得阿耨多羅三藐三菩提須菩提所言善法
者如来説非善法是名善法須菩提若三千大
千世界中所有諸須弥山王如是等七寳聚有
人持用布施若人以此般若波羅蜜經乃至四句
偈等受持為他人説於前福德百分不及一百
千萬億分乃至筭數辟喻所不能及
須菩提於意云何汝等勿謂如来作是念我
當度衆生須菩提莫作是念何以故實无
有衆生如来度者若有衆生如来度者如来
則有我人衆生壽者須菩提如来説有我者
則非有我而凡夫之人以為有我須菩提凡
夫者如来説則非凡夫須菩提於意云何可
以三十二相觀如来不須菩提言如是如是以三
十二相觀如来佛言須菩提若以三十二相觀
如来者轉輪聖王則是如来須菩提白佛言
世尊如我解佛所説義不應以三十二相觀如来
尒時世尊而説偈言
若以色見我　以音聲求我　是人行邪道　不能見如来
須菩提汝若作是念如来不以具足相故阿耨
多羅三藐三菩提須菩提莫作是念如来不以
具足相故得阿耨多羅三藐三菩提須菩提汝若
作是念發阿耨多羅三藐三菩提者説諸法
斷滅相莫作是念何以故發阿耨多羅三藐三
菩提者於法不説斷滅相須菩提若菩薩以
滿恒河沙等世界七寳布施若復有人知一切

BD02222 號　金剛般若波羅蜜經　（11–9）

作是念發阿耨多羅三藐三菩提者説諸法
斷滅相莫作是念何以故發阿耨多羅三藐三
菩提者於法不説斷滅相須菩提若菩薩以
滿恒河沙等世界七寳布施若復有人知一切
法无我得成於忍此菩薩勝前菩薩所得功
德須菩提以諸菩薩不受福德故須菩提白
佛言世尊云何菩薩不受福德須菩提菩薩所
作福德不應貪著是故説不受福德須菩提
若有人言如来若来若去若坐若卧是人不解
我所説義何以故如来者无所從来亦无所去
故名如来
須菩提若有善男子善女人以三千大千世界
碎為微塵於意云何是微塵衆寧為多不甚
多世尊何以故若是微塵衆實有者佛則不
説是微塵衆所以者何佛説微塵衆則非微塵
衆是名微塵衆世尊如来所説三千大千世界則
非世界是名世界何以故若世界實有者則是一
合相如来説一合相則非一合相是名一合相須菩
提一合相者則是不可説但凡夫之人貪著其事
須菩提若人言佛説我見人見衆生見壽者見
須菩提於意云何是人解我所説義不世尊是
人不解如来所説義何以故世尊説我見人見衆
生見壽者見即非我見人見衆生見壽者見是
名我見人見衆生見壽者見須菩提發阿耨
多羅三藐三菩提心者於一切法應如是知如是

BD02222 號　金剛般若波羅蜜經　（11–10）

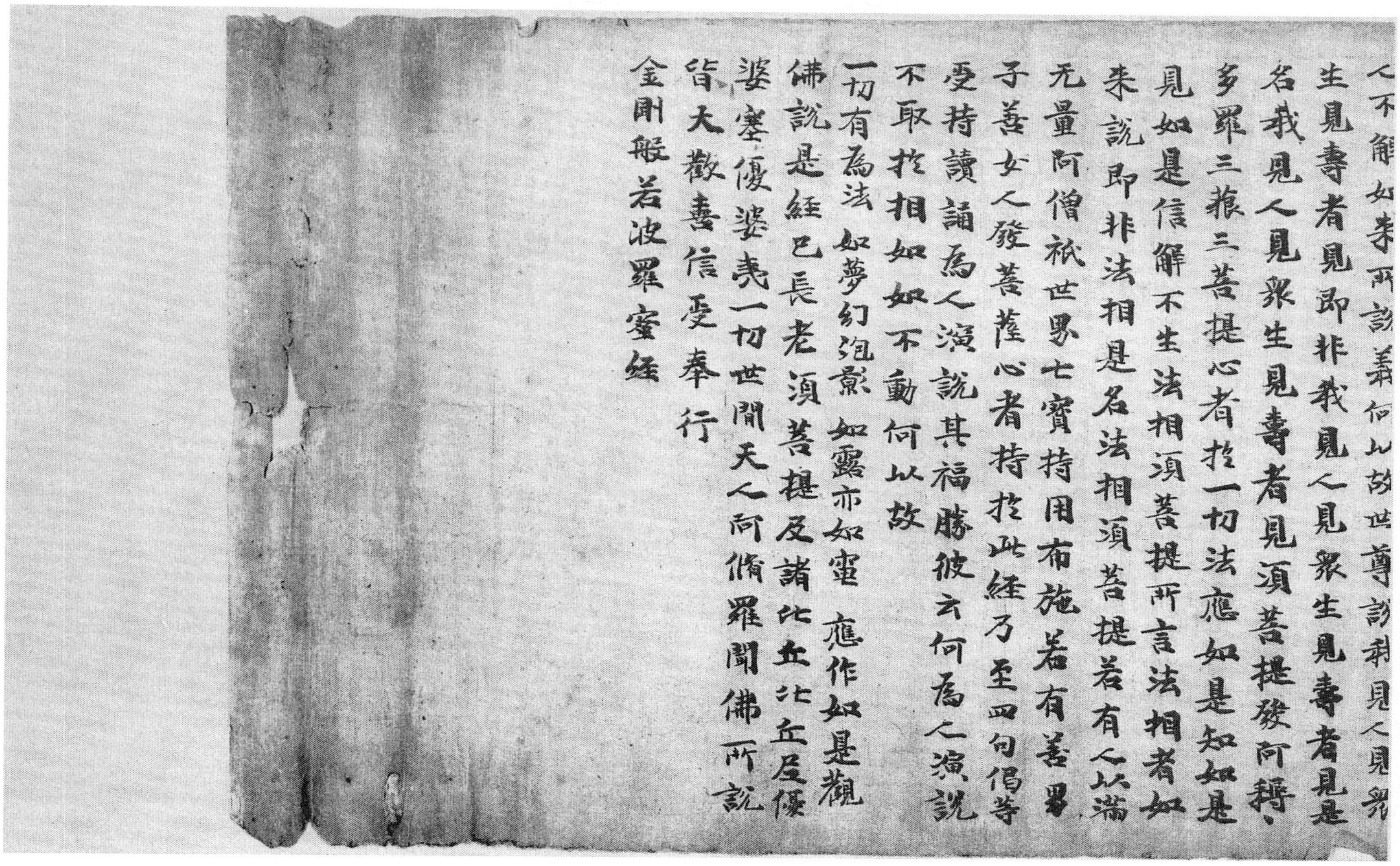

人不解如來所說義何以故世尊說我見人見衆
生見壽者見即非我見人見衆生見壽者見是
名我見人見衆生見壽者見須菩提發阿耨
多羅三藐三菩提心者於一切法應如是知如是
見如是信解不生法相須菩提所言法相者如
來說即非法相是名法相須菩提若有人以滿
无量阿僧祇世界七寶持用布施若有善男
子善女人發菩薩心者持於此經乃至四句偈等
受持讀誦為人演說其福勝彼云何為人演說
不取於相如如不動何以故
一切有為法　如夢幻泡影　如露亦如電　應作如是觀
佛說是經已長老須菩提及諸比丘比丘尼優
婆塞優婆夷一切世間天人阿脩羅聞佛所說
皆大歡喜信受奉行
金剛般若波羅蜜經

BD02222號　金剛般若波羅蜜經　（11–11）

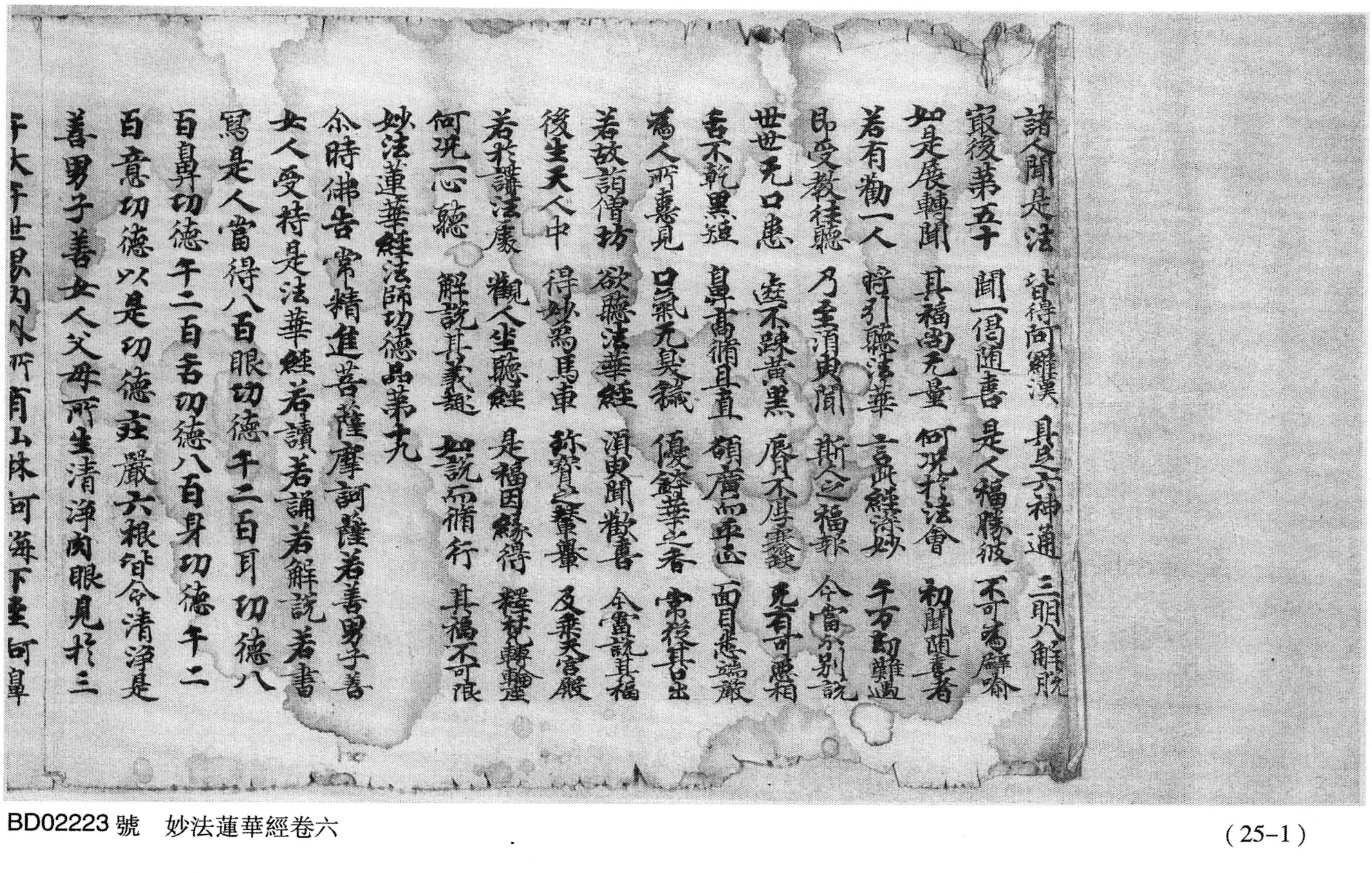

諸人聞是法　皆得阿羅漢　具足六神通　三明八解脫
最後第五十　聞一偈隨喜　是人福勝彼　不可為譬喻
如是展轉聞　其福尚无量　何況於法會　初聞隨喜者
若有勸一人　將引聽法華　言此經深妙　千万劫難遇
即受教往聽　乃至須臾聞　斯人之福報　今當分別說
世世无口患　齒不踈黃黑　脣不厚褰缺　无有可惡相
舌不乾黑短　鼻高脩且直　額廣而平正　面目悉端嚴
為人所憙見　口氣无臭穢　優鉢華之香　常從其口出
若故詣僧坊　欲聽法華經　須臾聞歡喜　今當說其福
後生天人中　得妙象馬車　珍寶之輦輿　及乘天宮殿
若於講法處　勸人坐聽經　是福因緣得　釋梵轉輪座
何況一心聽　解說其義趣　如說而脩行　其福不可限
妙法蓮華經法師功德品第十九
尒時佛告常精進菩薩摩訶薩若善男子善
女人受持是法華經若讀若誦若解說若書
寫是人當得八百眼功德千二百耳功德八
百鼻功德千二百舌功德八百身功德千二
百意功德以是功德莊嚴六根皆令清淨是
善男子善女人父母所生清淨肉眼見於三
千大千世界內外所有山林河海下至阿鼻

BD02223號　妙法蓮華經卷六　（25–1）

百鼻功德千二百舌功德八百身功德千二
百意功德以是功德莊嚴六根皆令清淨是
善男子善女人父母所生清淨肉眼見於三
千大千世界內外所有山林河海下至阿鼻
地獄上至有頂亦見其中一切衆生及業因
緣果報生處悉見悉知尒時世尊欲重宣此
義而說偈言
若於大衆中 以無所畏心 說是法華經 汝聽其功德
是人得八百 功德殊勝眼 以是莊嚴故 其目甚清淨
父母所生眼 悉見三千界 內外彌樓山 須彌及鐵圍
并諸餘山林 大海江河水 下至阿鼻獄 上至有頂處
其中諸衆生 一切皆悉見 雖未得天眼 肉眼力如是
復次常精進若善男子善女人受持此經若
讀若誦若解說若書寫得千二百耳功德以
是清淨耳聞三千大千世界下至阿鼻地獄
上至有頂其中內外種種語言音聲象聲馬
聲牛聲車聲啼哭聲愁歎聲螺聲鼓聲鍾聲
鈴聲笑聲語聲男聲女聲童子聲童女聲法
聲非法聲苦聲樂聲凡夫聲聖人聲喜聲不
喜聲天聲龍聲夜叉聲乾闥婆聲阿脩羅聲
迦樓羅聲緊那羅聲摩睺羅伽聲火聲水聲
風聲地獄聲畜生聲餓鬼聲比丘聲比丘尼
聲聲聞聲辟支佛聲菩薩聲佛聲以要言之
三千大千世界中一切內外所有諸聲雖未
得天耳以父母所生清淨常耳皆悉聞知如

BD02223 號　妙法蓮華經卷六　　（25–2）

聲聲聞聲辟支佛聲菩薩聲佛聲以要言之
三千大千世界中一切內外所有諸聲雖未
得天耳以父母所生清淨常耳皆悉聞知如
是分別種種音聲而不壞耳根尒時世尊欲
重宣此義而說偈言
父母所生耳 清淨無濁穢 以此常耳聞 三千世界聲
象馬車牛聲 鍾鈴螺鼓聲 琴瑟箜篌聲 簫笛之音聲
清淨好歌聲 聽之而不著 無數種人聲 聞悉能解了
又聞諸天聲 微妙之歌音 及聞男女聲 童子童女聲
山川嶮谷中 迦陵頻伽聲 命命等諸鳥 悉聞其音聲
地獄衆苦痛 種種楚毒聲 餓鬼飢渴逼 求索飲食聲
諸阿脩羅等 居在大海邊 自共言語時 出于大音聲
如是說法者 安住於此間 遙聞是衆聲 而不壞耳根
十方世界中 禽獸鳴相呼 其說法之人 於此悉聞之
其諸梵天上 光音及遍淨 乃至有頂天 言語之音聲
法師住於此 悉皆得聞之 一切比丘衆 及諸比丘尼
若讀誦經典 若為他人說 法師住於此 悉皆得聞之
復有諸菩薩 讀誦於經法 若為他人說 撰集解其義
如是諸音聲 悉皆得聞之 諸佛大聖尊 教化衆生者
於諸大會中 演說微妙法 持此法華者 悉皆得聞之
三千大千界 內外諸音聲 下至阿鼻獄 上至有頂天
皆聞其音聲 而不壞耳根 其耳聰利故 悉能分別知
持是法華者 雖未得天耳 但用所生耳 功德已如是
復次常精進若善男子善女人受持是經若
讀若誦若解說若書寫成就八百鼻功德以

BD02223 號　妙法蓮華經卷六　　（25–3）

皆聞其音聲　而不壞耳根　其耳聰利故　悉能分別知
持是法華者　雖未得天耳　但用所生耳　功德已如是
復次常精進若善男子善女人受持是經若
讀若誦若解說若書寫成就八百鼻功德以
是清淨鼻根聞於三千大千世界上下內外
種種諸香須曼那華香闍提華香末利華香
瞻蔔華香波羅羅華香赤蓮華香青蓮華香
白蓮華香華樹香菓樹香栴檀香沉水香多
摩羅跋香多伽羅香及千萬種和香若末若
丸若塗香持是經者於此間住悉能分別又
復別知眾生之香象香馬香牛羊等香男香
女香童子香童女香及草木叢林香若近若
遠所有諸香悉皆得聞分別不錯持是經者
雖住於此亦聞天上諸天之香波利質多羅
拘鞞陀羅樹香及曼陀羅華香摩訶曼陀羅
華香曼殊沙華香摩訶曼殊沙華香栴檀沉
水種種末香諸雜華香如是等天香和合所
出之香无不聞知又聞諸天身香釋提桓因
在勝殿上五欲娛樂嬉戲時香若在妙法堂
上為忉利諸天說法時香若於諸園遊戲時
香及餘天等男女身香皆悉遙聞如是展轉
乃至梵世上至有頂諸天身香亦皆聞之并
聞諸天所燒之香及聲聞香辟支佛香菩薩
香諸佛身香亦皆遙聞知其所在雖聞此香
然於鼻根不壞不錯若欲分別為他人說憶
念不謬爾時世尊欲重宣此義而說偈言

BD02223號　妙法蓮華經卷六　(25–4)

香及餘天等男女身香皆悉遙聞如是展轉
乃至梵世上至有頂諸天身香亦皆聞之并
聞諸天所燒之香及聲聞香辟支佛香菩薩
香諸佛身香亦皆遙聞知其所在雖聞此香
然於鼻根不壞不錯若欲分別為他人說憶
念不謬爾時世尊欲重宣此義而說偈言
是人鼻清淨　於此世界中　若香若臭物　種種悉聞知
須曼那闍提　多摩羅栴檀　沉水及桂香　種種華菓香
及知眾生香　男子女人香　說法者遠住　聞香知所在
大勢轉輪王　小轉輪及子　群臣諸宮人　聞香知所在
身所著珍寶　及地中寶藏　轉輪王寶女　聞香知所在
諸人嚴身具　衣服及瓔珞　種種所塗香　聞則知其身
諸天若行坐　遊戲及神變　持是法華經　聞香悉能知
諸樹華菓實　及蘇油香氣　持經者住此　悉知其所在
諸山深嶮處　栴檀樹華敷　眾生在中者　聞香皆能知
鐵圍山大海　地中諸眾生　持經者聞香　悉知其所在
阿脩羅男女　及其諸眷屬　鬪諍遊戲時　聞香皆能知
曠野嶮隘處　師子象虎狼　野牛水牛等　聞香知所在
若有懷妊者　未辯其男女　无根及非人　聞香悉能知
以聞香力故　知其初懷妊　成就不成就　安樂產福子
以聞香力故　知男女所念　染欲癡恚心　亦知修善者
地中眾伏藏　金銀諸珍寶　銅器之所盛　聞香悉能知
種種諸瓔珞　无能識其價　聞香知貴賤　出處及所在
天上諸華等　曼陀曼殊沙　波利質多樹　聞香悉能知
天上諸宮殿　上中下差別　眾寶華莊嚴　聞香悉能知
天園林勝殿　諸觀妙法堂　在中而娛樂　聞香悉能知

BD02223號　妙法蓮華經卷六　(25–5)

種種諸瓔珞　无能識其價　聞香知貴賤　出處及所在
天上諸華等　曼陀曼殊沙　波利質多樹　聞香悉能知
天上諸宮殿　上中下差別　衆寶華莊嚴　聞香悉能知
天園林勝殿　諸觀妙法堂　在中而娛樂　聞香悉能知
諸天若聽法　或受五欲時　來往行坐卧　聞香悉能知
天女所著衣　好華香莊嚴　周旋遊戲時　聞香悉能知
如是展轉上　乃至於梵世　入禪出禪者　聞香悉能知
光音遍淨天　乃至于有頂　初生及退没　聞香悉能知
諸比丘衆等　於法常精進　若坐若經行　及讀誦經法
或在林樹下　專精而坐禪　持經者聞香　悉知其所在
菩薩志堅固　坐禪若讀誦　或為人說法　聞香悉能知
在在方世尊　一切所恭敬　愍衆而說法　聞香悉能知
衆生在佛前　聞經皆歡喜　如法而脩行　聞香悉能知
雖未得菩薩　无漏法生鼻　而是持經者　先得此鼻相
復次常精進若善男子善女人受持是經若
讀若誦若解說若書寫得千二百舌功德若
好若醜若美不美及諸苦澁物在其舌根皆
變成上味如天甘露无不美者若以舌根於
大衆中有所演說出深妙聲能入其心皆令
歡喜快樂又諸天子天女釋梵諸天聞是深
妙音聲有所演說言論次第皆悉來聽及諸
龍龍女夜叉夜叉女乹闥婆乹闥婆女阿脩
羅阿脩羅女迦樓羅迦樓羅女緊那羅緊那
羅女摩睺羅伽摩睺羅伽女為聽法故皆來
親近恭敬供養及比丘比丘尼優婆塞優婆

BD02223號　妙法蓮華經卷六　(25–6)

龍龍女夜叉夜叉女乹闥婆乹闥婆女阿脩
羅阿脩羅女迦樓羅迦樓羅女緊那羅緊那
羅女摩睺羅伽摩睺羅伽女為聽法故皆來
親近恭敬供養及比丘比丘尼優婆塞優婆
夷國王王子羣臣眷屬小轉輪王大轉輪王
七寶千子內外眷屬乘其宮殿俱來聽法以
是菩薩善說法故婆羅門居士國內人民盡
其形壽隨侍供養又諸聲聞辟支佛菩薩諸
佛常樂見之是人所在方面諸佛皆向其處
說法悉能受持一切佛法又能出於深妙法
音尒時世尊欲重宣此義而說偈言
是人舌根淨　終不受惡味　其有所食噉　悉皆成甘露
以深淨妙音　於大衆說法　以諸因緣喻　引導衆生心
聞者皆歡喜　設諸上供養　諸天龍夜叉　及阿脩羅等
皆以恭敬心　而共來聽法　是說法之人　若欲以妙音
遍滿三千界　隨意即能至　大小轉輪王　及千子眷屬
合掌恭敬心　常來聽受法　諸天龍夜叉　羅刹毗舍闍
亦以歡喜心　常樂來供養　梵天王魔王　自在大自在
如是諸天衆　常來至其所　諸佛及弟子　聞其說法音
常念而守護　或時為現身
復次常精進若善男子善女人受持是經若
讀若誦若解說若書寫得八百身功德得清
淨身如淨瑠璃衆生憙見其身淨故三千大
千世界衆生生時死時上下好醜生善處惡
處悉於中現及鐵圍山大鐵圍山彌樓山摩
訶彌樓山等諸山及其中衆生悉於中現下

BD02223號　妙法蓮華經卷六　(25–7)

請若誦若解說若書寫得八百身功德得清
淨身如淨琉璃衆生憙見其身淨故三千大
千世界衆生生時死時上下好醜生善處惡
處悉於中現及鐵圍山大鐵圍山弥樓山摩
訶弥樓山等諸山及其中衆生悉於中現下
至阿鼻地獄上至有頂所有及衆生悉於中
現若聲聞辟支佛菩薩諸佛說法皆於身中
現其色像尒時世尊欲重宣此義而說偈言
若持法華者　其身甚清淨　如彼淨琉璃　衆生皆憙見
又如淨明鏡　悉見諸色像　菩薩於淨身　皆見世所有
唯獨自明了　餘人所不見　三千世界中　一切諸群萌
天人阿脩羅　地獄鬼畜生　如是諸色像　皆於身中現
諸天等宮殿　乃至於有頂　鐵圍及弥樓　摩訶弥樓山
諸大海水等　皆於身中現　諸佛及聲聞　佛子菩薩等
若獨若在衆　說法悉皆現　雖未得无漏　法性之妙身
以清淨常體　一切於中現
復次常精進若善男子善女人如來滅後受持
是經若讀若誦若解說若書寫得千二百
意功德以是清淨意根乃至聞一偈一句通
達无量无邊之義解是義已能演說一句一
偈至於一月四月乃至一歲諸所說法隨其
義趣皆與實相不相違背若說俗間經書治
世語言資生業等皆順正法三千大千世界
六趣衆生心之所行心所動作心所戲論皆
悉知之雖未得无漏智慧而其意根清淨如

六趣衆生心之所行心所動作心所戲論皆
悉知之雖未得无漏智慧而其意根清淨如
此是人有所思惟籌量言說皆是佛法无不
真實亦是先佛經中所說尒時世尊欲重宣
此義而說偈言
是人意清淨　明利无穢濁　以此妙意根　知上中下法
乃至聞一偈　通達无量義　次第如法說　月四月至歲
是世界內外　一切諸衆生　若天龍及人　夜叉鬼神等
其在六趣中　所念若干種　持法華之報　一時皆悉知
十方无數佛　百福莊嚴相　為衆生說法　悉聞能受持
思惟无量義　說法亦无量　終始不忘錯　以持法華故
悉知諸法相　隨義識次第　達名字語言　如所知演說
此人有所說　皆是先佛法　以演此法故　於衆无所畏
持法華經者　意根淨若斯　雖未得无漏　先有如是相
是人持此經　安住希有地　為一切衆生　歡喜而愛敬
能以千万種　善巧之語言　分別而說法　持法華經故
妙法蓮華經常不輕菩薩品第二十
尒時佛告得大勢菩薩摩訶薩汝今當知若
比丘比丘尼優婆塞優婆夷持法華經者若
有惡口罵詈誹謗獲大罪報如前所說其所
得功德如向所說眼耳鼻舌身意清淨得大
勢乃往古昔過无量无邊不可思議阿僧祇
劫有佛名威音王如來應供正遍知明行足
善逝世間解无上士調御丈夫天人師佛世

勢乃往古昔過无量无邊不可思議阿僧祇
劫有佛名威音王如來應供正遍知明行足
善逝世間解无上士調御丈夫天人師佛世
尊劫名離衰國名大成其威音王佛於彼世
中為天人阿脩羅說法為求聲聞者說應四
諦法度生老病死究竟涅槃為求辟支佛者
說應十二因緣法為諸菩薩因阿耨多羅三
藐三菩提說應六波羅蜜法究竟佛慧得大
勢是威音王佛壽四十万億那由他恒河沙
劫正法住世劫數如一閻浮提微塵像法住
世劫數如四天下微塵其佛饒益衆生已然
後滅度正法像法滅盡之後於此國土復有
佛出亦号威音王如來應供正遍知明行足
善逝世間解无上士調御丈夫天人師佛世
尊如是次第有二万億佛皆同一号最初威
音王如來既已滅度正法滅後於像法中增
上慢比丘有大勢力尒時有一菩薩比丘名
常不輕得大勢以何因緣名常不輕是比丘
凡有所見若比丘比丘尼優婆塞優婆夷皆
悉礼拜讚歎而作是言我深敬汝等不敢輕
慢所以者何汝等皆行菩薩道當得作佛而
是比丘不專讀誦經典但行礼拜乃至遠見
四衆亦復故往礼拜讚歎而作是言我不敢
輕於汝等汝等皆當作佛故四衆之中有生
瞋恚心不淨者惡口罵詈言是无智比丘從

BD02223號　妙法蓮華經卷六

(25–10)

是比丘不專讀誦經典但行礼拜乃至遠見
四衆亦復故往礼拜讚歎而作是言我不敢
輕於汝等汝等皆當作佛故四衆之中有生
瞋恚心不淨者惡口罵詈言是无智比丘從
何所來自言我不輕汝而與我等授記當得
作佛我等不用如是虛妄授記如此經歷多
年常被罵詈不生瞋恚常作是言汝當作佛
說是語時衆人或以杖木瓦石而打擲之避
走遠住猶高聲唱言我不敢輕於汝等汝等
皆當作佛以其常作是語故增上慢比丘比
丘尼優婆塞優婆夷号之為常不輕是比丘
臨欲終時於虛空中具聞威音王佛先所說
法華經二十千万億偈悉能受持即得如上
眼根清淨耳鼻舌身意根清淨得是六根清
淨已更增壽命二百万億那由他歲廣為人
說是法華經於時增上慢四衆比丘比丘尼
優婆塞優婆夷輕賤是人為作不輕名者見
其得大神通力樂說辯力大善寂力聞其所
說皆信伏隨從是菩薩復化千万億衆令住
阿耨多羅三藐三菩提命終之後得值二千
億佛皆号日月燈明於其法中說是法華經
以是因緣復值二千億佛同号雲自在燈王
於此諸佛法中受持讀誦為諸四衆說此經
典故得是常眼清淨耳鼻舌身意諸根清
淨四衆中說法心无所畏得大勢是常不輕

BD02223號　妙法蓮華經卷六

(25–11)

於此諸佛法中受持讀誦為諸四衆說此經
典故得是常眼清淨耳鼻舌身意諸根清
淨四衆中說法心无所畏得大勢是常不輕
菩薩摩訶薩供養如是若干諸佛恭敬尊
重讚歎種諸善根於後復值千万億佛亦於諸
佛法中說是經典功德成就當得作佛得大
勢於意云何尒時常不輕菩薩豈異人乎則
我身是若我於宿世不受持讀誦此經為他
人說者不能疾得阿耨多羅三藐三菩提我
於先佛所受持讀誦此經為人說故疾得阿
耨多羅三藐三菩提得大勢彼時四衆比丘
比丘尼優婆塞優婆夷以瞋恚意輕賤我故
二百億劫常不值佛不聞法不見僧千劫於
阿鼻地獄受大苦惱畢是罪已復遇常不輕
菩薩教化阿耨多羅三藐三菩提得大勢於
汝意云何尒時四衆常輕是菩薩者豈異人
乎今此會中跋陀婆羅等五百菩薩師子月
等五百比丘尼思佛等五百優婆塞皆於阿
耨多羅三藐三菩提不退轉者是得大勢當
知是法華經大饒益諸菩薩摩訶薩能令至
於阿耨多羅三藐三菩提是故諸菩薩摩訶
薩於如來滅後常應受持讀誦解說書寫是
經尒時世尊欲重宣此義而說偈言
過去有佛　号威音王　神智无量　將導一切
天人龍神　所共供養　是佛滅後　法欲盡時
有一菩薩　名常不輕　時諸四衆　計著於法

BD02223號　妙法蓮華經卷六

(25-12)

薩於如來滅後常應受持讀誦解說書寫是
經尒時世尊欲重宣此義而說偈言
過去有佛　号威音王　神智无量　將導一切
天人龍神　所共供養　是佛滅後　法欲盡時
有一菩薩　名常不輕　時諸四衆　計著於法
不輕菩薩　往到其所　而語之言　我不輕汝
汝等行道　皆當作佛　諸人聞已　輕毀罵詈
不輕菩薩　能忍受之　其罪畢已　臨命終時
得聞此經　六根清淨　神通力故　增益壽命
復為諸人　廣說是經　諸著法衆　皆蒙菩薩
教化成就　令住佛道　不輕命終　值无數佛
說是經故　得无量福　漸具功德　疾成佛道
彼時不輕　則我身是　時四部衆　著法之者
聞不輕言　汝當作佛　以是因緣　值无數佛
此會菩薩　五百之衆　并及四部　清信士女
今於我前　聽法者是　我於前世　勸是諸人
聽受斯經　第一之法　開示教人　令住涅槃
世世受持　如是經典　億億万劫　至不可議
時乃得聞　是法華經　億億万劫　至不可議
諸佛世尊　時說是經　是故行者　於佛滅後
聞如是經　勿生疑惑　應當一心　廣說此經
世世值佛　疾成佛道
妙法蓮華經如來神力品第二十一
尒時千世界微塵等菩薩摩訶薩從地踊出
者皆於佛前一心合掌瞻仰尊顔而白佛言
世尊我等於佛滅後世尊分身所在國土滅

BD02223號　妙法蓮華經卷六

(25-13)

世世値佛　疾成佛道
妙法蓮華經如來神力品第二十一
尒時千世界微塵等菩薩摩訶薩從地踊出
者皆於佛前一心合掌瞻仰尊顔而白佛言
世尊我等於佛滅後世尊分身所在國土滅
度之處當廣說此經所以者何我等亦自欲
得是真淨大法受持讀誦解說書寫而供養
之尒時世尊於文殊師利等无量百千万億
舊住娑婆世界菩薩摩訶薩及諸比丘比丘
尼優婆塞優婆夷天龍夜叉乾闥婆阿脩羅
迦樓羅緊那羅摩睺羅伽人非人等一切衆
前現大神力出廣長舌上至梵世一切毛孔
放於无量无數色光皆悉遍照十方世界衆
寶樹下師子座上諸佛亦復如是出廣長舌
放无量光釋迦牟尼佛及寶樹下諸佛現神
力時滿百千歲然後還攝舌相一時謦欬俱
共彈指是二音聲遍至十方諸佛世界地皆
六種震動其中衆生天龍夜叉乾闥婆阿脩
羅迦樓羅緊那羅摩睺羅伽人非人等以佛
神力故皆見此娑婆世界无量无邊百千万
億衆寶樹下師子座上諸佛及見釋迦牟尼
佛共多寶如來在寶塔中坐師子座又見无
量无邊百千万億菩薩摩訶薩及諸四衆恭
敬圍繞釋迦牟尼佛既見是已皆大歡喜得
未曾有即時諸天於虛空中高聲唱言過此
无量无邊百千万億阿僧祇世界有國名娑

BD02223號　妙法蓮華經卷六　(25–14)

量无邊百千万億菩薩摩訶薩及諸四衆恭
敬圍繞釋迦牟尼佛既見是已皆大歡喜得
未曾有即時諸天於虛空中高聲唱言過此
无量无邊百千万億阿僧祇世界有國名娑
婆是中有佛名釋迦牟尼今為諸菩薩摩訶
薩說大乘經名妙法蓮華教菩薩法佛所護
念汝等當深心隨喜亦當礼拜供養釋迦牟
尼佛彼諸衆生聞虛空中聲已合掌向娑婆
世界作如是言南无釋迦牟尼佛南无釋迦
牟尼佛以種種華香瓔珞幡蓋及諸嚴身之
具珎寶妙物皆共遙散娑婆世界所散諸物
從十方來譬如雲集變成寶帳遍覆此間諸
佛之上于時十方世界通達无礙如一佛土尒
時佛告上行等菩薩大衆諸佛神力如是
无量无邊不可思議若我以是神力於无量
无邊百千万億阿僧祇劫為囑累故說此經
功德猶不能盡以要言之如來一切所有之
法如來一切自在神力如來一切祕要之藏
如來一切甚深之事皆於此經宣示顯說是
故汝等於如來滅後應一心受持讀誦解說
書寫如說修行所在國土若有受持讀誦解
說書寫如說修行若經卷所住之處若於園
中若於林中若於樹下若於僧坊若白衣舍
若在殿堂若山谷曠野是中皆應起塔供養
所以者何當知是處即是道場諸佛於此得
阿耨多羅三藐三菩提諸佛於此轉于法輪

BD02223號　妙法蓮華經卷六　(25–15)

中若於林中若於樹下若於僧坊若白衣舍
若在殿堂若山谷曠野是中皆應起塔供養
所以者何當知是處即是道場諸佛於此得
阿耨多羅三藐三菩提諸佛於此轉于法輪
諸佛於此而般涅槃尒時世尊欲重宣此義
而說偈言
諸佛救世者　住於大神通　為悅衆生故　現无量神力
舌相至梵天　身放无數光　為求佛道者　現此希有事
諸佛謦欬聲　及彈指之聲　周聞十方國　地皆六種動
以佛滅度後　能持是經故　諸佛皆歡喜　現无量神力
屬累是經故　讃美受持者　於无量劫中　猶故不能盡
是人之功德　无邊无有窮　如十方虛空　不可得邊際
能持是經者　則為已見我　亦見多寶佛　及諸分身者
又見我今日　教化諸菩薩　能持是經者　令我及分身
滅度多寶佛　一切皆歡喜　十方現在佛　并過去未來
亦見亦供養　亦令得歡喜　諸佛坐道場　所得秘要法
能持是經者　不久亦當得　能持是經者　於諸法之義
名字及言辞　樂說无窮盡　如風於空中　一切无鄣礙
於如來滅後　知佛所說經　因緣及次第　隨義如實說
如日月光明　能除諸幽冥　斯人行世間　能滅衆生闇
教无量菩薩　畢竟住一乘　是故有智者　聞此功德利
於我滅度後　應受持斯經　是人於佛道　決定无有疑
妙法蓮華經屬累品第二十二
尒時釋迦牟尼佛從法座起現大神力以右
手摩无量菩薩摩訶薩頂而作是言我於无
量百千万億阿僧祇劫脩習是難得阿耨多

妙法蓮華經屬累品第二十二
尒時釋迦牟尼佛從法座起現大神力以右
手摩无量菩薩摩訶薩頂而作是言我於无
量百千万億阿僧祇劫脩習是難得阿耨多
羅三藐三菩提法今以付屬汝等汝等應當
一心流布此法廣令增益如是三摩諸菩薩
摩訶薩頂而作是言我於无量百千万億阿
僧祇劫脩習是難得阿耨多羅三藐三菩提
法今以付屬汝等汝等當受持讀誦廣宣此
法令一切衆生普得聞知所以者何如來有
大慈悲无諸慳悋亦无所畏能與衆生佛之
智慧如來智慧自然智慧如是一切衆生
之大施主汝等亦應隨學如來之法勿生慳
悋於未來世若有善男子善女人信如來智
慧者當為演說此法華經使得聞知為令其
人得佛慧故若有衆生不信受者當於如來
餘深法中示教利喜汝等若能如是則為已
報諸佛之恩時諸菩薩摩訶薩聞佛作是說
已皆大歡喜遍滿其身益加恭敬曲躬低頭
合掌向佛俱發聲言如世尊勑當具奉行唯
然世尊願不有慮諸菩薩摩訶薩衆如是
又俱發聲言如世尊勑當具奉行唯然世尊
願不有慮尒時釋迦牟尼佛令十方來諸分
身佛各還本土而作是言諸佛各隨所安多
寶佛塔還可如故說是語時十方无量分身

又俱發聲言如世尊勅當具奉行唯然世尊
願不有慮尒時釋迦牟尼佛令十方來諸分
身佛各還本土而作是言諸佛各隨所安多
寶佛塔還可如故說是語時十方无量分身
諸佛坐寶樹下師子座上者及多寶佛并上
行等无邊阿僧祇菩薩大衆舍利弗等聲聞
四衆及一切世間天人阿脩羅等聞佛所說
皆大歡喜

妙法蓮華經藥王菩薩本事品第二十三

尒時宿王華菩薩白佛言世尊藥王菩薩云
何遊於娑婆世界世尊是藥王菩薩有若干
百千万億那由他難行苦行善哉世尊願少
解說諸天龍神夜叉乾闥婆阿脩羅迦樓羅
緊那羅摩睺羅伽人非人等又他國土諸來
菩薩及此聲聞衆聞皆歡喜尒時佛告宿王
華菩薩乃往過去无量恒河沙劫有佛號日
月淨明德如來應供正遍知明行足善逝世
間解无上士調御丈夫天人師佛世尊其佛
有八十億大菩薩摩訶薩七十二恒河沙大
聲聞衆佛壽四万二千劫菩薩壽命亦等彼
國无有女人地獄餓鬼畜生阿脩羅等及以
諸難地平如掌琉璃所成寶樹莊嚴寶帳覆
上垂寶華幡寶瓶香鑪周遍國界七寶爲臺
一樹一臺其樹去臺盡一箭道此諸寶樹皆
有菩薩聲聞而坐其下諸寶臺上各有百億

BD02223號　妙法蓮華經卷六

(25–18)

上垂寶華幡寶瓶香鑪周遍國界七寶爲臺
一樹一臺其樹去臺盡一箭道此諸寶樹皆
有菩薩聲聞而坐其下諸寶臺上各有百億
諸天作天伎樂歌歎於佛以爲供養尒時彼
佛爲一切衆生憙見菩薩及衆菩薩諸聲聞
衆說法華經是一切衆生憙見菩薩樂習苦
行於日月淨明德佛法中精進經行一心求
佛滿万二千歲已得現一切色身三昧得此
三昧已心大歡喜即作念言我得現一切色
身三昧皆是得聞法華經力我今當供養日
月淨明德佛及法華經即時入是三昧於虛
空中雨曼陁羅華摩訶曼陁羅華細末堅黑
栴檀滿虛空中如雲而下又雨海此岸栴檀
之香此香六銖價直娑婆世界以供養佛作
是供養已從三昧起而自念言我雖以神力
供養於佛不如以身供養即服諸香栴檀薰
陸兜樓婆畢力迦沉水膠香又飲瞻蔔諸華
香油滿千二百歲已香油塗身於日月淨明
德佛前以天寶衣而自纏身灌諸香油以神
通力願而自然身光明遍照八十億恒河沙
世界其中諸佛同時讚言善哉善哉善男子
是真精進是名真法供養如來若以華香瓔
珞燒香末香塗香天繒幡蓋及海此岸栴檀
之香如是等種種諸物供養所不能及假使
國城妻子布施亦所不及善男子是名第一
之施於諸施中最尊最上以法供養諸如來

BD02223號　妙法蓮華經卷六

(25–19)

之香如是等種種諸物供養所不能及假使
國城妻子布施亦所不及善男子是名第一
之施於諸施中冣尊冣上以法供養諸如来
故作是語已而各默然其身火然千二百歲
過是已後其身乃盡一切衆生憙見菩薩作
如是法供養已命終之後復生日月淨明德
佛國中於淨德王家結跏趺坐忽然化生即
為其父而說偈言
大王今當知　我經行彼處　即時得一切　現諸身三昧
懃行大精進　捨所愛之身
說是偈已而白父言日月淨明德佛今故現
在我先供養佛已得解一切衆生語言陁羅
尼復聞是法華經八百千万億那由他甄迦
羅頻婆羅阿閦婆等偈大王我今當還供養
此佛白已即坐七寶之臺上昇虛空高七多
羅樹往到佛所頭面礼足合十指爪以偈讚
佛
容顏甚奇妙　光明照十方　我適曾供養　今復還親覲
尒時一切衆生憙見菩薩說是偈已而白佛
言世尊世尊猶故在世尒時日月淨明德佛
告一切衆生憙見菩薩善男子我涅槃時到
滅盡時至汝可安施牀座我於今夜當般涅
槃又勑一切衆生憙見菩薩善男子我以佛
法屬累於汝及諸菩薩大弟子并阿耨多羅
三藐三菩提法亦以三千大千七寶世界諸

BD02223 號　妙法蓮華經卷六　（25–20）

槃又勑一切衆生憙見菩薩善男子我以佛
法屬累於汝及諸菩薩大弟子并阿耨多羅
三藐三菩提法亦以三千大千七寶世界諸
寶樹寶臺及給侍諸天悉付於汝我滅度後
所有舍利亦付屬汝當令流布廣設供養應
起若干千塔如是日月淨明德佛勑一切衆
生憙見菩薩已於夜後分入於涅槃尒時一
切衆生憙見菩薩見佛滅度悲感懊惱戀
慕於佛即以海此岸栴檀為積供養佛身而以
燒之火滅已後收取舍利作八万四千寶瓶
以起八万四千塔高三世界表刹莊嚴垂諸
幡蓋懸衆寶鈴尒時一切衆生憙見菩薩復
自念言我雖作是供養心猶未足我今當更
供養舍利便語諸菩薩大弟子及天龍夜叉
等一切大衆汝等當一心念我今供養日月
淨明德佛舍利作是語已即於八万四千塔
前然百福莊嚴臂七万二千歲而以供養令
无數求聲聞衆无量阿僧祇人發阿耨多羅
三藐三菩提心皆使得住現一切色身三昧
尒時諸菩薩天人阿脩羅等見其无臂憂惱
悲哀而作是言此一切衆生憙見菩薩是我
等師教化我者而今燒臂身不具足于時一
切衆生憙見菩薩於大衆中立此誓言我捨
兩臂必當得佛金色之身若實不虛令我兩
臂還復如故作是誓已自然還復由斯菩薩

BD02223 號　妙法蓮華經卷六　（25–21）

等師教化我者而今燒臂身不具足于時一
切衆生悪見菩薩於大衆中立此誓言我捨
兩臂必當得佛金色之身若實不虚令我兩
臂還復如故作是誓已自然還復由斯菩薩
福德智慧淳厚所致當尒之時三千大千世
界六種震動天雨寶華一切人天得未曾有
佛告宿王華菩薩於汝意云何一切衆生悪
見菩薩豈異人乎今藥王菩薩是也其所捨
身布施如是无量百千万億那由他數宿王
華若有發心欲得阿耨多羅三藐三菩提者
能然手指乃至足一指供養佛塔勝以國城
妻子及三千大千國土山林河池諸珎寶物
而供養者若復有人以七寶滿三千大千世
界供養於佛及大菩薩辟支佛阿羅漢是人
所得功德不如受持此法華經乃至一四句
偈其福最多宿王華譬如一切川流江河諸
水之中海爲苐一此法華經亦復如是於諸
如來所說經中最爲深大又如土山黑山小
鐵圍山大鐵圍山及十寶山衆山之中須弥
山爲苐一此法華經亦復如是於諸經中最
爲其上又如衆星之中月天子最爲苐一此
法華經亦復如是於千万億種諸經法中最
爲照明又如日天子能除諸闇此經亦復如
是能破一切不善之闇又如諸小王中轉輪
聖王最爲苐一此經亦復如是於衆經中最
爲其尊又如帝釋於三十三天中王此經亦

BD02223號　妙法蓮華經卷六　（25-22）

爲照明又如日天子能除諸闇此經亦復如
是能破一切不善之闇又如諸小王中轉輪
聖王最爲苐一此經亦復如是於衆經中最
爲其尊又如帝釋於三十三天中王此經亦
復如是諸經中王又如大梵天王一切衆生
之父此經亦復如是一切賢聖學无學及發
菩薩心者之父又如一切凡夫人中須陁洹
斯陁含阿那含阿羅漢辟支佛爲苐一此經
亦復如是一切如來所說若菩薩所說若聲
聞所說諸經法中最爲苐一有能受持是經
典者亦復如是於一切衆生中亦爲苐一一
切聲聞辟支佛中菩薩爲苐一此經亦復如
是於一切諸經法中最爲苐一如佛爲諸法
王此經亦復如是諸經中王宿王華此經能
救一切衆生者此經能令一切衆生離諸苦
惱此經能大饒益一切衆生充滿其願如清
凉池能滿一切諸渴乏者如寒者得火如裸
者得衣如商人得主如子得母如渡得船如
病得醫如暗得燈如貧得寶如民得王如賈
客得海如炬除暗此法華經亦復如是能令
衆生離一切苦一切病痛能解一切生死之
縛若人得聞此法華經若自書若使人書所
得功德以佛智慧籌量多少不得其邊若書
是經卷華香瓔珞燒香末香塗香幡蓋衣
服種種之燈蘇燈油燈諸香油燈瞻蔔油燈

BD02223號　妙法蓮華經卷六　（25-23）

經若人得聞此法華經若自書若使人書所
得功德以佛智慧籌量多少不得其邊若書
是經卷華香瓔珞燒香末香塗香幡蓋衣
服種種之燈蘇燈油燈諸香油燈瞻蔔油燈
須曼那油燈波羅羅油燈婆利師迦油燈那婆
摩利油燈供養所得功德亦復无量宿王華
若有人聞是藥王菩薩本事品者亦得无量
无邊功德若有女人聞是藥王菩薩本事品
能受持者盡是女身後不復受若如來滅後
後五百歲中若有女人聞是經典如說修行
於此命終即往安樂世界阿弥陀佛大菩薩
衆圍繞住處生蓮華中寶座之上不復為貪
欲所惱亦復不為瞋恚愚癡所惱亦復不為
憍慢嫉妬諸垢所惱得菩薩神通无生法忍
得是忍已眼根清淨以是清淨眼根見七百
万二千億那由他恒河沙等諸佛如來是時
諸佛遥共讚言善哉善哉善男子汝能於
釋迦牟尼佛法中受持讀誦思惟是經為他
人說所得福德无量无邊火不能燒水不能漂
汝之功德千佛共說不能令盡汝今已能破
諸魔賊壞生死軍諸餘怨敵皆悉摧滅善男
子百千諸佛以神通力共守護汝於一切世
間天人之中无如汝者唯除如來其諸聲聞
辟支佛乃至菩薩智慧禪定无有與汝等者
宿王華此菩薩成就如是功德智慧之力若
有人聞是藥王菩薩本事品能隨喜讚善者

BD02223號　妙法蓮華經卷六　(25-24)

間天人之中无如汝者唯除如來其諸聲聞
辟支佛乃至菩薩智慧禪定无有與汝等者
宿王華此菩薩成就如是功德智慧之力若
有人聞是藥王菩薩本事品能隨喜讚善者
是人現世口中常出青蓮華香身毛孔中常
出牛頭栴檀之香所得功德如上所說是故
宿王華以此藥王菩薩本事品屬累於汝我
滅度後後五百歲中廣宣流布於閻浮提无
令斷絕惡魔魔民諸天龍夜叉鳩槃荼等得
其便也宿王華汝當以神通之力守護是經
所以者何此經則為閻浮提人病之良藥若
人有病得聞是經病即消滅不老不死宿王
華汝若見有受持是經者應以青蓮華盛滿
末香供散其上散已作是念言此人不久必
當取草坐於道場破諸魔軍當吹法螺擊大
法鼓度脫一切衆生老病死海是故求佛道
者見有受持是經典人應當如是生恭敬心
說是藥王菩薩本事品時八万四千菩薩得
解一切衆生語言陀羅尼多寶如來於寶塔
中讚宿王華菩薩言善哉善哉宿王華汝成
就不可思議功德乃能問釋迦牟尼佛如此
之事利益无量一切衆生

妙法蓮華經卷第六

BD02223號　妙法蓮華經卷六　(25-25)

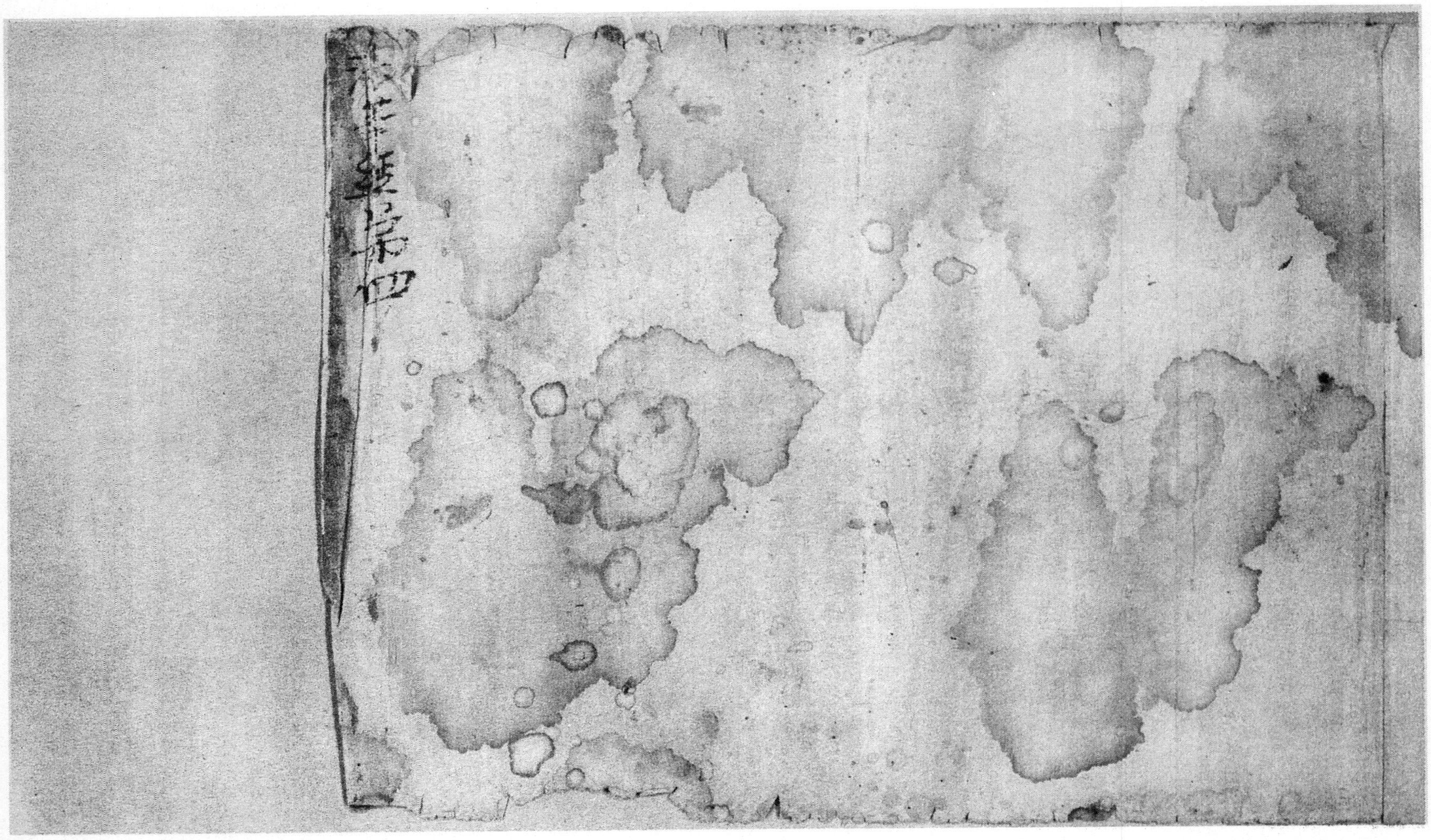

BD02223 號背　勘記　　（7–1）

BD02223 號背　西域文字　　（7–2）

BD02223 號背　西域文字　　（7–3）

BD02223 號背　西域文字　　（7–4）

BD02223 號背　西域文字　（7–5）

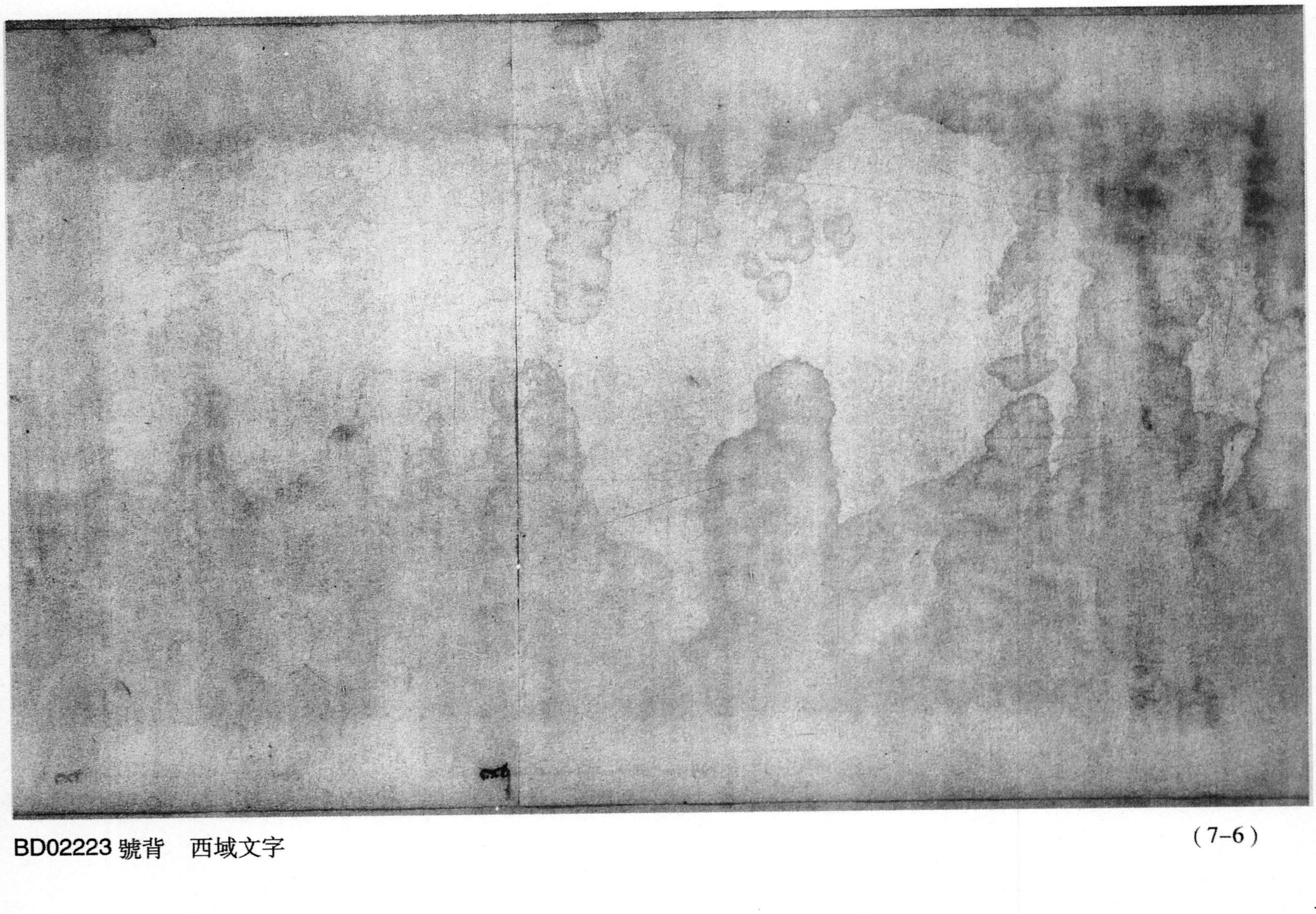

BD02223 號背　西域文字　（7–6）

BD02223號背　西域文字　（7–7）

一從如
果中有二
……法身金剛不壊義二從善
男子汝金當知下說此段明結備勸脩行義就前法身中有三
種身果從初至常不可識明法身第二從无識離心已下至无
有相貌根明報身第三從如来度說一切衆生已下明方便身
而未能知所曰云何者第二大段弁金剛因也下正弁護法
是金剛因也就此中有三句從善男子不受五戒已下至
成就法身不可壊身弁外二種護法人行相第二從如
来常身猶如畫石至具心弘廣猶如大海明內外二護功
能利益義第三從有比丘以利養故下訖此段明內護之人
德行優劣三品不同義不受五戒不備威儀非是无也
下別科釋此中弁行有二一種從初至為名第一持戒明不
盡於為行第二從謂具正見已下明不住无為行也第三
從迦葉衆於三種已下派前二行不住於為不住无為故云
不受五戒也應持鉢稍者此是理世間行也所寄戒具而
明者雖相同於為行能決斷不為於為所諫故借況身護
清淨比丘者顯窮於妙用也迦葉引二種人前者息世而
歸窮於為中御脩无為行是真也若比丘雖守護者捨世
間相也獨處空閑者作无為觀也塚間樹下者離諸緣也

明者雖相同於為行能決斷不為於為所染故借況身護
清淨沙丘者顯窮於妙用也迦葉引二種人前者息世而
歸窮於為中御備无為行是真也若沙立雖守護者捨世
閒相也獨處空閑者作无為觀也塚間樹下者離諸緣也
當說是人為真沙丘者以捨世為真也若於隨逐乃至竟吞
士者謂以世相為驚也仏告迦葉莫作是語言竟居士者
勿覩相不達真也若有沙立匡下答初句非真謂真也
若於沙立隨所至處者備无為行也供身取足者身无光
之資也讀誦坐禪者住窮心也有來聞法者化行也取為
宣說乃至知足唯誅出離行也雖能如是種種說法乃至
懈怠懶墮者非是昂漆不漆利益行也雖能持戒守護
淨行者雖備无為行非是為而无為也故言无所能為若
有沙立者是真備沙立也供身之具亦常豐足方便緣具
也復能護戒者不住无為行處漆不漆也能師子吼說九
部者教道殊能也涅槃經中制沙立不畜不淨物者不是
捨於為行明盡有為相也故云治之此一句明有慧方便解
也異部經中者方便教道異於實證故云異部向云涅槃
經中者亦是方便涅槃下云九部亦如是不聽沙立畜非法
物者義不異前国王如法治者与住无為行相違也駁令、
還俗者不稱性淨也此一句明於慧解若於沙立作師子
吼者前句窮後句用窮用不二无於鄣导顯无畏義故
云能師子吼有破戒者雖備於為行著於為相也聞說
是已害是法師者聞用而是窮求已所知違彼真宗
故云害也是說法者設復命終者勝進道與此緣沁
捨也故云命終故若持戒自利利他者方便功立行轉
清淨也以是緣故者以是窮用无导利益緣故也能令
国主等者自入備篇顯於實證護法行成故云護說法

捨也故云命終故若持戒自利〻他者方便功立行轉
清淨也以是緣故者以是寂用无畏利益緣故也能合
國主等者自八備論顯於實證護法行成故云護說法
人也國主者教量論之人也帝臣宰相三恒人也優婆
塞既達人也若於欲得護正法者當如是學勸也迦
葉破戒不護法者名禿居士者牒上迦葉道真也非持
戒者得如是名者牒上迦葉道觸者善男子過去无
量者下廣引證也彼仏住世乃至住世无量歲者正法
中法常寸四備也餘卅年法未滅者无常寸四備也
尒時於一持戒比丘下竟不可壞身出二種內外護法人
德行若疲脩習次第證道方便不如若據成就行證方
勝證道不如也名曰覺德者自躰顯照名覺集用圓滿
名德實德以顯實也是有徒衆眷屬者功德智惠互相
資易故曰遠遶也自下不別釋總舉同前也從覺下
至執持刀仗遍是法師明內護因行故是上若比丘下
至害是法師釋義不異也從於德國王下至是身當
爲无量法器明外護因行故是上從是說法者至非持戒
者得如是名來經文釋義悉无異也於德命終生阿閦者
明外方便行成與方便果爲因也第一者明外護勝也具王
將從於戰鬬者一恒已上備相人也故是上帝臣宰相人也
於隨喜者堅達人因果中信也故是上優婆塞者一切不退
菩提心者隨分者顯具實也德覺命終生阿閦爲聲聞衆
中者與性淨果作因也彰內備不如故云第二也上來尒許
人皆備不盡於爲行也若於正法欲滅盡者已下結勸會
通二人也若覺德不如何故云迦葉仏是但迦葉名在內照
釋加名當於外邊如此明優劣非先後也如來常身猶如
畫石者欲成上寂用不二如似石上之文成即壞〻即成此壞
是成壞此成壞恒一恒異寂用相資義顯於此故昔內照世

通二人也若覺德不如何故云迦葉仏是但迦葉名在内明
釋加名當於界邊如此明優劣非先後也如來常身猶如
畫石者欲成上家用不二如似石上之文成即壞之即成比壞
是成壞此成壞恒一恒異家用相資義顯於此故借為況世
成況驗壞據相此迦葉領解下如來勸明也五戒具者不
淨名為不盡於為大乘行也不受五戒乃名大乘護法者
是不盡於為行也何故尔欲明受戒頓於出相永不盡於
為行故不异迦葉仏若諸比丘与持仗共為伴侶者為顯
二行相資成无戴寻不住道也有師无者有為无為二行
相資不資相不資也為持戒為破戒即於不著是
持戒也取著是破戒仏告迦葉莫謂是寸為破戒
者句謂相同於為比是无為无可不為何於破戒也我
涅槃後者上来如此之句恒於二義一者一心明論化主
光遅也二者對治道謝光真證義顯示名涅槃獨
惠之世者始發之心驗是忌相也国土蕪記互相掠
者在无於緣集中趣明相方便未能相應明闇迭興
故云互相掠也人民飢餓者明集未淨真資也尔時
多於為飢餓故發心出家者脩遠離行也如是之人
名秃人者无真明方便自他利也此中云秃下云長蹤為
相准之可知是秃人輩見持戒比丘護持正法駈遣令
出者真為於背也若要者断於行也若害姑身依證於也
迦葉白仏是持戒人云何得入衆落教化姑夫持戒是出
離无為行村治教化是於為行此二於違云何順也善男
子是故我今聽与白衣為判者為顯家用於資也若唯
家
不用是二乘行也唯用无家是凡夫也今明大乘家用常
用之用常家即於方便惠解於惠方便解也雖持刀仗
者菩薩獸離於為也不應畫於為也迦葉言護法者

窮
不用是二乘行也唯用无窮是凡夫也今明大乘窮亦常
用〻亦常窮身於方便惠解於惠方便解也雖持刀仗
者菩薩獸離於為也不應畫於為也迦葉言誠法者
已下弁內護功能謂具正者自幹真照也廣說經典者
真詮於斑也終不捉持王者寶蓋者不身於為中藤於
也油瓶者亦是於中為種〻行也不為利養親近国王等
者求世資也於諸徑趣不論興由者雖為世用身理於慈
也具足威儀者真明方便也推伏破戒諸惡人者身依住
窮於達也是名持戒乃至譬如大海者明誠法菩薩具
意廣大結上真行成也　若於作立已下結上不成之行
也以利養故為他說法者與中方便也所於徒衆亦勸師貪
利故自餘行同具可身也是人如是便自壞衆者雖外明无
為不能身理幹是於為也故云壞衆迦葉衆於三種已下
廣弁真為一犯戒雜僧者窮用亦均幹是於為故名為雜
愚癡僧者身明住窮也清淨僧者於於无不著也破戒雜
僧幹是生滅故壞云易壞清淨僧於二不著故云利養
不壞也云何破戒雜僧若於作立雖持禁戒者唯明无為行世
為利養者身窮資也身破戒者生趣行未相親附者用雖
无為幹是壞法不相捨離故云親附同其事業者資用不
異也云何愚癡僧於作立在阿蘭若處者樂无為世諸根不
利无方便行也闇鈍瞖曹僧者窮亦无用也少欲乞食者
身出離之資也於說戒日及自恣時者顯已清界也教
諸弟子清淨懺悔者一向專備自利行也見非弟子犯戒
不教悔者於中无為用不慎窮心名非弟子不與對治除於
知鄣故云不教懺悔也亦便与共說戒自恣者亦達導
中道身證也故名愚癡僧云何清淨僧若於作立百千
億魔不於壞者真明之行〻同法界身以魔勞為道故

知鄣故亦不教懺悔也亦使与共説戒自恣者亦遣導
中道尋證也故名愚癡僧云何清淨僧若大小並百千
億魔不能壞者真明之行々同法界即以塵勞为道故
云不壞菩薩本性清淨能調者々部令唯淨衆者雜僧
僧明者为愚明无为各住一於令於无不二窮用俱離不住
无为窮亦常用々亦常窮此是菩薩清淨不住道也故云能
調令清淨也善持律者具調伏方便也若輕若重者善
識對治也此雖論重持異常倫住取为者名为婬超尋證
者名为盡斷於为行名堅幹是虚誑为妄語離此四重即
顯自幹調伏也非律不證者各住一邊名不證也應證者若
是窮用无導證也云何名調衆生若菩薩为化入衆治者
顯不住道也不擇時節者隨緣而作也或王宮婦女婬
女舍者窮而不用为宗歸也說著世資名曰婬女也与同止
遲慮多年者窮用於資未曾離也若聲聞不應为者窮於
出離者非具境界也云何故重若見如来因事制戒者妄於緣
者幹具四重故云四事世從今日慎莫更犯者八々除遣真
重趣也知出家人不作者借況也若故作者若住无为非息惡
沙門也非釋種子者若住於为非即添殊能也云何輕如是
三諫不捨者三道對治未成也非不證者若讚不淨應受者
嘆於为中住著也此非清淨故不同此也是律應證者善尋、
亦戒律不著无为不近破戒不著於为此二調亭即是律也
見於隨順生歡喜者方便道中不乖背也是名律師者調
伏行也善幹一字者幹證於應也善解經者不遠真詮顯旨
也仏法不可思議如来不可思議略嘆此二也自下可知也
名字功德品　　長壽品明慈悲不盡自利行金剛身明護
法是利他行此名字功德顯於行詮四於一品詮之實旨名字与
文字云何異語教无量挍量二一者行教二者理教善非

名字功德品　長壽品明慈悲不殺自利行金剛身明護
法是利他行此名字功德顯於行詮四於一品詮之實言名字与
文字云何爲異語教无量接弁重二一者行教二者理教並非
言音之謂也是以前者以功德為目下明理教以字文為稱
並皆假况表具言故俱得稱字以顯理為義以表彰為功文
以於斑為趣故借名之与文行之与理辦二於之別名字於功、
德之稱故以行為證下云文字故知理顯之目此二品皆自辨詮
也他行義在方便故在緣門明也文字歸於性實故唱
之於後　護法之家要須辯名達言故上問云何於此經究
竟到彼岸也　此中凡於三段從初至我今當說先略舉
具要二從所言大者至發之示現涅槃廣弁具於三從
迦葉善男子下明補也　就前略中復於二從初說所
得功德我今當說舉功德利益辦初於始　二從迦葉
菩薩沱比段前略擱名言之要字　廣弁中於有七種前六
自行後一外化初八句歸海創奉發心顯依理賞窮於後
際　第二醫亦喻明教行曠周苞含之極　第三春月下種喻
明補於窮宗證在於比　第四鳥亦喻明煩惱斷盡　第五耕
田喻明稍斷永除　第六諸藥喻明果辨圓滿以為第一　第七
恬蘋喻明德行殊勝力用具足此之七門自利之他圓備自
在慈自下勸明領解文顯可知　四相品　前品明詮光
有表之今是何所謂夜若法身體解既此言沖玄隱亦難惻
故上問顯仙開徵窒若從是此悳是微蜜品但具言圓廣
宜須曲示故借此三以顯具致但言光有次故先明夜若之說
別彰品之別示衆多今顯四相以辦吉趣即説為名之四於品
也　就中大判於二從初至成滿是故名大波涅槃正明祕蜜
義　二從迦葉菩薩白仏說品明領解述嘆勸明義　就前
祕蜜義中復於三段從初至即大涅槃寸无於異明涅槃

BD02224 號　涅槃經疏（擬）

也 就中大判於二從初至成諦是故名大滅涅槃正明秘密
義 二從迦葉菩薩白仏言品明領解述嘆勸明義 就前
秘密義中復於三段從初至昂大涅槃寸无於異明涅槃
具四於顯滅若義 第二從若於男女作如是言至无於去
來名何那含明法身義 第三從迦葉白仏如仏所說已下
說大段明解脫義 就前四相中初略舉名相次廣釋四相
義就釋中於二從初云何自正至是名大乘大涅槃中因緣
義於化宜方便教行以弁四相 第二復次自正者說此段明
涅槃備四於顯滅若斯照之義 語者者化宜亦就教而弁故
自正在初第子稟教明行无失之義也正他就教授教取利他
行亦具進否授化主以軌語解隨問荅 就行法而弁但行
淺深情於近遠於過音慎事在難曉故借問荅彰相畫
攢顯无方之弁 第四弁解因緣義亦明无為緣集自斯
圓備成真實因緣義也前就菩薩開示四相義者寄明稱
方便明四於也下就果斯以明四相若前就菩薩明四於者何故
釋中云若仏如來又義但菩薩與行兌入如來境界故舉如
來也 一者自正乏理顯圓照自實真證明不藉他通故名自正
二正他教道殊於義不守斯故名正他三者於隨問荅殊於方
便顯於自斯名之為問斯梅於用融而无旱疑滯永消故名
為荅四者善解因緣義既理顯成用之不乖實疑滯冰消
於无不盡真實緣集之道於茲顯矣故名善解因緣義也
云何自正者若仏如來者於人以彰行也見諸因緣者自攢緣
集顯照亦明名之為見故名見諸因緣也而於所說者違自
斯詮也譬如比丘者借明於況之見大火聚者緣智於在於
為名為火聚我寧抱是熾火聚者寧与智彰弁命也終不
敢於如來十二部經及秘蜜藏自攢真詮謗言是生滅緣猶也
故言不敢謗言是魔所說也又時一猶熾然大聚者是真實緣

為名為大乘我齊抱是憍大乘者寧与智齋并命也終不
敢於如來十二部經及祕密藏自捨真詮謗言是生滅緣猶也
故言不敢謗言是魔所說也又時一摂憍並大乘者是真實緣
集憍並不撓言抱者激亂之深也若言如來法僧无常者若以
若以名於分異謂是斷生滅者便自壞其善解損真詮也故云
自欺亦欺於人自以利刀斷舌不說三寶是无常者自說緣猶
非詮名為斷舌不言一體三寶是生滅也若聞他說亦不信受
者緣照方便達真他分為終不持此為實也於此說者應生憐愍
者非真謂真持可悲也如來法僧非是分別故名不可思議也
應如是持者但作自實之解也云何正他仏說法時者對基頌教
時也於一女人乳嬰兒者種性已上一習四相行也且約一位亦通
於下此女人亦是仏不於曲指　來詣仏所者為如來行也稽首
仏足者敬心愴發也而於頂念者專念解行不進也心自思忖
者設何方便也便坐一面者來法所行一殺解息也
知而故問者欲示方便道也汝以憂念多舍兒癈者於真所
中頓勝進也不知籌量消不消者未側前行四中於應不相應
也　尒時女人乃至於知心中顛者甚不自隱頓在仏心　唯願教
我多少者請法所行我於今朝者始心也多舍兒癈者求勝
進道也恐不消友壽者恐不會真顛惠命不固也仏言汝兒所
食壽消增壽者无常方便於應也女人聞已至故我歡喜者
稱本情願也　世尊如是乃至善於分別消不消者識教稱機也
亦說无我无常者達樂也此非於之无常若仏世尊先說常者未
先說常之无常者堪入真所之使盡言此法与外道同者同緣照
自實即便捨去者不所也　譬若丈人見大堪行於消難消者堪所常
寸四行也本癈不供足者解力轉勝前詮不得也我之所有
聞弟子乃至六味无我无樂者所於力成堪具聞八所也論六交方
便所也若直論行經文具八彼世間中於三味者生滅世間也煩惱
為新道具知解息為大乘具因以見因緣

寸四行也今□不伏是者解力轉勝前證不得也我之所有聲
聞弟子乃至六味无我无樂生者所於力成堪具聞八所也論云六交方
便所也若直論行經文具八依世間中於三味者生滅世間也煩惱
為新道具知解惠為火誠具因以是因緣者以稍惠作相違回也
成涅槃飯於違回謝證常樂也今弟子世嗜者得具資也
復告女人欲至他處者所更所勝進也應驗惡子出舍者前解
宜發辭自境界也善以寶藏付善子者得行相應也不示愚子
在者常不於意況前滅者也姉者嫁法故也我亦如是已下合
喻也聲聞弟子生變異於者方便之辭不違真也如此違行
未還相同似不即真也便言又死者觀相謂无常也此猶是於
為中教證善男子若於尔生謂佛常住不變者違无為
之有為也當知具家則為於佛者家同无二於圓覺之
智也　云何於隨聞答若於未者聞佛世尊者於諸真
之義也我當云何不捨錢財而得名為大施者云何方便
顯實无所可捨且舉一種餘行可知佛言若於沙門乃至
不受不淨物者此是自餘无為緣集更何可受當說
施其人撲使者理順稍緣宜易方便故云施但方便非
真義同撲使所化行者施以女色者自餘真淨即塵不
染名為梵行於違之智標是真淨寄淨實淨名之為施
其由四攝為依安也　斷酒宗者施以酒宗者真翻標絕二輪不
身以資名之為斷妄想之標違於煩而於資費名之
為施也　不著華香施以香華者真標求外飾故名不著
熏所方便是理外莊嚴名曰青華回此順依故名為施也
施名流布者所順之道曠周法界故名流布聲聞天下
於真所之證亦遍周也未曾損己一毫之物者難於資奉
真不納也此說於違回以顯行法若以資費為施者始從性
起終至今所緣者自資已是自進可故下言施畢去除之

BD02224號　涅槃經疏（擬）　　（34–10）

衆名流布者所唱之道唯佛性界皆名流布聲聞天下
於真明之證亦遍周也未曾損已一毫之弗者難於資奉
真不納也此說於遠回以顯行法若以資發為施者始從性
地終至今對緣者相資正是相應何故不言施釋云於之
為法體是緣集起作不待方便然後集起无為之法本无
集於要假異緣集用方與是以得論其施若尒於為稽趣
亦假真而立依此何異釋云真性依待異本自吉非是方便
真顯依謝何資之於　迦葉白仏食宍之人不應施宍故前
釋記何以故我見不食宍者不假世稽為資也於大功德稽真
實緣集也　仏讚迦葉者嘆其識真顯由相違回也　從今日始
者通宗之初也不聽聲聞弟子食者不聽取方便為資也若受
信施者須導緣得濟也應觀是宍如子於者為惠命故食不
味著也　迦葉白仏云何如来不聽食宍者得惠命之來要假細
除糜先聽今何故不聽善男子食宍者斷大慈種仏果是
大慈蘭基淨識以之為種若取方便為資種子之義不成也
故名斷　迦葉言如来何故先聽食三種淨宍者何故也前聽
作无常觀三明也　迦葉隨事斷制者未入真明故聽作也　迦葉
白仏若漸制者何故十種不淨九種清淨皆不聽也　仏告迦葉亦
是漸制者十地鄣者名為不淨金剛緣着中作九種同相觀名曰
清淨何以得知如此斷說下取云當知如現斷宍義此是成驗若
非此交於為不盡何得云斷　迦葉白仏云何如来讚傑為美者此是
於為中淨於何故讚在何交前哀嘆中讚非立想勝此成驗也
善男子我不讚傑宍為美者不嘆於邊也我說甘蔗等為美者
真明方便也所以當時不簡者用於資發義也　雖畜種種衣服
者此是真實教道之餝也要壞色者要捨於不降也況傑宍味
非是真稽而取著也　迦葉復言若制不食宍者若以體是緣
集不聽着者五種味等亦是於為相何故聽受也　善男子不應
居乾所見者乞於為於二種一者離世間二世間今言斷者斷世間

非是真𣙜而取着也　迦葉復言若制不食宍者若以解是縁
集不聽着者五種味等亦是於為相何故聽受也　善男子不應
在乾何見者亦於為於二種一者聖世間二世間今言斷者斷世間
於為也聖世間攝非假言何可斷也故云不應同在乾見也
如来制戒各於異意者随爾生上下憂慮也　異意故聽食三種
者以習種之始意淺未深聽作三種无常觀也　異相故斷十種
者習轉勝等分文解亦不聽着也　異於故一切悉斷者既登初
地四住永斷也及自死者道種終心始成无漏初地果與回道宛
謝更无對治故云若自死依前十種九種者全斷心盡亦是自
死也　迦葉我從今日制諸弟子不食一切宍者從種性巳上於
遠縁亦不聽着也　迦葉其食宍者行住坐臥爾生聞臭者
聞道无常等情生不善故恐怖也下列師子喻故是相違回中
妙惠也解猶生滅故生恐怖次列敬蘇喻動所回亦是无常可
怖也　諸食宍者亦復如是等合喻也　水陸空行者所證道教
道不住道也　於命之損捨走者既於惠命皆捨无常也　感言
是懇者於穢真之義　為度眾生示現食宍者為示淨真實縁集
者聽巳縁𣙜為資也　具實不食者不聽取以為真也菩薩清淨
之食常不食況食宍者於真不取捨況世間也　善男子我涅槃
後巳下寄明於弃行但行於憂等分之為二前為復真也我
涅槃後乃至正法滅後皆是趣行之縁随分而息也　似像持
律者方便相同也少讀誦經者始趣聲惠也　貪食養
身者亦學思明也　身所被服麁醜悪无威德者解是
於為諸相不具也　放畜牛羊者亦作三乘觀也　擔負薪
草者於為行也頭鬚等長利者亦習方便解也　雖服袈裟
者外似出離也如獵師者解是損害也細視徐行者交諦
窮方便也如猫伺鼠者頻欲取證常唱是言得羅漢者
教中分滿也復病臥糞者是若不淨等也外現賢善者

者外似出離也如譪師者辯是損害也細視徐行者友媼
穿方便也如苗伺覓者積欲取證常唱是言得羅漢者
教中分滿也疫病臥蓋者是若不淨了也外現賢善者
想頓也內懷貪嫉者辯是到也如受啞法婆羅門者以
穿為淨行也實非沙門現息惡也邪見熾盛誹謗正法者
緣韶求真也如是等人破戒律儀者破真中正行及方便也
說解脫果離不淨法者非真解脫及壞甚深密教於誘
无為之有為行也若自隨意及說經律者說无為之於為圓
於為之於為也而作是言如來聽我食宍者聽我所於為之
行為真也此人以真於類世也　尒時復於沙門者於為中所息
惡行也前作立所出離行皆非正真也時衆生槃於為中功
德也受宗宍者是功德勝資也手自作食者趣於為方便
也執持油瓶寶蓋者自謂勝出也革屣者行中之下親近國王
謂世間行勝也占相星宿飞下五時術也離此諸惡真我弟子
生下種子行也　迦葉白仏飞下出真所人也復生此問者欲顯
於不可現捨諸作立四部等同他而活於假於遠回得真所於也
若乞時者導資而進也得離宍食者相猶未息也云何得應清淨
法者云何得与真淨於應也　仏言當与水洗者以捨相无漏自淨
合与具別者為顯真實不取自相也然後乃食知是真謂也
若食器為宍污知於為无漏名器取彼自相名曰宍污但洗
无味者不取為資也聽用无罪者不取自得成方便也若見
食中多於宍不應受者方便勸捨不應令受乃至動所
回亦不食故云不食　我今唱是斷宍之制廣說不盡云聞
閒法界何由可盡何故云不盡涅槃時到者廣緣顯真也是故
略說者寄緣彰行不周悉也　云何善解曰緣義也正顯无
為緣集圓穿之辯也四部於者亦寄教量等四所而所由來間
我言者於趣真方便也世尊如是之義者深淨不二无㝵
[illegible]

[illegible]

略説者爲緣彰行不同悉也　云何善得因緣義也正顯无

爲緣集圓家之幹也四部小者亦爲教量十四比丘所由來問

我言者於趣真方便也世尊如是之義者深淨不二无导

之道也如來初出者對匪連之基也何故不爲放斯慝王者大

乘經中弁无郵导行多爲此王明也法獻才亦爲此王明也何故

小放斯境内於彼車雖在境内淨穢兩殊而不相导共成一化故

得爲儀耳此是深淨不二何故不爲比王説圓宗之致者何不注

顯无郵导之道也或時説深者説後際果也或説淺者説先方

際方便也此深淺不得定取或名不犯也或名爲犯者隨力分齊不

得唯自下顯此　云何名隨者於爲行也云何名律者調伏行也云何波

羅提木叉義者持戒行也深淺者本末也犯不犯者成壞也隨之与

律是方便行名爲異也波羅提木叉者同也　仏言波羅提木叉与

先釋同異至亦名淨命者此明畜而不着名能戒行也隨者名四

惡趣此是遠相也又復墮者明不繫縛行亦能速疾故云過於暴

雨也聞者驚怖者二乘不達言是外道也堅持禁戒乃至不受不

受不淨物者明知而不同无二之行也又復隨者明相行也解字

同擬故云長養地獄才也波羅提木叉者前略釋名義今正明解

戒行也離身口意耶業者所以聞无而导由与智慧和合也伴者八

戒威儀明戒爲正行威儀是方便皆調伏隨緣行也深經善義

乃至遮受一切不淨才於淨彰於爲行也亦應四重才者比中弁行

還借行相明也不同中行相背取戒行者弁出離也此是離而不

離七四重者根本行十三者和合行廿九十威儀行四墮者離過行

小學者教修行二不定七滅諍是對治行如此釋者是律中相也

或復於人破一切戒者此正是无郵导行也四重七滅諍文是也或復於

人者此人方便轉勝也誹謗正法者幹与真證相遠也甚深經典者

遠教道也及一闡提具足成就盡一切相者未練於爲无爲因果之道

也无有因緣者因緣相息絶因果之道也如是才人自言聰明利

智也見諍于道疾五逆重之罪悉覆藏者相有增緣名曰輕重

人者此人方便轉勝也誹謗正法者斷与真諦相遠也甚深經典者
遠教道也及一闡提具足成就盡一切相者不緣於為无為因果之道
也无有因緣者因緣相息絶因果之道也如是等人自言聽聰明利
智者見解行超勝也輕重之罪悉覆藏者相有增微名曰輕重
外用調順名為覆藏如龜藏六者諸根寂靜也長夜不悔者於罪不
者何須悔也日夜增長者增於惡也非立所犯不發露遂復誹謗者行於
淳熟於用遍周也是故如來知是事已能識尔生悟之畢竟也漸
次而制不一時者相非頓遣邪淳一時答上問何故不依其說評義也
上來文或順或逆者皆習四行達者不依隱顯釋耳尔時有善男
子女人白仏已下明成壞也如來久知是事者久知相行非真也何故
不先制者何不先示真方便道也而先說不為是將无世尊令尔生
陷墜也下引喻說譬如多人欲至他方者趣涅槃也違失正路者不
識方便道也是諸人等皆謂是道者不達邪正也復不見人可問
者未於親近行故无知識也眾如是已下合喻也於說十善者因行也
增上功德於涅槃也及其義味者取捨法用也或奉行初故先云也
仏言善男子汝嘆我於先說十善後說其果此即是示尔生如羅
集云何難言我与尔生作地獄因緣也此迴嘆為善答義由未顯
問意何故果先因後此問未消今再如來始未廣意涅教難及
略於二種先果後因生信之始也先因後果授惡相之初同非立授
惡成而問是以如來因而答之我見一人於随何算因緣者匪達一分御
名一人通宗之始根本未故以地獄為況常為住一切者說圓果也
咸一切者全對已還因也於此一人於大慈悲何緣當證如子想者
何有敢戀習種非立也雖非真子勤厲中御惡也　善男子如王
國內者无為緣集為國惡行菩薩為王於納衣者觀甚後教者
見衣於孔者見匪達信已馳勤受法心名孔然後方補者說法
趣持也如來亦尔已下合喻何故不一時制者若說法教化去誅理
首因果遠順生其信得可得攝制也若論憶念化者誅其行法
要須事別而惡隨緣則異不得持義顯於此　輪王喻已下弁本

見衣於孔者見匣違信已塾勤憂法心名孔並復方補者說法
起持也如來亦爾已下合喻何故不一時制者若說法教化去誅理
首回界違損生其信持可得摽制也若論憶念化者誅具行法
要須事別而所隨緣則異不得時義顯於此　輪王喻已下弁本
末義也寄外方便顯不染之行對治道也我亦如是者合喻也
如是等尔乃見如來法身者見隨緣隱顯而解理真淨如是者
顯所由也輪寄不可思議者寶論他心成用業例其猪无緣集因无
不同染无相染出於百非淨无淨相超於百非非是无二圓集
之解也上來何故作如是釋文於義此中弁菩薩真實故
若自攝回緣若不作此釋持承經意前三段方便以論此正顯
自實故作是說不須生疑也　復次自正者此一段就涅槃解弁
四相也自正者淨是大涅槃者自解相應故云得正他者我為作立者
不取所化作立也但作立是所相學人今借所相明自解教道也
說言不變者真常語也隨問答者包所答之義為顯理除疑
欲所用憤於解名問解能資用成此无㝵名答故借相以表真也
故言曰如所問說是微妙之義也回緣義者所自解真集非假外
為集聲聞不得者二乘授備相出離此之緣集所染淨不二故云
不得不聞伊字成密藏者不違法性真旨於緣集之義也今我為
分別者慎其備成顯淨家也微妙於人作是行　如是四事云何
為一者為欲泯其相歸其賠故假言以顯也即應及貧者可知下
文結成不須釋也　佛告迦葉若有男子女人作是言如來无常
已下第二大段弁法身義就中有三段從初至祕藏受樂所法身
義解於二從迦葉復問如佛言曰下至名曰常住无有變易所法
身无身而无不身形圖法界作无方之益三從迦葉復言如來
云何說此大段舉昔覆相之教以釋如來永畢永除分段生死顯
證其實結成法身常住之義　就前所法身解相中有三句字從
初至謂如來性是滅盡也所如來將顯法身常住之實但昔教於餘
言並以區故段引為難以遣情滯也第二從迦葉成煩惱者至諸

證具實結成法身常住之義　就前明法身解相中有三句從
初至謂如來性是滅盡也明如來將顯法身常住之實但昔教於餘
言迹似爲故假引为難以遣情滯也第二從迦葉滅煩惱者至諸
仏亦常明答上三問以顯法身常住三從迦葉菩薩白仏言說此
前疑明具義有餘故曰言致起迭相擊乎以窮具趣耳三問是何
初問分疑盡第二問覆易盡第三偈問不成實中猶鄣盡更有三
名初問煩惱第二問業第三問鄣煩惱頭似若業亂解脫鄣明法身
前二問文顯且釋第三偈問譬如熱鐵者如來身也推打星流者
實結鉋方便推滅除身於此去星流散飛尋滅莫知所在者滅无
迹也得正解脫亦如是者同涅槃星流也度生死者業結也諸有
淤泥者鄣盡也得无動處不知所在者雖与真有相應寂滅
无用也下如來舉人及迦葉害不應作此憶想者一往呵之不應
於如來性是滅盡想也　迦葉滅煩惱者不名为物已下正答
上三問煩惱无交不名为物實如汝言但我盡真顯是新物何
以故永畢竟解是真寂故何得以煩惱盡便无常住也是句
寂靜者性淨之解自在實相應也　滅盡諸相者答第二句
根皆論盡得云无餘但未法相盡解脫解亂何无也是句解曰
者菩提无相也　言星流者答第三問星流者煩惱滅不在五趣
也離世間也如來不在可以无为如來也故知常住法也諸仏所師
者謂義也正以法性常故如來是常如來以法性为解如來是
用解常用云何非常也是故如來恭敬者用遵於解名为恭
敬供養者即是真謂也　迦葉白仏者還成第三問也所以
不云前二者但稽鄣還徹知者若不存前二亦三故不舉也若
煩惱大滅如來亦滅者煩惱是因因滅故所感之身亦應滅鄣法既
盡以何为常下舉喻指成也　問遂鐵喻身鄣色喻煩惱逆鐵喻
与鄣色一時而滅煩惱与鄣亦應一時而滅既滅何故为身而云常
也又如假鐵鄣与赤色滅已无有者何故復引此也相猶未盡故

盡以何為常下舉喻帖成也乃逆鐵喻身鞘色喻煩惱逆鐵喻
与鞘色一時而滅煩惱与鞘亦應一時而滅既滅何故為身而云常
也又如伏鐵鞘与赤色滅已无者亦何故復引此世相猶未盡故
〻引來也迦葉意若不同逆鐵應在者若同在者遇火鞘出火證
亦是无常也下如來直答複句前句自顯　善男子汝言鐵者
可喻色天也是以迦葉乘機別成前乃若身是者應同伏鐵遇火
還生若生名滅還无常也下如來引燃木喻木盡灰存不可更
轉此喻是喻鐵喻正可与色天作喻應況如來也壞衣斬首破
瓶等喻亦復如是結上也三皆是者也壞衣斬首結前可眾破瓶
云何破瓶与鞘鞘為喻前義者文无今文義俱結何以得知瓶
喻鞘也凡煩惱与習不得況瓶煩惱与習在於身中云何鞘解不況
瓶也又復餘經說偈瓶破雀飛去以身為瓶以二義故故知迦葉
如鐵冷已可使還鞘已下答上亦機乃也復告迦葉汝生如鐵
智惠如火者說化功顯常用也又作一解真集如鐵世用如火即是
方便法身也下迦葉領解下如來設喻明法身是常如聖王受後
宮者在菩提明方便身也推觀後宮者在自解真實法性涅槃
中受樂也如十地中樂大法樂也王雖不在采女中者不現方便身也
不得言王命終者真實湛湛何終之有如來亦不合聖王雖不現
閻浮提者合上不在采女中也入涅槃者合上在於後園不名
无常者合不命終如來出无量煩惱入涅槃者非是斷故出入即涅
不涅名之為出即是不斷煩惱而入涅槃也推迹諸覺華歡娛受
樂者自在嚴无憂之悅也迦葉復乃緣細那輸陀羅已下正弁法
界行此文何故來上云法身常住淨而不染現見如來納妃生子
无為常住如何可信下答是大涅槃解達大義即染而淨為而不
為用周法界云何非大莫生驚怖者莫見有生死用謂即同生死也
道菩薩然為此用者顯道力也言如來者彰真淨不住行也從初至
亦不畢竟即於涅槃明神通自存也　第二從示入母胎已下明清淨方
便　第三我又示現於閻提出於世間已下明无染方便也迦葉復引

道善薩故为此用者顯道力也言如來者彰其淨不住行也從初至
亦不畢竟取於涅槃明神通自在也　第二從示入無腊已下明清淨方
便　第三我又示現於閻提出於世間已下明无淨方便也迦葉復引
證滅无方可者欲令如來明法身雖假明方顯而非无常也善男
子然燈之時者初發心脩習方便寶惠也燈器者真性之寶为器者
真性寶之为器大小者依真方便中於憂苦也悲端中曲者於为緣、
集然名由隨於由在者意想雜在也具明猶存者緣猶不亡也
油盡明滅者轉然俱盡者也具明滅厚煩惱滅者此是智鄣解
是煩惱故厚煩惱也燈器存者況法身也下如來引昔存那含
羅漢者顯復相之義佛迦葉之言也乘前簡阿那含者欲明此
經十地已還皆是阿那含唯仏是羅漢彰昔自不盡之義也初
地已上雖是學地皆非妄想縛是真故非往來也是法身顯在於
此　從諸仏世尊有秘密藏是義不然已下第三大段明解脫義生
起次第云何上明法身縛是常住復於无方大用若尒为物之趣
何藏於之是以迦葉領解但密語耳凡識本對暴之於淺深於
未識者可云密也來意如此就中於三段從初於秘密藏至名无、
虧无明累无不盡以鄣解脫第二從世尊何等名涅槃下至非是
聲聞緣覺所知明解脫妙用自在功顯殊於无鄣无导義　第
三從迦葉復言如仏所說畢竟安樂說此大段明解脫妙絕无
名无於甚深不思議之義就前段中復於於二從初至於大涅槃
而般涅槃明內无結累二從所言大士、說此前段明无外累就
內无累中復於二從初至云何是人者不隨洛明內无貪結尒惠之
義二從迦葉復言如仏所說說此前段明无著无於義就明內无貪
結中前略彰无密藏唯於密語下廣釋其相就廣釋中復二
明從初至是故不得名为秘藏釋无藏義二從善男子譬如長
者已下釋但於密語也就明无著无於義中復於二從初无所
恼措云何名藏明无著義二從跡不可尋者已下明无於義此
中壽含於內明无著義反云[illegible]引无積聚如來於自性內反

咒從初至是故不得名為秘藏釋无藏義二從善男子譬如長
者已下釋但於蜜語也就吃无著无於義中復於二從初无所
怯惜云何名藏吃无著義二從跡不可尋者已下吃无於義也
中寄捨於備明无著義故云稽留引无積聚如來亦自辨備故
言无為就明无以累中亦於二前吃自德後吃利他文約可知就第
二大段吃家用殊能无导義中復於三從初至非諸聲聞緣覺所
知略吃辨脫體相二從尒時迦葉白仏言下盡根本者即真之解
脫者即是如來正明辨脫依用殊能无导義三從於解脫者名離
一切有為之法訖於此段正釋辨脫體相真實不共二諦之義
第三大段吃辨脫甚深不思議中於三子句一吃妄想分別真
實之義二吃離言說自性无名相義三名離於虛吃妙窮真
際无得无證義文別雖然下領解述嘆勸備文約可知身或
无一日者緣照智不能不盡於為不住无為故云一日方便尒亦故云
无手行義不具故云无一是所以有一者於資真之義不得全无也譬
如長者如來也唯於一子者習種中得一分解也下合一切尒生猶此也
心常憂念憐愛无已者猶不成也將詣師所令受學者趣真備
也懼不速成尋便還者欲成之未要須方便不可直尒而成故云將
還以愛念故教半字者方便道為半字也下合聲聞弟子習種
教量也毗伽羅論滿字也九部經者方便不圓借九為況也云何是人
吉不隨洛者仏无常者不成誰教故云墮洛亦不可尋者可謂如來言
仏聽畜不淨物者則捲縮者教不稱行唯退无進也自下經文雜類臣
得果異不可借言迹難尋者義說是人雖去无至者初地已上名為
難尋尋果難於應故云无至善男子譬如有人食已心悶已下辨如來
无受樂義乃可自辨常樂也下設喩況之譬如有人者趣方便人也
食已心悶者果真相為資名食體是妄想駙於真識名曰心悶
出外欲吐併備无分別解為除分別也既得吐已者除分別也而復迴
還者後際果頭會无際无二也同伴問者過去諸仏相資易也汝

食已心悶者取真相共資名食射者著想取於真諦名曰心悶
出外欲吐猶有无分別解為除分別也既得吐已者除分別也而復迴
還者復除果頭會先際无二世同伴間者過去諸佛相資易也汝
惠慧者妄相得盡不也迦葉復言迦蘭伽者具譬微妙者顯教道
勝也身上不同者彰證道勝也若按身教是方便身證是法身下
害佛喻顯教道害毋喻顯證道迦葉復言云何如來作二說者若
是喻不應言非若非喻不應言是故發斯問如來云是喻非喻
真實是无相於為是相故云非喻然於為中道无行於證真之義
故得為喻是以下列害佛是罪非罪成上喻為喻義譬如有人持
刀劍者於二義一除麁義二於遠損義故云刀劒以除惡心者解
是遠也欲害如來世者取真相也如來相貌无惡色者證解凝然无
分別也是人當得壞如來身逆罪不者成得證以不也世尊者非
真證也亘以惡心故成无間者於取之義為名惡心解是相累故
成无間以是因緣者是相遠因也得知盡法者顯自宗也
譬如惡人者猶入證行人也欲害其母者欲取真證住於野
田者在有為之中也在於聚積下者在无為緣集之下也
為送食者內有資也其人見已者見真相在已也尋生害心
者願會真證也便前磨刀者興對治道也爾時知已者知
真不自顯要須方便也正入積中者理无在也其人持刀遠積
遍斫者與彼治道相中求真也斫已歡欣者自分之中取資
須也生已害相者證得真證也其母尋出者由相遠因顯故云
還出至家中者雖藉緣顯真解如本故云還家也世尊不可
定證者與前成逆不成逆无異也還是故解脫成就无量功德
涅槃者解脫按用涅槃按解用取於實故云難也如來至處无
盡者性淨之音為處處既常湛惠命解脫等何可盡也汝今善
護持正法者善達害佛害母二種為成法也
四依品　上之四品明所護之法法不自通弘之由人故次弁四依德同

涅槃者解脫校開涅槃校辨開即於窗故云難世如來至處无
盡者性淨之音為處々既常湛恩命解脫等何可盡也汝今若
能持正法者善達害佛害毋二種約戒法也
四依品　上文四品明所護之法々不自通弘之由人故次弁四化德同
佛助為物依々光隆道教備益於時故上聞云淨廣大量与衆漢等
令答此問故曰四依品就中有二段從初至不應以癡象第曰歸恭
敬禮拜明人四依二從迦葉復白佛說品明法四依義就前人依中有
三段一從初至名人勝為歸依處弁四依人德幹相差別義二從迦葉
白佛言故我說如是人四為世間依四依人為世所依与護法利益功
世三從善男子汝應供養訖大段明四依人既有備時之益故勸
依供養也就初弁四依幹德差別義中初略舉名數次廣弁具
於下結宣通之意文約可故凡依者勸為法師者經弁法師不定
良以義別故也習種弁法師就化教明也種性弁法師就具相
徹具斷於短鄣以明法師至地淨陀羅尼以明法師六地義陀羅
尼以明法師者七地明法師淨實道无間故也八地方明法師者師
念々入窗无功用也自後可知今弁第二依就六地已還者何也且准仁
王經弁初二果始与信順二忍相應未會无生是以來為一依又一
解文殊問菩提心經從初地至六地未集諸車具七地至九地車
成十地弁舊因若就此義亦是一相就第二明四依為世所依義中
有二段從初至百千億劫不應惡之道明為世依止義二從爾時
佛告迦葉菩薩訖此段已具為依與護法以利益功能義前明
為世所依中復有於二從初至如是佛弟子眾尊眾勝明始行之人
未能自立故須斯人為義二從善男子譬如有人下訖此段明
四依人能教人邪正之道塞感伏不消令彼邪不干故應依止
世有犯罪者教令發路懺悔除者說已所證對治之法指授行
懺也此位在伏中以日懺悔即是煩惱性也是名凡夫非第八人
者十力之中初二力弁自行稍力下八力已化人力初依人惟衣人住学

四依人能教人耶正子之通塞感伏不消合彼耶不干故應依止
也於犯罪者教令發露懺悔除者說已所證對治之法指授行
儀也此位在伏中故曰懺悔即是煩惱性也是名凡夫非第八人
者十力之中初二力并自行猶力下八力唯化人力初依人唯依人唯淨
八中七未得漏盡故云非第八人也名為菩薩不名佛者漏盡名涅須分
別也是人未得第二第三住處者七地无相修八地已上无相果六地已
還功用相續未得後二故云未得第二第三世法先於一解第二依人
備須料簡何故也第二依來二果二忍合為一依故也今云未得者
初果未得第二果人住處也第二果人未得第三果人住處也處者以
忍為處也故云未得第二第三世言不畜奴婢不淨物者捨世間方便
資也下依中於上准此方知列第三得中不識真實舍利者七地已上明
无功用人无學位顯法身義也若身於八万劫无是處者絕爾生相
世夢中不失不淨者未證窮滅忍曰夢解准忌想念念清淨故云不失
八地中作夢覺喻今云夢者何也猶是夢中之覺非是學之二處之文
亦不相遠初依不云得記者在煩惱世第二人得无生記第三人說者
得窮滅忍記譬如倫蜀者於煩真之義也依入人舍者解是无明亂
修真循方便之宅也具家婢使者在駈策之位也不云兵奴者此是方
便折患也若覺知者方便道容可分別也證中難識故不道也即應
駈罵病去者与猒離之心相違也若不出斷如命者治道正除也爲聞
即去者勝解現前者息也去不還者一斷永已也彼句後今不應作
如是像者不應現為辦真也若故作者猶起分別也以五繫縛從
海以為真者解是无明縛也下羅睺羅降魔中言我為聲聞宗眼
者說降魔者是習種量人也不為大乘人者種性已上也聲聞難
於天眼故名宗眼者雖於緣常之解解是貽鄙也學大乘者雖於
宗眼者未出相任故名宗眼者論具解實是仙真子故名仙眼也譬如
於人勇健威猛者与眼宗仙作喻有性弱者与天眼宗眼作喻下合
中所以道如來者為明此行習因如來分相夜考察命言自分位中者
名勇健非真性種是勇健也譬如有人勇健者初依已上也性弱者習

宍眼者亦出桓住故名宍眼者謂具所實是仏真子故名仏眼也譬如
於人勇健威猛者與眼宍仏作喻有性弱者與天眼宍眼作喻下合
中所以道如來者為明此行習因如來分相夜考家命言自分位中皆
名勇健非真性種是勇健也譬如有人勇健者初依已上也性弱者習
種之流也汝當持弓乃至羂索者初者信心餘者三惠也又復告言者
教對是也夫戰鬪者擊須總陳也雖如履忍者與治相憐也不應怖
畏者勤循精進行也當示人无生雖若者方便為人龍行為天難對
此二治宜生折勇不應退也或時有人者此淂一分解人与四依覺仏借
此表明中次第也无猨勇者未与真循相應也詐作健想者自謂身
真也種種器仗自莊嚴者習相忘中行非一也陳中大吁者亦表聊時之行
也汝於是人不應憂怖者知為宜捨也如是輩人見汝不怖者不識治道
也不久散壞者明解既興惑解自滅也如來亦尒者為明諸行習如來行也
涅槃言之正應道菩薩亦尒下敢句作仏身者忘相之中亦於一切諸也汝
當恐令彼伏者真循既顯或到息也譬如於人淂阿竭陀藥已下喻彼
大乘行教力用精進絶也始龍喻釋上非為不尒龍性弊惡者四恒已
前他分位中須具勝相也欲害人時者遠真循方便也眼視氣噓者
亦現神通說法等也師子等患戰者皆明大乘憂為不等也聞聲見形身
身者觀三輪化也无不喪命者永依正趣惠命不存也於善呪者已下
四依也自下經文顯然不須釋也且嘱當前後喻為通弁四恒已前皆於
他行中不相應也瞿師出復不須義勇健釋不須始龍釋決義是以
仏告聲聞不應畏魔波旬者通釋自分中皆不須也中於三段從勅
王如是大乘經典甚深義故以明正法滅時與護義若依循是常等
四行二從迦葉白仏言至名能護持无上正法亦像法時護法義若
依循是无常等四行三從善男子於惡作立說此段明說聽之人謙達
持立利益功能義我涅槃後卅年中者常樂四循也然隱沒者行篇
緣息也甘蔗等喻流布稟等喻隱沒除山王者忘相之縣是於為心
統領之義名王嶮難惡處者習種終種性始二交中間對治鄣興故
名惡處真為交懷非嶮如何雖有甘蔗等者在於為中循无為行也貪

緣息也七蘭才喻涌存粟芥才喻隱沒除山王者忘相之智解是於為心
統領之義名爲嶮難惡處者習種終種性始二乘中間對治鄙與故
名惡處真為文攝非嶮如何難有甘處才者在於為中循无為行也貪
情積聚者才循習也不散食者解非除時助他利也懼有盡者解是
生滅也唯食粟者果无常為資也於異國王者初依人也即以車載
者行教也而送與之者教對甚也王得已尋國共食者化行得暢也下
合喻可解者我正法餘八十年者八時行也前卌年者无常四循也所以不
云後卌者欲明熙連習種未入真常四明也下正法滅時異下具義自顯
正法滅時者勝緣既興一段行教息也正教毀時者前正行亦息也非
法滅時者方便未成也无如法眾生者真種子未顯也自下八恒行寸
可解善男子於惡作上習種中帥明无為行解是智鄙名為惡聞
我涅槃者真實不顯也不憂愁者於依真循不生憂樂也如來入涅槃
何具悖者勸真循緣處也如來在世處我才利令我循真來於自分故言
奪利也若无處着還得本利者須本前明資潤相應也禁戒欲護者
真約相違也所受袈裟本為法式者於中循出離行也悲哉懷如來頭
情者不稱明真但於樹相而已也誹謗距違大乘經者无心趣彼无鄙
尋行也善男子汝今如是憶持者當識真為也若於眾生成就无量功
意者一大阿僧祇劫循行善也乃能信是經者乃能決定真種子也具餘
眾生為解釋此經者指緣照智能顯真寶也其人聞已阿僧祇惡患除滅
者緣照智尋无不宣不信是經現身為无量重病苦惱害者解是苦集也
要為眾生罵辱者與教道遠逆命終已後人所輕賤者雖知習增既
見无常誰復樂也顏狼醜陋者非真相也資生艱難常不足者分緣
不具也雖復少得麁惡者全非无深但非調柔行也生生常處下賤
者雖習相日增解是世法也誹謗正法邪見家者以緣智為真恒居
理外也若臨終值荒亂者麁細相離與解　涉世刀兵競起者唯有對
治道也帝王暴虐者緣智之作成損害也怨家侵逼者前相忌望恒
父子先篤自相斷除也雖於善友不遇者雖蒙真資不可外聞也
雖少得利常患飢渴者功德智惠解是假詮也雖化下願識者為二乘

涅槃也若隨說信叢副者廣如相翻者解　涉也亦乎竟者者州存載
治道也常王暴虐者緣智之作成損害也然家侵逼者前相怨望恒
父子兄弟自相斷除也雖於善友不過者雖蒙真實不可得聞也
雖少淨利常患飢渴者功德智惠輪是假誑也雖已下頌識者為二乘
已夫所樂国王大臣不錄者非諸仏菩薩境界也設聞所說是理不信者
雖於彔中資於求受之真時循也如是之人不至善處者金對心盡不
入涅槃也如折翼鳥不能飛行者非真解行也自下諸句可類解也譬
如霧露者習種終智鄣也日出者種性聞甚譬如於人出家歸愍者初
依人於出離相也或於長者來請爾僧者所學之流成真所教也至於十
戒者十地行未成也已墮僧數在出離數也或於弟子者淨一分義人
也或非者三恒理達人也四依出世正為此人故者師使益舉來也近
三善提者性地也應供養如是四人已下大段第三復於疑從初至
但為菩薩所說是偈明四依來世流通非可正宣要須隱迹和光達
立正法義二從迦葉白仏如是才至雖復破戒不名為復明雖復和光
而不同塵彰善巧利益也三從迦葉白仏言爾僧之中下說此疑明真
鍮巨分事須術簡也簡之不易況也於方下列三喻以驗之初喻人身
業也次喻驗說口業也下喻驗理意業也義別可知下如來列二種偈教
明供養法用前偈明不住元為行後偈明不住於為行更出一義前偈
明畏所教之後偈明所慶重之處仏法中年少幼小恭敬長宿者眾成
第一問如仏言曰說穢稗成第二問又如仏說下說塵恚舉偈結成遠損
義也如是二句者依明本是共養偈翫一偈分作二句也如仏言曰持戒作
丘亦可犯已下別成第三問前於餘經德治破戒者明相教為餘經故下云
為聲聞說也善男子如我上說已下是即餘經也是人中當於一人已下是
是為大乘人說也見諸比丘各各乃至淨與不淨一切不知者作丘不達故
故不知菩薩達相无相二種解而无分別故云不知是伴非伴亦復不識
者釋義同前但明前具解此明調伏行自可行處及仏行處者自果
之道也雖見諸人犯波羅義理然不舉者為欲和光雖具通塞也雖在
所犯不名破戒者解通相違也即是戒緩而乘急也譬如国王遇病三十

者釋義同前但明具修此明調伏行自所行處者因果
二道也雖見諸人犯波羅夷理然不舉者為欲和光雖具通塞也雖在
所犯不名破戒者驕通相遣也即是戒緩而乘急也譬如国王遇病亡者
如來隨感處處遣化具猶維摩從庚受病生也備居雅小乘任鉛斷者
一分解旁不勵匡化也於稱陁羅乃至文於眷屬者是十分文中具足
者說他分中法教授損於患命名稱陁羅伺國虛若弱墓居住者乘
能未就之除非分匡化曰墓治化未久者徵於掃義故曰治化不能成
成就故曰未久國人才遠援他國者求令所越也雖在於者不欲見王者
守於自分勝 非正也或於長者不離今土者閒而不受勝 不離欲見
也如樹隨生處即是死中者依具起緣集之行也王即遣諸稱陁羅守
道者說種種對治也復於七日擊鼓唱領者更說七種方便勸戒時尔
世諸婆羅為我作灌頂師者漸竟已失基對淨教也分半國為賞
者未令雖今唯分捨也諸婆羅門聞悉无來者自分清淨不稱具基
王復作是言若无一人為我師者與未當教也要令二尔共住食宿同
事業者與雖未圓且深淨雜脩也若能灌頂半國半虛者向發心
今正唯行也呪術所致者攝顯久辞廿三天不死藥者從性種乃至仏
地皆是常法也亦共分那食者發悟在今各隨分量而行也尔時
於一婆羅門子者初依善薩也年在弱冠者得廿五三昧也脩持淨行
者聞基淨行也長髮為相者方便行具也善知呪術者具文義持至
王所者教對與也王所勅我能為者舉病相稱說无二也大王心善常受
作灌頂師聞法悟從也諸婆羅門瞋責童子者自行之中未達化利
行也即分半國与是童子共治持多時者且灌基具深淨合脩也童
子語王我捨家法來作王師者捨既淨之教与王同唯也教王微密
呪術者不盡之教故曰微密王者知不見親者此行既篤宜說前
許王答言云何不親汝者自知者財傍囑者明也童子答言先王不死藥
未共食者種性已上過仏教道行也善哉大師我實不知者病藥須
醫斯過在己也師若須者嘉使持去者隨教而行不教遠逆也童
子聞王語即持歸家者達之行直未也請大臣共食者且方便

許王答言云何不飄汝者自知者財傍𠡠者耶也童子答言若王不犯藥
未共食者種性已上過仏教道行也善哉大師我實不知者病藥須
醫斯過在已也師若須者嶮使持去者滴教而行不敢違逆也童
童子聞王語即持歸家者違正行宣示也請大臣共食者且方便
中循之也諸臣食已白王怯哉不犯藥者方便於病也王既知已者識
方便於病醫未即證也王語師言云何与諸臣食不見者難方便見之
者醫未於病也童子更与雜毒藥服者更為說醫導對治也藥發
僻地如死人者釋導既除穿宣荷世尒時童子立本儀居還為王之
一分解者得成初依中間可知不釋復以解藥令重悟者令識本非
真因而起循也醒悟已駈出國者離著所習即同一分義人也故云出國
善男子我涅槃後已下說同具事業略合上過病者已下說插死人
經文從尒時菩薩若見於人已下說如彼童子駈檳陀羅略上尒
時童子立本儀居說駈令出國經文尒時菩薩雖復恭敬已下說
利益一切天人故略合上尒時童子雖為是事已下經善男子以
是因緣已下說偈結上法說中供養之利益功能也迦葉白仏如是下
菩薩摩訶薩者提舉八恒師及弟子而問也於戒極緩今可立義
為具在不者師現為物弟子為師故犯二俱於失未知誰在誰否故
發斯問仏言本可受戒如本不失者明師不犯誰有可犯極清淨者
明弟子无失下明堤塘還寄喻師徒也堤塘況眾法外喻行法无缺
法不舉行法亦失如塘有孔水則淋漏若有人治水則不出者如四依在
世攝持對細僧亦清淨也菩薩亦尒合若於人治水則出不難与破戒
同僧事者可有戒律不如堤塘水淋漏者反合无人治何以故已下
正釋於人治義善男子於乘緩於戒緩非緩者罰細之要名為乘急
是大道之致不得奢緩戒則別行雖失非損而況清淨也菩薩摩
訶薩於此大乘心无懈慢是名奉戒者呼對存則自起也眾僧之中
於四種人生執難知者自此已下驗依也內生外執者妙惠不成方便勝行
世內執外生者方便不成偏呼惠也內外俱執者方便惠俱解脫也內
外俱生者攝前即是此直就四行呼生執无常中常內生外執常中

世内熟外生者方便不成偏明惠也内外俱熟者方便惠俱解脫也内
外俱生者擧前即是此宣說四行明生熟无常中常内生外熟常中
无常内熟外生无常常内外俱生常常内外俱熟此舉八明并生熟
因大涅槃可知者准四親近行驗也若住是也言因涅槃者此經并行
内外俱熟以此而推故云可知辟如田夫種稻等歷達人發心起八
明也耘除稗莠者對治與也以实眼觀為淨田者見麁相息謂是
俱熟也至成實草穢異者明之漸明識真為別也如是八事污
僧者无常八行解非真淨也若能除却实眼知淨者舉法沾上
耘除稗莠乃至淨田也持戒内外俱熟破戒内生外熟不惡時者三
俱外熟名不作惡宍眼不能分別者真為相同緣知不側也若惡
彰路易知者憂為道交真為自顯也沾上草穢若異也如彼稗莠
者舉喻成法也僧中亦尔飞不合可知迦羅迦喻習種中人驗也鎮
頭一分者淨真一分也十分者教量中文解十分也女人不識者教中十分
真中一分明相相似難可分別也亦是果熟義也恚擔身者真為雜
也詣市衒賣者轉化也小兒不別者三恒已前人也敬命終者不善
分別明而不會也智人聞女者同是四恒人自他分也雖不及女能別
真為也女亦方所者如來聽我此明不明也嗟而捨去者教不稱真不
不与同習也大衆中八不淨亦復如是者合諸人身言如是方所具有无
量迦羅迦樹也一人持戒者初依人也知惡而同乃至不捨離者不盡於
為怯也如彼林中一鎮頭者舉喻顯法此一段合上唯有一根鎮頭迦樹
憂婆塞見諸人反嵩非法乃至并不供養者合上嘆而捨去若
欲供養者若欲明習也應先問如是八事應受不者於為中脩八行是
真資回行不也仏所聽不者此行淨与圓果相應不也若仏聽如是
人才淨共而匿自姿不知是人清淨不也優婆塞如是問已者審教
是非也一段合上智人問女歸於何處持是果來也衆皆答言如來
憐愍聽者聽明於為行也遙恒精舍或有聽者同身相明也不聽者捨
相明也憂婆塞唯達捨相明方便之道宜然也故言是不聽者不与

憐愍聽者聽時亦為行也遅恒精舍或有聽者同是相時也不聽者捨
相時也憂婆塞唯達捨相時方便大道宜生也故言是不聽者不可
共住自恣也不共飲水者妙患不同也利養不共者方便行亦異也此段
合上是時女人是示方所也仏天中天雖復受者自在之地為而
不為也此一段合上迦葉迦林乃至唯於樹名鎮頭迦雖復受之者
是是具樹所多也天中天者是是鎮頭迦也道言者同一味也汝等
比丘不應畜者始習之流未能窮用俱與也合上於一女人悉皆捨
取乃至十分也若於受者乃至同具僧事合上是女不識而街賣
之若共説戒自恣已下合上小兒不別散已合於此迦蘭迦喻先合
下後上是以難識辟如城市於買藥者以曰資果也出於雪山者
先際也亦復買雜藥者説真為同宅也味世相似者資神相根
同也云何同如似世間亦有常无常八時行出世間亦於常无常八
行故名同也時於諸人欲買者欲同時也而不識知始者起方便未
能分別也聞言汝於雪山藥不者基對於教也答言於者教對於
基也不別持來歸為並依教時也我今已得藥者隨分相應也
假名僧者教量人真實僧見道已上和合僧者初依人也持戒
破戒應供養者雖於憂方皆是出離方便也論僧等法持戒破
戒等行者天眼乃能分別者得窮用不二方能知也若憂婆塞知
比丘破戒者識自中失也若知是受八法者識利他行中得失也若於
僧中於破戒者遠尔法儀軌得失也不應以被袈裟因歸雖相同生
雖非真實也七三皆不應給施礼拜者不應同習也自下會通四
依既并四依義將同説通塞之致理宜會以消并攝之耶是亦兼
時初依八分之中前四分之義何者上略并四依德行言十六分義唯
粗辨分名數具拔未顯故須更并何者言初依八分謂法四依時
於是捨耶正四説曉於通塞既開斯要何化而不善是等義而推
義屬後品但以而法雖殊依名有攬義和条涉理須類
前曰是以摘故在此説就中於二段從初至如是三分亦不應
[illegible]

於身捨邪正四說既於通塞既明斯要何化而不善舉蘇而推

義為後品但以而法難殊依名有濫義和恭涉理須顯

簡曰是以補故在此說就中有二段從初至如是三分亦不應

依正并四依差別於從我為實明等終結成依義就前并四依

差別中有三從初至如是四依應當證知就教明四依亦是別相行

二從復次依義者下至不了義經不應依止就證道明四依亦是通

於行三從善男子若有人言如來憐愍說此段就不住道以明

四依亦是功行下文結成可知也　　邪正品　　初依八分前已彰

後四宜顯故次明也以教驗說知其言音近遠通塞故能簡化蓋

時是以邊慎深淺是非曉然答上云何知魔乃至分別知使真

偽分遠途无亂轍故曰邪正就中有三從初至種種方便隨順

世法明如來神通教化身業於二從若有說言如來為我下至作是

說者是人不名隨逼人法名為菩薩明說教化口業於三從若有

言佛實音羅下說品時悉憶念教化意業於此品大意若一向无為

非菩薩行一向於為亦並要是窮閑无二方便身息二俱解脫者

是菩薩行也是以文中似真而去是魔義在於此如似下魔

或何難更无佛法外魔也正是釋迦一化所於理教作別於解

者即是魔也初依後四分義何者是四如魔所說經律為二佛所

說經律為二經是生解之軌律是起行之法二聞二明以之為四亦

可二是邊中解行二是慎中解行即是四分義也不言就境彰四

也若就人并四師說者為一弟子傳者判為一此是二種聞說也如業

所說弟子所傳是二種明說也是中魔者不耶一向顛倒者為

魔何故也此邪聞於顯於心皆識事在言外今云魔者取道

中對治求菩薩行者以此為號故云魔也我涅槃七百歲後

者圖窮及七方便皆息也魔懷正法者勝方便中雜亂也猶

邪脈法係者翳是為始而現勝相也魔王作四部衆像者明內

外四種方便行也化作四果人者中道取證也及佛色身者壞一

切[illegible]身之者[illegible]見[illegible]天上被來

師服法依之軀是為於而現勝相也魔王作四部衆像之於內
外四種方便行也化作四果人之中道界證也及仏色身之壞一
切猶於也魔王以於漏身之之變易軀也從兜率天上毀來
在此下雙林之前不圓之事也圓之為正不圓是魔若為說
言如來為我解說下所說法教化也九部經中不說方等之身
所於時不得明圓寂无彰尋道也若說法花之前也曾聞於
九部經之證无方等經也如其於之如來何故於我律中而不解
說如此非之非是天魔也比丘實不犯波羅夷之此是罪行不
盡於為何罪之於下過人法為犯之身出離於也若當理並受
諸仏所訶之如其住寂來无鄣尋行也比丘得言不得之不住
寂也餘句類可知不作闡提況成仏九類之闡提去真无所義
果絶因果何由可成也後於比丘果出寂時之先際義也作是思
惟定得菩提此未得謂得而去得福无量不墮過人之何也此
疑先際後際不二何過之於佪比丘少欲知足為是之舉捨於
所回不作果言亦无失若會先際而言不异後際之復求
此宗還成其過彼之二途合得具宜徹使人言犯波羅夷一切
非丘无不犯之此是自解所是真出道不同佪之捨於所中非並
何得成犯何以故下釋不犯義後於說言无四波羅夷下
說著信衣囊並後行雖為顯犯處是過非真性罪是失
但作此討之見捨法運信得行雖事觀於彰非亦於此理復
作是念雖欲回緣下所對治之道雖不損盡諸於並是方便
勝越不作是解之果是乘方便道名魔偈前律師言
凡所犯戒之部无罪報之欲所真實法師性顯由方
故舉律師之見以彰世言犯戒无罪之以妄除妄情息則
无實報妄在故自无報如仏所說若過一法是妄語之
若於一法出法性之乘於實義故曰妄語為戒律師之言
不出法性何得无報也不見世俗无造之不違方便是

无實雜妄亦故自无雜如仏可說若過一法是妄語者
若於一法出法性者求於實義故曰妄語為戒律師之言
不出法性何得无雜也不見世後无造者不違方便是
即後際造諸不善作无罪雜解故言見後世也上来諸句
可見不能次第釋若言於死实者罪者下大段第三弁
攝念教化若老長者造立仏寺者顯顯常果也以草
縣供養者為果此无常因也比丘見草中藝者見因果
真性也不乃轉身者起无分別此也名倫蘭遮者作是
細善也若知亦死者於為中起分別皆是過若以貪心
壞仏像者存彼現樂絶因果也若王大臣見塔朽故
者念過去仏果也為欲此補供養舍利者說教仏戒
願求法身也塔中得寶者果中真性也即寄比丘
者起此於比丘得自在用者於為任適名曰自在此名為
不淨越闕者真約於遠也善優婆塞不恭敬者若識
不應同習也比丘无根者不稱實際種子不成也二根者
於无行別乘中道也不定根者或着於或着无也貪男為
男貪女為女者内外二行隨此即着成不定義也右
為惡根者轉是不善也不名男女二行皆不成也
不名在家者非无為之於為行也非出家者非於為之
无為行也於仏法中乃至蟻子者此他利成就遮集乃夢
行雖是犯戒不者妄於中此即滌之行是行非也皆
不是也應於雖欲性覺識想者應捨於而此也若夢
行雖悟性憶者此无分別除自轉得顯真實也比丘
无食者此於之貧也如食子实者即緣照為因不以
味着也常翹一腳窮不言者編此窮行也被闍世大者
此不淨昔寸行也墜高巖不避捨者此无常因淫得
常果為自隨也雖走斷食者於遠曰中不即資相也
[illegible]

不名在家者非无炎之於炎行也非出家者非於炎之
无為行也於仏法中乃至蟻子者所他利成就迦葉乃夢
行婬是犯戒不者妄於中所身染之行是行非也仏言
不是也應於婬欲生鼻識想者應捨於而所也若夢
行婬悟生悔者所无分別除自解旱顯真實也非正
亡食者所於々貪也如食子宍者身緣毘為因不以
味著也常翹一脚家不言者徧所家行也投淵赴火者
所不淨苦行也墜高巖不避嶮者所无常因望得
常果於自墮也眠棘斷食者於遠因中不取資相也
卧灰土者妄心於為也自縛手足者求勝方便進趣也
煞害衆生者斷真實緣集也方道呪術者習僞邪
教仏聽食五種牛味者乳至提胡及油蜜者无常對
治也憍奢耶衣革使者物者外資之闡也除是之外着
摩訶撈伽者妄於中所如來果行也一切種子者謂已行
是近也草木有命者言六識七識是真於續也仏說是
已入涅槃者作是所者身果於應雖作諸皆魔說也我
不聽常翹一脚者非專所家戒是涅槃因也若聽法時
行住坐卧者亦所四方便行也迦葉言我今始知仏說
魔說別者若是法仏外邪何須此言故知患

千大千世界內外所有山林河海下至阿鼻
地獄上至有頂亦見其中一切衆生及業因
緣果報生處悉見悉知尒時世尊欲重宣此義
而說偈言
若於大衆中　以无所畏心　說是法華經　汝聽其功德
是人得八百　功德殊勝眼　以是莊嚴故　其目甚清淨
父母所生眼　悉見三千界　內外弥樓山　須弥及鐵圍
并諸餘山林　大海江河水　下至阿鼻獄　上至有頂處
其中諸衆生　一切皆悉見　雖未得天眼　肉眼力如是
復次常精進若善男子善女人受持此經若
讀若誦若解說若書寫得千二百耳功德以
是清淨耳聞三千大千世界下至阿鼻地獄
上至有頂其中內外種種語言音聲象聲馬
聲牛聲車聲啼哭聲愁歎聲螺聲鼓聲鍾聲
鈴聲咲聲語聲男聲女聲童子聲童女聲法
聲非法聲苦聲樂聲凡夫聲聖人聲喜聲不
喜聲天聲龍聲夜叉聲乾闥婆聲阿脩羅聲
迦樓羅聲緊那羅聲摩睺羅伽聲火聲水聲
風聲地獄聲畜生聲餓鬼聲比丘聲比丘尼
聲聲聞聲辟支佛聲菩薩聲佛聲以要言

BD02225號　妙法蓮華經卷六　（6–1）

聲非法聲苦聲樂聲凡夫聲聖人聲喜聲不
喜聲天聲龍聲夜叉聲乾闥婆聲阿脩羅聲
迦樓羅聲緊那羅聲摩睺羅伽聲火聲水聲
風聲地獄聲畜生聲餓鬼聲比丘聲比丘尼
聲聲聞聲辟支佛聲菩薩聲佛聲以要言
之三千大千世界中一切內外所有諸聲雖未
得天耳以父母所生清淨常耳皆悉聞知如
是分別種種音聲而不壞耳根尒時世尊欲
重宣此義而說偈言
父母所生耳　清淨无濁穢　以此常耳聞　三千世界聲
象馬車牛聲　鍾鈴螺鼓聲　琴瑟箜篌聲　簫笛之音聲
清淨好歌聲　聽之而不著　无數衆人聲　聞悉能解了
又聞諸天聲　微妙之歌音　及聞男女聲　童男童女聲
山川嶮谷中　迦陵頻伽聲　命命等諸鳥　悉聞其音聲
地獄衆苦痛　種種楚毒聲　餓鬼飢渴逼　求索飲食聲
諸阿脩羅等　居在大海邊　自共語言時　出于大音聲
如是說法者　安住於此間　遙聞是衆聲　而不壞耳根
十方世界中　禽獸鳴相呼　其說之法人　於此悉聞之
其諸梵天上　光音及遍淨　乃至有頂天　言語之音聲
法師住於此　悉皆得聞之　一切比丘衆　及諸比丘尼
若讀誦經典　若為他人說　法師住於此　悉皆得聞之
復有諸菩薩　讀誦於經法　若為他人說　撰集解其義
如是之音聲　悉皆得聞之　諸佛大聖尊　教化衆生者
於諸大衆中　演說微妙法　持此法華經　悉皆得聞之
三千大千界　內外諸音聲　下至阿鼻獄　上至有頂天

BD02225號　妙法蓮華經卷六　（6–2）

如是之音聲　悉皆得聞之　諸佛大聖尊　教化衆生者
於諸大衆中　演說微妙法　持此法華經　悉皆得聞之
三千大千界　內外諸音聲　下至阿鼻獄　上至有頂天
皆聞其音聲　而不壞耳根　其耳聰利故　悉能分別知
持是法華者　雖未得天耳　但用所生耳　功德已如是
復次常精進　若善男子善女人受持是經　若
讀若誦若解說若書寫　成就八百鼻功德
以是清淨鼻根　聞於三千大千世界上下內
外種種諸香　須曼那華香　闍提華香　末利華香
瞻蔔華香　波羅羅華香　赤蓮華香　青蓮華香
白蓮華香　華樹香　菓樹香　栴檀香　沉水香　多
摩羅跋香　多伽羅香　及千万種和香　若末若
丸若塗香　持是經者　於此間住　悉能分別　又
復別知衆生之香　象香　馬香　牛羊等香　男香
女香　童子香　童女香　及草木叢林香　若近若
遠所有諸香　悉皆得聞　分別不錯　持是經者
雖住於此　亦聞天上諸天之香　波利質多羅
拘鞞陁羅樹香　及曼陁羅華香　摩訶曼陁羅
華香　曼殊沙華香　摩訶曼殊沙華香　栴檀　沉
水　種種末香　諸雜華香　如是等天香和合所
出之香　无不聞知　又聞諸天身香　釋提桓因
在勝殿上　五欲娛樂嬉戲時香　若在妙法堂
上　為忉利諸天說法時香　若於諸園遊戲時
香　及餘天等男女身香　皆悉遙聞　如是展轉
乃至梵世　上至有頂　諸天身香　亦皆聞之　并

BD02225號　妙法蓮華經卷六

（6–3）

上為忉利諸天說法時香　若於諸園遊戲時
香　及餘天等男女身香　皆悉遙聞　如是展轉
乃至梵世　上至有頂　諸天身香　亦皆聞之　并
聞諸天所燒之香　及聲聞香　辟支佛香　菩薩
香　諸佛身香　亦皆遙聞　知其所在　雖聞此香
然於鼻根不壞不錯　若欲分別為他人說　憶
念不謬　爾時世尊欲重宣此義而說偈言
是人鼻清淨　於此世界中　若香若臭物　種種悉聞知
須曼那闍提　多摩羅栴檀　沉水及桂香　種種華菓香
及知衆生香　男子女人香　說法者遠住　聞香知所在
大勢轉輪王　小轉輪及子　羣臣諸宮人　聞香知所在
身所著珎寶　及地中寶藏　轉輪王寶女　聞香知所在
諸人嚴身具　衣服及瓔珞　種種所塗香　聞則知其身
諸天若行坐　遊戲及神變　持是法華者　聞香悉能知
諸樹華菓實　及蘇油香氣　持經者住此　悉知其所在
諸山深險處　栴檀樹華敷　衆生在中者　聞香皆能知
鐵圍山大海　地中諸衆生　持經者聞香　悉知其所在
阿脩羅男女　及其諸眷屬　鬪諍遊戲時　聞香皆能知
曠野險隘處　師子象虎狼　野牛水牛等　聞香知所在
若有懷任者　未辯其男女　无根及非人　聞香悉能知
以聞香力故　知其初懷任　成就不成就　安樂産福子
以聞香力故　知男女所念　染欲癡恚心　亦知脩善者
地中衆伏藏　金銀諸珎寶　銅器之所盛　聞香悉能知
種種諸瓔珞　无能識其價　聞香知貴賤　出處及所在
天上諸華等　曼陁曼殊沙　波利質多樹　聞香悉能知
天上諸宮殿　上中下差別　衆寶華莊嚴　聞香悉能知

BD02225號　妙法蓮華經卷六

（6–4）

地中衆伏藏　金銀諸珍寶　銅器之所盛　聞香悉能知
種種諸瓔珞　无能識其價　聞香知貴賤　出處及所在
天上諸華等　曼陀曼殊沙　波利質多樹　聞香悉能知
天上諸宮殿　上中下差別　衆寶華莊嚴　聞香悉能知
天園林勝殿　諸觀妙法堂　在中而娛樂　聞香悉能知
諸天若聽法　或受五欲時　來往行坐臥　聞香悉能知
天女所著衣　好華香莊嚴　周旋遊戲時　聞香悉能知
如是展轉上　乃至於梵世　入禪出禪者　聞香悉能知
光音遍淨天　乃至于有頂　初生及退沒　聞香悉能知
諸比丘衆等　於法常精進　若坐若經行　及讀誦經法
或在林樹下　專精而坐禪　持經者聞香　悉知其所在
菩薩志堅固　坐禪若讀誦　或為人說法　聞香悉能知
在在方世尊　一切所恭敬　愍衆而說法　聞香悉能知
衆生在佛前　聞經皆歡喜　如法而脩行　聞香悉能知
雖未得菩薩　无漏法生鼻　而是持經者　先得此鼻相
復次常精進若善男子善女人受持是經若
讀若誦若解說若書寫得千二百舌功德若
好若醜若美不美及諸苦澀物在其舌根皆
變成上味如天甘露无不美者若以舌根於
大衆中有所演說出深妙聲能入其心皆令
歡喜快樂又諸天子天女釋梵諸天聞是深
妙音聲有所演說言論次第皆悉來聽及諸
龍龍女夜叉夜叉女乾闥婆乾闥婆女阿脩
羅阿脩羅女迦樓羅迦樓羅女緊那羅緊那
羅女摩睺羅伽摩睺羅伽女為聽法故皆來
親近恭敬供養及比丘比丘尼優婆塞優婆
夷國王王子群臣眷屬小轉輪王大轉輪王

BD02225號　妙法蓮華經卷六　（6–5）

雖未得菩薩　无漏法生鼻　而是持經者　先得此鼻相
復次常精進若善男子善女人受持是經若
讀若誦若解說若書寫得千二百舌功德若
好若醜若美不美及諸苦澀物在其舌根皆
變成上味如天甘露无不美者若以舌根於
大衆中有所演說出深妙聲能入其心皆令
歡喜快樂又諸天子天女釋梵諸天聞是深
妙音聲有所演說言論次第皆悉來聽及諸
龍龍女夜叉夜叉女乾闥婆乾闥婆女阿脩
羅阿脩羅女迦樓羅迦樓羅女緊那羅緊那
羅女摩睺羅伽摩睺羅伽女為聽法故皆來
親近恭敬供養及比丘比丘尼優婆塞優婆
夷國王王子群臣眷屬小轉輪王大轉輪王
七寶千子內外眷屬乘其宮殿俱來聽法以
是菩薩善說法故婆羅門居士國內人民盡
其形壽隨侍供養又諸聲聞辟支佛菩薩諸
佛常樂見之是人所在方面諸佛皆向其處
說法悉能受持一切佛法又能出於深妙法

BD02225號　妙法蓮華經卷六　（6–6）

大德聲聞皆已成就世尊亦當為我等說
阿耨多羅三藐三菩提法我等聞已皆共修
學世尊我等志願如來知見深心所念佛自證
知尒時轉輪聖王所將衆中八万億人見十六
王子出家亦求出家王即聽許尒時彼佛
受沙弥請過二万劫已乃於四衆之中說是
大乘經名妙法蓮華教菩薩法佛所護念
說是經已十六沙弥為阿耨多羅三藐三菩提
故皆共受持諷誦通利說是經時十六菩薩
沙弥皆悉信受聲聞衆中亦有信解其餘衆
生千万億種皆生疑惑佛說是經於八千劫
未曾休廢說此經已即入靜室住於禪定八
万四千劫是時十六菩薩沙弥知佛入室寂
然禪定各昇法座亦於八万四千劫為四部
衆廣說分別妙法華經一一皆度六百万億
那由他恒河沙等衆生示教利喜令發阿耨
多羅三藐三菩提心大通智勝佛過八万四
千劫已從三昧起往詣法座安詳而坐普告
大衆是十六菩薩沙弥甚為希有諸根通利
智慧明了已曾供養无量千万億數諸佛於
諸佛所常脩梵行受持佛智開示衆生令入

BD02226號　妙法蓮華經卷三

（7–1）

千劫已從三昧起往詣法座安詳而坐普告
大衆是十六菩薩沙弥甚為希有諸根通利
智慧明了已曾供養无量千万億數諸佛於
諸佛所常脩梵行受持佛智開示衆生令入
其中汝等皆當數數親近而供養之所以者
何若聲聞辟支佛及諸菩薩能是十六菩
薩所說經法受持不毀者是人皆當得阿耨
多羅三藐三菩提如來之慧佛告諸比丘是
十六菩薩常樂說是妙法蓮華經一一菩薩
所化六百万億那由他恒河沙等衆生世世所
生與菩薩俱從其聞法悉皆信解以此因
緣得值四万億佛世尊于今不盡諸比丘我
今語汝彼佛弟子十六沙弥今皆得阿耨多
羅三藐三菩提於十方國土現在說法有无
量百千万億菩薩聲聞以為眷屬其二沙弥
東方作佛一名阿閦在歡喜國二名須弥頂
東南方二佛一名師子音二名師子相南方
二佛一名虛空住二名常滅西南方二佛
一名帝相二名梵相西方二佛一名阿弥陁二
名度一切世間苦惱西北方二佛一名多摩羅
跋栴檀香神通二名須弥相北方二佛一名
雲自在二名雲自在王東北方佛名壞一切
世間怖畏第十六我釋迦牟尼佛於娑婆
國土成阿耨多羅三藐三菩提諸比丘我等
為沙弥時各各教化无量百千万億恒河沙

BD02226號　妙法蓮華經卷三

（7–2）

雲自在二名雲自在王東北方佛名壞一切
世間怖畏第十六我釋迦牟尼佛於娑婆
國土成阿耨多羅三藐三菩提諸比丘我等
為沙弥時各各教化无量百千万億恒河沙
等衆生從我聞法為阿耨多羅三藐三菩
提此諸衆生于今有住聲聞地者我常教
化阿耨多羅三藐三菩提是諸人等應以是法
漸入佛道所以者何如来智慧難信難解尒
時所化无量恒河沙等衆生者汝等諸比丘及
我滅度後未来世中聲聞弟子是也我滅度
後復有弟子不聞是經不知不覺菩薩所
行自於所得功德生滅度想當入涅槃我於餘
國作佛更有異名是人雖生滅度之想入於
涅槃而於彼土求佛智慧得聞是經唯以佛
乘而得滅度更无餘乘除諸如来方便說
法諸比丘若如来自知涅槃時到衆又清淨
信解堅固了達空法深入禪定便集諸菩薩
及聲聞衆為說是經世間无有二乘而得滅
度唯一佛乘得滅度耳比丘當知如来方便深
入衆生之性知其志樂小法深著五欲為是
等故說於涅槃是人若聞則便信受譬如
五百由旬險難惡道曠絕无人怖畏之處若
有多衆欲過此道至珎寶處有一導師聦
慧明達善知險道通塞之相將導衆人欲
過此難所將人衆中路懈退白導師言我等
疲極而復怖畏不能復進前路猶遠今欲

BD02226號　妙法蓮華經卷三

（7–3）

有多衆欲過此道至珎寶處有一導師聦
慧明達善知險道通塞之相將導衆人欲
過此難所將人衆中路懈退白導師言我等
疲極而復怖畏不能復進前路猶遠今欲
退還導師多諸方便而作是念此等可愍云何捨
大珎寶而欲退還作是念已以方便力於險
道中過三百由旬化作一城告衆人言汝等勿
怖莫得退還今此大城可於中止隨意所作
若入是城快得安隱若能前至寶所亦可得
去是時疲極之衆心大歡喜歎未曾有我等
今者免斯惡道快得安隱於是衆人前入化
城生已度想生安隱想尒時導師知此人衆
既得止息无復疲惓即滅化城語衆人言汝
等去来寶處在近向者大城我所化作為
止息耳諸比丘如来亦復如是今為汝等作大
導師知諸生死煩惱惡道險難長遠應去
應度若衆生但聞一佛乘者則不欲見佛不
欲親近便作是念佛道長遠久受勤苦乃可
得成佛知是心怯弱下劣以方便力而於中道為
止息故說二涅槃若衆生住於二地如来尒時
即便為說汝等所作未辦汝所作地近於佛
慧當觀察籌量所得涅槃非真實也但是如
来方便之力於一佛乘分別說三如彼導師為
止息故化作大城既知息已而告之言寶處
在近此城非實我化作耳尒時世尊欲重宣
此義而說偈言

BD02226號　妙法蓮華經卷三

（7–4）

止息故化作大城既知息已而告之言寶處
在近此城非實我化作耳尒時世尊欲重宣
此義而說偈言
大通智勝佛 十劫坐道場 佛法不現前 不得成佛道
諸天神龍王 阿脩羅衆等 常雨於天華 以供養彼佛
諸天擊天鼓 并作衆伎樂 香風吹萎華 更雨新好者
過十小劫已 乃得成佛道 諸天及世人 心皆懷踊躍
彼佛十六子 皆與其眷屬 千万億圍繞 俱行至佛所
頭面礼佛足 而請轉法輪 聖師子法雨 充我及一切
世尊甚難值 久遠時一現 為覺悟群生 震動於一切
東方諸世界 五百万億國 梵宮殿光曜 昔所未曾有
諸梵見此相 尋來至佛所 散華以供養 并奉上宮殿
請佛轉法輪 以偈而讚歎 佛知時未至 受請默然坐
三方及四維 上下亦復尒 散華奉宮殿 請佛轉法輪
世尊甚難值 願以大慈悲 廣開甘露門 轉无上法輪
无量慧世尊 受彼衆人請 為宣種種法 四諦十二緣
无明至老死 皆從生緣有 如是衆過患 汝等應當知
宣暢是法時 六百万億姟 得盡諸苦際 皆成阿羅漢
第二說法時 千万恒沙衆 於諸法不受 亦得阿羅漢
從是後得道 其數无有量 万億劫筭數 不能得其邊
時十六王子 出家作沙弥 皆共請彼佛 演說大乘法
我等及營從 皆當成佛道 願得如世尊 慧眼第一淨
佛知童子心 宿世之所行 以无量因緣 種種諸譬喻
說六波羅蜜 及諸神通事 分別真實法 菩薩所行道
說是法華經 如恒河沙偈 彼佛說經已 靜室入禪定
一心一處坐 八万四千劫 是諸沙弥等 知佛禪未出

BD02226號 妙法蓮華經卷三 （7–5）

佛知童子心 宿世之所行 以无量因緣 種種諸譬喻
說六波羅蜜 及諸神通事 分別真實法 菩薩所行道
說是法華經 如恒河沙偈 彼佛說經已 靜室入禪定
一心一處坐 八万四千劫 是諸沙弥等 知佛禪未出
為无量億衆 說佛无上慧 各各坐法座 說是大乘經
於佛宴寂後 宣揚助法化 一一沙弥等 所度諸衆生
有六百万億 恒河沙等衆 彼佛滅度後 是諸聞法者
在在諸佛土 常與師俱生 是十六沙弥 具足行佛道
今現在十方 各得成正覺 尒時聞法者 各在諸佛所
其有住聲聞 漸教以佛道 我在十六數 曾亦為汝說
是故以方便 引汝趣佛慧 以是本因緣 今說法華經
令汝入佛道 慎勿懷驚懼 譬如險惡道 迥絕多毒獸
又復无水草 人所怖畏處 无數千万衆 欲過此險道
其路甚曠遠 經五百由旬 時有一導師 強識有智慧
明了心決定 在險濟衆難 衆人皆疲惓 而白導師言
我等今頓乏 於此欲退還 導師作是念 此輩甚可愍
如何欲退還 而失大珎寶 尋時思方便 當設神通力
化作大城郭 莊嚴諸舍宅 周帀有園林 渠流及浴池
重門高樓閣 男女皆充滿 即作是化已 慰衆言勿懼
汝等入此城 各可隨所樂 諸人既入城 心皆大歡喜
皆生安隱想 自謂已得度 導師知息已 集衆而告言
汝等當前進 此是化城耳 我見汝疲極 中路欲退還
故以方便力 權化作此城 汝今勤精進 當共至寶所
我亦復如是 為一切導師 見諸求道者 中路而懈廢
不能度生死 煩惱諸險道 故以方便力 為息說涅槃
言汝等苦滅 所作皆已辦 既知到涅槃 皆得阿羅漢
尒乃集大衆 為說真實法

BD02226號 妙法蓮華經卷三 （7–6）

重門高樓閣　男女皆充滿　即作是化已　慰衆言勿懼
汝等入此城　各可隨所樂　諸人既入城　心皆大歡喜
皆生安隱想　自謂已得度　導師知息已　集衆而告言
汝等當前進　此是化城耳　我見汝疲極　中路欲退還
故以方便力　權化作此城　汝今勤精進　當共至寶所
我亦復如是　爲一切導師　見諸求道者　中路而懈癈
不能度生死　煩惱諸險道　故以方便力　爲息說涅槃
言汝等苦滅　所作皆已辦　既知到涅槃　皆得阿羅漢
尒乃集大衆　爲說真實法
諸佛方便力　分別說三乘　唯有一佛乘　息處故說二
今爲汝說實　汝所得非滅　爲佛一切智　當發大精進
汝證一切智　十力等佛法　具三十二相　乃是真實滅
諸佛之導師　爲息說涅槃　既知是息已　引入於佛慧

妙法蓮華經卷第三

BD02226 號　妙法蓮華經卷三　　（7–7）

大方便佛報恩經序品第一

如是我聞一時佛住王舍城耆闍……八千人俱皆所作已
辦梵行已立不受後有如摩訶那伽心……名曰摩訶迦葉須菩提憍陳
如離越多訶多富樓那彌多羅尼子畢陵伽婆蹉舍利弗摩訶迦旃延阿難
羅睺羅等衆所知識菩薩摩訶薩三萬八千人俱此諸菩薩久殖德本於
无量百千萬億諸佛所常脩梵行成滿大願悲能通達百千禪定陁羅尼滿
不捨大悲隨諸衆生而能饒益紹隆三寶使不斷絕能建法幢爲諸衆生住不
請友到大智岸名稱普聞其名曰觀世音菩薩得大勢菩薩常精進菩薩妙
音菩薩雷光菩薩普平菩薩德首菩薩頂孫王菩薩香象菩薩大香象菩
薩持勢菩薩越三界菩薩常悲菩薩寶掌菩薩至光炎熾菩薩
寶月菩薩大力菩薩无量慧菩薩跋陁和菩薩師子吼菩薩師子作菩薩師子
喬迮菩薩滿願菩薩寶積菩薩彌勒菩薩文殊師利法王子等百千眷屬俱
復有无量百千欲界諸天子等各與眷屬俱賫諸天上微妙香華作天伎樂
住虛空中諸天龍夜叉乾闥婆迦樓羅緊那羅摩睺羅伽人非人等各與若干
百千眷屬俱各礼佛足退坐一面尒時如來大衆圍繞供養
尒時阿難承佛威神於晨朝時入王舍城次第乞食尒時城中有一婆羅門子
孝養父母其家衰喪計蕩盡擔負老母亦次第行乞若得好食香美
菓菜仰奉於母若得惡食萎菜乾棗而自食之阿難見之心生歡喜偈讚此
人善哉善哉善男子供養父母奇特奇特又有一梵志是六師徒黨其人聰叡志
能通達四違陁典歷數筭計占相吉凶陰陽盈變豫知人心亦是大衆唱導之
師多人贍奉執著耶論爲利養故殘滅正法心懷嫉妬毀佛法衆語阿難言
汝師瞿曇諸釋種子自言善好有大功德唯有空名而无實行汝師瞿曇實
是惡人適生一七其母命終豈非惡人也踰出宮城父王苦惱生狂癡心迷悶
躃地以水灑面經於七日方能醒悟云何今曰生失我所天舉聲大哭悲涕
而言國是汝有吾唯有汝一子云何捨我入於深山汝師瞿曇不知恩分而不
顧錄遂前而去是故當知是不孝之人父王爲立宮殿納耶瞿夷而不行婦人
之礼令其愁毒是故當知无恩分之人阿難聞是語已心生慚愧乞食已還詣

BD02227 號 1　大方便佛報恩經卷一　　（27–1）

[illegible]
汝師瞿曇諸釋種子自言善好有大功德唯有空名而无實行汝師瞿曇實
是惡人適生一七其母命終豈非惡人也踰出宮城父王苦惱生狂癡心迷悶
躄地以水灑面經於七日方能醒悟云何今日生失我所天舉聲大哭悲泣
而言國是汝有吾唯有汝一子云何捨我入於深山汝師瞿曇不知恩分而不
顧錄逕前而去是故當知是不孝之人父王為立宮殿納耶輸陁羅而不行婦人
之禮令其愁毒是故當知无恩分人阿難聞是語已心生慙愧乞食已還詣
佛所頭面禮足却住一面合掌白佛言世尊佛法之中頗有孝養父母不耶
佛語阿難誰教汝令發是問諸天神耶人耶非人耶汝為自以智力問於如
來耶阿難言亦无諸天龍鬼神人及非人來見教也向者乞食道逢六師徒黨
薩遮尼乾見毀罵辱阿難即以上事向如來說尒時世尊熙怡微笑從其面
門放五色光過於東方无量百千萬億佛土彼有世界名曰上勝其佛号曰喜王
如來應供正遍知明行足善逝世間解无上士調御丈夫天人師佛世尊國名嚴盛
其土平正琉璃為地黃金為繩以界道側七寶行樹其樹皆高盡一箭道華菓枝葉
次第莊嚴微風吹動出微妙音衆生樂聞无有厭足處處皆有流泉浴池其水清
淨金沙布地八功德水盈滿其中其池四邊有妙香華波頭摩華分陁利華跋
師迦華青黃赤白大如車輪而覆其上其池水中異類諸鳥相和而鳴出微妙音甚
可愛樂有七寶船亦在其中而諸衆生自在遊戲其樹林間敷師子坐高一由旬亦
以七寶而校飾之復以天衣重敷其上梵天寶香諸天寶華遍布其地喜王如來而
坐其上結跏趺坐彼國菩薩无量億千前後圍繞却住一面合掌向於如來異口同
音俱發聲言唯願世尊哀慈憐愍以何因緣有此光明青黃赤白其色暉豔難
可得覩從西方來照此大衆其有遇斯光者心意泰然唯願世尊斷我疑網佛言
諸善男子諦聽諦聽善思念之吾當為汝分別解說西方去此无量百千諸佛世界有
世界名娑婆其中有佛号曰釋迦牟尼如來應供正遍知明行足善逝世間解无上士
調御丈夫天人師佛世尊大衆圍繞今欲為諸大衆說大方便大報恩經為欲饒益
一切諸衆生故為欲拔出一切衆生耶疑毒箭故為欲令初發意菩薩堅固菩提不
退轉故為令一切聲聞辟支佛究竟一乘道故為諸大菩薩速成菩提報佛恩故
欲令一切衆生念重恩故欲令衆生越於苦海故欲令衆生孝養父母故以是因緣
故放斯光明尒時大衆中有十千菩薩皆是大衆唱導之師即從坐起偏袒右肩右
膝著地叉手合掌而白佛言唯願世尊加威神力令我等輩得往娑婆世界親近
供養釋迦牟尼如來并欲聽大方便佛報恩微妙經典尒時彼佛告諸菩薩言善男
子汝往娑婆世界若見彼佛應生供養恭敬難遭之想何以故釋迦如來於无量百
千萬億阿僧祇劫難行苦行發大悲願若我得成佛時當於穢惡國土山陵堆埠
凡礫荊棘其中衆生具足煩惱五逆十惡於中成佛而利益之使斷一切苦獲一切樂
成就法身永盡无餘其佛本願如是汝等今往當如佛往往如佛往諸菩薩衆

BD02227號1　大方便佛報恩經卷一　（27–2）

子汝往娑婆世界若見彼佛應生供養恭敬難遭之想何以故釋迦如來於无量百
千萬億阿僧祇劫難行苦行發大悲願若我得成佛時當於穢惡國土山陵堆埠
凡礫荊棘其中衆生具足煩惱五逆十惡於中成佛而利益之使斷一切苦獲一切樂
成就法身永盡无餘其佛本願如是汝等今往當如佛往往如佛往諸菩薩衆
俱發聲言如世尊勑一一菩薩各將无量百千萬億諸菩薩衆以為眷屬前後圍繞
往詣娑婆世界所經國土六種震動大光普照虛空神天而雨曼陁羅華摩訶曼
陁羅華放大光明神足感動恒沙世界復有无量百千萬種諸天伎樂於虛空中
不鼓自鳴是諸菩薩等往詣耆闍崛山到如來所頭面禮足繞佛三帀却住一面
尒時如來復放一光直照南方過八千萬億諸佛國土有世界名曰光德彼中有佛号
曰思惟相如來應供正遍知明行足善逝世間解无上士調御丈夫天人師佛世尊國名
善淨其土平正琉璃為地黃金為繩以界道側七寶行樹其樹皆高盡一箭道華
菓枝葉次第莊嚴微風吹動出微妙音衆生樂聞无有厭足處處皆有流泉浴
池其池清淨金沙布地八功德水盈滿其中其池四邊有妙香華波頭摩華分陁
利華跋師迦華青黃赤白大如車輪而覆其上其池水中異類諸鳥相和悲鳴
出微妙音甚可愛樂有七寶船亦在其中而諸衆生自在遊戲其樹林間敷師子座
高一由旬亦以七寶而校飾之復以天衣重敷其上梵天寶香諸天寶華遍布其地
思惟相如來而坐其上結跏趺坐彼國菩薩无量億千前後圍繞却住一面合掌向
於如來異口同音俱發聲言唯願世尊哀慈憐愍以何因緣有此光明青黃赤白
其色暉豔難可得覩從北方來照此大衆其有遇斯光者心意泰然唯願世尊
斷我疑網佛言諸善男子諦聽諦聽善思念之吾當為汝分別說之北方去此
无量百千諸佛世界有世界名娑婆其中有佛号曰釋迦牟尼如來應供
正遍知明行足善逝世間解无上士調御丈夫天人師佛世尊大衆圍繞今欲
為諸大衆說大方便佛報恩經為欲饒益一切諸衆生故為欲拔出一切衆生耶
疑毒箭故為欲令初發意菩薩堅固菩提不退轉故為欲令一切聲聞辟支佛
究竟一乘道故為諸大菩薩速成菩提報佛恩故欲令一切衆生念重恩故欲
令衆生越於苦海故欲令衆生孝養父母故以是因緣故放斯光明
尒時大衆中有十千菩薩一一菩薩皆是大衆唱導之師即從坐起偏袒右肩右
膝著地叉手合掌而白佛言唯願世尊加威神力令我等輩得往娑婆世界
親近供養釋迦牟尼如來并欲聽大方便佛報恩微妙經典尒時彼佛告諸菩薩
言善男子汝往娑婆世界若見彼佛應生供養恭敬難遭之想何以故釋迦如來
於无量百千萬億阿僧祇劫難行苦行發大悲願若我得成佛時當於穢惡國土
山陵堆埠凡礫荊棘其中衆生具足煩惱五逆十惡於中成佛而利益之使斷一切
苦獲一切樂成就法身永盡无餘其佛本願如是汝等今往當如佛往往如佛往諸
菩薩衆俱發聲言如世尊勑一一菩薩各將无量百千萬億諸菩薩衆以為眷
屬前後圍繞往詣娑婆世界所經國土皆六種震動大光普照虛空神天而雨曼陁

BD02227號1　大方便佛報恩經卷一　（27–3）

山陵堆阜瓦礫荊棘其中眾生具足煩惱五逆十惡於中成佛而利益之使斷一切
苦獲一切樂成就法身永盡无餘其佛本願如是汝等今往當如佛住住如佛住諸
菩薩眾俱發聲言如世尊勅一一菩薩各將无量百千萬億諸菩薩眾以為眷
屬前後圍繞往詣娑婆世界所經國土皆六種震動大光普照虛空神天雨曼陁
羅華摩訶曼陁羅華放大光明神足感動恒沙世界復有无量百千種諸天伎
樂於虛空中不鼓自鳴是諸菩薩等往詣耆闍崛山到如來所頭面礼足繞佛三
迊却住一面尒時如來復放大光直照西方過无量百千萬億諸佛國土有世界名淨
住其佛号日月燈光如來應供正遍知明行足善逝世間解无上士調御丈夫天人師佛
世尊國名妙喜其土平正琉璃為地黃金為繩以界道側七寶行樹其樹皆高盡一箭
道華葉枝葉次第莊嚴微風吹動出微妙音眾生樂聞无有猒足處處皆有流泉
浴池其池清淨金沙布地八功德水盈滿其中其池四邊有妙香華波頭摩華分陁利華
婆師迦華青黃赤白大如車輪而覆其上其池水中異類諸鳥相和悲鳴出微妙音甚
可愛樂有七寶牀亦在其中而諸眾生自在遊戲其樹林間敷師子座高一由旬亦以七
寶而校飾之復以天衣重敷其上燒天寶香諸天寶華遍布其地日月燈光如來而坐
其上結跏趺坐彼國菩薩无量億千前後圍繞却住一面合掌向於如來異口同音俱
發聲言唯願世尊哀慈憐愍以何因緣有此光明青黃赤白其色暉艷難可得喻從
東方來照此大眾其有遇斯光者心意泰然唯願世尊斷我疑網佛言諸善男子
諦聽諦聽善思念之吾當為汝分別解說東方去此无量百千諸佛世界有世界
号名娑婆其中有佛号曰釋迦牟尼如來應供正遍知明行足善逝世間解无上士
調御丈夫天人師佛世尊大眾圍繞今欲為諸大眾說大方便大報恩經為欲饒益
一切諸眾故為欲拔出一切眾生耶見毒箭故為欲令初發意菩薩堅固菩提不退
轉故為令一切聲聞辟支佛究竟一乘道故為諸大菩薩速成菩提報佛恩故欲令
一切眾生念重恩故欲令眾生越於苦海故欲令眾生孝養父母故以是因緣放斯
光明尒時大眾中有十千菩薩一一菩薩皆是大眾唱導之師即從坐起偏袒右肩右膝
着地叉手合掌而白佛言唯願世尊加威神力令我等輩得往娑婆世界親近供養釋
迦牟尼如來并欲聽大方便佛報恩微妙經典尒時彼佛告諸菩薩言善男子汝往
娑婆世界若見彼佛應生供養恭敬難遭之想何以故釋迦如來於无量百千萬億阿
僧祇劫難行苦行發大悲願若我得成佛時當於穢惡國土山陵堆阜瓦礫荊棘其
中眾生具足煩惱五逆十惡於中成佛而利益之使斷一切苦獲一切樂成就法身永盡
无餘其佛本願如是汝等今往當如佛住住如佛住諸菩薩眾俱發聲言如世尊勅
一一菩薩各將无量百千萬億諸菩薩眾以為眷屬前後圍繞往詣娑婆世界所經國土
皆六種震動大光普照虛空神天雨曼陁羅華摩訶曼陁羅華放大光明神足感動恒
沙世界復有无量百千萬種諸天伎樂於虛空中不鼓自鳴是諸菩薩等往詣耆闍崛
山到如來所頭面礼足繞佛三迊却住一面尒時釋迦如來五色光明照於北方過五百萬
億那由他諸佛國土有世界名自在攝王其中有佛号曰紅蓮華光如來應供正遍知明

BD02227 號 1　大方便佛報恩經卷一　（27–4）

一一菩薩各將无量百千萬億諸菩薩眾以為眷屬前後圍繞往詣娑婆世界所經國土
皆六種震動大光普照虛空神天雨曼陁羅華摩訶曼陁羅華放大光明神足感動恒
沙世界復有无量百千萬種諸天伎樂於虛空中不鼓自鳴是諸菩薩等往詣耆闍崛
山到如來所頭面礼足繞佛三迊却住一面尒時釋迦如來五色光明照於北方過五百萬
億那由他諸佛國土有世界名自在攝王其中有佛号曰紅蓮華光如來應供正遍知明
行足善逝世間解无上士調御丈夫天人師佛世尊國名離垢其土清淨琉璃為地黃金為
繩以界道側七寶行樹其樹皆高盡一箭道華葉枝葉次第莊嚴微風吹動出微妙音
眾生樂聞无有猒足處處皆有流泉浴池其池清淨金沙布地八功德水盈滿其中
其池四邊有妙香華波頭摩華分陁利華婆師迦華青黃赤白大如車輪而覆其
上其池中有異類諸鳥相和悲鳴出微妙音甚可愛樂有七寶牀亦在其中而諸眾
生自在遊戲其樹林間敷師子座高一由旬亦以七寶而校飾之復以天衣重敷其上
燒天寶香諸天寶華遍布其地紅蓮華光如來而坐其上結跏趺坐彼國菩薩无
量億千前後圍繞却住一面合掌向於如來異口同音俱發聲言唯願世尊哀慈憐
愍以何因緣有此光明青黃赤白其色暉艷難可得喻從南方來照此大眾其有遇斯
光者心意泰然唯願世尊斷我疑網佛言善男子諦聽諦聽善思念之吾當為汝分別
解說南方去此无量百千諸佛世界有世界号名娑婆其中有佛号曰釋迦牟尼如來
應供正遍知明行足善逝世間解无上士調御丈夫天人師佛世尊大眾圍繞今欲為諸大
眾說大方便大報恩經為欲饒益一切諸眾生故為欲令初發意菩薩堅固菩提不退
轉故為令一切聲聞辟支佛究竟一乘道故為諸大菩薩速成菩提報佛恩故欲令一
切眾生念重恩故欲令眾生越於苦海故欲令眾生孝養父母故以是因緣故放斯光明
尒時大眾中有十千菩薩一一菩薩皆是大眾唱導之師即從坐起偏袒右肩右膝著地
叉手合掌而白佛言唯願世尊加威神力令我等輩得往娑婆世界親近供養釋迦牟
尼如來并欲聽大方便佛報恩微妙經典尒時彼佛告諸菩薩言善男子汝往娑婆世
界若見彼佛應生供養恭敬難遭之想何以故釋迦如來於无量百千萬億阿僧祇劫難行
苦行發大悲願若我得成佛時當於穢惡國土山陵堆阜瓦礫荊棘其中眾生具足煩惱五
逆十惡於中成佛而利益之使斷一切苦獲一切樂成就法身永盡无餘其佛本願如是汝等
今往當如佛住住如佛住諸菩薩眾俱發聲言如世尊勅一一菩薩各將无量百千萬億
諸菩薩眾以為眷屬前後圍繞往詣娑婆世界所經國土皆六種震動大光普照虛空
神天雨曼陁羅華摩訶曼陁羅華放大光明神足感動恒沙世界復有无量百千種諸
天伎樂於虛空中不鼓自鳴是諸菩薩等往詣耆闍崛山到如來所頭面礼足繞佛三迊却住一面
乃至四維上下十方諸來大菩薩摩訶薩眾各與若干百千眷屬俱至如來所供養恭敬
尊重讚嘆異口同音各說百千偈頌讚嘆於佛讚嘆佛已却住一面時娑婆世界即變清
淨无諸山陵大小諸山江河池湖溪澗溝壑其中眾生尋光見佛歡喜合掌頭頂礼敬心
生戀慕目不暫捨尒時世尊即攝光明繞身七迊還從頂入尊者阿難觀察眾心亦咸皆
有疑欲願發如來方便密行故并欲為未來一切眾生開其慧眼故欲令一切眾生渡渴愛

BD02227 號 1　大方便佛報恩經卷一　（27–5）

尊重讚嘆異口同音各說百千偈頌讚嘆於佛讚嘆佛已却住一面時娑婆世界即變清
淨无諸山陵大小諸山江河池湖溪澗溝壑其中衆生尋光見佛歡喜合掌頭頂礼敬心
生恋慕目不暫捨尒時世尊即攝光明繞身七匝還從頂入尊者阿難觀察衆心亦咸皆
有疑欲顯發如來方便密行故并欲為未來一切衆生開其慧眼故欲令一切衆生渡渴愛
海得至彼岸永得安樂故欲令衆生念識父母師長重恩故即從坐起整衣服偏袒右肩
胡跪合掌而白佛言世尊阿難事佛已來未曾見佛咲咲必有意願佛示之願佛說之
斷除如是大衆疑網

大方便佛報恩經孝養品第二

尒時大衆之中有七寶蓮華從地化生白銀為茎黃金為葉甄叔迦寶以為其臺真珠羅
網次第莊嚴尒時釋迦如來即從座起昇華臺上結跏趺坐即現淨身於其身中現五趣
身一一趣身有萬八千種形類一一形類現百千種身一一身中復有无量恒河沙等身
於四恒河沙等一一身中復現四天下大地微塵等身於一微塵身中復現三千大千世
界微塵等身於一塵身中復現於十方一一方面各百千億諸佛世界微塵等數身
乃至盡虛空法界不思議衆生等身尒時如來現如是等身已告阿難及十方諸來大
菩薩摩訶薩及一切大衆諸善男子等如來今者以正遍知宣說真實之言法无言
說如來以妙方便能以无名相法作名相說如來本於生死中時於如是等微塵數不
思議形類一切衆生中具足受身以受身故一切衆生亦曾為如來父母如來亦曾為一
切衆生而作父母為一切父母故常修難行苦行難捨能捨頭目髓腦國城妻子象馬七
寶輦輿車乘衣服飲食卧具醫藥一切給與勤修精進戒施多聞禪定智慧乃至具
足一切萬行不休不息心无疲倦為孝養父母知恩報恩故今得速成阿耨多羅三藐
三菩提以是之故一切衆生能令如來滿足本願故是以當知一切衆生於佛有重恩有重
恩故如來不捨衆生以大悲心故常修集有方便為一切三界廿五有諸衆生中不思
議劫已修平等意常修行方便亦明鑒一切衆生空法空五陰空如是不退不沒不流空
有修寶相方便故不捨二乘修滿學方便以修如是甚深微妙方便故得明鑒法相
佛法初終未始非一然衆生昏濁昌狂有三渴愛所覆沒於苦海為四倒惑之所顛
倒於有漏法中妄想所見无我見我无常見常无樂見樂不淨見淨為生老病
死之所遷滅念念无常五蓋十纏之所覆蔽輪迴三有具受生死无有始終辟如循
環是以如來教跡隨宜三藏九部乃至十二部經分流道化隨信深淺故說衆經典
稱緣俠封言者自以頓足已得浸勝是以如來慈悲本誓顯大方便運出十方一切有
緣有緣既集於此大衆中敷演散說此妙經典垂訓千載流布像法使一切衆生常
積大安是故如來乘權運化應時而生應時而滅或於異剎稱盧舍那如來應
供正遍知明行足善逝世間解无上士調御丈夫天人師佛世尊或昇兜率陀天為
諸天師或從兜率天下於閻浮提現八十年壽當知如來不可思議世界不可思議業
報不可思議衆生不可思議禪定不可思議龍不可思議此是佛不可思議佛欲令一
切衆生知佛心者乃至下流鈍根衆生皆欲令得知令一切衆生能得見者即便得

積大安是故如來乘權運化應時而生應時而滅或於異剎稱盧舍那如來應
供正遍知明行足善逝世間解无上士調御丈夫天人師佛世尊或昇兜率陀天為
諸天師或從兜率天下於閻浮提現八十年壽當知如來不可思議世界不可思議業
報不可思議衆生不可思議禪定不可思議龍不可思議此是佛不可思議佛欲令一
切衆生知佛心者乃至下流鈍根衆生皆欲令得知令一切衆生能得見者即便得
見欲令不得見者假令對目而不能見或使聲聞緣覺有天眼通亦不得見又佛放大
光明下至阿鼻地獄上至有頂所應度者皆令得見不應度者對目不見有時如來或
時許可或時嘿然當知諸佛世尊不可思議不可測量難可得知汝今云何能問如來如
是甚深微妙難行苦行汝住是問真是大悲愍傷衆生開三惡道通人天路阿難吾當
為汝略說孝養父母苦行因緣尒時世尊告於阿難及諸大菩薩摩訶薩一切大衆而作
是言乃往過去无量无邊阿僧祇劫尒時有國号波羅柰彼中有佛出世号毗婆尸如
來應供正遍知明行足善逝世間解无上士調御丈夫天人師佛世尊其佛壽命十二小
劫正法住世廿小劫像法亦住廿小劫於像法中有王出世号曰羅闍王波羅柰國王
有二萬夫人大臣有四千人有五百健象王主六十小國八百聚落王有三太子皆住邊小
國王尒時波羅柰大王聰叡仁賢常以正法治國不枉人民唯王福德力故風雨時節
五穀豐熟人民優壞尒時波羅柰大王有一所重大臣名曰羅睺羅大臣心生惡逆起
四種兵所謂象兵車兵馬兵步兵伐波羅柰國斷大王命已煞王竟復遣四兵往詣
邊國煞第一太子次復往收第二太子其最小弟作邊小國王其小王者形體姝大端
政殊妙仁性調善語常含咲發言利益不傷人意常以正法治國不耶枉人民國土
豐樂人民熾盛多饒財寶家計充盈國土人民咲羨其王稱善无量虛空諸天一切神
祇亦皆敬愛尒時其王生一太子字須闍提聰明慈人好憙布施須闍提太子者身黃
金色七處平滿人相具足年始七歲其父愛念心不暫捨尒時守宮殿神語大王言大
王知不羅睺大臣近生惡逆謀奪國位煞父王竟尋起四兵伺捕二兄已斷命根軍馬
不久當至大王今者何不逃命去耶尒時大王聞是語已心驚毛竪身體掉動不能自持
憂恚懊惱音聲煩悶心肝惱熱婉轉躃地悶絕良久乃蘇微聲報彼虛空中言卿是
何人但聞其聲不見其形向者所宣審實尒不即報王言我是守宮殿神以王聰明福
德不枉人民正法治國我以是故先相告語大王今者宜時速出苦惱衰禍政尒不久旁
來至尒時大王即入宮中而自思念我今宜應歸投他國復自思惟向於隣國而有
兩道一道行滿足七日乃至他國一道經由十四日即便盛七日道粮微服尋出去到城外
而便還入宮中呼須闍提太子抱著膝上目不暫捨相復驚起而復還坐尒時夫人
見其大王不安其所似恐怖狀即前問言大王今者似恐怖狀何因緣故坐不安所身
坌塵土頭髮蓬乱視瞻不均氣息不定如似失國恩愛別離怨家欲至如是非
祥之相願見告語王言吾所有事非汝所知夫人尋白王言我身與王二形一體如似
鳥之兩翅身之兩足頭之二目大王今者云何而言不相關豫王告夫人汝不知耶羅睺
大臣近生惡逆煞父王竟伺捕二兄亦斷命根今者兵馬次來收我今欲逃命即便
抱須闍提太子即出進路尒時夫人亦隨後從去時荒錯心意迷乱誤入十四日道其道險

蚉塵土頭髮蓬亂視聽不均氣息不定如似失國恩愛別離怨家欲至如是非
祥之相願見告語王言吾所有事非汝所知夫人尋白王言我身與王二形一體如似
鳥之兩翅身之兩足頭之二目大王今者云何而言不相關豫王告夫人汝不知耶羅睺
大臣返生惡逆殺父王竟伺捕二兄亦斷命根今者兵馬次來收我今欲進命即便
抱須闍提太子即出進路尒時夫人亦隨後從去時荒錯心意迷亂悞入十四日道其道險
難无有水草前行數日粮糗已盡夲意裁一人分粮行七日道今日三人共食誤入十四
日道數日粮食已盡前路猶遠是時大王及與夫人舉聲大哭懊我惱我苦我苦哉
從生已來常未曾聞有如是苦如何今日身自受之今日窮厄衰禍已至舉手拍頭
塵土自坌舉身投地自撲憤言我等宿世造何惡行為殺父母真人羅漢為謗
正法壞和合僧為田獵魚捕輕稱小斗劫棄衆生為用招提僧物去何今日受
此禍對設欲小停懼怨家至若為怨得必死不疑設欲前進飢渴所逼命在呼噏
尒時大王及與夫人思是苦已失聲大哭王悲悶絶舉身躃地良久醒悟復自思惟不
設方便三人并命不離此死我今何不煞於夫人以活我身并續子命作是念已尋即拔
刀欲煞夫人其子須闍提見王異相右手拔刀欲煞其母前捉王手語父王言欲作何等尒
時父王悲淚滿目微聲語子欲煞汝母取其肉血以續活我身并汝命若不煞者亦當自
死我身今者死活何在今為子命欲煞汝母尒時須闍提即白父言王若煞母俱亦不食何
處有子噉於母肉既不噉肉子俱當死父王今者何不煞子濟父母命王聞子言即便悶絶
號轉躃地微聲語子子如吾目何處有人能自挑目而還食也吾寧喪命終不煞子噉
其肉也尒時須闍提諫父母言父母今者若衛子命血肉具爛未堪多日唯願父母莫
煞子身欲求一願若見違者非慈父母尒時父王語太子言不違汝意欲願何等便速
說之須闍提言父母今者為愍子故可日日持刀就子身上割三斤肉分作三分二分
奉上父母一分還自食之以續身命尒時父母即隨子言割三斤肉分作三分二分父母
一分自食以支身命得至前路二日未至身肉轉盡身體支節骨髓相連餘命
未斷尋便倒地尒時父母尋前抱持舉聲大哭復發聲言我等无狀橫噉汝肉使
汝肉痛前路猶遠未達所在而汝肉已盡今者并命聚尸一處尒時須闍提微聲諫
言已噉子肉進路至此計前數餘有一日子身今者不能移動捨命於此父母今
者莫如凡人并命一處仰白一言為憐愍故莫見拒逆可於身諸節間淨割
餘肉用濟父母可達所在尒時父母即隨其言於身支節更取少肉分作三分
一分與兒二分自食食已父母別去須闍提起立往視父母父母尒時舉聲大哭
隨路而去父母去遠不見須闍提太子戀慕父母目不暫捨良久躃地身體新血肉
香於十方面有蚊虻聞血肉香來封身上遍體唼食楚毒苦痛不可復言尒時太
子餘命未斷發聲立誓願宿世殃惡從是除盡從今已往更不敢作今我此身以供養
父母濟其所重願我父母常得十一餘福卧安覺安不見惡夢天護人愛縣官盜賊陰
謀消滅觸事吉祥餘身肉血施此諸蚊虻等皆使飽滿令我來世得成作佛得成
佛時願以法食除汝飢渴生死重病發是願時天地六種震動日无精光驚諸禽

BD02227 號 1　大方便佛報恩經卷一

（27–8）

香於十方面有蚊虻聞血肉香來封身上遍體唼食楚毒苦痛不可復言尒時太
子餘命未斷發聲立誓願宿世殃惡從是除盡從今已往更不敢作今我此身以供養
父母濟其所重願我父母常得十一餘福卧安覺安不見惡夢天護人愛縣官盜賊陰
謀消滅觸事吉祥餘身肉血施此諸蚊虻等皆使飽滿令我來世得成作佛得成
佛時願以法食除汝飢渴生死重病發是願時天地六種震動日无精光驚諸禽
獸四散馳走大海波動須彌山王踊沒低昂乃至忉利諸天亦皆大動時釋提桓
因將欲界諸天下閻浮提怖須闍提太子化作師子虎狼之屬張目㘁嗤吼地
大吼跛踊騰躑來欲搏噬尒時須闍提見諸禽獸作大威勢像聲語言汝欲噉
我隨意取食何為見恐怖尒時天王釋言我非師子虎狼也是天帝釋故來試卿
尒時太子見天王釋歡喜无量尒時天王釋問太子言汝是難捨能捨身體骨肉供
養父母如是功德為願生天作魔王梵王天王人王轉輪聖王須闍提報天王釋言我亦
不願生天魔王梵王天王人王轉輪聖王欲求无上正真之道度脫一切衆生天王釋言
汝大愚也阿耨多羅三藐三菩提久受勤苦然後乃成汝云何能受是苦也須闍提
報天王釋言假使熱鐵輪在我頂上旋終不以此苦退於无上道天王釋言汝唯空
言誰當信汝須闍提即立誓願若我欺誑天王釋者令我身創始終莫合若不
尒者令我平復如本血當變白為乳即時身體平復如故血即變白為乳身體
形容端政倍常天王釋頭面禮足尒時天王釋即歎言善哉善哉吾不及汝
汝精進勇猛會得阿耨多羅三藐三菩提不久若得阿耨多羅三藐三菩提時願
先度我時天王釋於虛中即沒不現尒時王及夫人得到隣國時彼國王遠出
奉迎供給所須稱意與之尒時大王向彼國王說上事因緣如吾子身肉孝養
父母具事如是時彼隣國王聞是語已感須闍提太子難捨能捨身體肉血供
養父母孝養如是感其慈孝故即合四兵還與彼王伐羅睺羅尒時天王即時
四兵順路還歸與須闍提太子別處即自念言吾子亦當死矣今當收取身骨
還歸本國舉聲悲哭隨路求覓遙見其子身體平復端政倍常即前抱持
悲喜交集語太子言汝猶活也尒時須闍提具以上事向父母說父母歡喜共
載大象還歸本國以須闍提福德力故伐得本國即立須闍提太子為王佛告阿
難尒時父王者今現我父悅頭檀是尒時母者今現我母摩耶夫人是尒時須闍
提太子者今則我身釋迦如來是尒時天帝釋者阿若憍陳如是說此孝養父母
品時衆中有廿億菩薩皆得樂說辯才利益一切復有十二萬菩薩皆得无上
法忍復有十方諸來微塵等數皆得陀羅尼門復有恒河沙等微塵數諸
聲聞緣覺捨離二乘心究竟一乘復有微塵數優婆塞優婆夷或得初
果乃至三果復有百千人發阿耨多羅三藐三菩提心復有諸天龍鬼神乾
闥婆阿修羅迦樓羅緊那羅摩睺羅伽人非人等或發菩提心乃至聲聞
辟支佛心者阿難等僧如是為一切衆生故難行苦行孝養父母身體血肉
供給父母[illegible]一切大衆聞佛說法各得勝利歡喜作禮右繞而去

BD02227 號 1　大方便佛報恩經卷一

（27–9）

還歸本國舉聲悲哭隨從來覓遙見其子身體平復端政倍常即前抱持
悲喜交集語太子言汝猶活也尒時須闍提具以上事向父母說父母歡喜共
載大象還歸本國以須闍提福德力故代得本國即立須闍提太子為王佛告阿
難尒時父王者今現我父悅頭檀是尒時母者今現我母摩耶夫人是尒時須闍
提太子者今則我身釋迦如來是尒時天帝釋者阿若憍陳如是說此孝養父母
品時衆中有廿億菩薩皆得樂說辯才利益一切復有十二萬菩薩皆得无上
法忍復有十方諸來微塵菩薩皆得陀羅尼門復有恒河沙等微塵數諸
聲聞緣覺捨離二乘心究竟一乘復有微塵數優婆塞優婆夷或得初
果乃至三果復有百千人發阿耨多羅三藐三菩提心復有諸天龍鬼神乾
闥婆阿修羅迦樓羅緊那羅摩睺羅伽人非人等或發菩提心乃至聲聞
辟支佛心佛告阿難菩薩如是為一切衆生故難行苦行孝養父母身體血肉
供給父母其事如是一切大衆聞佛說法各得勝利歡喜作礼右繞而去
大方便佛報恩經卷第一

大方便佛報恩經對治品第三　二
尒時世尊處在大衆猶如日輪光明赫弈隱蔽衆星喻如大龍鑄蘭猪輪積練衆
爛觀之眼瞻恩之意乱或光景曜色无等喻猶熒火光日出不現日月雖有百千
光明方於帝釋如聚墨帝釋雖有白淨妙光方大梵王所有光明猶如瓦礫
方於夜光摩尼寶珠大梵天王雖有淨妙百千光明方於如來所有光明亦如
聚墨何以故如來圓光七尺乃能遠照十方世界其中衆生遇斯光者盲者
得見癃者得申拘癖衆生即得手足聊迷衆生得覩真言以要言之諸不
稱意皆得如願　尒時會中有七十大菩薩摩訶薩即從座起頭面礼佛繞
百千匝却住一面異口同音說百千偈讚歎如來其名曰不思議菩薩離覺
意菩薩惟念安菩薩離垢稱菩薩无量音菩薩大名聞菩薩明瓔珞菩
薩寶師子菩薩獨步菩薩捨所念菩薩又智積菩薩意善住菩薩无撓
損菩薩慧光曜菩薩消捐意菩薩能摧讚菩薩至誠英菩薩蓮華界菩
薩衆諸安菩薩聲慧菩薩持功勲菩薩无思議菩薩淨梵施菩薩寶
事業菩薩處大華菩薩善思惟菩薩无限法菩薩名聞意菩薩巳辯積
菩薩自在門菩薩十種力菩薩有十力菩薩大聖隱菩薩无所越菩薩遊淼然
菩薩在於彼菩薩无數天菩薩須彌光菩薩救重藏菩薩回趣越菩薩而獨步菩
薩威神勝菩薩大部衆菩薩以山讚菩薩持三世菩薩有功勲菩薩宣名稱菩薩
曰光明菩薩師子英菩薩時節王菩薩師子藏菩薩亦現有菩薩无遠厭菩薩
山師子菩薩有珎施菩薩莫能勝菩薩為家幢菩薩喜悅稱菩薩堅精進
菩薩无損減菩薩有名稱菩薩无恐怖菩薩无著天菩薩大明燈菩薩世光曜
菩薩微妙音菩薩執功勲菩薩除暗瞑菩薩无等倫菩薩喜王菩薩各於佛前

BD02227 號 1　大方便佛報恩經卷一　（27–10）
BD02227 號 2　大方便佛報恩經卷二

薩有功勲菩薩宣名稱菩薩
曰光明菩薩師子英菩薩時節王菩薩師子藏菩薩亦現有菩薩无遠厭菩薩
山師子菩薩有珎施菩薩莫能勝菩薩為家幢菩薩喜悅稱菩薩堅精進
菩薩无損減菩薩有名稱菩薩无恐怖菩薩无著天菩薩大明燈菩薩世光曜
菩薩微妙音菩薩執功勲菩薩除暗瞑菩薩无等倫菩薩喜王菩薩各於佛前
發誓願言我等於世尊滅度之後護持佛法於十方界廣令流布使不斷絕何以
故我等今者覩如來不思議妙色光明於光明中皆得聞不思議佛法既聞法已
離於心郭累結永消身心清淨見如天金万品斯照我等思惟如是等功德利故
於如來所生大師想生慈父想常念佛恩當報佛恩何以故得聞正法不久當坐
道場轉正法輪度脫一切衆生皆令得聞法故得成阿耨多羅三藐三菩提
尒時釋迦如來告一切大衆言是七十大菩薩摩訶薩久於過去无量百千万
億微塵數阿僧祇劫中已曾供養无量百千万億恒河沙世界微塵數諸佛於
諸佛所常修梵行供養諸佛心不疲倦以慈悲修身善護佛法不捨大悲常於
十方利益一切若有衆生臨命終時若聞一菩薩名若二若三若四乃至七十稱名
歸命者命終即往生有佛國土蓮華化生遠離婬欲不處胞胎離諸臭穢其
身清淨有妙香氣衆所恭敬人所愛念故其心歡喜以歡喜
心故即能發於阿耨多羅三藐三菩提心以發阿耨多羅三藐三菩提心能於一
切衆生起大慈悲心以發慈悲心已次亦生於利益衆生心以能利益衆生心已
復能發於不捨衆生心利益衆生心自利利彼心滅除鄣尋心寂靜煩心能親近
善友常生恭敬心專意聽法心憶持不忘思惟妙義心願少聞多解義心不願於多聞
而不解義心次生信如心信如實義心以生如實義心已次生如說修行心以生如說
修行心已次生不退轉心以生不退轉心已於諸衆生即生等對治心如我不喜死
一切三界二十五有有形无形四足多足乃至蟻子有命之屬亦復如是是故菩薩乃
至自喪身命終不枉奪他命如我有錢財穀帛衣被飲食象馬車乘國城妻子
身體手足供養稱讚不喜他人横來侵害者一切衆生亦復如是是故菩薩乃至自
喪身命終不於諸衆生衣財飲食生於劫奪之心如我不喜他人欺陵斷我妙色
姊妹妻妾者一切衆生亦復如是是故菩薩乃至喪身失命於他美色不生邪
念深汙之心晚行斷惡如我不喜面醜兩舌惡口一切衆生亦復如是是故菩薩
乃至喪失身命終不妄言兩口鬪亂彼此如我不喜杖石鞭打榜笞考掠者一切衆
生亦復如是是故菩薩乃至喪失身命終不杖石楚毒考掠衆生如我不喜扭械枷
鎖析撿繫閉縛勒諸苦惱者一切衆生亦復如是是故菩薩乃至喪失身命終不枷
鎖繫閉扭械衆生如我不喜為人所陵強力迫脅威恩所逼恃怙形勢抑伏損逼不
令而自炳說自顯清白者一切衆生亦復如是是故菩薩乃至喪失身命終不非理
加於衆生如我為人之所供養尊重讚歎令我歡喜者我亦常布施衆生衣被
飲食臥具醫藥一切樂具若我造作一事若佛事法事僧事智力有限不能令其

BD02227 號 2　大方便佛報恩經卷二　（27–11）

飲乾閑我撥我主如我不喜為人所陷我不避死痕恩所逼我亦勢相伏撥遇不
令而自病說自顯請白者一切衆生亦復如是是故菩薩乃至喪失身命終不非理
加於衆生如我為人之所供養尊重讚歎令我歡喜者我亦常布施衆生衣被
飲食卧具醫藥一切樂具若我造作一事若佛事法事僧事智力有限不能令其
辦憂愁苦惱若有智者見我如是憂恚懊惱不能令事得辦便報我言善男子莫
憂愁也我當供辦稱意所須令汝事辦我聞是語心生歡喜是故我亦當常勸化衆
事利益衆生如我為王賦役水火縣官所逼若聞心生慈善復有智者見我如是遇衆
苦難便往我所善言誘喻告言莫愁苦也我當為汝求哀國王若諸大臣若供給財
賄若設餘方便令汝解脫使无衆惱我聞是語心生歡喜是故菩薩常勤較藝
多諸工能音樂倡伎唐數筭計呪術仙藥服乘象馬兜鉾弓箭出陣入陣有大功
武我有如是衆妙伎藝一切衆人若王大臣不敢違逆我意兼我復有衣財飲食珠
璩嚴飾金銀琉璃珊瑚虎珀車璩馬瑙真珠玫瑰摩尼寶珠象馬輦轝幢幡
作使宫人美女流泉浴池七寶臺觀如是種種微妙无量百千菩薩雖有如是處
武隨意伎藝百千寶藏象馬車乘无量美女勝妙臺觀流泉浴池一切五欲樂具
心不貪着而常少欲知足好樂閑靜山林樹下安禪靜嘿雖處大衆言談語論
而心常入對治門中雖與衆生和光塵俗出內財產業息利終不為惡利益衆生
若有貧窮及諸苦惱來從菩薩求索所須菩薩隨意稱心給與菩薩若見有衆生
受樂佛法而來親近供養承事奉侍洗足按摩浣濯執縛楊枝澡水拂拭床敷
捲襵被枕初夜後夜供給燈燭前食後食但鉢那食蒲闍尼食佉陀尼食及諸漿
飲所謂興利師漿蒲萄漿奢摩漿蒲桃漿黑石蜜漿如是承事乃至二七至九十日
為欲求請菩薩聽聞佛法菩薩尒時雖見是之如是供給心不歡喜何以故菩薩
久於无量阿僧祇劫中為求佛法故我為一切衆生心无增減故以慈悲心故住平等
心故時作轉輪聖王常以十善導化一切衆生為我意故歡喜奉行命終之後得生
人天受微妙五欲伎樂尊榮豪貴隨心意即起入宫服乘輦馬遊戲園苑伎樂自娛
歡喜飲食无常卒至老病喪亡家室男女愁毒懊惱舉聲大哭以手捶胷或時
拔髮宿噎灰土悶絕躃地持播乘車啼哭送之殯埋既竟室家男女舉相扶持
還歸本家愁毒悶絕躃地或時致病或時狂癡或時致於生者大損於死者无益
是時轉輪聖王前後導從案行國界見諸衆生受斯苦惱愁而哀傷而作是言夫
為王者王領國土攝諸衆生雖以十導化果得如是微妙五欲而不免生老病死无常敗
壞當知我雖以正法治國无益於物若无益於物云何名為大轉輪王云何復名為大
慈父云何復名為大醫王云何復名為大導師夫導師者導以正路示涅槃逕使得无
為常得安樂我等今者名不稱行譬如有人渴乏垂命東西馳走求索冷水遙見空
井心生歡喜而作是念今我此身便為更生何以故若不得水命去不遠今見好井必
其望得清淨冷水濟我虛渴運急之命作是念已馳奔往趣往到井上殷所著衣
墜著一處入井取水而不得水雖見毒虵守宫蝮蝎百足之屬瓦礫荊棘及諸草

BD02227號2　大方便佛報恩經卷二　　（27–12）

慈父云何復名為大醫王云何復名為大導師夫導師者導以正路示涅槃逕使得无
為常得安樂我等今者名不稱行譬如有人渴乏垂命東西馳走求索冷水遙見空
井心生歡喜而作是念今我此身便為更生何以故若不得水命去不遠今見好井必
其望得清淨冷水濟我虛渴運急之命作是念已馳奔往趣往到井上殷所著衣
墜著一處入井取水而不得水雖見毒虵守宫蝮蝎百足之屬瓦礫荊棘及諸草
穢尒時渴人失本願故既不得水衆毒蛆身尋欲出井其井朽故階隥欹嶮其
朽故井深一箭道既无梯蹬繩索杖木雖復勇身上昇勢不能高氣力羸瘦逕憒
井底為諸毒虵之所噉食命未斷頃而作是言我若先知此井无水尚不眼視而況
往取今日苦毒為井所誤尒時轉輪聖王見諸人民室家男女恩愛分離受苦惱
時而作是言今我身者喻如空井雖有井名而无有水現有所趣而无所獲衰失
身命苦惱如是我今雖皆於轉輪聖王之位七寶具足十善導化正法治國令諸衆
生生人天中受其微妙五欲伏樂故未能免生老病死恩愛分別怨憎和合憂悲
苦惱更相哭泣然是我過非衆生咎所以者何以我无有出世間法利益一切衆生雖
從於我諮受善法猶獲安樂而實不能越於苦海尒時轉輪聖王復作是念我身今
者喻如无智大癡施主尒時施主值天大旱七年不雨樹木燋乾時世飢饉穀米勇貴
人民飢餓手相茹食飲血噉肉更相殘害枉濫无辜或父食子或子食父父母兄弟
妻息男女更相食噉尒時大施主遊行觀看見諸衆生飢餓堪悴羸瘦戰掉氣力虛
微顏狼憔悴頭髮蓬亂形體癩黑兼其肩上或見擔揭餘是死人所有頭手節腕臂肘
脊脅肩髀髆鷄是指或是肝膽腸胃時大施主微聲問言汝所擔揭者是何物也答言
我所擔者是死人頭手髀肘節腕也問言汝擔是死人髀肘節腕何所作為答言汝不知
耶天時亢旱時世飢饉穀米勇貴人民飢餓手相食耳我所擔者是我飲食尒時施
主聞是語已心驚毛豎悶絕躃地以冷水灑面良久乃穌須臾更問言雖是汝食是何肉
尒時飢人聞是語已舉聲大哭憂恚斷絕報施主言不可言也痛哉痛哉
哉大施主我今情實相語我所擔者或言是父或言是母或言妻子或言兄弟宗
親骨肉尒時諸飢餓人各各以情實自說因緣大施主更无餘事我等以飢餓因緣故
還相噉食可尒時施主聞是語已飲氣歎息報衆人言汝等今者更莫共相食噉肉
也若有所須衣服飲食種種湯藥所須之物却後一七汝等大衆皆集我家我當隨
汝所須衣被飲食病瘦湯藥稱意給與衆人聞已心生歡喜歎言善哉善哉未
曾有也尒時施主還到其家喚其夫人及其子息僮僕作使一切皆集於衆人中
和顏悅色發柔軟言告喻妻子及諸作使汝等應當至心聽我所說汝等知
不天時炎旱時世飢儉人民飢餓死者无數我等居家庫藏盈滿穀米无量可
共及時種於福田妻子聞已善哉善哉伏藏无量我等身命亦隨施主況於大
藏錢財飲食耶尒時施主心生歡喜汝等今者真是我无上道伴善哉善哉
汝等諸人應當各各而自處分隨所應作隨所應為應作者便作應為者速
為却後一七必令成辦尒時施主一一處分已竟即自出外處處觀看何處當有平地

BD02227號2　大方便佛報恩經卷二　　（27–13）

不天時炎旱時世飢儉人民飢餓死者無數我等居家庫藏盈滿穀米無量可
共及時種於福田妻子聞已善哉善哉快善無量我等身命亦隨施主況於大
藏錢財飲食耶尒時施主心生歡喜汝等今者真是我無上道伴善哉善哉
汝等諸人應當各各而自處分隨所應作隨所應為應作者便作應為者速
為却後一七必令成辦尒時施主一一處分已竟即自出外處處觀看何處當有平地
寬博安施壇施即時安著清淨之處除去沙鹵株杌荊棘其地清淨安施床敷氍
毺㲪㲣即時安施大衆坐處已嚴駕五百大象負載飲食運趣施壇飲食如山乳酪
如池膏油餅脯種種餚饍百味具足兼有種種衣服珠環嚴飾象馬七珍種種具足莊
嚴已竟却後一七明相舉時亦於七日朝推鐘鳴鼓吹大蠡貝高聲唱言一切大衆皆來集
於大施主壇尒時衆人聞是唱聲心生歡喜如彩賢聖聞是語已尋聲往趣大會施
壇隨意所取衣被飲食珠環嚴飾百種湯藥象馬七珍隨所好意恣意選取尒時
施主所施之物衆人持去已盡尒時施主心生歡喜已即還歸家室家妻子歡喜受樂
五欲自娛却後一七聞外人言先所受施主衣被飲食者皆藥發而死或未死者皆發是
言枉哉枉哉是大施主雖有慈悲供給所須衣被飲食雖復當時充飢解渴得濟
身命於後數日藥發喪命尒時大施主憂恚懊惱問其妻子汝等云何成就飲食使惡
毒藥令墮食中妻子作使諸僮僕等皆言不尒若不尒者毒從何來答曰不審尒時
施主重自撿技即入家中次第案行見一井水見覆蓋頭問諸人言此是何井衆人
答言此是施主於不見時養三毒虵穿此一井安置其中此井是毒虵住處水亦是
毒飲者煞人施主見已問作使言汝等先作食時不取此井水用
作食也作使答言飲食猥多當時運急汲取此水用作飲食大施主言枉哉枉哉
我如我今者愚癡無智云何養此毒虵作此毒井告語妻子速往填塞中三毒虵者
為吾燒煞是時作使速往除滅尒時施主滅毒井已出外觀看見受施者藥發而
死異口同音皆言此施主與我毒食令我早喪身命我若先知此食有毒者終不
噉食尒時施主聞是語已心生懊惱如彼轉輪聖雖復十善導化令諸衆生得生人天雖
受如是微妙五欲微妙快樂猶未能免生老病死時轉輪聖王尋發願言我今應當求
無上佛法出世間法令諸衆生讀誦觀習遠離生死得至涅槃尒時轉輪聖王為求佛法
故於閻浮提遍處宣令誰解佛法大轉輪王欲得觀習處處宣令皆云言至到一邊小國
中有一婆羅門解知佛法尒時使者逕往詣彼至婆羅門所問言大德解佛法耶答言
解可尒時使者頭面礼足歎言大師大轉輪王欲相顧命唯願大師屈神德往至彼轉輪
王所時轉輪王遠出奉迎頭面礼足問訊起居冒涉途路得無疲惓耶即請入宮於正
殿上敷王御座前請大師願坐此座時婆羅門即昇妙座結跏趺坐尒時大王見我大師
端坐已定供給所須施安已竟合掌向於婆羅門白言大師解佛法耶時婆羅門報言吾
解佛法尒時大王報言大師為我解說婆羅門言王大愚也吾學是佛法久受勤苦因
乃得成今者大王云何直欲得聞尒時大王白大師言欲須何物婆羅門言與我供養
王言所須供養為是何物衣被飲食耶金銀珍寶耶婆羅門言吾不須如是供養王言

BD02227 號 2　大方便佛報恩經卷二　（27–14）

王所時轉輪王遠出奉迎頭面礼足問訊起居冒涉途路得無疲惓耶即請入宮於正
殿上敷王御座前請大師願坐此座時婆羅門即昇妙座結跏趺坐尒時大王見我大師
端坐已定供給所須施安已竟合掌向於婆羅門白言大師解佛法耶時婆羅門報言吾
解佛法尒時大王報言大師為我解說婆羅門言王大愚也吾學是佛法久受勤苦因
乃得成今者大王云何直欲得聞尒時大王白大師言欲須何物婆羅門言與我供養
王言所須供養為是何物衣被飲食耶金銀珍寶耶婆羅門言吾不須如是供養王言
若不須如是供養者象馬車乘耶國城妻子耶音樂倡伎耶婆羅門言吾都不用如是
供養也若能就王身上剜作千瘡灌滿膏油安施燈炷然以供養者吾當為汝解說
佛法若不能者吾欲起去王未答頃尋下高座尒時大王即前抱持報言大師小復留
意今我智慧微淺功德薄少小須自思惟當奉供養尒時轉輪聖王即自思惟而作是
念我從無始世界已來喪身無數未曾為法今我此身當歸壞敗都無所為今日正是其
時仰報大師言所須供養者當速辦之尒時大王即入宮中報諸夫人而我今者共汝等
別時諸夫人聞王語已心驚毛豎莫知所由徵聲問王王欲何去王言今者我身欲剜作
千燈供養大師時諸夫人聞王語已婉轉辟地舉聲大哭悶絕吐逆良久蘇息報大王
言天下所重莫若己身恭敬尊重隨時將養懼畏不適今者云何致害損棄王是智人
而於今日如似顛狂鬼魅所著耶王言不也若不尒者何緣如是作此苦惱供養是婆羅門
何所為耶王報夫人欲求佛法為一切衆生若為一切衆生今日云何便見孤棄王報諸夫
人言天下恩愛皆當別離是故吾今以身供養欲為汝等及一切衆生於大闇室然大智燈
照汝生死無明黑闇斷衆累結生死之患越度衆難得至涅槃故汝等諸人今者云何遮逆
我心時諸夫人聞王語已嘿然不對心悲鬱噎舉聲大哭自拔頭髮抓摑面目復發聲
言我等薄相生亡我所天王有五百太子悉皆端政聰明智慧人相具足其父愛念
喻如眼目尒時大王語諸子言我於今日欲設供養恐身命不濟與汝等別國土人
民所有王法從大者始時諸太子聞是語已身體支節筋脈抽切譬如人噎又不能咽
復不得吐微聲問父王言今日云何永棄孤背時諸太子前抱王頸或捉手足舉聲
悲哭枉哉枉哉今日云何永失覆護尒時大王諫曉諸子即為宣說天下恩愛皆有
別離諸子答言雖如父王所說心情戀慕不能捨離大王今日當賜一願令諸子等
持此身命奉上大王為王供養婆羅門師王言諸子幼稚未有所識未能堪辦
如是供養如我今者速請大師許相供養不得違錯夫為孝子不違父意汝今云
何違逆我心時諸太子聞是語已舉聲叫喚驚動神祇舉身投地如大山崩尒時大
王復與諸小國王一切辭別還至殿上往大師所脫身瓔珞上妙衣服舉著一面端身正
坐告諸大臣諸小國王五百太子二萬夫人汝等今者誰能為吾剜身千瘡夫人太子
及諸群臣皆共同心而作是言我等今者寧以利刀自剜兩目終不能以手剜王身
也尒時大王心生憂惱而我今者單獨孤露大衆之中乃無一人見佐助耶尒時大王
有一栴陁羅其性弊惡人所怖畏尋聲往趣語諸太子且莫憂苦也我有方便能令

BD02227 號 2　大方便佛報恩經卷二　（27–15）

王復與諸小國王一切群臣還坐殿上往大師所脫身瓔珞上妙衣服舉着一面端身正
坐告諸大臣諸小國王五百太子二万夫人汝等今者誰能為吾剜身千瘡夫人太子
及諸群臣皆共同心而作是言我等今者寧以利刀自剜兩目終不能以手剜王身
也尒時大王心生憂惱而作是念我今者單獨孤露大眾之中乃无一人見佐助耶尒時大王
有一旃陁羅其性弊惡人所怖畏尋聲往趣語諸太子且莫憂苦也我有方便能令
大王事不得成若不成事還王領國土如本不異諸太子聞是語已心生歡喜時旃
陁羅往到王前語大王言今者何所作為剜身千燈供養大師時旃陁羅言欲剜身
者我能為之王聞是語心生歡喜報旃陁羅言汝今真是我无上道伴時旃陁羅即在
前瞋目嚼齒張高聲唱言大王當知煞人之法斷頭截頸剜肉手足抽筋拔肋苦痛如
是大王今者能堪是不王聞是語心懷歡喜時旃陁羅持牛舌刀執王身上於胸邊
速須遍體剜作數滿千瘡時旃陁羅謂王意退而反不移擲刀於地馳走而去尒
時大王於身諸瘡灌滿膏油已畢上妙細疊貫縷以為炷尒時婆羅門大師見於大王
作是事已住是念言我今應當先為大王宣說佛法何以故大王今當然身諸燈恐
命不濟命若不濟誰當聽法思惟是已告大王言精進如是難為能為修此苦行為
聞佛法諦聽諦聽善思念之今當為王宣說佛法王聞是語心大歡喜譬如孝子新喪
父母其子愁毒苦不可言父母還活其子歡喜王聞是語亦復如是時婆羅門即便為
王而說半偈　謂興衰法　夫生輒死　此滅為樂　王聞法已心生歡喜告諸太子及
諸大臣而作是言諸人若於我有慈愍心者應為我憶持是法於諸國土處處聚落
有人民城市巷陌宣王優命諸人當知大轉輪王見諸人民一切眾生沒於苦海未能出
要於諸眾生起大悲心剜身千燈求此半偈諸人今當感大王大慈悲心應當書寫
此偈讀誦翫習思惟其義如說修行諸人聞是語已心生歡喜異口同音讚大王言善
哉大王真是大慈悲父為諸眾生修此苦行我等應當速往書寫或紙或帛或於石
上或於樹木瓦礫草葉溪逕要路多人行處亦皆書寫其見聞者皆發阿耨多羅三
藐三菩提心尒時大王即然千燈供養大師其明遠照十方世界其燈光中亦出音讚歎
此半偈其聞法者皆發阿耨多羅三藐三菩提心其光上照乃至忉利天宮其燈光
明悉能隱蔽諸天光明時忉利天王見此光明遠照天宮即作是念以何因緣有此光
明即以天眼觀於世間見是大轉輪王以大慈悲勲修其心為一切眾生故剜身千燈供
養大師為度一切眾生故是故我等今當往於世間勸戒佐助令心歡喜即下世間
化作凡人往詣王所問大王言剜身千燈修此苦行為求半偈何所作為報言善男
子我為一切眾生故令發阿耨多羅三藐三菩提心尒時化人即復釋身光明感曜暎
然炳著時天帝釋報大王言作是供養願求天王耶魔王梵王耶是時轉輪聖王報
天王釋言我亦不求人天尊貴所欲求阿耨多羅三藐三菩提為一切眾生故不安者
安不解者解未度者度未得道者欲令得道天王釋言大王今者不乃愚耶求阿耨多
羅三藐三菩提者久受勤苦乃可得成汝今云何欲求无上道耶報天王釋言假使熱鐵
輪在我頂上旋終不以此苦退於无上道汝今難發是言吾不信也時轉輪聖王即於天

子我為一切眾生故令發阿耨多羅三藐三菩提心尒時化人即復釋身光明感曜暎
然炳著時天帝釋報大王言作是供養願求天王耶魔王梵王耶是時轉輪聖王報
天王釋言我亦不求人天尊貴所欲求阿耨多羅三藐三菩提為一切眾生故不安者
安不解者解未度者度未得道者欲令得道天王釋言大王今者不乃愚耶求阿耨多
羅三藐三菩提者久受勤苦乃可得成汝今云何欲求无上道耶報天王釋言假使熱鐵
輪在我頂上旋終不以此苦退於无上道汝今難發是言吾不信也時轉輪聖王即於天
王釋前立此誓言我若不真實求於阿耨多羅三藐三菩提欺誑天王釋者使我千瘡
終无愈時若不尒者血當為乳千瘡平復說是語時即復如故天王釋言善哉大王真
是大悲修大悲者如是苦行不久當得阿耨多羅三藐三菩提時要先度我時天帝釋
放大光明遍照王身與百千諸天俱時發阿耨多羅三藐三菩提心五百太子見其父王身
瘡平復歡喜无量即前頭面禮足却住一面合掌向父異口同音俱發聲言未曾有也今
者父王真是大慈悲愍傷一切王報太子汝等若是孝子者當發阿耨多羅三藐三菩提心
是諸太子聞是語已心生歡喜感於父王重恩分故尋聲即發阿耨多羅三藐三菩提心三万
夫人百千婇女亦復如是尒時眾中有七十恒河沙等眾生皆發聲聞辟支佛心復有
无量天及乾闥婆阿脩羅迦樓羅緊那羅摩睺羅伽人非人等見聞是已皆發道
心歡喜而去

大方便佛報恩經發菩提心品第四

尒時會中有一大菩薩摩訶薩名曰喜王即從座起偏袒右肩右膝著地合掌仰白如來
而作是言菩薩云何知恩報恩佛告喜王菩薩善男子諦聽諦聽菩薩摩訶薩知恩
者當發阿耨多羅三藐三菩提心報恩者亦當教一切眾生令發阿耨多羅三藐三菩提心
若發菩提心云何而發菩薩因何事故所以能發善男子菩薩摩訶薩初發三菩提心
時立大誓願作如是言若我得阿耨多羅三藐三菩提時當大利益一切眾生要當安
置一切眾生大涅槃中復當教化一切眾生悉令具足般若波羅蜜是則名為自利亦名
利他是故初發菩提心者則得名為菩提因緣眾生因緣正義因緣三十七助道法因
緣攝取一切善法根本是故菩薩名善大善亦名一切眾生善根能破一切眾生身
口意等三業諸惡一切世間所有誓願及出世間所有誓願无有能勝阿耨多羅三
藐三菩提如是誓願无勝无上菩薩摩訶薩初發三菩提心時有五事一者性二者持
三者境界四者功德五者增長菩薩若能發菩提心則得名為菩薩摩訶薩更得阿
耨多羅三藐三菩提修大乘行是故初發菩提心即能攝取一切善法菩薩摩訶薩
發菩提心修行漸得阿耨多羅三藐三菩提若不發心終不能得是故發心即得阿耨多
羅三藐三菩提根本菩薩摩訶薩見苦眾生心生憐愍是故菩薩因慈悲心故能發
阿耨多羅三藐三菩提心因阿耨多羅三藐三菩提心即能習三十七品因三十七品故得
阿耨多羅三藐三菩提故發心名為根本發菩提心故菩薩尸羅是故發心名根名因名枝名
葉亦名次第名葉亦名為子菩薩發心畢竟不畢竟畢竟者乃至得阿耨多羅三
藐三菩提終无退失不畢竟者有退有失退有二種畢竟退不畢竟退畢竟退者畏
不能發阿耨多羅三藐三菩提心不能推求修習其法不畢竟退者求菩提心修習其法

阿耨多羅三藐三菩提故發心名為根本發菩提心故菩薩尸羅是故發心名根名曰名枝名
葉亦名次第名華亦名為子菩薩發心畢竟不畢竟畢竟者乃至得阿耨多羅三
藐三菩提終无退失不畢竟者有退有失退有二種畢竟退不畢竟退畢竟退者羸
不能發阿耨多羅三藐三菩提心不能推求修習其法不畢竟退者求菩提心修習其法
是菩提心有四種一者若善男子若善女人若見若聞諸佛菩薩不可思議事尒時即
生信敬之心作是念言佛菩薩事不可思議若佛菩薩不可思議事是可得者我亦當
得阿耨多羅三藐三菩提是故至心念於菩提發菩提心復有不見諸佛菩薩不思
議以聞諸佛菩薩秘密之藏聞已即生信敬之心得生信心故為阿耨多羅三藐三菩提及
摩訶般若是故發菩提心復有不見諸佛菩薩不思議事亦不聞法見法滅時復作是
念无上佛法能滅衆生无量苦惱作大利益唯諸佛菩薩能令佛法久住不滅我今亦當
發菩提心令諸衆生遠離煩惱願我此身受大苦事護持佛法久住於世故發菩提心復有不
見諸佛菩薩法滅時唯見惡世諸衆生等具重煩惱貪欲瞋恚愚癡等无慚无愧慳嫉
等嫉妬憙癡苦惱等不信邪疑懈怠等見是事已即作此念大惡世時衆生不能修善如是
惡時尚不能發二乘之心何況阿耨多羅三藐三菩提心我今當發菩提心發菩提心已乃當
教一切衆生令發阿耨多羅三藐三菩提心尒時喜王菩薩復白佛言世尊菩薩知恩自發
菩提心菩薩報恩教一切衆生令發菩提心者如來世尊於生死時初發菩提心因何事發佛言
善男子過去久遠不可計劫生死中時以重煩惱起身口意業故墮在八大地獄所謂阿訶訶
地獄阿婆婆地獄阿達多地獄銅釜大銅釜黑石大黑石乃至火車地獄我於尒時墮在火車
地獄中共兩人並挽火車牛頭阿傍在車上坐鍼脣切齒張目吹火口眼耳鼻煙炎俱起身體
姝大髆脚腨結其色赤黑手執鐵杖隨而鞭之我時苦痛悉力挽車力勵前進時我徒伴力
弱少力旁羸在後是時牛頭阿傍以鐵釵刺腹鐵杖鞭背血出沫洛隨體而流其人苦痛高
聲大喚苦痛難忍或稱父母或稱妻子雖作如是唱喚无益於已我時見是受大苦惱心生
哀愍因慈生故發菩提心為此衆罪人故勸請牛頭阿傍此罪人者甚可憐愍小復如
哀垂慈憐愍牛頭阿傍聞已心生瞋恚尋以鐵釵前刺我頸尋時命終即時脫於火車地獄
百劫中罪我以發阿耨多羅三藐三菩提心故即脫火車地獄之罪佛告喜王挽火車者
今我身是因發菩提心故疾得成佛是故當知一切衆生發菩提心其事非一或因慈心或
因恚心或因施心或因慳心或因歡喜或因煩惱或因受愛別離或因怨憎和合或因親近
善知識或因惡友或因見佛或因聞法是故當知一切衆生發菩提心各各不同喜王當知
菩薩摩訶薩知恩報恩其事如是說是法時万八千人發阿耨多羅三藐三菩提心一切
大衆中有得須陁洹乃至阿羅漢時天龍鬼神人及非人亦能發聲聞辟支佛心聞
法歡喜頭面作礼右遶而去

大方便佛報恩經卷第二

大方便佛報恩經論品第五　三

尒時如來為母摩耶夫人并諸天衆說法九十日閻浮提中亦九十日不知如來所在大
目揵連神力第一盡其神力於十方推求亦復不知阿那律陁天眼第一遍觀十方三千大

BD02227 號 2　大方便佛報恩經卷二

(27–18)

大衆中有得須陁洹乃至阿羅漢時天龍鬼神人及非人亦能發聲聞辟支佛心聞
法歡喜頭面作礼右遶而去

大方便佛報恩經卷第二

大方便佛報恩經論品第五　三

尒時如來為母摩耶夫人并諸天衆說法九十日閻浮提中亦九十日不知如來所在大
目揵連神力第一盡其神力於十方推求亦復不知阿那律陁天眼第一遍觀十方三千大
千世界亦復不見乃至五百大弟子不見如來心懷憂愁優填大王戀慕如來心懷愁
毒即以牛頭栴檀摸像如來所有色身禮事供養如佛在時等无有異尒時大王
出諸六師卜問如來為何所在尒時六師即作是言大王當知瞿曇沙門正是幻術
所化作耳幻化之法體无真實大王當知我等經書四圍陁典說言千年二千年當
有一幻人出世瞿曇沙門正是其人尒時阿那律陁往諸大王所白言大王當知如來近
在忉利天却後七日當還閻浮提王聞是語心生歡喜宣令國土掃灑燒香懸繒幡
蓋競共集聚設衆供養種種餚饍華香妓樂尒時六師見衆人集聚設諸供養種種餚
饍六師問言汝等諸人設是供養欲請國王耶王子耶答言非也若不尒者為請大臣耶
婆羅門居士耶若不尒者親族會耶答言非也欲請於佛六師問言佛者是誰答言一
切智人復言一切智人為是誰答言大慈悲父汝不知耶白淨王種豪尊第一從劫初已來
嫡嫡相承作轉輪王近來二世不作轉輪王雖不作轉輪王而作閻浮提王兄弟三人其
最長者号曰淨飯王其次弟名曰斛飯王其最小者名曰甘露飯王淨飯王生二子長者名
悉達小者名難陁斛飯王復生二子長者名提婆達小者阿難甘露飯王生一女名曰甘露
味女尒時大兄悉達太子出城觀看見老病死患憂思不食悲念人生當有此患无貴无
賤有形之類无免此者即夜踰出宮城菩提樹下苦行六年然後得成一切智故号一切智
人獨拔成佛具十力四无所畏十八不共法乃至一切種智其生七日母命便終生兜率天為母
說法經九十日却後一七當還閻浮提尒時六師聞是語已心生嫉妬憂毒苦惱即時六師
徒衆集聚共論議言瞿曇沙門若還閻浮提者一切人民皆當捨我供養瞿曇我等
孤窮悉當不濟尒時六師復作是念我等今當速往多人衆中唱如是言諸人當知瞿
曇沙門實无所知黃口小兒近出釋氏宮菩提樹下自言得一切種智當知此則虛妄之言
所以然者阿耆達王來請瞿曇所施供養唯是馬麥瞿曇不知為惡而便受請當知
非一切智也復次問於阿難安居餘有幾日在阿難言餘有七日在復次問於阿難祇
桓中復次問於阿難祇桓中何以多烏鳥聲阿難言衆鳥諍食適生一七其母命終
以是事故當知是薄相人亦是弊惡之人所以然者生已喪其母故又復非慈孝非供養且下
朝夜餅餘而反擲棄入於深山亦是无恩分之父王為納耶瞿夷竟不行婦人之礼令懷愁
称受大苦惱是故當知不知恩不念恩瞿曇沙門徒衆无尊无卑五百弟子各稱第一師
既无法弟子亦无修行之義乃至知數具人陁驃比丘亦稱第一聰明智慧舍利弗亦入其
中鈍根槃特比丘亦入其中乃至少欲之耶輸陁羅比丘尼亦入其中舍衛城中婬亂不善
蓮華色女亦入其中乃至稚小无智均提小兒亦入其中乃至穀老須跋陁羅年百廿
亦入其中乃至豪尊諸釋童亦入其中[illegible]

BD02227 號 3　大方便佛報恩經卷三

(27–19)

㳽受大苦惱是故當知不知恩不念恩瞿曇沙門徒衆无尊无卑五百弟子各稱第一師
既无法弟子亦无修行之義乃至知數具人陀驃比丘亦稱第一聦明智慧舍利弗亦入其
中詢鈍驃特比丘亦入其中乃至少欲之耶輸陀羅比丘尼亦入其中舍衛城中婬乱不善
蓮華色女亦入其中乃至稚小无智均提小兒亦入其中乃至極老須跋陀羅年百廿
亦入其中乃至豪尊諸釋種亦入其中極下賤王舍城中擔糞穢人亦入其中是故當知
瞿曇法中猥雜競共入中皆无尊卑不可恭敬譬如大風吹諸樹葉聚在一處瞿曇佛
法亦復如是譬如衆鳥隨逐世間人所遺棄衣服飲食瞿曇徒衆隨乞食之汝等諸人
今日云何欲請瞿曇衆人聞已譬如大地不可動大衆渴仰如來雖聞六師作如是說心
如金剛无有增減渴仰如來如渴欲飲却後一七如來從天來下至閻浮提无量百千諸天
隨從如來放大光明神力感動作天妓樂百千万種乃至一切天一切龍鬼神乾闥婆緊那羅
摩睺羅伽人非人等一切八衆皆悉雲集礼拜供養尒時優填大王大衆圍遶遠迎如來頭
面礼足却住一面尒時六師徒衆集聚復作是念我等今者衰禍將至雖復衆人之中唱說此
言而不信受今當復往天人大衆之中宣令如是可知清白尒時六師作是念已與其徒衆八千
人俱前後圍遶往詣大衆到已却坐一面尒時復有一乾闥婆子名曰闍婆摩羅稱七寶琴往
詣如來所頭面礼足却住一面鼓樂絃歌出微妙音其音和雅悅可衆心聲聞舍利弗等不
覺動身起舞須彌山王涌沒低昂尒時如來即入有相三昧以三昧力令其琴聲遠聞三千
三千世界其音具足演說苦空无常不淨无我放逸衆生聞此妙音具足演說如來知恩報
恩久於无量阿僧祇劫孝養父母一切衆生皆隨聲至閻浮提往到佛所頭面礼足却坐一面
尒時大衆瞻仰如來目不蹔捨如來尒時三昧患嘿一切大衆亦皆嘿然於大衆中有七寶塔從
地踊出住在空中无數幢幡而懸其上百千寶鈴不鼓自鳴微風吹動出微妙音尒時大衆
見此寶塔從地踊出心生疑网以何因緣有此寶塔從地踊出諸聲聞衆舍利弗等盡思度
量亦復不知落在疑網世界菩薩摩訶薩乃至彌勒菩薩亦復不知尒時六師作是念復何
因緣有此寶塔若有人來問我者而我不知若不知者云何復名一切知見復作是念瞿曇何不速
爲大衆敷演斯事尒時如來出于三昧釋提桓因忉利天王即以天衣敷師子座尒時如來即
昇此座結跏趺坐如須彌山王處于大海尒時彌勒菩薩觀察衆心咸皆有疑自亦未了即從座
起往到佛前頭面礼足合掌向佛而作是言世尊以何因緣有此寶塔從地踊出佛告彌勒菩薩
乃往過去不可思議阿僧祇劫有佛出世号毗婆尸如來應供正遍知明行足善逝世間解无上
調御丈夫天人師佛世尊出現於世教化无量百千万億阿僧祇衆生皆令堅固阿耨多羅三藐
三菩提其佛滅後於像法中有國名波羅㮈其波羅㮈大王聦敏仁賢常以正法治國不枉人民
王主六十小國八百聚落王子无子王自供養奉事山神樹神一切神祇經十二年不懈不息求
索有子第一夫人便覺有身十月足滿生一男兒其子端正奉相具足已召諸大臣諸小國王
占相吉凶即爲立字以其太子性善不瞋名曰忍辱忍辱太子其年長大好喜布施聦明慈仁
於諸衆生等生慈心尒時大王有六大臣其性暴惡姦詐諂侫枉横无道人民患時六大臣自知所行
於行有違常懷嫉妬增惡太子尒時大王身嬰重病苦惱摧悴命在旦夕忍辱太子往告諸臣父
王因篤今當索何諸臣聞已心生瞋恚報太子言王命不久何以故欲求妙藥不可得故是以當知

占相吉凶即爲立字以其太子性善不瞋名曰忍辱忍辱太子其年長大好喜布施聦明慈仁
於諸衆生等生慈心尒時大王有六大臣其性暴惡姦詐諂侫枉横无道人民患時六大臣自知所行
於行有違常懷嫉妬增惡太子尒時大王身嬰重病苦惱摧悴命在旦夕忍辱太子往告諸臣父
王因篤今當索何諸臣聞已心生瞋恚報太子言王命不久何以故欲求妙藥不可得故是以當知
命去不遠太子聞已心生苦惱悶絶躃地時六大臣即入靜室共謀議言忍辱太子不除去者我
等終不得安隱也作是念已第一大臣言忍辱太子无事可除一臣復言我有方便能除去之
即往太子所報太子言臣向在外於六十小國八百聚落中求覓藥草了不能得太子問言所
求藥草爲是何物大臣報言太子當知求藥草者從生至終不瞋人眼精及其人
髓若得此藥得全王命若不得者命在不久於諸國土无有此人太子聞已心生憂愁
即報大臣今我身者似是其人何以故我從生已來未曾有瞋大臣言太子若是其人
者此事亦難何以故天下所重莫若己身太子言不如諸臣所言也但使父王病得損
者假使捨百千身亦不爲難況我今日此穢身也大臣報言如此之事隨太子意
尒時忍辱太子心生歡喜而作是念若使此藥能除父王病者宜應速辦此事忍辱太
子即入宮中到其母所頭面礼足合掌向母而作是言今者此身欲爲父王作治病藥恐
其身命不得存立是故與母共別願母莫憂苦穢棄其子其母聞是語已生悶絶志失四方
辟如人噎又不得咽不能勸進又不得吐不能勸心即前抱其太子悶絶以冷水灑面良久乃
穌尒時太子白其母言父王身命須臾之間不得久停宜時速辦令王服之尒時太子即
呼大臣諸小國王於大衆中即宣此言我身今者與大衆別尒時大臣即呼栴陀羅斷骨
出髓剜其兩目尒時大臣即擣藥奉上大王王即服之病得除差病已差已問諸大臣汝
等於何得此妙藥除我患苦得全身命大臣白王今此藥者忍辱太子之所辦非諸臣
力所堪辦也王聞是語心驚毛竪微聲問諸臣言忍辱太子今在何所大臣答言太子今
者在外身體傷損命不云遠王聞是語舉聲大哭[illegible]自投於地塵土坌身如我今
者實自无情云何乃能服此子藥往到子所其命已終王及夫人及諸臣民无量大衆前後
圍遶其母懊惱投身死尸以我宿世有諸過惡令令子身受是苦也令我身者何不碎
末如塵乃令我子喪失身命尒時父王及諸小王即以牛頭栴檀香木積以成積闍
維太子所有身骨復以七寶起塔供養尒時世尊告彌勒菩薩善男子等大衆當
知尒時波羅㮈大王者今現我父悅頭檀是尒時母者今現我母摩耶是忍辱太子者今我
身是菩薩於无量阿僧祇劫孝養父母衣被飲食房舍卧具乃至身肉骨髓其事如是以
此因緣自致成佛今此寶塔從地踊出者即是我爲其父母捨此骨髓及其身命即於此處起
塔供養我今成佛即踊現其前尒時大衆中无量人天諸龍鬼神聞是語已悲喜交集涙下
滿目異口同音讃歎如來百千功德尋時發於阿耨多羅三藐三菩提心復有无量百千衆生
發聲聞辟支佛心復有无量人得須陁洹乃至阿羅漢道復有无量百千万億菩薩摩訶薩
不久當得阿耨多羅三藐三菩提是故當知如來今者真是孝養父母復次菩薩本知恩之
德以其本願如是生如來身以生如來滿本願故不堪受其礼故回其將終尒時大衆異口同音讃

頭現其前尒時大衆中无量人天諸龍鬼神聞是語已悲喜交集淚下
滿目異口同音讚歎如來百千功德尋時發於阿耨多羅三藐三菩提心復有无量百千衆生
發聲聞辟支佛心復有无量人得須陁洹乃至阿羅漢道復有无量百千万億菩薩摩訶薩
不久當得阿耨多羅三藐三菩提是故當知如來今者真是孝養父母復次菩薩本知母人之
德以其本願如是生如來身以生如來滿本願故不堪受其礼敬因其將終尒時大衆異口同音讚
歎摩耶善哉摩耶得生如來天人世間无與等者尒時閻婆摩羅即從座起偏袒右肩胡跪
合掌而白佛言世尊摩耶夫人脩何功德以何因緣得生如來佛言善聽吾當為汝分別解說
佛言乃往過去久遠不可計劫有佛出世号毗婆尸如來應供正遍知明行足善逝世間解无上
士調御丈夫天人師佛世尊出現於世乃至正法像法滅已尒時有國号波羅捺去城不遠有山名
曰聖所遊居以有百千辟支佛住此山中故无量五通神仙亦住其中以名仙聖心住其中故号
聖遊居山其山有一仙人住在南岳復有一仙住在北岳二山中間有一泉水其泉水邊有一平石

尒時南岳仙人在此石上浣衣浣足已便還所止去後未久有一雌鹿來飲泉水次第到浣衣
處即飲是石上浣垢衣汁飲此衣垢汁已迴頭反顧自舐小便處尒時雌鹿尋便懷任月滿產生
鹿產生法要還向本得胎處即還水邊住本石上悲鳴婉轉產生一女尒時仙人聞此鹿悲鳴
大喚尒時南窟仙人聞是鹿大悲鳴聲心生憐愍即出往看見此雌鹿產生一女尒時鹿母婉
轉舐之見仙人往便捨而去尒時仙人見此女兒形相端正人相具足見是事已心生憐愍即以草
衣裹裓將還採衆妙菓隨時將養漸漸長大至年十四其父愛念常使宿火令不斷絕忽於一日
心不謹慎便使火滅其父苦責數已語其女言我長身已來未曾使此火滅汝今曰云何令滅北窟
有火汝可往取尒時鹿女即隨父教往詣北窟步步舉足皆生蓮華隨其蹤跡行伍次第如似街
陌往至北窟從彼仙人乞求少火尒時仙人見此女人福德如是足下生於蓮華報言欲得火者汝
當右遶我窟滿足七迊行伍次第了了分明隨其舉足皆生蓮華遶七迊已語其女言欲得火
者復當在此右邊還歸去者當與汝火尒時鹿女為得火故隨教而去其女去後未久之間波羅
捺王將諸大臣百千万衆前後圍遶千乘万騎入山遊獵馳逐羣鹿波羅捺王獨乘名象往
到北窟仙人所見其蓮華遶窟行列尒時大王心生歡喜歎言善哉善哉大德神仙大仙導師
福德巍巍其事如是尒時仙人即白王言大王當知此蓮華者非我所能王言非大師者
是誰所為報言大王是南窟仙人生育一女姿容端正人相具足世間難有其女行時隨
其足下皆生蓮華王聞是語心生歡喜即往南窟見彼仙人頭面礼足尒時仙人即出問
訊大王遠涉途路得无疲極尒時大王報仙人言聞君有女欲求婚姻尒時仙人報大王言貧
身有此一女稚小无知未有所識少小已來住此深山未閑人事服草食菓王今云何乃
欲領錄又此女者畜生所生即以上事向王具說王言雖尒无苦聞其父言鹿女者今在何
許報言大王在此草窟尒時大王即入窟中見其鹿女心生歡喜即以沐浴香湯名衣上服百
寶瓔珞莊嚴其身乘大名象百千導從作倡伎樂還歸本國尒時鹿女從生已來未曾見
如此大衆心驚怖懼尒時其父上高山頂遙看其女目不暫捨而作是念我今遙觀我女遠去不
現當還本處悲噎懊惱流淚滿目我生育此女未有所知與我遠別復作是念我今住此不應
餘轉何以故若我女反顧後望不見我者令子憂苦蹲立良久女去不現不迴顧　尒時其父心生

寶瓔珞莊嚴其身乘大名象百千導從作倡伎樂還歸本國尒時鹿女從生已來未曾見
如此大衆心驚怖懼尒時其父上高山頂遙看其女目不暫捨而作是念我今遙觀我女遠去不
現當還本處悲噎懊惱流淚滿目我生育此女未有所知與我遠別復作是念我今住此不應
餘轉何以故若我女反顧後望不見我者令子憂苦蹲立良久女去不現不迴顧　尒時其父心生
恚恨而作是言畜生所生故不忘也我少長養今得成人為王所念而反孫棄即入窟中誦持
咒術而咒其女王若遇汝薄者畋然不論若王以礼待接汝者當令退沒不果所願尒時波羅捺
王到宮殿已拜為第一夫人名曰鹿母夫人諸小國王百官羣臣皆來朝賀王見此已心生歡喜未久數
日便覺有身王自供養夫人床卧飲食皆令細軟至滿十月望其生男紹繼國位月滿產生生
一蓮華仙人咒力令王瞋恚而作是言畜生所生故不妄也王即退其夫人職其蓮華使人遺棄
其後數曰波羅捺王將諸羣臣入後園中遊戲觀看作倡伎樂鬪其象馬并諸力士中
有第一大力郎僂顛蹶以足蹴地地皆震動動蓮華池其華池邊有大瑠璃於瑠璃下有一
蓮華併墮水中其華紅赤有妙光明王見此華心生歡喜問羣臣言如此華者未曾
有也即使使者入池取之其華具足有五百葉於一葉下有一童男面首端正形狀妙

好尒時使者即前白王此蓮華者未曾有也大王當知其蓮華者具五百葉於一葉
下有一天童男王聞此語心驚毛竪慨歎所以問使者言審實尒耶此非是我鹿母夫人所
生華也即問青衣鹿母夫人所生華者遺棄何處荅言大王埋此池邊大瑠璃下王審實
其事知鹿母夫人所生王自入宮向鹿母夫人自責悔過而作是言我實愚癡无智不識賢良橫
相毀辱違逆夫人懺謝訖已還復本位王大歡喜召諸羣臣諸小國王并諸婆羅門相師
一切集會抱五百太子使諸相師占相吉凶卦曰道德所歸國豪其福若在家者四海顒顒鬼神
保之若出家者必斷生死超度欲流越生死海獲得三明六通具四道果王聞是語遂增歡喜
即遍宣令國界選取五百乳母尒時鹿母夫人白大王言王莫憂愁國土諸乳母王宮中自有
五百夫人者妬我生男王今可以一太子與一夫人令其乳哺非其子耶王報夫人五百夫人常懷
嫉惱害鹿母鹿母今者欲令我擯打拔棄擯出驅遣奪其命者不違夫人今者云何於怨嫉
中救濟此事甚難及世又復能開天地之恩以其太子與諸夫人尒時五百夫人心大歡喜鹿母
夫人施我安隱快樂云何復能以太子與我歡喜无異尒時无量百千大衆聞是事已皆發道
心尒時大王報夫人言未曾有也吾不及汝夫人言貪恚所生皆由嫉妬諫惡以忍諫怨以慎我
從生已來未曾與物共諍諸夫人者自生惱害譬如有人夜行見杌便起賊想或起惡鬼之
想尋時驚怖四散馳走或投高巖或赴水火荊棘叢林傷壞形體因妄想禍害如是一切
衆生亦復如是自生自死如蠶處繭如蛾赴燈无驅馳者一切衆惡從妄想起諸夫人者亦復
如是我今不應與彼羣愚起諸諍訟五百夫人即前礼鹿母夫人自謝悔過奉事鹿母如事
賢聖如母姊妹所養太子如所生不異時五百太子年漸長大一一太子力敵一千隣國反叛不
賓屬者自往伐之不起四兵國土安隱天神歡喜風雨以時人民豐壤熾盛時五百太子乘大名
象林野觀看遊戲自恣快樂難量父母愛念如護眼目尒時五百太子年漸長大於後一時集一
處坐蓮華池邊見其形容水底影現時諸太子共相謂言一切諸法如幻如化如夢所見如水中形

覓如母如母所養太子如所生不異時五百太子年漸長大一一太子力敵一千隣國反叛不
賓屬者自往伐之不起四兵國土安隱天神歡喜風雨以時人民豐壤熾盛時五百太子乘大名
象林野觀看遊戲自恣伏樂雖量父母愛念如護眼目尒時五百太子年漸長大於後一時集一
處坐蓮華池邊見其形容水底影現時諸太子共相謂言一切諸法如幻如化如夢所見如水中影
雖无真實我等今者亦復如是雖復豪尊處在深宮五欲自恣壯年美色不可久保物成有
敗人生有死少壯不久會當有老飲食不節會得有病百年壽命會當有死諸太子即愁憂
不樂不能飲食即還宮殿白父母言世界皆苦无可樂者父母今者聽我等出家王敕太子生老
病死一切共有汝何以獨愁白父王言不能復以死受生勞我精神周遍五道王不忍拒即便聽許母
敕子言汝出家者莫捨我遠去可於後園其中清淨林木茂盛四事供養不令乏少時諸太子即
便出家受其母請住後園中一一太子皆得辟支佛道如是次第四百九十九太子皆得道果往詣
宮中至父母前叙言父母出家利益今已獲得時諸比丘身昇虛空東踊西沒西踊東沒
南踊北沒北踊南沒或作大身滿虛空中復以一身作无量身或身上出水身下出火為
其父母作種種神變已即便燒身取般涅槃時鹿母夫人收取身骨於後園中即起四百九
十九塔供養最小太子過九十日已亦得辟支佛道亦為父母現大神變現神變已即取涅槃
尒時其母收其身骨起塔供養尒時鹿母夫人燒衆名香作妙伎樂日日入後園中供養是五
百辟支佛塔於其塔前愁憂不樂而作是言我雖生是五百太子雖復出家而无一人能發菩
提之心即立誓願我供養是五百辟支佛并起五百塔供養舍利功德悉以迴向普及一切衆生令
我來世不用多生諸子而不能發菩提之心但生一子能發道心現世出家得一切智佛告阿難尒
時鹿母夫人者今摩耶夫人是摩耶夫人供養五百辟支佛及修无量善業是故今者得生如
來身佛說此法時有无量百千人天得初道果乃至四果有无量衆生發阿耨多羅三藐三菩
提心尒時阿難白佛言世尊摩耶夫人過去世造何業行生畜生中為鹿女也佛告阿難善
聽善當為汝分別解說摩耶夫人宿世行業因緣乃往過去无量阿僧祇劫尒時有佛出世号
毗婆尸如來應供正遍知明行足善逝世間解无上士調御丈夫天人師佛世尊在世教化滅度之
後於像法中尒時有國号波羅㮈其國有一婆羅門唯生一女其父命終婆羅門婦養育此女
年漸長大其家唯有一菓園其母以女守園自往求食既自食已復為其女而送食分日日如是
其母一日而便暫遲過時不與其女恒遲飢渴所逼而便恚心言我母今日何因緣故不與我食
不來見看乃至煩惋再三尋復恚言我今者不如畜生我見畜獸野鹿子飢渴時心不捨離
如是求之母持食至正欲飲食有一辟支佛沙門從南方來飛空北過尒時其女見此比丘心生歡
喜即起合掌頭面作礼即便請之為敷淨座取好妙花減其食分奉施比丘比丘食已為說妙法示
教利喜尒時其女即發願言願我來世遭遇賢聖礼事供養使我面首端正尊榮豪貴若經行
時蓮華承足佛告阿難尒時女者鹿母夫人是以其一食淨施覆上施辟支佛五百世中尊榮豪貴
衣食自然蓮華承足願力因緣今得值五百辟支佛礼事供養尒時以惡言不知其恩毀罵其母喻
如畜生以是惡口因緣五百身中生鹿腹中佛告阿難人生世間禍從口生當護於口甚於猛火猛
火熾然能燒一世惡口熾然燒无數世猛火熾然燒世間財惡口熾然燒聖七財是故阿難一切衆
生禍從口出口舌者鑿身之斧滅身之禍佛說此經時有千優婆塞優婆夷慎護口過即得

BD02227號3　大方便佛報恩經卷三

（27–24）

時蓮華承足佛告阿難尒時女者鹿母夫人是以其一食淨施覆上施辟支佛五百世中尊榮豪貴
衣食自然蓮華承足願力因緣今得值五百辟支佛礼事供養尒時以惡言不知其恩毀罵其母喻
如畜生以是惡口因緣五百身中生鹿腹中佛告阿難人生世間禍從口生當護於口甚於猛火猛
火熾然能燒一世惡口熾然燒无數世猛火熾然燒世間財惡口熾然燒聖七財是故阿難一切衆
生禍從口出口舌者鑿身之斧滅身之禍佛說此經時有千優婆塞優婆夷慎護口過即得
初果復有无量比丘比丘尼得初道果乃至四果无量人天皆發阿耨多羅三藐三菩提心乃至辟
支佛心一切大衆聞佛說法歡喜奉行作礼而去尒時世尊與阿難入王城乞食已還出城於城
門外有大深坑時王舍城人擔持大小便利棄是坑中天雨惡水亦入其中尒時此流水中有一虫
其形似人衆多手足遙見如來舉頭出水視於如來流淚滿目如來見已憐而哀傷傷然不憹即
還耆闍崛山尒時阿難敷尼師檀如來坐上結跏趺坐尒時阿難觀察衆心問如來言世尊向所
見流水中虫者先世造何業行生此水中為幾時耶復於何時當得解脫佛告阿難及諸大
衆汝等善聽當為汝說阿難乃往過去无量千劫尒時有佛出興于世教化已周遷神涅槃滅
度之後於像法中有一婆羅門造立僧房供養衆僧時有檀越多送蘇油時有客比丘來尒時
知事維那心生瞋恚客僧來多隱匿蘇油停僧不與客衆僧言何不傳蘇油審耶維那答
言汝客我舊客比丘言此是檀越施現前僧尒時維那而惡可畏即便罵言汝何不噉屎尿也
云何從我乃索蘇油以此惡言從是已來九十億劫常生於是流水之中尒時維那者今此流
水中虫是由過去世發一惡言訶罵衆僧无量千世往此屎中佛告諸弟子當護於口口之
過患甚於猛火父母衆僧宜應讚歎軟語常念其恩衆僧者出三界之福田父母者三界
內尊勝福田何以故衆僧之中有四雙八輩十二賢士供之得福進可成道父母者十月懷抱推
乾去濕乳哺長大教誨伎藝隨時將養及其出家修得解脫度生死海自利利一切衆生
佛告阿難父母衆僧是一切衆生二種福田所謂人天涅槃解脫妙果因之得成佛說此經時
无量百千衆生人及非人或得初果乃至四果或發阿耨多羅三藐三菩提或發聲聞辟支佛心
各各合掌礼佛右遶歡喜而去復次波羅㮈國有一輔相婆羅門其家大富多饒財寶金銀
頗璃珊瑚車璖馬瑙象馬牛羊田業僮僕在所充足年過八十生一男兒妙色端正人相具足父母
歡喜召諸相師占相吉凶為其立字号曰均提年始七歲父母愛念放令出家往諸舍利弗目
揵羅山至如來所尒時如來四衆圍遶為諸天龍鬼神大衆廣說世論及出世間之法時婆羅
門白佛言世尊耆者之年生育此兒世尊大慈普濟一切今以此兒為佛弟子佛言善來比
丘鬚髮自落袈裟著身佛為說法示教利喜即得道果三明六通具八解脫尒時阿難觀察衆
心咸皆有疑即從座起整衣服偏袒右肩叉手合掌白佛言世尊均提沙弥過去世時
作何功德修何行業值遇世尊疾得道果何以速疾佛告阿難均提沙弥非適今也
供養父母衆僧勝妙功德遇善知識今得道果阿難白佛言願佛說之佛告阿難善
聽乃往過去无量千歲有佛出世号毗婆尸在世教化利益天人化緣已周遷神涅槃
滅度之後於正法中有一年少比丘通達三藏所謂阿毗曇藏毗尼藏修多羅藏面首
端正人相具足辯才說法有妙音聲多人所識刹利婆羅門之所供養時有一比丘形

BD02227號3　大方便佛報恩經卷三

（27–25）

作何功德修何行業值遇世尊得道果何以速疾佛告阿難均提沙弥非適今也
供養父母衆僧勝妙功德遇善知識令得道果阿難白佛言願佛說之佛告阿難善
聽乃往過去无量千歲有佛出世号毗婆尸在世教化利益天人化緣已周遷神涅槃
滅度之後於正法中有一年少比丘通達三藏所謂阿毗曇藏毗尼藏修多羅藏面首
端正人相具足辯才說法有妙音聲多人所識刹利婆羅門之所供養時有一比丘不
體麁醜人相不豐加復音聲鈍重常好讚歎三寶尒時年少比比見其聲惡即便毀
罵而作是言如是音聲不如狗吠時老比丘言汝何以見毀罵也汝不識我耶三藏年少言
我識汝汝是毗婆尸佛正法中摩訶羅老比丘何以不識摩訶羅言我所作已辦梵行
已立不受後有三藏比丘聞是語已心驚毛竪尒時摩訶羅即舉右手放大光明普照十
方尒時三藏即前頭面接足作禮求哀懺悔我而愚癡不識賢聖作是惡業令我來世得近善友
值遇聖師漏盡結解亦如大德佛告阿難尒時三藏比丘以一惡言訶罵上座五百身中常作
狗身一切大衆聞佛說法皆驚戰慄俱發聲言惟哉苦哉世間毒禍莫先於口尒時无量
百千人皆立誓願而說偈言　假使熱鐵輪　在我頂上旋　終不為此苦　而發於惡言　假使熱鐵輪
在我頂上旋　終不為此苦　毀聖及善人　佛告阿難舍利弗者於諸衆生為善知識晝夜
六時常以道眼觀五道衆生所應度者尋往度之尒時摩竭提國中間有五百賈客經過嶮
路時估客主將一白狗尒時伴主初夜煮肉作食於後夜時狗偷食之明日伴主欲早發食求
之不得飢渴所逼瞋恚内發手自持刀斷狗四足投身坑中捨之而去其狗宛轉受大苦惱時舍
利弗於初夜時道眼遥見過夜至旦著衣持鉢入城乞食已往詣嶮路至彼狗所持食與之因為說法
亦教利喜狗聞法已慙愧不樂却後一七罪畢得出生於人中佛告阿難尒時白狗者今均提沙弥
是由過去世毀罵賢聖墮在惡道由尋能改慙愧懺悔發誓願故得遇善友遇善友故罪畢
得出生於人中遇佛世尊即得漏盡佛告阿難當念父母及善知識恩是故知恩常當報恩善知
識者是大因緣佛說此法時无量百千衆生發阿耨多羅三藐三菩提心乃至聲聞辟支佛心一

BD02227號3　大方便佛報恩經卷三　（27–26）

亦教利喜狗聞法已慙愧不樂却後一七罪畢得出生於人中佛告阿難尒時白狗者今均提沙弥
是由過去世毀罵賢聖墮在惡道由尋能改慙愧懺悔發誓願故得遇善友遇善友故罪畢
得出生於人中遇佛世尊即得漏盡佛告阿難當念父母及善知識恩是故知恩常當報恩善知
識者是大因緣佛說此法時无量百千衆生發阿耨多羅三藐三菩提心乃至聲聞辟支佛心一

BD02227號3　大方便佛報恩經卷三　（27–27）

乡
一十校者此明淨三障謂惑業報無著論名滅罪爲　五者論名
人輕賤者五何以故下釋持經之人應可尊重何以爲人輕賤故
答意先世有後報重罪以此身上聞經持說能轉重業現世輕
受未來苦報因即不牵非謂持經招此輕賤也若尔既有重罪
何得聞經　答以其先身罪福並造既有罪故應入惡道以其
餘福故得聞經若能深達相應輕報亦盡但了
現受人輕爲人賤故轉報障失罪滅故
障世親論曰及遠離諸障故　　經曰須
速證果三重　一與方　二彰勝三比勝然燈佛前者謂
然燈之前令引長時供佛功德与末世少時持經之善共相比校
顯經力勝速證菩提從始至末四事供養故無空過此舉言也
若復有人下此舉勝世後末世者謂佛滅之後别本云於末世五
十歲時持經之善勝供佛者何此有四義一者三世諸佛以般若
爲母故二者供養諸仏多起人相故三者以但生福
佛有限故令明持經發解遠離取相稱可
云法供養者諸供中勝持經之福多事
論云復能速證法故令以事仏福爲一分持經福爲百分事仏一分不
及經福百中之一分次以百中一分爲千亦不及千中之一分後云諸
云乃至　經曰須菩提至疑惑不信者此明得大果因果一頌

佛有限故今明持經發解遠離取相執下
云法供養者諸供中勝持經之福多事
論云復能速證法故今以事仏福爲一分持經福爲百分事仏一分不
及經福百中之一分次以百中一分爲千亦不及千中之一分後云皆不
云乃至　經曰須菩提至疑惑不信者此明得大報兩重　一顯因
多　二明果大無著論云此顯示彼福體及果不可倒量故此
因多也我若具說者世出世報皆持經得者可名具說今但論出
世故名不具所以但說持經得出世報者恐凡小聞說世報即欣
近果遠捨菩提永失本心名爲狂亂不信即凡
經曰須菩提至亦不可思議者此果大也
法門果報者即出世間十王三身之果十
思三身大果則體用大而難測論曰成種種勢力得大妙果報故
上來第一周明立菩薩行體竟　經曰尒時須菩提至云何降伏
心者此下第二周斷菩薩行障　先問　後答此初問也無著
論云何故復發起此初時問也論自釋云得入證道菩薩自見得
勝處作是念我如是住修行伏心我滅度衆生爲對此故須菩
提問世親論曰何故前說三種修行今復重說此有何
心修行存我爲菩薩此則障於心遠於
經曰佛告須菩提至一切衆生者此下答問
疑此破障也兩意　初慈　後智此慈也一無邊慈所及廣遠
故二無著慈二乘不能行故已如前釋此第一慈也　經曰令入
无餘涅槃界者此第二慈也　經曰如是滅度至即非菩
薩者此下明智前明畢竟智即是常心後明真實智即不顛
倒心此初智也三意　一牒前二心明化佫有慈悲　二而無下
明緣真有相息　三何以故下釋意　經曰何以故
者此第二智兩意　一難　二通何以故者
生猶如我身何故復言無我人等若實無我

明緣真有智慮　三何以故下釋意　經曰何以故
者此弟二智兩意　一難　二通何以故者
生猶如我身何故復言無我人等若實無我人
任脩行等也以此推之似當有我而為菩薩何故說云無我等故故
云何以實無有法下通也通意始從種性終盡法雲於內心中起我
心分別者皆是障道不以此心名為菩薩故曰實無即應難云若起
我心非菩薩者起何等心名為菩薩應舉住荅通達無我無我
法者名為菩薩廣如下說案此一段經文即慷上荅云何住經文亦應
具有脩行降伏但義有文無何故如是夫心為行元亍衣
其心必知有行故略之耳又復前文但遣著未
有過故異於前非煩重也故世親論曰若菩共
是心我住於菩薩大乘我如是脩行我如是降伏其心菩薩生此
分別則障菩提行故無著論中亦同此說又存自者不能忘觀存他
者不能忘境其欲自他兩滅者莫若境觀雙盡是故如來控前
無度以盡境引令無發以盡觀境盡故絕於所度觀盡故絕於能度
所度絕則他我滅能度絕則自我亡二我之執既除障道之累自息若如
此豈有一我名為菩薩而發心乎　經曰須菩提至三菩
弟二斷情疑兩重一約菩薩　二約如來　菩
二就化生　三依嚴土　得記展轉四重　一斷有菩薩
三斷如來有得疑　四斷如來無得疑有菩薩疑四重　一問　二荅　三述
四成　此問也疑意云若令時菩薩是無菩薩應是無若昔有者

福德有實如来則不說福德聚福德聚此明若前福德即實我上亦
不應說二種福德不可聞此福與佛智為本便謂前福亦實若福
德有者實即有相若五度為般若所持亦有相者佛即不說為福德
聚以是無相故說為福德聚初福德聚是有相重福聚是無相也
經曰須菩提至見不者第二次約化身斷疑兩重 一約化體 二約化用
此化體也兩重 一約八十種好 二約卅二相兩章各三 一問 二荅
三釋等文可知此問好也世親論曰復有疑若諸佛以无為法得名去何
諸佛成就八十種好卅二相亦名為佛也案此若佛是色不應以真如為名
若佛非色不應身有相好為斷此疑故發斯問也法身如来可以色
身見不無著論去為好具足故 經曰須菩提言至色身見者此牾
化真之不一故若以不應也此假異破一 經曰何以故至具足色身者此
釋何以故者明不應意真身是體化身是用色身即非色身以化入
真也說名色身不離法身亦有色身從真起化也此乃體用相依未
嘗相離也不得見化謗真聞真疑化也 經曰佛言至說名諸相具
足者此約卅二相斷疑准前三重可解也無著論去為相身具足故
經曰佛言至有所說法耶者此約化用斷疑疑曰若如来具足色身成就
相好不可得見去何言如来說法為斷此疑兩重 一斷疑 二生信
斷疑三重 一出疑 二遣疑 三釋疑此出疑汝謂如来作是念我
當即理離理有名教可說耶 經曰須菩提莫作是念者此遣疑也
汝勿謂如来即理離理有言說也 經曰何以故至不能解我所說故者
此釋疑何故遣汝莫作是念故言何以故理外無說而謂有說此不
解也依執口言則為謗也 經曰何以故至是名說法者轉釋不解

化真之不一故答以不應也此假異破一　經曰何以故至具足色身者此
釋何以故者明不應意真身是體化身是用色身即非色身以化入
真也說名色身不離法身而有色身從真起化也此乃體用相依未
曾相離也不得見化謗真聞真疑化也　經曰佛言至說名諸相具
足者此約卅二相斷疑准前三重可解也無著論云爲相身具足故
經曰佛言至有所說法耶者此約化用斷疑疑曰若如來具足色身成就
相好不可得見云何言如來說法爲斷此疑兩重　一斷疑　二生信
斷疑三重　一出疑　二遣疑　三釋疑此出疑汝謂如來作是念我
當即理離理有名教可說耶　經曰須菩提莫作是念者此遣疑也
汝勿謂如來即理離理有言說也　經曰何以故至不能解我所說故者
此釋疑何故遣汝莫作是念故言何以故理外無說而謂有說此不
解也依執口言則爲謗也　經曰何以故至是名說法者轉釋不解
義何故不解即言說法說法者故初一說法即教後一說法即義
故世親論曰一者所說法二者所有義無法可說者推俗以入真於法界
外無法爲說所說即第一義空無自性可得故言無法可說是名說法
者從體以起用謂從冥清淨法界流大悲從大悲流化身從化身流
出經也　經曰尒時至生信心不者此生信也前明有信信於因證果
今明生信信於人法世親論曰復有疑若言諸佛說者是無所說
法不離於法身亦是其無有何等人能信如是甚深法界爲斷此
疑善吉請問答意偈言所說說者深非無能信者此明有聖人
能非凡夫也兩重　一問　二答　此問也　問中三意　一人　二時　三於是
法生信不所以有此問者前明法身是說者深次明言教所說復深既
二種並深未來惡世衆生根鈍云何能信廣已如上約四教斷疑中具
說　經曰佛言至非不衆生者此答信也　先答　後釋非衆生者

者從體以起用謂從衆清淨法界流大悲從大悲流化身從化身流
出經也　經曰尔時至生信心不者此生信也前明有信信於因證果
今明生信信於人法也親論曰復有疑若言諸佛說者是無所說
法不離於法身亦是其無有何等人能信如是甚深法界爲斷此
疑善吉請問荅意偈言所說說者深非無能信者此明有聖人
能非凡夫也兩重　一問　二荅　此問也　問中三意　一人　二時　三於是
法生信不所以有此問者前明法身是說者深次明言教所說復深既
二種並深未來惡世衆生根鈍云何能信廣已如上約四教斷疑中具
說　經曰佛言至非不衆生者此荅信也　先荅　後釋非衆生者
信也經者非凡夫衆生無著論云第一義故非不衆生者雖非虛妄
凡夫衆生非不是因中聖人衆生也無著論曰世諦故　經曰何故
至是名衆生者此釋也衆生者凡夫無信衆生又衆生者聖人有信衆生
如來說非衆生者說非凡夫衆生是名衆生者是能信聖人衆生也
經曰佛言至三菩提耶者此第三約法身斷疑以證果下者有上證果
上者無上前說實無有法得菩提無上之名因何而立爲斷此疑故
爲斷問荅意明菩提有二種一者法身體非作法二者報身修善
方有不可聞法身非修便謂不須修道道亦不可修以於中三重
一約法身果斷疑　二約法身因斷疑　三約法身業斷疑出離
真如爲果一切善法爲因解脫衆生爲業約果四重　一問　二荅
三述　四釋此問也此等意謂如來法身要修道方得耶彰體滿
也　經曰須菩提言至三菩提者此荅也法身本有何有可證能證
也無著論云此顯示顯菩提自相故菩提解脫相故彼中無微塵
許法有體是故亦無可得亦無所有應知　經曰如是至三菩提者述
也諸法本寂煩惱性空煩惱既空有何可斷空即是滅何須別證此
滅即無上菩提也　經曰復次至三菩提者此釋也三重　一體無
等　二等無等　三道無等此體無等也體即法界也在聖

許法有體是故亦無可得亦無所有應知　經曰仏言至三菩提者述
也諸法本寂煩惱性空煩惱既空有何可斷空即是滅何須別證此
滅即無上菩提也　經曰復次至三菩提者此擇出三重　一體無
等　二淨無等　三道無等此體無等也體即法界也在聖
不高居凡不下衆生滅佛亦不增不減佛亦不減故云平等無有高
下釋平等也既云平等故無上也此約性淨不增不減無著論云無
高下者顯示一切諸佛第一義中壽命等無高下故
經曰以無衆生至三菩提者此淨無等也以無衆生等故因時自
性清淨果時無垢清淨淨既無等即無上也此明二空無著論
云顯示菩提於生死法平等相故前未約性淨釋無上也
經曰一切善法至菩提者此道無等即方便淨兩無
一攝體　二顯用此攝體也世親論云言又彼法有無上方便以一切
善根滿足故　說何攝善提無上方便即福智圓滿故云無上無
著論云顯示菩提道故以因無上故得菩提趣菩提有四一信樂出
世即伏心菩提二者見位雖見如如是出世初無分別智三者十地
受菩薩灌頂位猶有餘後無分別智此三種菩提猶有上上不名無上
唯仏菩提是出世後無分智乃名無上　經曰須菩提至是名善法者
此顯用也善法者是出世善法世親論曰以無有漏法故是故名為善法
說非善法者非世間善法世親論云彼法無有漏法故名非善無著論云
此安立第一義相故是名善法者結是出世善法也世親論曰以決定無漏善
法故此因既無等故果無上也　經曰須菩提至所不能及者次第二約
法身因斷疑疑曰若一切善法滿足得菩提者則所說教法不能得大菩提
何以故以所說法是無記法故云何以無記因得菩提果此是薩婆若多
部所執彼宗以名味句為教法體名等性是無記故為此疑若大乘
宗出教體者如佛地論說為斷此疑明汝法是無記而我法是記何者

何以故以所說法是無記法故云何以無記因得菩提果此是權要若多
部所執彼宗以名味句爲教法體名等性是無記故爲此疑若大乘
宗出教體者如佛地論說爲斷此疑明教法是無記而我法是記何者
正記即是發起善本從真實生未還顯真實所以一法寶勝無量珍
寶也於内三重　一舉施　二持經　三比勝歌羅分者此義翻爲力勝
如折一毛爲百分一分爲歌羅明持經功德有大勢力准取一歌羅分亦
勝施福　優波尼沙陀者此義翻爲因勝明持經功德成無漏因布
施善根但成有漏因也中論以四義釋世親論曰云何爲勝一者數勝如
經百分不及一等故二者力勝如經不及一歌羅分故三者無似勝者福
德中數不相似此福不可數故如經所不能及故四者因勝因果不相似
此因果勝彼因果故如經乃至優波尼沙陀分不及一故　經曰須菩
提至度衆生耶者次第三約法身業斷疑世親論云復有疑若是法平
等相無高下者云何如來名度衆生爲斷此疑故五重　一條疑
二遮以　三出過　四顯德　五釋成此初條疑莫謂我爲能度他爲
所度無着論曰爲安立第一義教授故經言如來願作念等
經曰須菩提至如來度者此遮上也佛及衆生俱不離法界故無
能度所度又復己外無衆生故無所度衆生外無己故能度今言
度者此乃依世俗故說非爲勝義故世親論曰平等真法界佛
不度衆生以名共彼陰不離於法界故此有二義一以平等法界
離自他增減相故二以不出如來雖度假名衆生不將出法界
之外故云實無有生如來度者花嚴經云不增衆生界不減衆
生界此就法身真實無增減也大品小品中皆說一切衆生本
來清淨假令諸佛於百千劫唱言衆生而無一實衆生可得以
此驗之中平等理中無衆生異佛而相度也故諸法無行經云佛不
得佛道亦不度衆生凡夫強分別作佛度衆生是人於佛法則爲甚大遠
人自佛度衆生是則佛還度佛法界還度法界以此而推即法身上有

淨濟餘令諸佛於百千劫唱言衆生而無一衆生可得
此驗之中平等理中無衆生異佛而相度也故諸法無行經云佛不
得佛道亦不度衆生凡夫強分別作佛度衆生是人於佛法則為甚大遠
又若佛度衆生是則佛還度佛法界還度法界以此而推即法身上有
此衆生名字非法界外有別可度故不增不減經云或覆法界名為衆
生無著說亦同此說　經曰佛言至受者相此出過也若佛起心謂法界之
有五陰所成虛假衆生而可度者是則如來猶有我執豈名為佛故諸
法無行經云若人作是念我當度衆生即著衆生相是人無菩提亦無
有佛法住於身見中業此即與凡同故云則有我相　經曰菩提至以
為有我者此顯德也如來說我非我者顯佛說我隨俗故說而不取我故曰
即非此乃聖與凡殊毛道凡夫生者以為有我者者異愚凡夫說我取我
隨言起著故云以為有我則凡與聖別也毛道凡夫者此依梵匠言云婆羅
必栗託仡（奧乞反）那婆羅此云愚必栗託此云異仡那此云揔言愚異生
義譯為凡夫案梵毛言縛羅愚名婆羅此譯人之失言毛道取依能
斷經云愚夫異生羅什譯經直云凡夫此乃不善梵音訛於清濁失在此冒
經曰須菩提至是故言毛道凡夫生者此釋成也生者起也凡夫起我取生死
法故曰生者不取隨順法界聖人法故說非生是故下結凡夫起我故曰凡生[illegible]
從五眼以來依果斷疑竟　經曰須菩提至得見如來不者此第二推因斷
疑展轉五重　一斷執因非果疑　二斷謗因無報疑　三斷迷常謗果疑
四斷化真一異疑　五斷動靜相違疑此初疑也先長行　後偈頌
長行五重　一問　二答　三述　四難　五成此問也疑曰前說如來不可以
相知若可以相知應可以福感為斷此疑故問若可以同凡之德相觀異化之
法身不　經曰須菩提至得見如來者此答也法身非色非智理不能知不
可以福能感相便謂以相非法此明相非真也　經曰佛言至見如來者
此述也善吉所談理當所以再言如是也　經曰佛言至應是如來者此
難也若以相觀法身則輪王應是佛若觀王不見佛則都相非法身故

法身不 經曰須菩提至得見如來者此苐七法身非色非智理不能知不
可以福能感相便謂以相比法此明相非真也 經曰佛言至見如來者
此述也善吉所談理當所以每言如是也 經曰佛言至應是如來者此
難也若以相觀法身則輪王應是佛若觀王不見佛則都相非法身故
論曰非是色身相可比知如來諸佛唯法身轉輪王非佛 經曰是故至得
見如來者此結成相難非法身 經曰尒時世尊至彼識不能知者此偈
頌也此有四意 一為攝持妄失前於長行散說已廣時衆或散
亂遺妄不憶次第故以偈略說令得憶持 二者前長行廣說為鈍
根者令得解故此偈略說為利根者攝多義故 三者為顯耶
正方便若耶方便但約相觀無相若正方便約無相觀無相令離
耶脩正故說此兩偈顯耶非正也 四為時衆一聞之中有鈍根
者未得解了如來慈悲不辭疲惓故重為說也 此偈兩重
初偈明耶境耶觀 後偈顯正境正觀 前中初半行顯耶
境耶境者小乘明佛唯約二種一取色謂相好身二取聲類謂長
時無間聞不重義所以小乘具足色聲為佛者色對眼聲對耳
但受化之徒因見色聞聲次見聖道故一切小乘同執色聲以為
真佛若但色相無說如輪王也若但有說無相如二乘弟子並
是佛也今大乘中若以色聲求佛即成耶境良以法身絕衆相
故是人行耶道者此句顯耶行是人即凡夫二乘人由約色聲起
見聞等謂見如來故是耶行何以故法身如來是無分別智所證
見故不能見如來者此句顯耶得若以見聞等行不得無德但
得妄境不見法身故云不能見如來也 彼如來妙體即法
身諸佛者下一偈明正境正觀此二句明正境彼如來妙體即法身此明真
身境諸佛者即應化二身此明智悲境法體不可見者此句明正觀法
體非色故不可以眼見也又不與四人共見故不可見一凡夫如生盲故不見二
二乘如始生嬰兒不見日輪三空散亂菩薩如翳眼人見色不明四深行菩

身境諸佛者耳應化二身此明智悲境法體不可見者此句明正觀法
體非色故不可以眼見也又不与四人共見故不可見一凡夫如生盲故不見二
二乘如始生嬰兒不見日輪三空散乱菩薩如翳眼人見色不明四諸行菩
薩如羅漢中視見不明了此四人既不見故即顯如來能見若尔何法
能見應云無分別智稱境而見彼識不能知者謂虛妄顛倒六識不能
知也此顯正得識既不知何法能知應答云三無性觀知故世親論曰唯見
色聞聲是人不知佛以真如法身非是識境故此偈一句釋經兩句可知
經曰須菩提至菩提者第二斷諍因無報疑無著論曰若尔如來雖不
應以相具足見應相具足是為因得菩提世親論曰有人起如是心若不依福
德得大菩提如是諸菩薩摩訶薩則失福德及失果報為斷此疑六重
一遮果亡　二遮因滅　三量遮力　四出遮因　五領遮理　六答遮
義此遮果異也先問次遮此問也可以備成相好成就得法身菩提
也　莫作是念者此遮也明法身菩提空不為福相成就故云莫作
是念而法身不異此處也　經曰須菩提至斷滅相此第二遮因滅
先牒　次遮　後釋此牒失因若言失因即說斷滅也此下一段經依無
著般若論云於心具是中為不住生死涅槃故經言汝作念發行菩薩
乘者如是等論云於法不說斷滅相者謂如所住法而通達不斷生
死影像法於涅槃自在行利益衆生事業此由慈悲故不斷生死
由智慧故不捨涅槃論云此中為遮一向寂靜故顯示不住涅槃業故
異二乘云論若不住涅槃應受生死苦惱為離此著故乃至是故菩
薩取福德等業此異凡夫　莫作是念者此遮也若說斷滅則
不成發心　何以故至不說斷滅相者此釋也既發心故則不說斷滅
也然斷不斷義凡有二種一事二理若就事者則有能斷智所除障智漸
增惑轉滅智增故二障除惑滅故三德備若就理者菩薩畢竟不
見生死涅槃二相可得若見生死可盡涅槃可得即斷常二見草中
道正解而對治中言斷生死得涅槃者此盡斷無所斷得無所得雖

增惑轉滅智增故二障除惑滅故三德備若就理者菩薩畢竟不
見生死涅槃二相可得若見生死可盡涅槃可得即斷常二見草中
道正解所對治中言斷生死得涅槃者此畫斷無所斷得無所得雖
斷非斷故斷雖得非無得故得雖得非無得故得在於無得可無得
以得之雖斷非無斷故斷在於無斷可無斷所斷之是故菩薩常知於二
而無定今以明菩薩得無生忍所脩諸善与法性相應轉更精勝
終成佛地畢竟常住不同小乘捨滅身智故云菩薩發心不說斷滅
也　經曰須菩提至所得福德者此弟三量遮力也向雖云福不斷滅常
未知何時不斷今明菩薩得無生時功德不斷轉更增廣無著論
亦同此說故引此證顯轉勝不斷也知一切法者有為無有流無流等
菩法無我者約分別性得無生者約依他性又復無我有二謂無人我
及無法我約無識者說人無我何以故於外道所執廿種身見中無有
識者可得也約三無性說法無我何以故三無性中平等一味無有一法可
為我也無著論云如來於有為法得自在故無彼生死法我故名無
我者無生者約因果及自他皆不成故說無生無著論曰非業煩惱力
生故無生法忍者無生法謂無生無滅不斷不常之法是所脩
真如境也忍者是能觀之相名或是般若當體立名也若小
乘說但有法無人唯忍於法故名法忍若大乘說但以真如為法
謂三無性本來不生是般若所緣故名無生法忍忍者即是忍
受堅固不可破壞又忍有二為無間道故忍說何以故智未起時一
切煩惱熏習於心至智起時能解煩惱至得所對之惑不能閒礙般若
所經煩惱雖復正對亦不能閒故名般若為無閒道二為無礙道
以其堅固惑不能壞也　經曰須菩提以諸菩薩不取福德故者此第四
出遮因前約不滅以明得今約不取以明捨以不取相故不感有為果報
所以勝前福也無著論云顯示不住生死若住生死即受福報
經曰須菩提至不取福德者此第五領遮理也別本中菩吉問不受

所以勝前福也無著論云顯示不住生死若住生死即受福聚
經曰須菩提以菩薩不取福德者此第五領遮理也別本中善吉問不受
理但領前也問亦不妨由菩薩不取相故則知不感有漏之果故云不取
也無著論曰此有何義以世尊於餘處說應受福聚故　經曰佛
言菩薩取福德者此第六釋遣義受不取者菩薩知有二種無我名之
爲受而不著相故言不取得言是福德無執如是受不取故是福諸
即無漏之福名菩薩依菩提心脩福慧二行及真如觀內外貪愛
即便除滅是故菩薩所脩福德無有執取此無漏業不招執故言
不取世親論曰無彼有漏執是故此福受而不取取者有三一謂離菩
提心起諸善業二但脩福德不脩智慧三但脩俗觀不脩觀由此三義故
名爲取論云取者彼福德得有漏果報故彼福德可呵名之爲取是故
菩薩取福德者結上受無漏果報福也無著論云以方便應受而不應
取　經曰須菩提至不解我所說義者此第三斷迷常謗果疑遣
二釋遣疑曰若菩薩福德之因不受世間報者云何如來有去來坐卧同
世威儀爲衆生受用取四義三相違易更遣此若名常誰其無常
爲斷此疑若有人者即凡小人也約彼化身而執法身有來去等而非
常者此不解我所說也此明法身於三位不動一道前二道中三道後
今言去來者即化身佛故世親論曰去來化身佛如來常不動於是
法界處非一亦非異案常不動者即法身也無著論說行者謂去來
住者餘威儀不解我說者此有四種一依不了義經二依言不依義三
以文字爲勝不以義四但得聞慧未得脩慧由此義故不解所說
經曰何以故至名如來者此釋意也更曉不解之意故云何以故如來者即法
身也體是常住無生無滅非三世攝約現在望過去不滅故無所至去也
約現在望未來世不生故無所從來也有無損減故無所至去無增益
故無所從來也以如是法如是智故名如來也約此法說如約此智名來
即境智無著別變異故名如來　經曰須菩提至寧爲多不者此

是也前是常住無生無滅非三世攝然現在望過去不滅故無所至去也
然現在望未來世不生故無所從來也有無損減故無所至去無增益
故無所從來也以如是法如是智故名如來也然此法說如然此智名來
即境智無著別處異故名如來　經曰須菩提呈寧爲多不者此
第四斷化身一異疑白若應佛有去來真佛不去來者未知二佛爲
爲異若一不應有去來等異若異未知供養應化爲得福不爲斷
此疑故前論去於是法界處非一亦非異此明如來三界受生或時一
異今既惑盡住佛界中法界平等無有二相故能證之人亦無一異其
猶微塵未破碎則有彼此既碎爲末則無方所以況諸佛煩惱盡時
無有一異以無異故供養應佛其福無量世親論曰世界作微塵此喻
示彼義微塵碎爲末示現煩惱盡於中三重　一破麁爲細　二雜
有入無　三障盡說益　前中復二　初問　次答此問也世界作塵是
塵從界生碎法身盡迹則化從法生此爲多不　經曰須菩
提言甚多世尊者此答世塵多遍空化周法界故云甚多
經曰何以故若是微塵衆者此第二釋成之入無兩重
一破相法　二破麁塵法相結謂塵界麁塵之謂二見相法兩重
先破微塵　後破世界　微塵四重　一徵　二釋　三說　四結何
以故者此徵也若微塵碎末並是麁者何故答云甚多故
若是微塵衆實有者釋也　若實有者物是塵衆者佛
應依其自體立其自名不應依他微塵而立衆名由衆是果
體不自立故約塵微而立名故言若實微塵衆實有者佛
自體如是三義一若雜微塵是實不聚不來二由佛說不
即不說也　何以故者此說也何以故者何以得知微塵假說是
衆號眾之不實佛說衆說者若一可爲衆即是實佛說何
以故佛說由多物成故言若具分衆集成佛說者即是大
物一切諸物但唯字都如佛說大元德長壽以此義故是假衆

BD02228 號 B　金剛般若疏卷下　（18–11）

其能衆之示其滿足示成就者　若一分為衆名無窮滿足何
以故滿者復由多物成故　二若具分衆集成滿足者即無大
物一切諸物但唯字界如滿者大无邊長壽以此義故無有衆
無有衆故亦無大千世界也　聲世師說滿者是實是常無分方
分此理應无義為有來示殊何者如一時七塵共衆如其是實一
分觸鄰具分觸鄰者一分觸中間一塵向外之六方之分即一分者
具分塵觸即外邊六塵向內因為一體之方之一分即是假為所實
因為一體後示可積小以成其言因此為推即滿者是假故曰塵衆
即以塵衆非實也是名者結但假施設也　經曰世尊是是故
佛說三千大千世界者攻彼世界已竟　一立實　二破實　三轉假
四入真　已推妄比立實也若離於成之塵所成之界微塵決非是
實故世界亦假因前可知　經曰何以故實是一合相者此破實也
者塵界並空空之何為說取小塵執界衆分是實衆是假名解
如已推是實權是假名若二執界為可物即界此微名即為界分
之執因故言是即一合相若非此執即同外道為可分執二名具分
執若界分示合即是非實　經曰如來說一合相者此轉假
也合是觸義若合是具分觸即世界是等滿者若合是一分觸
即世界理無體故一合之非一合也為名一合者但假施設也文非一
合相者可三義一所執之衆無所可能執二示同成二毛物中涅生
分可執以為可執示當類是故非執三是非理無執此三立是非
執故亦非一合也是名一合相者此為顯真依正智依正智者分是
實可衆是假名可故說一合相也真正智者名衆物三種平等
實無所有此一合相執為一合相因無所有故說一合相也無著論
曰此須菩提為立第一義諦故　經曰佛言亦是不可說者
此入真也此明塵非塵為示壞假名說諸法相法界平等非一非

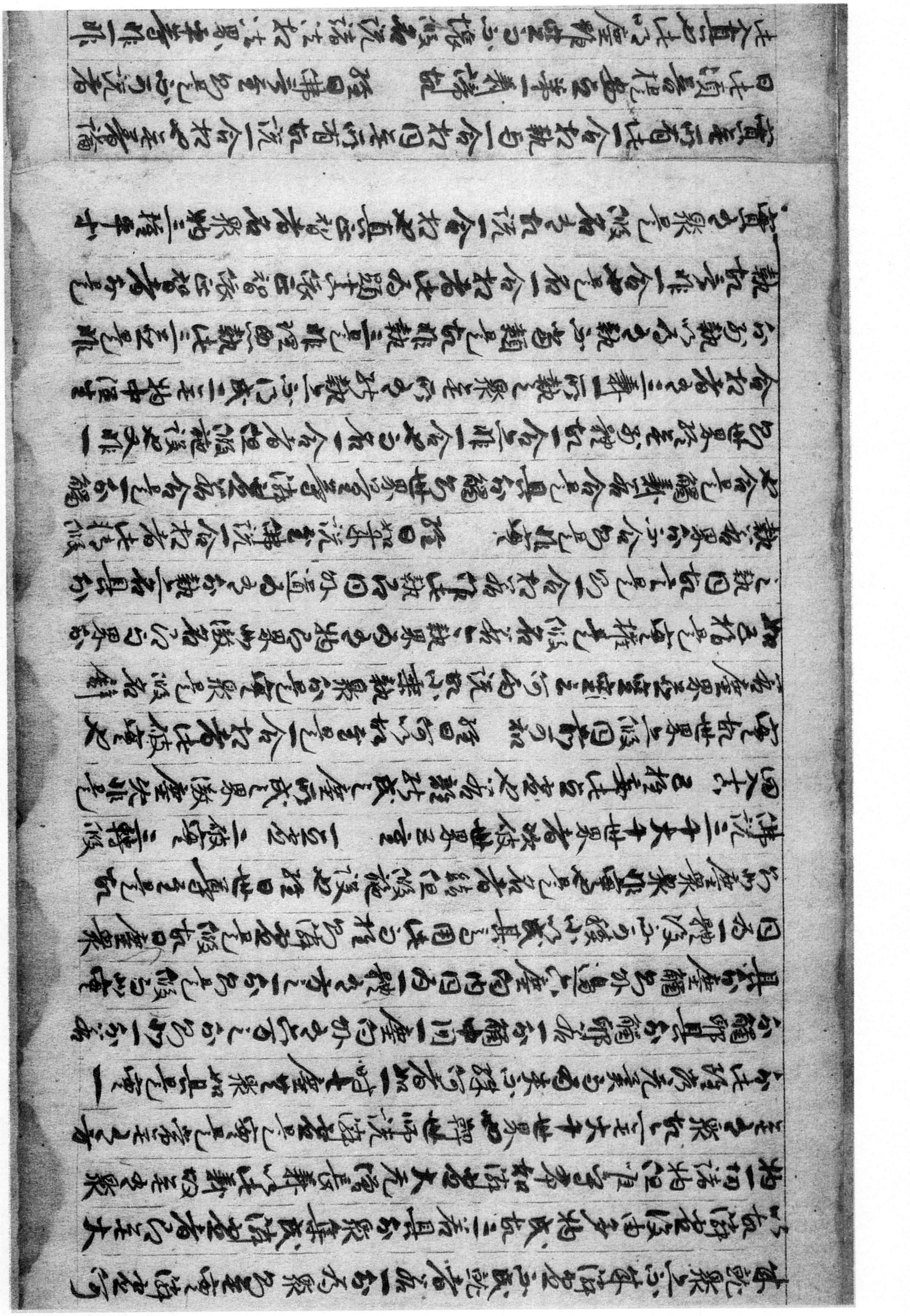

實是所有此一合執為一合執因是所有故說一合執也是著論
曰此須菩提無至第一義諦故　經曰佛言至即是不可說者
此真具此明塵雖無可壞微名說諸法如法界平等非一非
異非有非無此乃理智所知非言所述故是著論曰世言說故
有收持取第一義故收法不可說也　經曰但凡夫之人貪
著其事者此顯妄情之妄收依名說執而依我
義故是著論收小兒凡夫如言說取第一義也
故至為正語不者次破塵重說　先舉　次釋何以故者舉也凡
夫貪著可收塵界如來是收何故上說界及塵故下釋
先破人見　後破法見人見三重　一問　二答　三釋此問也人
法是境見即是心境即遍計所執見即依他依他性遍計所執是
是依他依性是虛是即不可斷滅虛即可滅是顯可滅義故為
此問有人言佛先說有我後說無我為正語不正語者三一依了
教語二順道理語三不生誹心語若依此三名為正語　經曰須菩
提言不也世尊者此答也若謂如來的有的無說我見等翻前三
正並非正語故云不也　經曰何以故至壽者見者釋也　先舉釋
後結此釋也若外道的有起此四見若二乘的無起此四見於二乘偏
障無見於菩薩障今明我法本空二見所滅無斷無證實無所
有所見有無既不成就能見之心亦不得有不同愚小故曰即非故無
著論云此等顯示如所不分別外道說我如來說為我見故安置人
無我此釋即非我見　是名我見等者結不同愚小也明此四見
以有為性亦無以無為性亦無雖有無不同並皆非見但隨虛妄所
說見也世親論曰見我即非見無實虛妄見故　經曰須菩提至不
住法相者此破法我見非見故無著論云又為說有此我見故實法
無我　先舉能對法後明所破障此舉法也於一切法者總舉無著
論云顯示於何法不分別如是知者無著論云此顯示增上心故如是見

住法相者此破法我見非見故無著論云又為說有此我見故實法
無我　次舉能對法後明所破障此舉法也於一切法者標舉無著
論云顯示於何法不分別如是知者無著論云此顯示增上心故如是見
者增上智故是信解者於無分別中知見勝解也論又解云若智依
止奢摩他故知依止毗鉢舍那故見此二依止三摩提故勝解以三摩
提自在故解內攀緣影像故名勝解又釋知是知者謂世俗智如是見
者謂出世智如是信者謂約前二智出生世出世空俗智者即真如
方便得聞慧故真智者即契真如無分別脩慧智也世空即小乘九次
第空出世空即三空門也又如是知者知境界得法無我尔炎地故如是
見者通達人無我故如是信者隨順法界故如是不住法相者無著論
云此正顯示無分別故案不著前三能對法亦不取三相也又不住法
相者於人法二處無過住著故　故世親論曰此是微細障見真如遠離也
經曰何以故至是名法相者此破障也何以故者何故如是不住法相故又
何以法相不得生起故法相法相者謂真相俗相也又地前地中所破
相如是等如來說即非法相者即世出世法相能取所取實無所有不
可言說故非法相也又世俗法非出世法相出世法非世法相餘如上說
經曰須菩提至無量阿僧祇者此第三明障盡說盡四重　一量說力
二問說相　三答不取　四證不取此量說力也謂明如來由化身顯說功
德無窮故說辟格量於中有兩　一明上人下功德謂財施　二下人行上
功德謂持說此之二福由法故有勝者不由人也此是初門慈約福惠二
行故云菩薩摩訶薩或約二利或約悲智名摩訶薩前來明施寶
有限量今明無量無量故顯福勝也勝有二義一財多二人勝此明上人行
七寶施故是下品功德善男女等者此是第二下人於此般若經持說
一偈者此上品功德　勝彼無量等者正格量也此明下人行法猶勝
上人行於餘行何況上人行此上法所得功德故不可量也此由法施無
量無盡無漏故勝以上具釋　經曰何云為人演說者此問說相也

上人行於餘行何況上人行此上法所得功德故不可量也此由法施無
量無盡無偏故勝以上具釋　經曰何以故為人演說者此問說相也
未知化佛說法之時爲自顯化身而說爲不顯化身而說此云何若顯
我是化身則受化衆生於佛及所說法即不生尊重心謂是所化故
由不尊人故不受正法不受則有大損也　經曰須菩提而不名說
者此答不說也而不名我是化身爲人說法也由不顯自身是化故令
衆生於佛起尊重心受所說法由尊人重法故生無量功德也論偈曰
諸佛說法時不言是化身　經曰是名爲說者此證不說而不名說也
說故云是名爲說又起衆生尊重恭敬心由此二義令衆生得正行及恭敬
行故言是名爲說也此乃益常故名爲不動論偈曰以不如是說是故
彼說正也　經曰爾時世尊而說偈言者此下第五斷動靜相違疑
先標列　後偈頌　此標引也　經曰一切有爲法應作如是觀
者此偈頌也世親論曰復有疑若諸佛如來常爲衆生說法云何言
如來入涅槃答此明求前說何者若入涅槃則不說法若恒說法則
不入涅槃爲断此疑故說此偈論偈曰非有爲非離諸如來涅槃九
種有爲法妙智正觀故此明諸佛涅槃不在有爲不離有爲以智
故不住有爲以悲故不離有爲世親論云何故諸佛示現世間行而不住
有爲法中耶案有爲法中有九種無常相即是顛倒是故不住雖
復在中不爲所染論云九種有爲法妙智正觀故　一切有爲法者
此一句總舉諸法有二相速者皆名有爲則一切有爲不出九種如星等
者正出喻體有爲雖衆九種該之何等爲九即辟九法
九喻者　星　二翳　三燈　四幻　五露　六泡　七夢　八電　九雲如經所
列　九種法者　一見　二相　三識　四器　五身　六受　七過去法
八現在法　九未來法故世親論曰見相及於識器身受用事過去

九喻者 一星 二翳 三燈 四幻 五露 六泡 七夢 八電 九雲如經所
列 九種法者 一見 二相 三識 四器 五身 六受 七過去法
八現在法 九未來法故世親論曰見相及於識器身受用事過去
現在法亦觀未來世即以九喻對於九法如其次弟可知依無
著論東此九法以爲四種有爲相所謂自性相著所住味相隨
順過失相隨順出離相 前之三喻各辟一法是自性相謂相
塵識各有自體故次一約喻顯著所住味相謂器世間識所變
作無體實故次露泡二喻顯隨順過失相謂無常苦恒逐
故後之三喻顯隨順出離相謂二空無分別智離妄攀緣得出
離故無著論云如是知三世行轉生已則通達無我故 如星者此
喻諸見亦六內入世親論曰如辟如星宿爲日所暎有而不現能見心淨亦
介業能見則諸見無著論云共相見識也法性常有爲見所覆有而不
現如星在燭日出便隱諸見亦尓雖覆法性智即歷滅故如星也
翳者世親論曰如目有翳則見毛輪等色非有此喻能遍計心實無人
法妄計人法無著論云人法我見如翳應如是見何以故以取無我義
故猶塵也世親論喻相即所見外入但識變作似而非實妄說爲有故
如翳見此喻所遍計 燈者喻六識我愛爲體世親論云依貪愛
法住故無著論說渴愛潤取緣故熾然光依油炷新滅識亦如是依
愛而住念念無常 幻者喻器即器世間無實爲性盛貯爲用世親
論云器世間種種差別無一體實故業此由衆生業幻故見種種世
界差別隨衆生受用妄盡即無著論云味著顛倒境界故彼如幻
應如是見何以故以顛倒見故露者喻身以根塵爲體世親論說以少
時住故無著論云彼露辟喻者顯示顯相無有以隨順無常故露但在
陰見日便晞身雖覽停逢死必壞泡者喻所受用事世親論云以受
相因三法不定故業因即是行無著論云泡辟喻者顯示隨順苦體

陰見日便晞身雖暫停逢死必壞泡者喻所受用事世觀論云以受
相因三法不定故業因即是行無者論云泡譬喻者顯示隨順苦體
以受如泡故若有受皆是苦生故是苦苦破壞故是壞苦不相離故
是行苦夢者世觀論云又如夢過去法亦如是以唯念故謂諸法已
滅非證境但為憶持所緣故應觀如夢夢中無有五識證知若已
覺時意識復滅但憶念攝持體無所有以非有法故譬之如夢
電者喻現在法論曰又如電現在法亦如是剎那不住故譬如電光
緣衆所作不由功用念念自滅現法亦爾雖是有法由功用起不由功用
自然消滅以無恒隨非安心處故喻之如電　雲者喻未來法世親
論曰又如雲未來法亦如是以於子時阿賴耶識与一切法為種子
根本故此明無始時也故攝論曰此界無始時一切法依止等故謂
未來果報從種子生阿賴耶識生故未來果時但名種子遍滿
本識應觀如雲在空滿空而未有雨已竟雲即散滅若果報起
種子便謝故未來法約果未有故無所有如雲時未雨也故以譬雲
上來偈竟世親論曰觀此九種得何功德成就何功德論偈云觀
相及受用觀於三世事於有法中得無礙自在論釋有三一觀有
為法以觀見於識即前三法見謂諸淨識相是色陰識是識陰
此三是因見者依識緣相故起生死所以此三是因也二者觀受用
即是果果是生死死有三一受用處謂器世界二能受用即是身
三所受用即苦樂捨此三是果即中間三法三者觀有為行以何
等法三世轉差別故即前因果不離三世謂由過去無明行二因感
現在五果復由現在三因感未來生老死二果此即十二因緣如
別具述觀此因果等三即是三解脫門觀若見此九種無人無法
即空解脫門觀此九種皆空離於十相即無相解脫門若見此
空及無相由此九法成故即此知九法不可求欲即無願解脫門

即空解脫門觀此九種皆空離於十相即無相解脫門若見此
空及無相由此九法成故即此知九法不可求欲即無願解脫門
觀前二是真觀觀無願是俗觀約空無相二觀故起般若約
無願觀起大悲若但起般若不起大悲即同二乘若但起大悲
不起般若即同凡夫若依般若約俗行者此行不起菩薩由
了別有為過失故謂忘三事而行俗行故若約俗行真行者
亦不生菩薩由不怖畏涅槃故何以故能了別涅槃功德故若
並行真俗二行菩薩於生死涅槃得無礙自在謂無住處涅槃此
並行異前依真行俗依俗行真者謂並行自利利他即八地方成
初地菩薩猶未能恒尔也如来得此九觀所以不動上来廣明經
體彰即坐之益竟　経曰佛說是信受奉行者此下大文第三
流通也列衆多少已如上釋不復重論兩聖對揚四部蒙益是
故心喜而身躍信受以流通之若向前述者信則序分依稟
聖言故受則正宗奉持所說故奉行則流通逮遐代故

金剛般若疏卷下

切種智知一切法當習行般若波羅蜜佛
告舍利弗菩薩摩訶薩以不住法般
若波羅蜜中以无所捨法應具足檀那
波羅蜜施者受者及財物不可得故罪
不罪不可得故應具足尸羅波羅蜜心
不動故應具足羼提波羅蜜身心精進
不懈怠故應具足毗梨耶波羅蜜不亂不
味故應具足禪波羅蜜於一切法不著故應
具足般若波羅蜜菩薩摩訶薩以不住法
住般若波羅蜜中不生故應具足四念處
摩訶般若波羅蜜經奉鉢品第二
舍利弗言不也世尊佛告舍利弗菩薩摩
訶薩以方便力故化作五欲於中受樂成
就衆生亦復如是是菩薩摩訶薩不染
於欲種種因緣毀呰五欲為熾燃欲為穢惡
欲為毀壞欲為如怨是故舍利弗當知菩薩
為衆生故受五欲舍利弗白佛言菩薩摩
訶薩云何應行般若波羅蜜佛告舍利弗
菩薩摩訶薩行般若波羅蜜時不見菩
薩不見菩薩字不見般若波羅蜜亦不見
我行般若波羅蜜亦不見我不行般若波
羅蜜何以故菩薩字字性空空中无色无
受想行識離色亦无空離受想行識亦无

BD02229號　摩訶般若波羅蜜經鈔

（6–1）

菩薩摩訶薩行般若波羅蜜時不見菩
薩不見菩薩字不見般若波羅蜜亦不見
我行般若波羅蜜亦不見我不行般若波
羅蜜何以故菩薩字字性空空中无色无
受想行識離色亦无空離受想行識亦无
空空即是色色即是空空即是受想行
識受想行識即空何以故舍利弗但有名
字故謂為菩薩但有名字故謂為菩薩但
有名字故謂為空所以者何諸法實性无
生无滅无垢无淨故菩薩摩訶薩如是行
亦不見生亦不見滅亦不見垢亦不見淨
何以故名字是因緣和合作法但分別憶想
假名說是故菩薩摩訶薩行般若波羅蜜
時不見一切名字不見故不著
摩訶般若波羅蜜經往生品第四
作轉輪王值遇无量百千諸佛供養恭敬
尊重讚嘆舍利弗有菩薩摩訶薩常為
衆生以法照明亦以自照乃至阿耨多羅三藐
三菩提終不離照明舍利弗是菩薩摩訶薩
於佛法中已得尊重舍利弗以是故菩薩摩
訶薩行般若波羅蜜時身口意不淨不令妄
起舍利弗白佛言世尊云何菩薩身業不淨
口業不淨意業不淨佛告舍利弗若菩薩
摩訶薩作是念是身是口是意如是取
相作緣舍利弗是名菩薩身口意罪舍利
弗菩薩摩訶薩行般若波羅蜜時不得身
不得口不得意舍利弗菩薩摩訶薩行般
若波羅蜜時若得身得口得意利是得

BD02229號　摩訶般若波羅蜜經鈔

（6–2）

相住緣舍利弗是名菩薩身口意罪舍利
弗菩薩摩訶薩行般若波羅蜜時不得身
不得口不得意舍利弗菩薩摩訶薩行般
若波羅蜜時若得身得口得意用是得
身口意故能生慳心犯戒心瞋心懈怠心亂心
愚心當知是菩薩行六波羅蜜時不能除身
口意麁業舍利弗白佛言世尊菩薩摩訶
薩云何除身口意麁業佛告舍利弗若菩薩摩
訶薩不得身不得口不得意如是菩薩摩訶薩
能除身口意麁業復次舍利弗菩薩摩訶薩
從初發意行十善道不生聲聞心不生辟支
佛心如是菩薩摩訶薩能除身口意麁業
復次舍利弗有菩薩摩訶薩行般若波羅
蜜屖羼提波羅蜜毗梨耶波羅蜜禪波羅蜜舍
利弗白佛言世尊何等是菩薩摩訶
佛道佛告舍利弗佛道者若菩薩摩訶
不得身不得口不得意不得檀波羅蜜乃至
不得般若波羅蜜不得聲聞辟支佛不得菩
薩不得佛舍利弗是名菩薩摩訶薩佛道
所謂一切法不可得故舍利弗有菩薩摩
訶摩行六波羅蜜時无能壞者舍利弗白
佛言世尊云何菩薩摩訶薩行六波羅
蜜時无能壞者佛告舍利弗若菩薩摩
訶薩行六波羅蜜時不念有色乃至識不
念有眼乃至意不念有色乃至法不念有眼
界乃至法界不念有四念處乃至八聖道
分不念有檀波羅蜜乃至般若波羅蜜
不念有佛十力乃至十八不共法不念有

念有眼乃至意不念有色乃至法不念有眼
界乃至法界不念有四念處乃至八聖道
分不念有檀波羅蜜乃至般若波羅蜜
不念有佛十力乃至十八不共法不念有
須陁洹果乃至向羅漢果不念有辟支佛
乃至阿耨多羅三藐三菩提舍利弗菩薩
摩訶薩如是行增益六波羅蜜无能壞者
舍利弗有菩薩摩訶薩住般若波羅蜜
中具足智慧常不墮惡道不生弊惡人中
不作貧窮人所受身體不為天人阿脩羅
所增惡舍利弗白佛言世尊何等是菩
薩摩訶薩智慧佛告舍利弗菩薩摩訶
用是智慧成就見十方如恒河沙等諸
佛聖法見僧亦見嚴淨佛土菩薩摩訶
薩以是智慧不作佛想不作菩薩想不作
聲聞辟支佛想不作我想不作佛國想
用是智慧行檀波羅蜜亦不得檀波羅蜜
乃至行般若波羅蜜亦不得般若波羅蜜
行四念處亦不得四念處乃至行十八不
共法亦不得十八不共法舍利弗是名菩薩
摩訶薩智慧用是智慧能具足一切法
亦不得一切法舍利弗有菩薩摩訶薩行
般若波羅蜜時淨於五眼肉眼天眼慧眼
法眼佛眼舍利弗白佛言世尊云何菩
薩摩訶薩肉眼淨佛告舍利弗有菩薩
肉眼見百由旬有菩薩肉眼見二百由旬
有菩薩肉眼見一閻浮提有菩薩肉眼見

薩摩訶薩肉眼淨佛告舍利弗有菩薩
肉眼見百由旬有菩薩肉眼見二百由旬
有菩薩肉眼見一閻浮提有菩薩肉眼見
二天下三天下四天下有菩薩肉眼見小
千國土有菩薩肉眼見中千國土有
菩薩肉眼見三千大千國土舍利弗是為
菩薩摩訶薩肉眼淨舍利弗白佛言世
尊云何菩薩摩訶薩天眼淨佛告舍利
弗菩薩摩訶薩天眼見一切四天王天所
見見卅三天夜摩天兜率陁天化樂天他化
自在天所見見梵天王所見乃至阿迦尼
吒天所見菩薩天眼所見者四天王天乃阿
迦尼吒天所不知不見舍利弗是菩薩摩
訶薩天眼見十方如恒河沙等諸佛國土
中衆生死此生彼舍利弗是為菩薩摩
訶薩天眼淨舍利弗白佛言世尊云
何菩薩摩訶薩慧眼淨佛告舍利弗慧
眼菩薩不作是念有法若有為若无為若
世間若出世間若有漏若无漏是慧眼菩
薩无法不見无法不聞无法不知无法不
識舍利弗是為菩薩摩訶薩慧眼淨舍
利弗白佛言世尊云何菩薩摩訶薩法眼淨
佛告舍利弗菩薩摩訶薩以法眼知是人隨信
行是人隨法行是人无相行是人行空解脫門
得法眼淨舍利弗白佛言世尊云何菩
薩摩訶薩佛眼淨佛告舍利弗有菩薩摩
訶薩求佛道心次弟入如金剛三昧得一切種
智尒時成就十力四无所畏四无閡智十八

BD02229號　摩訶般若波羅蜜經鈔

（6–5）

薩摩訶薩佛眼淨佛告舍利弗有菩薩摩
訶薩求佛道心次弟入如金剛三昧得一切種
智尒時成就十力四无所畏四无閡智十八不
共法大慈大悲是菩薩摩訶薩用一切種
一切法中无法不見无法不聞无法不知无
法不識舍利弗是為菩薩摩訶薩得阿耨
多羅三藐三菩提時得佛眼淨如是舍利
弗菩薩摩訶薩欲得五眼當學六波羅蜜
何以故舍利弗是六波羅蜜中攝一切善法
若聲聞法辟支佛法菩薩法佛法舍利弗若
有實語能攝一切善法者般若波羅蜜是
舍利弗般若波羅蜜能生五眼菩薩學五
眼者得阿耨多羅三藐三菩提

摩訶般若波羅蜜經勸學品第八

如是舍利弗菩薩摩訶薩行般若波羅蜜
得是心不應念不應高无等等心不應念
不應高大心不應念不應高大何以故是心
非心心相常淨故舍利弗語須菩提云何名
心相常淨須菩提言若菩薩知是心相與
婬怒癡不合不離諸纏流轉等諸結使一切
煩惱不合不離聲聞辟支佛心不合不離
舍利弗是名菩薩心相常淨舍利弗語須
菩提有是无心相心不須菩提報舍利弗言无
心相中有心相无心相可得不舍利弗言不可
得須菩提言若不可得不應問有是无心非

BD02229號　摩訶般若波羅蜜經鈔

（6–6）

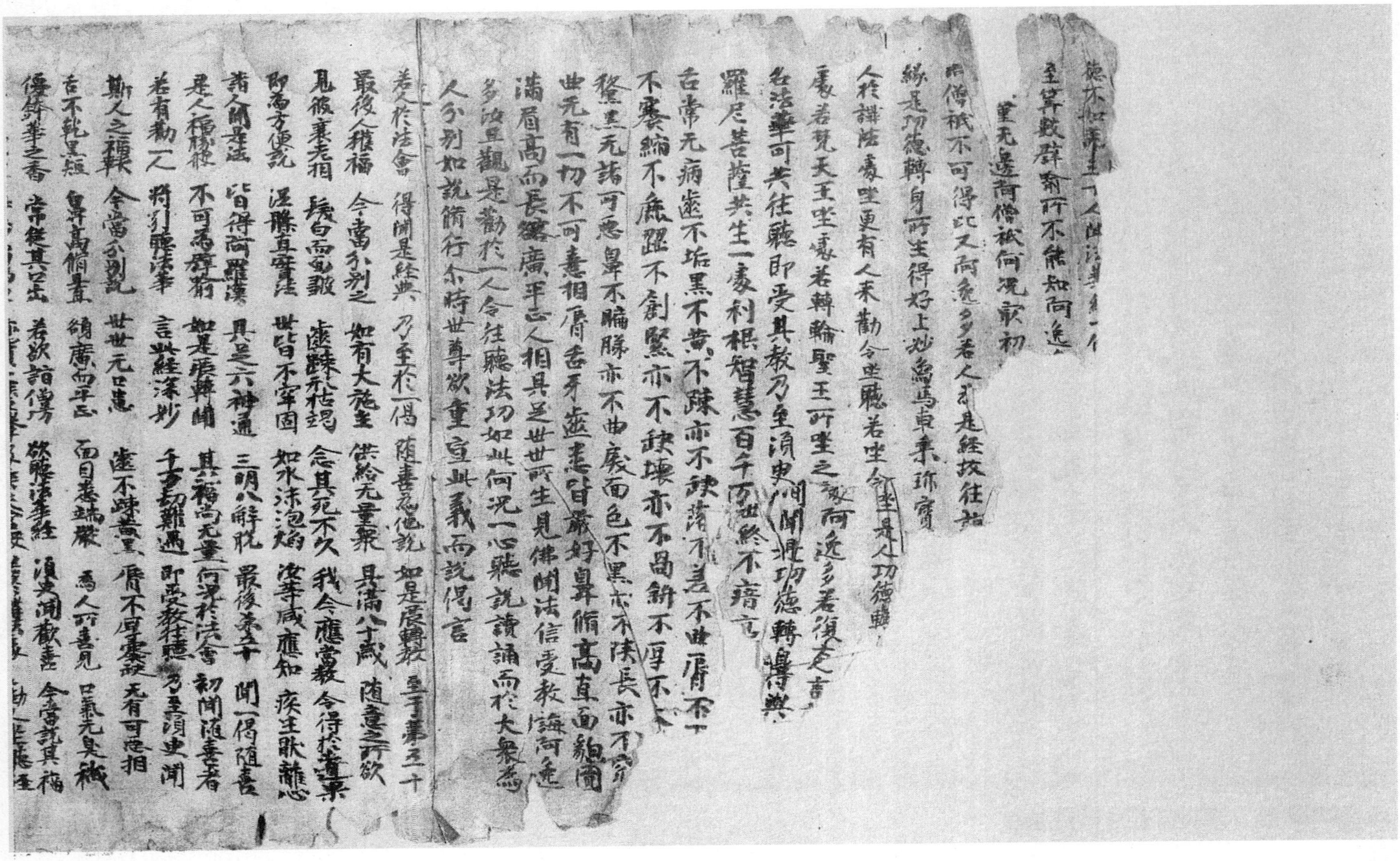

BD02230 號　妙法蓮華經卷六　（14–1）

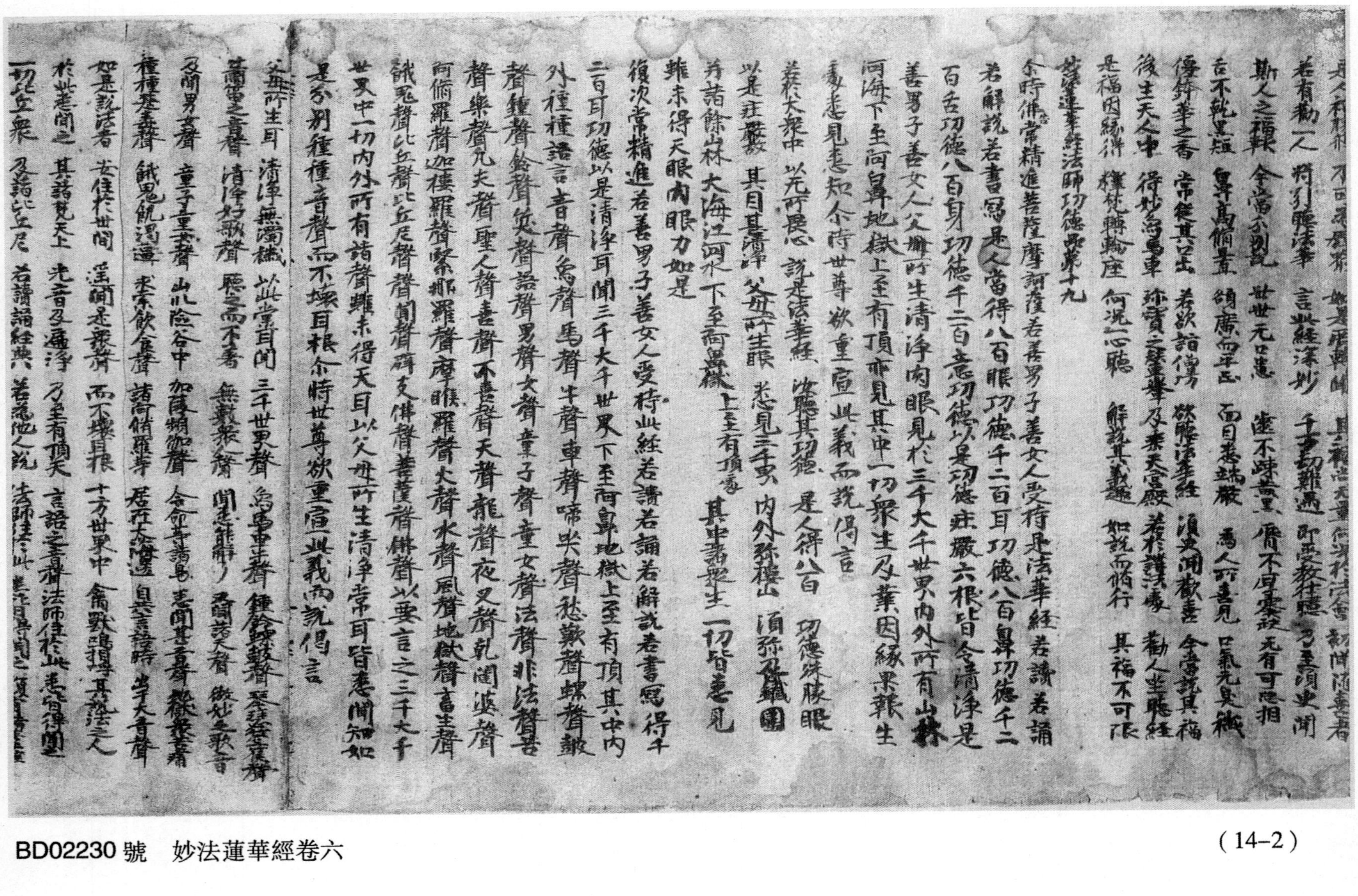

BD02230 號　妙法蓮華經卷六　（14–2）

及聞男女聲　童子童女聲　山川險谷中　迦陵頻伽聲　命命等諸鳥　悉聞其音聲　地獄衆苦痛
種種楚毒聲　餓鬼飢渴逼　求索飲食聲　諸阿修羅等　居在大海邊　自共言語時　出于大音聲
如是說法者　安住於此間　遙聞是衆聲　而不壞耳根　十方世界中　禽獸鳴相呼　其說法之人
於此悉聞之　其諸梵天上　光音及遍淨　乃至有頂天　言語之音聲　法師住於此　悉皆得聞之
一切比丘衆　及諸比丘尼　若讀誦經典　若為他人說　法師住於此　悉皆得聞之　復有諸菩薩
讀誦於經法　若為他人說　撰集解其義　如是諸音聲　悉皆得聞之　諸佛大聖尊　教化衆生者
於諸大會中　演說微妙法　持此法華者　悉皆得聞之　三千大千界　內外諸音聲　下至阿鼻獄
上至有頂天　皆聞其音聲　而不壞耳根　其耳聰利故　悉能分別知　持是法華者　雖未得天耳
但用所生耳　功德已如是
復次常精進若善男子善女人受持是經若讀若誦若解說若書寫成就
八百鼻功德以是清淨鼻根聞於三千大千世界上下內外種種諸香須
曼那華香闍提華香末利華香瞻蔔華香波羅羅華香赤蓮華香
青蓮華香白蓮華香華樹香果樹香栴檀香沈水香多摩羅跋香
多伽羅香及千萬種和香若末若丸若塗香持是經者於此間住悉
能分別又復別知衆生之香象香馬香牛羊等香男香女香童子
香童女香及草木叢林香若近若遠所有諸香悉皆得聞分別不
錯持是經者雖住於此亦聞天上諸天之香波利質多羅拘鞞陀羅
樹香及曼陀羅華香摩訶曼陀羅華香曼殊沙華香摩訶曼
殊沙華香栴檀沈水種種末香諸雜華香如是等天香和合所出
之香無不聞知又聞諸天身香釋提桓因在勝殿上五欲娛樂嬉戲
時香若在妙法堂上為忉利諸天說法時香若於諸園遊戲時香
及餘天等男女身香皆悉遙聞如是展轉乃至梵世上至有頂諸天
身香亦皆聞之并聞諸天所燒之香及聲聞香辟支佛香菩薩香
諸佛身香亦皆遙聞知其所在雖聞此香然於鼻根不壞不錯若欲分
別為他人說憶念不謬爾時世尊欲重宣此義而說偈言
是人鼻清淨　於此世界中　若香若臭物　種種悉聞知　須曼那闍提　多摩羅栴檀
沈水及桂香　種種華菓香　及知衆生香　男子女人香　說法者遠住　聞香知所在
大勢轉輪王　小轉輪及子　群臣諸宮人　聞香知所在　身所著珍寶　及地中寶藏
轉輪王寶女　聞香知所在　諸人嚴身具　衣服及瓔珞　種種所塗香　聞香知其身
諸天若行坐　遊戲及神變　持是法華者　聞香悉能知　諸樹華菓實　及蘇油香氣
持經者住此　悉知其所在　諸山深險處　栴檀樹花敷　衆生在中者　聞香皆能知
鐵圍山大海　地中諸衆生　持經者聞香　悉知其所在　阿修羅男女　及其諸眷屬

BD02230號　妙法蓮華經卷六　　（14–3）

沈水及桂香　種種華菓香　及知衆生香　男子女人香　說法者遠住　聞香知所在
大勢轉輪王　小轉輪及子　群臣諸宮人　聞香知所在　身所著珍寶　及地中寶藏
轉輪王寶女　聞香知所在　諸人嚴身具　衣服及瓔珞　種種所塗香　聞香知其身
諸天若行坐　遊戲及神變　持是法華者　聞香悉能知　諸樹華菓實　及蘇油香氣
持經者住此　悉知其所在　諸山深險處　栴檀樹花敷　衆生在中者　聞香皆能知
鐵圍山大海　地中諸衆生　持經者聞香　悉知其所在　阿修羅男女　及其諸眷屬
闘諍遊戲時　聞香皆能知　曠野險隘處　師子象虎狼　野牛水牛等　聞香知所在
若有懷妊者　未辯其男女　無根及非人　聞香悉能知　以聞香力故　知其初懷妊
成就不成就　安樂產福子　以聞香力故　知男女所念　染欲癡恚心　亦知修善者
地中衆伏藏　金銀諸珍寶　銅器之所盛　聞香悉能知　種種諸瓔珞　無能識其價
聞香知貴賤　出處及所在　天上諸華等　曼陀曼殊沙　波利質多樹　聞香悉能知
天上諸宮殿　上中下差別　衆寶華莊嚴　聞香悉能知　天園林勝殿　諸觀妙法堂
在中而娛樂　聞香悉能知　諸天若聽法　或受五欲時　來往行坐臥　聞香悉能知
天女所著衣　好華香莊嚴　周旋遊戲時　聞香悉能知　如是展轉上　乃至於梵世
入禪出禪者　聞香悉能知　光音遍淨天　乃至于有頂　初生及退沒　聞香悉能知
諸比丘衆等　於法常精進　若坐若經行　及讀誦經典　或在林樹下　專精而坐禪
持經者聞香　悉知其所在　菩薩志堅固　坐禪若讀誦　或為人說法　聞香悉能知
在在方世尊　一切所恭敬　愍衆而說法　聞香悉能知　衆生在佛前　聞經皆歡喜
如法而修行　聞香悉能知　雖未得菩薩　無漏法生鼻　而是持經者　先得此鼻相
復次常精進若善男子善女人受持是經若讀若誦若解說若書寫得
千二百舌功德若好若醜若美不美及諸苦澀物在其舌根皆變成上
味如天甘露無不美者若以舌根於大衆中有所演說出深妙聲能入其心
皆令歡喜快樂又諸天子天女釋梵諸天聞是深妙音聲有所演說言
論次第皆悉來聽及諸龍龍女夜叉夜叉女乾闥婆乾闥婆女阿修羅阿修
羅女迦樓羅迦樓羅女緊那羅緊那羅女摩睺羅伽摩睺羅伽女為聽
法故皆來親近恭敬供養及比丘比丘尼優婆塞優婆夷國王王子
群臣眷屬小轉輪王大轉輪王七寶千子內外眷屬乘其宮殿俱來
聽法以是菩薩善說法故婆羅門居士國內人民盡其形壽隨侍供養又
諸聲聞辟支佛菩薩諸佛常樂見之是人所在方面諸佛皆向其處說
法悉能受持一切佛法又能出於深妙法音爾時世尊欲重宣此義而說偈
言　是人舌根淨　終不受惡味　其有所食噉　悉皆成甘露　以深淨妙聲
於大衆說法　以諸因緣喻　引導衆生心　聞者皆歡喜　設諸上供養　諸天龍夜叉
及阿修羅等　皆以恭敬心　而共來聽法　是說法之人　若欲以妙音　遍滿三千界

BD02230號　妙法蓮華經卷六　　（14–4）

言　是人舌根淨　終不受惡味　其有所食噉　悉皆成甘露　以深淨妙聲
於大衆說法　以諸因緣喻　引導衆生心　聞者皆歡喜　設諸上供養　諸天龍夜叉
及阿脩羅等　皆以恭敬心　而共來聽法　是說法之人　若欲以妙音　遍滿三千界
隨意即能至　大小轉輪王　及千子眷屬　合掌恭敬心　常來聽受法　諸天龍夜叉
羅剎毗舍闍　亦以歡喜心　常樂來供養　梵天王魔王　自在大自在　如是諸天衆
常來至其所　諸佛及弟子　聞其說法音　常念而守護　或時為現身
復次常精進若善男子善女人受持是經若讀若誦若解說若書寫得
八百身功德得清淨身如淨瑠璃衆生憙見其身淨故三千大千世界
衆生生時死時上下好醜生善處惡處悉於中現及鐵圍山大鐵圍山彌
樓山摩訶彌樓山等諸山及其中衆生悉於中現下至阿鼻地獄上至有頂
所有及衆生悉於中現若聲聞辟支佛菩薩諸佛說法皆於身中現其
色像尒時世尊欲重宣此義而說偈言
若持法華者　其身甚清淨　如彼淨瑠璃　衆生皆憙見　又如淨明鏡　悉見諸色像
菩薩於淨身　皆見世所有　唯獨自明了　餘人所不見　三千世界中　一切諸群萌
天人阿脩羅　地獄鬼畜生　如是諸色像　皆於身中現　諸天等宮殿　乃至於有頂
鐵圍及彌樓　摩訶彌樓山　諸大海水等　皆於身中現　諸佛及聲聞　佛子菩薩等
若獨若在衆　說法悉皆現　雖未得無漏　法性之妙身　以清淨常體　一切於中現
復次常精進若善男子善女人如來滅後受持是經若讀若誦若解說若
書寫得千二百意功德以是清淨意根乃至聞一偈一句通達無量無邊
之義解是義已能演說一句一偈至於一月四月乃至一歲諸所說法隨
其義趣皆與實相不相違背若說俗間經書治世語言資生業等
皆順正法三千大千世界六趣衆生心之所行心所動作心所戲論皆悉知之
雖未得無漏智慧而其意根清淨如此是人有所思惟籌量言說皆
是佛法無不真實亦是先佛經中所說尒時世尊欲重宣此義而說偈言
是人意清淨　明利無穢濁　以此妙意根　知上中下法　乃至聞一偈　通達無量義
次第如法說　月四月至歲　是世界內外　一切諸衆生　若天龍及人　夜叉鬼神等
其在六趣中　所念若干種　持法華之報　一時皆悉知　十方無數佛　百福莊嚴相
為衆生說法　悉聞能受持　思惟無量義　說法亦無量　終始不忘錯　以持法華故
悉知諸法相　隨義識次第　達名字語言　如所知演說　此人有所說　皆是先佛法
以演此法故　於衆無所畏　持法華經者　意根淨若斯　雖未得無漏　先有如是相
是人持此經　安住希有地　為一切衆生　歡喜而愛敬　能以千萬種　善巧之語言

BD02230號　妙法蓮華經卷六　（14–5）

其在六趣中　所念若干種　持法華之報　一時皆悉知　十方無數佛　百福莊嚴相
為衆生說法　悉聞能受持　思惟無量義　說法亦無量　終始不忘錯　以持法華故
悉知諸法相　隨義識次第　達名字語言　如所知演說　此人有所說　皆是先佛法
以演此法故　於衆無所畏　持法華經者　意根淨若斯　雖未得無漏　先有如是相
是人持此經　安住希有地　為一切衆生　歡喜而愛敬　能以千萬種　善巧之語言
分別而說法　持法華經故
妙法蓮華經常不輕菩薩品第二十
尒時佛告得大勢菩薩摩訶薩汝今當知若比丘比丘尼優婆塞
優婆夷持法華經者若有惡口罵詈誹謗獲大罪報如前所說其所得
功德如向所說眼耳鼻舌身意清淨得大勢乃往古昔過無量無邊不
可思議阿僧祇劫有佛名威音王如來應供正遍知明行足善逝世間
解無上士調御丈夫天人師佛世尊劫名離衰國名大成其威音王佛於
彼世中為天人阿脩羅說法為求聲聞者說應四諦法度生老病死究
竟涅槃為求辟支佛者說應十二因緣法為諸菩薩因阿耨多羅三藐
三菩提說應六波羅蜜法究竟佛慧得大勢是威音王佛壽四十
萬億那由他恒河沙劫正法住世劫數如一閻浮提微塵像法住世劫
數如四天下微塵其佛饒益衆生已然後滅度正法像法滅盡之後於
此國土復有佛出亦號威音王如來應供正遍知明行足善逝世間解無
上士調御丈夫天人師佛世尊如是次第有二万億佛皆同一號最
初威音王如來既已滅度正法滅後於像法中增上慢比丘有大勢
力尒時有一菩薩比丘名常不輕得大勢以何因緣名常不輕是比
丘凡有所見若比丘比丘尼優婆塞優婆夷皆悉禮拜讚歎而作
是言我深敬汝等不敢輕慢所以者何汝等皆行菩薩道當得作佛
而是比丘不專讀誦經典但行禮拜乃至遠見四衆亦復故往禮拜讚
歎而作是言我不敢輕於汝等汝等皆當作佛四衆之中有生瞋恚心不淨
者惡口罵詈言是無智比丘從何所來自言我不輕汝而與我等授記當
得作佛我等不用如是虛妄授記如此經歷多年常被罵詈不生瞋恚
常作是言汝當作佛說是語時衆人或以杖木瓦石而打擲之避走遠住猶高
聲唱言我不敢輕於汝等汝等皆當作佛以其常作是語故增上慢比丘比丘尼優
婆塞優婆夷號之為常不輕是比丘臨欲終時於虛空中具聞威音王佛
先所說法華經二十千萬億偈悉能受持即得如上眼根清淨耳鼻舌
身意根清淨得是六根清淨已更增壽命二百萬億那由他歲廣為

BD02230號　妙法蓮華經卷六　（14–6）

聲唱言我不敢輕汝等皆當作佛以其常作是語故增上慢比丘比丘尼優
婆塞優婆夷号之為常不輕是比丘臨欲終時於虛空中具聞威音王佛
先所說法華經二十千萬億偈悉能受持即得如上眼根清淨耳鼻舌
身意根清淨得是六根清淨已更增壽命二百萬億那由他歲廣為
人說是法華經於時增上慢四眾比丘比丘尼優婆塞優婆夷輕賤是人
為作不輕名者見其得大神通力樂說辯力大善寂力聞其所說皆信伏隨
從是菩薩復化千万億眾令住阿耨多羅三藐三菩提命終之後得值二千
億佛皆号日月燈明於其法中說是法華經以是因緣復值二千佛同号
雲自在燈王於此諸佛法中受持讀誦為諸四眾說此經典故得是常眼
清淨於四眾中說法心无所畏得大勢是常不輕菩薩摩訶薩供養如是
若干諸佛恭敬尊重讚歎種諸善根於後復值千万億佛亦於諸佛法中說
是經典功德成就當得作佛得大勢於汝意云何尒時常不輕菩薩豈異人
乎則我身是若我於宿世不受持讀誦此經為他人說者不能疾得阿
耨多羅三藐三菩提我於先佛所受持讀誦此經為人說故疾得
阿耨多羅三藐三菩提得大勢彼時四眾比丘比丘尼優婆塞優婆
夷以瞋恚意輕賤我故二百億劫常不值佛不聞法不見僧千劫
於阿鼻地獄受大苦惱畢是罪已復遇常不輕菩薩教化阿耨多羅三
藐三菩提得大勢於意云何尒時四眾常輕是菩薩者豈異人乎今
此會中跋陀婆羅等五百菩薩師子月等五百比丘尼思佛等五百優
婆塞皆於阿耨多羅三藐三菩提不退轉者是得大勢當知是法華
經大饒益諸菩薩摩訶薩能令至於阿耨多羅三藐三菩提是故諸
菩薩摩訶薩於如來滅後常應受持讀誦解說書寫是經尒時世尊
欲重宣此義而說偈言

過去有佛　号威音王　神智無量　將導一切　天人龍神　所共供養　是佛滅後　法欲盡時
有一菩薩　名常不輕　時諸四眾　計著於法　不輕菩薩　往到其所　而語之言　我不輕汝
汝等行道　皆當作佛　諸人聞已　輕毀罵詈　不輕菩薩　能忍受之　其罪畢已　臨命終時
得聞此經　六根清淨　神通力故　增益壽命　復為諸人　廣說是經　諸著法眾　皆蒙菩薩
教化成就　令住佛道　不輕命終　值無數佛　說是經故　得無量福　漸具功德　疾成佛道
彼時不輕　則我身是　時四部眾　著法之者　聞不輕言　汝當作佛　以是因緣　值無數佛
此會菩薩　五百之眾　并及四部　清信士女　今於我前　聽法者是　我於前世　勸是諸人
聽受斯經　第一之法　開示教人　令住涅槃　世世受持　如是經典　億億萬劫　至不可議
時乃得聞　是法華經　億億萬劫　至不可議　諸佛世尊　時說是經　是故行者　於佛滅後

BD02230號　妙法蓮華經卷六

(14–7)

教化成就　令住佛道　不輕命終　值無數佛
彼時不輕　則我身是　時四部眾　著法之者　聞不輕言　汝當作佛　以是因緣　值無數佛
此會菩薩　五百之眾　并及四部　清信士女　今於我前　聽法者是　我於前世　勸是諸人
聽受斯經　第一之法　開示教人　令住涅槃　世世受持　如是經典　億億萬劫　至不可議
時乃得聞　是法華經　億億萬劫　至不可議　諸佛世尊　時說是經　是故行者　於佛滅後
聞如是經　勿生疑惑　應當一心　廣說此經　世世值佛　疾成佛道

妙法蓮華經如來神力品第二十一

尒時千世界微塵等菩薩摩訶薩從地踊出者皆於佛前一心合掌瞻仰尊顏
而白佛言世尊我等於佛滅後世尊分身所在國土滅度之處當廣說此經所以者
何我等亦自欲得是真淨大法受持讀誦解說書寫而供養之尒時世尊於文
殊師利等無量百千萬億舊住娑婆世界菩薩摩訶薩及諸比丘比丘尼優婆塞
優婆夷天龍夜叉乾闥婆阿脩羅迦樓羅緊那羅摩睺羅伽人非人等一切
眾前現大神力出廣長舌上至梵世一切毛孔放於無量無數色光皆悉遍照
十方世界眾寶樹下師子座上諸佛亦復如是出廣長舌放無量光釋迦牟尼佛
及寶樹下諸佛現神力時滿百千歲然後還攝舌相一時謦欬俱共彈指是二
音聲遍至十方諸佛世界地皆六種震動其中眾生天龍夜叉乾闥婆阿脩
羅迦樓羅緊那羅摩睺羅伽人非人等以佛神力故皆見此娑婆世界無量
無邊百千万億眾寶樹下師子座上諸佛及見釋迦牟尼佛共多寶如來在
寶塔中坐師子座又見無量無邊百千萬億菩薩摩訶薩及諸四眾恭
敬圍繞釋迦牟尼佛既見是已皆大歡喜得未曾有即時諸天於虛空中
高聲唱言過此無量無邊百千万億阿僧祇世界有國名娑婆是中有佛
名釋迦牟尼今為諸菩薩摩訶薩說大乘經名妙法蓮華教菩薩法佛
所護念汝等當深心隨喜亦當禮拜供養釋迦牟尼佛彼諸眾生聞虛
空中聲已合掌向娑婆世界作如是言南無釋迦牟尼佛南無釋迦牟尼佛
以種種華香瓔珞幡蓋及諸嚴身之具珍寶妙物皆共遙散娑婆世界所
散諸物從十方來譬如雲集變成寶帳遍覆此間諸佛之上于時十方世界通
達無礙如一佛土尒時佛告上行等菩薩大眾諸佛神力如是無量無邊不可
思議若我以是神力於無量無邊百千万億阿僧祇劫為屬累故說此經功德猶
不能盡以要言之如來一切所有之法如來一切自在神力如來一切祕要之藏
如來一切甚深之事皆於此經宣示顯說是故汝等於如來滅後應一心受持
讀誦解說書寫如說修行所在國土若有受持讀誦解說書寫如說修行若經

BD02230號　妙法蓮華經卷六

(14–8)

不能盡以要言之如來一切所有之法如來一切自在神力如來一切秘要之藏
如來一切甚深之事皆於此經宣示顯說是故汝等於如來滅後應一心受持
讀誦解說書寫如說修行所在國土若有受持讀誦解說書寫如說修行若經
卷所住之處若於園中若於林中若於樹下若於僧坊若白衣舍若在殿堂若
山谷曠野是中皆應起塔供養所以者何當知是處即是道場諸佛於此得阿
耨多羅三藐三菩提諸佛於此轉于法輪諸佛於此而般涅槃尒時世尊欲
重宣此義而說偈言　諸佛救世者　住於大神通　為悅眾生故　現無量神力
舌相至梵天　身放無數光　為求佛道者　現此希有事　諸佛謦欬聲　周聞十方國
地皆六種動　以佛滅度後　能持是經故　諸佛皆歡喜　現無量神力　囑累是經故
讚美受持者　於無量劫中　猶故不能盡　是人之功德　無邊無有窮　如十方虛空
不可得邊際　能持是經者　則為已見我　亦見多寶佛　及諸分身者　又見我今日
教化諸菩薩　能持是經者　令我及分身　滅度多寶佛　一切皆歡喜　十方現在佛
并過去未來　亦見亦供養　亦令得歡喜　諸佛坐道場　所得秘要法　能持是經者
不久亦當得　能持是經者　於諸法之義　名字及言辭　樂說無窮盡　如風於空中
一切無障礙　於如來滅後　知佛所說經　因緣及次第　隨義如實說　如日月光明
能除諸幽冥　斯人行世間　能滅眾生闇　教無量菩薩　畢竟住一乘　是故有智者
聞此功德利　於我滅度後　應受持斯經　是人於佛道　決定無有疑

妙法蓮華經囑累品第二十二　尒時釋迦牟尼佛從法座起現大神力以右
手摩無量菩薩摩訶薩頂而作是言我於無量百千万億阿僧祇劫修習是
難得阿耨多羅三藐三菩提法今以付囑汝等汝等應當一心流布此法廣令增
益如是三摩諸菩薩摩訶薩頂而作是言我於無量百千万億阿僧祇劫修習
是難得阿耨多羅三藐三菩提法今以付囑汝等汝等當受持讀誦廣宣此法令
一切眾生普得聞知所以者何如來有大慈悲無諸慳悋亦無所畏能與眾生佛之
智慧如來智慧自然智慧如來是一切眾生之大施主汝等亦應隨學如來之法
勿生慳悋於未來世若有善男子善女人信如來智慧者當為演說此法華經
使得聞知為令其人得佛慧故若有眾生不信受者當於如來餘深法中
示教利喜汝等若能如是則為已報諸佛之恩時諸菩薩摩訶薩聞佛作是
說已皆大歡喜遍滿其身益加恭敬曲躬低頭合掌向佛俱發聲言如世
尊勑當具奉行唯然世尊願不有慮諸菩薩摩訶薩眾如是三反俱發
聲言如世尊勑當具奉行唯然世尊願不有慮尒時釋迦牟尼佛令十方來
諸分身佛各還本土而作是言諸佛各隨所安多寶佛塔還可如故說是

BD02230號　妙法蓮華經卷六　（14-9）

示教利喜汝等若能如是則為已報諸佛之恩時諸菩薩摩訶薩聞佛作是
說已皆大歡喜遍滿其身益加恭敬曲躬低頭合掌向佛俱發聲言如世
尊勑當具奉行唯然世尊願不有慮諸菩薩摩訶薩眾如是三反俱發
聲言如世尊勑當具奉行唯然世尊願不有慮尒時釋迦牟尼佛令十方來
諸分身佛各還本土而作是言諸佛各隨所安多寶佛塔還可如故說是
語時十方無量分身諸佛坐寶樹下師子座上者及多寶佛并上行等無邊阿
僧祇菩薩大眾舍利弗等聲聞四眾及一切世間天人阿脩羅等聞佛所說皆大歡喜

妙法蓮華經藥王菩薩本事品第二十三
尒時宿王華菩薩白佛言世尊藥王菩薩云何遊於娑婆世界世尊是藥王
菩薩有若干百千万億那由他難行苦行善哉世尊願少解說諸天龍神
夜叉乾闥婆阿脩羅迦樓羅緊那羅摩睺羅伽人非人等又他方國土諸
來菩薩及此聲聞眾聞皆歡喜尒時佛告宿王華菩薩乃往過去無量恒
河沙劫有佛号日月淨明德如來應供正遍知明行足善逝世間解無上士
調御丈夫天人師佛世尊其佛有八十億大菩薩摩訶薩七十二恒河沙大聲聞
眾佛壽四万二千劫菩薩壽命亦等彼國無有女人地獄餓鬼畜生阿脩羅等
及以諸難地平如掌琉璃所成寶樹莊嚴寶帳覆上垂寶華幡寶瓶香
鑪周遍國界七寶為臺一樹一臺其樹去臺盡一箭道此諸寶樹皆有菩
薩聲聞而坐其下諸寶臺上各有百億諸天作天伎樂歌歎於佛以為供養
尒時彼佛為一切眾生憙見菩薩及眾菩薩諸聲聞眾說法華經是一切眾
生憙見菩薩樂習苦行於日月淨明德佛法中精進經行一心求佛滿万二
千歲已得現一切色身三昧得此三昧已心大歡喜即作念言我得現一切色身三
昧皆是得聞法華經力我今當供養日月淨明德佛及法華經即時入是三
昧於虛空中雨曼陀羅華摩訶曼陀羅華細末堅黑栴檀滿虛空中如雲
而下又雨海此岸栴檀之香此香六銖價直娑婆世界以供養佛作是供
養已從三昧起而自念言我雖以神力供養於佛不如以身供養即服諸香栴檀
薰陸兜樓婆畢力迦沉水膠香又飲瞻蔔諸華香油滿千二百歲已香油
塗身於日月淨明德佛前以天寶衣而自纏身灌諸香油以神通力願而自然身
光明遍照八十億恒河沙世界其中諸佛同時讚言善哉善哉善男子是真精
進是名真法供養如來若以華香瓔珞燒香末香塗香天繒幡蓋及海此岸栴
檀之香如是種種諸物供養所不能及假使國城妻子布施亦所不及善男子是
名第一之施於諸施中最尊最上以法供養諸如來故作是語已而各默然其身火
然千二百歲過是已後其身乃盡一切眾生憙見菩薩作如是法供養已命終之後復
生日月淨明德佛國中於淨德王家結加趺坐忽然化生即為其父而說偈言

BD02230號　妙法蓮華經卷六　（14-10）

進是名真法供養如來若以香華瓔珞燒香抹香塗香天繒幡蓋及海此岸栴
檀之香如是種種諸物供養所不能及假使國城妻子布施亦所不及善男子是
名第一之施於諸施中最尊最上以法供養諸如來故作是語已而各默然其身火
然千二百歲過是已後其身乃盡一切眾生喜見菩薩作如是法供養已命終之後復
生日月淨明德佛國中於淨德王家結跏趺坐忽然化生即為其父而說偈言
大王今當知　我經行彼處　即時得一切　現諸身三昧　勤行大精進　捨所愛之身
說是偈已而白父言日月淨明德佛今故現在我先供養佛已得解一切眾生語
言陀羅尼復聞是法華經八百千萬億那由他甄迦羅頻婆羅阿閦婆等偈
大王我今當還供養此佛白已即坐七寶之臺上昇虛空高七多羅樹往到佛所
頭面禮足合十指爪以偈讚佛
容顏甚奇妙　光明照十方　我適曾供養　今復還親覲
尒時一切眾生喜見菩薩說是偈已而白佛言世尊世尊猶故在世尒時日月德
佛告一切眾生喜見菩薩善男子我涅槃時到滅盡時至汝可安施牀座我
於今夜當般涅槃又勅一切眾生喜見菩薩善男子我以佛法囑累於汝
及諸菩薩大弟子并阿耨多羅三藐三菩提法亦以三千大千七寶世界
諸寶樹寶臺及給侍諸天悉付於汝我滅度後所有舍利亦付囑汝當令
流布廣設供養應起若干千塔如是日月淨明德佛勅一切眾生喜見菩
薩已於夜後分入於涅槃尒時一切眾生喜見菩薩見佛滅度悲感懊惱
戀慕於佛即以海此岸栴檀為𧂐供養佛身而以燒之火滅已後收取舍
利作八萬四千寶瓶以起八萬四千塔高三世界表剎莊嚴垂諸幡蓋
懸眾寶鈴尒時一切眾生喜見菩薩復自念言我雖作是供養心猶
未足我今當更供養舍利便語諸菩薩大弟子及天龍夜叉等一切
大眾汝等當一心念我今供養日月淨明德佛舍利作是語已即於八
萬四千塔前然百福莊嚴臂七萬二千歲而以供養令无數求聲聞眾
无量阿僧祇人發阿耨多羅三藐三菩提心皆使得住現一切色身三昧尒
時諸菩薩天人阿脩羅等見其無臂憂惱悲哀而作是言此一切眾生喜
見菩薩是我等師教化我者而今燒臂身不具足于時一切眾生喜見菩薩
於大眾中立此誓言我捨兩臂必當得佛金色之身若實不虛令我兩臂
還復如故作是誓已自然還復由斯菩薩福德智慧淳厚所致當尒之時
三千大千世界六種震動天雨寶華一切人天得未曾有佛告宿王華菩薩
於汝意云何一切眾生喜見菩薩豈異人乎今藥王菩薩是也其所捨身
布施如是無量百千萬億那由他數宿王華若有發心欲得阿耨多羅三藐

BD02230號　妙法蓮華經卷六

還復如故作是誓已自然還復由斯菩薩福德智慧淳厚所致當尒之時
三千大千世界六種震動天雨寶華一切人天得未曾有佛告宿王華菩薩
於汝意云何一切眾生喜見菩薩豈異人乎今藥王菩薩是也其所捨身
布施如是無量百千萬億那由他數宿王華若有發心欲得阿耨多羅三藐
三菩提者能然手指乃至足一指供養佛塔勝以國城妻子及三千大千國土
山林河池諸珍寶物而供養者若復有人以七寶滿三千大千世界供養於
佛及大菩薩辟支佛阿羅漢是人所得功德不如受持此法華經乃至一
四句偈其福最多宿王華譬如一切川流江河諸水之中海為第一此法華
經亦復如是於諸如來所說經中最為深大又如土山黑山小鐵圍山大鐵
圍山及十寶山眾山之中須彌山為第一此法華經亦復如是於諸經中最為其
上又如眾星之中月天子最為第一此法華經亦復如是於千萬億種諸經法
中最為照明又如日天子能除諸闇此經亦復如是能破一切不善之闇又如
諸小王中轉輪聖王最為第一此經亦復如是於眾經中最為其尊又如
帝釋於三十三天中王此經亦復如是諸經中王又如大梵天王一切眾生
之父此經亦復如是一切賢聖學無學及發菩薩心者之父又如一切凡夫人
中須陀洹斯陀含阿那含阿羅漢辟支佛為第一此經亦復如是一切如來
所說若菩薩所說若聲聞所說諸經法中最為第一有能受持是經典者亦復如是於
一切眾生中亦為第一一切聲聞辟支佛中菩薩為第一此經亦復如是於
一切諸經法中最為第一如佛為諸法王此經亦復如是諸經中王宿王華此
經能救一切眾生者此經能令一切眾生離諸苦惱此經能大饒益一切眾
生充滿其願如清涼池能滿一切諸渴乏者如寒者得火如裸者得衣如
商人得主如子得母如渡得船如病得醫如闇得燈如貧得寶如民得王
如賈客得海如炬除闇此法華經若自書若使人書所得功德以佛智慧
籌量多少不得其邊若書是經卷華香瓔珞燒香抹香塗香幡蓋
衣服種種之燈蘇燈油燈諸香油燈瞻蔔油燈須曼那油燈波羅羅油燈婆
利師迦油燈那婆摩利油燈供養所得功德亦復無量宿王華若有人聞是藥
王菩薩本事品者亦得無量無邊功德若有女人聞是藥王菩薩本事品
[illegible]

BD02230號　妙法蓮華經卷六

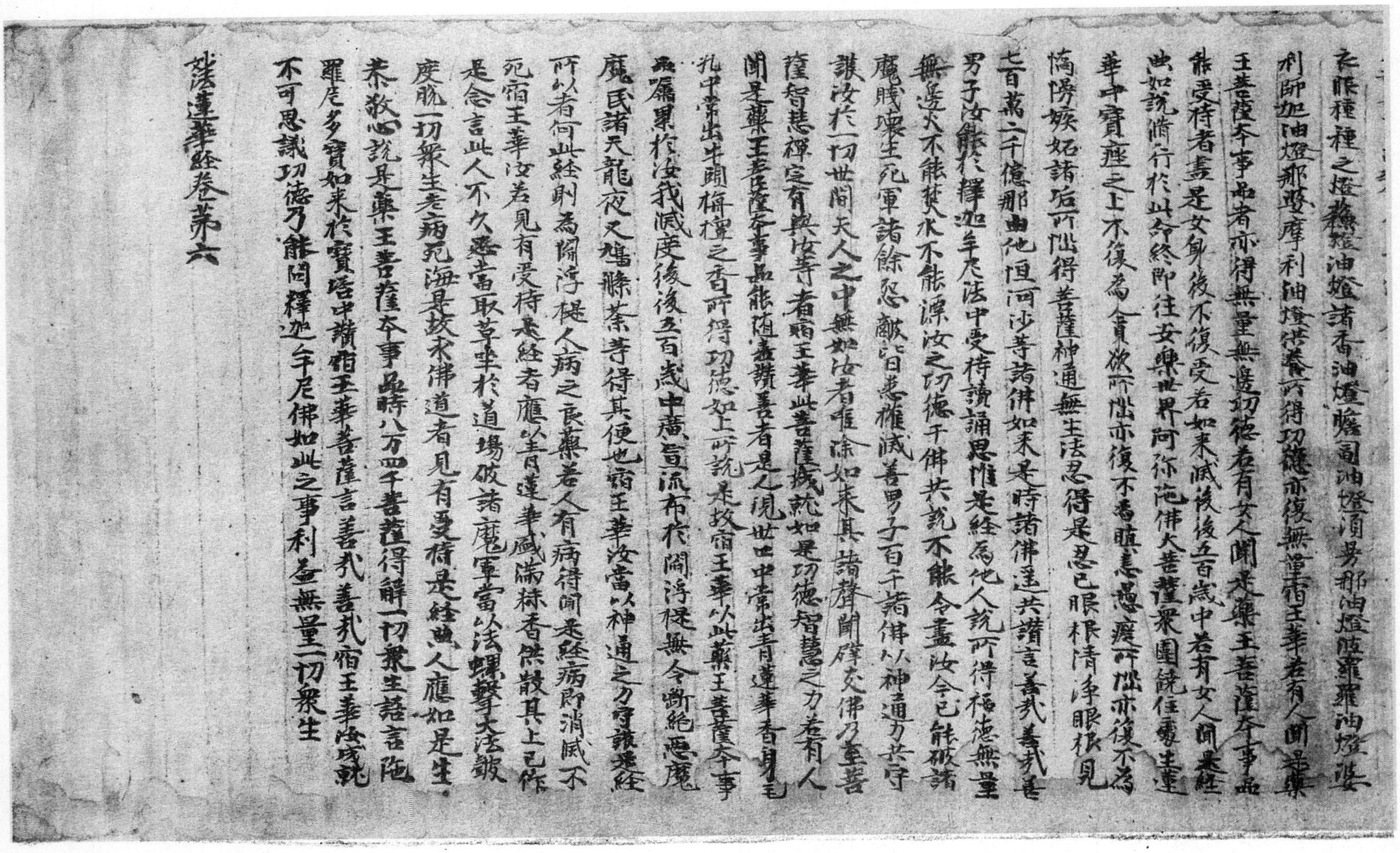

衣服種種之燈酥燈油燈諸香油燈瞻蔔油燈須曼那油燈波羅羅油燈婆
利師迦油燈那婆摩利油燈供養所得功德亦復無量宿王華若有人聞是藥
王菩薩本事品者亦得無量無邊功德若有女人聞是藥王菩薩本事品
能受持者盡是女身後不復受若如來滅後後五百歲中若有女人聞是經
典如說修行於此命終即往安樂世界阿彌陀佛大菩薩眾圍繞住處生蓮
華中寶座之上不復為貪欲所惱亦復不為瞋恚愚癡所惱亦復不為
憍慢嫉妬諸垢所惱得菩薩神通無生法忍得是忍已眼根清淨眼根見
七百萬二千億那由他恒河沙等諸佛如來是時諸佛遙共讚言善哉善哉
男子汝能於釋迦牟尼佛法中受持讀誦思惟是經為他人說所得福德無量
無邊火不能焚水不能漂汝之功德千佛共說不能令盡汝今已能破諸
魔賊壞生死軍諸餘怨敵皆悉摧滅善男子百千諸佛以神通力共守
護汝於一切世間天人之中無如汝者唯除如來其諸聲聞辟支佛乃至菩
薩智慧禪定無有與汝等者宿王華此菩薩成就如是功德智慧之力若有人
聞是藥王菩薩本事品能隨喜讚善者是人現世口中常出青蓮華香身毛
孔中常出牛頭栴檀之香所得功德如上所說是故宿王華以此藥王菩薩本事
品屬累於汝我滅度後後五百歲中廣宣流布於閻浮提無令斷絕惡魔
魔民諸天龍夜叉鳩槃荼等得其便也宿王華汝當以神通之力守護是經
所以者何此經則為閻浮提人病之良藥若人有病得聞是經病即消滅不
死宿王華汝若見有受持是經者應以青蓮華盛滿末香供散其上已作
是念言此人不久必當取草坐於道場破諸魔軍當吹法螺擊大法鼓
度脫一切眾生老病死海是故求佛道者見有受持是經典人應如是生
恭敬心說是藥王菩薩本事品時八万四千菩薩得解一切眾生語言陀
羅尼多寶如來於寶塔中讚宿王華菩薩言善哉善哉宿王華汝成就
不可思議功德乃能問釋迦牟尼佛如此之事利益無量一切眾生

妙法蓮華經卷第六

BD02230號　妙法蓮華經卷六　（14–13）

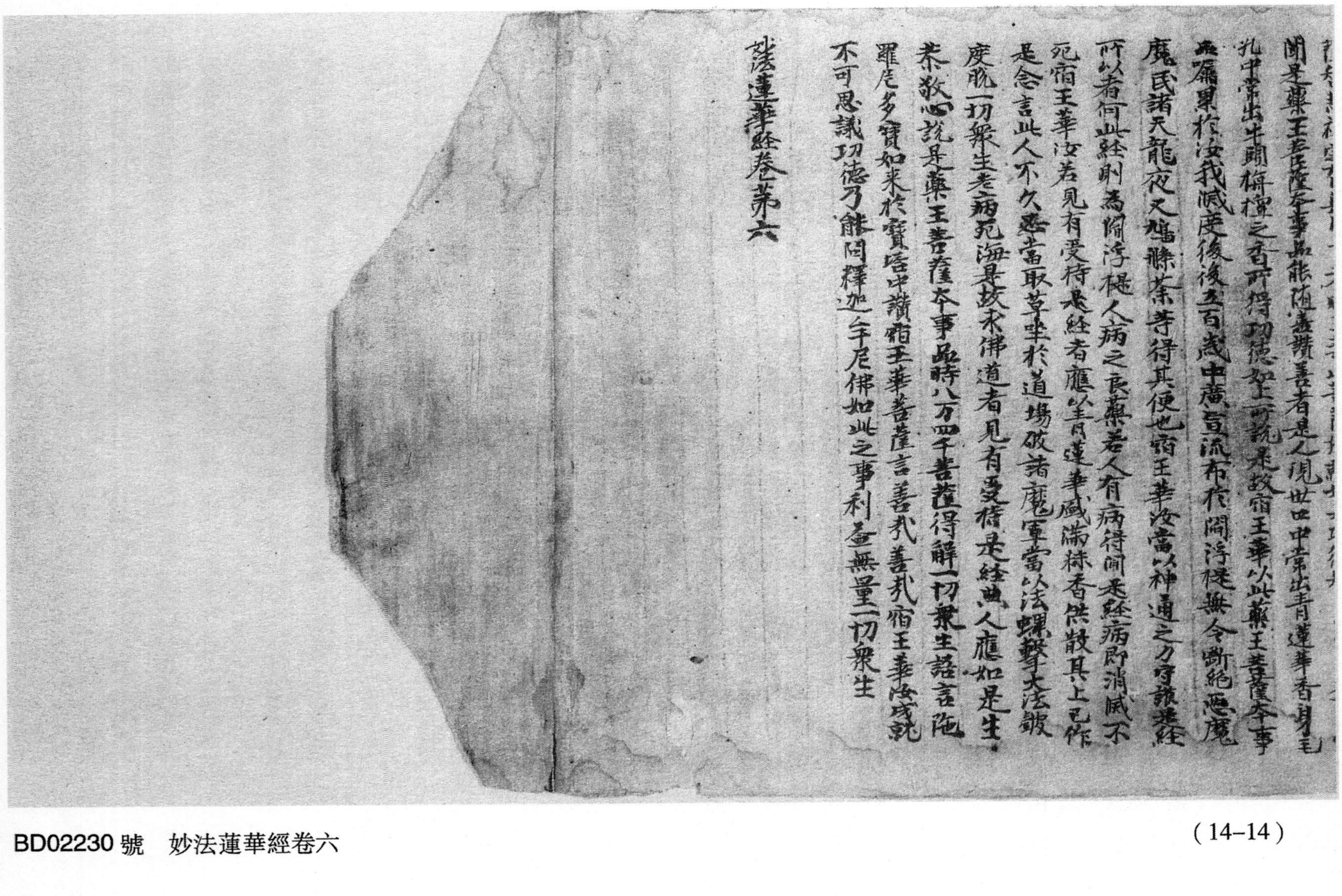

聞是藥王菩薩本事品能隨喜讚善者是人現世口中常出青蓮華香身毛
孔中常出牛頭栴檀之香所得功德如上所說是故宿王華以此藥王菩薩本事
品屬累於汝我滅度後後五百歲中廣宣流布於閻浮提無令斷絕惡魔
魔民諸天龍夜叉鳩槃荼等得其便也宿王華汝當以神通之力守護是經
所以者何此經則為閻浮提人病之良藥若人有病得聞是經病即消滅不
死宿王華汝若見有受持是經者應以青蓮華盛滿末香供散其上已作
是念言此人不久必當取草坐於道場破諸魔軍當吹法螺擊大法鼓
度脫一切眾生老病死海是故求佛道者見有受持是經典人應如是生
恭敬心說是藥王菩薩本事品時八万四千菩薩得解一切眾生語言陀
羅尼多寶如來於寶塔中讚宿王華菩薩言善哉善哉宿王華汝成就
不可思議功德乃能問釋迦牟尼佛如此之事利益無量一切眾生

妙法蓮華經卷第六

BD02230號　妙法蓮華經卷六　（14–14）

故不還果清
淨若四靜慮清淨
分無別無斷故一
無色定清淨四無
果清淨何以故若
四無色定清淨若
無別無斷故善 清
清淨八解脫清淨 還果清
一切智智清淨若八解脫清淨若一 果清 若
淨無二無二分無別無斷故一切智智清淨
故八勝處九次第定十遍處清淨八勝處九
次第定十遍處清淨故不還果清淨何以故
若一切智智清淨若八勝處九次第定十遍
處清淨若不還果清淨無二無二分無別無
斷故善現一切智智清淨故四念住清淨四
念住清淨故不還果清淨何以故若一切智
智清淨若四念住清淨若不還果清淨無二
無二分無別無斷故一切智智清淨故四正
斷四神足五根五力七等覺支八聖道支清
淨四正斷乃至八聖道支清淨故不還果清

BD02231號　大般若波羅蜜多經卷二八三　（9–1）

智清淨若四念住清淨若不還果清淨無二
無二分無別無斷故一切智智清淨故四正
斷四神足五根五力七等覺支八聖道支清
淨四正斷乃至八聖道支清淨故不還果清
淨何以故若一切智智清淨若四正斷乃至
八聖道支清淨若不還果清淨無二無二分
無別無斷故善現一切智智清淨故空解脫
門清淨空解脫門清淨故不還果清淨何以
故若一切智智清淨若空解脫門清淨若不
還果清淨無二無二分無別無斷故一切智
智清淨故無相無願解脫門清淨無相無願
解脫門清淨故不還果清淨何以故若一切
智智清淨若無相無願解脫門清淨若不還
果清淨無二無二分無別無斷故善現一切
智智清淨故菩薩十地清淨菩薩十地清淨
故不還果清淨何以故若一切智智清淨若
菩薩十地清淨若不還果清淨無二無二分
無別無斷故
善現一切智智清淨故五眼清淨五眼清淨
故不還果清淨何以故若一切智智清淨若
五眼清淨若不還果清淨無二無二分無別
無斷故一切智智清淨故六神通清淨六神
通清淨故不還果清淨何以故若一切智智
清淨若六神通清淨若不還果清淨無二無
二分無別無斷故善現一切智智清淨故佛
十力清淨佛十力清淨故不還果清淨何以
故若一切智智清淨若佛十力清淨若不還

BD02231號　大般若波羅蜜多經卷二八三　（9–2）

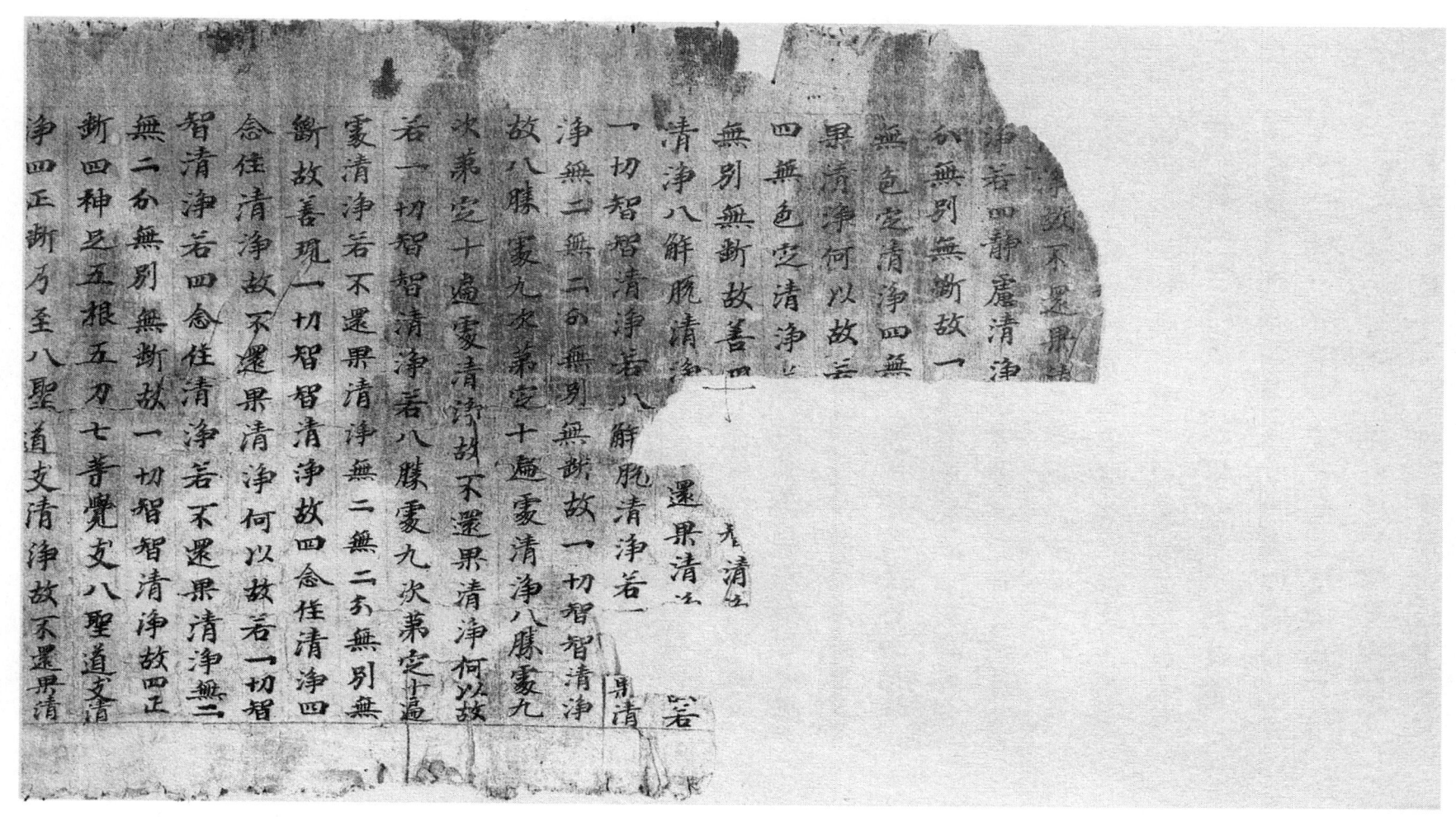

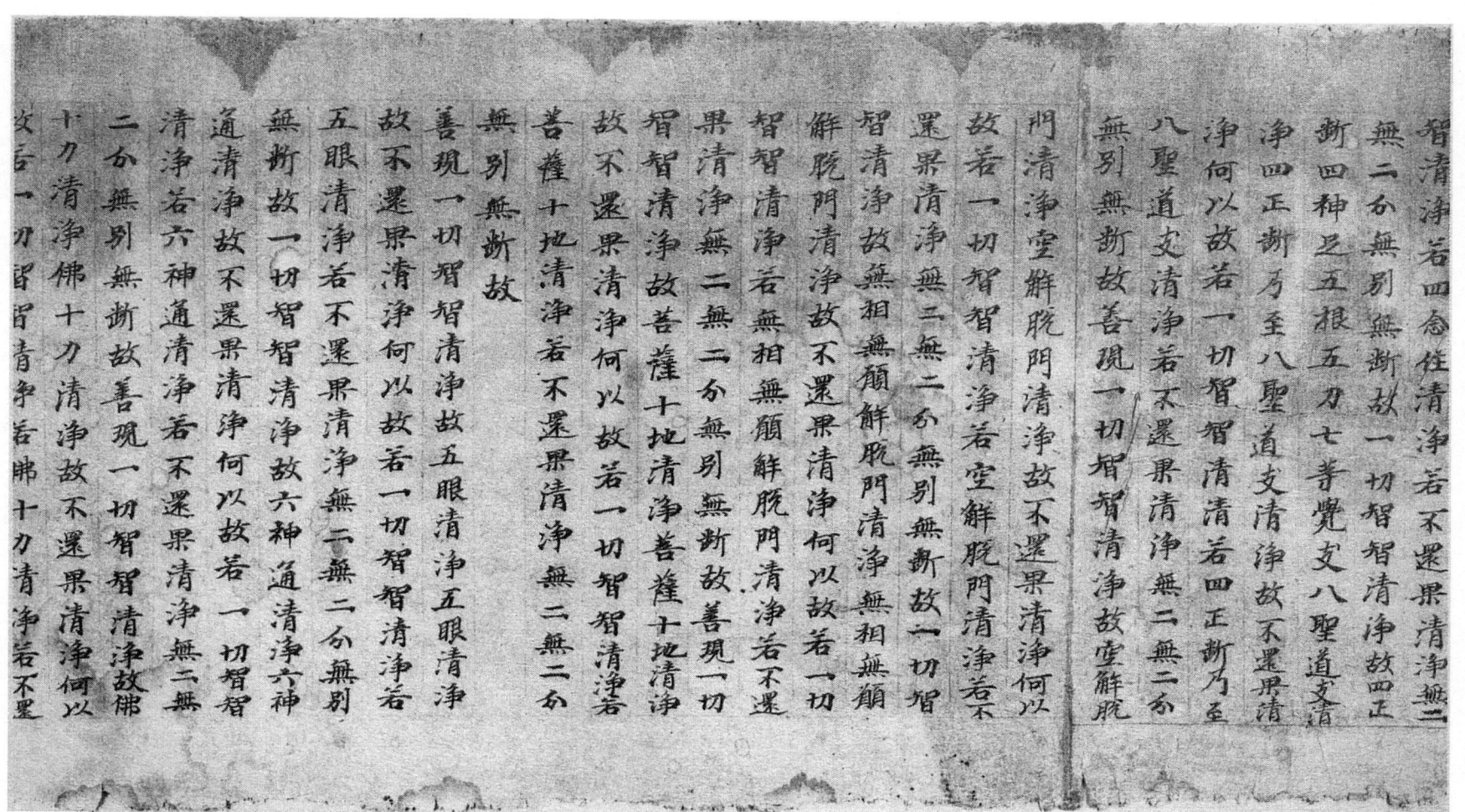

清淨若六神通清淨若不還果清淨無二無
二分無別無斷故善現一切智智清淨故佛
十力清淨佛十力清淨故不還果清淨何以
故若一切智智清淨若佛十力清淨若不還
果清淨無二無二分無別無斷故一切智智
清淨故四無所畏四無礙解大慈大悲大喜
大捨十八佛不共法清淨四無所畏乃至十
八佛不共法清淨故不還果清淨何以故若
一切智智清淨若四無所畏乃至十八佛不
共法清淨若不還果清淨無二無二分無別
無斷故善現一切智智清淨故無忘失法清
淨無忘失法清淨故不還果清淨何以故若
一切智智清淨若無忘失法清淨若不還果
清淨無二無二分無別無斷故一切智智清
淨故恒住捨性清淨恒住捨性清淨故不還
果清淨何以故若一切智智清淨若恒住捨
性清淨若不還果清淨無二無二分無別無
斷故善現一切智智清淨故一切智清淨一
切智清淨故不還果清淨何以故若一切智
智清淨若一切智清淨若不還果清淨無二
無二分無別無斷故一切智智清淨故道相
智一切相智清淨道相智一切相智清淨故
不還果清淨何以故若一切智智清淨若道
相智一切相智清淨若不還果清淨無二無
二分無別無斷故善現一切智智清淨故一
切陁羅尼門清淨一切陁羅尼門清淨故不

BD02231 號　大般若波羅蜜多經卷二八三　（9–3）

不還果清淨何以故若一切智智清淨若道
相智一切相智清淨若不還果清淨無二無
二分無別無斷故善現一切智智清淨故一
切陁羅尼門清淨一切陁羅尼門清淨故不
還果清淨何以故若一切智智清淨若一切
陁羅尼門清淨若不還果清淨無二無二分
無別無斷故一切智智清淨故一切三摩地
門清淨一切三摩地門清淨故不還果清淨
何以故若一切智智清淨若一切三摩地門
清淨若不還果清淨無二無二分無別無斷
故善現一切智智清淨故預流果清淨預流
果清淨故不還果清淨何以故若一切智智
清淨若預流果清淨若不還果清淨無二無
二分無別無斷故一切智智清淨故一來阿
羅漢果清淨一來阿羅漢果清淨故不還果
清淨何以故若一切智智清淨若一來阿羅
漢果清淨若不還果清淨無二無二分無別
無斷故善現一切智智清淨故獨覺菩提清
淨獨覺菩提清淨故不還果清淨何以故若
一切智智清淨若獨覺菩提清淨若不還果
清淨無二無二分無別無斷故善現一切智
智清淨故一切菩薩摩訶薩行清淨一切菩
薩摩訶薩行清淨故不還果清淨何以故若
一切智智清淨若一切菩薩摩訶薩行清淨
若不還果清淨無二無二分無別無斷故善
現一切智智清淨故諸佛無上正等菩提清

BD02231 號　大般若波羅蜜多經卷二八三　（9–4）

薩摩訶薩行清淨故不還果清淨何以故若
一切智智清淨若一切菩薩摩訶薩行清淨
若不還果清淨無二無二分無別無斷故善
現一切智智清淨故諸佛無上正等菩提清
淨諸佛無上正等菩提清淨故不還果清淨
何以故若一切智智清淨若諸佛無上正等
菩提清淨若不還果清淨無二無二分無別
無斷故
復次善現一切智智清淨故色清淨色清淨
故阿羅漢果清淨何以故若一切智智清淨
若色清淨若阿羅漢果清淨無二無二分無
別無斷故一切智智清淨故受想行識清淨
受想行識清淨故阿羅漢果清淨何以故若
一切智智清淨若受想行識清淨若阿羅漢
果清淨無二無二分無別無斷故善現一切
智智清淨故眼處清淨眼處清淨故阿羅漢
果清淨何以故若一切智智清淨若眼處清
淨若阿羅漢果清淨無二無二分無別無斷
故一切智智清淨故耳鼻舌身意處清淨耳
鼻舌身意處清淨故阿羅漢果清淨何以故
若一切智智清淨若耳鼻舌身意處清淨若
阿羅漢果清淨無二無二分無別無斷故善
現一切智智清淨故色處清淨色處清淨故
阿羅漢果清淨何以故若一切智智清淨若
色處清淨若阿羅漢果清淨無二無二分無
別無斷故一切智智清淨故聲香味觸法處

BD02231 號　大般若波羅蜜多經卷二八三　（9–5）

色處清淨若阿羅漢果清淨無二無二分無
別無斷故一切智智清淨故聲香味觸法處
清淨聲香味觸法處清淨故阿羅漢果清淨
何以故若一切智智清淨若聲香味觸法處
清淨若阿羅漢果清淨無二無二分無別無
斷故善現一切智智清淨故眼界清淨眼界
清淨故阿羅漢果清淨何以故若一切智智
清淨若眼界清淨若阿羅漢果清淨無二無
二分无別無斷故一切智智清淨故色界眼
識界及眼觸眼觸爲緣所生諸受清淨色界
乃至眼觸爲緣所生諸受清淨故阿羅漢果
清淨何以故若一切智智清淨若色界乃至
眼觸爲緣所生諸受清淨若阿羅漢果清淨
無二無二分無別無斷故善現一切智智清
淨故耳界清淨耳界清淨故阿羅漢果清淨
何以故若一切智智清淨若耳界清淨若阿羅
漢果清淨無二無二分無別無斷故一切智
智清淨故聲界耳識界及耳觸耳觸爲緣所
生諸受清淨聲界乃至耳觸爲緣所生諸受
清淨故阿羅漢果清淨何以故若一切智智
清淨若聲界乃至耳觸爲緣所生諸受清淨
若阿羅漢果清淨無二無二分無別無斷故
善現一切智智清淨故鼻界清淨鼻界清淨
故阿羅漢果清淨何以故若一切智智清淨
若鼻界清淨若阿羅漢果清淨無二無二分
無別無斷故一切智智清淨故香界鼻識界
及鼻觸鼻觸爲緣所生諸受清淨香界乃至

BD02231 號　大般若波羅蜜多經卷二八三　（9–6）

若鼻界清淨若阿羅漢果清淨無二無二分
無別無斷故一切智智清淨故香界鼻識界
及鼻觸鼻觸爲緣所生諸受清淨香界乃至
鼻觸爲緣所生諸受清淨故阿羅漢果清淨
何以故若一切智智清淨若香界乃至鼻觸
爲緣所生諸受清淨若阿羅漢果清淨無二
無二分無別無斷故善現一切智智清淨故
舌界清淨舌界清淨故阿羅漢果清淨何以
故若一切智智清淨若舌界清淨若阿羅漢
果清淨無二無二分無別無斷故一切智智
清淨故味界舌識界及舌觸舌觸爲緣所生
諸受清淨味界乃至舌觸爲緣所生諸受清
淨故阿羅漢果清淨何以故若一切智智清
淨若味界乃至舌觸爲緣所生諸受清淨若
阿羅漢果清淨無二無二分無別無斷故善
現一切智智清淨故身界清淨身界清淨故
阿羅漢果清淨何以故若一切智智清淨若
身界清淨若阿羅漢果清淨無二無二分無
別無斷故一切智智清淨故觸界身識界及
身觸身觸爲緣所生諸受清淨觸界乃至身
觸爲緣所生諸受清淨故阿羅漢果清淨何
以故若一切智智清淨若觸界乃至身觸爲
緣所生諸受清淨若阿羅漢果清淨無二無
二分無別無斷故善現一切智智清淨故意
界清淨意界清淨故阿羅漢果清淨何以故

BD02231 號　大般若波羅蜜多經卷二八三　（9–7）

以故若一切智智清淨若觸界乃至身觸爲
緣所生諸受清淨若阿羅漢果清淨無二無
二分無別無斷故善現一切智智清淨故意
界清淨意界清淨故阿羅漢果清淨何以故
若一切智智清淨若意界清淨若阿羅漢果
清淨無二無二分無別無斷故一切智智清
淨故法界意識界及意觸意觸爲緣所生
諸受清淨法界乃至意觸爲緣所生諸受清
淨故阿羅漢果清淨何以故若一切智智清淨
若法界乃至意觸爲緣所生諸受清淨若　阿
羅漢果清淨無二無二分無別無斷故善現
一切智智清淨故地界清淨地界清淨故阿
羅漢果清淨何以故若一切智智清淨若地
界清淨若阿羅漢果清淨無二無二分無別
無斷故一切智智清淨故水火風空識界清
淨水火風空識界清淨故阿羅漢果清淨何
以故若一切智智清淨若水火風空識界清
淨若阿羅漢果清淨無二無二分無別無斷
故善現一切智智清淨故無明清淨無明清
淨故阿羅漢果清淨何以故若一切智智清
淨若無明清淨若阿羅漢果清淨無二無二
分無別無斷故一切智智清淨故行識名色
六處觸受愛取有生老死愁歎苦憂惱清淨
行乃至老死愁歎苦憂惱清淨故阿羅漢果
清淨何以故若一切智智清淨若行乃至老
死愁歎苦憂惱清淨若阿羅漢果清淨無二

BD02231 號　大般若波羅蜜多經卷二八三　（9–8）

分無別無斷故一切智智清淨故行識名色
六處觸受愛取有生老死愁歎苦憂惱清淨
行乃至老死愁歎苦憂惱清淨故阿羅漢果
清淨何以故若一切智智清淨若行乃至老
死愁歎苦憂惱清淨若阿羅漢果清淨無二
無二分無別無斷故
善現一切智智清淨故布施波羅蜜多清
淨布施波羅蜜多清淨故阿羅漢果清淨何以
故若一切智智清淨若布施波羅蜜多清淨
若阿羅漢果清淨無二無二分無別無斷故
一切智智清淨故淨戒安忍精進靜慮般若
波羅蜜多清淨淨戒乃至般若波羅蜜多清
淨故阿羅漢果清淨何以故若一切智智清
淨若淨戒乃至般若波羅蜜多清淨若阿羅
漢果清淨無二無二分無別無斷故善現一
切智智清淨故內空清淨內空清淨故阿羅
漢果清淨何以故若一切智智清淨若內空
清淨若阿羅漢果清淨無二無二分無別無

BD02231號 大般若波羅蜜多經卷二八三 （9–9）

莊嚴之事利益一切
得安隱汝今諦聽諦聽善思念
分別說之衆生諸菩薩摩訶薩无鞅數
諸應真國王長者大臣人民天龍鬼神四輩弟
子皆各嘿然聽佛所說莫不歡喜一心樂聞
佛告文殊師利東方去此佛刹十恒河沙有佛
名曰藥師琉璃光如來无所著至真等正覺知
明行足善逝世間解无上士調御丈夫天人師
佛世尊度脫生老病死苦患此藥師琉璃光
本所脩行菩薩道時發心自誓行十二上願令
令一切衆生所求皆得
第一願者使我來世得作佛時自身光明普照
十方三十二相八十種好而自莊嚴令一切衆生
如我无異
第二願者使我來世自身猶如琉璃内外明徹淨
无瑕穢妙色廣大功德巍巍安住十方如日照幽
冥衆生悉蒙開曉
第三願者使我來世智慧廣大如海无窮潤
澤枯涸无量衆生普使蒙益悉令飽滿无飢渴
想甘食美饍悉持施與
第四願者使我來世佛道成就巍巍堂堂如星
中之月消除生死之雲令无有翳明照世間行者

BD02232號 灌頂章句拔除過罪生死得度經 （12–1）

澤枯涸无量衆生普使蒙益悉令飽滿无飢渴
想甘食美餚悉持施與
第四願者使我来世佛道成就巍巍堂堂如星
中之月消除生死之雲令无有翳明照世間行者
見道熱得清凉解除垢穢
第五願者使我来世發大精進淨持戒地令无
濁穢慎護所受令无缺犯亦令一切戒行具足
堅持不犯至无為道
第六願者使我来世若有衆生諸根毀敗盲者
使視聾者得聽瘂者能語僂者得申跛者能
行如是不完具者悉令具足
第七願者使我来世十方世界若有苦惱无救
護者我為此等設大法藥令諸疾病皆得除
愈无復苦患至得佛道
第八願者使我来世以善業因緣為諸愚冥无量
衆生講宣妙法令得度脫八智慧門普使明无諸
疑惑
第九願者使我来世摧伏惡魔及諸外道顯揚
清淨无上道法使入正真无諸耶僻迴向菩提
八正覺路
第十願者使我来世若有衆生王法所加臨當刑
戮无量怖畏愁憂苦惱若復鞭撻枷鏁其體種
種恐懼逼切其身如是无邊諸苦惱等悉令解脫
无有衆難
第十一願者使我来世若有衆生飢火所惱令得種
種甘美飲食天諸餚膳種種无數悉以施與令身
充足
第十二願者使我来世若有貧凍裸露衆生即

BD02232 號　灌頂章句拔除過罪生死得度經　（12–2）

第十一願者使我来世若有衆生飢火所惱令得種
種甘美飲食天諸餚膳種種无數悉以施與令身
充足
第十二願者使我来世若有貧凍裸露衆生即
得衣服窮乏之者施以珎寶倉庫盈溢无所
乏少一切皆受无量快樂乃至无有一人受苦使
諸衆生和顔悅色形貌端嚴人所喜見琴瑟
鼓吹如是无量最上微妙音聲施與一切无量衆生
是為十二微妙上願
佛告文殊師利此藥師琉璃光本願功德如是我
今為汝略說其國土莊嚴之事此藥師琉璃光如
来國土清淨无五濁无愛欲无意垢以白銀琉璃為
地宮殿樓閣悉用七寶亦如西方无量壽國无有異
也有菩薩一名日耀二名月淨是二菩薩次補佛處
諸善男子善女人亦當願生彼佛國土
文殊師利白佛言唯願演說藥師琉璃光如来无量
功德饒益衆生令得佛道佛言若有善男子善女
人雜破衆魔来入正道得聞我說是藥師琉璃光
如来名字者魔家眷屬退散馳走如是无量校衆
生苦我今說之佛告文殊師利世間不解罪福慳
貪不知布施今世後世當得其福世人愚癡但知
貪惜寧自割身宍而噉食之不肯持錢財布施
求後世之福也又有人身不衣食此大慳命會終
以後當墮地獄餓鬼畜生中聞我說是藥師琉璃
光如来名字之時无不解脫憂苦者也皆作信心
貪福畏罪人從索頭與頭索眼與眼乞妻與妻
乞子與子求金銀珎寶皆大布施一時歡喜即發
无上正真道意佛言若復有人受佛淨戒遵奉

BD02232 號　灌頂章句拔除過罪生死得度經　（12–3）

貪福畏罪人從索頭與頭索眼與眼乞妻與妻
乞子與子求金銀珎寶皆大布施一時歡喜即發
无上正真道意佛言若復有人受佛淨戒遵奉
明法不解罪福雖知明經不及中義不能分别曉
了中事以自貢高恒當贈憒乃與世間衆魔從
事更作縛著不解行之戀着婦女恩愛之情口爲
說空行在有中不能發覺復不自知但能論他人
是非如此人輩皆當墮於三惡道中聞我說是藥師
琉璃光本願功德无不歡喜念欲捨家行作沙門者
也佛言世間有人好自稱譽皆自貢高當墮三惡道
中後還爲人牛馬奴婢生下賤家人當乘其力負重
而行困苦疲極妄失人身聞我說是藥師琉璃光如
来本願功德者皆當一心歡喜踊躍更作謙敬即得
解脫衆苦之患長得歡樂聽明智慧遠離惡道
得生善處與善知識共相值遇无復憂惱離諸魔
縛佛言世間愚癡人輩兩舌鬪諍惡口罵辱更相譏
恨或就山神樹下鬼神日月之神南斗北辰諸鬼神
等所作諸呪詛或作人名字或作人形像或作符書
以相厭禱呪咀言說聞我說是藥師琉璃光佛本
願功德无不兩作和解俱生慈心惡意悉滅各各歡喜
无復惡念佛言四輩弟子比丘比丘尼清信士清信女
常脩月六齋年三長齋或晝夜精懃一心苦行願
欲往生西方阿弥陁佛國者憶念晝夜若一日二日
三日四日五日六日七日或復中悔聞我說是藥師琉
璃光佛本願功德盡其壽命欲終之日時有八菩薩
文殊師利菩薩觀世音菩薩得大勢至菩薩无盡
意菩薩寶檀華菩薩藥王菩薩藥上菩薩弥勒
菩薩是八菩薩皆當飛往迎其精神不經八難生

BD02232號　灌頂章句拔除過罪生死得度經

（12–4）

文殊師利菩薩觀世音菩薩得大勢至菩薩无盡
意菩薩寶檀華菩薩藥王菩薩藥上菩薩弥勒
菩薩是八菩薩皆當飛往迎其精神不經八難生
蓮華中自然音樂而相娛樂佛言假使壽命自
欲盡時臨終之日得聞我說是藥師琉璃光佛本願
功德者命終皆得上天上不復經歷三惡道中天上
福盡若下生人間當爲帝王家作子或生豪姓長
者居士富貴家生皆得端政聰明智慧高才勇猛
若是女人化成男子无復憂苦患難者也佛語文殊
師利我稱譽顯說藥師琉璃光佛至真等正覺本
所脩集无量行願功德如是文殊師利從座而起長
跪叉手白佛言世尊佛去世後當以此法開化十方一
切衆生使其受持是經典者若有善男子善女人
憂樂是經受持讀誦宣通之者復能專念若一日二
日三日四日五日乃至七日憶念不忘能以好素帛
書取是經五色雜綵作囊盛之者是時當有諸天
善神四天大王龍神八部常来營衛愛敬此經日日
作礼持是經者不墮橫死所在安隱惡氣消滅諸
魔鬼神亦不中害佛言如是如是如汝所說文殊
師利言天尊所說言无不善佛言文殊師利若有
善男子善女人等發心欲造立藥師琉璃光如来形
像供養礼拜懸雜色幡蓋燒香散華歌詠讚嘆圍
遶百匝還坐本處端坐思惟念藥師琉璃光佛无
量功德若有善男子善女人七日七夜菜食長齋
供養礼拜藥師琉璃光佛求心中願者无不獲得求
長壽得長壽求富饒得富饒求安隱得安隱求男女
得男女求官位得官位若命過已後生妙樂天上者
亦當礼敬藥師琉璃光佛至真等正覺若欲上生卅三

BD02232號　灌頂章句拔除過罪生死得度經

（12–5）

供養礼拜藥師琉璃光佛求心中願者无不獲得求
長壽得長壽求富饒得富饒求安隱得安隱求男女
得男女求官位得官位若命過已後生妙樂天上者
亦當礼敬藥師琉璃光佛至真等正覺若欲上生卅三
天者亦當礼拜藥師琉璃光必得往生若欲與明師世
世相值者亦當礼拜藥師琉璃光佛佛告文殊師利
若欲生十方妙樂國土者亦應礼敬藥師琉璃光佛
欲得生兜率天上見弥勒者亦應礼敬藥師琉璃光
佛若欲遠諸耶道者亦當礼敬藥師琉璃光佛若夜
惡夢鳥鳴百怪蜚尸耶忤魍魎鬼神之所娆者亦當
礼敬藥師琉璃光佛若為水火之所焚飄者亦當礼敬
藥師琉璃光佛若入山谷為虎狼熊羆蒺藜諸鳥龍
蚖虵蝮蝎種種雜類若有惡心來相向者心當存念藥
師琉璃光佛山中諸難不能為害若他方怨賊偷竊
惡人怨家債主欲來侵陵心當存念藥師琉璃光佛
則不為害以善男善女人礼敬藥師琉璃光如來功德
所致果報如是况果報也是故吾今勸諸四輩礼事
藥師琉璃光佛至真等正覺佛告文殊師利我但為
汝略說藥師琉璃光佛礼敬功德若使我廣說是藥
師琉璃光无量功德為一切衆生求心中所願者從
一劫至一劫故不周遍其世間人若有著床瘦黄之
病困篤惡病連年累月不差者聞我說是藥師琉
璃光佛名字之時橫病之厄无不除愈唯除宿殃不
請耳佛告文殊師利若善男子善女人受三歸五戒若
十戒若善菩薩廿四戒若沙門二百五十戒若比丘五百
戒若菩薩戒若破是諸戒等若能至心一懺悔者
復聞我說是藥師琉璃光佛終不墮三惡道中必
解脫若人愚癡不受父母師友教誨不信佛不

BD02232 號　灌頂章句拔除過罪生死得度經　（12–6）

請耳佛告[illegible]
十戒若善菩薩廿四戒若沙門二百五十戒若比丘五百
戒若菩薩戒若破是諸戒等若能至心一懺悔者
復聞我說是藥師琉璃光佛終不墮三惡道中必
解脫若人愚癡不受父母師友教誨不信佛不
信經戒不信聖僧應墮三惡道中者忘失人種
受畜生身聞我說是藥師琉璃光佛善功德者
即得解脫
佛告文殊師利世有惡人雖受佛禁戒觸事違犯
戒无道偷竊他人財寶欺詐妄語婬他婦女飲酒
鬪亂兩舌惡口罵辱為人犯戒為惡復祠祀鬼神
有如是過罪當墮地獄中若當屠割若抱銅柱若
鐵鉤出舌若洋銅灌口者聞我說是藥師琉璃光
佛无不即得解脫者也佛告文殊師利其世間人
豪貴下賤不信佛不信經道不信有沙門不信有
須陁洹不信有斯陁含不信有阿那含不信有阿
羅漢不信有辟支佛不信有十住菩薩不信有
三世之事不信有十方諸佛不信有本師釋迦
牟尼佛不信人死神明更生善者受福惡者受
殃有如是之罪應墮三惡道中聞我說是藥師琉
璃光佛名字之時一切罪過自然消滅
佛告文殊師利善男子善女人聞我說是藥師琉璃
光佛至真等正覺其誰不發无上正真道意後
皆當得作佛人居世間仕宦不遷治生不得飢寒
困厄亡失財產復无方計聞我說是藥師琉璃光佛
各各得心中所願仕宦皆得高遷財物自然長益
饒无飲食皆得富貴若為縣官之所拘錄惡人侵
枉若為怨家所得便者心當存念藥師琉璃光
佛若他婦女產生難者當存念琉璃光佛兒即

BD02232 號　灌頂章句拔除過罪生死得度經　（12–7）

各各得心中所願仕官皆得高遷財物自然長益
饒无飲食皆得富貴若為縣官之所拘録惡人侵
枉若為怨家所得便者心當存念藥師琉璃光
佛若他婦女產生難者當存念琉璃光佛兒即
易生身體平政无諸疾痛六情完具聰明智慧
壽命得長不遭枉橫善神擁護不為惡鬼飢其
頭也佛說是語時阿難在右邊佛顧語阿難言汝
信我為文殊師利說往昔東方過十恒河沙有名
日藥師琉璃光本願功德者不阿難白佛言唯天中
天佛之所說何敢不信耶佛復語阿難言如世間
人雖有眼耳鼻舌身意人常用是六事以自迷惑
但能信世間魔耶之言不信至真至誠度世苦切之
語如是人輩難可開化阿難白佛言世尊世人多有
惡逆下賤之者若聞佛說是經開人耳目破治衆
病除人陰冥使覩光明解人疑結去人重罪千劫万
劫无復憂患皆因佛說是藥師琉璃光本願功德慈
令安隱得其福也佛語阿難汝口為言善而汝內心
狐疑不信我言阿難言汝莫作是念以自毀敗佛
語阿難我見汝心我知汝意汝知之不阿難即以頭
面著地長跪白佛言審如天中天所說我遂決聞
佛說是藥師琉璃光極大尊貴智慧巍巍難可度
量我心有小疑耳敢不首伏佛言汝智慧狹劣少
見少聞汝聞我說深妙之法无上空義應信敬貴
重之必當得至无上正真道也文殊師利問佛言世
尊說是藥師琉璃光如來无量功德如是不審誰肯
信此言者佛答文殊師利言唯有百億諸菩薩摩
訶薩當信是言耳唯有十方三世諸佛當信是言
佛言我說是藥師琉璃光如來本願功德難可得

BD02232 號　灌頂章句拔除過罪生死得度經

（12–8）

尊說是藥師琉璃光如來无量功德如是不審誰肯
信此言者佛答文殊師利言唯有百億諸菩薩摩
訶薩當信是言耳唯有十方三世諸佛當信是言
佛言我說是藥師琉璃光如來本願功德難可得
見何況得聞亦難得書寫亦難得讀文殊師利若
有善男子善女人能信是經受持讀誦書著竹帛
復能為他人解說中義此皆先世以發道意今復
得聞此微妙之法開化十方无量衆生當知此人必
當得至无上正真道也佛告阿難我作佛以來從
生死復至生死懃苦累劫无所不經无所不歷无所不
作无所不為如是不可思議況復藥師琉璃光佛本
願功德者乎汝所以有疑者亦復如是阿難汝聞
佛所說汝諦信之莫作疑惑佛語至誠无有虛僞
无二言佛為信者施不為疑者說也阿難汝莫作小
疑以毀大乘之業汝却後亦當發摩訶衍心莫以小
道毀汝功德也阿難言唯天中天我從今日以去无
復尒心唯佛自當知我心耳佛語阿難此經能照諸
天宮殿若三災起時中有天人發心念此藥師琉璃光
佛本願功德經者皆得離於彼處之難是經能除
水涸不調是經能除他方逆賊悉令斷滅四方夷狄各
還正治不相嬈惱國土交通人民歡樂是經能除穀
貴飢凍是經能滅惡星變怪是經除疫毒之病是
經能救三惡道苦地獄餓鬼畜生等苦若人得聞
此經典者无不解脫厄難者也尒時衆中有一菩薩
名曰救脫從座而起整衣服叉手合掌而白佛言
我等今日聞佛世尊演說過此東方十恒河沙世
界有佛号藥師琉璃光一切衆會靡不歡喜救脫菩
薩叉手白佛言若族姓男女其有危嬴著床痛惱

BD02232 號　灌頂章句拔除過罪生死得度經

（12–9）

我等今日聞佛世尊演說過此東方十恒河沙世
界有佛号藥師琉璃光一切衆會靡不歡喜救脫菩
薩叉手白佛言若族姓男女其有癌羸着床痛惱
无救護者我今當勸請諸衆僧七日七夜齋戒一
心受持八禁六時行道卌九遍讀是經典勸然七層
之燈亦勸懸五色續命神幡阿難問救脫菩薩言
神幡五色卌九尺燈亦復尒七層之燈一層七燈燈如
車輪若遭厄難閉在牢獄枷鏁着身亦應造立五色
神幡燈卌九燈應放雜類衆生至卌九可得過度厄
之難不為諸橫鬼神所持救脫菩薩語阿難言若天
王大臣及諸輔相王子妃主中宮采女若為病苦所
惱亦應造立五色續幡然續明救諸生命散雜色之
華燒衆名香王當赦赦屈厄之人徒鏁解脫王得其
福天下泰平雨澤以時人民歡樂惡龍攝毒无病
苦者四方夷狄不生逆害國土通洞慈心相向无
諸怨惡四海歌詠稱王之德乘此福祿在意所生見
佛聞法信受教悔從是福報至无上道
阿難又問救脫菩薩言命可續也救脫菩薩答阿
難言我聞世尊說有諸橫勸造幡蓋令其脩福
又言阿難昔沙弥救蟻以脩福故盡其壽命不更
苦患身體安寧福德力強使之然也阿難因復問
救脫菩薩橫有幾種世尊說言橫乃无數略而言之
大橫有九一者橫病二者橫有口舌三者橫遭縣官四
者身羸无福又持戒不完橫為鬼神之所得便五者橫
為劫賊之所剝脫六者橫為水火焚漂七者橫為雜類
禽獸所噉八者橫為怨讎符書厭禱耶神牽引未得
其福但受其殃先亡牽引亦名橫死九者橫有病
不治又不脩福湯藥不慎針灸失度不值良師為病所

BD02232 號　灌頂章句拔除過罪生死得度經　（12–10）

禽獸所噉八者橫為怨讎符書厭禱耶神牽引未得
其福但受其殃先亡牽引亦名橫死九者橫有病
不治又不脩福湯藥不慎針灸失度不值良師為病所
困於是滅亡又信世間妖孽之師為作恐動寒熱言語
妄發禍福所犯者多心不自正不能自定卜問覓禍
煞豬狗牛羊種種衆生解奏神明呼諸耶妖鬼魅
鬼神請乞福祚欲望長生終不能得愚癡迷惑信
耶倒見死入地獄展轉其中无解時是名九橫
救脫菩薩語阿難言其世間人瘵黄之病困篤著
床求生不得求死不得考楚万端此病人或其前世
造作惡業罪過所招殃咎所引故使然也救脫菩薩語
阿難言閻羅王者主領世間名籍之記若人為惡作
諸非法无孝順心造作五逆破滅三寶无君臣法又
有衆生不持五戒不信正法設有受者多所毀犯
於是地下鬼神及伺候者奏上五官五官料簡除
死定生或注錄精神未判是非若已定者奏上閻
羅王閻羅王監察隨罪輕重考而治之世間瘵黄
之病困篤不死一絕一生由其罪福未得料簡錄其
精神在彼王所或七日三七日乃至七七日名籍定
放其精神還其身中如從夢中見其善惡其人若明
了者信驗罪福是故我今勸諸四輩造續命神幡
然卌九燈放諸生命以此幡燈放生功德拔彼精神令
得度苦今世後世不遭厄難救脫菩薩語阿難言
如來世尊說是經典威神功德利益不少坐中諸
鬼神有十二神王從坐而起往到佛所長跪合
掌而白佛言我等十二鬼神在所作護若城邑
聚落空閑林中若四輩弟子誦持此經令所結願
无求不得阿難聞言其去何為我脫之救脫菩薩

BD02232 號　灌頂章句拔除過罪生死得度經　（12–11）

鬼神有十二神王從坐而起往到佛所長跪合
掌而白佛言我等十二鬼神在所作護若城邑
聚落空閑林中若四輩弟子誦持此經令所結願
无求不得阿難聞言其云何為我說之救脫菩薩
言灌頂章句其名如是
神名金毗羅　神名和耆羅　神名弥佉羅　神名安陁羅
神名摩尼羅　神名宋林羅　神名因持羅　神名波耶羅
神名摩休羅　神名真陁羅　神名照頭羅　神名毗伽羅
救脫菩薩語阿難言此諸鬼神別有七千以為眷
屬皆悉叉手低頭聽佛世尊說是藥師琉璃光如来
本願功德莫不一時捨鬼神形得受人身長得度
脫无衆惱患若人疾急厄難之日當以五色縷結
其名字得如願已然後解結令人得福灌頂章
句法應如是
佛說是經時比丘僧八千人諸菩薩三万六千人
俱諸天龍鬼神八部大王无不歡喜阿難從坐而
起前白佛言演說此經當何名之佛言此經凡有
三名一名藥師琉璃光本願功德二名灌頂章句
十二神王結願神呪三名拔除過罪生死得度
經佛說是經竟大衆人民作礼奉行

BD02232號　灌頂章句拔除過罪生死得度經　（12–12）

童妙意於門城
頂礼其足右繞畢已
聖者我已先發阿耨
而未知菩薩云何學菩
願慈哀為我宣說時童
男子我等證得菩薩解
脫故見一切世界皆幻
生皆幻住業煩惱所起
明有受等展轉緣生
一等種種幻緣所生故
一切……見等顛倒智所生故一
切衆生生滅生老死憂悲苦惱皆幻住虛
妄分別所生故一切國土皆幻住想倒心倒見
倒无明所現故一切聲聞辟支佛皆幻住智
斷分別所成故一切菩薩皆幻住能自調伏教

BD02233號　大方廣佛華嚴經（唐譯八十卷本）卷七七　（28–1）

切衆生生滅生老死憂悲苦惱皆幻住虛
妄分別所生故一切國土皆幻住想倒心倒見
倒无明所現故一切聲聞辟支佛皆幻住智
斷分別所成故一切菩薩皆幻住能自調伏教
化衆生諸行願法之所成故一切菩薩衆
會變化調伏諸所施爲皆幻住願智幻所成
故善男子幻境自性不可思議善男子我等
二人但能知此幻住解脫如諸菩薩摩訶薩
善入无邊諸事幻網彼功德行我等云何能
知能說時童子童女說自解脫已以不思議
諸善根力令善財身柔耎光澤而告之言善
男子於此南方有國名海岸有園名大莊嚴
其中有一廣大樓閣名毗盧遮那莊嚴藏從
菩薩善根果報生從菩薩念力願力自在力
神通力生從菩薩善巧方便生從菩薩福德
智慧生善男子住不思議解脫菩薩以大悲
心爲諸衆生現如是境界集如是莊嚴弥勒
菩薩摩訶薩安處其中爲欲攝受本所生處
父母眷屬及諸人民令成熟故又欲令彼同
受生同修行衆生於大乘中得堅固故又
令彼一切衆生隨住地隨善根皆成就故又
欲爲汝顯示菩薩解脫門故顯示菩薩遍一
切處受生自在故顯示菩薩以種種身普現
一切衆生之前常教化故顯示菩薩以大悲力
普攝一切世間資財而不厭故顯示菩薩
具修諸行知一切行離諸相故顯示菩薩處

BD02233號　大方廣佛華嚴經（唐譯八十卷本）卷七七　（28–2）

一切衆生之前常教故顯示菩薩以大悲力
普攝一切世間資財而不厭故顯示菩薩
具修諸行知一切行離諸相故顯示菩薩
處受生了一切生皆无相故汝詣彼問菩薩
云何行菩薩行云何修菩薩道云何學菩薩
戒云何淨菩薩心云何發菩薩願云何集菩
薩助道具云何入菩薩所住地云何滿菩薩波
羅蜜云何獲菩薩无生忍云何具菩薩功德
法云何事菩薩善知識何以故善男子彼
菩薩摩訶薩通達一切菩薩行了知一切衆生
心常現其前教化調伏彼菩薩已滿一切
波羅蜜已住一切菩薩地已證一切菩薩忍
已入一切菩薩位已蒙授與具足記已遊一
切菩薩境已得一切佛神力已蒙一切如來
以一切智甘露法水而灌其頂善男子彼善
知識能潤澤汝諸善根能增長汝菩提心
能堅汝志能益汝善能長汝菩薩根能示汝
无导法能令汝入普賢地能爲汝說菩薩願能
爲汝說普賢行能爲汝說一切菩薩行願所
成功德善男子汝不應修一善照一法行一
行發一願得一記住一忍生究竟想不應以
限量心行於六度住於十地淨佛國土事善
知識何以故善男子菩薩摩訶薩應種无量
諸善根應集无量菩提具應修无量菩提因
應學无量巧迴向應化无量衆生界應知无
量衆生心應知无量衆生根應識无量衆生

BD02233號　大方廣佛華嚴經（唐譯八十卷本）卷七七　（28–3）

諸善根應集无量菩提具應修无量菩提因
應學无量巧迴向應化无量衆生界應知无
量衆生心應知无量衆生根應識无量衆生
解應觀无量衆生行應調伏无量衆生應
斷无量煩惱應淨无量業習應滅无量邪見
應除无量雜染心應發无量清淨心應拔
无量苦毒箭應涸无量愛欲海應破无量
无明暗應摧无量我慢山應斷无量生死縛
應度无量諸有流應竭无量受生海應令
无量衆生出五欲淤泥應使无量衆生離三界
牢獄應置无量衆生於聖道中應銷滅无量
貪欲行應淨治无量瞋恚行應摧破无量愚
癡行應超无量魔網應離无量魔業應淨治
菩薩无量欲樂應增長菩薩无量方便應出生
菩薩无量增上根應明潔菩薩无量決定解應趣
入菩薩无量平等應清淨菩薩无量功德應修
治菩薩无量諸行應示現菩薩无量隨順世
間行應生无量淨信力應住无量精進力
應淨无量正念力應滿无量三昧力應起无
量淨慧力應堅无量勝解力應集无量福德
力應長无量智慧力應發起无量菩薩力應
圓滿无量如來力應分別无量法門應了知
无量法門應清淨无量法門應生无量法光
明應作无量法照耀應照无量品類根應知
无量煩惱病應集无量妙法藥應療无量衆
生疾應嚴辦无量甘露供應往詣无量佛國

BD02233號　大方廣佛華嚴經（唐譯八十卷本）卷七七　（28–4）

无量法門應清淨无量法門應生无量法光
明應作无量法照耀應照无量品類根應知
无量煩惱病應集无量妙法藥應療无量衆
生疾應嚴辦无量甘露供應往詣无量佛國
土應供養无量諸如來應入无量菩薩會應
受无量諸佛教應忍无量衆生罪應滅无量
惡道難應令无量衆生生善道應以四攝
攝无量衆生應修无量總持門應生无量大願
門應修无量大慈大願力應勤求无量法常
無休息應起无量思惟力應起无量神通事
應淨无量智光明應往无量衆生趣應受无
量諸有生應現无量差別身應知无量言辭
法應入无量差別心應知菩薩大境界應住
菩薩大宮殿應觀菩薩甚深妙法應知菩
薩難知境界應行菩薩難行諸行應具菩薩
尊重威德應踐菩薩難入正位應知菩薩種種
諸行應現菩薩普遍神力應受菩薩平等法
雲應廣菩薩无邊行網應滿菩薩无邊諸度
應受菩薩无量記別應入菩薩无量忍門應
治菩薩无量諸地應淨菩薩无量法門應同
諸菩薩安住无邊劫供養无量佛嚴淨不可
說佛國土出生不可說菩薩願善男子舉要
言之應普修一切菩薩行應普化一切衆生界
應普入一切劫應普生一切處應普知一切世
應普行一切法應普淨一切刹應普滿
一切願應普供一切佛應普同一切菩薩願

BD02233號　大方廣佛華嚴經（唐譯八十卷本）卷七七　（28–5）

應善行一切法應善淨一切刹應善滿
一切願應善供一切佛應善同一切菩薩願
應善事一切善知識善男子汝求善知識不
應疲倦見善知識勿生猒足請問善知識勿
憚勞苦親近善知識勿懷退轉供養善知
識行不應疑惑聞善知識演說出離門不應
猶豫見善知識隨順煩惱行勿生嫌恠於善
知識所生深信尊敬心不應變改何以故善
男子菩薩因善知識聽聞一切菩薩諸行成
就一切菩薩功德出生一切菩薩大願引發一
切菩薩善根積集一切菩薩助道開發一切菩
薩法光明顯示一切菩薩出離門修學一切
菩薩清淨戒安住一切菩薩功德法清淨一
切菩薩廣大志增長一切菩薩堅固心具足
一切菩薩陁羅尼辯才門得一切菩薩清
淨藏生一切菩薩定光明得一切菩薩殊勝
願與一切菩薩同一願聞一切菩薩殊勝法
得一切菩薩秘密處至一切菩薩法寶洲增
一切菩薩善根芽長一切菩薩智慧身護一
切菩薩深密藏持一切菩薩福德聚淨一切
菩薩受生道受一切菩薩正法雲入一切菩
薩大願路趣一切如來菩提果攝取一切菩
薩妙行開示一切菩薩功德往一切方聽受
妙法讚一切菩薩廣大威德生一切菩薩大
慈悲力攝一切菩薩勝自在力生一切菩薩
菩提分作一切菩薩利益事善男子菩薩

BD02233號　大方廣佛華嚴經（唐譯八十卷本）卷七七　（28–6）

妙法讚一切菩薩廣大威德生一切菩薩大
慈悲力攝一切菩薩勝自在力生一切菩薩
菩提分作一切菩薩利益事善男子菩薩
由善知識任持不隨惡趣由善知識攝受不
退大乘由善知識護念不毀犯菩薩戒由善
知識守護不隨逐惡知識由善知識養育不
缺減菩薩法由善知識攝取超越凡夫地由
善知識教誨超越二乘地由善知識示導得出
離世間由善知識長養能不染世法由承事
善知識修一切菩薩行由供養善知識具一
切助道法由親近善知識不為業惑之所摧
伏由恃怙善知識勢力堅固不怖諸魔由依
止善知識增長一切菩提分法何以故善男
子善知識者能淨諸障能滅諸罪能除諸
難能止諸惡能破无明長夜黑暗能壞諸
見堅固牢獄能出生死城能捨世俗家能截
諸魔網能拔眾生箭能離无智險難處能出
邪見大曠野能度諸有流能離諸邪道能示
菩提路能教菩薩法能令安住菩薩行能令
趣向一切智能淨智慧眼能長菩提心能生大
悲能演妙行能說波羅蜜能擯惡知識能令住
諸地能令獲諸忍能令修習一切善根能令成
辦一切道具能施與一切大功德能令到一
切種智位能令歡喜集功德能令踊躍修諸
行能令趣入甚深義能令開示出離門能
令杜絕諸惡道能令[illegible]

BD02233號　大方廣佛華嚴經（唐譯八十卷本）卷七七　（28–7）

切種智位能令歡喜集功德能令踊躍修諸
行能令趣入甚深義能令開示出離門能
令杜絕諸惡道能令以法光照曜能令以法
雨潤澤能令銷滅一切惑能令捨離一切見
能令增長一切佛智慧能令安住一切佛法
門善男子善知識者如慈母出生佛種故如
慈父廣大利益故如乳母守護不令作惡故
如教師示其菩薩所學故如善導能示波羅
蜜道故如良醫能治煩惱諸病故如雪山增
長一切智藥故如勇將殄除一切怖畏故如
濟客令出生死暴流故如船師令到智慧寶
洲故善男子常當如是正念思惟諸善知識
復次善男子汝承事一切善知識應發如大地心
荷負重任无疲倦故應發如金剛心志願堅
固不可壞故應發如鐵圍山心一切諸苦无
能動故應發如給侍心所有教令皆隨順
故應發如弟子心所有訓誨无違逆故應
發如僮僕心不厭一切諸作務故應發如養
母心受諸勤苦不告勞故應發如傭作心隨
所受教无違逆故應發如除糞人心離憍慢
故應發如已熟稼心能低下故應發如良馬
心離惡性故應發如大車心能運重故應發
如調順象心恒伏從故應發如須彌山心不傾
動故應發如良犬心不害主故應發如旃荼
羅心離憍慢故應發如牸牛心无威怒故應
發如舟船心往來不倦故應發如橋梁心

BD02233號　大方廣佛華嚴經（唐譯八十卷本）卷七七　（28–8）

動故應發如良犬心不害主故應發如旃荼
羅心離憍慢故應發如牸牛心无威怒故應
發如舟船心往來不倦故應發如橋梁心
濟渡忘疲故應發如孝子心承順顏色故應
發如王子心遵行教命故復次善男子汝
應於自身生病苦想於善知識生醫王想於
所說法生良藥想於所修行生除病想又應
於自身生遠行想於善知識生導師想於所
說法生正道想於所修行生遠達想又應於自
身生求度想於善知識生船師想於所說法
生舟檝想於所修行生到岸想又應於自身
生苗稼想於善知識生龍王想於所說法生
時雨想於所修行生成熟想又應於自身生
貧窮想於善知識生毗沙門王想於所說法
生財寶想於所修行生富饒想又應於自身
生弟子想於善知識生良工想於所說法生
伎藝想於所修行生了知想又應於自身生
恐怖想於善知識生勇健想於所說法生
器仗想於所修行生破怨想又於應自身生
商人想於善知識生導師想於所說法生珍
寶想於所修行生捃拾想又應於自身生兒
子想於善知識生父母想於所說法生家業
想於所修行生紹繼想又應於自身生王子想
於善知識生大臣想於所說法生王教想於所
修行生冠王冠想服王服想繫王繒想坐

BD02233號　大方廣佛華嚴經（唐譯八十卷本）卷七七　（28–9）

子想於善知識生父母想於所說法生家業
想於所修行生紹繼想又應於自身生王子想
於善知識生大臣想於所說法生王教想於所
修行生冠王冠想服王服想繫王繒想坐
王殿想善男子汝應發如是心作如是意近
善知識何以故以如是心近善知識令其志
願永得清淨復次善男子善知識者長諸善
根譬如雪山長諸藥草善知識者是佛法器
譬如大海吞納衆流善知識者是功德處譬
如大海出生衆寶善知識者淨菩提心譬如
猛火能鍊真金善知識者出過世法如須彌
山出於大海善知識者不染世法譬如蓮花
不著於水善知識者不受諸惡譬如大海不
宿死屍善知識者增長白法譬如白月光色
圓滿善知識者照明法界譬如盛日照四天
下善知識者長菩薩身譬如父母養育兒子
善男子以要言之菩薩摩訶薩若能隨順善
知識教得十不可說百千億那由他功德淨
十不可說百千億那由他深心長十不可說
百千億那由他菩薩根淨十不可說百千億
那由他菩薩力斷十不可說百千億阿僧祇
障超十不可說百千億阿僧祇魔境入十不
可說百千億阿僧祇法門滿十不可說百千
億阿僧祇助道修十不可說百千億阿僧祇
妙行發十不可說百千億阿僧祇大願善男
子我復略說一切菩薩行一切菩薩波羅蜜一

BD02233號　大方廣佛華嚴經（唐譯八十卷本）卷七七　（28–10）

可說百千億阿僧祇法門滿十不可說百千
億阿僧祇助道修十不可說百千億阿僧祇
妙行發十不可說百千億阿僧祇大願善男
子我復略說一切菩薩行一切菩薩波羅蜜一
切菩薩地一切菩薩忍一切菩薩揔持門一切菩
薩三昧門一切菩薩神通智一切菩薩迴
向一切菩薩願一切菩薩成就佛法皆由
善知識力以善知識而為根本依善知識
生依善知識出依善知識長依善知識住善
知識為因緣善知識能發起時善財童子聞
善知識如是功德能開示无量菩薩妙行能
成就无量廣大佛法踊躍歡喜頂禮德生及
有德足遶无量帀殷勤瞻仰辭退而去
尒時善財童子善知識教潤澤其心正念思
惟諸菩薩行向海岸國自憶往世不修禮敬
即時發意勤力而行復憶往世身心不淨即
時發意專自治潔復憶往世作諸惡業即時
發意專自防斷復憶往世起諸妄想即時發
意恒正思惟復憶往世所修諸行但為自身
即時發意令心廣大普及含識復憶往世追
求欲境常自損耗無有滋味即時發意修行
佛法長養諸根以自安隱復憶往世起邪思
念顛倒相應即時發意生正見心起菩薩願
復憶往世日夜劬勞作諸惡事即時發意起
大精進成就佛法復憶往世受五趣生於自
他身皆无利益即時發意願以其身饒益衆

BD02233號　大方廣佛華嚴經（唐譯八十卷本）卷七七　（28–11）

大精進成就佛法復憶往世受五趣生於自
他身皆无利益即時發意願以其身饒益衆
生成就佛法承事一切諸善知識如是思惟
生大歡喜復觀此身是生老病死衆苦之宅
願盡未來劫脩菩薩道教化衆生見諸如來
成就佛法遊行一切佛刹承事一切法師住
持一切佛教尋求一切法侶見一切善知識
集一切諸佛法與一切菩薩願智身而作因
緣作是念時長不思議无量善根即於一切
菩薩深信尊重生希有想生大師想諸根清
淨善法增益起一切菩薩恭敬供養作一切
菩薩曲躬合掌生一切菩薩普見世間眼起
一切菩薩普念衆生想現一切菩薩无量願
化身出一切菩薩清淨讚說音想見過現一
切諸佛及諸菩薩於一切處示現成道神通
變化乃至无有一毛端處而不周遍又得清
淨智光明眼見一切菩薩所行境界其心普
入十方刹網其願普遍虛空法界三世平等
无有休息如是一切皆以信受善知識教之
所致耳善財童子以如是尊重如是供養如
是稱讚如是觀察如是願力如是想念如是
无量智慧境界於毗盧遮那莊嚴藏大樓閣
前五體投地暫時斂念思惟觀察以深信解
大願力故入遍一切處智慧身平等門普現
其身在於一切如來前一切菩薩前一切善

BD02233號　大方廣佛華嚴經（唐譯八十卷本）卷七七　（28–12）

前五體投地暫時斂念思惟觀察以深信解
大願力故入遍一切處智慧身平等門普現
其身在於一切如來前一切菩薩前一切善
知識前一切如來塔廟前一切如來形像前
一切諸佛諸菩薩住處前一切法寶前一切
聲聞辟支佛及其塔廟前一切聖衆福田前
一切父母尊者前一切十方衆生前皆如上
說尊重禮讚盡未來際无有休息等虛空无
邊量故等法界无障礙故等實際遍一切故
等如來无分別故猶如影隨智現故猶如夢
從思起故猶如像示一切故猶如響緣所發
故无有生遞興謝故无有性隨緣轉故又決
定知一切諸報皆從業起一切諸果皆從因起
一切諸業皆從習起一切佛興皆從信起一
切化現諸供養事皆悉從於決定解起一
切化佛從敬心起一切佛法從善根起一切
化身從方便起一切佛事從大願起一切菩
薩所修諸行從迴向起一切法界廣大莊嚴
從一切智境界而起離於斷見知迴向故離
於常見知无生故離无因見知正因故離
顛倒見知如實理故離自在見知不由他故離
自他見知從緣起故離邊執見知法界无邊
故離往來見知如影像故離有无見知不生
滅故離一切法見知空无生故知不自在故
知願力出生故離一切相見入无相際故知

BD02233號　大方廣佛華嚴經（唐譯八十卷本）卷七七　（28–13）

故離往來見知如影像故離有無見知不生
滅故離一切法見知空無生故知不自在故
知願力出生故離一切相見入無相際故知
一切法種生身故如印生文故知質如像
故知聲如響故知境如夢故知業如幻故了
世心現故了因果起故了報業集故了知一
切諸功德法皆從菩薩善巧方便所流出故
善財童子入如是智端心潔念於樓觀前
舉體投地殷勤頂礼不思議善根流注身心
清涼悅澤從地而起一心瞻仰目不暫捨合
掌圍遶經無量帀作是念言此大樓閣是解
空無相無願者之所住處是於一切法無分別
者之所住處是了法界無差別者之所住處
是知一切眾生不可得者之所住處是知一
切法無生者之所住處是不著一切世間者
之所住處是不著一切窟宅者之所住處是
不樂一切聚落者之所住處是不依一切境
界者之所住處是離一切想者之所住處是
知一切法無自性者之所住處是斷一切分
別業者之所住處是離一切想心意識者
之所住處是不入不出一切道者之所住處是
入一切甚深般若波羅蜜者之所住處是能
以方便住普門法界者之所住處是息滅一
切煩惱火者之所住處是以增上慧除斷一
切見愛慢者之所住處是出生一切諸禪解
脫三昧通明而遊戲者之所住處是觀察一

BD02233號　大方廣佛華嚴經（唐譯八十卷本）卷七七　（28–14）

切煩惱火者之所住處是以增上慧除斷一
切見愛慢者之所住處是出生一切諸禪解
脫三昧通明而遊戲者之所住處是觀察一
切菩薩三昧境界者之所住處是安住一切
如來所者之所住處是以一切入一切劫以一
切劫入一劫而不壞其相者之所住處是
以一剎入一切剎以一切剎入一剎而不壞
其相者之所住處是以一法入一切法以一
切法入一法而不壞其相者之所住處是以
一切眾生入一切眾生以一切眾生入一眾生
而不壞其相者之所住處是以一佛入一切佛
以一切佛入一佛而不壞其相者之所住處
是於一念中而知一切三世者之所住處
是於一念中往詣一切國土者之所住處是
於一切眾生前悉現其身者之所住處是心
常利益一切世間者之所住處是能遍至一
切處者之所住處是雖已出一切世間為化
眾生故而恒於中現身者之所住處是不著
一切剎為供養諸佛故而遊一切剎者之所
住處是不動本處能普詣一切佛剎而莊
嚴者之所住處是親近一切佛而不起佛
想者之所住處是依止一切善知識而不起善
知識想之所住處是住一切魔宮而不耽著
欲境界者之所住處是永離一切心想者之
所住處是雖於一切眾生中而現其身然於
自他不生二想者之所住處是能普入一切

BD02233號　大方廣佛華嚴經（唐譯八十卷本）卷七七　（28–15）

欲境界者之所住處是永離一切心想者之
所住處是雖於一切眾生中而現其身然於
自他不生二想者之所住處是能普入一切
世界而於法界无差別想者之所住處是願
住未來一切劫而於諸劫无長短想者之所
住處是不離一毛端處而普現身一切世界
者之所住處是能演說難遭遇法者之所住
處是能住難知法甚深法无二法无相法无
對治法无所得法无戲論法者之所住處是
住大慈大悲者之所住處是已度一切二乘
智已超一切魔境界已於世法无所染已到
菩薩所到岸已住如來所住處者之所住處
是雖離一切諸相而亦不入聲聞正位雖了
一切法无生而亦不住无生法性者之所住
處是雖觀不淨而不證離貪法亦不與貪欲
俱雖修於慈而不證離瞋法亦與不瞋垢俱
雖觀緣起而不證離癡法亦不與癡惑俱者
之所住處是雖住四禪而不隨禪生雖行四
无量為化眾生故而不生色界雖修四无色
定以大悲故而不住无色界者之所住處是
雖勤修止觀為化眾生故而不證明脫雖行
於捨而不捨化眾生事者之所住處是雖觀
於空而不起空見雖行无相而常化著相眾
生雖行无願而不捨菩提行願者之所住處
是雖於一切業煩惱中而得自在為化眾生
故而現隨順諸業煩惱雖无生死為化眾生

BD02233號　大方廣佛華嚴經（唐譯八十卷本）卷七七　（28–16）

生雖行无願而不捨菩提行願者之所住處
是雖於一切業煩惱中而得自在為化眾生
故而現隨順諸業煩惱雖无生死為化眾生
故亦受生死雖已離一切趣為化眾生故亦
入諸趣者之所住處是雖行於慈而於諸眾
生无所愛戀雖行於悲而於諸眾生无所取
著雖行於喜而觀苦眾生心常哀愍雖行於
捨而不廢捨利益他事者之所住處是雖行
九次第定而不離猒欲界受生雖知一切法无
生无滅而不於實際作證雖入三解脫門而
不取聲聞解脫雖觀四聖諦而不住小乘
聖果雖觀甚深緣起而不住究竟寂滅雖
修八聖道而不求永出世間雖超凡夫地而不
墮聲聞辟支佛地雖觀五取蘊而不永滅諸
蘊雖超出四魔而不分別諸魔雖不著六處
而不永滅六處雖安住真如而不墮實際說
一切乘而不捨大乘此大樓閣是住如是等
一切諸功德者之所住處尒時善財童子而
說頌言
此是大悲清淨智　利益世間慈氏尊
灌頂地中佛長子　入如來境之住處
一切名聞諸佛子　已入大乘解脫門
遊行法界心无著　此无等者之住處
施戒忍進禪智慧　方便願力及神通
如是大乘諸度法　悉具足者之住處
智慧廣大如虛空　普知三世一切法

BD02233號　大方廣佛華嚴經（唐譯八十卷本.）卷七七　（28–17）

施戒忍進禪智慧　方便願力及神通
如是大乘諸度法　悉具足者之住處
智慧廣大如虛空　普知三世一切法
无㝵无依无所取　了諸有者之住處
善能解了一切法　无性无生无所依
如鳥飛空得自在　此大智者之住處
了知三毒真實性　分別因緣虛妄起
亦不厭彼而求出　此寂靜人之住處
三解脫門八聖道　諸蘊處界及緣起
悉能觀察不趣寂　此善巧人之住處
十方國土及眾生　以无㝵智咸觀察
了性皆空不分別　此寂滅人之住處
普行法界悉无㝵　而求行性不可得
如風行空无所行　此无依者之住處
普見惡道群生類　受諸楚毒无所歸
放大慈光悉除滅　此哀愍者之住處
見諸眾生失正道　譬如生盲踐畏途
引其令入解脫城　此大導師之住處
見諸眾生入魔網　生老病死常逼迫
令其解脫得慰安　此勇健人之住處
見諸眾生嬰惑病　而興廣大悲愍心
以智慧藥悉除滅　此大醫王之住處
見諸群生沒有海　沉淪憂迫受眾苦
悉以法船而救之　此善度者之住處
見諸眾生在惑海　能發菩提妙寶心

見諸群生沒有海　沉淪憂迫受眾苦
悉以法船而救之　此善度者之住處
見諸眾生在惑海　能發菩提妙寶心
悉入其中而濟拔　此善漁人之住處
恒以大願慈悲眼　普觀一切諸眾生
從諸有海而拔出　此金翅王之住處
譬如日月在虛空　一切世間靡不燭
智慧光明亦如是　此照世者之住處
菩薩為化一眾生　普盡未來无量劫
如為一人一切爾　此救世者之住處
於一國土化眾生　盡未來劫无休息
一一國土咸如是　此堅固意之住處
十方諸佛所說法　一座普受咸令盡
盡未來劫恒悉然　此智海人之住處
遍遊一切世界海　普入一切道場海
供養一切如來海　此修行者之住處
修行一切妙行海　發起无邊大願海
如是經於眾劫海　此功德者之住處
一毛端處无量剎　佛眾生劫不可說
如是明見靡不周　此无㝵眼之住處
一念普攝无邊劫　國土諸佛及眾生
智慧无㝵悉正知　此具德人之住處
十方國土碎為塵　一切大海以毛滴
菩薩發願數如是　此无㝵者之住處
成就總持三昧門　大願諸禪及解脫

十方國土碎為塵　一切大海以毛滴
菩薩發願數如是　此无㝵者之住處
成就惣持三昧門　大願諸禪及解脫
一一皆住无邊劫　此真佛子之住處
无量无邊諸佛子　種種說法度衆生
亦說世間衆技術　此修行者之住處
成就神通方便智　修行如幻妙法門
十方五趣悉現生　此无㝵者之住處
菩薩始從初發心　具足修行一切行
化身无量遍法界　此神力者之住處
一念成就菩提道　普作无邊智慧業
世情思慮悉發狂　此難量者之住處
成就神通无障㝵　遊行法界靡不周
其心未嘗有所得　此淨慧者之住處
菩薩修行无㝵慧　入諸國土无所著
以无二智普照明　此无我者之住處
了知諸法无依止　本性寂滅同虛空
常行如是境界中　此離垢人之住處
普見羣生受諸苦　發大仁慈智慧心
願常利益諸世間　此悲愍者之住處
佛子住於此　普現衆生前　猶如日月輪　遍除生死暗
佛子住於此　普順衆生心　變現无量身　充滿十方剎
佛子住於此　遍遊諸世界　一切如來所　无量无數劫
佛子住於此　思量諸佛法　无量无數劫　其心无猒倦
佛子住於此　念念入三昧　一一三昧門　闡明諸佛境

BD02233 號　大方廣佛華嚴經（唐譯八十卷本）卷七七　（28–20）

佛子住於此　遍遊諸世界　一切如來所　无量无數劫
佛子住於此　思量諸佛法　无量无數劫　其心无猒倦
佛子住於此　念念入三昧　一一三昧門　闡明諸佛境
佛子住於此　悉知一切剎　无量无數劫　衆生佛名号
佛子住於此　一念攝諸劫　但隨衆生心　而无分別想
佛子住於此　修習諸三昧　一一心念中　了知三世法
佛子住於此　結加身不動　普現一切剎　一切諸趣中
佛子住於此　飲諸佛法海　深入智慧海　具足功德海
佛子住於此　悉知諸剎數　世數衆生數　佛名數亦然
佛子住於此　一念悉能了　一切三世中　國土之成壞
佛子住於此　普知佛行願　菩薩所修行　衆生根性欲
佛子住於此　見一微塵中　无量剎道場　衆生及諸劫
如一微塵內　一切塵亦然　種種咸具足　處處皆无㝵
佛子住於此　普觀一切法　衆生剎及世　无起无所有
觀察衆生等　法等如來等　剎等諸願等　三世悉平等
佛子住於此　教化諸羣生　供養諸如來　思惟諸法性
无量千萬劫　所修願智行　廣大不可量　稱揚莫能盡
彼諸大勇猛　所行无障㝵　安住於此中　我合掌敬禮
諸佛之長子　聖德慈氏尊　我今恭敬禮　願垂顧念我
尒時善財童子以如是等一切菩薩无量稱
揚讚歎法而讚毗盧遮那莊嚴藏大樓閣中
諸菩薩已曲躬合掌恭敬頂礼一心願見弥
勒菩薩親近供養乃見弥勒菩薩摩訶薩從
別處來无量天龍夜叉乾闥婆阿脩羅迦樓
羅緊那羅摩睺羅伽王釋梵護世及本生處
无量眷屬婆羅門衆及餘无量百千衆生前後

BD02233 號　大方廣佛華嚴經（唐譯八十卷本）卷七七　（28–21）

別處來无量天龍夜叉乾闥婆阿脩羅迦樓
羅緊那羅摩睺羅伽王釋梵護世及本生處
无量眷屬婆羅門衆及餘无量百千衆生前後
圍繞而共來向莊嚴藏大樓觀所善財見已歡
喜踊躍五體投地時彌勒菩薩觀察善
財指示大衆歎其功德而說頌曰
汝等觀善財　智慧心清淨　為求菩提行　而來至我所
善來圓滿慈　善來清淨悲　善來寂滅眼　修行无懈倦
善來清淨意　善來廣大心　善來不退根　修行无懈倦
善來不動行　常求善知識　了達一切法　調伏諸群生
善來行妙道　善來住功德　善來趣佛果　未曾有疲倦
善來德為體　善來法所滋　善來无邊行　世間難可見
善來離迷惑　世法不能染　利衰毀譽等　一切无分別
善來施安樂　調柔堪受化　諂誑瞋慢心　一切悉除滅
善來真佛子　普詣於十方　增長諸功德　調柔无懈倦
善來三世智　遍知一切法　普生功德藏　修行不疲厭
文殊德雲等　一切諸佛子　令汝至我所　示汝无㝵處
具修菩薩行　普攝諸群生　如是廣大人　今來至我所
為求諸如來　清淨之境界　問諸廣大願　而來至我所
去來現在佛　所成諸行業　汝欲皆修學　而來至我所
汝於善知識　求欲微妙法　欲受菩薩行　而來至我所
汝念善知識　諸佛所稱歎　令汝成菩提　而來至我所
汝念善知識　生我如父母　養我如乳母　增我菩提分
如醫療衆疾　如天灑甘露　如日示正道　如月轉淨輪
如山不動搖　如海无增減　如船師濟渡　而來至我所

BD02233 號　大方廣佛華嚴經（唐譯八十卷本）卷七七　　（28–22）

汝念善知識　生我如父母　養我如乳母　增我菩提分
如醫療衆疾　如天灑甘露　如日示正道　如月轉淨輪
如山不動搖　如海无增減　如船師濟渡　而來至我所
汝觀善知識　猶如大猛將　亦如大商主　又如大導師
能建正法幢　能示佛功德　能滅諸惡道　能開善趣門
能顯諸佛身　能守諸佛藏　能持諸佛法　是故願瞻奉
欲滿清淨智　欲具端正身　欲生尊貴家　而來至我所
汝等觀此人　親近善知識　隨其所修學　一切順應行
以昔福田緣　文殊令發心　隨順无違逆　修行不懈倦
父母與親屬　宮殿及財產　一切皆捨離　謙下求知識
淨治如是意　永離世間身　當生佛淨土　受諸勝果報
善財見衆生　生老病死苦　為發大悲意　勤修无上道
善財見衆生　五趣常流轉　為求金剛智　破彼諸苦輪
善財見衆生　心田甚荒穢　為除三毒刺　專求利智犁
衆生處癡暗　盲冥失正道　善財為導師　示其安隱處
忍鎧解脫乘　智慧為利劍　能於三有內　破諸煩惱賊
善財法船師　普濟諸含識　令過尒燄海　疾至淨寶洲
善財正覺日　智光大願輪　周行法界空　普照群迷宅
善財正覺月　白法悉圓滿　慈定清淨光　普照衆生心
善財勝智海　依於直心住　菩提行漸深　出生衆法寶
善財大心龍　昇於法界空　興雲霔甘澤　生成一切果
善財然法燈　信炷慈悲油　念器功德光　滅除三毒暗
覺心迦羅邏　悲胞慈為肉　菩提分支節　長於如來藏
增長福德藏　清淨智慧藏　開顯方便藏　出生大願藏
如是大莊嚴　救護諸群生　一切天人中　難聞難可見
如是智慧樹　根深不可動　衆行漸增長　普蔭諸群生

BD02233 號　大方廣佛華嚴經（唐譯八十卷本）卷七七　　（28–23）

覺心迦羅邏　悲脫慈爲肉　菩提分支節　長於如來藏
增長福德藏　清淨智慧藏　開顯方便藏　出生大願藏
如是大莊嚴　救護諸群生　一切天人中　難聞難可見
如是智慧樹　根深不可動　衆行漸增長　普蔭諸群生
欲生一切德　欲問一切法　欲斷一切疑　專求善知識
欲破諸惑魔　欲除諸見垢　欲解衆生縛　專求善知識
當滅諸惡道　當示人天路　令修功德行　疾入涅槃城
當度諸見難　當截諸見網　當枯愛欲水　當示三有道
當爲世依怙　當作世光明　當成三界師　示其解脫處
亦當令世間　普離諸想著　普覺煩惱睡　普出愛欲泥
當了種種法　當淨種種剎　一切咸究竟　其心大歡喜
汝行極調柔　汝心甚清淨　所欲修功德　一切當圓滿
不久見諸佛　了達一切法　嚴淨衆剎海　成就大菩提
當滿諸行海　當知諸法海　當度衆生海　如是修諸行
當到功德岸　當生諸善品　當與佛子等　如是心決定
當斷一切惑　當淨一切業　當伏一切魔　滿足如是願
當生妙智道　當開正法道　不久當捨離　惑業諸苦道
一切衆生輪　沈迷諸有輪　汝當轉法輪　令其斷苦輪
汝當持佛種　汝當淨法種　汝能集僧種　三世悉周遍
當斷衆愛網　當裂衆見網　當救衆苦網　當成此願網
當度衆生界　當淨國土界　當集智慧界　當成此心界
當令衆生喜　當令菩薩喜　當令諸佛喜　當成此歡喜
當見一切趣　當見一切剎　當見一切法　當成此佛見
當放破暗光　當放息熱光　當放滅惡光　滌除三有苦
當開天趣門　當開佛道門　當示解脫門　普使衆生入
當示於正道　當絕於邪道　如是勤修行　成就菩提道

BD02233號　大方廣佛華嚴經（唐譯八十卷本）卷七七　（28–24）

當見一切趣　當見一切剎　當見一切法　當成此佛見
當放破暗光　當放息熱光　當放滅惡光　滌除三有苦
當開天趣門　當開佛道門　當示解脫門　普使衆生入
當示於正道　當絕於邪道　如是勤修行　成就菩提道
當修功德海　當度三有海　普使群生海　出於衆苦海
當於衆生海　消竭煩惱海　令修諸行海　疾入大智海
汝當增智海　汝當修行海　諸佛大願海　汝當咸滿足
汝當入剎海　汝當觀衆海　汝當以智力　普飲諸法海
當覲諸佛雲　當起供養雲　當聽妙法雲　當興此願雲
普遊三有室　普壞衆惑室　普入如來室　當行如是道
普入三昧門　普遊解脫門　普住神通門　周行於法界
普現衆生前　普對諸佛前　譬如日月光　當成如是力
所行無動亂　所行無染著　如鳥行虛空　當成此妙用
譬如因陀網　剎網如是住　汝當悉往詣　如風無所礙
汝當入法界　遍往諸世界　普見三世佛　心生大歡喜
汝於諸法門　已得及當得　應生大喜躍　無貪亦無厭
汝是功德器　隨能諸佛教　能修菩薩行　得見此奇特
如是諸佛子　億劫難可遇　況見其功德　所修諸妙道
汝生於人中　大獲諸善利　得見文殊等　無量諸功德
已離諸惡道　已出諸難處　已超衆苦患　善哉勿懈怠
已離凡夫地　已住菩薩地　當滿智慧地　速入如來地
菩薩行如海　佛智同虛空　汝願亦復然　應生大欣慶
諸根不懈倦　志願恒決定　親近善知識　不久悉成滿
菩薩種種行　皆爲調衆生　普行諸法門　慎勿生疑惑
汝具難思福　及以真實信　是故於今日　得見諸佛子
汝見諸佛子　悉獲廣大利　一一諸大願　一切咸信受

BD02233號　大方廣佛華嚴經（唐譯八十卷本）卷七七　（28–25）

菩薩種種行　皆為調衆生　普行諸法門　慎勿生疑惑
汝具難思福　及以真實信　是故於今日　得見諸佛子
汝見諸佛子　悉獲廣大利　一一諸大願　一切咸信受
汝於三有中　能修菩薩行　是故諸佛子　示汝解脫門
非是法器人　與佛子同住　設經無量劫　莫知其境界
汝見諸菩薩　得聞如是法　世間甚難有　應生大喜慶
諸佛護念汝　菩薩攝受汝　能順其教行　善哉住壽命
已生菩薩家　已具菩薩德　已長如來種　當昇灌頂位
不久汝當得　與諸佛子等　見苦惱衆生　悉置安隱處
如下如是種　必獲如是果　我今慶慰汝　汝應大欣悅
无量諸菩薩　无量劫行道　未能成此行　今汝皆獲得
信樂堅進力　善財成此行　若有敬慕心　亦當如是學
一切德功行　皆從願欲生　善財已了知　常樂勤修習
如龍布密雲　必當霆大雨　菩薩起願智　決定修諸行
若有善知識　示汝普賢行　汝當好承事　慎勿生疑惑
汝於无量劫　為欲妄捨身　今為求菩提　此捨方為善
汝於无量劫　具受生死苦　不曾事諸佛　未聞如是行
汝今得人身　值佛善知識　聽受菩提行　云何不歡喜
雖遇佛興世　亦值善知識　其心不清淨　不聞如是法
若於善知識　信樂心尊重　離疑不疲猒　乃聞如是法
若有聞此法　而興誓願心　當知如是人　已獲廣大利
如是心清淨　常得近諸佛　亦近諸菩薩　決定成菩提
若入此法門　則具諸功德　永離衆惡趣　不受一切苦
不久捨此身　往生佛國土　常見十方佛　及以諸菩薩
往因今淨行　及事善友力　長增諸功德　如水生蓮花

BD02233號　大方廣佛華嚴經（唐譯八十卷本）卷七七　（28–26）

若入此法門　則具諸功德　永離衆惡趣　不受一切苦
不久捨此身　往生佛國土　常見十方佛　及以諸菩薩
往因今淨行　及事善友力　長增諸功德　如水生蓮花
樂事善知識　勤供一切佛　專心聽聞法　常行勿懈倦
汝是真法器　當具一切法　當修一切道　當滿一切願
汝以信解心　而來礼敬我　不久當普入　一切諸佛會
善哉真佛子　恭敬一切佛　不久具諸行　到佛功德岸
汝當往大智　文殊師利所　彼當令汝得　普賢深妙行
尒時彌勒菩薩摩訶薩在衆會前稱讚善財
大功德藏善財聞已歡喜踊躍身毛皆竪悲
泣哽噎起立合掌恭敬瞻仰繞无量帀以文
殊師利心念力故衆花瓔珞種種妙寶不覺
忽然自盈其手善財歡喜即以奉散彌勒菩
薩摩訶薩上時彌勒菩薩摩善財頂為說頌
言
善哉善哉真佛子　普策諸根无懈倦
不久當具諸功德　猶如文殊及與我
時善財童子以頌答曰
我念善知識　億劫難值遇　今得咸親近　而來詣尊所
我以文殊故　見諸難見者　彼大功德尊　願速還瞻覲

大方廣佛花嚴經卷第七十七

BD02233號　大方廣佛華嚴經（唐譯八十卷本）卷七七　（28–27）

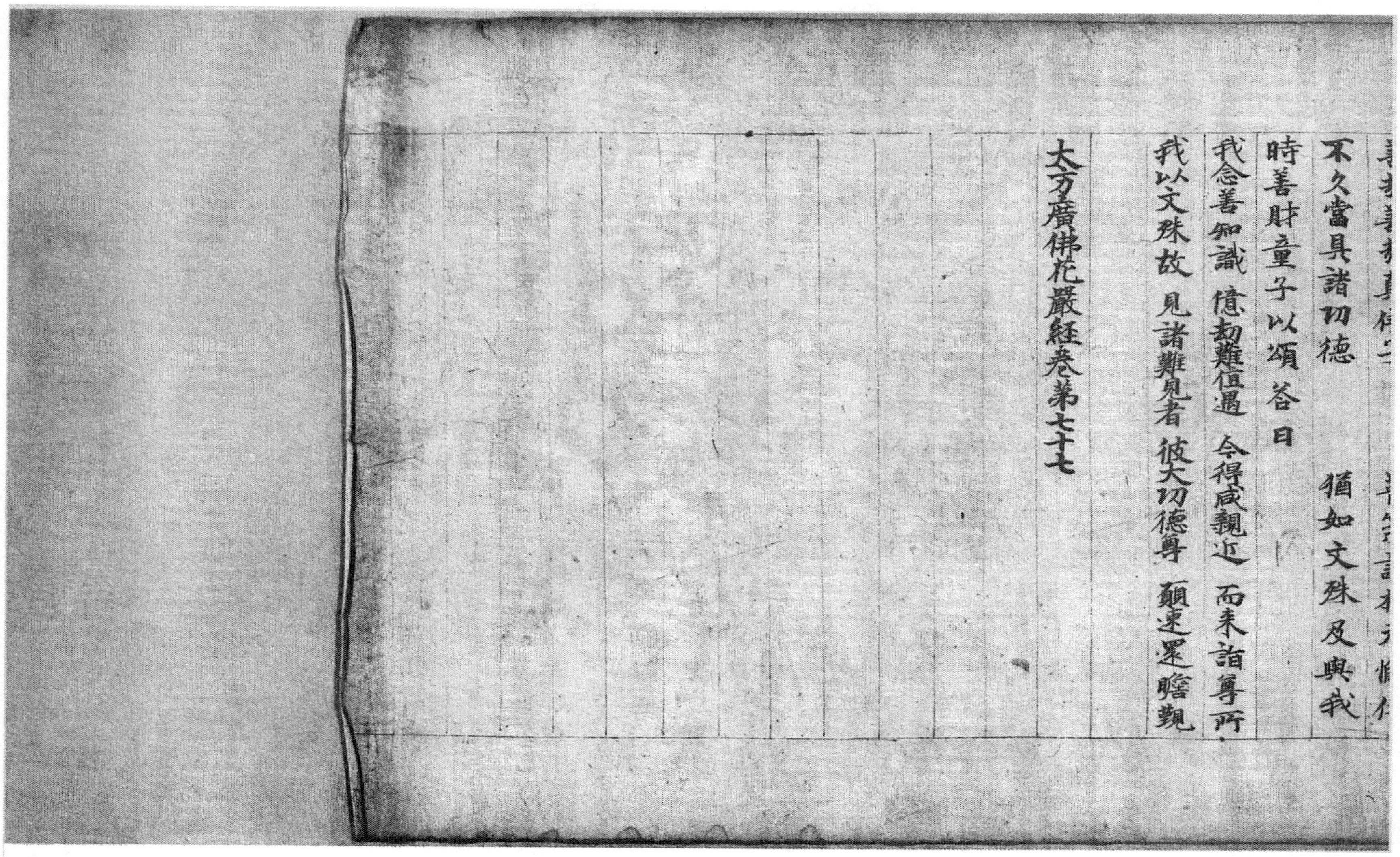
不久當具諸功德　猶如文殊及與我
時善財童子以頌荅曰
我念善知識　億劫難值遇　今得咸親近　而來詣尊所
我以文殊故　見諸難見者　彼大功德尊　願速還瞻覲
大方廣佛花嚴經卷第七十七

BD02233 號　大方廣佛華嚴經（唐譯八十卷本）卷七七　（28–28）

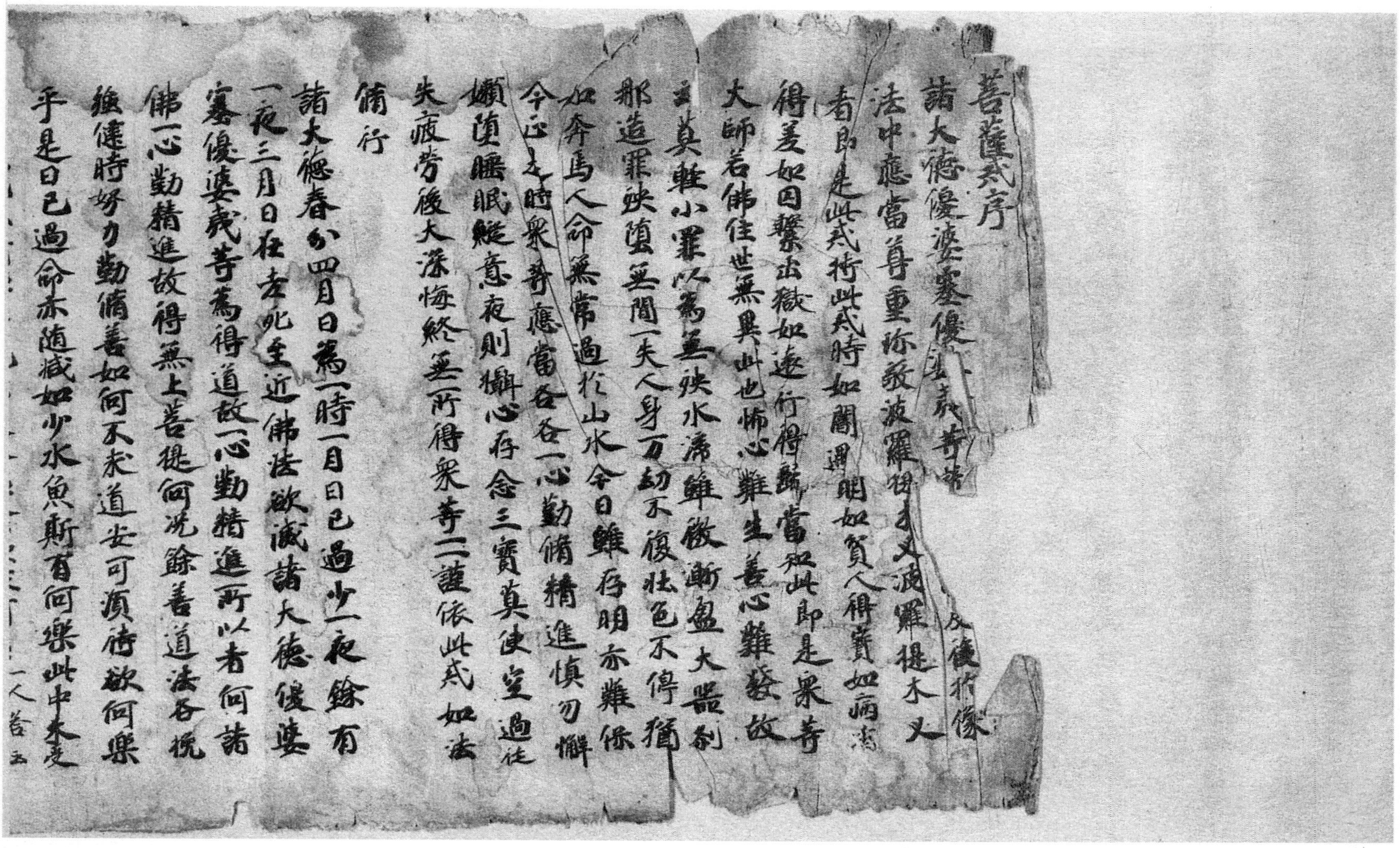
菩薩戒序
諸大德優婆塞優婆夷菩薩…及優婆塞
法中應當尊重恭敬波羅提木叉波羅提木叉
者即是此戒持此戒時如闇遇明如貧人得寶如病者
得差如囚繫出獄如遠行得歸當知此即是衆等
大師若佛住世無異此也怖心難生善心難發故
經云莫輕小罪以爲無殃水滴雖微漸盈大器剎
那造罪殃墮無間一失人身万劫不復壯色不停猶
如奔馬人命無常過於山水今日雖存明亦難保
今正之時衆等應當各各一心勤修精進慎勿懈
怠懶惰睡眠縱意夜則攝心存念三寶莫使空過徒
失疲勞後大深悔終無所得衆等一一謹依此戒如法
修行
諸大德春分四月日爲一時一月日已過少一夜餘有
一夜三月日在去死至近佛法欲滅諸大德優婆
塞優婆夷菩薩爲得道故一心勤精進所以者何諸
佛一心勤精進故得無上菩提何況餘善道法各懷
懈怠時努力勤修善如何不求道安可須待欲何樂
乎是日已過命亦隨減如少水魚斯有何樂此中未受
一人荅云

BD02234 號 1　梵網經菩薩戒序　（16–1）
BD02234 號 2　梵網經菩薩戒受戒羯磨文（擬）

佛一心勤精進故得無上菩提何況餘善道法否說
纔懈時努力勤脩善如何不求道安可須待欲何樂
乎是日已過命亦隨減如少水魚斯有何樂此中未受
菩薩戒不清淨者已出衆今和合欲作何事 一人答云 布薩說戒
不來囑受菩薩有衆人說欲及清淨
合十指爪掌 供養釋師子 我今欲說戒 衆當一心聽
乃至小罪中 心應大怖畏 有罪一心悔 後更莫復犯
心馬馳惡道 放逸難禁制 佛說切戒行 亦如利轡勒
佛口說教戒 善者能信受 是人馬調順 能破煩惱軍
若不受教勅 亦不愛樂戒 是人馬不調 沒在煩惱軍
若人守護戒 如猫牛愛尾 繫心不放逸 亦如猴著鏁
日夜常精進 求實智慧故 是人佛法中 能得清淨命
諸大德優婆塞優婆夷等諦聽今以某年月日於
某州某縣某住處說優婆塞優婆夷菩薩戒衆
等當一心善聽有罪者發露無罪者嘿然嘿然故
當知諸大德清淨堪說優婆塞優婆夷菩薩戒
已說菩薩戒序竟今問諸大德是中清淨不是
中清淨不是中清淨不諸大德是中清淨嘿然故
是事如是持
菩薩摩訶薩行住坐臥於四威儀慈悲喜捨四等
六度十二因緣悉觀無閡猶如赤子財法二施等
無差別何以為四等有四無量心一者大慈二者
大悲三者大喜四者大捨大慈者能與衆生樂大
悲者能拔衆生苦大喜者能慶快衆生善大捨
能捨衆生悉觀並令平等何以為六度有波

BD02234 號 2　梵網經菩薩戒受戒羯磨文（擬）　（16–2）

六度十二因緣悉觀無閡猶如赤子財法二施等
無差別何以為四等有四無量心一者大慈二者
大悲三者大喜四者大捨大慈者能與衆生樂大
悲者能拔衆生苦大喜者能慶快衆生善大捨
能捨衆生悉觀並令平等何以為六度有波
羅蜜
菩薩摩訶薩第一行檀波羅蜜時從布施得度
翻餓鬼道為慳貪不肯布施多所求欲不知猒足
所以死墮餓鬼道中去是故應脩檀波羅蜜免
離餓鬼道
菩薩摩訶薩第二行尸波羅蜜時從佛戒得
度翻地獄道為破戒罪墮地獄中是故應脩尸
波羅蜜免難離地獄道
菩薩摩訶薩第三行羼提波羅蜜時從忍
辱得度翻畜生道為多瞋恚惡口兩舌墮地獄
畜生道中是故應脩羼提波羅蜜捨離畜生
道
菩薩摩訶薩第四行毗梨耶波羅蜜時從精進
得度翻阿脩羅道為懈怠嬾墮向脩羅道中是
故應脩毗梨耶波羅蜜捨離向脩羅道菩薩摩
訶薩第五行禪波羅蜜時從禪定得度翻人道
為散亂心墮人道中是故應脩禪波羅蜜捨離
人道
菩薩摩訶薩第六行般若波羅蜜時從智慧
得度翻天道為散心者相作樂所以死墮天道
中是故應脩般若波羅蜜捨離天道復有十二因緣

BD02234 號 2　梵網經菩薩戒受戒羯磨文（擬）　（16–3）

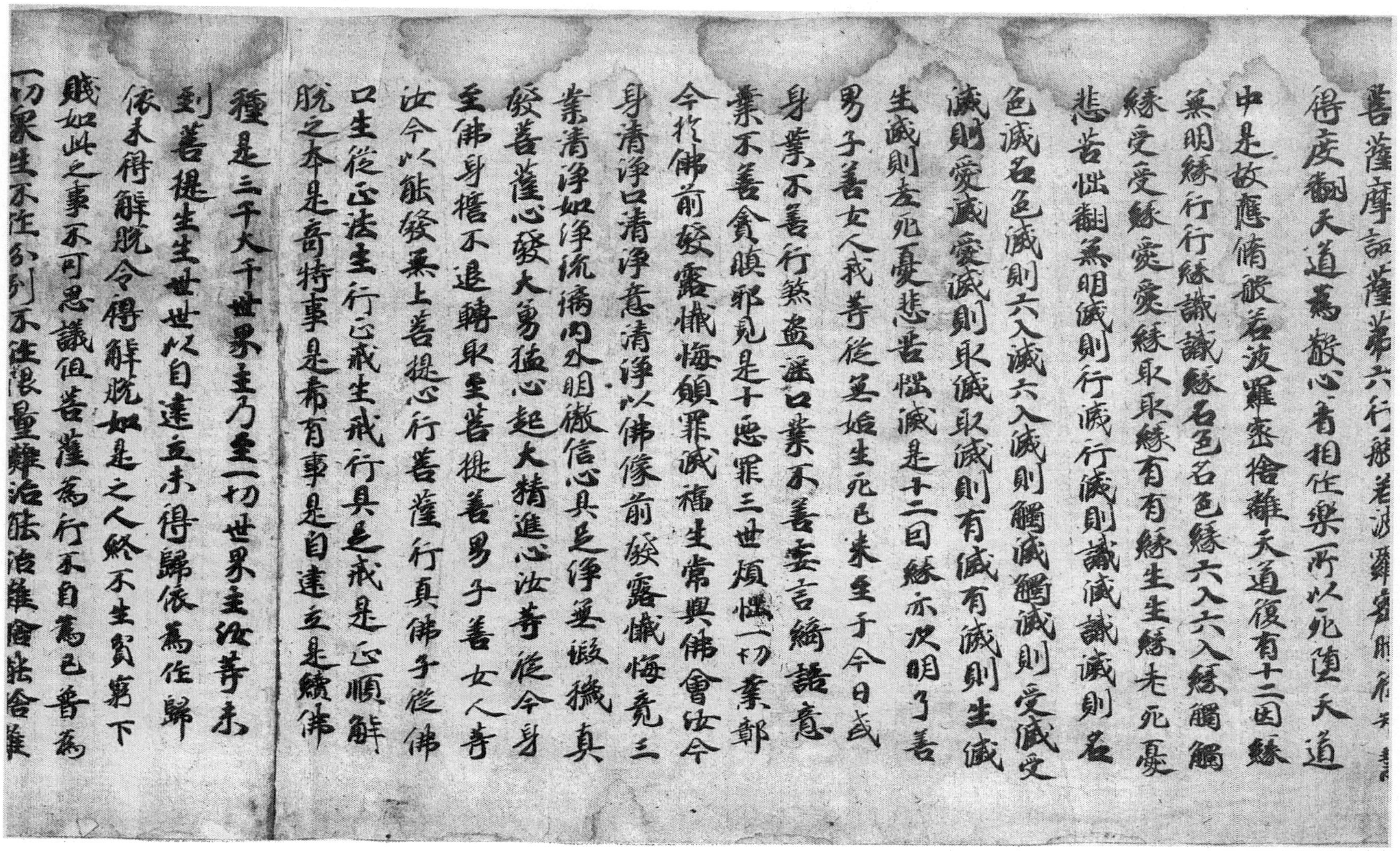
菩薩摩訶薩第六行般若波羅蜜所作
得度翻天道為散心者相住樂一所以死墮天道
中是故應脩般若波羅蜜捨離天道復有十二因緣
無明緣行行緣識識緣名色名色緣六入六入緣觸觸
緣受受緣愛愛緣取取緣有有緣生生緣老死憂
悲苦惱翻無明滅則行滅行滅則識滅識滅則名
色滅名色滅則六入滅六入滅則觸滅觸滅則受滅受
滅則愛滅愛滅則取滅取滅則有滅有滅則生滅
生滅則老死憂悲苦惱滅是十二因緣亦次明了善
男子善女人我等從無始生死已來至于今日或
身業不善行殺盜婬口業不善妄言綺語意
業不善貪瞋邪見是十惡罪三世煩惱一切業鄣
今於佛前發露懺悔願罪滅福生常與佛會汝今
身清淨口清淨意清淨以佛像前發露懺悔竟三
業清淨如淨琉璃內外明徹信心具足淨無瑕穢真
發菩薩心發大勇猛心起大精進心汝等從今身
至佛身誓不退轉取至菩提善男子善女人等
汝今以能發無上菩提心行菩薩行真佛子從佛
口生從正法生行正戒生戒行具足戒是正順解
脫之本是奇特事是希有事是自達立是續佛
種是三千大千世界主乃至一切世界主汝等未
到菩提生生世世以自達立未得歸依為作歸
依未得解脫令得解脫如是之人終不生貧窮下
賤如此之事不可思議但菩薩為行不自為己普為
一切衆生不住分別不住限量難治能治難捨能捨難

BD02234 號 2　梵網經菩薩戒受戒羯磨文（擬）　（16–4）

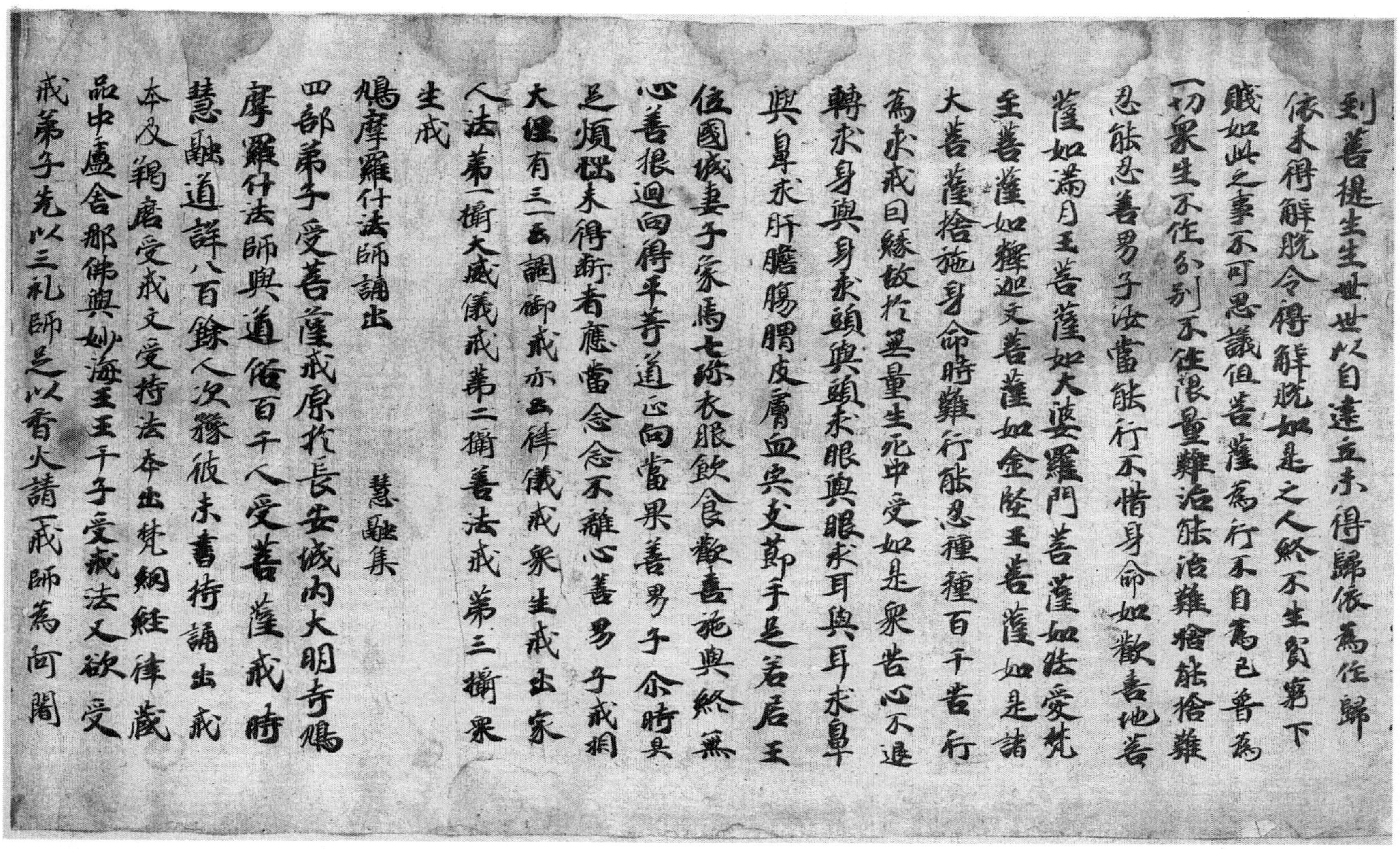
到菩提生生世世以自達立未得歸依為作歸
依未得解脫令得解脫如是之人終不生貧窮下
賤如此之事不可思議但菩薩為行不自為己普為
一切衆生不住分別不住限量難治能治難捨能捨難
忍能忍善男子汝當能行不惜身命如歡喜地菩
薩如滿月王菩薩如大婆羅門菩薩如薩埵愛梵
至菩薩如釋迦文菩薩如金堅王菩薩如是諸
大菩薩捨施身命時難行能忍種種百千苦行
為求戒因緣故於無量生死中受如是衆苦心不退
轉求身與身求頭與頭求眼與眼求耳與耳求鼻
與鼻求肝膽腸胃皮膚血宍支節手足若居王
位國城妻子象馬七珍衣服飲食歡喜施與終無
心善根迴向得平等道正向當果善男子尒時具
足煩惱未得斷者應當念念不離心善男子戒捐
大理有三一云調御戒亦云律儀戒衆生戒出家
人法第一攝大威儀戒第二攝善法戒第三攝衆
生戒
鳩摩羅什法師誦出　慧融集
四部弟子受菩薩戒原於長安城內大明寺鳩
摩羅什法師與道俗百千人受菩薩戒時
慧融道詳八百餘人次豫彼未書持誦出戒
本及羯磨受戒文受持法本出梵網經律藏
品中盧舍那佛與妙海王王千子受戒法又欲受
戒弟子先以三礼師足以香火請一戒師為阿闍

BD02234 號 2　梵網經菩薩戒受戒羯磨文（擬）　（16–5）
BD02234 號 3　鳩摩羅什法師誦法

慧融道詳八百餘人次豫彼未書持誦出戒
本及羯磨受戒文受持法本出梵網經律藏
品中盧舍那佛與妙海王王千子受戒法又欲受
戒弟子先以三礼師已以香火請戒師爲向闍
梨將至佛前伏地而聽也又師應問汝能忍
不所謂十忍也又師應問剝宍錐鷹捉身鐵虎斫
頭謝天村骨出髓撓身千燈挑眼布施剝皮書經刺
心決志燒身供佛刺血灑地是事能忍不能誦十重
四十八輕戒不二從師如法行不若不從師教不
復爲與受戒也又爲師之法是出家菩薩僧
具足五德一堅持淨戒二年滿十臘三善解律藏四
妙通禪思五慧藏窮玄綜經善義堪爲師也
又爲弟子之法受戒竟即從師請戒本誦之使
利若有所不解當問戒師同學者綜識戒相若
輕若重也又欲自誓受戒者若千里內無戒師
得佛形像前受得戒自受三歸自懺悔自受
十戒與師受戒羯磨一種無異但出口爲別也弟子
亦重誦十重四十八輕戒等無有異嗚來世同學菩
薩道者詳而攬用共紹大道龍華爲期

梵網經盧舍那佛說菩薩心地品第十　鳩摩羅什法師譯

尒時盧舍那佛爲此大眾略開百千恒河沙不可
說法門中心地如毛頭許是過去一切佛已說未
來佛當說現在佛今說三世菩薩已學當
學今學我已百劫脩行是心地号吾爲盧舍
那汝諸佛子轉我所說與一切眾生開心地道時

BD02234 號 3　鳩摩羅什法師誦法　（16–6）

來佛當說現在佛今說三世菩薩已學當
學今學我已百劫脩行是心地号吾爲盧舍
那汝諸佛子轉我所說與一切眾生開心地道時
蓮華臺藏世界赫赫天光師子座上盧舍那
佛放光光告千華上佛持我心地法門品而去復
轉爲千百億釋迦一切眾生次第說我上心地法
門品汝等受持讀誦一心而行尒時千華上佛千百
億釋迦從蓮華臺藏世界赫赫師子座起
各各辭退舉身放不可思議光光皆化無
量青黃赤白華供養盧舍那佛受持上說心
地法門品竟各各從此蓮華藏世界而沒沒
已入體性虛空華光三昧還本源世界至閻浮
提菩提樹下從體性性虛空華光三昧出出已
方坐金剛千光王座及妙光堂說十世界海復
從座起至帝釋宮說十住復至炎天中說十
復行從座起至四天中說十迴向復從座起
至化樂天說十禪定復從座起至他化天說十地
復至一禪中說十金剛復至二禪中說十忍復
至三禪中說十願復至四禪中摩醯首羅天王
宮說我本源蓮華藏世界所說盧舍那佛
心地法門品其餘千百億釋迦亦復如是無二
無別如賢劫品中說尒時釋迦從初現蓮華藏
世界東方來入天宮中說魔受化經已下生南
閻浮提迦夷羅國母名摩耶父字白淨吾名
悉達七歲出家三十成道号吾爲釋迦牟尼佛

BD02234 號 3　鳩摩羅什法師誦法　（16–7）

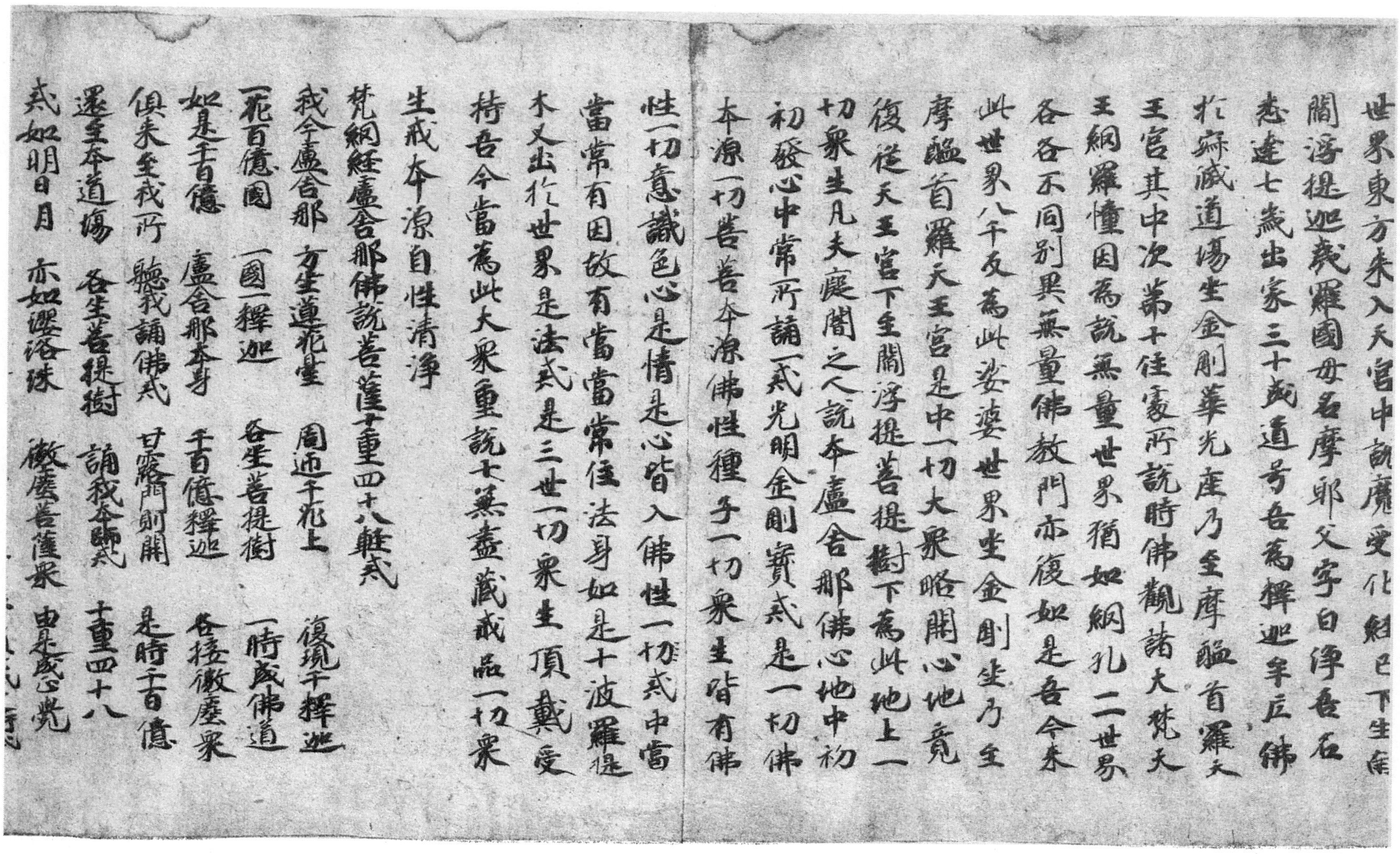
世界東方來入天宮中說魔受化經已下生南
閻浮提迦夷羅國母名摩耶父字白淨吾名
悉達七歲出家三十成道號吾為釋迦牟尼佛
於寂滅道場坐金剛華光座乃至摩醯首羅天
王宮其中次第十住處所說時佛觀諸大梵天
王網羅幢因為說無量世界猶如網孔一一世界
各各不同別異無量佛教門亦復如是吾今來
此世界八千反為此娑婆世界坐金剛坐乃至
摩醯首羅天王宮是中一切大眾略開心地竟
復從天王宮下至閻浮提菩提樹下為此地上一
切眾生凡夫癡闇之人說本盧舍那佛心地中初
初發心中常所誦一戒光明金剛寶戒是一切佛
本源一切菩薩本源佛性種子一切眾生皆有佛
性一切意識色心是情是心皆入佛性戒中當
當常有因故有當當常住法身如是十波羅提
木叉出於世界是法戒是三世一切眾生頂戴受
持吾今當為此大眾重說十無盡藏戒品一切眾
生戒本源自性清淨
梵網經盧舍那佛說菩薩十重四十八輕戒
我今盧舍那 方坐蓮花臺 周匝千花上 復現千釋迦
一花百億國 一國一釋迦 各坐菩提樹 一時成佛道
如是千百億 盧舍那本身 千百億釋迦 各接微塵眾
俱來至我所 聽我誦佛戒 甘露門則開 是時千百億
還至本道場 各坐菩提樹 誦我本師戒 十重四十八
戒如明日月 亦如瓔珞珠 微塵菩薩眾 由是成正覺

BD02234 號 3　鳩摩羅什法師誦法
BD02234 號 4　梵網經盧舍那佛說菩薩心地戒品第十卷下

（16–8）

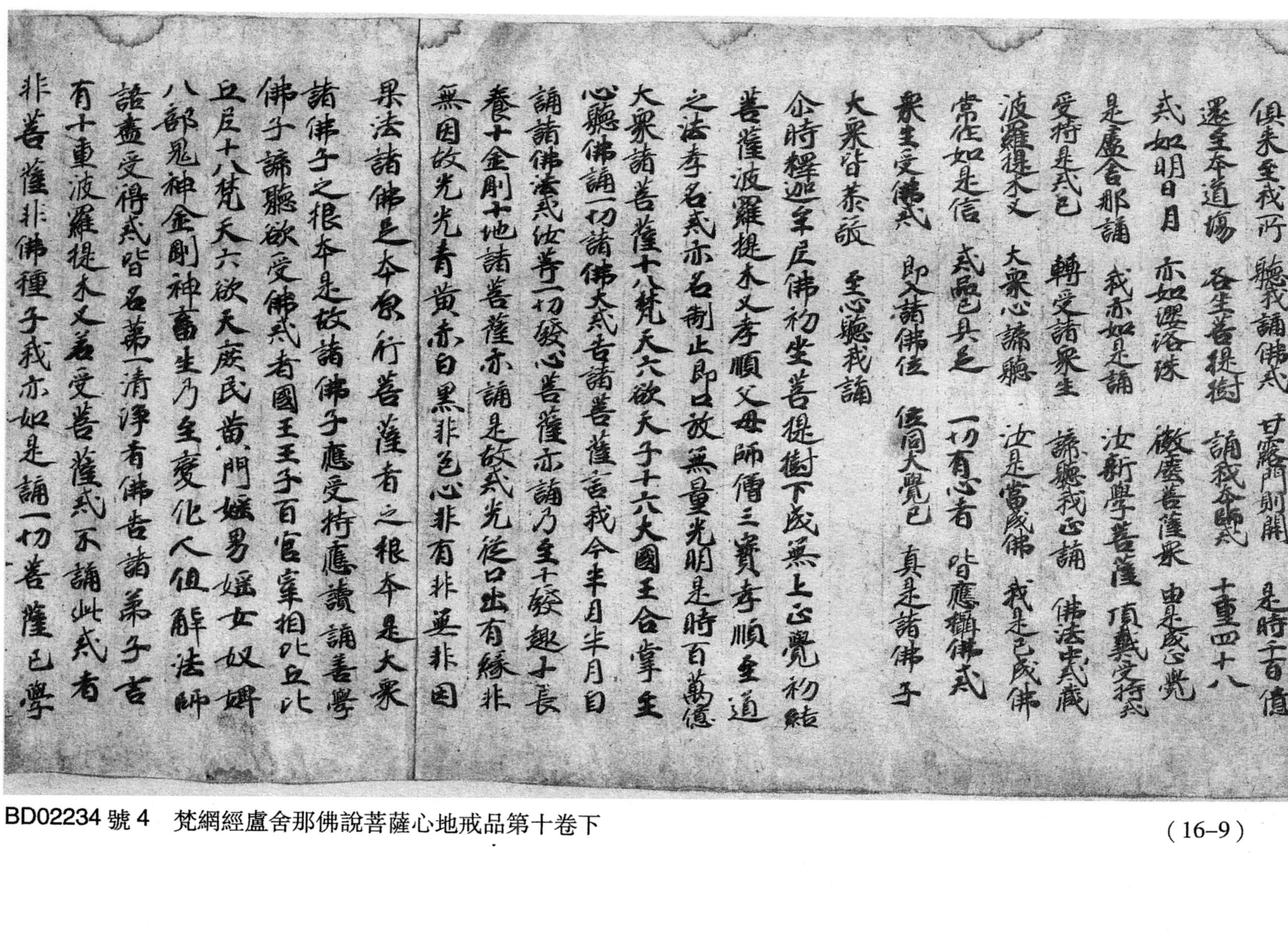
俱來至我所 聽我誦佛戒 甘露門則開 是時千百億
還至本道場 各坐菩提樹 誦我本師戒 十重四十八
戒如明日月 亦如瓔珞珠 微塵菩薩眾 由是成正覺
是盧舍那誦 我亦如是誦 汝新學菩薩 頂戴受持戒
受持是戒已 轉受諸眾生 諦聽我正誦 佛法中戒藏
波羅提木叉 大眾心諦聽 汝是當成佛 我是已成佛
常作如是信 戒品已具足 一切有心者 皆應攝佛戒
眾生受佛戒 即入諸佛位 位同大覺已 真是諸佛子
大眾皆恭敬 至心聽我誦
爾時釋迦牟尼佛初坐菩提樹下成無上正覺初結
菩薩波羅提木叉孝順父母師僧三寶孝順至道
之法孝名為戒亦名制止即口放無量光明是時百萬億
大眾諸菩薩十八梵天六欲天子十六大國王合掌至
心聽佛誦一切諸佛大戒告諸菩薩言我今半月半月自
誦諸佛法戒汝等一切發心菩薩亦誦乃至十發趣十長
養十金剛十地諸菩薩亦誦是故戒光從口出有緣非
無因故光光青黃赤白黑非色非心非有非無非因
果法諸佛之本原行菩薩道之根本是大眾
諸佛子之根本是故諸佛子應受持應讀誦善學
佛子諦聽欲受佛戒者國王王子百官宰相比丘比
丘尼十八梵天六欲天子庶民黃門婬男婬女奴婢
八部鬼神金剛神畜生乃至變化人但解法師
語盡受得戒皆名第一清淨者佛告諸弟子言
有十重波羅提木叉若受菩薩戒不誦此戒者
非菩薩非佛種子我亦如是誦一切菩薩已學

BD02234 號 4　梵網經盧舍那佛說菩薩心地戒品第十卷下

（16–9）

語盡受得戒皆名第一清淨者佛告諸弟子言
有十重波羅提木叉若受菩薩戒不誦此戒者
非菩薩非佛種子我亦如是誦一切菩薩已學
一切菩薩當學一切菩薩今學我已略說波羅提
木叉相貌應當學敬心奉持
佛言佛子若自殺教人殺方便讚歎殺見作隨
喜乃至呪殺殺因殺緣殺法殺業乃至一切有
命者不得故殺是菩薩應起常住慈悲心孝
順心方便救護而自恣心快意殺生是菩薩波羅
夷佛
若佛子自盜教人盜方便盜呪盜盜因盜緣盜
法盜業乃至鬼神有主劫賊物一切財物一針一草不
得故盜而菩薩應生佛性孝順慈悲心常助一切
人生福生樂而反更盜人財物是菩薩波羅夷罪
若佛子自婬教人婬乃至一切女人不得故婬婬因
婬緣婬法婬業乃至畜生女諸天鬼神女及非道
行婬而菩薩應生孝順心救度一切衆生
淨法與人而反更起一切人婬不擇畜生乃至母
女姊妹六親行婬无慈悲心是菩薩波羅夷
罪
若佛子自妄語教人妄語方便妄語妄語曰
妄語緣妄語法妄語業乃至不見言見見言不
見身心妄語而菩薩常生正語亦生衆生正語
正見而反更起一切衆生耶語耶見邪業是菩

BD02234 號 4　梵網經盧舍那佛說菩薩心地戒品第十卷下　（16–10）

妄語緣妄語法妄語業乃至不見言見見言不
見身心妄語而菩薩常生正語亦生衆生正語
正見而反更起一切衆生耶語耶見邪業是菩
薩波羅夷罪
若佛子自酤酒教人酤酒酤酒因酤酒緣酤酒
法酤酒業一切酒不得酤是酒起罪因緣而菩
薩應生一切衆生明達之慧而反更生衆生顛
倒心是菩薩波羅夷罪
若佛子口自說出家在家菩薩比丘比丘尼罪
過教人說罪過罪過因罪緣罪過法罪過緣
業而菩薩聞外道惡人及二乘惡人說佛法中
非法非律常生悲心教化是惡人輩令生大
乘善信而菩薩反更自說佛法中罪過是
菩薩波羅夷罪
若佛子自讚毀他亦教人自讚毀他毀他曰
毀他緣毀他法毀他業而菩薩應代一切
衆生受加毀辱惡事自向己好事與他人若
自揚己德隱他人好事令他人受毀者是菩
薩波羅夷罪
若佛子自慳教人慳慳曰慳緣慳法慳業而
菩薩見一切貧窮人來乞者隨前人所須一切
給與而菩薩惡心瞋心乃至不施一錢一針一草
有求法者而不爲說一句一偈一微塵許法而反更
罵辱是菩薩波羅夷罪

BD02234 號 4　梵網經盧舍那佛說菩薩心地戒品第十卷下　（16–11）

薩波羅夷罪
若佛子自慳教人慳慳因慳緣慳法慳業而
菩薩見一切貧窮人來乞者隨前人所須一切
給與而菩薩惡心瞋心乃至不施一錢一針一草
有求法者而不爲説一句一偈一微塵許法而反更
罵辱是菩薩波羅夷罪
若佛子自瞋教人瞋瞋因瞋緣瞋法瞋業而菩薩
應生一切衆生中善根無諍之事常生悲心而
反更於一切衆生中乃至於非衆生中以惡口罵辱
加以手打及以刀杖意猶不息前人求悔善言
懺謝猶瞋不解者是菩薩波羅夷罪
若佛子自謗三寶教人謗三寶謗因謗緣謗法
謗業而菩薩見外道及以惡人一言謗佛音聲
如三百鉾刺心況口自謗不生信心孝順心而反
更助惡人邪見人謗者是菩薩波羅夷罪
善學諸人者是菩薩十波羅提木叉應當
於中不應一一犯如微塵許何況具足犯十戒
若有犯者不得現身發菩提心亦失國王位
轉輪王位亦失比丘比丘尼位失十發趣十
長養十金剛十地佛性常住妙果一切皆失墮
三惡道中二劫三劫不聞父母三寶名字以是
不應一一犯汝等一切諸菩薩今學當學已學是
十戒應當學敬心奉持八萬威儀品當廣明
佛告諸菩薩言已説十波羅提木叉竟四十八輕
今當説若佛子欲受國王位時受轉輪王位時

BD02234號4　梵網經盧舍那佛説菩薩心地戒品第十卷下　（16–12）

十戒應當學敬心奉持八萬威儀品當廣明
佛告諸菩薩言已説十波羅提木叉竟四十八輕
今當説若佛子欲受國王位時受轉輪王位時
百官受位時應先受菩薩戒一切鬼神救
護王身百官之身諸佛歡喜既得戒已生孝
順心恭敬心見上座和上阿闍梨大同學同
見同行者應起承迎礼拜問訊而菩薩
反生憍心慢心癡心不起承迎礼拜一一不如
法供養以自賣身國城男女七寶百物而供給
之若不尒者犯輕垢罪
若佛子故飲酒而生酒過失無量若自身手
過酒器與人飲酒者五百世無手何況自飲
不得教一切人飲及一切衆生飲酒況自飲酒
若故自飲教人飲者犯輕垢罪
若佛子故食肉一切肉不得食斷大慈悲佛
性種子一切衆生見而捨去故一切菩薩不
得食一切衆生肉食肉得無量罪若故食者
犯輕垢罪
若佛子不得食五辛大蒜茖葱慈葱蘭
葱興渠是五種一切食中不得食若故食
者犯輕垢罪
若佛子一切衆生犯八戒五戒十戒毀禁七逆
八難一切犯戒罪應教懺悔而菩薩不教懺悔
共住同僧利養而共布薩一衆説戒而不舉其
罪教悔過者犯輕垢罪
若佛子見大乘法師大乘同見同行者来入僧

BD02234號4　梵網經盧舍那佛説菩薩心地戒品第十卷下　（16–13）

八難一切犯戒罪應教懺悔而菩薩不教懺悔
共住同僧利養而共布薩一衆說戒而不舉其
罪教悔過者犯輕垢罪
若佛子見大乘法師大乘同見同行者來入僧
房舍宅城邑若百里千里來者即起迎來送去
礼拜供養日日三時供養日食三兩金百味飲食
牀座供事法師一切所須盡給與之常請法師三時
說法日日三時礼拜不生瞋心患惱之心為法滅身
請法若不爾者犯輕垢罪
若佛子一切處有講毗尼經律大宅舍中有講法
處是新學菩薩應持經律卷至法師所聽
受聽問若山林樹下僧地房中一切說法處悉
至聽受若不至彼聽受者犯輕垢罪
若佛子心背大乘常住經律言非佛說而受
持二乘聲聞外道惡見一切禁戒邪見經律者
犯輕垢罪
若佛子一切疾病人供養如佛無異八福田中
看病福田第一福田若父母師僧弟子病諸
根不具百種病苦惱皆養令差而菩薩以
瞋恨心不至僧房中城邑曠野山林道路中見
病不救濟者犯輕垢罪
若佛子不得畜一切刀杖弓箭鉾斧鬪戰之
具及惡網羅殺生之器一切不得畜而菩薩
乃至殺父母尚不加報況殺一切衆生若故畜
刀杖者犯輕垢罪如是十戒應當學敬心奉持
下六品廣開

BD02234 號 4　梵網經盧舍那佛說菩薩心地戒品第十卷下　（16–14）

乃至殺父母尚不加報況殺一切衆生若故畜
刀杖者犯輕垢罪如是十戒應當學敬心奉持
下六品廣開
佛言佛子為利養惡心故通國使命軍陣合
會興師相殺無量衆生而菩薩不得入軍中
往來況故作國賊若故作者犯輕垢罪
若佛子故販賣良人奴婢六畜市易棺材板木盛
死之具尚不應自作況教人作若故作者犯輕垢罪
若佛子以惡心故無事謗他良人善人法師師
僧國王貴人言犯七逆十重父母兄弟六親中應
生孝順心慈悲心而反更加於逆害墮不如意
處者犯輕垢罪
若佛子以惡心故放大火燒山林曠野四月乃至
九月放火若燒他人家屋宅城邑僧房田木及
鬼神官物一切有主物不得故燒若故燒者犯輕
垢罪
若佛子自佛弟子及外道人六親一切善知識應
一一教受持大乘經律教解義理使發菩提心發
十方心長養心金剛心二解其次第法用而菩薩以
惡心瞋心橫教他二乘聲聞戒經律外道邪見論
犯輕垢罪
菩薩戒經

BD02234 號 4　梵網經盧舍那佛說菩薩心地戒品第十卷下　（16–15）

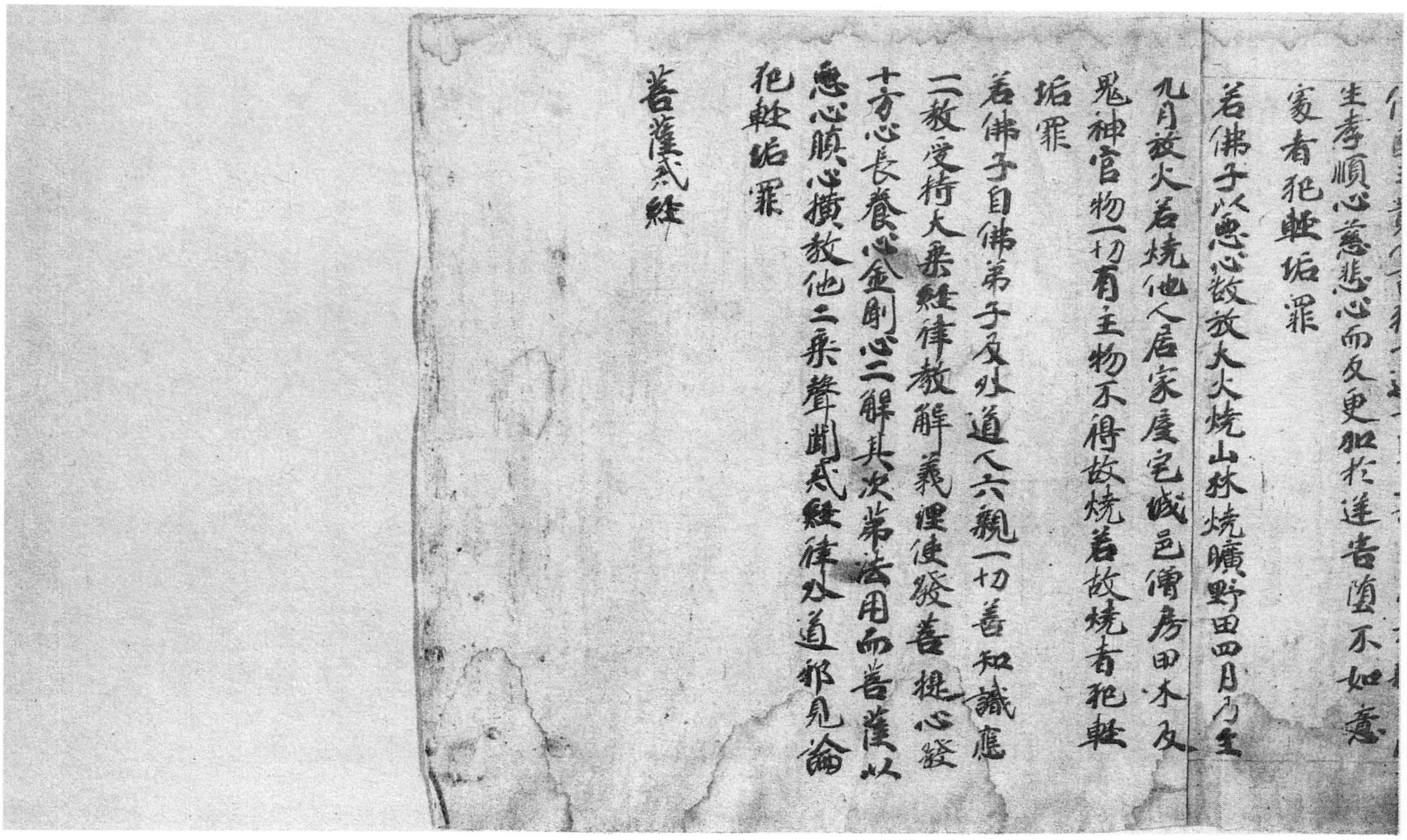

生孝順心慈悲心而反更加於逆害墮不如意
處者犯輕垢罪
若佛子以惡心故放大火燒山林曠野四月乃至
九月放火若燒他人家屋宅城邑僧房田木及
鬼神官物一切有主物不得故燒若故燒者犯輕
垢罪
若佛子自佛弟子及外道人六親一切善知識應
一教受持大乘經律教解義理使發菩提心發
十方心長養心金剛心一一解其次第法用而菩薩以
惡心瞋心橫教他二乘聲聞戒經律外道邪見論
犯輕垢罪
菩薩戒經

BD02234 號 4　梵網經盧舍那佛說菩薩心地戒品第十卷下　（16–16）

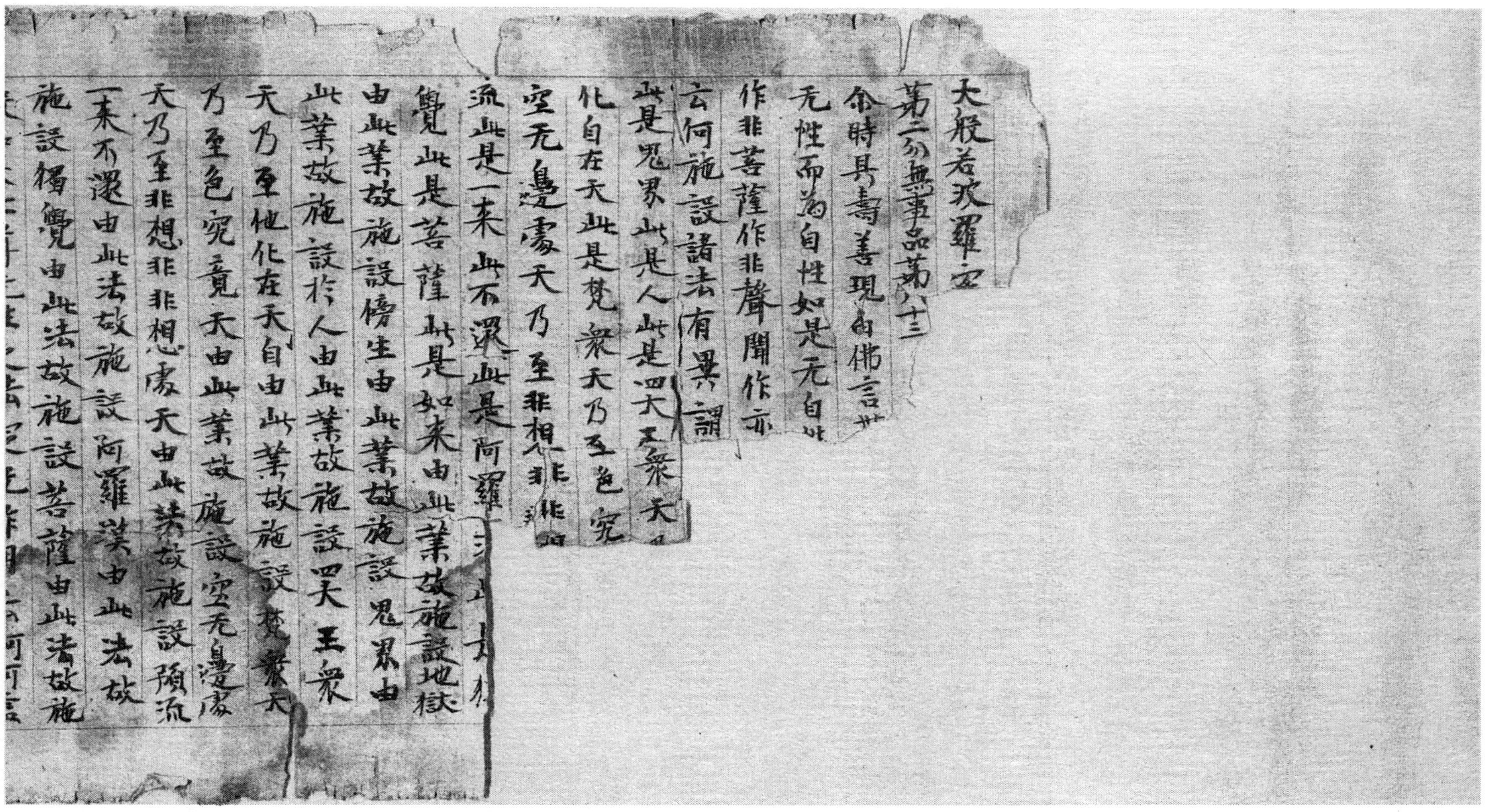

大般若波羅蜜
第二分無事品第八十三
爾時具壽善現白佛言世
无性而為自性如是无自性
作非菩薩作非聲聞作亦
云何施設諸法有異謂
此是鬼界此是人此是四大王衆天
化自在天此是梵衆天乃至色究
空无邊處天乃至非想非非
流此是一來此不還此是阿羅
覺此是菩薩此是如來由此業故施設地獄
由此業故施設傍生由此業故施設鬼界由
此業故施設於人由此業故施設四大王衆
天乃至他化在天自由此業故施設梵衆天
乃至色究竟天由此業故施設空无邊處
天乃至非想非非想處天由此業故施設預流
一來不還由此法故施設阿羅漢由此法故
施設獨覺由此法故施設菩薩由此法故施

BD02235 號　大般若波羅蜜多經卷四七八　（24–1）

天乃至非想非非想處天由此共故施設預流
一來不還由此法故施設阿羅漢由此法故
施設獨覺由此法故施設菩薩由此法故施
設如來世尊无性之法定无作用云何可言
由如是業生於地獄由如是業生於傍生由
如是業生於界由如是業生於人中由如
是業生四大王衆天乃至他化自在天由如
是業生梵衆天乃至色究竟天由如是業生
空无邊處天乃至非想非非想處天由如是
法得預流果由如是法得一來果由如是法得
不還果由如是法得阿羅漢果由如是法
得獨覺菩提由如是法入菩薩位行菩薩道
由如是法得一切相智名佛世尊令諸有情
解脫生死佛告善現如是如是如汝所說无
法性中不可施設諸法有異无業无果亦无
作用但諸愚夫不了聖法毗柰耶故不如實
知諸法皆以无性為性愚癡顛倒發起種種
身語意業隨業差別受種種身依如是身
品類差別施設地獄傍生鬼界若人若天乃
至非想非非想處為欲濟拔如是愚夫愚癡
顛倒受生死苦施設聖法及毗柰耶分位差別
依此分位施設預流乃至獨覺菩薩如來然
一切法皆以无性而為自性无性法中實无
異法无業无果亦无作用无性之法常无性
故復次善現如汝所說无性之法定无作用
云何可言由如是法得預流果廣說乃至由

BD02235 號　大般若波羅蜜多經卷四七八　（24–2）

異法无業无果亦无作用无性之法常无性
故復次善現如汝所說无性之法定无作用
云何可言由如是法得預流果廣說乃至由
如是法得一切智名佛世尊令諸有情脫
生死者於意云何諸所脩道是无性不諸預
流果一來不還阿羅漢果獨覺菩提及菩薩
道一切相智是无性不善現對曰如是如是
諸所脩道廣說乃至一切相智皆是无性佛
告善現於意云何无性法為能得无性法不
善現對曰不也世尊佛告善現无性及道是
一切法皆非相應非不相應无色无見无對
一相所謂无相愚夫異生愚癡顛倒於无相
法起有法想執著五蘊於无常中起於常想
於諸苦中起於樂想於无我中起於我想於
不淨中起於淨想於无恒法執著有恒由此
菩薩摩訶薩衆行深般若波羅蜜多方便善
巧濟拔如是諸有情類令離顛倒虛妄分
別方便安置无相法中令勤脩學解脫生死
證得畢竟常樂涅槃
具壽善現復白佛言愚夫異生所執著事頗
有真實而非虛妄彼執著已造作諸業由是
因緣流淪諸趣不能解脫生死苦不佛告善
現愚夫異生所執著事乃至无有如細毛端
可說真實而非虛妄彼執著已造作諸業由
是因緣流淪諸趣不能解脫生死衆苦唯有

BD02235 號　大般若波羅蜜多經卷四七八　（24–3）

因緣流淪諸趣不能解脫生死苦不佛告善
現愚夫異生所執著事乃至无有如細毛端
可說真實而非虛妄彼執著已造作諸業由
是因緣流淪諸趣不能解脫生死衆苦唯有
虛妄顛倒執著吾今為汝廣說譬喻重顯
斯義令其易了諸有智者由諸譬喻於所說義
能生正解善現於意云何夢中見人受五欲
樂夢中頗有少分實事可令彼人受欲樂不
善現對曰夢所見人尚非實有況有實事可
令彼人受五欲樂佛告善現於意云何頗有
諸法若善若非善若有記若无記若有漏若
无漏若世間若出世間若有為若无為非如
夢中所見事不善現對曰定无有法若善若
非善若有記若无記若有漏若无漏若世間
若出世間若有為若无為非如夢中所見事
者佛告善現於意云何夢中頗有真實諸趣
於中往來生死事不善現對曰不也世尊佛
告善現於意云何夢中頗有真實脩道依
彼脩道有雜雜染得清淨不善現對曰不也世
尊所以者何夢所見法都无實事非能施設
非所施設脩道尚无況依脩道有雜雜染及
得清淨佛告善現於意云何明鏡等中所現
衆像為有實事可依造業由所造業或墮地
獄或墮傍生或墮鬼界或生人中或生天上
受苦樂不善現對曰明鏡等中所現衆像都

BD02235號　大般若波羅蜜多經卷四七八　（24–4）

衆像為有實事可依造業由所造業或墮地
獄或墮傍生或墮鬼界或生人中或生天上
受苦樂不善現對曰明鏡等中所現衆像都
无實事但誑愚童如何可依造作諸業由所
造業或墮惡趣或生人天受諸苦樂佛告善
現於意云何衆像頗有真實脩道依彼脩道
有雜雜染得清淨不善現對曰明鏡等像都
无實事非能施設非所施設脩道尚无況依
脩道有雜雜染及得清淨佛告善現於意云
何山谷等中所發諸響為有實事可依造業
由所造業或墮地獄或墮傍生或墮鬼界或
生人中或生天上受苦樂不善現對曰山谷
等中所發諸響都无實事但誑愚童如何
可依造作諸業由所造業或墮惡趣或生人天
受諸苦樂佛告善現於意云何諸響頗有真
實脩道依彼脩道有雜雜染得清淨不善現
對曰不也世尊所以者何山谷等響都无實
事非能施設非所施設脩道尚无況依脩道
有雜雜染及得清淨佛告善現於意云何諸
陽焰中現似水等為有實事可依造業由所
造業或墮地獄或墮傍生或墮鬼界或生人
中或生天上受苦樂不善現對曰諸陽焰中
所現水等都无實事但誑愚童如何可依造
作諸業由所造業或墮惡趣或生人天受諸
苦樂佛告善現於意云何諸陽焰中水等頗
有真實脩道依彼脩道有雜雜染得清淨不

BD02235號　大般若波羅蜜多經卷四七八　（24–5）

作諸業由所造業或墮惡趣或生人天受諸
苦樂佛告善現於意云何諸陽焰中水等頗
有真實脩道依彼脩道有雜雜染得清淨不
善現對曰不也世尊所以者何陽焰水等都
无實事非能施設非所施設脩道尚无況能
脩道有雜雜染及得清淨佛告善現於意云
何諸光影中所現色相為有實事可依造業
由所造業或墮地獄或墮傍生或墮鬼界或
生人中或生天上受苦樂不善現對曰諸光
影中所現色相都无實事但誑愚童如何可
依造作諸業由所造業或墮惡趣或生人天
受諸苦樂佛告善現於意云何諸光影中色
相頗有真實脩道依彼脩道有雜雜染得
清淨不善現對曰不也世尊所以者何光影色
相都无實事非能施設非所施設脩道尚无
況依脩道有雜雜染及得清淨佛告善現於
意云何幻師幻作象馬車步四種勇軍或復
幻作牛羊男女及餘種種甚希有事此幻象
等為有實事可依造業由所造業或墮地獄
或墮傍生或墮鬼界或生人中或生天上受
苦樂不善現對曰幻象馬等都无實事但
誑愚童如何可依造作諸業由所造業或墮
惡趣或生人天受諸苦樂佛告善現於意云何
幻事頗有真實脩道依彼脩道有雜雜染得
清淨不善現對曰不也世尊所以者何幻象馬
等都无實事非能施設非所施設脩道尚无
況依脩道有雜雜染及得清淨佛告善現

BD02235號　大般若波羅蜜多經卷四七八　　（24–6）

清淨不善現對曰不也世尊所以者何幻象馬
等都无實事非能施設非所施設脩道尚无
況依脩道有雜雜染及得清淨佛告善現
於意云何能變化者所化作身此所化身為
有實事可依造業由所造業或墮地獄或墮
傍生或墮鬼界或生人中或生天上受苦樂
不善現對曰諸變化身都无實事如何可依
造作諸業由所造業或墮惡趣或生人天受
諸苦樂佛告善現於意云何化身頗有真實
脩道依彼脩道有雜雜染得清淨不善現
對曰不也世尊所以者何諸變化身都无實事
非能施設非所施設脩道尚无況依脩道有
雜雜染及得清淨佛告善現於意云何尋香
城中所現物類為有實事可依造業由所造
業或墮地獄或墮傍生或墮鬼界或生人中
或生天上受苦樂不善現對曰尋香城中所
現物類都无實事如何可依造作諸業由所
造業或墮惡趣或生人天受諸苦樂佛告善
現於意云何尋香城中物類頗有真實脩道
依彼脩道有雜雜染得清淨不善現對曰不
也世尊所以者何尋香城中所現物類都无
實事非能施設非所施設脩道尚无況依脩
道有雜雜染及得清淨佛告善現於意云何
此中頗有實雜染者清淨者不善現對曰此
中都无實雜染者及清淨者佛告善現如雜
[illegible]

BD02235號　大般若波羅蜜多經卷四七八　　（24–7）

此中頗有實雜染者清淨者不善現對曰此
中都无實雜染者及清淨者佛告善現如雜
染者及清淨者實无所有由此因緣雜染清
淨亦非實有所以者何住我我所諸有情類
虛妄分別謂有雜染及清淨者由此因緣謂
有雜染及有清淨非見實者謂有雜染及清
淨者如實見者知无雜染及清淨者如是亦
无雜染清淨實事可得以一切法畢竟空故
第二分實說品第八十四
尒時具壽善現白佛言世尊諸見實者既无
雜染及无清淨不見實者亦无雜染及无清
淨所以者何以一切法无所有故世尊諸實
說者既无雜染及无清淨不實說者亦无雜
染及无清淨所以者何以一切法无自性故
世尊无自性法既无雜染及无清淨有自性
法亦无雜染及无清淨諸有自性无自性法
亦无雜染及无清淨所以者何以一切法皆
用无性為自性故世尊若見實者及實說者
无染无淨不見實者不實說者亦无染淨云
何世尊有時說有清淨法耶佛告善現我說
一切法平等性為清淨法具壽善現復白佛
言何謂一切法平等性佛告善現諸法真如
法界法性不虛妄性不變異性平等性離生
性法定法住實際虛空界不思議界若佛出
世若不出世性相常住是名一切法平等性

BD02235號　大般若波羅蜜多經卷四七八　（24–8）

性法定法住實際虛空界不思議界若佛出
世若不出世性相常住是名一切法平等性
此平等性名清淨法此依世俗說為清淨不
依勝義所以者何勝義諦中既无分別亦无
戲論一切名字言語道斷具壽善現復白佛
言若一切法如夢像響光影幻化及尋香城
雖現似有而无實事諸菩薩摩訶薩云何依
此非實有法發趣无上正等覺心作是誓言
我當圓滿布施波羅蜜多乃至般若波羅蜜
多我當圓滿殊勝神通波羅蜜多我當圓滿
方便善巧妙願力智波羅蜜多我當圓滿四
靜慮四无量四无色定我當圓滿四念住乃
至八聖道支我當圓滿空无相无願解脫門
我當圓滿八解脫乃至十遍處我當圓滿內
空乃至无性自性空我當圓滿真如乃至不
思議界我當圓滿苦集滅道聖諦我當圓滿
極喜地乃至法雲地我當圓滿一切陁羅尼
門三摩地門我當圓滿五眼六神通我當圓
滿如來十力乃至十八佛不共法我當圓滿
无忘失法恒住捨性我當圓滿一切智道相
智一切相智我當圓滿三十二大士相八十
隨好我當發起无量光明普照十方无邊世
界我發發一妙音普遍滿十方无邊世界
隨諸有情心心所法勝解差別為說種種微
妙法門令獲利樂佛告善現於意云何汝所

BD02235號　大般若波羅蜜多經卷四七八　（24–9）

隨諸有情心心所法勝解差別為說種種微
妙法門令獲利樂佛告善現於意云何汝所
說法豈不一切如夢依響焰影幻化尋香城
耶善現對日如是如是世尊若一切法如夢
乃至如尋香城皆無實事云何菩薩摩訶薩
行深般若波羅蜜多時發大誓言我當圓滿
一切功德利益安樂無量有情世尊非夢所
見廣說乃至尋香城中所現物類能行布施
波羅蜜多乃至般若波羅蜜多况能圓滿餘
一切法亦應如是俱非實故世尊非夢所見
廣說乃至尋香城中所見物類乃至能行三
十二大士相八十隨好况能圓滿餘一切法
亦應如是俱非實故世尊非夢所見廣說乃
至尋香城中所現物類能成一切所願事業
餘一切法亦應如是俱非實故佛告善現如是
如是如汝所說非實有法尚不能行布施波
羅蜜多乃至般若波羅蜜多况能圓滿如
是乃至非實有法尚不能行三十二大士相
八十隨好况能圓滿非實有法不能成辦所
願事業非實有法不能證得所求無上正等
菩提復次善現布施淨戒安忍精進靜慮般
若波羅蜜多及餘無量無邊善法非實有故
不能證得所求無上正等菩提善現當知如
是諸法一切皆是思惟造作諸有思惟所造
作法皆不能得一切智智復次善現如是諸

BD02235 號　大般若波羅蜜多經卷四七八　　（24–10）

不能證得所求無上正等菩提善現當知如
是諸法一切皆是思惟造作諸有思惟所造
作法皆不能得一切智智復次善現如是諸
法於菩提道雖能引發而於其果無濟助用
由此諸法無生無起無實相故諸菩薩摩訶
薩行深般若波羅蜜多時從初發心雖起種
種身語意善謂若脩行布施淨戒安忍精進
靜慮般若波羅蜜多如是乃至若脩行一切
智道相智一切相智而知一切如夢像響焰
影幻化及尋香城皆非實有復次善現如是
諸法雖非實有若不圓滿决定不能成熟有
情嚴淨佛土證得無上正等菩提謂菩薩摩
訶薩若不圓滿布施淨戒安忍精進靜慮般
若波羅蜜多乃至一切智道相智一切相智
决定不能成熟有情嚴淨佛土證得無上正
等菩提復次善現是諸菩薩摩訶薩行深般
若波羅蜜多時隨所脩集一切善法皆如實
知如夢乃至如尋香城謂若脩行布施淨戒
安忍精進靜慮般若波羅蜜多能如實知如
夢乃至如尋香城如是乃至若脩行一切智
道相智一切相智能如實知如夢乃至如尋
香城若成熟有情嚴淨佛土求趣無上正等
菩提能如實知如夢乃至如尋香城亦如實
知諸有情類心行差別如夢乃至如尋香城
復次善現是諸菩薩摩訶薩行深般若波羅
蜜多時於一切法不取為有不取為無若由

BD02235 號　大般若波羅蜜多經卷四七八　　（24–11）

知諸有情類心行差別如夢乃至如尋香城
復次善現是諸菩薩摩訶薩行深般若波羅
蜜多時於一切法不取為有不取為无若由
如是取故證得一切智智亦知彼法如夢乃
至如尋香城不取為有不取為无所以者何
布施淨戒安忍精進靜慮般若波羅蜜多乃
至一切智道相智一切相智皆不可取故善
非善法亦不可取故有記无記法亦不可取
故有漏无漏法亦不可取故世間出世間法
亦不可取故有為无為法亦不可取故是菩
薩摩訶薩知一切法不可取已求趣无上正
等菩提所以者何以一切法皆不可取都无
實事如夢乃至如尋香城不可取法不能證
得不可取法然諸有情於如是法不知不見
是菩薩摩訶薩為饒益彼諸有情故求趣无
上正等菩提復次善現是菩薩摩訶薩從初
發心為欲利樂諸有情故脩行布施波羅蜜
多乃至般若波羅蜜多不為已身非為餘事
為欲利樂諸有情故求趣无上正等菩提不
為已身非為餘事復次善現是菩薩摩訶薩
行深般若波羅蜜多時見諸愚夫於非我中
而住我想於非有情住有情想如是乃至於
非知者住知者想於非見者住見者想是菩
薩摩訶薩見是事已深生憐愍方便教化令
離顛倒妄想執著安置无相甘露界中作是
界中不復現起我想乃至知見者想是時一

薩摩訶薩見是事已深生憐愍方便教化令
離顛倒妄想執著安置无相甘露界中作是
界中不復現起我想乃至知見者想是時一
切掉動散亂戲論分別不復現行心多安住
寂靜淡泊无戲論界善現是菩薩摩訶薩由
此方便行深般若波羅蜜多自於諸法无所
執著亦能教他於一切法无所執著此依世
俗不依勝義以勝義中无所執著自他差別
不可得故
尒時具壽善現白佛言世尊佛得无上正等
覺時所證佛法為依世俗說名為得為依勝
義說名得耶佛告善現佛得无上正等覺時
所證佛法依世俗故說名為得不依勝義若
依勝義能得所得俱不可得所以者何若謂
此人得如是法便有所得有所得者便執有
二執有二者不能得果亦无現觀具壽善現
復白佛言若執有二不能得果亦无現觀執
无二者為能得果有現觀耶佛告善現執有
二者不能得果亦无現觀執无二者亦復如
是有所執故如執有二若不執二不執不二
則名得果亦名現觀所以者何若執由此便
能得果亦有現觀及執由彼不能得果亦无
現觀俱是戲論非一切法平等性中有諸戲
論若離戲論乃可名為法平等性具壽善現
復白佛言若一切法皆以无性而為自性此
中何謂法平等性佛告善現若於是處都
无有性亦无无性亦不可說為平等性具壽

復白佛言若一切法皆以无性而為自性此
中何謂法平等性佛告善現若於是處都
无有性亦无无性亦不可說為平等性如是乃
名法平等性善現當知法平等性既不可說
亦不可知除平等性无法可得離一切法无
平等性善現當知法平等性異生聖者俱不
能行非彼境故具壽善現復白佛言法平等
性豈亦非佛所行境耶佛告善現法平等性
一切聖者皆不能行亦不能證謂諸預流若
一來若不還若阿羅漢若諸獨覺若諸
菩薩若諸如來皆不能以法平等性為所行
境此中一切戲論分別皆不行故具壽善現
復白佛言佛於諸法皆得自在如何可言法
平等性亦非諸佛所行境耶佛告善現佛於
諸法雖得自在若平等性與佛有別可言是
佛所行境界然平等性與佛无別如何可說
佛行彼境善現當知若諸異生法平等性若
諸預流一來不還阿羅漢獨覺菩薩如來法
平等性如是一切法平等性皆同一相所謂
无相是一平等无二无別故不可說此是異
生法平等性廣說乃至此是如來法平等性
於此一法平等性中諸平等性既不可得於
中異生及預流等差別之相亦不可得具壽
善現復白佛言若一切法平等性中諸差別
相皆不可得則諸異生及預流等法及有情
應无差別佛告善現如是如是如汝所說於

BD02235 號　大般若波羅蜜多經卷四七八　（24–14）

善現復白佛言若一切法平等性中諸差別
相皆不可得則諸異生及預流等法及有情
應无差別佛告善現如是如是如汝所說於
一切法平等性中若諸異生若諸聖者乃至
如來法及有情皆无差別具壽善現復白佛
言若一切法平等性中異生聖者法及有情
皆无差別云何三寶出現世間所謂佛寶法
寶僧寶佛告善現於意云何佛法僧寶法
平等性各各別耶善現對曰如我解佛所說義
者佛法僧寶法平等性皆无差別所以者何
佛法僧寶法平等性如是一切皆非相應非
不相應无色无見无對一相所謂无相然佛
世尊於无相法方便善巧建立種種法及有
情名相差別所謂此是異生及法乃至此是
如來及法佛告善現如是如是如汝所說諸
佛於法方便善巧能於无相建立種種法及
有情名相差別復次善現於意云何諸如
來應正等覺不證无上正等菩提設證无上
正等菩提不為有情建立諸法名相差別諸
有情類為能自知此是地獄此是傍生此是
鬼界此是人此是天謂四大王衆天乃至非
想非非想處天此是色乃至識此是眼處
乃至意處此是色處乃至法處此是眼界乃
至意界此是色界乃至法界此是眼識界乃
至意識界此是眼觸乃至意觸此是眼觸為
緣所生諸受乃至意觸為緣所生諸受此是地

BD02235 號　大般若波羅蜜多經卷四七八　（24–15）

至意處此是色界乃至法界此是眼識界乃
至意識界此是眼觸乃至意觸此是眼觸為
緣所生諸受乃至意觸為緣所生諸受此是地
界乃至識界此是因緣乃至增上緣此是從緣
所生諸法此是無明乃至老死此是善非善
法此是有記無記法此是有漏無漏法此是
世間出世間法此是有為無為法此是布施
波羅蜜多乃至般若波羅蜜多此是四念
住乃至八聖道支此是內空乃至無性自性空
此是真如乃至不思議界此是苦集滅道聖諦
此是四靜慮四無量四無色定此是空無相
無願解脫門此是八解脫乃至十遍處此是
淨觀地乃至如來地此是極喜地乃至法雲
地此是一切陀羅尼門三摩地門此是五眼
六神通此是如來十力乃至十八佛不共法
此是三十二大士相八十隨好此是無忘失
法恒住捨性此是一切智道相智一切相智
此是一切相妙願智此是一切智智此是三
寶此是三乘諸有情類於如是等差別名相
能自知不善現對曰不也世尊若佛不為有
情建立諸如是等差別名相諸有情類不
能自知諸如是等差別名相佛告善現是故如
來於無相法方便善巧雖為有情建立種種
差別名相而於諸法平等性中能無所動雖
於有情作大恩德而於其中能不取相
爾時具壽善現白佛言世尊為如如來於一

差別名相而於諸法平等性中能無所動雖
於有情作大恩德而於其中能不取相
爾時具壽善現白佛言世尊為如如來於一
切法平等性中都無所動如是一切異生預
流一來不還及阿羅漢獨覺菩薩亦於諸法
平等性中無所動不佛告善現如是如是以
一切法及諸有情皆不出過平等性故如平
等性當知真如廣說乃至不思議界亦復如
是諸法異生及諸聖者於真如等無差別故
具壽善現復白佛言若諸異生及諸聖者并
一切法平等之性無差別者今一切法及諸
有情相各異故是則法性亦應各
異謂色乃至識相各異故性亦應異眼處乃
至意處相各異故性亦應異色處乃至法處
相各異故性亦應異眼界乃至意界相各異
故性亦應異色界乃至法界相各異故性亦
應異眼識界乃至意識界相各異故性亦應
異眼觸乃至意觸相各異故性亦應異眼觸
為緣所生諸受乃至意觸為緣所生諸受相
各異故性亦應異地界乃至識界相各異故
性亦應異因緣乃至增上緣相各異故性亦
應異從緣所生諸法相各異故性亦應異無
明乃至老死相各異故性亦應異貪瞋癡相
各異故性亦應異諸見趣相各異故性亦
應異四靜慮四無量四無色定相各異故性

明乃至老死相各異故性亦應異貪瞋癡相
各異故性亦應異坐見趣相各異故性亦
應異四靜慮四無量四無色定相各異故性
亦應異四念住乃至八聖道支相各異故性
亦應異空無相無願解脫門相各異故性亦應
異內空乃至無性自性空相各異故性亦應
異真如乃至不思議界相各異故性亦應
異苦集滅道聖諦相各異故性亦應異布施
波羅蜜多乃至般若波羅蜜多相各異故性
亦應異八解脫乃至十遍處相各異故性亦
應異淨觀地乃至如來地相各異故性亦應
異極喜地乃至法雲地相各異故性亦應異
一切陀羅尼門三摩地門相各異故性亦應
異五眼六神通相各異故性亦應異如來十
力乃至十八佛不共法相各異故性亦應異
三十二大士相八十隨好相各異故性亦應
異無忘失法恒住捨性相各異故性亦應異
一切智道相智一切相智相各異故性亦應
異愚夫異生乃至如來相各異故性亦應異
善非善法相各異故性亦應異有記無記法
相各異故性亦應異有漏無漏法相各異故
性亦應異世間出世間法相各異故性亦應
異有為無為法相各異故性亦應異世尊如
是法等性若各異是則法性亦應各異云何
於諸異相法等可得安立法性一相云何菩
薩摩訶薩行深般若波羅蜜多時不分別法

BD02235號　大般若波羅蜜多經卷四七八　（24–18）

異有為無為法相各異故性亦應異世尊如
是法等性若各異是則法性亦應各異云何
於諸異相法等可得安立法性一相云何菩
薩摩訶薩行深般若波羅蜜多時不分別法
及諸有情有種種性若菩薩摩訶薩不分別
法及諸有情有種種性則應不能行深般若
波羅蜜多若不能行甚深般若波羅蜜多則
應不能從一菩薩地至一菩薩地若定不能
從一菩薩地至一菩薩地則應不能趣入菩
薩正性離生若定不能趣入菩薩正性離生
則應不能超諸聲聞及獨覺地若定不能超
諸聲聞及獨覺地則應不能圓滿神通波羅
蜜多若定不能圓滿神通波羅蜜多則應不
能於諸神通遊戲自在若定不能於諸神通
遊戲自在則應不能圓滿布施波羅蜜多乃
至般若波羅蜜多若定不能圓滿布施波羅
蜜多乃至般若波羅蜜多則應不能從一佛
國趣一佛國親近供養諸佛世尊若定不能
從一佛國趣一佛國親近供養諸佛世尊則
應不能於諸佛所種諸善根若定不能於諸
佛所種諸善根則應不能嚴淨佛土成熟有
情若定不能嚴淨佛土成熟有情則應不能
證得無上正等菩提轉正法輪度有情衆令
其永離惡趣生死佛告善現如汝所言若諸
異生及諸聖者并一切法平等之性無差別
者今一切法及諸有情相各異故性亦應異

BD02235號　大般若波羅蜜多經卷四七八　（24–19）

證得無上正等菩提轉正法輪度有情衆令
其永離惡趣生死佛告善現如汝所言若諸
異生及諸聖者并一切法平等之性無差別
者令一切法及諸有情相各異故性亦應異
是則法性亦應各異云何於諸異相法等可
得安立法性一相云何菩薩摩訶薩行深般
若波羅蜜多時不分別法及諸有情有種種
性乃至廣說善現於意云何諸色法性是空
性不諸受想行識法性是空性不如是乃至
一切有為無為法性是空性不善現對曰如
是如是一切法性皆是空性佛告善現於意
云何於空性中法等異相為可得不謂色異
相廣說乃至一切有為無為異相為可得不
善現對曰不也世尊於空性中一切異相皆
不可得佛告善現由此當知法平等性非即
一切愚夫異生非離一切愚夫異生如是乃
至非即如來應正等覺非離如來應正等覺
法平等性非即色非離色非即受想行識非
離受想行識如是乃至非即有為及無為法
非離有為及無為法具壽善現復白佛言法
平等性為是有為為是無為佛告善現法平
等性非是有為非是無為然離有為法無為
法不可得離無為法有為法亦不可得善現
當知若有為界若無為界如是二界非合非
散無色無見無對一相所謂無相一切如來
應正等覺依世俗說不依勝義所以者何非

BD02235 號　大般若波羅蜜多經卷四七八　　（24–20）

當知若有為界若無為界如是二界非合非
散無色無見無對一相所謂無相一切如來
應正等覺依世俗說不依勝義所以者何非
勝義中身行語行意行可得非離身行語行
意行勝義可得善現當知即有為法及無為
法平等法性說名勝義非離一切有為無為
別有勝義是故菩薩摩訶薩行深般若波羅
蜜多時不動勝義而行菩薩摩訶薩行成熟
有情嚴淨佛土證得無上正等菩提轉妙法
輪度有情衆令其永離生老病死證得究竟
常樂涅槃

第二分空性品第八十五

爾時具壽善現白佛言世尊若諸法等平等
之性皆本性空此本性空於一切法非能所
作云何菩薩摩訶薩行深般若波羅蜜多時
不動勝義以四攝事饒益有情佛告善現如
是如是一切法等平等之性皆本性空此本
性空於一切法非能所作然諸菩薩能為有
情以布施等作饒益事若諸有情自知諸法
皆本性空則諸如來及諸菩薩不現神通作
希有事謂於諸法本性空中雖無所動而令
有情遠離種種妄想顛倒謂令有情遠離
我想有情想乃至知者見者想亦令遠離色乃
至識想眼處乃至意處想色處乃至法處想
眼界乃至意界想色界乃至法界想眼識界
乃至意識界想眼觸乃至意觸想眼觸為緣

BD02235 號　大般若波羅蜜多經卷四七八　　（24–21）

至識想眼處乃至意處想色處乃至法處想
眼界乃至意界想色界乃至法界想眼識界
乃至意識界想眼觸乃至意觸想眼觸為緣
所生諸受乃至意觸為緣所生諸受想地界
乃至識界想无明乃至老死想亦令遠離有為
界想住无為界解脫一切生老病死无為界者
即諸法空依世俗說名无為界具壽善現復白
佛言由何空故說諸法空佛告善現由想空故
說諸法空復次善現於意云何若變化身復作化
事此有實事而不空耶善現對曰諸所變化都
无實事一切皆空佛告善現變化與空如是二
法非合非散此二俱以空空故空不應分別是
空是化所以者何非空性中有空有化二事
可得以一切法畢竟空故復次善現无色非
化无受想行識非化諸是化者无不皆空餘
法有情應知亦尒具壽善現復白佛言蘊界
處等世間諸法及諸有情可皆是化四念住
等出世間法及諸有情豈亦是化佛告善現
一切世間出世法等无非是化然於其中有
聲聞化有獨覺化有菩薩化有如來化有煩
惱化有諸業化由此因緣我說一切皆如變化
等无差別具壽善現復白佛言一切斷果
所謂預流一來不還阿羅漢果獨覺如來永
斷煩惱習氣相續豈亦是化佛告善現如是
諸法若與生滅二相合者亦皆是化具壽善
現復白佛言何法非化佛告善現若法不與

BD02235號　大般若波羅蜜多經卷四七八　（24–22）

所謂預流一來不還阿羅漢果獨覺如來永
斷煩惱習氣相續豈亦是化佛告善現如是
諸法若與生滅二相合者亦皆是化具壽善
現復白佛言何法非化佛告善現若法不與
生滅相合是法非化具壽善現復白佛言何
法不與生滅相合佛告善現不虛誑法即是
涅槃此法不與生滅相合是故非化具壽善
現復白佛言如世尊說平等法性一切皆空
无能動者无二可得无有少法非自性空如
何涅槃可說非化佛告善現如是如是如汝
所說无有少法非自性空此自性空非聲聞
作非獨覺作非菩薩作非如來作亦非餘作
有佛无佛其性常空此即涅槃是故我說涅
槃非化非實有法名為涅槃可說无生无滅
非化復次善現我為新學諸菩薩說涅槃非
化非別實有不空涅槃是故不應執此為難
尒時善現便白佛言云何方便教誡教授新
學菩薩令知諸法自性常空佛告善現豈一
切法先有後无而不常空然一切法先既非
有後亦非无自性常空不應驚怖應作如是
方便善巧教誡教授新學菩薩令知諸法自
性常空時薄伽梵說是經已无量菩薩摩訶
薩衆慈氏菩薩而為上首具壽善現及舍利
子大採菽氏大迦葉波阿難陀等諸大聲聞
及諸天龍阿素洛等一切大衆聞佛所說皆
大歡喜信受奉行

BD02235號　大般若波羅蜜多經卷四七八　（24–23）

切法先有後无而不常空然一切法先既非
有後亦非无自性常空不應驚怖應作如是
方便善巧教誡教授新學菩薩令知諸法自
性常空時薄伽梵説是經已无量菩薩摩訶
薩衆慈氏菩薩而爲上首具壽善現及舍利
子大採菽氏大迦葉波阿難陀等諸大聲聞
及諸天龍阿素洛等一切大衆聞佛所説皆
大歡喜信受奉行

大般若波羅蜜多經卷第四百七十八

BD02235 號　大般若波羅蜜多經卷四七八　　　　(24–24)

其座保宣通雷衣千義璟嵴似庭座
題名錄

BD02235 號背　題記　　　　(1–1)

諸善男子
說已身或說
已事或示他事
何如来如實知目
若出亦无在世及滅度者非實非虛非如非
異不如三界見於三界如斯之事如来明見
无有錯謬以諸衆生有種種性種種欲種種
行種種憶想分別故欲令生諸善根以若干
因緣譬喻言辞種種說法所作佛事未曾暫
癈如是我成佛已来甚大久遠壽命无量阿
僧祇劫常住不滅諸善男子我本行菩薩道
時所成壽命今猶未盡復倍上數然今非實
滅度而便唱言當取滅度如来以是方便教
化衆生所以者何若佛久住於世薄德之人
不種善根貧窮下賤貪著五欲入於憶想妄
見網中若見如来常在不滅便起憍恣而懷
猒怠不能生難遭之想恭敬之心是故如来
以方便說比丘當知諸佛出世難可值遇所
以者何諸薄德人過无量百千万億劫或有
見佛或不見者以此事故我作是言諸比丘

BD02236號　妙法蓮華經（八卷本）卷六　（22–1）

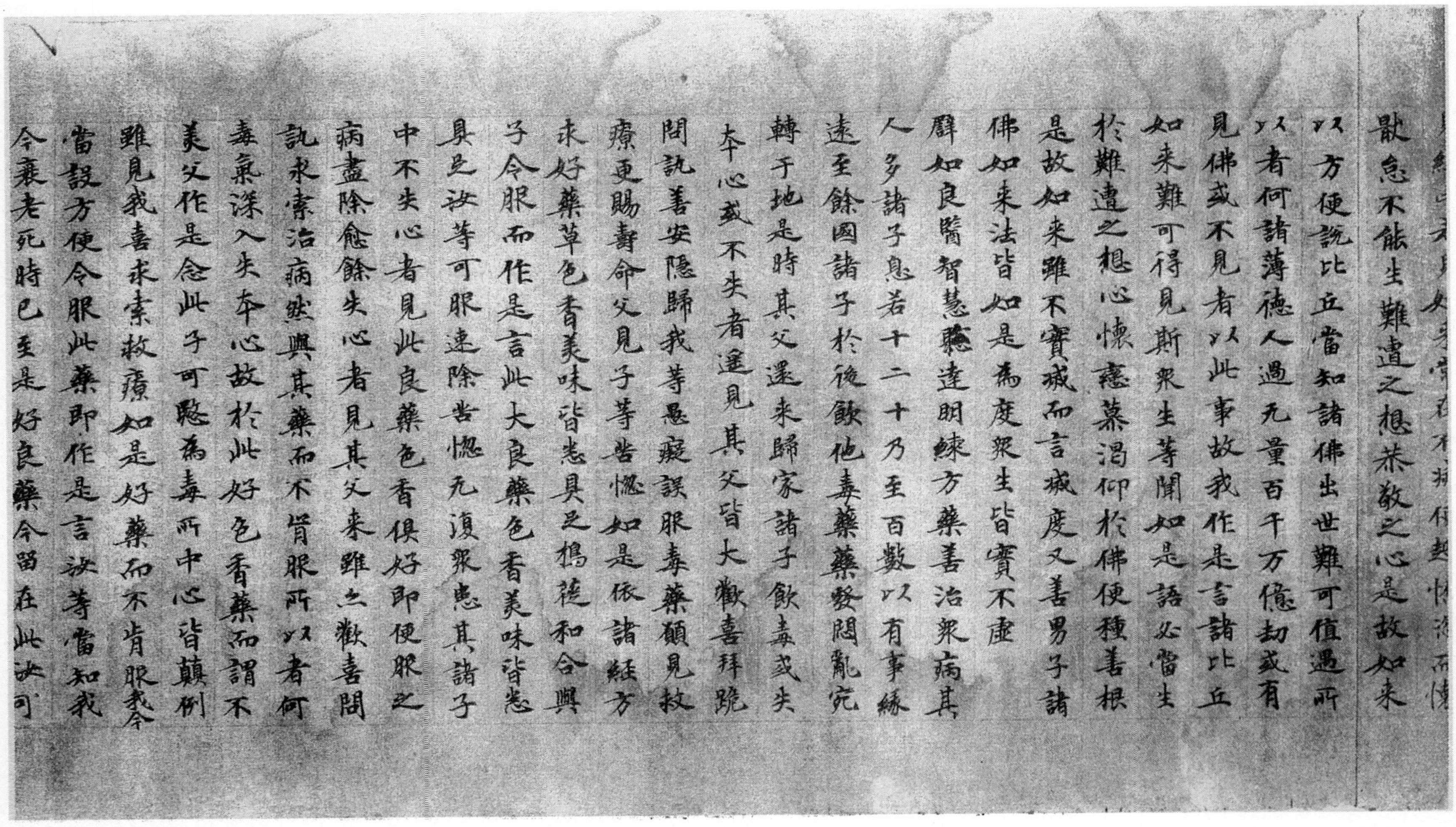

見網中若見如来常在不滅便起憍恣而懷
猒怠不能生難遭之想恭敬之心是故如来
以方便說比丘當知諸佛出世難可值遇所
以者何諸薄德人過无量百千万億劫或有
見佛或不見者以此事故我作是言諸比丘
如来難可得見斯衆生等聞如是語必當生
於難遭之想心懷戀慕渴仰於佛便種善根
是故如来雖不實滅而言滅度又善男子諸
佛如来法皆如是為度衆生皆實不虛
譬如良醫智慧聰達明練方藥善治衆病其
人多諸子息若十二十乃至百數以有事緣
遠至餘國諸子於後飲他毒藥藥發悶亂宛
轉于地是時其父還来歸家諸子飲毒或失
本心或不失者遥見其父皆大歡喜拜跪
問訊善安隱歸我等愚癡誤服毒藥願見救
療更賜壽命父見子等苦惱如是依諸經方
求好藥草色香美味皆悉具足擣簁和合與
子令服而作是言此大良藥色香美味皆悉
具足汝等可服速除苦惱无復衆患其諸子
中不失心者見此良藥色香俱好即便服之
病盡除愈餘失心者見其父来雖亦歡喜問
訊求索治病然與其藥而不肯服所以者何
毒氣深入失本心故於此好色香藥而謂不
美父作是念此子可愍為毒所中心皆顛倒
雖見我喜求索救療如是好藥而不肯服我今
當設方便令服此藥即作是言汝等當知我
今衰老死時已至是好良藥今留在此汝可

BD02236號　妙法蓮華經（八卷本）卷六　（22–2）

父作是念此子可愍為毒所中心皆顛倒
雖見我喜求索救療如是好藥而不肯服我今
當設方便令服此藥即作是言汝等當知我
今衰老死時已至是好良藥今留在此汝可
取服勿憂不差作是教已復至他國遣使還
告汝父已死是時諸子聞父背喪心大憂惱
而作是念若父在者慈愍我等能見救護今
者捨我遠喪他國自惟孤露无復恃怙常懷
悲感心遂醒悟乃知此藥色味香美即取服
之毒病皆愈其父聞子悉已得差尋便來歸
咸使見之諸善男子於意云何頗有人能說
此良醫虛妄罪不不也世尊佛言我亦如是
成佛已來无量无邊百千万億那由他阿僧
祇劫為眾生故以方便力言當滅度亦无有
能如法說我虛妄過者尒時世尊欲重宣此
義而說偈言
自我得佛來　所經諸劫數　无量百千万　億載阿僧祇
常說法教化　无數億眾生　令入於佛道　尒來无量劫
為度眾生故　方便現涅槃　而實不滅度　常住此說法
我常住於此　以諸神通力　令顛倒眾生　雖近而不見
眾見我滅度　廣供養舍利　咸皆懷戀慕　而生渴仰心
眾生既信伏　質直意柔濡　一心欲見佛　不自惜身命
時我及眾僧　俱出靈鷲山　我時語眾生　常在此不滅
以方便力故　現有滅不滅　餘國有眾生　恭敬信樂者
我復於彼中　為說无上法　汝等不聞此　但謂我滅度
我見諸眾生　沒在於苦惱　故不為現身　令其生渴仰
因其心戀慕　乃出為說法　神通力如是　於阿僧祇劫

BD02236號　妙法蓮華經（八卷本）卷六　（22–3）

我復於彼中　為說无上法　汝等不聞此　但謂我滅度
我見諸眾生　沒在於苦惱　故不為現身　令其生渴仰
因其心戀慕　乃出為說法　神通力如是　於阿僧祇劫
常在靈鷲山　及餘諸住處　眾生見劫盡　大火所燒時
我此土安隱　天人常充滿　園林諸堂閣　種種寶莊嚴
寶樹多華菓　眾生所遊樂　諸天擊天鼓　常作眾伎樂
雨曼陀羅華　散佛及大眾　我淨土不毀　而眾見燒盡
憂怖諸苦惱　如是悉充滿　是諸罪眾生　以惡業因緣
過阿僧祇劫　不聞三寶名　諸有脩功德　柔和質直者
則皆見我身　在此而說法　或時為此眾　說佛壽无量
久乃見佛者　為說佛難值　我智力如是　慧光照无量
壽命无數劫　久脩業所得　汝等有智者　勿於此生疑
當斷令永盡　佛語實不虛　如醫善方便　為治狂子故
實在而言死　无能說虛妄　我亦為世父　救諸苦患者
為凡夫顛倒　實在而言滅　以常見我故　而生憍恣心
放逸著五欲　墮於惡道中　我常知眾生　行道不行道
隨應所可度　為說種種法　每自作是意　以何令眾生
得入无上道　速成就佛身

妙法蓮華經分別功德品第十七

尒時大會聞佛說壽命劫數長遠如是无量
无邊阿僧祇眾生得大饒益於時世尊告弥
勒菩薩摩訶薩阿逸多我說是如來壽命長
遠時六百八十万億那由他恒河沙眾生得
无生法忍復有千倍菩薩摩訶薩得聞持陁
羅尼門復有一世界微塵數菩薩摩訶薩得
樂說无㝵辯才復有一世界微塵數菩薩摩

BD02236號　妙法蓮華經（八卷本）卷六　（22–4）

无生法忍復有千倍菩薩摩訶薩得聞持陁
羅尼門復有一世界微塵數菩薩摩訶薩得
樂說无导辯才復有一世界微塵數菩薩摩
訶薩得百万億无量旋陁羅尼復有三千大千
世界微塵數菩薩摩訶薩能轉不退法輪復
有二千中國土微塵數菩薩摩訶薩能轉清
淨法輪復有小千國土微塵數菩薩摩訶薩八
生當得阿耨多羅三藐三菩提復有四四
天下微塵數菩薩摩訶薩四生當得阿耨多
羅三藐三菩提復有三四天下微塵數菩薩
摩訶薩三生當得阿耨多羅三藐三菩提復
有二四天下微塵數菩薩摩訶薩二生當得
阿耨多羅三藐三菩提復有一四天下微塵
數菩薩摩訶薩一生當得阿耨多羅三藐三
菩提復有八世界微塵數衆生皆發阿耨多
羅三藐三菩提心佛說是諸菩薩摩訶薩得
大法利時於虛空中雨曼陁羅華摩訶曼陁
羅華以散无量百千万億寶樹下師子座上
諸佛并散七寶塔中師子座上釋迦牟尼佛
及久滅度多寶如來亦散一切諸大菩薩及
四部衆又雨細末旃檀沉水香等於虛空中
天鼓自鳴妙聲深遠又雨千種天衣垂諸瓔
珞真珠瓔珞摩尼珠瓔珞如意珠瓔珞遍於
九方衆寶香爐燒无價香自然周至供養大
會一一佛上有諸菩薩執持幡蓋次第而上
至于梵天是諸菩薩以妙音聲歌无量頌讚

BD02236號　妙法蓮華經（八卷本）卷六　（22–5）

珞真珠瓔珞摩尼珠瓔珞如意珠瓔珞遍於
九方衆寶香爐燒无價香自然周至供養大
會一一佛上有諸菩薩執持幡蓋次第而上
至于梵天是諸菩薩以妙音聲歌无量頌讚
嘆諸佛尒時弥勒菩薩從坐而起偏袒右肩
合掌向佛而說偈言
佛說希有法　昔所未曾聞　世尊有大力　壽命不可量
无數諸佛子　聞世尊分別　說得法利者　歡喜充遍身
或住不退地　或得陁羅尼　或无导樂說　万億旋總持
或有大千界　微塵數菩薩　各各皆能轉　不退之法輪
復有中千界　微塵數菩薩　各各皆能轉　清淨之法輪
復有小千界　微塵數菩薩　餘各八生在　當得成佛道
復有四三二　如是四天下　微塵諸菩薩　隨數生成佛
或一四天下　微塵數菩薩　餘有一生在　當成一切智
如是等衆生　聞佛壽長遠　得无量无漏　清淨之果報
復有八世界　微塵數衆生　聞佛說壽命　皆發无上心
世尊說无量　不可思議法　多有所饒益　如虛空无邊
雨天曼陁羅　摩訶曼陁羅　釋梵如恒沙　无數佛土來
雨旃檀沉香　繽紛而亂墜　如鳥飛空下　供散於諸佛
天鼓虛空中　自然出妙聲　天衣千万種　旋轉而來下
衆寶妙香爐　燒无價之香　自然悉周遍　供養諸世尊
其大菩薩衆　執七寶幡蓋　高妙万億種　次第至梵天
一一諸佛前　寶幢懸勝幡　亦以千万偈　歌詠諸如來
如是種種事　昔所未曾有　聞佛壽无量　一切皆歡喜
佛名聞十方　廣饒益衆生　一切具善根　以助无上心
尒時佛告弥勒菩薩摩訶薩阿逸多其有衆
生聞佛壽命長遠如是乃至能生一念信解

BD02236號　妙法蓮華經（八卷本）卷六　（22–6）

佛名聞十方　廣饒益衆生　一切具善根　以助无上心
尒時佛告弥勒菩薩摩訶薩阿逸多其有衆
生聞佛壽命長遠如是乃至能生一念信解
所得功德无有限量若有善男子善女人為
阿耨多羅三藐三菩提故於八十万億那由
他劫行五波羅蜜檀波羅蜜尸波羅蜜羼提
波羅蜜毗梨耶波羅蜜禪波羅蜜除般若波
羅蜜以是功德比前功德百分千分百千万
億分不及其一乃至筭數譬喻所不能知若
善男子有如是功德於阿耨多羅三藐三菩
提退者无有是處尒時世尊欲重宣此義而
說偈言
若人求佛慧　於八十万億　那由他劫數　行五波羅蜜
於是諸劫中　布施供養佛　及緣覺弟子　并諸菩薩衆
珎異之飲食　上服與卧具　栴檀立精舍　以園林莊嚴
如是等布施　種種皆微妙　盡此諸劫數　以迴向佛道
若復持禁戒　清淨无缺漏　求於无上道　諸佛之所歎
若復行忍辱　住於調柔地　設衆惡來加　其心不傾動
諸有得法者　懷於增上慢　為此所輕惱　如是亦能忍
若復懃精進　志念常堅固　於无量億劫　一心不懈怠
又於无數劫　住於空閑處　若坐若經行　除睡常攝心
以是因緣故　能生諸禪定　八十億万劫　安住心不亂
持此一心福　願求无上道　我得一切智　盡諸禪定際
是人於百千　万億劫數中　行此諸功德　如上之所說
有善男女等　聞我說壽命　乃至一念信　其福過於彼
若人悉无有　一切諸疑悔　深心須臾信　其福為如此

BD02236號　妙法蓮華經（八卷本）卷六　（22–7）

是人於百千　万億劫數中　行此諸功德　如上之所說
有善男女等　聞我說壽命　乃至一念信　其福過於彼
若人悉无有　一切諸疑悔　深心須臾信　其福為如此
其有諸菩薩　无量劫行道　聞我說壽命　是則能信受
如是諸人等　頂受此經典　願我於未來　長壽度衆生
如今日世尊　諸釋中之王　道場師子吼　說法无所畏
我等未來世　一切所尊敬　坐於道場時　說壽亦如是
若有深心者　清淨而質直　多聞能揔持　隨義解佛語
如是之人等　於此无有疑
又阿逸多若有聞佛壽命長遠解其言趣是
人所得功德无有限量能起如來无上之慧
何況廣聞是經若教人聞若自持若教人持
若自書若教人書若以華香瓔珞幢幡繒蓋
香油蘇燈供養經卷是人功德无量无邊能
生一切種智阿逸多若善男子善女人聞我
說壽命長遠深心信解則為見佛常在耆闍
崛山共大菩薩諸聲聞衆圍遶說法又見此
娑婆世界其地瑠璃坦然平正閻浮檀金以
界八道寶樹行列諸臺樓觀皆悉寶成其菩
薩衆咸處其中若有能如是觀者當知是為
深信解相又復如來滅後若聞是經而不毀
呰起隨喜心當知已為深信解相何況讀誦
受持之者斯人則為頂戴如來阿逸多是善
男子善女人不須為我復起塔寺及作僧坊
以四事供養衆僧所以者何是善男子善女
人受持讀誦是經典者為已起塔造立僧坊

BD02236號　妙法蓮華經（八卷本）卷六　（22–8）

男子善女人不須為我復起塔寺及作僧坊
以四事供養衆僧所以者何是善男子善女
人受持讀誦是經典者為已起塔造立僧坊
供養衆僧則為以佛舍利起七寳塔高廣漸
小至于梵天懸諸幡蓋及衆寳鈴華香瓔珞
末香塗香燒香衆鼓伎樂簫笛箜篌種種儛
戲以妙音聲歌唄讚誦則為已於无量千万
億劫作是供養已阿逸多若我滅後聞是經
典有能受持若自書若教人書則為起立僧坊
以赤栴檀作諸殿堂三十有二高八多羅樹高
廣嚴好百千比丘於其中止園林池流經行
禪窟衣服飲食床蓐湯藥一切樂具充滿其
中如是僧坊堂閣若干百千万億其數无量以
此現前供養於我及比丘僧是故我說如
來滅後若有受持讀誦為他人說若自書若
教人書供養經卷不須復起塔寺及造僧坊
供養衆僧况復有人能持是經兼行布施持
戒忍辱精進一心智慧其德㝡勝无量无邊
譬如虛空東西南北四維上下无量无邊是
人功德亦復如是无量无邊疾至一切種智
若人讀誦受持是經為他人說若自書若教
人書復能起塔及造僧坊供養讚嘆聲聞衆
僧亦以百千万億讚嘆之法讚嘆菩薩功德
又為他人種種因緣隨義解說此法華經復
能清淨持戒與柔和者而共同止忍辱无瞋
士念堅固常貴坐禪得諸深定精進勇猛攝

BD02236號　妙法蓮華經（八卷本）卷六　（22–9）

又為他人種種因緣隨義解說此法華經復
能清淨持戒與柔和者而共同止忍辱无瞋
士念堅固常貴坐禪得諸深定精進勇猛攝
諸善法利根智慧善荅問難阿逸多若我滅
後諸善男子善女人受持讀誦是經典者復
有如是諸善功德當知是人已趣道場近阿
耨多羅三藐三菩提坐道樹下阿逸多是善
男子若坐若立若經行處是中便應起塔一
切天人皆應供養如佛之塔尒時世尊欲重
宣此義而說偈言
若我滅度後　能奉持此經　斯人福无量　如上之所說
是則為具足　一切諸供養　以舍利起塔　七寳而莊嚴
表刹甚高廣　漸小至梵天　寳鈴千万億　風動出妙音
又於无量劫　而供養此塔　華香諸瓔珞　天衣衆伎樂
然香油蘇燈　周匝常照明　惡世法末時　能持是經者
則為已如上　具足諸供養　若能持此經　則如佛現在
以牛頭栴檀　起僧坊供養　堂有三十二　高八多羅樹
上饌妙衣服　床卧皆具足　百千衆住處　園林諸浴池
經行及禪窟　種種皆嚴好　若有信解心　受持讀誦書
若復教人書　及供養經卷　散華香末香　以須曼瞻蔔
阿提目多伽　薰油常然之　如是供養者　得无量功德
如虛空无邊　其福亦如是　况復持此經　兼布施持戒
忍辱樂禪定　不瞋不惡口　恭敬於塔廟　謙下諸比丘
遠離自高心　常思惟智慧　有問難不瞋　隨順為解說
若能行是行　功德不可量　若見此法師　成就如是德
應以天華散　天衣覆其身　頭面接足礼　生心如佛想

BD02236號　妙法蓮華經（八卷本）卷六　（22–10）

遠離自高心　常思惟智慧　有問難不瞋　隨順為解說
若能行是行　功德不可量　若見此法師　成就如是德
應以天華散　天衣覆其身　頭面接足礼　生心如佛想
又應作是念　不久詣道場　得无漏无為　廣利諸天人
其所住止處　經行若坐卧　乃至說一偈　是中應起塔
莊嚴令妙好　種種以供養　佛子住此地　則是佛受用
常在於其中　經行及坐卧

妙法蓮華經隨喜功德品第十八

尒時弥勒菩薩摩訶薩白佛言世尊若有善
男子善女人聞是法華經隨喜者得幾所福
而說偈言
世尊滅度後　其有聞是經　若能隨喜者　為得幾所福
尒時佛告弥勒菩薩摩訶薩阿逸多如來滅
後若比丘比丘尼優婆塞優婆夷及餘智者若
長若幼聞是經隨喜已從法會出至於餘
處若在僧坊若空閑地若城邑巷陌聚落田
里如其所聞為父母宗親善友知識隨力演
說諸人等聞已隨喜復行轉教餘人聞已亦
隨喜轉教如是展轉至第五十阿逸多其
第五十善男子善女人隨喜功德我今說之
汝當善聽若四百万億阿僧祇世界六趣四
生衆生卵生胎生濕生化生若有形无形有
想无想非有想非无想无足二足四足多足
如是等在衆生數者有人求福隨其所欲娛
樂之具皆給與之一一衆生與滿閻浮提金
銀瑠璃車𤦲馬瑙珊瑚虎珀諸妙珎寶及象

BD02236號　妙法蓮華經（八卷本）卷六　（22–11）

如是等在衆生數者有人求福隨其所欲娛
樂之具皆給與之一一衆生與滿閻浮提金
銀瑠璃車𤦲馬瑙珊瑚虎珀諸妙珎寶及象
馬車乘七寶所成宮殿樓閣等是大施主如
是布施滿八十年已而作是念我已施衆生
娛樂之具隨意所欲然此衆生皆已衰老年
過八十髮白面皺將死不久我當以佛法而
訓導之即集此衆生宣布法化示教利喜一
時皆得須陁洹道斯陁含道阿那含道阿羅
漢道盡諸有漏於深禪定皆得自在具八解
脫於汝意云何是大施主所得功德寧為多
不弥勒白佛言世尊是人功德甚多无量无
邊若是施主但施衆生一切樂具功德无量
何況令得阿羅漢果佛告弥勒我今分明語
汝是人以一切樂具施於四百万億阿僧祇
世界六趣衆生又令得阿羅漢果所得功德
不如是第五十人聞法華經一偈隨喜功德
百分千分百千万億分不及其一乃至筭數
譬喻所不能知阿逸多如是第五十人展轉
聞法華經隨喜功德尚无量无邊阿僧祇何
況最初於會中聞而隨喜者其福復勝无量
无邊阿僧祇不可得比又阿逸多若人為是
經故往詣僧坊若坐若立須臾聽受緣是功
德轉身所生得好上妙象馬車乘珎寶輦轝
及乘天宮殿若復有人於講法處坐更有人
來勸令坐聽若分坐令坐是人功德轉身得
帝釋坐處若梵王坐處若轉輪聖王所坐之

BD02236號　妙法蓮華經（八卷本）卷六　（22–12）

及乘天宮殿若復有人於講法處坐更有人
來勸令坐聽若分坐令坐是人功德轉身得
帝釋坐處若梵王坐處若轉輪聖王所坐之
處阿逸多若復有人語餘人言有經名法華
可共往聽即受其教乃至須臾間聞是人功
德轉身得與陁羅尼菩薩共生一處利根智
慧百千万世終不瘖瘂口氣不臭舌常无病
口亦无病齒不垢黑不黃不踈亦不缺落不
差不曲脣不下垂亦不褰縮不麁澁不創緊
亦不缺壞亦不喎耶不厚不大亦不梨黑无
諸可惡鼻不匾䏲亦不曲戾面色不黑亦不
狹長亦不窪曲无有一切不可喜相脣舌牙
齒悉皆嚴好鼻脩高直面貌圓滿眉高而長
額廣平正人相具足世世所生見佛聞法信
受教誨阿逸多汝且觀是勸於一人令往聽
法功德如此何況一心聽說讀誦而於大衆
為人分別如說脩行尒時世尊欲重宣此義
而說偈言
若人於法會　得聞是經典　乃至於一偈　隨喜為他說
如是展轉教　至于第五十　最後人獲福　今當分別之
如有大施主　供給无量衆　具滿八十歲　隨意之所欲
見彼衰老相　髮白而面皺　齒踈形枯竭　念其死不久
我今應當教　令得於道果　即為方便說　涅槃真實法
世皆不牢固　如水沫泡炎　汝等咸應當　疾生猒離心
諸人聞是法　皆得阿羅漢　具足六神通　三明八解脫
最後第五十　聞一偈隨喜　是人福勝彼　不可為譬喻
如是展轉聞　其福尚无量　何況於法會　初聞隨喜者

BD02236號　妙法蓮華經（八卷本）卷六　（22–13）

世皆不牢固　如水沫泡炎　汝等咸應當　疾生猒離心
諸人聞是法　皆得阿羅漢　具足六神通　三明八解脫
最後第五十　聞一偈隨喜　是人福勝彼　不可為譬喻
如是展轉聞　其福尚无量　何況於法會　初聞隨喜者
若有勸一人　將引聽法華　言此經深妙　千万劫難遇
即受教往聽　乃至須臾聞　斯人之福報　今當分別說
世世无口患　齒不踈黃黑　脣不厚褰缺　无有可惡相
舌不乾黑短　鼻高脩且直　額廣而平正　面目悉端嚴
為人所喜見　口氣无臭穢　優鉢華之香　常從其口出
若故詣僧坊　欲聽法華經　須臾聞歡喜　今當說其福
後生天人中　得妙象馬車　珎寶之輦轝　及乘天宮殿
若於講法處　勸人坐聽經　是福因緣得　釋梵轉輪坐
何況一心聽　解說其義趣　如說而脩行　其福不可限
妙法蓮華經法師功德品第十九
尒時佛告常精進菩薩摩訶薩若善男子善
女人受持是法華經若讀若誦若解說若書
寫是人當得八百眼功德千二百耳功德八
百鼻功德千二百舌功德八百身功德千二
百意功德以是功德莊嚴六根皆令清淨是
善男子善女人父母所生清淨肉眼見於三
千大千世界內外所有山林河海下至阿鼻
地獄上至有頂亦見其中一切衆生及業因
緣果報生處悉見悉知尒時世尊欲重宣此
義而說偈言
若於大衆中　以无所畏心　說是法華經　汝聽其功德
是人得八百　功德殊勝眼　以是莊嚴故　其目甚清淨

BD02236號　妙法蓮華經（八卷本）卷六　（22–14）

義而說偈言
若於大衆中　以无所畏心　說是法華經　汝聽其功德
是人得八百　功德殊勝眼　以是莊嚴故　其目甚清淨
父母所生眼　悉見三千界　內外彌樓山　須弥及鐵圍
幷諸餘山林　大海江河水　下至阿鼻獄　上至有頂處
其中諸衆生　一切皆悉見　雖未得天眼　肉眼力如是
復次常精進若善男子善女人受持是經若
讀若誦若解說若書寫得千二百耳功德以
是清淨耳聞三千大千世界下至阿鼻地獄
上至有頂其中內外種種語言音聲象聲馬
聲牛聲車聲啼哭聲愁嘆聲螺聲鼓聲鍾聲
鈴聲咲聲語聲男聲女聲童子聲童女聲法
聲非法聲苦聲樂聲凡夫聲聖人聲喜聲不
喜聲天聲龍聲夜叉聲乾闥婆聲阿脩羅聲
迦樓羅聲緊那羅聲摩睺羅伽聲火聲水聲
風聲地獄聲畜生聲餓鬼聲比丘聲比丘尼
聲聲聞聲辟支佛聲菩薩聲佛聲以要言之
三千大千世界中一切內外所有諸聲雖未
得天耳以父母所生清淨常耳皆悉聞知如
是分別種種音聲而不壞耳根尒時世尊欲
重宣此義而說偈言
父母所生耳　清淨无濁穢　以此常耳聞　三千世界聲
象馬車牛聲　鍾鈴螺鼓聲　琴瑟箜篌聲　簫笛之音聲
清淨好歌聲　聽之而不著　无數種人聲　聞悉能解了
又聞諸天聲　微妙之歌音　及聞男女聲　童子童女聲
山川嶮谷中　迦陵頻伽聲　命命等諸鳥　悉聞其音聲

BD02236號　妙法蓮華經（八卷本）卷六　（22–15）

清淨好歌聲　聽之而不著　无數種人聲　聞悉能解了
又聞諸天聲　微妙之歌音　及聞男女聲　童子童女聲
山川嶮谷中　迦陵頻伽聲　命命等諸鳥　悉聞其音聲
地獄衆苦痛　種種楚毒聲　餓鬼飢渴逼　求索飲食聲
諸阿脩羅等　居在大海邊　自共言語時　出於大音聲
如是說法者　安住於此間　遙聞是衆聲　而不壞耳根
十方世界中　禽獸鳴相呼　其說法之人　於此悉聞之
其諸梵天上　光音及遍淨　乃至有頂天　言語之音聲
法師住於此　悉皆得聞之
一切比丘衆　及諸比丘尼　若讀誦經典　若為他人說
法師住於此　悉皆得聞之　復有諸菩薩　讀誦於經法
若為他人說　撰集解其義　如是諸音聲　悉皆得聞之
諸佛大聖尊　教化衆生者　於諸大會中　演說微妙法
持此法華經　悉皆得聞之
三千大千界　內外諸音聲　下至阿鼻獄　上至有頂天
皆聞其音聲　而不壞耳根　其耳聰利故　悉能分別知
持是法華者　雖未得天耳　但用所生耳　功德已如是
復次常精進若善男子善女人受持是經若
讀若誦若解說若書寫成就八百鼻功德以
是清淨鼻根聞於三千大千世界上下內外種
種諸香須曼那華香闍提華香末利華香瞻
蔔華香波羅羅華香赤蓮華香青蓮華香白
蓮華香華樹香菓樹香栴檀香沈水香多摩
羅跋香多伽羅香及千万種和香若末若丸若
塗香持是經者於此間住悉能分別又復別
知衆生之香象香馬香牛羊等香男香女香

BD02236號　妙法蓮華經（八卷本）卷六　（22–16）

羅䟦香多伽羅香及千万種和香若末若丸若
塗香持是經者於此閒住悉能分別又復別
知衆生之香象香馬香牛羊等香男香女香
童子香童女香及草木藂林香若近若遠所
有諸香悉皆得聞分別不錯持是經者雖住
於此亦聞天上諸天之香波利質多羅拘鞞
陀羅樹香及曼陁羅華香摩訶曼陁羅華香
曼殊沙華香摩訶曼殊沙華香栴檀沉水種
種末香諸雜華香如是等天香和合所出之
香无不聞知又聞諸天身香釋提桓因在勝
殿上五欲娛樂嬉戲時香若在妙法堂上為
忉利諸天說法時香若於諸園遊戲時香及
餘天等男女身香皆悉遥聞如是展轉乃至
梵世上至有頂諸天身香亦皆聞之并聞諸
天所燒之香及聲聞香辟支佛香菩薩香諸
佛身香亦皆遥聞知其所在雖聞此香然於
鼻根不壞不錯若欲分別為他人說憶念不
謬尒時世尊欲重宣此義而說偈言
是人鼻清淨　於此世界中　若香若臭物　種種悉聞知
須曼那闍提　多摩羅栴檀　沉水及桂香　種種華菓香
及知衆生香　男子女人香　說法者遠住　聞香知所在
大勢轉輪王　小轉輪及子　群臣諸宮人　聞香知所在
身所著珎寶　及地中寶藏　轉輪王寶女　聞香知所在
諸人嚴身具　衣服及瓔珞　種種所塗香　聞則知其身
諸天若行坐　遊戲及神變　持是法華者　聞香悉能知
諸樹華菓實　及蘇油香氣　持經者住此　悉知其所在

BD02236號　妙法蓮華經（八卷本）卷六　（22–17）

諸人嚴身具　衣服及瓔珞　種種所塗香　聞則知其身
諸天若行坐　遊戲及神變　持是法華者　聞香悉能知
諸樹華菓實　及蘇油香氣　持經者住此　悉知其所在
諸山深嶮處　栴檀樹華敷　衆生在中者　聞香皆能知
鐵圍山大海　地中諸衆生　持經者聞香　悉知其所在
阿脩羅男女　及其諸眷屬　闘諍遊戲時　聞香皆能知
曠野險隘處　師子象虎狼　野牛水牛等　聞香知所在
若有懷妊者　未辯其男女　无根及非人　聞香悉能知
以聞香力故　知其初懷妊　成就不成就　安樂產福子
以聞香力故　知男女所念　染欲癡恚心　亦知脩善者
地中衆伏藏　金銀諸珎寶　銅器之所盛　聞香悉能知
種種諸瓔珞　无能識其價　聞香知貴賤　出處及所在
天上諸華等　曼陁曼殊沙　波利質多樹　聞香悉能知
天上諸宮殿　上中下差別　衆寶華莊嚴　聞香悉能知
天園林勝殿　諸觀妙法堂　在中而娛樂　聞香悉能知
諸天若聽法　或受五欲時　來往行坐卧　聞香悉能知
天女所著衣　好華香莊嚴　周旋遊戲時　聞香悉能知
如是展轉上　乃至於梵世　入禪出禪者　聞香悉能知
光音遍淨天　乃至于有頂　初生及退沒　聞香悉能知
諸比丘衆等　於法常精進　若坐若經行　及讀誦經法
或在林樹下　專精而坐禪　持經者聞香　悉知其所在
菩薩志堅固　坐禪若讀經　或為人說法　聞香悉能知
在在方世尊　一切所恭敬　愍衆而說法　聞香悉能知
衆生在佛前　聞經皆歡喜　如法而脩行　聞香悉能知
雖未得菩薩　无漏法生鼻　而是持經者　先得此鼻相
復次常精進若善男子善女人受持是經若

BD02236號　妙法蓮華經（八卷本）卷六　（22–18）

雖未得菩薩　无漏法生鼻　而是持經者　先得此鼻相
復次常精進若善男子善女人受持是經若
讀若誦若解說若書寫得千二百舌功德若
好若醜若美不美及諸苦澁物在其舌根皆
變成上味如天甘露无不美者若以舌根於
大衆中有所演說出深妙聲能入其心皆令
歡喜快樂又諸天子天女釋梵諸天聞是深
妙音聲有所演說言論次第皆悉來聽及諸
龍龍女夜叉夜叉女乾闥婆乾闥婆女阿脩
羅阿脩羅女迦樓羅迦樓羅女緊那羅緊那
羅女摩睺羅伽摩睺羅伽女爲聽法故皆來
親近恭敬供養及比丘比丘尼優婆塞優婆
夷國王王子群臣眷屬小轉輪王大轉輪王
七寶千子內外眷屬乘其宮殿俱來聽法以
是菩薩善說法故婆羅門居士國內人民盡
其形壽隨侍供養又諸聲聞辟支佛菩薩諸
佛常樂見之是人所在方面諸佛皆向其處
說法悉能受持一切佛法又能出於深妙法
音尒時世尊欲重宣此義而說偈言
是人舌根淨　終不受惡味　其有所食噉　悉皆成甘露
以深淨妙聲　於大衆說法　以諸因緣喻　引導衆生心
聞者皆歡喜　設諸上供養　諸天龍夜叉　及阿脩羅等
皆以恭敬心　而共來聽法　是說法之人　若欲以妙音
遍滿三千界　隨意即能至　大小轉輪王　及千子眷屬
合掌恭敬心　常來聽受法　諸天龍夜叉　羅剎毗舍闍
亦以歡喜心　常樂來供養　梵天王魔王　自在大自在

BD02236號　妙法蓮華經（八卷本）卷六　（22–19）

遍滿三千界　隨意即能至　大小轉輪王　及千子眷屬
合掌恭敬心　常來聽受法　諸天龍夜叉　羅剎毗舍闍
亦以歡喜心　常樂來供養　梵天王魔王　自在大自在
如是諸天衆　常來至其所
諸佛及弟子　聞其說法音　常念而守護　或時爲現身
復次常精進若善男子善女人受持是經若
讀若誦若解說若書寫得八百身功德得清
淨身如淨瑠璃衆生憙見其身淨故三千大
千世界衆生生時死時上下好醜生善處惡
處悉於中現及鐵圍大鐵圍彌樓山摩訶彌
樓山等諸山及其中衆生悉於中現下至阿
鼻地獄上至有頂所有及衆生悉於中現若
聲聞辟支佛菩薩諸佛說法皆於身中現其
色像尒時世尊欲重宣此義而說偈言
若持法華經　其身甚清淨　如彼淨瑠璃　衆生皆憙見
又如淨明鏡　悉見諸色像　菩薩於淨身　皆見世所有
唯獨自明了　餘人所不見
三千世界中　一切諸群萌　天人阿脩羅　地獄鬼畜生
如是諸色像　皆於身中現　諸天等宮殿　乃至於有頂
鐵圍及彌樓　摩訶彌樓山　諸大海水等　皆於身中現
諸佛及聲聞　佛子菩薩等　若獨若在衆　說法悉皆現
雖未得无漏　法性之妙身　以清淨常體　一切於中現
復次常精進若善男子善女人如來滅後受
持是經若讀若誦若解說若書寫得千二百
意功德以是清淨意根乃至聞一偈一句通
達无量无邊之義解是義已能演說一句一

BD02236號　妙法蓮華經（八卷本）卷六　（22–20）

諸佛及聲聞　佛子菩薩等　若獨若在衆　說法悉皆現
雖未得无漏　法性之妙身　以清淨常體　一切於中現
復次常精進若善男子善女人如来滅後受
持是經若讀若誦若解說若書寫得千二百
意功德以是清淨意根乃至聞一偈一句通
達无量无邊之義解是義已能演說一句一
偈至於一月四月乃至一歲諸所說法隨其
義趣皆與實相不相違背若說俗間經書治
世語言資生業等皆順正法三千大千世界
六趣衆生心之所行心所動作心所戲論皆
悉知之雖未得无漏智慧而其意根清淨如
此是人有所思惟籌量言說皆是佛法无不
真實亦是先佛經中所說尒時世尊欲重宣
此義而說偈言
是人意清淨　明利无穢濁　以此妙意根　知上中下法
乃至聞一偈　通達无量義　次苐如法說　月四月至歲
是世界内外　一切諸衆生　若天龍及人　夜叉鬼神等
其在六趣中　所念若干種　持法華之報　一時皆悉知
十方无數佛　百福莊嚴相　為衆生說法　悉聞能受持
思惟无量義　說法亦无量　終始不忘錯　以持法華故
悉知諸法相　隨義識次苐　達名字語言　如所知演說
此人有所說　皆是先佛法　以演此法故　於衆无所畏
持法華經者　意根淨若斯　雖未得无漏　先有如是相
是人持此經　安住希有地　為一切衆生　歡喜而愛敬
能以千万種　善巧之語言　分別而演說　持法華經故

BD02236號　妙法蓮華經（八卷本）卷六　（22–21）

此義而說偈言
是人意清淨　明利无穢濁　以此妙意根　知上中下法
乃至聞一偈　通達无量義　次苐如法說　月四月至歲
是世界内外　一切諸衆生　若天龍及人　夜叉鬼神等
其在六趣中　所念若干種　持法華之報　一時皆悉知
十方无數佛　百福莊嚴相　為衆生說法　悉聞能受持
思惟无量義　說法亦无量　終始不忘錯　以持法華故
悉知諸法相　隨義識次苐　達名字語言　如所知演說
此人有所說　皆是先佛法　以演此法故　於衆无所畏
持法華經者　意根淨若斯　雖未得无漏　先有如是相
是人持此經　安住希有地　為一切衆生　歡喜而愛敬
能以千万種　善巧之語言　分別而演說　持法華經故

妙法蓮華經卷第六

BD02236號　妙法蓮華經（八卷本）卷六　（22–22）

心不舍利弗復問何等是无心相須菩提言
諸法不壞不分別是名无心相舍利弗復問
須菩提但是心不壞不分別色亦不壞不分別
乃至佛道亦不壞不分別耶須菩提言若能知
心相不壞不分別是菩薩亦能知色乃至佛道
不壞不分尒時慧命舍利弗讚須菩提善哉
善哉汝真是佛子從佛口生從見法生從法化
生取法分不取財分法中自信身得證如佛所
得无淨三昧中汝最第一實如佛所舉須菩
提菩薩摩訶薩應如是學般若波羅蜜是中
亦當分別知菩薩如汝所說行則不離般若波羅蜜

摩訶般若波羅蜜經句義品第十二

尒時須菩提白佛言世尊云何為菩薩句義佛
告須菩提无句義是菩薩句義何以故阿耨多
羅三藐三菩提中无有義處亦无我以是故
无句義是菩薩句義須菩提辟如鳥飛虛
空无有跡菩薩句義无所有亦如是須菩
提辟如夢中所見无處所菩薩句義无所有亦
如是須菩提辟如幻无有實義如炎如響如影
如佛所化无有實義菩薩句義无所有亦如
是須菩提辟如如法性法相法位實際无有義
菩薩句義无所有亦如是須菩提辟如幻人色
无有義幻人受想行識无有義菩薩摩訶薩

BD02237 號　摩訶般若波羅蜜經鈔

(17–1)

如佛所化无有實義菩薩句義无所有亦如
是須菩提辟如如法性法相法位實際无有義
菩薩句義无所有亦如是須菩提辟如幻人色
无有義幻人受想行識无有義菩薩摩訶薩
行般若波羅蜜時菩薩句義无所有亦如是
須菩提如幻人眼无有義乃至意无有義須
菩提如幻人色无有義乃至法无有義眼觸乃至
意觸因緣生受无有義菩薩摩訶薩行般若
波羅蜜時菩薩句義无所有亦如是須菩提如
幻人行內空時无有義乃至行无法有法空无有
義菩薩摩訶薩行般若波羅蜜時菩薩句義
无所有亦如是須菩提如幻人行四念處乃至十
八不共法无有義菩薩摩訶薩行般若波羅
蜜時菩薩句義无所有亦如是須菩提如多陁
阿伽度阿羅訶三藐三佛陁色无有義是色无有
故菩薩摩訶薩行般若波羅蜜時菩薩句義
无所有亦如是須菩提如多陁阿伽度阿羅訶三
藐三佛陁受想行識无有義是識无有故
菩薩摩訶薩行般若波羅蜜時菩薩句義
无所有亦如是須菩提如佛眼无處所乃至意
无處所色乃至法无處所眼觸乃至意觸因緣
生受无處所菩薩摩訶薩行般若波羅蜜時菩
薩句義无所有亦如是須菩提如佛內空无
處所乃至无法有法空无處所菩薩摩訶薩
行般若波羅蜜時菩薩句義无所有亦如是
須菩提如佛四念處无處所乃至十八不共法
无處所菩薩摩訶薩行般若波羅蜜時菩薩

BD02237 號　摩訶般若波羅蜜經鈔

(17–2)

處所乃至无法有法空无處所菩薩摩訶薩
行般若波羅蜜時菩薩句義无所有亦如是
須菩提如佛四念處无處所乃至十八不共法
无處所菩薩摩訶薩行般若波羅蜜時菩薩
句義无所有亦如是須菩提如有為性中无无
為性義无為性中无有為性義菩薩摩訶薩
行般若波羅蜜時菩薩句義无所有亦如是
須菩提如不生不滅義无處所菩薩摩訶薩行
般若波羅蜜時菩薩句義无所有亦如是須
菩提如不住不出不得不垢不淨无處所菩薩
句義无所有亦如是須菩提白佛言何法不生
不滅故无處所何法不住不出不得不垢不淨
故无處所佛告須菩提色不生不滅故无處所受想
行識不生不滅故无處所乃至不垢不淨亦如是入
界不生不滅故无處所乃至不垢不淨亦如是四
念處不生不滅故无處所乃至不垢不淨亦如是
乃至十八不共法不生不滅故无處所乃至不垢
不淨亦如是須菩提菩薩摩訶薩行般若波
羅蜜時菩薩句義无所有亦如是須菩提
如四念處淨義畢竟不可得須菩提菩薩摩
訶薩行般若波羅蜜時菩薩句義无所有亦
如是須菩提如四正勤乃至十八不共法淨義畢
竟不可得菩薩摩訶薩行般若波羅蜜時
菩薩句義无所有亦如是須菩提如淨中我
不可得我无所有故乃至淨中知者見者不
可得知見无所有故須菩提菩薩摩訶薩行
般若波羅蜜時菩薩句義无所有亦如是須

BD02237號　摩訶般若波羅蜜經鈔　（17–3）

可得知見无所有故須菩提菩薩摩訶薩行
般若波羅蜜時菩薩句義无所有亦如是須
菩提辟如日出時无有黑闇菩薩摩訶薩行般
若波羅蜜時菩薩句義无所有亦如是須菩
提辟如劫燒時无一切物菩薩摩訶薩行般若
波羅蜜時菩薩句義无所亦有如是須菩提
佛戒中无破戒須菩提菩薩摩訶薩行般若
波羅蜜時菩薩句義无所有亦如是須菩提
如佛定中无亂心佛慧中无愚癡佛解脫中
无不解脫解脫知見中无不解脫知見須菩
提菩薩摩訶薩行般若波羅蜜時菩薩
句義无所有亦如是須菩提辟如佛光中日月
光不現佛光中四天王天卅三天夜摩天兜率
陁天化樂天他化自在天梵眾天乃至阿迦
尼吒天光不現須菩提菩薩摩訶薩行般
若波羅蜜時菩薩句義无所有亦如是何
以故是阿耨多羅三藐三菩提菩薩菩薩句
義是一切法皆不合不散无色无刑无對一
相所謂无相如是須菩提菩薩摩訶薩一切
法无閡相中應當學亦應當知須菩提白佛
言世何等是一切法云何法中无閡相應學
應知佛告須菩提一切法者善法不善法記法
无記法世間法出世法有漏法无漏法有為
法无為法共法不共法須菩提是名為一切法
菩薩摩訶薩是名一切法无閡相中應學應知
摩訶般若波羅蜜經乘法第十六
尒時慧命舍利弗問富樓那云何名菩薩摩

无記法世間法出世法有漏法无漏法有為
法无為法共法不共法須菩提是名為一切法
菩薩摩訶薩是名一切法无閡相中應學應知
摩訶般若波羅蜜經乘法第十六
介時慧命舍利弗問富樓那云何名菩薩摩
訶薩乘於大乘富樓那荅舍利弗言菩薩摩
訶薩行般若波羅蜜乘檀波羅蜜亦不得檀波
羅蜜亦不得菩薩亦不得受者是法用无所得
故是名菩薩摩訶薩乘檀波羅蜜菩薩摩訶
薩行般若波羅蜜乘尸波羅蜜羼提波羅蜜
毗梨耶波羅蜜禪波羅蜜乘般若波羅蜜亦
不得般若波羅蜜亦不得菩薩是法用无所得
故是為菩薩摩訶薩乘於般若波羅蜜如是
舍利弗是為菩薩摩訶薩乘於大乘復次
舍利弗菩薩摩訶薩行一心應薩婆若脩四
念處法壞故乃至一心應薩婆若脩十八不共
法法壞故是亦不可得如是舍利弗是名菩薩
摩訶薩乘於大乘復次舍利弗菩薩摩訶薩
住是念菩薩但有名字衆生不可得故是名菩
薩摩訶薩乘於大乘復次舍利弗菩薩摩
訶薩住是念色但有名字色不可得故受想
行識但有名字識不可得故眼但有名字眼不
可得故乃至意亦如是四念處但有名字四
念處不可得故乃至八聖道分但有名字八聖
道分不可得故内空但有名字内空不可得
故乃至无法有法空但有名字无法有法空不可
得故乃至十八不共法但有名字十八不共法不
可得故諸法如但有名字如不可得故法相法

BD02237號　摩訶般若波羅蜜經鈔　（17–5）

故乃至无法有法空但有名字无法有法空不可
得故乃至十八不共法但有名字十八不共法不
可得故諸法如但有名字如不可得故法相法
性法位實際但有名字名實際不可得故阿
耨多羅三藐三菩提及佛但有名字佛不可
得故如是舍利弗是菩薩摩訶薩乘於大乘
復次舍利弗若菩薩摩訶薩從初發意已
來具足菩薩神通成就衆生從一佛國至一佛
國恭敬供養尊重讚嘆諸佛從諸佛聽受
法教所謂菩薩大乘是菩薩乘此大乘從
一佛國至一佛國淨佛土成就衆生初无佛國
想亦无衆生想此人住不二法中為衆生受
身隨其所應自變其刑而教化之乃至一切智
終不離菩薩乘是名菩薩得一切種智已轉法
輪聲聞辟文佛及天龍鬼神阿脩羅世間人
民所不能轉介時十方如恒河沙等諸佛皆歡
喜稱名讚嘆住是言某方某國某菩薩摩訶
薩乘於大乘得一切種智轉法輪舍利弗是
菩薩摩訶薩乘於大乘
摩訶般若波羅蜜經四念處品第十八
須菩提菩薩摩訶薩行所謂佛十力何等十
佛如實知一切法是處不是處相一力也如實
知他衆生過去未來現在諸業諸受法知造
業處知因緣知報二力也如實知諸禪解脫三
昧定垢淨分別相三力也如實知他衆生諸根
上下相四力也如實知他衆生種種欲解五
力也如實知世間種種无數性六力也如
實知一切至處道七力也知種種[illegible]目

BD02237號　摩訶般若波羅蜜經鈔　（17–6）

業處知因緣知報二力也如實知諸禪解脫三
昧乏垢淨分別相三力也如實知他衆生諸根
上下相四力也如實知他衆生種種欲解五
力也如實知世間種種无數性六力也如
實知一切至處道七力也知種種宿命有相
有因緣一世二世乃至百千世劫初劫盡我
在彼衆生中生如是姓如是名如是飲食苦
樂壽命長短彼中死是間生是間死還生
是間此間生名姓飲食苦樂壽命長短亦
如是八力佛天眼淨過諸人眼見衆生死時
生時端正醜陋若大若小若墮惡道若墮善
道如是業因緣受報是諸衆生惡身業成就
惡口業成就惡意業成就謗毀聖人受耶見
因緣故身壞死時入惡道生地獄中是諸衆
生善身業成就善口業成就善意業成就
不謗聖人受正見因緣故身壞死時入善道
生天上九力也佛如實知諸漏盡故无漏心解
脫无漏慧解脫現在法中自識知入是法所
謂我生已盡梵行已作從今世不復見後世十力也
須菩提菩薩摩訶薩行所謂十八不法何等
十八一諸佛身无失二口无失三念无失四无異
想五无不定心六无不知捨心七欲无減八精
進无減九念无減十慧无減十一解脫无減
十二解脫知見无減十三一切身業隨智慧
行十四一切口業隨智慧行十五一切意
業隨智慧行十六智慧知見過去世无閡
无鄣十七智慧知見未來世无閡无鄣十八
智慧知見現在世无閡无鄣須菩提是名

BD02237 號　摩訶般若波羅蜜經鈔　（17–7）

行十四一切口業隨智慧行十五一切意
業隨智慧行十六智慧知見過去世无閡
无鄣十七智慧知見未來世无閡无鄣十八
智慧知見現在世无閡无鄣須菩提是名
菩薩摩訶薩摩訶衍以不可得故復次須
菩提菩薩摩訶薩摩訶衍所謂字等諸字
入門何等為字等語等諸字入門

摩訶般若波羅蜜經勝出品第廿一

慧命須菩提白佛言世尊摩訶衍摩訶衍
者勝出一切世間及諸天人阿脩羅世尊是摩
訶衍虛空等如虛空受无量无邊阿僧祇
衆生摩訶衍亦如是受无量无邊阿僧祇
衆生世尊是摩訶衍不見來處不見去處
不見住處是摩訶衍前際不可得後際不
可得中際不可得三世等是摩訶衍世尊以
是故是乘名摩訶衍佛告須菩提如是如是
菩薩摩訶薩摩訶衍所謂六波羅蜜檀波羅
蜜尸羅波羅蜜羼提波羅蜜毗梨耶波羅蜜
禪波羅蜜般若波羅蜜是名菩薩摩訶薩摩
訶衍復次須菩提菩薩摩訶薩摩訶衍一切陁
隣尼門一切三昧門所謂首楞嚴三昧乃至離
著虛不染三昧是名菩薩摩訶薩摩訶衍
復次須菩提菩薩摩訶薩摩訶衍所謂內
空乃至无法有法空是名菩薩摩訶薩摩
訶衍復次須菩提菩薩摩訶薩摩訶衍所
謂四念處乃至十八不共法是名菩薩摩訶薩
摩訶衍如須菩提所言是摩訶衍勝出一切世

BD02237 號　摩訶般若波羅蜜經鈔　（17–8）

謂四念處乃至十八不共法是名菩薩摩訶薩
摩訶衍如須菩提所言是摩訶衍勝出一切世
間及諸天人阿脩羅須菩提若欲界有實不
虛妄不異諦不顛倒有常不壞相非无法者
是摩訶衍不能勝出一切世間及諸天人阿脩
羅須菩提若欲界虛妄憶想分別和合名
字等有一切无常想无法以是故摩訶衍
勝出一切世間及諸天人阿脩羅須菩提色
界无色界若當實有不虛妄不異諦不
顛倒有常不壞相非无法者是摩訶衍不
能勝出一切世間及諸天人阿脩羅須菩提
以色界无色界虛妄憶想分別和合名
字等有一切无常破壞想无法以是故摩訶
訶勝出一切世間及諸天人阿脩羅須菩提
若色當實有不虛妄不異諦不顛倒有常
不壞相非无法者是摩訶衍不能勝出
一切世間及諸天人阿脩羅須菩提以色虛
妄憶想分別和合名字等有一切无常破
壞相无法以是故名摩訶衍勝出一切世間
及諸天人阿脩羅受想行識亦如是須菩提
若眼乃至意色乃至法眼識乃至意識眼
觸乃至意觸眼觸因緣生受乃至意觸因
緣生受若當實有不虛妄不異諦不顛倒有
常不壞相非无法者是摩訶衍不能勝出
一切世間及諸天人阿脩羅須菩提以眼乃至
意觸因緣生受虛妄憶想分別和合名字等
有一切无常破壞相无法者以是故摩訶衍

BD02237 號　摩訶般若波羅蜜經鈔　（17–9）

一切世間及諸天人阿脩羅須菩提以眼乃至
意觸因緣生受虛妄憶想分別和合名字等
有一切无常破壞相无法者以是故摩訶衍
勝出一切世間及諸天人阿脩羅須菩提若法
性是有法非无法者是摩訶衍不能勝出
一切世間及諸天人阿脩羅須菩提以法性无法
非法以是故摩訶衍勝出一切世間及諸天人
阿脩羅須菩提若如實際不可思議性是
有法非无法者是摩訶衍不能勝出一切世間
及諸天人阿脩羅須菩提以如實際不可思議
性无法非法以是故摩訶衍勝出一切世間及諸
天人阿脩羅須菩提若檀波羅蜜是有法非
无法者是摩訶衍不能勝出一切世間及諸天
人阿脩羅以檀波羅蜜无法非法以是故摩訶
衍勝出一切世間及諸天人阿脩羅若尸羅波
羅蜜羼提波羅蜜毗梨耶波羅蜜禪波羅
蜜般若波羅蜜是有法非无法者是摩訶
衍不能勝出一切世間及諸天人阿脩羅以尸
羅波羅蜜乃至般若波羅蜜无法非法以
是故摩訶衍勝出一切世間及諸天人阿脩
羅須菩提若內空乃至无法有法空是有
法非无法者是摩訶衍不能勝出一切世
間及諸天人阿脩羅以內空乃至无法有法空
无法非法以是故摩訶衍勝出一切世間及
諸天人阿脩羅須菩提若四念處乃至十八
不共法是有法非无法者是摩訶衍不能
勝出一切世間天人阿脩羅以四念處乃至十

BD02237 號　摩訶般若波羅蜜經鈔　（17–10）

无法非法以是故摩訶衍勝出一切世間及
諸天人阿脩羅須菩提若四念處乃至十八
不共法是有法非无法者是摩訶衍不能
勝出一切世間天人阿脩羅以四念處乃至十
八不共法无法非法以是故摩訶衍勝出一切
世間及諸天人阿脩羅須菩提若性人法是有
法非无法者是摩訶衍不能勝出一切世間
及諸天人阿脩羅以性人法无法非法以是故
摩訶衍勝出一切世間及諸天人阿脩羅須
菩若八人法若須陁洹法斯陁含法阿那含
法阿羅漢法辟諸佛法佛法是有法非无法
者是摩訶衍不能勝出一切世間及諸天
人阿脩羅以八人法乃至佛法无法非法以是
故摩訶衍勝出一切世間及諸天人阿脩羅須
菩提若性地人是有法非无法者是摩訶
衍不能勝出一切世間及諸天人阿脩羅以性
地人无法非法以是故摩訶衍勝出一切世
間及諸天人阿脩羅須菩提若八人須陁洹
乃至佛是有法非无法者是摩訶衍不能勝
出一切世間及諸天人阿脩羅以八人乃至佛无法
非法以是故摩訶衍勝出一切世間及諸天人
阿脩羅須菩提若一切世間及諸天人阿脩羅
是有法非无法者是摩訶衍不能勝出一切
世間及諸天人阿脩羅以一切世間及諸天人阿
脩羅无法非法以是故摩訶衍勝出一切世間
及諸天人阿脩羅須菩提若菩薩摩訶薩從
初發心乃至道場於其中間諸心若當是有
法非法无法者是摩訶衍不能勝出一切世

脩羅无法非法以是故摩訶衍勝出一切世間
及諸天人阿脩羅須菩提若菩薩摩訶薩從
初發心乃至道場於其中間諸心若當是有
法非法无法者是摩訶衍不能勝出一切世
間及諸天人阿脩羅以菩薩從初發心乃至道
場諸心无法非法以是故摩訶衍勝出一切
世及諸天人阿脩羅須菩提若菩薩摩訶
薩如金剛慧若是有法非无法者是菩薩
摩訶薩不能知一切結使及習无法非法得
一切種智須菩提以菩薩摩訶薩如金剛
慧无法非法是故菩薩知一切結使及習无
法非法得一切種智以是故摩訶衍勝出
一切世間及諸天人阿脩羅須菩提若諸佛
卅二相是有法非无法者諸佛威德不能
照然勝出一切世間及諸天人阿脩羅須菩
提以諸佛卅二相无法非法以是故諸佛威
德照然勝出一切世間及諸天人阿脩羅須
菩提若諸佛光明是有法非无法者諸
佛光明不能普照恒河沙等國土須菩
提以諸佛光明无法非法以是故諸佛
能以光明普照恒河沙等國土須菩提
若諸佛六十種莊嚴音聲是有法非无法
者諸佛不能以六十種莊嚴音聲遍至十
方无量阿僧祇國土須菩提以諸佛六十
種莊嚴音聲无法非法以是故諸佛能以
六十種莊嚴音聲遍至十方无量阿僧祇國
土須菩提諸佛法輪若是有法非无法者
諸佛不能轉法輪諸沙門婆羅門若天魔

有无量阿僧秖國土須菩提以諸佛六十
種莊嚴音聲无法非法以是故諸佛能以
六十種莊嚴音聲遍至十方无量阿僧秖國
土須菩提諸佛法輪若是有法非无法者
諸佛不能轉法輪諸沙門婆羅門若天魔若
若梵及世間餘衆而不能如法轉者須菩
提以諸佛法輪无法非法以是故諸佛轉法
輪諸沙門婆羅門若天若魔若梵及世
間餘衆不能如法轉者須菩提諸佛為衆
生轉法輪是衆生若實有法非无法者
不能令是衆生於无餘涅槃而般涅槃須
菩提以諸佛為衆生轉法輪是衆生无法
非法以是故能令衆生於无餘涅槃中
已滅令滅當滅
摩訶般若波羅蜜嫌舍受品第廿二
須菩提汝所言是摩訶衍不見來處不
見去處不見住處如是如是須菩提是摩
訶衍不見來處不見去處不見住處何以
故須菩提一切諸法不動相故是法无來
處无去處无住處何以故須菩提色无所
從來亦无所去亦无所住受想行識无所
從來亦无所去亦无所住須菩提色法无
所從來亦无所去亦无所住受想行識法
无所從來亦无所去亦无所住須菩提色
如无所從來亦无所去亦无所住受想行識
如无所從來亦无所去亦无所住須菩提色
性无所從來亦无所去亦无所住受想行
識性无所從來亦无所去亦无所住須菩提

BD02237號　摩訶般若波羅蜜經鈔　（17–13）

如无所從來亦无所去亦无所住受想行識
如无所從來亦无所去亦无所住須菩提色
性无所從來亦无所去亦无所住受想行
識性无所從來亦无所去亦无所住須菩提
色想无所從來亦无所去亦无所住受想行
識相无所從來亦无所去亦无所住須菩提
眼眼法眼如眼性眼相无所從來亦无所去
亦无所住耳鼻舌身意意法意如意如意
相无所從來亦无所去亦无所住色聲香
味觸法亦如是須菩提地種地種法地種如
地種性地種相无所從來亦无所去亦无所
住水火風空識種識種法識種如識種性識
種相亦如是須菩提如法如如如性如相无
所從來亦无所去亦无所住須菩提實際實
際法實際如實際性實際相无所從來亦无
所去亦无所住須菩提不可思議不可思議
法不可思議如不可思議性不可思議相无
所從來亦无所去亦无所住須菩提檀波羅
蜜檀波羅蜜法波羅蜜如檀波羅蜜性檀波
羅蜜相无所從來亦无所去亦无所住尸羅
波羅蜜羼提波羅蜜毗梨耶波羅蜜禪波
羅蜜般若波羅蜜般若波羅蜜法般若波羅
蜜如般若波羅蜜性般若波羅蜜相无所從
來亦无所去亦无所住須菩提四念處四念
處法四念處如四念處性四念處相无所從
來亦无所去亦无所住乃至十八共法亦如
是須菩提菩薩菩薩法菩薩如菩薩性菩薩
相无所從來亦无所去亦无所住佛佛法佛

BD02237號　摩訶般若波羅蜜經鈔　（17–14）

處法四念處如四念處性四念處相无所從
來亦无所去亦无所住乃至十八共法亦如
是須菩提菩薩菩薩法菩薩如菩薩性菩薩
相无所從來亦无所去亦无所住佛佛法佛
如佛佛相无所從來亦无所去亦无住阿耨
多羅三藐三菩提阿耨多羅三藐三菩提
法如性相无所從來亦无所去亦无所住
摩訶般若波羅蜜經无生品第廿五
辟支佛道我亦不欲令菩薩住難行為衆生
受種種苦菩薩亦不以難行心行道何以故舍
利弗生難心苦心不能利益无量阿僧祇衆
生舍利弗今菩薩憐愍衆生於衆生如父母
兄弟想如兒子及己身想如是能利益无量
阿僧祇衆生用无所得故所以者何菩薩摩
訶薩應生如是心如我一切處一切種不可得內
外法亦如是若生如是想則无難心苦心何以
故是菩薩於一切種一切處一切法不受故
舍利弗我亦不欲令无生中佛得阿耨多羅
三藐三菩提亦不欲令无生中轉法輪亦不
欲令以无生法得道舍利弗語須菩提今
欲令以生法得道以无生法得道須菩提語
舍利弗我不欲令以生法得道舍利弗言今
須菩提欲令以无生法得道須菩提言我亦
不欲令以无生法得道舍利弗言如須菩提所
說无知无得須菩提言有知有得不以二法
今以世間名字故有知有得世間名字故有
須陁洹乃至阿羅漢辟支佛諸佛第一實
義中无知无得无須陁洹乃至无佛須菩提

不欲令以无生法得道舍利弗言如須菩提所
說无知无得須菩提言有知有得不以二法
今以世間名字故有知有得世間名字故有
須陁洹乃至阿羅漢辟支佛諸佛第一實
義中无知无得无須陁洹乃至无佛須菩提
若世間名字故有知有得六道別異亦世間
名字故有非以第一實義耶須菩提言如
是如是舍利弗如世間名字故有知有得
六道別異亦世間名字故有非以第一實義
何以故舍利弗第一實義中无業无報
无生无滅无淨无垢舍利弗語須菩提不
生法生生法生須菩提言我不欲令不生法生
亦不欲令生法生舍利弗言何等不生法不
欲令生須菩提言色是不生法自性空不欲
令生受想行識不生法自性空不欲令生乃至
阿耨多羅三藐三菩提不生法自性空不
欲令生舍利弗語須菩提生生不生須菩提
言非生生亦非不生生何以故舍利弗生不生
是二法不合不散无色无形无對一相所謂无
相舍利弗以是因緣故非生生亦非不生生
爾時舍利弗語須菩提須菩提樂說不生
法及无生相須菩提語舍利弗我樂說无生
法亦樂說无生相何以故諸无生法无生相
樂說及語言是一切法皆不合不散无色无
形无對一相所謂无相舍利弗語須菩提汝樂
說不生法亦樂說不生相是樂說語言亦不生
須菩提言如是如是舍利弗何以故舍利弗
色不生受想行識不生眼不生乃至意不生

法亦樂說无生相何以故諸无生法无生相
樂說及語言是一切法皆不合不散无色无
刑无對一相所謂无相舍利弗語須菩提汝樂
說不生法亦樂說不生相是樂說語言亦不生
須菩提言如是如是舍利弗何以故舍利弗
色不生受想行識不生眼不生乃至意不生
地種不生乃至識種不生身行不生口行不生
意行不生檀波羅蜜不生乃至一切種智
不生以是因緣故舍利弗我樂說不生法亦
樂說不生相是樂說語言亦不生尒時舍利
弗語須菩提須菩提於說法人中應最上何
以須菩提隨所問皆能荅須菩提言諸法无
所依故舍利弗謂須菩提云何諸法无所依
須菩提言色性常空不依內不依外不依兩中間受
想行識性常空不依內不依外不依兩中間
眼耳鼻舌身意性常空不依內不依外不
依兩中間色性常空乃至法性常空不依
內不依外不依兩中間檀波羅蜜性常空
乃至般若波羅蜜性常空不依內不依外不

BD02237號　摩訶般若波羅蜜經鈔　　（17–17）

來宣說諸
勝利當知皆是如来神力非自轉士以者
何甚深波若波羅蜜多切德勝利遍非一切
世間天人阿素洛等能知能說慶喜當知
菩薩摩訶薩習學思惟脩行如是甚深般若
波羅蜜多時此三千大千世界一切惡魔皆
生疑惑咸作是念此菩薩摩訶薩爲證實際
心取預流一來不還阿羅漢果獨覺菩提爲
上正等菩薩復次慶喜若菩薩摩訶薩
若波羅蜜多時諸惡魔生
如中毒箭復次慶喜若菩
行如是甚深般若波羅蜜多時
化作種種可怖畏事欲令
迷失無上正等覺心於所脩
發趣一念乱意障得無上
心魔深心所願尒時慶喜即
摩訶薩行深般若波羅蜜
多時皆爲惡魔之所惱乱爲有惱乱不惱乱
者佛告慶喜非諸菩薩摩訶薩行深般若波
羅蜜多時時皆爲惡魔之所惱乱然有惱乱不
惱乱者具壽慶喜復白佛言何等菩薩摩訶
薩行深般若波羅蜜多時爲諸惡魔之所惱
乱何等菩薩摩訶薩行深般若波羅蜜多時

BD02238號　大般若波羅蜜多經卷四五五　　（20–1）

羅蜜多時皆為惡魔之所惱亂然有惱亂不
惱亂者具壽慶喜復白佛言何等菩薩摩訶
薩行深般若波羅蜜多時為諸惡魔之所惱
亂何等菩薩摩訶薩行深般若波羅蜜多時
不為惡魔之所惱亂佛告慶喜若菩薩摩訶
薩先世聞此甚深般若波羅蜜多心不信解
毀呰誹謗是菩薩摩訶薩行深般若波羅蜜
多時為諸惡魔之所惱亂若菩薩摩訶薩先
世聞此甚深般若波羅蜜多信解讚美不生
誹謗是菩薩摩訶薩行深般若波羅蜜多時
不為惡魔之所惱亂復次慶喜若菩薩摩訶
薩先世聞此甚深般若波羅蜜多疑惑猶豫
為有為無為實不實是菩薩摩訶薩行深般
若波羅蜜多時為諸惡魔之所惱亂若菩薩
摩訶薩先世聞此甚深般若波羅蜜多其心
不生疑惑猶豫定實有是菩薩摩訶薩行
深般若波羅蜜多時不為惡魔之所惱亂復次
慶喜若菩薩摩訶薩離善知識為惡知識之
所攝受不聞如是甚深般若波羅蜜多由不
聞故不能解了甚深般若波羅蜜多不解了
故不能修習甚深般若波羅蜜多不修習故
不能請問甚深般若波羅蜜多不請問故不
如說行甚深般若波羅蜜多不如說行故不
能證行甚深般若波羅蜜多是菩薩摩訶薩
行深般若波羅蜜多時為諸惡魔之所惱亂
若菩薩摩訶薩近善知識非惡知識之所攝
受得聞如是甚深般若波羅蜜多由得聞故
便能解了甚深般若波羅蜜多由解了故則

BD02238號　大般若波羅蜜多經卷四五五　（20–2）

行深般若波羅蜜多時為諸惡魔之所惱亂
若菩薩摩訶薩近善知識非惡知識之所攝
受得聞如是甚深般若波羅蜜多由得聞故
便能解了甚深般若波羅蜜多由解了故則
能修習甚深般若波羅蜜多由修習故便能
請問甚深般若波羅蜜多由請問故能如說
行甚深般若波羅蜜多如說行故便能證得
甚深般若波羅蜜多是菩薩摩訶薩行深般
若波羅蜜多時不為惡魔之所惱亂復次慶
喜若菩薩摩訶薩遠離般若波羅蜜多稱揚
讚歎非真妙法是菩薩摩訶薩行深般若波
羅蜜多時為諸惡魔之所惱亂若菩薩摩訶
薩親近般若波羅蜜多不稱不讚非真妙法
是菩薩摩訶薩行深般若波羅蜜多時不為
惡魔之所惱亂復次慶喜若菩薩摩訶薩遠
離般若波羅蜜多於真妙法毀呰誹謗爾時
惡魔便作是念今此菩薩與我為伴由彼毀
謗真妙法故便有無量住菩薩乘補特伽羅
於真妙法亦生毀謗由此因緣我願圓滿是
菩薩乘補特伽羅設勤精進修諸善法而墮
聲聞或獨覺地亦令他墮是菩薩摩訶薩行
深般若波羅蜜多時為諸惡魔之所惱亂若
菩薩摩訶薩親近般若波羅蜜多於真妙法
讚歎信受亦令無量住菩薩乘補特伽羅於
真妙法讚歎信受由此惡魔愁憂驚怖是菩
薩乘補特伽羅設不精進修諸善法而亦決
定不令自他退墮聲聞或獨覺地必證無上

BD02238號　大般若波羅蜜多經卷四五五　（20–3）

讚歎信受亦令無量住菩薩乘補特伽羅於
真妙法讚歎信受由此惡魔愁憂驚怖是菩
薩乘補特伽羅設不精進脩諸善法而亦決
定不令自他退墮聲聞或獨覺地必證無上
正等菩提是菩薩摩訶薩行深般若波羅蜜
多時不為惡魔之所惱亂復次慶喜若菩薩
摩訶薩聞說般若波羅蜜多甚深經時作如
是語如是般若波羅蜜多理趣甚深難見難
覺何用宣說聽聞受持讀誦思惟精勤脩習
書寫流布此經典為我尚不能得其源底況
餘薄福淺智者我時有無量住菩薩乘補特
伽羅聞其所說心皆驚怖便退無上正等覺
心墮二乘地是菩薩摩訶薩行深般若波羅
蜜多時為諸惡魔之所惱亂若菩薩摩訶薩
聞說般若波羅蜜多甚深經時作如是語如
是般若波羅蜜多理趣甚深難見難覺若不
宣說聽聞受持讀誦思惟精勤脩習書寫流
布能證無上正等菩提必無是處時有無量
住菩薩乘補特伽羅聞其所說歡喜踊躍皆
於如是甚深般若波羅蜜多常樂聽聞受持
讀誦究竟通利如理思惟精進脩行為他演
說書寫流布發趣無上正等菩提是菩薩摩
訶薩行深般若波羅蜜多時不為惡魔之所
惱亂復次慶喜若菩薩摩訶薩恃已所有功
德善根輕餘菩薩摩訶薩衆謂作是言我能
脩行布施波羅蜜多乃至般若波羅蜜多 汝
等不能我能安住內空乃至無性自性空汝

BD02238 號　大般若波羅蜜多經卷四五五　（20–4）

德善根輕餘菩薩摩訶薩衆謂作是言我能
脩行布施波羅蜜多乃至般若波羅蜜多 汝
等不能我能安住內空乃至無性自性空汝
等不能我能安住真如乃至不思議界汝等
不能我能安住苦集滅道聖諦汝等不能我
能脩行四念住乃至八聖道支汝等不能我
能脩行四靜慮四無量四無色之汝等不能
我能脩行八解脫乃至十遍處汝等不能我
能脩行空無相無願解脫門汝等不能我能
脩行極喜地乃至法雲地汝等不能我能脩
行淨觀地乃至如來地汝等不能我能
脩行五眼六神通汝等不能我能脩行如來
十力乃至十八佛不共法汝等不能我能脩
行無忘失法恒住捨性汝等不能我能脩行
一切智道相智一切相智汝等不能我能嚴
淨佛土成熟有情汝等不能我能順逆觀緣
起支汝等不能我能觀察自相共相汝等不
能我能脩習陁羅尼門三摩地門汝等不能
我能脩習一切菩薩摩訶薩行諸佛無上正
等菩提汝等不能尒時惡魔歡喜踊躍言此
菩薩是我伴黨輪迴生死未有出期是菩薩
摩訶薩行深般若波羅蜜多時為諸惡魔之
所惱亂若菩薩摩訶薩不恃已有功德善根
輕餘菩薩摩訶薩衆雖常精勤脩諸善法而
不執著諸善法相是菩薩摩訶薩行深般若
波羅蜜多時不為惡魔之所惱亂復次慶喜
若菩薩摩訶薩自恃名姓衆所識知轉發諸

BD02238 號　大般若波羅蜜多經卷四五五　（20–5）

輕餘菩薩摩訶薩衆雖常精勤脩諸善法而
不執著諸善法相是菩薩摩訶薩行深般若
波羅蜜多時不為惡魔之所惱亂復次慶喜
若菩薩摩訶薩自恃名姓衆所識知輕蔑諸
餘脩善菩薩當讚已德毀他過實無不退
轉菩薩摩訶薩諸行狀相而謂實有起諸煩
惱自讚毀他言汝等無菩薩名姓唯我獨有
菩薩名姓由增上慢輕蔑毀呰諸餘菩薩摩
訶薩衆尒時惡魔見此事已便作是念今此
菩薩令我國土宮殿不空增益地獄傍生鬼
界是時惡魔助其神力令轉增威勢辯才
由此多人信受其語回斯勸發同彼惡見同
惡見已隨彼邪學隨邪學已煩惱熾盛心顛
倒故諸所發起身語意業皆能感得不可愛
樂乖損苦果由此因緣增長地獄傍生鬼界
令魔宮殿國土充滿由是惡魔歡喜踊躍諸有
所作隨意自在是菩薩摩訶薩行深般若波
羅蜜多時為諸惡魔之所惱亂若菩薩摩訶
薩不恃已有虛妄姓名輕蔑諸餘脩善菩薩
於諸功德無增上慢常不自讚亦不毀他能
善覺知諸惡魔事是菩薩摩訶薩行深般若
波羅蜜多時不為惡魔之所惱亂復次慶喜
若菩薩摩訶薩與求聲聞獨覺乘者更相毀
蔑誹謗鬪諍尒時惡魔見此事已便作是念
今此菩薩遠離無上正等菩提親近地獄傍
生鬼界所以者何更相毀蔑誹謗鬪諍非菩
提道但是地獄傍生鬼界險惡趣道作是念
已歡喜踊躍令此菩薩威力轉盛使無量人

BD02238 號　大般若波羅蜜多經卷四五五　（20–6）

令此菩薩遠離無上正等菩提親近地獄傍
生鬼界所以者何更相毀蔑誹謗鬪諍非菩
提道但是地獄傍生鬼界險惡趣道作是念
已歡喜踊躍令此菩薩威力轉盛使無量人
增長惡業是菩薩摩訶薩行深般若波羅蜜
多時為諸惡魔之所惱亂若菩薩摩訶薩與
求聲聞獨覺乘者不相毀蔑誹謗鬪諍方便
化導令趣大乘或令勤脩自乘善法是菩薩
摩訶薩行深般若波羅蜜多時不為惡魔之
所惱亂復次慶喜若菩薩摩訶薩與求無上
正等菩提忍辱柔和諸菩薩衆鬪諍誹謗手
相毀蔑尒時惡魔見此事已便作是念此二
菩薩俱遠所求一切智智皆近地獄傍生餓
鬼阿素洛等諸險惡趣所以者何鬪諍誹謗
手相毀蔑非菩提道但是地獄傍生餓鬼阿
素洛等險惡趣路是時惡魔作此念已歡喜
踊躍增其威勢令二朋黨鬪諍不息是菩薩
摩訶薩行深般若波羅蜜多時為諸惡魔之
所惱亂若菩薩摩訶薩與求無上正等菩提
忍辱柔和諸菩薩衆不相鬪諍誹謗毀蔑但
相勸率脩殊勝行速趣無上正等菩提是菩
薩摩訶薩行深般若波羅蜜多時不為惡魔
之所惱亂復次慶喜若菩薩摩訶薩未得無
上大菩提記於得無上大菩提記諸菩薩摩
訶薩起瞋忿心鬪諍輕蔑罵辱誹謗是菩薩
摩訶薩隨起尒許念不饒益心還退尒許劫
曾脩勝行經尒許時遠離善友還受尒許生

BD02238 號　大般若波羅蜜多經卷四五五　（20–7）

訶薩起瞋忿心鬪諍輕蔑罵辱誹謗是菩薩
摩訶薩隨起尒許念不饒益心經退尒許劫
曾脩勝行經尒許時遠離善友還受尒許生
死繫縛若不棄捨大菩提心經尒許劫被戴
甲冑勤脩勝行時無間斷然後乃補所退功
德尒時慶喜白言世尊是菩薩摩訶薩所起
惡心生死罪苦為要流轉經尒許時為於中
間亦得出離是菩薩摩訶薩所退勝行為要
精勤經尒許劫然後乃補為於中間有復不
義佛告慶喜我為菩薩獨覺聲聞有出罪
還補善法慶喜當知若菩薩摩訶薩未得無
上大菩提記於得無上大菩提記諸菩薩摩
訶薩起瞋忿心鬪諍輕蔑罵辱誹謗後無慙
愧懷惡不捨不能如法發露悔過我說彼類
於其中間無有出罪還補善義要尒許劫流
轉生死遠離善友衆苦所纏若不棄捨大菩
提心要尒許劫被戴甲冑勤脩勝行時無間
斷然後乃補所退功德若菩薩摩訶薩未得
無上大菩提記於得無上大菩提記諸菩薩摩
訶薩起瞋忿心鬪諍輕蔑罵辱誹謗後生慙
愧心不繫惡尋能如法發露悔過作如是念
我今已得難得人身何容復起如是過惡必
大善利我應饒益一切有情何容於中反作
衰損我應恭敬一切有情如僕事主何容於
中反生憍慠罵辱淩蔑我應忍受一切有情
捶打訶叱何容於中反以暴惡身語加報我
應和解一切有情令相欽愛何容復起麁惡

BD02238 號　大般若波羅蜜多經卷四五五　（20–8）

中反生憍慠罵辱淩蔑我應忍受一切有情
捶打訶叱何容於中反以暴惡身語加報我
應和解一切有情令相欽愛何容復起麁惡
語言與彼乖諍我應堪忍一切有情長時履
踐猶如道路亦如橋梁何容於彼反加陵辱
我求無上正等菩提為拔有情生死大苦令
得究竟安樂涅槃何容反欲加之以苦我應
從今盡未來際如癡如瘂如聾如盲於諸有
情無所分別假使斬截頭足手臂挑眼劓耳
劓鼻截舌及餘一切身分支體於彼有情終
不起惡若我起惡則便退壞所發無上正等
覺心障礙所求一切智智不能利益安樂有
情慶喜當知是菩薩摩訶薩我說中間亦有
出罪還補善義非要經於尒許劫數流轉生
死惡魔於彼不能惱亂疾證無上正等菩提
復次慶喜住菩薩乘諸善男子善女人等與
求聲聞獨覺乘者不應交涉設與交涉不應
共住設與共住不應與彼論議決擇所以者
何若與彼類論議決擇或當發動忿恚等心
或復起於麁惡言說然諸菩薩於有情類不
應發起忿恚等心亦不應生麁惡言說設彼
斬截首足身分亦不應起忿恚麁言所以者
何諸菩薩摩訶薩應作是念我求無上正等
菩提為拔有情生死衆苦令得究竟利益安
樂何容於彼翻為惡事慶喜當知若菩薩摩
訶薩於有情類起忿恚心發麁惡語便礙無
上正等菩提亦壞無邊菩薩行法是故菩薩

BD02238 號　大般若波羅蜜多經卷四五五　（20–9）

樂何容於彼辭為惡事慶喜當知若菩薩摩
訶薩於有情類起忿恚心發麁惡語便礙無
上正等菩提亦壞無邊菩薩行法是故菩薩
摩訶薩衆欲得無上正等菩提於諸有情不
應忿恚亦不應起麁惡言說具壽慶喜白言
世尊諸菩薩摩訶薩與菩薩摩訶薩云何共
住佛告慶喜諸菩薩摩訶薩與菩薩摩訶薩
共住相視應如大師所以者何是諸菩薩展
轉相視應作是念彼皆是我真善知識與我
為伴同乘一舩學處學時及所學法若由此
學皆無有異如彼應學布施波羅蜜多乃至
般若波羅蜜多我亦應學如彼應學內空乃
至無性自性空我亦應學如彼應學真如乃
至不思議界我亦應學如彼應學苦集滅道
聖諦我亦應學如彼應學四念住乃至八聖
道支我亦應學如彼應學四靜慮四無量四
無色定我亦應學如彼應學八解脫乃至十
遍處我亦應學如彼應學空無相無願解脫
門我亦應學如彼應學極喜地乃至法雲地
我亦應學如彼應學一切陀羅尼門三摩地
門我亦應學如彼應學五眼六神通我亦應
學如彼應學如來十力乃至十八佛不共法
我亦應學如彼應學無忘失法恒住捨性我
亦應學如彼應學成熟有情嚴淨佛土我亦
應學如彼應學一切智道相智一切相智我
亦應學復作是念彼諸菩薩為我等說大菩
提道即我良伴亦我尊師若彼菩薩摩訶薩
住雜染作意離一切智智相應作意我當於

BD02238號　大般若波羅蜜多經卷四五五　（20–10）

應學如彼應學一切智道相智一切相智我
亦應學復作是念彼諸菩薩為我等說大菩
提道即我良伴亦我尊師若彼菩薩摩訶薩
住雜染作意離一切智智相應作意我當於
中不同其學若彼菩薩摩訶薩離雜染作意
不離一切智智相應作意我當於中應同其
學慶喜當知若菩薩摩訶薩能如是學菩提
資糧疾得圓滿若菩薩摩訶薩如是學時與
諸菩薩摩訶薩衆名為同學

第二分同性品第六十二

尒時具壽善現佛言世尊云何菩薩摩訶
薩同性由諸菩薩摩訶薩住此中學名為同
學佛告善現內空是菩薩摩訶薩同性外空
乃至無性自性空是菩薩摩訶薩同性諸菩
薩摩訶薩住中學故名為同學由此同學速
證無上正等菩提復次善現色色性空受想
行識受想行識性空是菩薩摩訶薩同性眼
處眼處性空乃至意處意處性空是菩薩摩
訶薩同性色處色處性空乃至法處法處性
空是菩薩摩訶薩同性眼界眼界性空乃至
意界意界性空是菩薩摩訶薩同性色界色
界性空乃至法界法界性空是菩薩摩訶薩
同性眼識界眼識界性空乃至意識界意識
界性空是菩薩摩訶薩同性眼觸眼觸性空
乃至意觸意觸性空是菩薩摩訶薩同性眼
觸為緣所生諸受眼觸為緣所生諸受性空
乃至意觸為緣所生諸受意觸為緣所生諸
受性空是菩薩摩訶薩同性地界地界性空

BD02238號　大般若波羅蜜多經卷四五五　（20–11）

乃至意觸意觸性空是菩薩摩訶薩同性眼
觸為緣所生諸受眼觸為緣所生諸受性空
乃至意觸為緣所生諸受意觸為緣所生諸
受性空是菩薩摩訶薩同性地界地界性空
乃至識界識界性空是菩薩摩訶薩同性無
明無明性空乃至老死老死性空是菩薩摩
訶薩同性布施波羅蜜多布施波羅蜜多性
空乃至般若波羅蜜多般若波羅蜜多性空
是菩薩摩訶薩同性內空內空性空乃至無
性自性空無性自性空性空是菩薩摩訶薩
同性真如真如性空乃至不思議界不思議
界性空是菩薩摩訶薩同性苦聖諦苦聖諦
性空集滅道聖諦集滅道聖諦性空是菩薩
摩訶薩同性四念住四念住性空乃至八聖
道支八聖道支性空是菩薩摩訶薩同性四
靜慮四靜慮性空四無量四無色定四無量
四無色定性空是菩薩摩訶薩同性八解脫
八解脫性空乃至十遍處十遍處性空是菩
薩摩訶薩同性空解脫門空解脫門性空無
相無願解脫門無相無願解脫門性空是菩
薩摩訶薩同性淨觀地淨觀地性空乃至如
來地如來地性空是菩薩摩訶薩同性極喜
地極喜地性空乃至法雲地法雲地性空是
菩薩摩訶薩同性陀羅尼門陀羅尼門性空
三摩地門三摩地門性空是菩薩摩訶薩同
性五眼五眼性空六神通六神通性空是菩
薩摩訶薩同性如來十力如來十力性空乃

BD02238號　大般若波羅蜜多經卷四五五　（20–12）

地極喜地性空乃至法雲地法雲地性空是
菩薩摩訶薩同性陀羅尼門陀羅尼門性空
三摩地門三摩地門性空是菩薩摩訶薩同
性五眼五眼性空六神通六神通性空是菩
薩摩訶薩同性如來十力如來十力性空乃
至十八佛不共法十八佛不共法性空是菩
薩摩訶薩同性無忘失法無忘失法性空恒
住捨性恒住捨性性空是菩薩摩訶薩同性一
切智一切智性空道相智一切相智道相智
一切相智性空是菩薩摩訶薩同性預流
果預流果性空乃至獨覺菩提獨覺菩提性
空是菩薩摩訶薩同性菩薩摩訶薩行菩薩
摩訶薩行性空是菩薩摩訶薩同性佛無上
正等菩提佛無上正等菩提性空是菩薩摩
訶薩同性諸菩薩摩訶薩住中學故名為同
學由此同學速證無上正等菩提
尒時善現復白佛言世尊若菩薩摩訶薩為
色盡故學為受想行識盡故學是學一切智
智不為色離故學為受想行識離故學是學
一切智智不為色滅故學為受想行識滅故
學是學一切智智不為色不生故學為受想行識
不生故學是學一切智智不世尊若菩薩摩
訶薩如是乃至為菩薩摩訶薩行盡故學為
佛無上正等菩提盡故學是學一切智智不
為菩薩摩訶薩行離故學為佛無上正等菩
提離故學是學一切智智不為菩薩摩訶薩
行滅故學為佛無上正等菩提滅故學是學
一切智智不為菩薩摩訶薩行不生故學為

BD02238號　大般若波羅蜜多經卷四五五　（20–13）

佛無上正等菩提盡故學是學一切智智不
為菩薩摩訶薩行離故學為佛無上正等菩
提離故學是學一切智智不為菩薩摩訶薩
行滅故學為佛無上正等菩提滅故學是學
一切智智不為菩薩摩訶薩行不生故學為
佛無上正等菩提不生故學是學一切智智
不佛告善現如汝所說若菩薩摩訶薩為色
盡故離故滅故不生故學是學一切智智不
為受想行識盡故離故滅故不生故學是學
一切智智不如是乃至為菩薩摩訶薩行盡故
離故滅故不生故學是學一切智智不為佛
無上正等菩提盡故離故滅故不生故學是
學一切智智不善現於意云何色真如盡離
滅斷不受想行識真如盡離滅斷不如是乃
至菩薩摩訶薩行真如盡離滅斷不佛無上
正等菩提真如盡離滅斷不善現對曰不也
世尊不也善逝佛告善現若菩薩摩訶薩於
真如如是學是學一切智智善現當知真如
無盡無離無滅無斷不可作證若菩薩摩訶
薩於真如如是學是學一切智智復次善現
若菩薩摩訶薩如是學時是學布施波羅蜜
多乃至般若波羅蜜多是學內空乃至無性
自性空是學真如乃至不思議界是學苦集
滅道聖諦是學四念住乃至八聖道支是學
四靜慮四無量四無色定是學八解脫乃至
十遍處是學空無相無願解脫門是學極喜
地乃至法雲地是學一切陀羅尼門三摩地
門是學五眼六神通是學如來十力乃至十

BD02238號　大般若波羅蜜多經卷四五五　（20–14）

滅道聖諦是學四念住乃至八聖道支是學
四靜慮四無量四無色定是學八解脫乃至
十遍處是學空無相無願解脫門是學極喜
地乃至法雲地是學一切陀羅尼門三摩地
門是學五眼六神通是學如來十力乃至十
八佛不共法是學無忘失法恒住捨性是學
一切智道相智一切相智是學一切菩薩摩
訶薩行是學諸佛無上正等菩提善現若菩
薩摩訶薩學布施波羅蜜多乃至諸佛無上
正等菩提當知是學一切智智復次善現若
菩薩摩訶薩如是學時至一切學究竟彼岸
一切天魔及諸外道所不能伏疾至菩薩不
退轉地行自祖父一切如來應正等覺所應
行處於能護法無倒隨轉能作離暗所應作
法善能成熟一切有情切能嚴淨自佛國土
名為善學大慈大悲大喜大捨及餘無量無
邊佛法善現若菩薩摩訶薩如是學時是學
三轉十二行相無上法輪是學安處百千俱
胝那庾多眾於無餘依般涅槃界令般涅槃
是學不斷佛種妙行是學諸佛開甘露門是
學安立無量無數無邊有情住三乘法是學
示現一切有情究竟寂滅真無為界是為脩
學一切智智如是學者下劣有情所不能學
善現若菩薩摩訶薩啟善拔濟一切有情生
死大苦應如是學復次善現若菩薩摩訶薩
如是學時決定不墮地獄傍生剡魔鬼界決
定不生邊地達絮蔑戾車中決定不生旃荼
羅家補羯娑家及餘種種貧窮下賤不律

BD02238號　大般若波羅蜜多經卷四五五　（20–15）

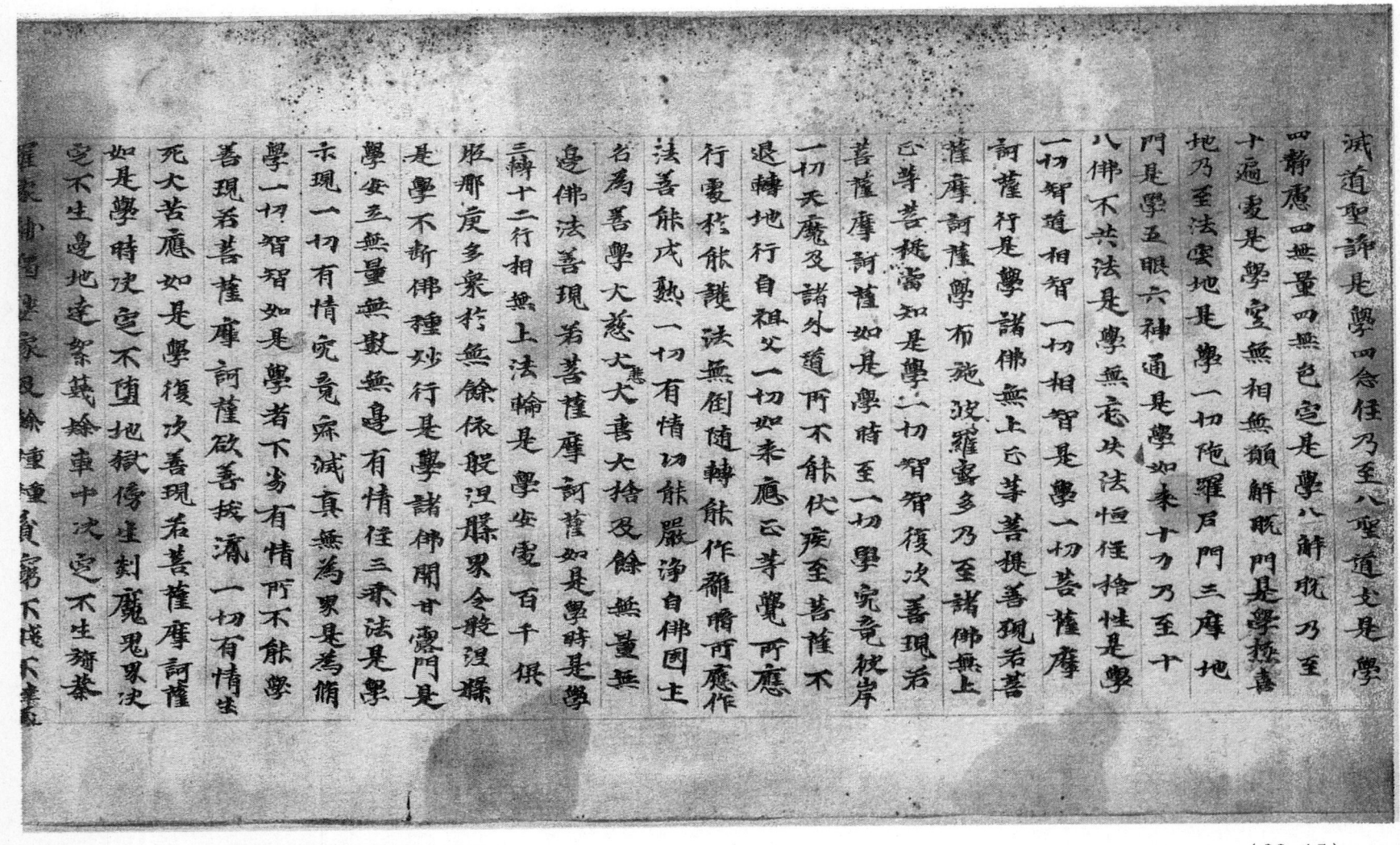

死大苦應如是學復次善現若菩薩摩訶薩
如是學時決定不墮地獄傍生剡魔鬼界決
定不生邊地達絮蔑戾車中決定不生旃荼
羅家補羯娑家及餘種種貧窮下賤不律儀
家終不盲聾瘖瘂躄根支殘缺背僂癲癇
癰疽疥癩痔病惡瘡不長不短亦不黧黑及
無種種穢惡疾病復次善現若菩薩摩訶薩
如是學時生生常得眷屬圓滿形貌端嚴言
詞威肅衆人愛敬所生之處離害生命乃至
邪見終不攝受虛妄邪法不以邪法而自活
命亦不攝受破戒惡見謗法有情以爲親友
復次善現若菩薩摩訶薩如是學時終不生
於執樂少慧長壽天衆所以者何是菩薩摩
訶薩成就方便善巧勢力由此方便善巧力
故雖能數入靜慮無量及無色定而不隨彼
勢力受生甚深般若波羅蜜多所攝受故成
就如是方便善巧於諸定中雖常獲得入出
自在而隨彼諸定勢力生長壽天處脩菩
薩殊勝妙行復次善現若菩薩摩訶薩如是
學時於佛十力四無所畏四無礙解大慈大
悲大喜大捨及十八佛不共法等無量無邊
諸佛妙法皆得清淨由清淨故不墮聲聞獨
覺等地
尒時具壽善現白佛言世尊若一切法本性
清淨諸菩薩摩訶薩云何復於諸佛妙法而
得清淨佛告善現如是如是如汝所說諸法
本來自性清淨是菩薩摩訶薩於一切法本
性淨中精勤脩學甚深般若波羅蜜多如實

BD02238號　大般若波羅蜜多經卷四五五　（20–16）

覺等地
尒時具壽善現白佛言世尊若一切法本性
清淨諸菩薩摩訶薩云何復於諸佛妙法而
得清淨佛告善現如是如是如汝所說諸法
本來自性清淨是菩薩摩訶薩於一切法本
性淨中精勤脩學甚深般若波羅蜜多如實
通達無沒無滯速離一切煩惱染著故說菩薩
復得清淨復次善現雖一切法本性清淨然
夫異生不知見覺是菩薩摩訶薩爲欲令
彼知見覺故脩行布施波羅蜜多乃至般若
波羅蜜多安住內空乃至無性自性空安住
真如乃至不思議界安住苦集滅道聖諦脩
行四念住乃至八聖道支脩行四靜慮四無
量四無色定脩行八解脫乃至十遍處脩行
空無相無願解脫門脩行極喜地乃至法雲
地脩行五眼六神通脩行佛十力乃至十八
佛不共法脩行無忘失法恒住捨性脩行一
切陁羅尼門三摩地門脩行一切智道相智
一切相智是菩薩摩訶薩於一切法本性清
淨如是學時於佛十力乃至十八佛不共法
及餘無量無邊佛法皆得清淨不墮聲聞獨
覺等地於諸有情心行差別皆能通達至極
彼岸善巧方便令諸有情證一切法本性清
淨證得究竟安樂涅槃善現當知譬如大地
少處出生金銀等寶多處出生沙石瓦礫諸
有情類亦復如是少分能學甚深般若波羅
蜜多謂住大乘諸菩薩衆多學聲聞獨覺地
法謂求自利中下乘者善現當知譬如人趣

BD02238號　大般若波羅蜜多經卷四五五　（20–17）

少處出生金銀等寶多處出生沙石瓦礫諸
有情類亦復如是少分能學甚深般若波羅
蜜多謂住大乘諸菩薩衆多學聲聞獨覺地
法謂求自利中下乘者善現當知譬如人趣
少分能脩轉輪王業多分迴行小國王業諸
有情類亦復如是少分能脩一切智智道多
分迴行聲聞獨覺道善現當知求趣無上正
等菩提諸菩薩衆少證無上正等菩提多墮
聲聞及獨覺地善現當知住菩薩乘補特伽
羅若不遠離甚深般若波羅蜜多方便善巧
迴能趣入不退轉地若有遠離甚深般若波
羅蜜多方便善巧迴於無上正等菩提當有
退轉是故菩薩摩訶薩衆欲得菩薩不退轉
地欲入菩薩不退轉數當勤脩學甚深般若
波羅蜜多方便善巧無得暫廢
復次善現若菩薩摩訶薩如是脩學甚深般
若波羅蜜多方便善巧終不發起慳貪破戒
忿恚懈怠散動惡慧俱行之心亦不發起貪
欲瞋恚愚癡憍慢俱行之心亦不發起放逸
諂誑及餘過失俱行之心亦不發起執著色
受想行識俱行之心亦不發起執着眼處乃
至意處俱行之心亦不發起執着色處乃至
法處俱行之心亦不發起執着眼界乃至意
界俱行之心亦不發起執着色界乃至法界
俱行之心亦不發起執着眼識界乃至意識
界俱行之心亦不發起執着眼觸乃至意觸
俱行之心亦不發起執着眼觸為緣所生諸
受及至意觸為緣所生諸受俱行之心亦不

BD02238號　大般若波羅蜜多經卷四五五　（20–18）

界俱行之心亦不發起執着色界乃至法界
俱行之心亦不發起執着眼識界乃至意識
界俱行之心亦不發起執着眼觸乃至意觸
俱行之心亦不發起執着眼觸為緣所生諸
受及至意觸為緣所生諸受俱行之心亦不
發起執着地界乃至識界俱行之心亦不發
起執着無明乃至老死俱行之心亦不發起
執着布施波羅蜜多乃至般若波羅蜜多俱
行之心亦不發起執着內空乃至無性自性
空俱行之心亦不發起執着真如乃至不思
議界俱行之心亦不發起執着苦集滅道聖
諦俱行之心亦不發起執着四靜慮四無量
四無色定俱行之心亦不發起執着八解脫
乃至十遍處俱行之心亦不發起執着四念
住乃至八聖道支俱行之心亦不發起執着
空無相無願解脫門俱行之心亦不發起執
着淨觀地乃至如來地俱行之心亦不發起
執着極喜地乃至法雲地俱行之心亦不發
起執着五眼六神通俱行之心亦不發起執
着如來十力乃至十八佛不共法俱行之心
亦不發起執着三十二相八十隨好俱行之
心亦不發起執着無忘失法恒住捨性俱行
之心亦不發起執着陁羅尼門三摩地門俱
行之心亦不發起執着一切智道相智一切
相智俱行之心亦不發起執着預流果乃至
獨覺菩提俱行之心亦不發起執着一切菩
薩摩訶薩行俱行之心亦不發起執着諸佛無
上正等菩提俱行之心所以者何是菩薩摩

BD02238號　大般若波羅蜜多經卷四五五　（20–19）

起執着五眼六神通俱行之心亦不發起執
着如來十力乃至十八佛不共法俱行之心
亦不發起執着三十二相八十隨好俱行之
心亦不發起執着無忘失法恒住捨性俱行
之心亦不發起執着陁羅尼門三摩地門俱
行之心亦不發起執着一切智道相智一切
相智俱行之心亦不發起執着預流果乃至
獨覺菩提俱行之心亦不發起執着一切菩
薩摩訶薩行俱行之心亦不發起執着諸佛無
上正等菩提俱行之心所以者何是菩薩摩
訶薩行深般若波羅蜜多方便善巧不見有
法是可得者無所得故不起執着色等諸法
俱行之心

大般若波羅蜜多經卷第四百五十五

BD02238號　大般若波羅蜜多經卷四五五　（20–20）

時諸比丘尼聞佛制戒得度人㸦度
後便與染汙心男子共立共語調戲時諸比
是行頭陁樂學戒知慚愧者嫌責諸比丘尼言
度人汝等云何乃度小年童女與染汙心人共立共語調戲
比丘尼諸比丘往白佛佛以此因緣集比丘僧呵責諸比丘尼言
所為非非威儀非沙門法非淨行非隨順行所不應為云何度小年
童女不知有染汙心無染汙心後與染汙心人共立共語調戲耶以無數方
便呵責比丘尼已告諸比丘尼言汝等聽若欲在寺內剃髮者當語一
切尼僧令知若作白已然後與剃髮當作如是白大姊僧聽此某甲欲從某
甲求剃髮若僧時到僧忍聽為某甲剃髮白如是作如是白已然後與
剃髮若欲在寺內與出家者當語一切尼僧若作白已與出家當作如
是白大姊僧聽此某甲從某甲求出家若僧時到僧忍聽與某甲出
家白如是作如是白已然後與出家當作如是出家與剃髮著袈裟已
教右膝著地合掌作如是語我某甲歸依佛歸依法歸依僧我於如來
法中求出家和上某甲如來至真等正覺是我世尊如是第二第三說我
某甲歸依佛竟歸依法竟歸依僧竟我於如來法中求出家和上尼某
甲如來至真等正覺是我世尊如是第二第三說已次應與受戒盡形壽
不殺生是沙弥尼戒汝能持不答言能盡形壽不盜是沙弥尼戒汝能持
不能持者答言能盡形壽不婬是沙弥尼戒汝能持不能者答言能盡
形壽不妄語是沙弥尼戒汝能持不能者答言能盡形壽不飲酒是沙弥

BD02239號　四分律（異卷）卷二七　（12–1）

某甲歸依佛竟歸依法竟歸依僧竟我於如來法中出家和上尼某
甲如來至真等正覺是我世尊如是第二第三說已次應與受戒盡形壽
不殺生是沙彌尼戒汝能持不能持者答言能盡形壽不盜是沙彌尼戒汝能持
不能持者答言能盡形壽不婬是沙彌尼戒汝能持不能者答言能盡
形壽不妄語是沙彌尼戒汝能持不能者答言能盡形壽不飲酒是沙彌
尼戒汝能持不能者答言能盡形壽不著華香瓔珞是沙彌尼戒汝能
持不能者答言能盡形壽不歌舞倡伎樂不得往看是沙彌尼戒汝能持不
能者答言能盡答言能[illegible]時不高廣大床上坐是沙彌尼戒汝能持
不能者答言能盡形[illegible]是沙彌尼戒汝能持不能者答言能
盡形壽不得捉金銀錢是沙彌尼戒汝能持不能者答言能是為沙彌尼
十戒盡形壽能持不能者答言能自今已去聽年十八童女二歲學戒年滿
廿得受具足戒白四羯磨當如是說戒沙彌尼當詣僧中偏露右肩脫革
屣禮比丘僧足右膝著地合掌當作是語大姊僧聽我某甲沙彌尼今
從僧乞二歲學戒某甲尼為和上願僧與我二歲學戒慈愍故第二第
三如是說已沙彌尼應往離聞處著見處已比丘尼眾中當差堪能羯磨
者如上應作白大姊僧聽彼某甲沙彌尼今從僧乞二歲學戒和上尼某甲若
僧時到僧忍聽與某甲沙彌尼二歲學戒和上尼某甲白如是大姊僧聽
彼某甲沙彌尼從僧乞二歲學戒和上尼某甲今僧與某甲沙彌尼二歲學
戒和上尼某甲誰諸大姊忍僧與彼某甲沙彌尼二歲學戒和上尼某甲者
默然不忍者說是初羯磨如是第二第三說眾僧已忍與某甲沙彌尼二
歲學戒和上尼某甲竟僧忍故默然如是持彼式叉摩那一切戒應學除
自手取食授食與他彼二歲學戒已年滿廿當與受具足戒白四羯磨自
今已去與比丘尼結戒集十句義乃至正法久住欲說戒者當如是說若比丘
尼年滿十八童女二歲學戒已滿廿與受具足戒若比丘尼年減廿受具足戒
者波逸提如是世尊與比丘尼結戒時諸比丘尼不知滿廿不滿廿後方知不
滿廿或作波逸提懺或有疑者不知者不犯自今已去當如是說戒若比丘
尼年不滿廿與受具足戒者波逸提比丘尼義如上彼比丘尼知不滿廿與受
具足戒三羯磨竟和上尼波逸提白二羯磨竟二突
吉羅白已一突吉羅白未竟一突吉羅若未白前集眾滿一切突吉羅比丘突
吉羅是謂為犯不犯者年滿十八二歲學戒滿廿與具足戒若不知若自言
滿廿若信可信人語若信父母語若受戒後疑當數胎中月當數閏月數
[illegible]狂心亂痛惱所纏 一百廿

BD02239號　四分律（異卷）卷二七　　（12–2）

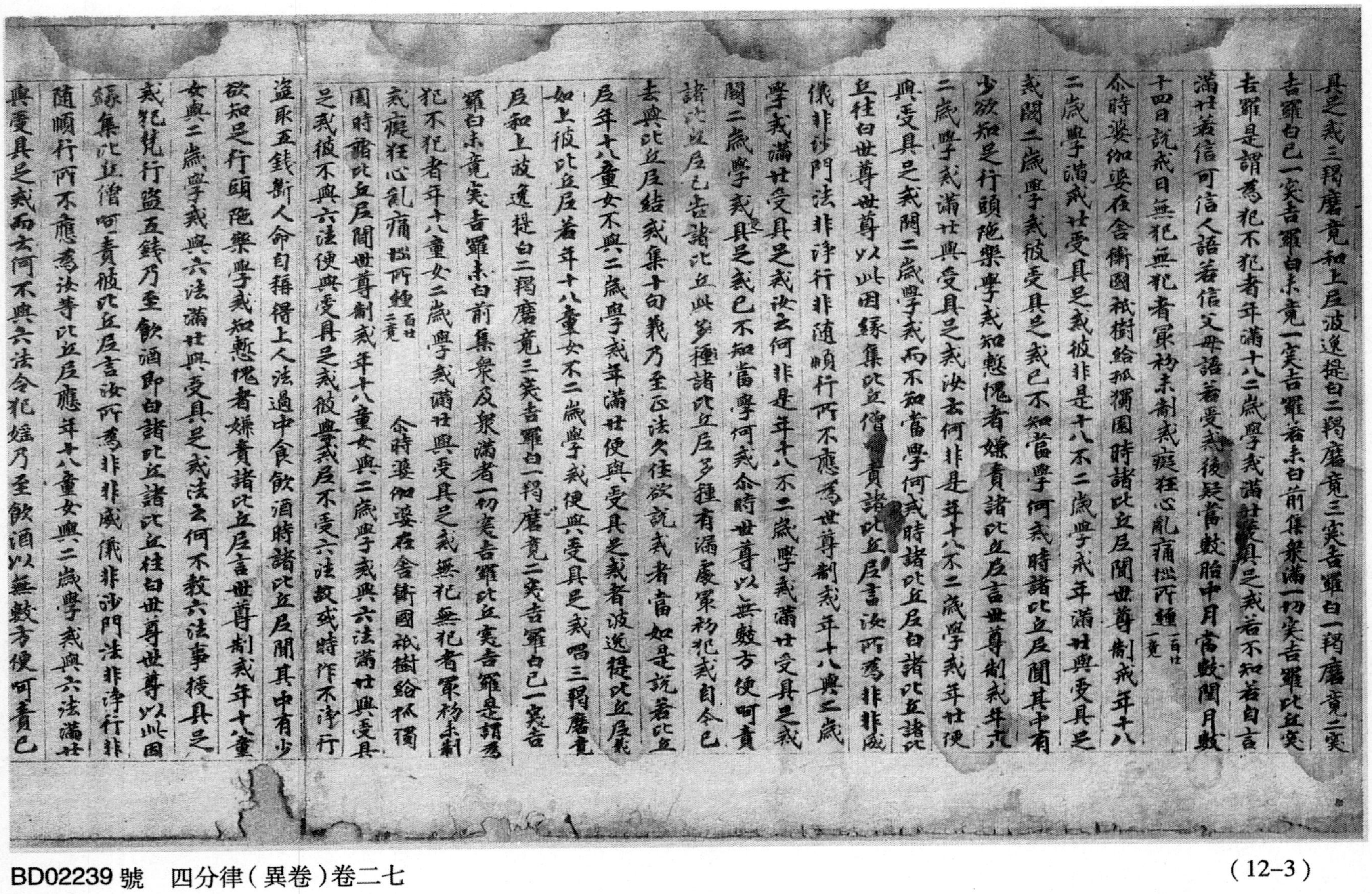
具足戒三羯磨竟和上尼波逸提白二羯磨竟二突
吉羅白已一突吉羅白未竟一突吉羅若未白前集眾滿一切突吉羅比丘突
吉羅是謂為犯不犯者年滿十八二歲學戒滿廿與具足戒若不知若自言
滿廿若信可信人語若信父母語若受戒後疑當數胎中月當數閏月數
十四日說戒日無犯無犯者最初未制戒癡狂心亂痛惱所纏 一百廿一竟
爾時婆伽婆在舍衛國祇樹給孤獨園時諸比丘尼聞世尊制戒年十八
二歲學滿戒廿受具足戒彼非是十八不二歲學戒年滿廿與受具足
戒闕二歲學戒彼受具足戒已不知當學何戒時諸比丘尼聞其中有
少欲知足行頭陀樂學戒知慚愧者嫌責諸比丘尼言世尊制戒年十八
二歲學戒滿廿與受具足戒汝云何非是年十八不二歲學戒年廿便
與受具足戒闕二歲學戒而不知當學何戒時諸比丘尼白諸比
丘往白世尊世尊以此因緣集比丘僧呵責諸比丘尼言汝所為非非威
儀非沙門法非淨行非隨順行所不應為世尊制戒年十八與二歲
學戒滿廿受具足戒汝云何非是年十八不二歲學戒滿廿受具足戒
闕二歲學戒具足戒已不知當學何戒爾時世尊以無數方便呵責
諸比丘尼已告諸比丘此多種諸比丘尼多種有漏處最初犯戒自今已
去與比丘尼結戒集十句義乃至正法久住欲說戒者當如是說若比丘
尼年十八童女不與二歲學戒年滿廿使與受具足戒者波逸提比丘尼義
如上彼比丘尼若年十八童女不二歲學戒使與受具足戒唱三羯磨竟
尼和上波逸提白二羯磨竟二突吉羅白已一突吉
羅白未竟突吉羅未白前集眾及眾滿者一切突吉羅比丘突吉羅是謂為
犯不犯者年十八童女二歲學戒滿廿與受具足戒無犯無犯者最初未制
戒癡狂心亂痛惱所纏 百廿二竟
爾時婆伽婆在舍衛國祇樹給孤獨
園時諸比丘尼聞世尊制戒年十八童女與二歲學戒與六法滿廿與受具
足戒彼不與六法便與受具足戒彼無戒尼不受六法數或時作不淨行
盜取五錢斷人命自稱得上人法過中食飲酒時諸比丘尼聞其中有少
欲知足行頭陀樂學戒知慚愧者嫌責諸比丘尼言世尊制戒年十八童
女與二歲學戒與六法滿廿與受具足戒汝云何不教六法事授具足
戒犯梵行盜五錢乃至飲酒即白諸比丘諸比丘往白世尊世尊以此因
緣集比丘僧呵責彼比丘尼言汝所為非非威儀非沙門法非淨行非
隨順行所不應為汝等比丘尼應年十八童女與二歲學戒與六法滿廿
與受具足戒而云何不與六法令犯婬乃至飲酒以無數方便呵責已

BD02239號　四分律（異卷）卷二七　　（12–3）

[illegible]至飲酒時白諸比丘往白世尊世尊以此因
緣集比丘僧呵責彼比丘尼言汝所為非非威儀非沙門法非淨行非
隨順行所不應為汝等比丘尼應年十八童女與二歲學戒與六法滿廿
與受具足戒而云何不與六法令犯婬乃至飲酒以無數方便呵責已
告諸比丘與比丘尼多種有漏處最初犯戒自今已去與比丘尼結戒
集十句義乃至正法久住欲說戒者當如是說若比丘尼年十八童女與
二歲學戒不與六法滿廿便與受具足戒者波逸提比丘尼義如上若
式叉摩那犯婬應滅擯若有染汙心與染汙心男子身相觸犯戒
應更與戒若偷五錢過五錢應滅擯若減五錢犯戒應更與戒若斷
人命應滅擯若斷畜生命犯戒應與戒若自言得上人法者應滅擯
若在衆中故妄語者犯戒應更與戒若非時食犯戒應更與戒若
飲酒犯戒應更與戒若比丘尼年十八童女與二歲學戒不與六法滿廿
便與受具足戒唱三羯磨竟尼和上波逸提白二羯磨三突吉羅
白已一突吉羅白未竟一突吉羅未白前集衆及衆滿一切突吉羅比丘突吉
[illegible]請為犯不犯者年十八童女二歲學戒與六法已受具足戒不犯不犯者最
[illegible]所纏 百廿三竟 尒時婆伽婆在舍衛國祇樹給孤獨園時
[illegible]八童女二歲學戒與六法滿廿與受具足戒時諸比丘尼便
度盲[illegible]痔瘡及餘種種病者毀辱衆僧時諸比丘尼聞其中有少欲知足
行頭陀樂學戒知慚愧者嫌責諸比丘尼言世尊制戒年十八童女與二歲學戒與六法
滿廿與受具足戒汝云何乃度盲瞎及諸痛者毀辱衆僧時諸比丘尼往白諸
比丘往白世尊世尊以此因緣集比丘僧呵責諸比丘尼言汝所為非非威儀非沙門法
非淨行非隨順行所不應為比丘尼應十八童女與二歲學戒滿廿與受具足戒汝云
何乃度盲瞎及諸痛人以無數方便呵責已告諸比丘自今[illegible]與堅立具足戒白四羯磨
當作如是與安受戒人離聞處著見處已是中衆[illegible]教授師當作如是白
大姊僧聽彼某甲從[illegible]教授師
白如是彼人當往受戒人所[illegible]僧伽梨
此是僧祇支此是覆肩衣此是[illegible]實語時
我今問汝實當言實不實當言不實汝[illegible]年滿廿未衣鉢具
是不父母聽汝不夫主聽汝不汝不負債不[illegible]是女人不女人有如是諸
病癩癰疽白癩乾痟顛狂二形二道合小常漏[illegible]便涕唾常流出汝有如是病
不答言無當復語言如我向問汝事在衆中亦當如是問如汝向者答我衆僧
中亦當如是答時教授師問已如常威儀還來入衆中舒手相及處立作如是白大
[illegible]

我今問汝實當言實不實當言不實汝[illegible]誰年滿廿未衣鉢具
是不父母聽汝不夫主聽汝不汝不負債不[illegible]是女人不女人有如是諸
病癩癰疽白癩乾痟顛狂二形二道合小常漏[illegible]便涕唾常流出汝有如是病
不答言無當復語言如我向問汝事在衆中亦當如是問如汝向者答我衆僧
中亦當如是答時教授師問已如常威儀還來入衆中舒手相及處立作如是白大
姊僧聽彼某甲從某甲求受具足戒若僧時到僧忍聽我已教授竟聽使來白
如是彼即應語言汝來衆已教授師應為捉衣鉢教禮尼僧足已在戒師前右膝
著地合掌教授師教作如是白大姊僧聽我某甲從和上尼某甲求受具足戒我某
甲今從僧乞受具足戒某甲為和上衆僧慈愍故拔濟我如是第二第三說
戒師應作白大姊僧聽此某甲從和上尼某甲求受具足戒此某甲今從衆僧
乞受具足戒某甲尼為和上若僧時到僧忍聽我問諸難事白如是彼當語言
妹諦聽今是真誠時我今問汝實當言實不實當言不實汝字何等和上字誰
年滿廿不衣鉢具足不父母聽汝不夫主聽汝不汝不負債不汝非婢邪汝是女人不
女人有如是諸病癩癰疽白癩乾痟顛狂二形二道合道小常漏大小便涕唾
常流出汝有如是病不答言無當作白大姊僧聽此某甲從和上尼某甲求受
具足戒此某甲今從衆僧乞受具足戒某甲尼為和上某甲自說清淨無諸難
事年滿廿衣鉢具足若僧時到僧忍聽授某甲具足戒某甲尼為和上白如是大姊
僧聽此某甲從和上尼某甲求受具足戒此某甲今從衆僧乞受具足戒某甲尼
為和上某甲自說清淨無諸難事年滿廿衣鉢具足今僧授某甲具足戒某甲尼
為和上誰諸大姊忍僧授某甲具足戒某甲尼為和上者默然誰不忍者說此是
初羯磨第二第三亦如是說衆僧已忍授某甲具足戒某甲尼為和上竟僧忍
默然故是事如是持時諸比丘尼僧應將彼受戒者至比丘僧中偏露右肩禮僧足
已右膝著地合掌作如是語大德僧聽我某甲從和上尼某甲求受具足戒我某
甲今從衆僧乞受具足戒某甲尼為和上願衆僧慈愍拔濟我第二第三亦如
是說彼當問汝字何等和上字誰乃至涕唾常流出如上汝已學戒清淨不若
言學戒清淨當復更問餘比丘尼與人學戒清淨不若言學戒清淨者彼
戒師當作白大德僧聽此某甲從和上尼某甲求受具足戒此某甲今從衆僧
乞受具足戒和上尼某甲某甲已學戒清淨若僧時到僧忍聽僧授某甲具足
戒某甲尼為和上白如是大德僧聽此某甲從和上尼某甲求受具足戒此某
甲今從衆僧乞受具足戒某甲尼為和上某甲已學戒清淨今僧授某甲具
足戒某甲尼為和上誰諸長老忍僧授某甲具足戒某甲尼為和上者默然誰
不忍者說此是初羯磨第二第三亦如是說僧已忍與某甲受具足戒某甲尼

戒某甲尼為和上白如是大德僧聽此某甲從和上尼某甲求受具足戒此某
甲今從眾僧乞受具足戒某甲尼為和上某甲已學戒清淨今僧授某甲具
足戒某甲尼為和上誰諸長老忍僧授某甲具足戒某甲尼為和上者默然誰
不忍者說此是初羯磨第二第三亦如是說僧已忍與某甲受具足戒某甲尼
為和上竟僧忍默然故是事如是持族姓女聽此是如來無所著等正覺說八波羅
夷法犯者非比丘尼非釋種女不得作不淨行行婬欲法若比丘尼意樂作不淨行
行婬欲乃至共畜生此非比丘尼非釋種女汝是中盡形壽不得犯能持不能
者當言能不得盜乃至草葉若比丘尼偷人五錢若過五錢若自取教人取
若自斷教人斷若自破教人破若燒若埋若壞色彼非比丘尼非釋種女汝是中盡
形壽不得犯能持不能者當言能不得故斷眾生命乃至蟻子若比丘尼故自
手斷人命若持刀與人教死讚死勸死若與非藥若墮人胎厭禱咒術若自作
若教人作彼非比丘尼非釋種女汝是中盡形壽不犯得能持不能者當言能不
得妄語乃至戲笑若比丘尼不真實非己有自稱言我得上人法我得禪得解脫
得三昧正受得須陀洹果斯陀含果阿那含果阿羅漢果言天來龍來鬼神來
供養我此非比丘尼非釋種女汝是中盡形壽不得犯能持不能者當言能不得
身相觸乃至共畜生若比丘尼有染汙心與染汙心男子身相觸從腋已下膝已上
上身相觸若捉若摩若牽若推若逆摩若順摩若舉若下若捉若捺非比丘尼
非釋種女汝是中盡形壽不得犯能持不能者當言能不得犯八事乃至共
畜生若比丘尼染汙心受染汙心男子捉手捉衣入屏處屏處共立共語共行
身相近共期犯此八事彼非比丘尼非釋種女犯八事故汝是中盡形壽不得犯
能持不能者當言能不得覆藏他罪乃至突吉羅惡說若比丘尼知他比丘尼
犯波羅夷罪若不自舉不白僧若眾多人後於異時此比丘尼若罷道若殯償若
遮不共僧事若入外道後便作是說我先知有如是如是事彼非比丘尼非釋
種女覆重罪故汝是中盡形壽不得犯能持不能者當言能不得隨順
被舉比丘尼乃至守園人沙彌若比丘尼知比丘為僧所舉如法如律如
佛所教不隨順不懺悔僧未與作共住而隨順是比丘尼諫彼比丘尼
言汝妹知不令僧舉此比丘如法如律如佛所教不隨順不懺悔僧未與
作共住汝莫隨順是比丘尼諫彼比丘尼時堅持不捨是比丘尼當
三諫捨此事故乃至三諫捨者善不捨彼非比丘尼非釋種女由隨舉
故汝是中盡形壽不得犯能持不能者當言能族姓女聽如來無所著
等正覺說四依法比丘尼依此得出家受具足戒成比丘尼依糞掃衣
得出家受具足戒成比丘尼法汝是中盡形壽能持不能者當言能若
得長利檀越施衣割壞衣得受依乞食得出家受具足戒成比丘尼

BD02239 號　四分律（異卷）卷二七　（12–6）

三諫捨此事故乃至三諫捨者善不捨彼非比丘尼非釋種女由隨舉
故汝是中盡形壽不得犯能持不能者當言能族姓女聽如來無所著
等正覺說四依法比丘尼依此得出家受具足戒成比丘尼依糞掃衣
得出家受具足戒成比丘尼法汝是中盡形壽能持不能者當言能若
得長利檀越施衣割壞衣得受依乞食得出家受具足戒成比丘尼
法汝是中盡形壽能持不能者當言能若得長利若僧差食檀越
送食月八日食十四日十五日食若月初日食若眾僧常食若檀
越請食應受依樹下坐得出家受具足戒成比丘尼法汝是中盡形
壽能持不能者當言能若得長利別房尖頭屋
小房石室兩房一戶應受依腐爛藥得出家受具足戒成比丘尼法汝是中盡
形受能持不能者當言能若得長利酥油生酥蜜石蜜應受汝已受具足戒
竟白四羯磨如法成就得處所和上如法阿闍梨如法二部僧具足滿汝當善受教
法應勸化作福治塔供養眾僧若和上阿闍梨一切如法教授不得違逆應學問誦
經勤求方便於佛法中得須陀洹果斯陀含果阿那含果阿羅漢果汝始發心出家
功不唐捐果報不絕餘所未知當問和上阿闍梨全新受戒人在前餘尼在後而去自
今以去與比丘尼結戒集十句義乃至正法久住欲說戒者當如是說若比丘尼年十
八童女與二歲學戒與六法滿廿眾僧不聽便與受具足戒者波逸提比丘尼義如上
僧者如上差比丘尼年滿廿二歲學戒與六法眾僧不聽與受具足戒三羯磨竟和上
尼波逸提白二羯磨竟二突吉羅白一羯磨竟突吉羅白己一突吉羅白未竟突吉
羅未白前集眾眾滿一切突吉羅比丘突吉羅是謂為犯不犯者年滿廿二歲學
戒眾僧聽受具足戒不犯不犯者最初未制戒癡狂心亂痛惱所纏 百廿四竟 尒時婆
伽婆在舍衛國祇樹給孤獨園時世尊制戒聽比丘尼度他少年
婦女與受具足戒受具足戒已不知男子有染汙心無染汙心與染汙心男子共立
共語共相調戲時諸比丘尼聞其中有少欲知足行頭陀樂學戒知慚愧者嫌責諸
比丘尼汝云何世尊制戒聽比丘尼度人受具足戒乃度他少年曾嫁婦女受具足戒
受具足戒已不知男子有染汙心無染汙心與染汙心男子共立共語共相調戲往白諸
比丘諸比丘往白世尊世尊以此因緣集比丘僧呵責此比丘尼言汝所為非非威儀非沙
門法非淨行非隨順行所不應為云何度他少年曾嫁婦女與受具足戒受具足戒已不知
男子有染汙心無染汙心與有染汙心男子共立共語共相調戲以無數方便呵責已告諸
比丘自今已去若欲度人授具足戒者先白眾僧剃髮乃至與六法如上法自今已去聽
度十歲曾嫁婦女與二歲學戒年滿十二與受具足戒白四羯磨如上自今已去與比丘
尼結戒集十句義乃至正法久住欲說戒者當如是說若比丘尼度曾嫁女年十歲與
二歲學戒年滿十二聽與受具足戒若減十二與受具足戒者波逸提比丘尼義如上彼

BD02239 號　四分律（異卷）卷二七　（12–7）

男子有染污心無染污與有染污心男子共立共語共相調戲以無數方便呵責已告諸
比丘自今已去若欲度人授具足戒者先白衆僧剃髮乃至與六法如上法自今已去聽
度十歲曾嫁女人與二歲學戒年滿十二與受具足戒白四羯磨如上自今已去與比丘
尼結戒集十句義乃至正法久住欲說戒者當如是說若比丘尼度曾嫁女年十歲與
二歲學戒年滿十二聽與受具足戒若減十二與受具足戒者波逸提比丘尼義如上彼
比丘尼知減十二與受具足戒三羯磨竟和上尼波逸提白二羯磨三突吉羅白一羯磨
竟二突吉羅白已一突吉羅白未竟突吉羅未白前集衆衆滿一切突吉羅比丘突
吉羅是謂爲犯不犯者年十歲度與二歲學戒滿十二與受具足戒不犯不犯者最初
未制戒癡狂心亂痛惱所纏 百廿五竟 尒時婆伽婆在舍衛國祇樹給孤獨園諸比丘尼
聞世尊制戒得度十歲曾嫁女人與二歲學戒滿十二與受具足戒便度他盲瞎
跛躄聾及餘種種病者毀辱衆僧時諸比丘尼聞其中有少欲知足行頭陀樂學
戒知慚愧者嫌責諸比丘尼言世尊制戒度年十歲曾嫁女與二歲學戒滿十二與受具
足戒汝云何乃度他盲瞎聾及餘種種病毀辱衆僧時比丘尼往白諸比丘諸比丘往白世
尊世尊以此因緣集比丘僧呵責諸比丘尼言汝所爲非非威儀非沙門法非淨行非隨
順行所不應爲云何世尊制戒聽比丘尼度年十歲曾嫁婦女與二歲學戒滿十二與
受具足戒而汝等乃度他盲瞎跛躄聾及餘種種病毀辱衆僧以無數方便呵責
已告諸比丘自今已去聽與受具足戒白四羯磨當作如是與將受戒者至離聞處
著見處乃至我已教授竟聽使來亦如上來已至尼僧中戒師應作白問難事乃至
白四羯磨如上乃至大僧中與受戒一一法如上十八童女法同自今已去當與比丘尼結戒
集十句義乃至正法久住欲說戒者當如是說若比丘尼度他小年曾嫁婦女與二歲
學戒年滿十二不白衆僧便與受具足者波逸提比丘尼義如上彼比丘尼度小年曾
嫁婦女與二歲學戒年滿十二不白衆僧便與受具足戒三羯磨竟尼和上波逸提白二
羯磨三突吉羅白一羯磨二突吉羅白已一突吉羅白未竟突吉羅未白前集衆
衆滿一切突吉羅比丘突吉羅是謂爲犯不犯者度年滿十二曾嫁婦女白衆僧受具
足戒不犯不犯者最初未制戒癡狂心亂痛惱所纏 一百六竟 尒時婆伽婆在舍衛國
祇樹給孤獨園時諸比丘尼度他婬女與受具足戒先與此女人親厚者見已自相語
言此婬女先與我等作如是如是事時所度比丘尼及餘比丘尼聞之皆慚恥尒時
諸比丘尼聞其中有少欲知足行頭陀樂學戒知慚愧者嫌責諸比丘尼言云何汝
等乃度他婬女與受具足戒邪即白諸比丘諸比丘往白世尊世尊以此因緣集比丘
僧呵責諸比丘尼言汝所爲非非威儀非沙門法非淨行非隨順行所不應爲汝
等云何度婬女與受具足戒時世尊以無數方便呵責已告諸比丘此比丘尼多種
有漏處最初犯戒自今已去與比丘尼結戒集十句義乃至正法久住欲說戒者

BD02239 號　四分律（異卷）卷二七　（12–8）

等乃度他婬女與受具足戒邪即白諸比丘諸比丘往白世尊世尊以此因緣集比丘
僧呵責諸比丘尼言汝所爲非非威儀非沙門法非淨行非隨順行所不應爲汝
等云何度婬女與受具足戒時世尊以無數方便呵責已告諸比丘此比丘尼多種
有漏處最初犯戒自今已去與比丘尼結戒集十句義乃至正法久住欲說戒者
當如是說若比丘尼與如是人受具足戒者波逸提如是世尊與比丘尼結戒諸比丘尼
不知如是人非如是人後乃知是或有作波逸提懺者或有疑不知者無犯自今已去
當如是結戒若比丘尼知如是人與受具足戒者波逸提比丘尼義如上如是人者婬
女也彼或有夫主兄弟乃至有故私通者若比丘尼與如是人受具足戒者應將至
五六由旬若不去當深藏安處之彼比丘尼度如是人受具足戒已不將去五六
由旬若不深藏者波逸提比丘突吉羅是謂爲犯不犯者先不知如是人便
與受具足戒若將至五六由旬若教人將至五六由旬若深藏不犯不犯者最
初未制戒癡狂心亂痛惱所纏 百廿七竟 尒時婆伽婆在舍衛國祇樹給孤獨園
尒時安隱比丘尼多度弟子而不教戒以不被教授故不案威儀著衣不齊
整乞食不如法處處受不淨食或受不淨鉢食在小食大食上高聲大喚如
婆羅門衆會法時諸比丘尼見已語言妹汝等云何不案威儀著衣不齊整乞食
不如法處處受不淨食或受不淨鉢食在小食大食上高聲大喚如婆羅門衆會
法諸比丘尼報言我是安隱比丘尼弟子彼弟子衆多而不教授我等以不教授
故尒耳時諸比丘尼聞其中有少欲知足行頭陀樂學戒知慚愧者嫌責安隱比
丘尼言汝云何多度弟子而不教授以不教授故衆事不如法也嫌責已往白諸
比丘諸比丘往白世尊世尊以此因緣集比丘僧呵責安隱比丘尼言汝所爲非非威儀
非沙門法非淨行非隨順行所不應爲云何多度弟子不教授不案威儀著衣
不齊整乞食不如法處處受不淨食或受不淨鉢食在小食大食上高聲大
喚如婆羅門衆會法以無數方便呵責已告諸比丘此比丘尼多種有漏處最
初犯戒自今已去與比丘尼結戒集十句義乃至正法久住欲說戒者當如是
說若比丘尼多度弟子不教二歲學戒不以二法攝取波逸提比丘尼義如上
二法者一者法二者衣食法攝取者教增戒增心增慧學問誦經衣食攝者
與衣食床臥具醫藥隨力能辦供給所須若比丘尼多度弟子與受具足戒不
教二歲學戒二法攝取者波逸提比丘突吉羅是謂爲犯不犯者若度與二歲學
戒以二事攝取一者法二者衣食若受具足戒已離和上去若破戒破見破威儀若
被舉若滅擯若應滅擯以此事命難梵行難無犯無犯者最初未制戒癡狂
心亂痛惱所纏 百廿八竟
尒時婆伽婆在舍衛國祇樹給孤獨園時諸比丘尼多度弟子後皆離和上去不被教授

BD02239 號　四分律（異卷）卷二七　（12–9）

式以二事攝取者一法二者衣食若衣食具足已離和上去者破戒破見破威儀若
被舉若滅擯若應滅擯以此事命難梵行難無犯無犯者最初未制戒癡狂
心亂痛惱所纏百卌八竟
爾時婆伽婆在舍衛國祇樹給孤獨園時諸比丘尼多度弟子後皆離和上去不被教授
不柔威儀著衣不齊整乞食不如法處處受不淨食或受不淨鉢食在小食大食上
高聲大喚如婆羅門衆會法時諸比丘尼見已問言諸妹汝等何故不柔威儀著衣不齊
整乞食不如法處處受不淨食或受不淨鉢食在小食大食上高聲大喚如婆羅門衆會
法諸比丘尼報言我等受具足已離和上去不被教授故爾時諸比丘尼聞其中有少欲知足
行頭陀樂學戒知慚愧者嫌責諸比丘尼言汝等云何受具足已離和上去不被教授不
柔威儀著衣服不齊整乞食不如法處處受不淨食或受不淨鉢食在小食大食上高
聲大喚如婆羅門衆會法時諸比丘尼嫌責已往白諸比丘諸比丘往白佛佛以此因緣集比
丘僧呵責諸比丘尼汝所爲非非威儀非沙門法非淨行非隨順行所不應爲云何受具足
戒已離和上去不被教授不柔威儀乞食不如法處處受不淨食或受不淨鉢食在小食大
食上高聲大喚如婆羅門衆會法以無數方便呵責已告諸比丘此比丘尼多種有
漏處最初犯戒自今已去與比丘尼結戒集十句義乃至正法久住欲說戒者當如是
說若比丘尼不二歲隨和上尼者波逸提比丘尼義如上彼比丘尼不二歲隨和上尼者波逸
提比丘尼突吉羅式叉摩那沙弥沙弥尼突吉羅是謂爲犯不犯者受具足戒已二歲
隨尼和上若和上聽去得去若和上破戒破見破威儀若被舉若滅擯若應滅擯若畜
是事命難梵行難於二歲中離者無犯無犯者最初未制戒癡狂心亂痛惱所纏百卌九竟
爾時佛在舍衛國祇樹給孤獨園時世尊制戒聽度尼受具足戒而諸比丘尼癡者度尼
不知教授以不教授故不柔威儀著衣不齊整乞食不如法處處受不淨食或受不淨鉢
食在小食大食上高聲大喚如婆羅門衆會法時諸比丘尼聞其中有少欲知足行頭陀樂
學戒知慚愧者嫌責諸比丘尼言汝等云何世尊制戒聽度尼而汝等愚癡輒便度尼
而不知教授以不教授故不柔威儀乃至在小食大食上高聲大喚如婆羅門衆會法即
白諸比丘諸比丘往白世尊世尊以此因緣集比丘僧呵責諸比丘尼言汝所爲非非威儀非
沙門法非淨行非隨順行所不應爲云何世尊制戒雖聽度尼汝等愚癡輒便度尼
而不知教授以不教授故不柔威儀乞食不如法處處受不淨食或受不淨鉢食在小
食大食上高聲大喚如婆羅門衆會法世尊以無數方便呵責已告諸比丘自今已去聽僧
與授具足戒者白二羯磨彼欲度尼者當往衆僧中求當往如是求至比丘尼衆中偏露
右肩脫革屣禮諸比丘尼足右膝著地合掌作如是白大姊僧聽我某甲比丘尼求衆僧
乞度尼授具足戒如是第二第三說比丘尼僧當觀察此尼堪能教授與二歲學戒
二事攝取不一者法二者衣食如是聽若不堪教授不能與二歲學戒及二法攝取法及衣
食者當語言妹且勿度尼若有智慧堪能教授與二歲學戒以二法攝取者衆中

與授具足戒者白二羯磨彼欲度尼者當往衆僧中求當往如是求至比丘尼衆中偏露
右肩脫革屣禮諸比丘尼足右膝著地合掌作如是白大姊僧聽我某甲比丘尼求衆僧
乞度尼授具足戒如是第二第三說比丘尼僧當觀察此尼堪能教授與二歲學戒
二事攝取不一者法二者衣食如是聽若不堪教授不能與二歲學戒及二法攝取法及衣
食者當語言妹且勿度尼若有智慧堪能教授與二歲學戒以二法攝取者衆中
當差堪能羯磨者如上作如是白大姊僧聽此某甲比丘尼今從衆僧乞授尼具足戒
若僧時到僧忍聽某甲授尼具足戒白如是大姊僧聽此某甲比丘尼今從衆僧乞
授尼具足戒僧今與某甲比丘尼授尼具足戒誰諸大姊忍僧與某甲授尼具足戒者
默然誰不忍者說僧已忍聽與某甲比丘尼授尼具足戒竟僧忍默然故是事如是
持自今已去與比丘尼結戒集十句義乃至正法久住欲說戒者當如是說若比丘尼僧不聽
而授尼具足戒者波逸提比丘尼義如上僧者如上聽者衆僧白二羯磨聽彼比丘尼
若僧不聽授尼具足戒者波逸提衆僧不聽便與依止若畜沙弥尼式叉摩那
者突吉羅是謂爲犯不犯者衆僧聽授尼具足戒受比丘尼依止及畜沙弥尼
式叉摩那是謂不犯不犯者最初未制戒癡狂心亂痛惱所纏百卌竟
爾時世尊在舍衛國祇樹給孤獨園時諸比丘尼聞世尊制戒聽比丘尼從衆僧
乞授尼具足戒彼新學少年從衆僧乞授尼具足戒已不能教授以不被教
授故不柔威儀著衣不齊整乞食不如法處處受不淨食或受不淨鉢食在小
食大食上高聲大喚如婆羅門衆會法時諸比丘尼聞其中有少欲知足行頭
陀樂學戒知慚愧者嫌責諸比丘尼汝等聞世尊制戒度尼云何新學少年
乞授尼具足戒已不能教授彼不被教授不柔威儀著衣不齊整乃至小食大食上高聲
大喚如婆羅門衆會法時諸比丘尼嫌責已往語諸比丘諸比丘往白世尊世尊以
此因緣集比丘僧呵責此諸比丘尼汝所爲非非威儀非沙門法非淨行非隨順
行所不應爲云何汝等新學少年乞授尼具足戒而不能教授彼以不被教授故
不柔威儀著衣不齊整乞食不如法乃至高聲大喚如婆羅門衆會法世尊以無
數方便呵責此諸比丘已告諸比丘此諸比丘尼多種有漏處最初犯戒自今已去與
比丘尼結戒集十句義乃至正法久住欲說戒者當如是說若比丘尼年未滿十二歲授
尼具足戒者波逸提比丘尼義如上若比丘尼年減十二授尼具足戒者波逸提
若減十二與尼作依止畜式叉摩那沙弥尼一切突吉羅比丘突吉羅是謂爲犯不犯
者年滿十二授尼具足戒若與依止畜式叉摩那沙弥尼不犯者最初未制戒
癡狂心亂痛惱所纏百卌一竟
爾時世尊在舍衛國祇樹給孤獨園時諸比丘尼聞世尊制戒聽年十二歲
得授尼具足戒皆自稱言年滿十二歲愚癡輒授尼具足戒不知教授彼不被教授
不柔威儀著衣不齊整乞食不如法處處受不淨食或受不淨鉢食在小食

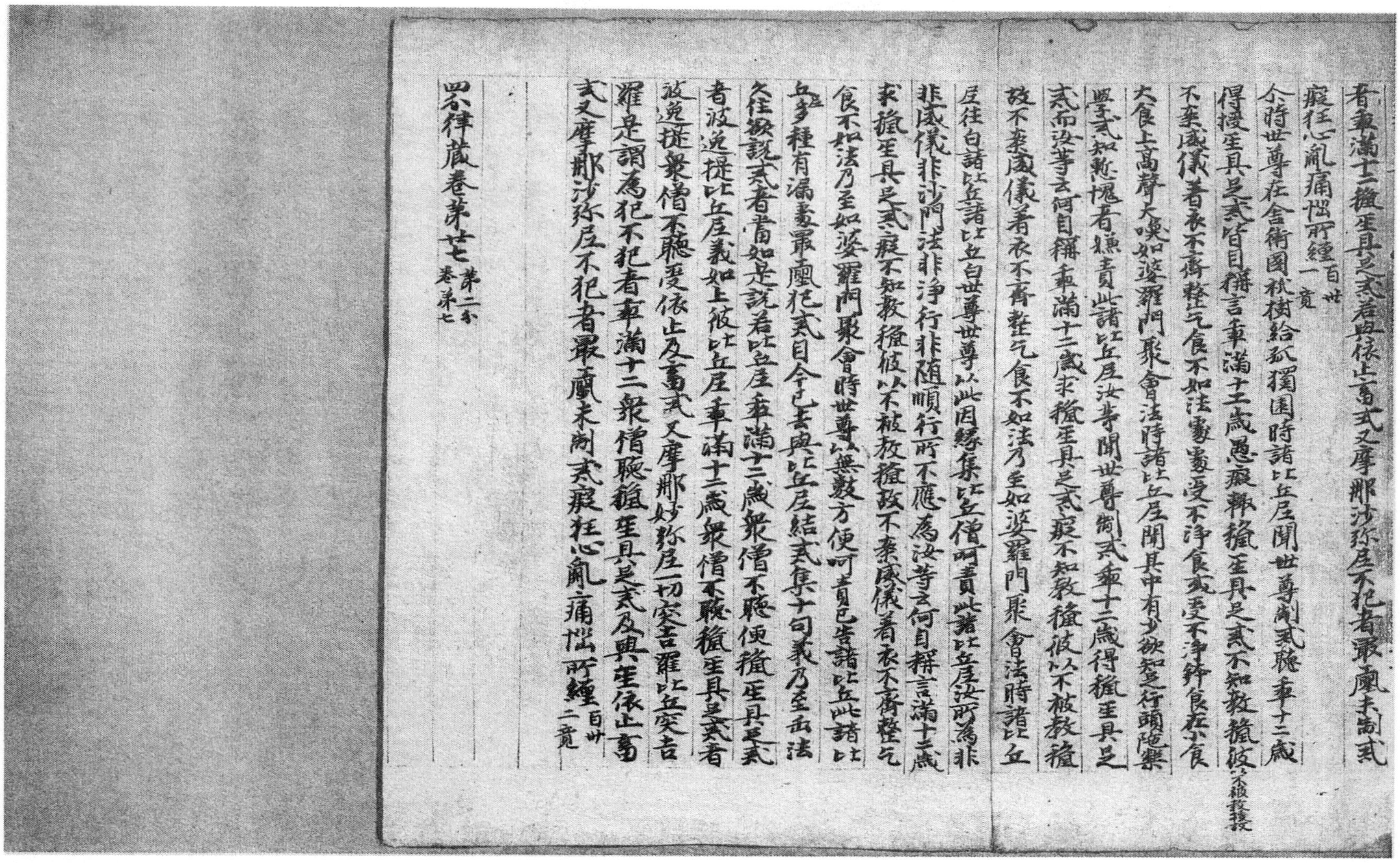

者年滿十二授具足戒若與依止畜式叉摩那沙彌尼不犯者最初未制戒
癡狂心亂痛惱所纏 一百卅一竟
介時世尊在舍衛國祇樹給孤獨園時諸比丘尼聞世尊制戒聽年十二歲
得授具足戒皆自稱言年滿十二歲愚癡無知授具足戒不知教授彼以不被教授
不棄威儀著衣不齊整乞食不如法處處受不淨食或受不淨鉢食在小食
大食上高聲大喚如婆羅門聚會法時諸比丘尼聞其中有少欲知足行頭陀樂
學戒知慚愧者嫌責此諸比丘尼汝等聞世尊制戒年十二歲得授具足
戒而汝等云何自稱年滿十二歲求授具足戒癡不知教授彼以不被教授
故不棄威儀著衣不齊整乞食不如法乃至如婆羅門聚會法時諸比丘
尼往白諸比丘諸比丘白世尊世尊以此因緣集比丘僧呵責此諸比丘尼汝所為非
非威儀非沙門法非淨行非隨順行所不應為汝等云何自稱言滿十二歲
求授具足戒癡不知教授彼以不被教授故不棄威儀著衣不齊整乞
食不如法乃至如婆羅門聚會時世尊以無數方便呵責已告諸比丘此諸比
丘尼多種有漏處最初犯戒自今已去與比丘尼結戒集十句義乃至正法
久住欲說戒者當如是說若比丘尼年滿十二歲眾僧不聽便授具足戒
者波逸提比丘尼義如上彼比丘尼年滿十二歲眾僧不聽授具足戒者
波逸提眾僧不聽受依止及畜式叉摩那沙彌尼一切突吉羅比丘突吉
羅是謂為犯不犯者年滿十二眾僧聽授具足戒及與受依止畜
式叉摩那沙彌尼不犯者最初未制戒癡狂心亂痛惱所纏 一百卅二竟
四分律藏卷第廿七 第二分卷第七

BD02239號 四分律（異卷）卷二七 （12–12）

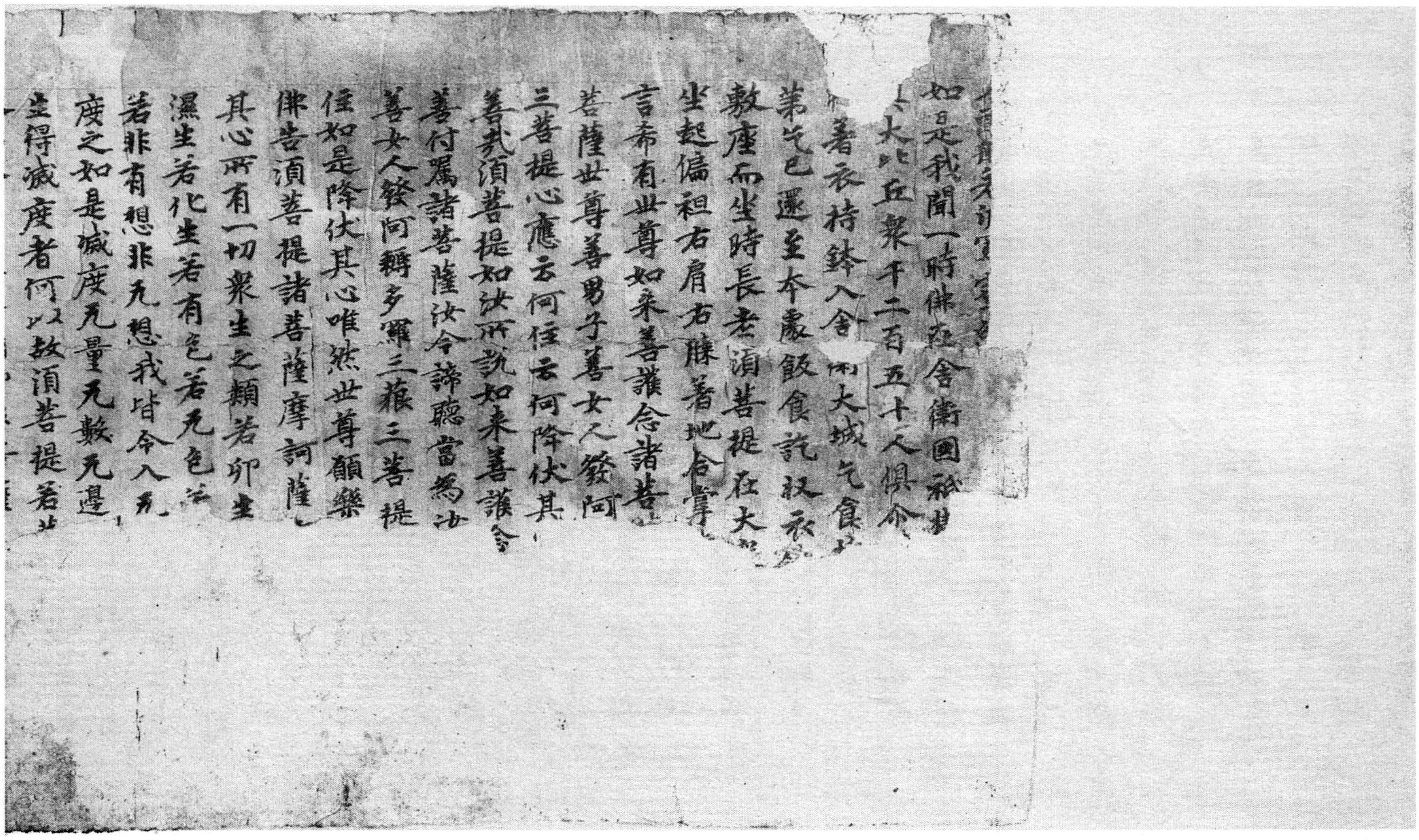

如是我聞一時佛在舍衛國祇樹
大比丘眾千二百五十人俱介
著衣持鉢入舍衛大城乞食於
第乞已還至本處飯食訖收衣
敷座而坐時長老須菩提在大眾
坐起偏袒右肩右膝著地合掌
言希有世尊如來善護念諸菩
菩薩世尊善男子善女人發阿
三菩提心應云何住云何降伏其
善哉須菩提如汝所說如來善護念
善付囑諸菩薩汝今諦聽當為汝
善女人發阿耨多羅三藐三菩提
住如是降伏其心唯然世尊願樂
佛告須菩提諸菩薩摩訶薩
其心所有一切眾生之類若卵生
濕生若化生若有色若無色若
若非有想非無想我皆令入無
度之如是滅度無量無數無邊
生得滅度者何以故須菩提若

BD02240號 金剛般若波羅蜜經 （5–1）

若非有想非无想我皆令入无
度之如是滅度无量无數无邊
生得滅度者何以故須菩提若菩
人相衆生相壽者相即非菩薩
復次須菩提菩薩於法應无所住行
施所謂不住色布施不住聲香味觸法布
須菩提菩薩應如是布施不住於相何以故
若菩薩不住相布施其福德不可思量須菩
提於意云何東方虛空可思量不不也世尊
須菩提南西北方四維上下虛空可思量不
不也世尊須菩提菩薩无住相布施福德亦
復如是不可思量須菩提菩薩但應如所教
住須菩提於意云何可以身相見如來不不
也世尊不可以身相得見如來何以故如來
所說身相即非身相佛告須菩提凡所有
相皆是虛妄若見諸相非相則見如來須
菩提白佛言世尊頗有衆生得聞如是言
說章句生實信不佛告須菩提莫作是說如
來滅後後五百歲有持戒脩福者於此章句
能生信心以此為實當知是人不於一佛二
佛三四五佛而種善根已於无量千万佛所
種諸善根聞是章句乃至一念生淨信者須
菩提如來悉知悉見是諸衆生得如是无量
福德何以故是諸衆生无復我相人相衆生
相壽者相无法相亦无非法相何以故是諸
衆生若心取相則為著我人衆生壽者若取
法相即著我人衆生壽者何以故若取非法
相即著我人衆生壽者是故不應取法不應

BD02240號　金剛般若波羅蜜經　（5–2）

相壽者相无法相亦无非法相何以故是諸
衆生若心取相則為著我人衆生壽者若取
法相即著我人衆生壽者何以故若取非法
相即著我人衆生壽者是故不應取法不應
取非法以是義故如來常說汝等比丘知我說
法如筏喻者法尚應捨何況非法
須菩提於意云何如來得阿耨多羅三藐三
菩提耶如來有所說法耶須菩提言如我解
佛所說義无有定法名阿耨多羅三藐三菩
提亦无有定法如來可說何以故如來所說
法皆不可取不可說非法非非法所以者何
一切賢聖皆以无為法而有差別須菩提於
意云何若人滿三千大千世界七寶以用布
施是人所得福德寧為多不須菩提言甚多
世尊何以故是福德即非福德性是故如來
說福德多若復有人於此經中受持乃至四
句偈等為他人說其福勝彼何以故須菩提
一切諸佛及諸佛阿耨多羅三藐三菩提法
皆從此經出須菩提所謂佛法者即非佛法
須菩提於意云何須陁洹能作是念我得須
陁洹果不須菩提言不也世尊何以故須陁
洹名為入流而无所入不入色聲香味觸法
是名須陁洹須菩提於意云何斯陁含能作
是念我得斯陁含果不須菩提言不也世尊
何以故斯陁含名一往來而實无往來是名
斯陁含須菩提於意云何阿那含能作是念
我得阿那含果不須菩提言不也世尊何以

BD02240號　金剛般若波羅蜜經　（5–3）

是名我得斯陀含果不須菩提言不也世尊
何以故斯陀含名一往來而實无往來是名
斯陀含須菩提於意云何阿那含能作是念
我得阿那含果不須菩提言不也世尊何以
故阿那含名為不來而實无來是故名阿那
含須菩提於意云何阿羅漢能作是念我得
阿羅漢道不須菩提言不也世尊何以故實
无有法名阿羅漢世尊若阿羅漢作是念我
得阿羅漢道即為著我人衆生壽者世尊佛
說我得无諍三昧人中最為第一是第一離
欲阿羅漢我不作是念我是離欲阿羅漢世
尊我若作是念我得阿羅漢道世尊則不說
須菩提是樂阿蘭那行者以須菩提實无所
行而名須菩提是樂阿蘭那行
佛告須菩提於意云何如來昔在燃燈佛
所於法有所得不世尊如來在燃燈佛所於
法實无所得須菩提於意云何菩薩莊嚴佛
土不也世尊何以故莊嚴佛土者則非莊嚴
是名莊嚴是故須菩提諸菩薩摩訶薩應如
是生清淨心不應住色生心不應住聲香味
觸法生心應无所住而生其心須菩提譬如
有人身如須弥山王於意云何是身為大不
須菩提言甚大世尊何以故佛說非身是名
大身
須菩提如恒河中所有沙數如是沙等恒河
於意云何是諸恒河沙寧為多不須菩提言
甚多世尊但諸恒河尚多无數何况其沙須

BD02240號　金剛般若波羅蜜經　（5–4）

須菩提如恒河中所有沙數如是沙等恒河
於意云何是諸恒河沙寧為多不須菩提言
甚多世尊但諸恒河尚多无數何况其沙須
菩提我今實言告汝若有善男子善女人以
七寶滿尒所恒河沙數三千大千世界以用
布施得福多不須菩提言甚多世尊佛告須
菩提若善男子善女人於此經中乃至受持
四句偈等為他人說而此福德勝前福德復
次須菩提隨說是經乃至四句偈等當知此
處一切世間天人阿脩羅皆應供養如佛塔
廟何况有人盡能受持讀誦須菩提當知是
人成就最上第一希有之法若是經典所在
之處則為有佛若尊重弟子
尒時須菩提白佛言世尊當何名此經我等
云何奉持佛告須菩提是經名為金剛般若
波羅蜜以是名字汝當奉持所以者何須菩
提佛說般若波羅蜜則非般若波羅蜜須菩
提於意云何如來有所說法不須菩提白佛
言世尊如來无所說須菩提於意云何三千
大千世界所有微塵是為多不須菩提言甚
多世尊須菩提諸微塵如來說非微塵是名
微塵如來說世界非世界是名世界須菩提
於意云何可以三十二相見如[illegible]

BD02240號　金剛般若波羅蜜經　（5–5）

於過去未來 及與現在世 一切无分別 是菩薩遍行
尒時思益梵天白佛言世尊何謂菩薩過世
間法通達世間法通達世間法已度衆生於
世間法行於世間不壞世間尒時世尊以偈
荅言
說五陰是世 世間所依止 依止於五陰 不脫世間法
菩薩有智慧 知世間實性 所謂五陰如 世間法不染
利衰及毀譽 稱譏與苦樂 如此之八法 常牽於世間
大智慧菩薩 散滅世間法 見世毀譽相 處之而不動
得利心不高 失利心不下 其心堅不動 譬如須弥山
利衰及毀譽 稱譏與苦樂 於此世八法 其心常平等
知世間虛妄 皆從顛倒起 如是之人等 不行世間道
世間所有道 菩薩皆識知 故能於世間 度衆生苦惱
雖行於世間 如蓮花不染 亦不壞世間 通達法性故
世間行世間 不知是世間 菩薩行世間 明了世間相
世間虛空相 虛空亦无相 菩薩知如是 不染於世間
如所知世間 隨知而演說 知世間性故 亦不壞世間
五陰无自性 是即世間性 若人不知是 常住於世間
若見知五陰 无生亦无起 是人行世間 而不依世間

BD02241號　思益梵天所問經卷一　（10–1）

世間虛空相 虛空亦无相 菩薩知如是 不染於世間
如所知世間 隨知而演說 知世間性故 亦不壞世間
五陰无自性 是即世間性 若人不知是 常住於世間
若見知五陰 无生亦无起 是人行世間 而不依世間
凡夫不知法 於世起諍訟 是實是不實 住是二相中
我常不與世 起於諍訟事 世間之實相 悉已了知故
諸佛所說法 皆悉无諍訟 知世平等故 非實非虛妄
若佛法決定 有實有虛妄 是即為貪著 與外道无異
而今實義中 无實无虛妄 是故我常說 出世法无二
若人知世間 如是之實性 於實於虛妄 不取此惡見
如是知世間 清淨如虛空 是大名稱人 照世間如日
若人見世間 如我之所見 如斯之人等 能見十方佛
諸法從緣生 自无有定性 若知此因緣 則達法實相
若知法實相 是則知空相 若能知空相 則為見道師
若有人得聞 如是世間相 雖行於世間 而不住世間
依止諸見人 不能及此事 云何行世間 而不依世間
若佛滅度後 有樂是法者 佛則於其人 常現於法身
若人解達此 則守護我法 亦為供養我 亦是世道師
若人須臾聞 世間性如此 是人終不為 惡魔所得便
若能達此義 則為大智慧 法財之施主 亦是具禁戒
若知世如此 忍辱力勇健 具足諸禪定 通達於智慧
所在聞此法 其方則有佛 如是諸菩薩 不久坐道場
若有深愛樂 如是世間性 則能降衆魔 疾得无上道
佛復告思益梵天如來出過世間亦說世間

BD02241號　思益梵天所問經卷一　（10–2）

所住聞此法　其方則有佛　如是諸菩薩　不久坐道場
若有深愛樂　如是世間性　則能降衆魔　疾得无上道
佛復告思益梵天如来出過世間亦說世間
苦世間集世間滅世間滅道梵天五陰名為
世間貪着五陰名為世間集五陰盡名為世
間滅以无二法求五陰名為世間滅道又梵
天所言五陰者但有言說於中取相分別生
見而說是名世間苦不捨是見是名世間集
是見自相是名世間滅隨以何道不取是見
是名世間滅道梵天以是因緣故我為外道
仙人說言仙人汝身中即為說世間苦世間
集世間滅世間滅道
尒時思益梵天白佛言世尊所說四聖諦何
等是真聖諦梵天苦不名為聖諦苦集不名
為聖諦苦滅不名為聖諦苦滅道不名為聖
諦所以者何若苦是聖諦者一切牛驢畜生
等皆應有苦聖諦若集是聖諦者一切在所
生處衆生皆應有集聖諦所以者何以集故
生諸趣中若苦滅是聖諦者觀滅者說斷滅
者皆應有滅聖諦若道是聖諦者緣一切有
為道者皆應有道聖諦梵天以是因緣故當
知聖諦非苦非集非滅非道聖諦者知苦无
生是名苦聖諦知集无和合是名集聖諦於
畢竟滅法中知无生无滅是名滅聖諦於一
切法平等以不二法得道是名道聖諦梵天

生是名苦聖諦知集无和合是名集聖諦於
畢竟滅法中知无生无滅是名滅聖諦於一
切法平等以不二法得道是名道聖諦梵天
真聖諦者无有虛妄虛妄者所謂著我著衆
生著人著壽命者著養育者著有著无著生
著滅著生死著涅槃梵天若行者言我知見
苦是虛妄我斷集是虛妄我滅證是虛妄我
脩道是虛妄所以者何是人違失佛所許念
是故說為虛妄何等是佛所許念所謂不憶
念一切諸法是為佛所許念若行者住是念
中則不住一切相若不住一切相則住實際
若住實際是名不住心若不住心是人名為
非實語非妄語者梵天是故當知若非實非
虛妄者是名聖諦梵天實者終不作不實若
有佛若无佛法性常住所謂生死性涅槃性
常實所以者何非離生死得涅槃名為聖諦
若人證如是四聖諦是名世間實語者梵天
當來有比丘不脩身不脩戒不脩心不脩慧
是人說生相是苦諦衆緣和合是集諦滅法
是滅諦以二法求相是道諦佛言我說此愚
人等是外道徒黨我非彼人師彼非我弟子
是人墮於邪道破失法故說言有諦梵天且
觀我坐道場時不得一法是實是虛妄若佛
不得法是法寧可於衆中有言說有論議有
[illegible]

是人墮於邪道破失法故說言有諦梵天且
觀我坐道場時不得一法是實是虛妄若佛
不得法是法寧可於衆中有言說有論議有
教化耶梵天言不也世尊梵天以諸法无所
得故諸法離自性故我菩提是无貪著相
尒時思益梵天白佛言世尊若如來於法无
所得者有何利益說如來得菩提名爲佛佛
言梵天於汝意云何我所說諸法若有爲若
无爲是法爲實爲虛妄耶梵天言是法虛妄
非實於汝意云何若法虛妄非實是法爲有
爲无梵天言世尊若法虛妄是法不應說有
不應說无於汝意云何若法非有非无是法
有得者不梵天言无有得者梵天如來坐道
場時唯得虛妄顛倒所起煩惱畢竟空性以
无所得故得以无所知故知所以者何我所
得法不可見不可聞不可覺不可識不可取
不可著不可說不可難出過一切法相无語
无說无有文字无言說道梵天此法如是猶
如虛空汝欲於如是法中得利益耶梵天言
不也世尊諸佛如來甚爲希有成就未曾有
法深入大慈大悲得如是寂滅相法而以文字
言說教人令得世尊其有聞是能信解者當
知是人不從小功德來世尊是法一切世間
之所難信所以者何世間貪著實而是法
无實无虛妄世間貪著法而是法无法无非

知是人不從小功德來世尊是法一切世間
之所難信所以者何世間貪著實而是法
无實无虛妄世間貪著法而是法无法无非
法世間貪著涅槃而是法无生死无涅槃世
間貪著善法而是法无善无非善世間貪著
樂而是法无苦无樂世間貪著佛出世而是
法无佛出世亦无涅槃雖有說法而是法非
可說相雖讚說僧而僧即是无爲是故此法
一切世間之所難信譬如水中出火火中出
水難可得信如是煩惱中有菩提菩提中有
煩惱是亦難信所以者何如來得是虛妄煩
惱之性亦无法不得有所說法亦无有形雖
有所知亦无分別證涅槃亦无滅者世尊若
有善男子善女人能信解如是法義者當知
是人得脫諸見當知是人已親近无量諸佛
當知是人已供養无量諸佛當知是人爲善
知識所護當知是人志意曠大當知是人善
根深厚當知是人守護諸佛法藏當知是人
能善思量起於善業當知是人種性尊貴生
如來家當知是人能行大捨諸煩惱當知
是人得持戒力非煩惱力當知是人得忍辱
力非瞋恚力當知是人得精進力无有疲懈
當知是人得禪定力滅諸惡心當知是人得
智慧力離惡邪見當知是人一切惡魔不能

力非瞋恚力當知是人得精進力无有疲懈
當知是人得禪定力滅諸惡心當知是人得
智慧力離惡邪見當知是人一切惡魔不能
得便當知是人一切怨賊所不能破當知是
人不誑世間當知是人是真語者善說法相
故當知是人是實語者說第一義故當知是
人善為諸佛之所護念當知是人柔和濡善
同止安樂當知是人名為大富有聖財故當
知是人常能知足行聖種故當知是人易滿
易養離貪食故當知是人得安隱心到彼岸
故當知是人度未度者當知是人解未解者
當知是人安未安者當知是人滅未滅者當
知是人能示正道當知是人能說解脫當知
是人為大醫王善知諸藥當知是人猶如良
藥善療衆病當知是人智慧勇健當知是人
為有大力堅固究竟當知是人有精進力不
隨他語當知是人為如師子无所怖畏當知
是人為如象王其心調柔當知是人為如香
象其心隨順當知是人為如牛王能導大衆
當知是人為大勇健能破魔怨當知是人為
大丈夫處衆无畏當知是人无所忌難得无
畏法故當知是人无所畏難說真諦法故當
知是人具清白法如月盛滿當知是人智慧
光照猶如日明當知是人除諸闇冥猶如執

畏法故當知是人无所畏難說真諦法故當
知是人具清白法如月盛滿當知是人智慧
光照猶如日明當知是人除諸闇冥猶如執
炬當知是人樂行捨心離諸憎愛當知是人
載育衆生猶如地當知是人洗諸塵垢猶如
水當知是人燒諸動念猶如火當知是人於
法无鄣猶如風當知是人其心不動猶如須
弥當知是人其心堅固如金剛山當知是人
一切外道競勝論者所不能動當知是人一
切聲聞辟支佛所不能測當知是人多饒法
寶猶如大海當知是人煩惱不現如波陁羅
當知是人求法无猒當知是人以智慧知足
當知是人能轉法輪如轉輪王當知是人身
色姝妙如天帝釋當知是人心得自在如梵
天王當知是人說法音聲猶如雷震當知是
人降法甘露猶如時雨當知是人能增長无
漏根力覺分當知是人已度生死汙泥當知
是人入佛智慧當知是人近佛菩提當知是
人能多學問无與等者當知是人无有量已
過量當知是人智慧辯才无有鄣㝵當知是
人憶念堅固得陁羅尼當知是人知諸衆生
深心所行當知是人行於正念正觀諸法故
解達義趣當知是人懃行精進利安世間當
知是人超出於世當知是人不可染汙猶如
蓮花當知是人不為世法所覆當知是人判

淚心所行當知是人行於正念正觀諸法故
解達義趣當知是人惠行精進利安世間當
知是人超出於世當知是人不可染汙猶如
蓮花當知是人不為世法所覆當知是人利
根者所愛當知是人多聞者所敬當知是人
智者所念當知是人天人供養當知是人禪
者所礼當知是人善人所貴當知是人聲聞
辟支佛之所貪慕當知是人不貪不行當知
是人不覆藏罪不顯功德當知是人威儀俻
具生他淨心當知是人身色端政見者悅樂
當知是人有大威德衆所宗仰當知是人以
卅二相莊嚴其身當知是人能紹佛種當知
是人能護法寶當知是人能供養僧當知是
人諸佛所見當知是人為得法眼當知是人以
佛智慧而得受記當知是人具足三忍當知
是人安住道場當知是人破壞魔軍當知是
人得一切種智當知是人轉於法輪當知是
人住无量佛事若人信解如是法義不驚疑
怖畏者得如是功德是人於諸佛阿耨多羅
三藐三菩提甚深難解難知難信難入而能
信受讀誦通利奉持為人廣說如說脩行亦
教他人如說脩行如是之人我以一劫若減一
劫說其功德猶不能盡

思益經卷第一

BD02241號　思益梵天所問經卷一　（10-9）

人諸佛所見當知是人為得法眼當知是人以
佛智慧而得受記當知是人具足三忍當知
是人安住道場當知是人破壞魔軍當知是
人得一切種智當知是人轉於法輪當知是
人住无量佛事若人信解如是法義不驚疑
怖畏者得如是功德是人於諸佛阿耨多羅
三藐三菩提甚深難解難知難信難入而能
信受讀誦通利奉持為人廣說如說脩行亦
教他人如說脩行如是之人我以一劫若減一
劫說其功德猶不能盡

思益經卷第一

BD02241號　思益梵天所問經卷一　（10-10）

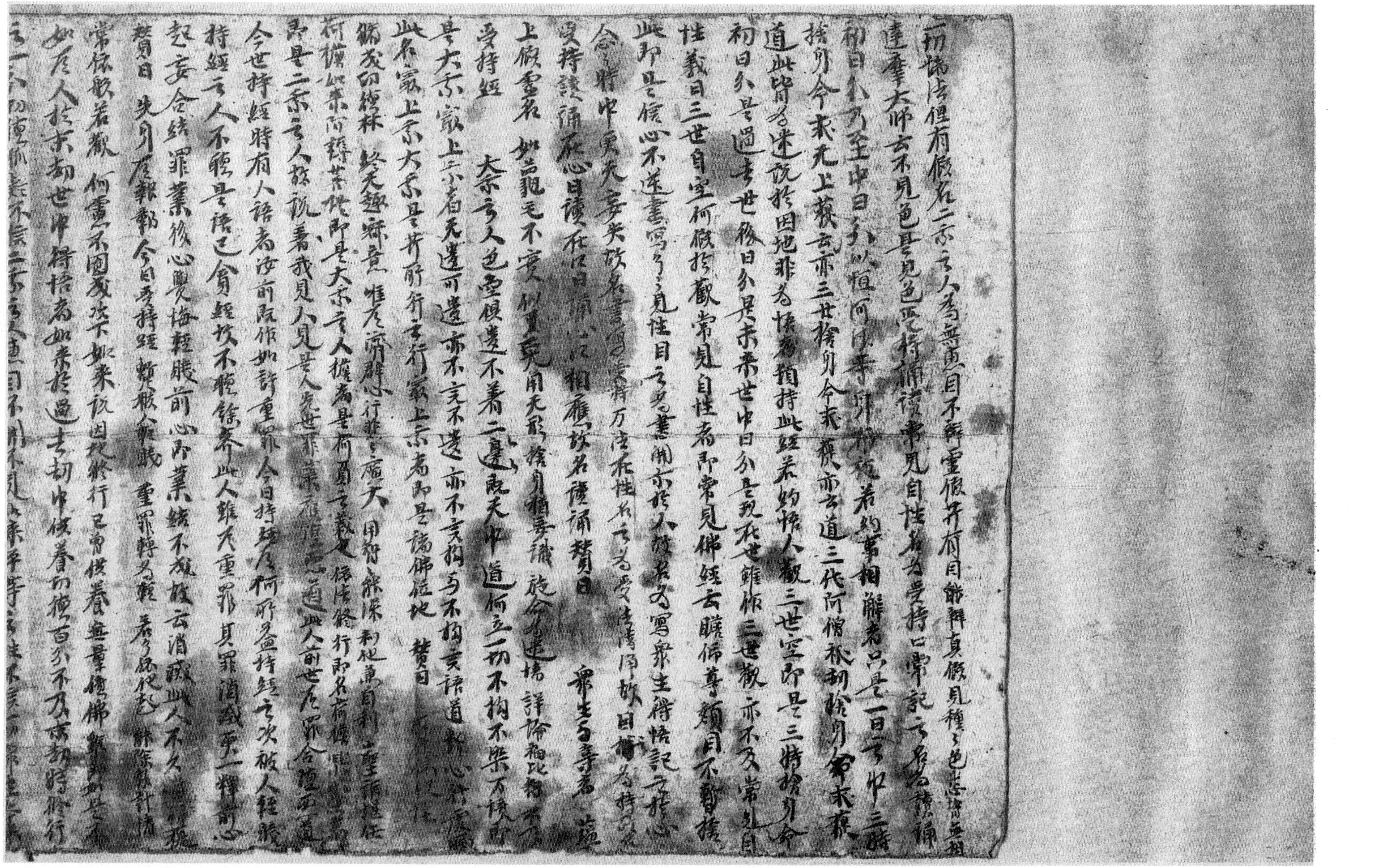

BD02242號　金剛經注頌釋（擬）　　（2–1）

念念時中實无妄失，故名受持。万法在性，名之為受，法淨性故曰持[illegible]
受持讀誦　在心日讀，在口日誦，心口相應，故名讀誦。贊曰　衆生多等者　蘊
上假虛名　如兔龜毛不實，假實無角無形，猶自稍妄識，旋命為迷情。詳論細說物不[illegible]
受持經　　大乘之人，色空俱遣，不著二邊，既无中道，何立一切，不拘不染，万境即
是大乘。最上乘者，无遣可遣，亦不言不遣，亦不言拘，亦不拘言，諸道斷，心行處滅，
此名最上乘。大乘是菩薩所行，最上乘者即是諸佛位地。贊曰　[illegible]依性
號為功德林，終无趣寂意，唯存濟群心，行行非之廣大，用智能深，利他兼自利，上聖作堪任。
荷擔如來阿耨菩提，即是大乘之人，擔為是荷，負之義也。依法修行，即名荷擔。
即是二乘之人，樂說著我見人見。是人先世罪業，應墮惡道。此人前世在罪，合墮惡道，
今世持經時，有人語為，汝前所作如許重罪，今日持經，在何所益。持經之次，被人輕賤。
持經之人，不聽是語，至貪經故，不聽餘奉，此人雖有重罪，其罪消滅，更一轉前心。
贊曰　先身在報動，今日受持經，暫被人輕賤，重罪轉為輕，虛業猶從起，餘除勢計情。
起妄合結罪業，後心覺悔，輕賤前心，所業結不成，故云消滅。此人不久當得菩提。
常依般若觀，何處不圓成。以下如來說因地修行，已曾供養無量億佛，然即如是不
如在人於末劫世中，得恰為如來於過去劫中供養功德，百分不及末劫時修行
之一分功德。稍疑不信，二乘之人，慧目不開，不見如來平等之法，不信一切衆生本來
是佛，不信生死即涅槃等，亦不信煩惱即菩提，一相不信无持无犯，乃至不信男
子人同於一相，亦不信一切衆生是一切諸佛，為小乘之人，慧目不見無二之法。
諸仏慈悲，但隨二乘凡夫根不具，說消者諸經，各將應彼之何修[illegible]
為欲代衆生更問佛，佛之答當生疑，其心輝運，遲是前四生之[illegible]
之衆名為衆生，執色佛即說空，只是為衆生治病，亦[illegible]滅一[illegible]
生即是妄念，意欲藏念，意欲藏妄取真，名為[illegible]
遮即藏之，既得藏之，即云我妄[illegible]

形相佛亦无形二俱无相不可以无相度无相
我亦凡夫之人以名有我　釋曰二乘凡夫執有我相所以
擭頑愚而求菩提様一邊取一邊　故名凡夫下文云凡夫者如來
釋曰凡夫亦空迷者妄執但无執心一切清淨轉輪聖王乃是四國天子
亦有三十二相佛亦有三十二相如何分別佛恐衆生不能分別故作是問答
空生解空第一佛所以將如來名字相致於問汝以卅二相觀如來不須菩提答
執相而答　如是如是以卅二相觀如來　答即向道若卅二相觀如來者轉輪
聖王即是如來　空生忽悟如我解佛所說義不應卅二相觀如來　釋曰卅二相
即是色身亦是相白如來无色亦无相白不可將相白以為如來亦不可
將音聲為如來者風聲水聲鳥聲獸聲則合如如來來无色无聲是故
偈云若以色見我以音聲求我是人行邪道不能見如來　釋曰我名是
自性之義是名真我音者是靈之別名亦名神靈雖此如來皆落邪道亦是
苗末法特中所有脩學者皆相相及認音聲者多如是之人盡不契
真理　贊曰　涅槃會四德唯我契真常言名八自在獨一最尊長非色非聲
相心識豈能量者情不可見　語理即我邪莫作是佛恐空生落斷滅見
故亦合離兩邊前既云觀如來不得以具足相觀今又恐空生執著不作具
足相故道莫作是念如來不以具足相得阿耨菩提又白空生道
發心者說諸法斷滅　釋曰若作有相觀即是一邊見若作无相觀亦是一邊
見若作有無觀即是斷滅法下文云於法不說斷滅相　釋曰真如法性畢非
有無真如之心湛然不動觀与不觀皆此是甚作意心无是生滅故云莫作是
念若復有人知一切法無我得成於忍　釋曰一切万法本來不生誰言有我無
我如是見者即名為忍即無生忍　此菩薩勝前菩薩所得功德　釋曰於
是見者勝七寶布施功德　贊曰　施寶如沙數唯成有漏因不知无我
觀了妄乃名真　欲證无生忍要假離貪瞋常除二空理當證王法身
不受福德　見身相是有即受福德身皆自无故誰受福德欲明法身亦
釋如來之義世間之人皆云如來行住坐臥此是邪見行住坐臥者非是如
來來无形无相不可言行住坐臥是如來來者不來不去即是如來故經云
[illegible]

BD02242號背　金剛經注頌釋（擬）　　（2–1）

偈云若以色見我以音聲求我是人行邪道不能見如來 釋曰我者是
自性之義是名真我音者是靈之別名亦名神靈離此如來皆落邪道亦是
苗末法特中所有脩學者皆語相及觀音聲者多如是之人盡不契
真理 贊曰 涅槃含四德唯我契真常音名八自在獨一最靈長非色非聲
相心識豈能量看將不可見詎理即飛鄉莫作是念 仏恐空生落斷滅見
故亦合離兩邊前既云觀如來不得以具足相觀今又恐空生執著不作具
足相故道莫作是念如來不以具足相得阿耨菩提又向空生道
發菩提心者說諸法斷滅 釋曰若作有相觀即是一邊見若作无相觀亦是一邊
見若作有無觀即是斷滅法下文云於法不說斷滅相 釋曰真如法性是非
有無真如之心湛然不動觀與不觀皆是妄作之心无是生滅故云莫作是
念若復有人知一切法無我得成於忍此菩薩勝前菩薩所得功德
我如是見者即名為忍忍即無生忍 釋曰一切万法本來不生誰言有我無
是見者勝七寶布施功德 贊曰 施寶如沙數唯成有漏因不知无我
觀了妄乃名真 欲證无生忍要假離貪塵常依二空理當證王法身
不貪福德 見有相是有即愛福德有當自无教誰愛福德洞明法身亦
釋如來之義世間之人皆云如來行住坐臥此是邪見行住坐臥若非是如是
來來无形无相不可言說行住坐臥是如如來來者不來不去即是如來故經云
[illegible]亦无所去故名如來 釋曰仏性无生故名无來自性不滅故云无去不生
不滅即是如來若言行住坐臥名是如來即屬生滅言所名微塵眾即以是妄
之異名世界者即身之別字此身乃是妄心之所成立若身是有乃妄心有者
則是一合相身心俱無將何為一合相故云則非一合相下文云合相者則不可說 釋曰
夫言一合者无一可一无合可合乃法无名實有何可說下文云但凡夫之人貪著
其事 釋曰若見有一事即不名一合相即有善別是有善別即有生死
以有生死故號凡夫次條見前一條是聲聞次二條是緣覺下一條是大乘
人難作如是知莫取前之種見此見第二邊移見不屬有無下文云應如是

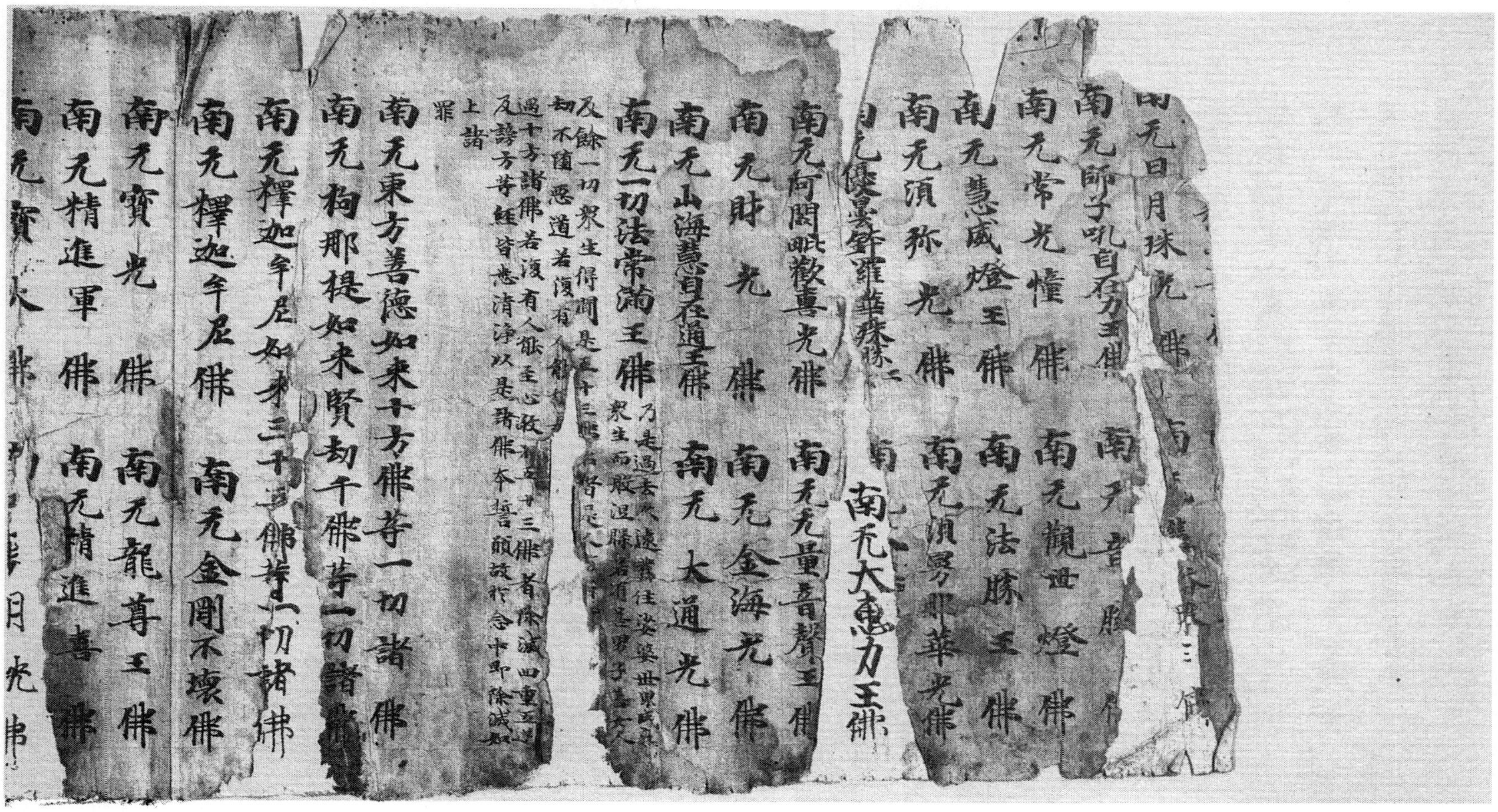

南无日月珠光佛　南无…界三…
南无師子吼自在力王佛　南无音勝…
南无常光幢佛　南无觀世燈佛
南无慧威燈王佛　南无法勝王佛
南无須彌光佛　南无須曼那華光佛
南无優曇鉢羅華殊勝王佛　南无大惠力王佛
南无阿閦毗歡喜光佛　南无无量音聲王佛
南无日光佛　南无金海光佛
南无山海慧自在通王佛　南无大通光佛
南无一切法常滿王佛　乃是過去未來現在娑婆世界成就衆生而般涅槃者…
及餘一切衆生得聞是…三十三佛者除滅四重五逆…
切不值惡道若復有人能至心…
過十方諸佛若復有人…
及歸方等經皆悉清淨以是諸佛本誓願故於念念中即除滅如上諸罪
南无東方善德如來十方佛等一切諸佛
南无拘那提如來賢劫千佛等一切諸佛
南无釋迦牟尼如來三十五佛等一切諸佛
南无釋迦牟尼佛　南无金剛不壞佛
南无寶光佛　南无龍尊王佛
南无精進軍佛　南无精進喜佛
南无寶火佛　南无…月光佛

BD02243號　七階佛名經

（7–1）

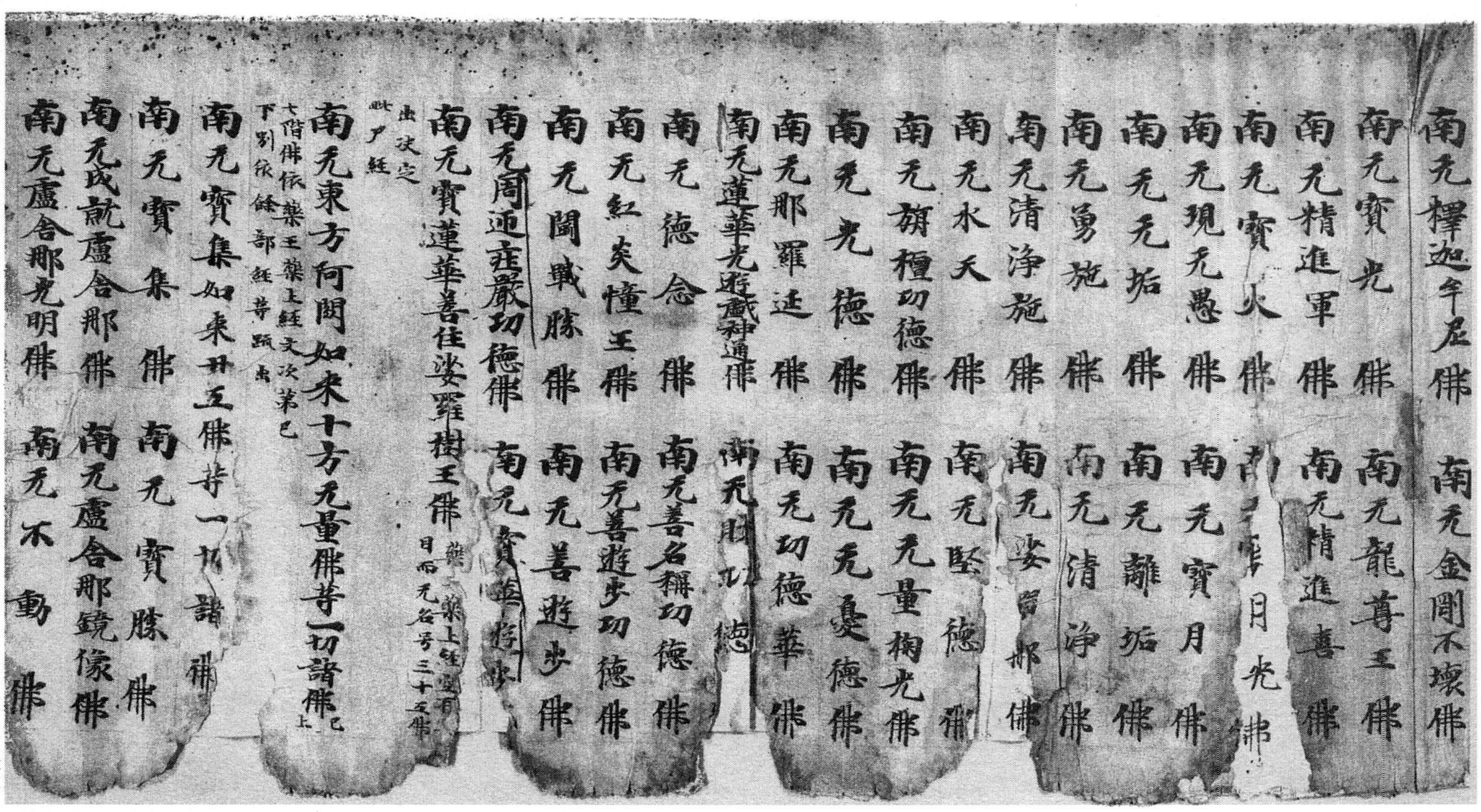

南无釋迦牟尼佛　南无金剛不壞佛
南无寶光佛　南无龍尊王佛
南无精進軍佛　南无精進喜佛
南无寶火佛　南无寶月光佛
南无現无愚佛　南无寶月佛
南无无垢佛　南无離垢佛
南无勇施佛　南无清淨佛
南无清淨施佛　南无娑留那佛
南无水天佛　南无堅德佛
南无栴檀功德佛　南无无量掬光佛
南无光德佛　南无无憂德佛
南无那羅延佛　南无功德華佛
南无蓮華光遊戲神通佛　南无財功德佛
南无德念佛　南无善名稱功德佛
南无紅炎幢王佛　南无善遊步功德佛
南无鬪戰勝佛　南无善遊步佛
南无周匝莊嚴功德佛　南无寶華遊步佛
南无寶蓮華善住娑羅樹王佛　藥上經云日西无名号三十五佛
出決定毗尼經
南无東方阿閦如來十方无量佛等一切諸佛　已上
七階佛依藥王藥上經文次第已下別依餘部經普懺悔
南无寶集如來廿五佛等一切諸佛
南无寶集佛　南无寶勝佛
南无成就盧舍那佛　南无盧舍那鏡像佛
南无盧舍那光明佛　南无不動佛

BD02243號　七階佛名經

（7–2）

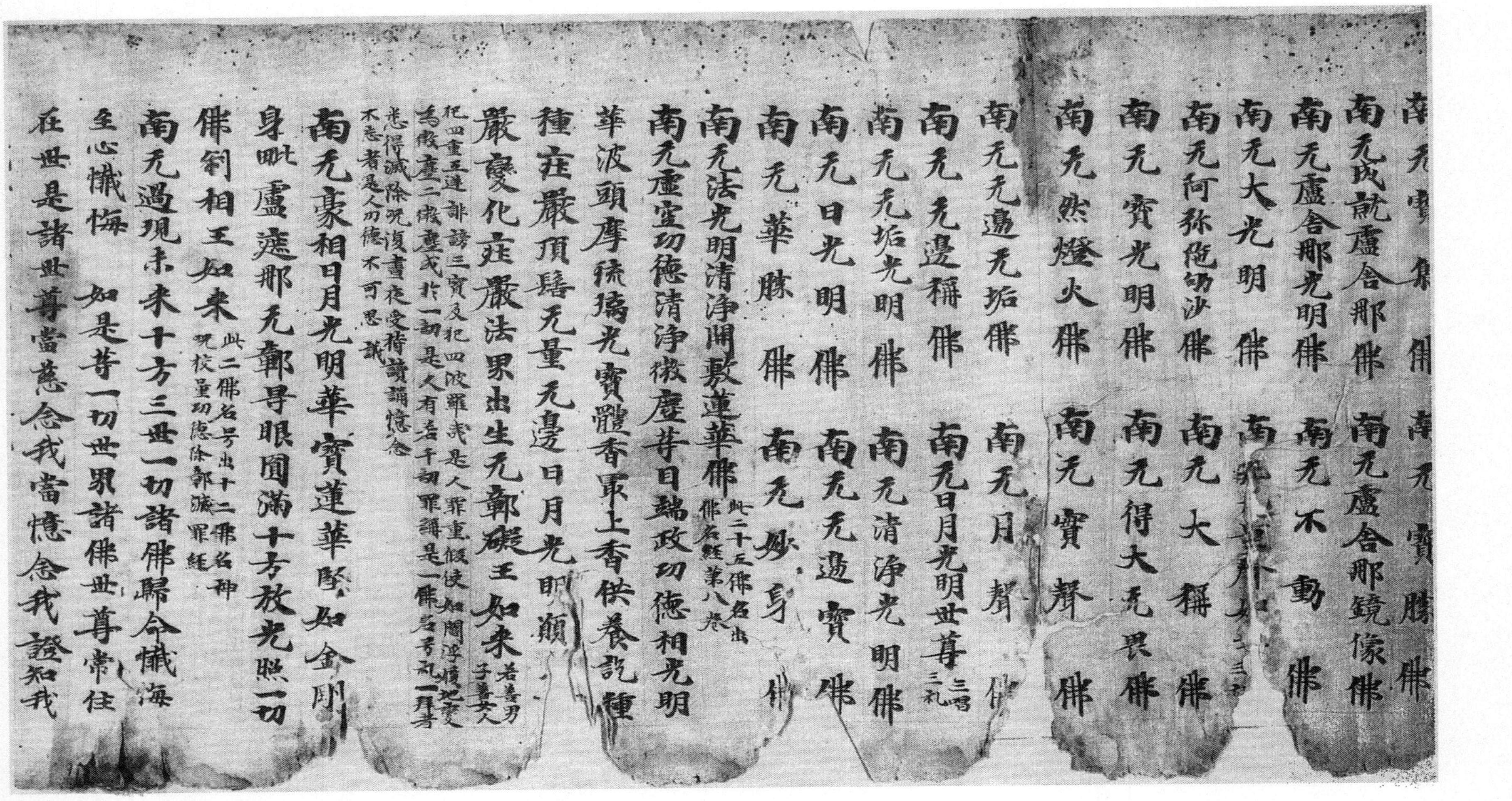

南无寶集佛　南无寶勝佛
南无成就盧舍那佛　南无盧舍那鏡像佛
南无盧舍那光明佛　南无不動佛
南无大光明佛　南无[illegible]
南无阿弥陀劬沙佛　南无大稱佛
南无寶光明佛　南无得大无畏佛
南无然燈火佛　南无寶聲佛
南无无邊无垢佛　南无月聲佛
南无无邊稱佛　南无日月光明世尊 三稱三礼
南无无垢光明佛　南无清淨光明佛
南无日光明佛　南无无邊寶佛
南无華勝佛　南无妙身佛
南无法光明清淨開敷蓮華佛 此二十五佛名出佛名經第八卷
南无虛空功德清淨微塵等目端政功德相光明
華波頭摩瑠璃光寶體香最上香供養訖種
種莊嚴頂髻无量无邊日月光明願
嚴變化莊嚴法界出生无鄣礙王如來 若善男子善女人
犯四重五逆謗三寶及犯四波羅夷是人罪重假使如閻浮提地
為微塵一微塵成於一劫是人有若千劫罪誦是一佛名号礼一拜者
悉得滅除况復晝夜受持讀誦憶念
不忘者是人功德不可思議
南无豪相日月光明華寶蓮華堅如金剛
身毗盧遮那无鄣导眼圓滿十方放光照一切
佛刹相王如來 此二佛名号出十二佛名神呪校量功德除鄣滅罪經
南无過現未来十方三世一切諸佛歸命懺悔
至心懺悔　如是等一切世界諸佛世尊常住
在世是諸世尊當慈念我當憶念我證知我

BD02243號　七階佛名經　（7–3）

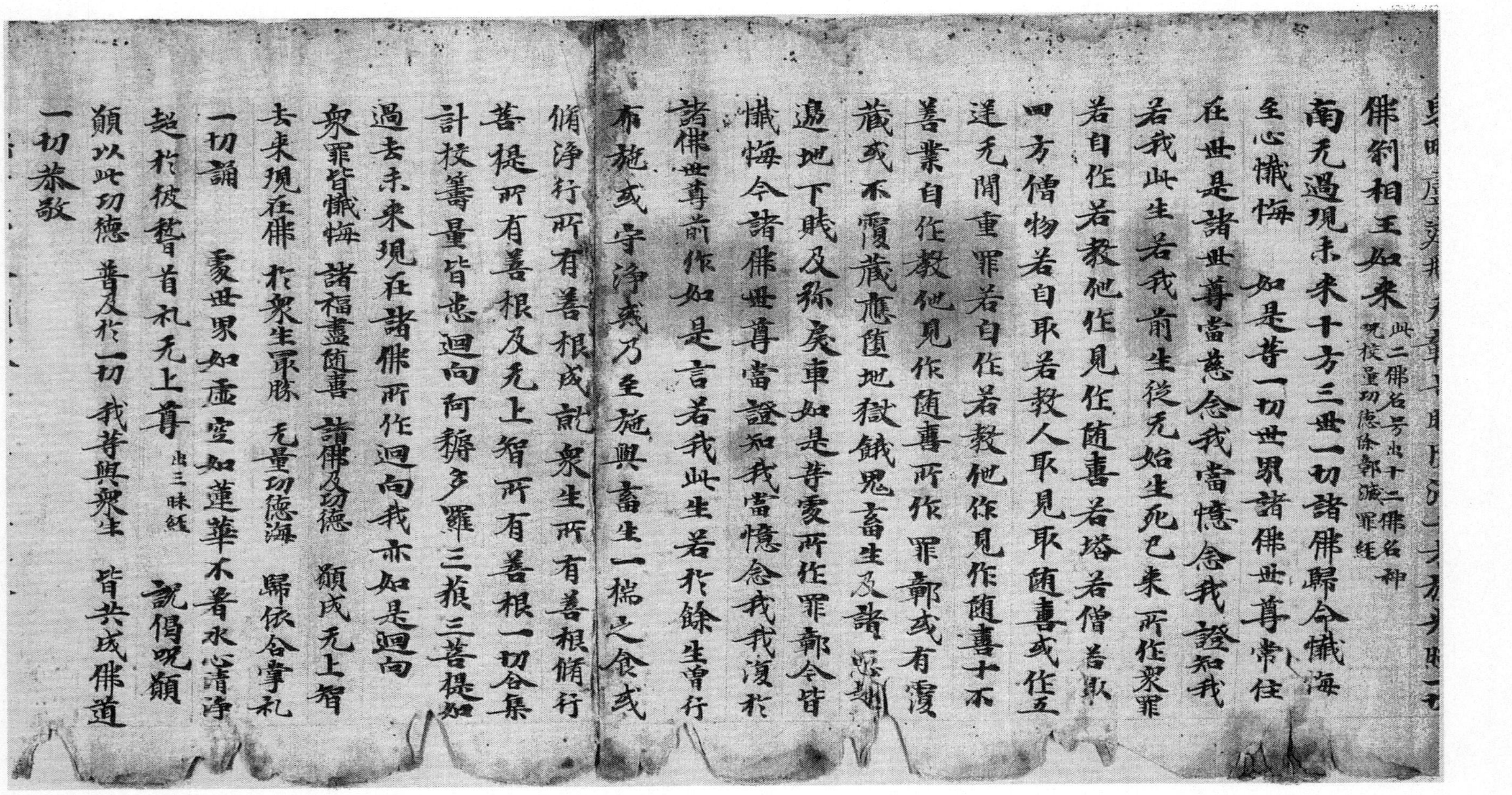

身毗盧遮那无鄣导眼圓滿十方放光照一切
佛刹相王如來 此二佛名号出十二佛名神呪校量功德除鄣滅罪經
南无過現未来十方三世一切諸佛歸命懺悔
至心懺悔　如是等一切世界諸佛世尊常住
在世是諸世尊當慈念我當憶念我證知我
若我此生若我前生從无始生死已来所作衆罪
若自作若教他作見作隨喜若塔若僧若[illegible]
四方僧物若自取若教人取見取隨喜或作五
逆无間重罪若自作若教他作見作隨喜十不
善業自作教他見作隨喜所作罪鄣或有覆
藏或不覆藏應墮地獄餓鬼畜生及諸惡趣
邊地下賤及弥戾車如是等處所作罪鄣今皆
懺悔今諸佛世尊當證知我當憶念我我復於
諸佛世尊前作如是言若我此生若於餘生曾行
布施或守淨戒乃至施與畜生一摶之食或
脩淨行所有善根成就衆生所有善根脩行
菩提所有善根及无上智所有善根一切合集
計校籌量皆悉迴向阿耨多羅三藐三菩提如
過去未来現在諸佛所作迴向我亦如是迴向
衆罪皆懺悔　諸福盡隨喜　請佛及功德　願成无上智
去来現在佛　於衆生最勝　无量功德海　歸依合掌礼
一切誦　處世界如虛空　如蓮華不著水　心清淨
超於彼　稽首礼无上尊 出三昧經　說偈呪願
願以此功德　普及於一切　我等與衆生　皆共成佛道
一切恭敬

BD02243號　七階佛名經　（7–4）

超於彼誓首礼无上尊 出三昧經 說偈呪願
願以此功德 普及於一切 我等與衆生 皆共成佛道
一切恭敬
自歸於佛 當願衆生 體解大道 發无上意
自歸於法 當願衆生 深入經藏 智慧如海
自歸於僧 當願衆生 統理大衆 一切无礙
願諸衆生諸惡莫作諸善奉行自淨其意是
諸佛教和南一切賢聖
衆等聽說晨朝无常偈 已下皆是之誦唯除時爲異 諸大衆欲
得𣵀滅樂 當學沙門法 依食支身命 精廣
隨衆等今日晨朝上中下座各誦六念
念佛 念法 念僧 念戒 念施 念天
午時偈 採花置日中 能得幾時鮮 人
命亦如是 无常須臾間 勸諸行道衆 勤脩乃
至真 日暮偈
西方日已暮 塵勞猶未除 老病死時至 相看
不久居 念念催年促 猶如少水魚 勸諸行道衆
勤脩至无餘 初夜偈
人間忩忩營衆務 不覺年命日夜去 如燈風
中滅難期 茫茫六道无定趣 未得解脫離苦
海 云何安然不驚懼 各聞强健有力時 自策
勵求常住 中夜偈
汝起勿抱臭屍卧 種種不淨假名人 如得重
病箭入體 諸苦痛集安可眠 後夜偈
時光遷流轉 忽至五更初 无常念念至 恒與

BD02243號　七階佛名經

(7–5)

勵求常住 中夜偈
汝起勿抱臭屍卧 種種不淨假名人 如得重
病箭入體 諸苦痛集安可眠 後夜偈
時光遷流轉 忽至五更初 无常念念至 恒與
死王居 勸諸行道衆 勤脩至无餘
礼佛及說无常偈竟略晝夜六時發願法
南无十方三世諸佛當證知弟子某甲等爲一
切衆生觀一切三寶爲一切衆生礼一切三寶
爲一切衆生供養一切三寶爲一切衆生於一
切三寶前行道爲一切衆生於三寶前懺悔
爲一切衆生作佛像轉經供養衆僧爲一切衆
生行六波羅蜜四攝四无量等一切行已集當
集現集一切善根以此善根願令一切三塗衆
生一切貧窮衆生一切生老病死衆生一切獄
囚繫閉衆生一切破亡流徒衆生一切不自在
邪見顛倒衆生等悉得離苦解脫捨邪歸正
發菩提心永除三鄣常見一切諸佛菩薩及善
知識恒聞正法福智具足一時住佛又以此善
根願令一切衆生皆悉上品往生一切淨土先證
无生法忍然後度衆生
又以此善根願令一切三寶一切國土常得安
隱不破不壞四方寧靜兵甲休息龍王歡喜
風調雨順五穀熟成万人安樂
六時礼拜佛法大閈晝三夜三各嚴持香華入
塔觀像供養行道礼佛平旦及與午時別唱

BD02243號　七階佛名經

(7–6)

知諸恒聞正法種智具是一時往佛又以此善
根願令一切衆生皆悉上品往生一切淨土先證
无生法忍然後度衆生
又以此善根願令一切三寶一切國土常得安
隱不破不壞四方寧靜兵甲休息龍王歡喜
風調雨順五穀熟成万人安樂
六時礼拜佛法大聞晝三夜三各嚴持香華入
塔觀像供養行道礼佛平旦及與午時別唱
五十三佛餘階揔唱日暮初夜並別唱三十五佛
餘階揔唱半夜後夜並唱廿五佛餘階揔唱觀
此七階佛如在目前思惟如來所有功德應作
如是清淨懺悔
佛說七階礼佛名經

BD02243 號　七階佛名經　（7–7）

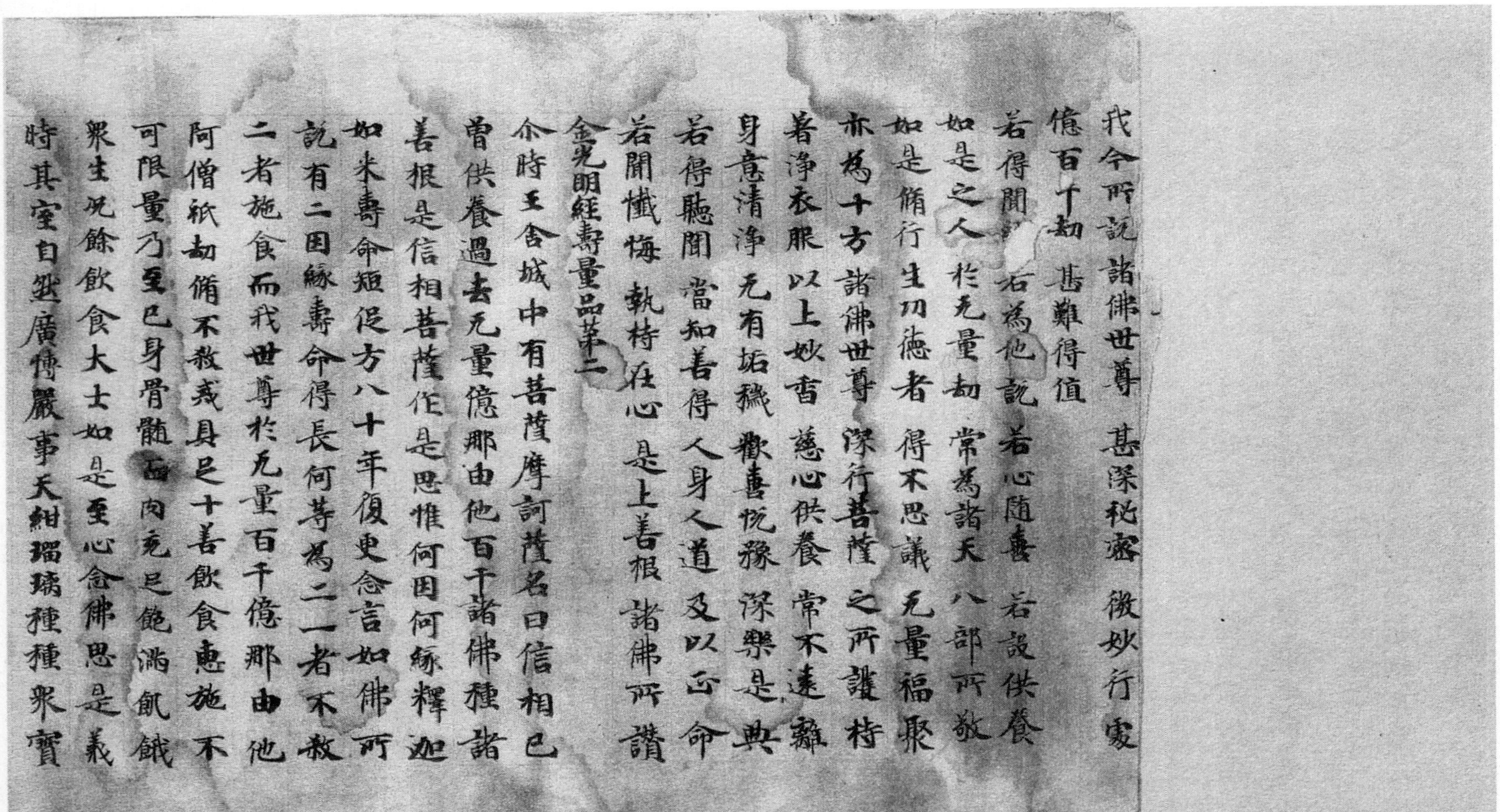

我今所說諸佛世尊　甚深秘密　微妙行處
億百千劫　甚難得值
若得聞已　若為他說　若心隨喜　若設供養
如是之人　於无量劫　常為諸天　八部所敬
如是脩行　生功德者　得不思議　无量福聚
亦為十方　諸佛世尊　深行菩薩　之所護持
著淨衣服　以上妙香　慈心供養　常不遠離
身意清淨　无有垢穢　歡喜悅豫　深樂是典
若得聽聞　當知善得　人身人道　及以正命
若聞懺悔　執持在心　是上善根　諸佛所讚
金光明經壽量品第二
尒時王舍城中有菩薩摩訶薩名曰信相已
曾供養過去无量億那由他百千諸佛種諸
善根是信相菩薩作是思惟何因何緣釋迦
如來壽命短促方八十年復更念言如佛所
說有二因緣壽命得長何等為二一者不殺
二者施食而我世尊於无量百千億那由他
阿僧祇劫脩不殺戒具足十善飲食惠施不
可限量乃至己身骨髓血肉充足飽滿飢餓
衆生況餘飲食大士如是至心念佛思是義
時其室自然廣博嚴事天紺瑠璃種種衆寶

BD02244 號　合部金光明經卷一　（19–1）

阿僧祇劫脩不殺戒具足十善飲食惠施不
可限量乃至已身骨髓血肉充足飽滿飢餓
衆生况餘飲食大士如是至心念佛思是義
時其室自然廣博嚴事天紺瑠璃種種衆寶
雜廁間錯以成其地猶如如来所居淨土有
妙香氣過諸天香烟雲垂布遍滿其室其室
四面各有四寶上妙高座自然而出純以天
衣而為敷具是妙座上各有諸佛所受用華
衆寶合成於蓮華上有四如来東方名阿閦
南方名寶相西方名无量壽北方名微妙聲
是四如来自然而坐師子座上放大光明照
王舍城及此三千大千世界乃至十方恒河
沙等諸佛世界雨諸天華作天伎樂尒時三
千大千世界所有衆生以佛神力受天快樂
諸根不具即得具足舉要言之一切世間所
有利益未曾有事悉具出現
尒時信相菩薩見是諸佛及希有事歡喜踊
躍恭敬合掌向諸世尊至心念佛作是思惟
釋迦如来无量功德唯壽命中心生疑惑云
何如来壽命如是方八十年
尒時四佛以正遍知告信相菩薩善男子汝
今不應思量如来壽命短促何以故善男子
我等不見諸天世人魔衆梵衆沙門婆羅門
人及非人有能思筭如来壽量知其齊限唯
除如来時四如来將欲宣暢釋迦文佛所得
壽命欲色界天諸龍鬼神乾闥婆阿脩羅迦
樓羅緊那羅摩睺羅伽及无量百千億那由
他菩薩摩訶薩以佛神力悉来聚集信相菩

BD02244號　合部金光明經卷一　　（19–2）

人及非人有能思筭如来壽量知其齊限唯
除如来時四如来將欲宣暢釋迦文佛所得
壽命欲色界天諸龍鬼神乾闥婆阿脩羅迦
樓羅緊那羅摩睺羅伽及无量百千億那由
他菩薩摩訶薩以佛神力悉来聚集信相菩
薩摩訶薩室
尒時四佛於大衆中略以偈喻說釋迦如来
所得壽量而說頌曰
一切諸水　可知渧數　无有能數　釋尊壽命
諸須弥山　可知斤兩　无有能量　釋尊壽命
一切大地　可知塵數　无有能筭　釋尊壽命
虛空分界　尚可盡邊　无有能計　釋尊壽命
不可計劫　億百千万　佛壽如是　无量无邊
以是因緣　故說二緣　不害物命　施食无量
是故大士　壽不可計　无量无邊　亦无齊限
是故汝今　不應於佛　无量壽命　而生疑惑
尒時信相菩薩彼諸佛邊聞說釋迦牟尼世
尊壽量已白彼諸佛言諸世尊云何彼釋迦
牟尼如来顯示如是短少壽量如是語已彼
諸世尊告信相菩薩言然彼釋迦牟尼如来
五濁世時出現於世壽百歲生中於下信解
衆生少善根衆生我見衆生見命見養育富
伽羅見耶見我我所執著等中為利益諸凡
夫衆生及外道尼乾陁波梨婆闍迦等故世
尊釋迦牟尼如来顯示如是短少壽量成熟
衆生
善男子然彼釋迦牟尼如来顯示如是短少
壽量彼等衆生若知如来入涅槃已發生皆

BD02244號　合部金光明經卷一　　（19–3）

衆生
善男子然彼釋迦牟尼如來顯示如是短少
壽量彼等衆生若知如來入涅槃已發生苦
想希有想未曾有想憂愁想速當受如是等
脩多羅當持讀誦當不毀謗是故如來顯示
如是短少壽量彼等衆生若見如來不入涅
槃不生希有想憂愁想未曾有想彼當不受
如來所說諸脩多羅亦當不持讀誦所以者
何謂常見故
善男子譬如有一丈夫父母多有錢財果報
然彼丈夫諸子知財未已不生希有想未曾
有想所以者何謂多果報故
善男子如是彼等衆生若知如來不入
涅槃已不生希有想未曾有想難得想所以
者何謂常見故
善男子譬如有一丈夫父母貧窮少有果報
彼等或詣王及王大臣家中彼於彼處見滿
倉庫種種衆寶彼於彼處得希有行得未曾
有想當生難得想亦為彼財果故勤劬發精
進意欲得彼財果故所以者何謂少果報故
善男子如是彼等衆生若見如來已入
涅槃當得希有得未曾有當生苦想於无量
時諸佛世尊乃出於世譬如優曇婆羅花於
无量時乃出於世如是如是諸佛世尊於无
量時乃當出世彼等衆生得希有行得未曾
有當得踊躍彼等見如來已則當信向若聞
如來實語言時當受如是等脩多羅當不違
競

BD02244號　合部金光明經卷一　（19–4）

有當得踊躍彼等見如來已則當信向若聞
如來實語言時當受如是等脩多羅當不違
競
善男子以是義故如來不久住世速當涅槃
善男子諸佛世尊如是方便善巧成熟衆生
尒時彼等諸佛世尊隱沒不現
尒時信相菩薩與无量百千菩薩及无量俱
致那由多百千衆生詣耆闍崛山釋迦牟尼
如來正遍知所到已頂禮佛足却住一面住
一面已信相菩薩摩訶薩白佛如上所說諸
事乃至彼等諸佛世尊詣耆闍崛山釋迦牟
尼如來所到已各各隨方各各於座而坐
尒時彼等諸佛世尊各各告侍者菩薩言汝
善男子去詣釋迦牟尼如來所到已為我等
問訊少病輕起氣力安樂行不復語是言善
哉釋迦牟尼如來今欲說金光明法本我等
當隨喜
尒時彼等諸菩薩摩訶薩詣釋迦牟尼如來
所到已頂禮釋迦牟尼如來足禮已却住一
面住一面已彼等諸菩薩摩訶薩白佛言世
尊四方四佛世尊問訊世尊少病輕起氣力
安樂行不復作是言善哉世尊願說金光明
脩多羅法本為諸衆生利益安樂故乃至除
滅飢儉等故
尒時世尊釋迦牟尼如來讚諸菩薩衆言善
哉善哉善男子汝等乃能為諸衆生勸請如
來

BD02244號　合部金光明經卷一　（19–5）

哉善哉善男子汝等乃能為諸衆生勸請如
来
尒時世尊而說偈言
我不離此山　常說此經寳　成熟衆生故　示現般涅槃
凡夫濟者見　不信我所說　彼等成熟故　我現般涅槃
是時大會有婆羅門姓憍陳如名曰聖記在
於衆中諦心安坐无量百千婆羅門衆前後
圍繞而共恭敬供養如来聞佛世尊壽命八
十應般涅槃涕淚悲泣與於百千婆羅門衆
俱從座起頂礼佛足白言世尊若佛如来憐
愍利益一切衆生大慈大悲欲令皆悉得大
安樂為衆生作真實父母家上无等及无等
等為世間作歸依覆護令諸衆生快樂清涼
如淨滿月作大光明如日照於優陁延山若佛
世尊等觀衆生如羅睺羅願佛為我施一
恩德是時如来嘿然不荅於此會中有栗車
毗國王童子名曰一切衆生喜見在大衆中
具足辭辯善能問荅是時王子承佛神力語
婆羅門憍陳如言大婆羅門汝於世尊求何
恩德我能為汝施如意恩婆羅門言善哉王
子我等願欲恭敬供養世尊之身是故欲得
如来舍利如芥子許恭敬供養所以者何如
我所聞若善男子及善女人恭敬供養如来
舍利六天帝主富貴安樂必得无窮是時王
子即便荅言大婆羅門汝一心聽若欲願求
无量功德及六天報此金光明諸經之王難
思難解福報无窮聲聞緣覺所不能知此經

无量功德及六天報此金光明諸經之王難
思難解福報无窮聲聞緣覺所不能知此經
攝持如是功德无邊福報不可思議我今為
汝略說之月婆羅門言善哉王子如是金光
微妙經典功德无邊難解難覺乃至如此不
可思議我等邊國婆羅門等作如此說若善
男子及善女人得佛舍利如芥子許置小塔
中轄持礼拜恭敬供養功德无邊是人命終
作六天主受上妙樂不可窮盡汝今云何而
不願樂供養舍利求此報耶如是王子以是
因緣我今從佛欲求一恩是時王子即以偈
荅婆羅門言
設河駛流中　可生拘物華　世尊身舍利　畢竟不可有
假使烏赤色　拘枳羅白形　世尊真實身　不可成舍利
設使閻浮樹　能生多羅葉　佉受羅樹等　轉生菴羅寳
如来身无滅　不可生舍利　設使龜毛等　可以為衣裳
佛身非虛妄　終无有舍利　假令蚊蚋脚　可以作城樓
如来寂靜身　无有舍利事　假令水蛭虫　口中生白齒
如来解脫身　終无繫縛色　兎角為梯橙　從地得昇天
耶思惟舍利　功德无是處　鼠登兎角梯　食月除脩羅
依舍利盡惑　解脫无是處　如蠅大醉酒　不能造窠穴
於佛无正行　不能至三乘　如驢但飽食　終无有伎能
歌儛令他樂　凡夫二乘等　能說及能行　自他无是處
假使烏與鵄　同時一樹栖　和合相愛念　如来真實體
舍利虛妄身　俱有无是處　如波羅奢葉　不能遮風雨
於佛起虛妄　生死終不滅　如海大舶舡　具足諸財寶
新生女人力　執持无是處　法身无邊際　不淨地煩惱

舍利虛妄身　俱有无是䖏　如波羅奢葉　不能遮風雨
於佛起虛妄　生死終不滅　如海大舶舡　具足諸財寶
新生女人力　執持无是䖏　法身无邊際　不淨地煩惱
不能攝如來　其義亦如是　譬如諸鳥雀　不能銜香山
煩惱依法身　不為煩惱動　如是如來身　甚深難思量
若不如法觀　所願不成就
時婆羅門聞此義已　即便說偈荅王子言
善哉善哉　汝真佛子　大吉祥人　善巧方便
於理不動　已獲正記　王子聽我　今次第說
度世依䖏　佛德難思　如來境界　无能知者
一切諸佛　不與他共　一切諸佛　本來寂靜
一切諸佛　所脩行同　一切諸佛　後際常住
一切諸佛　同共一體　如是尊義　是如來法
如來真身　非所造作　所以者何　諸佛无生
金剛不毀　內外无礙　示現身相　隨化衆生
如來大仙　无有色像　如是身者　非於血肉
云何而得　有於舍利　為化衆生　方便示現
一切正覺　真法為身　法界清淨　是名如來
王子當知　佛身如是　如如來說　如是之義
我已聞知　為請如來　廣演分別　真寶之義
故求舍利　開方便門
是時會中三万二千天子聞說如來如是甚
深壽量義已　一切皆於无上菩提發堅固心
歡喜踊躍異口同音說偈讚言
一切如來　不般涅槃　一切諸佛　身无破壞
但為成熟　諸衆生故　方便勝智　示現涅槃
前際如來　不可思議　後際如來　常无破壞
中際如來　種種莊嚴　衆生法界　皆為利他

BD02244 號　合部金光明經卷一　（19–8）

歡喜踊躍異口同音說偈讚言
一切如來　不般涅槃　一切諸佛　身无破壞
但為成熟　諸衆生故　方便勝智　示現涅槃
前際如來　不可思議　後際如來　常无破壞
中際如來　種種莊嚴　衆生法界　皆為利他
是時信相菩薩從諸如來及二大士聞說釋
迦壽命義已　得滿所願　心无疑惑　踊躍歡喜
身心快樂　內外遍滿
尒時復有无量阿僧祇等諸衆生類聞說是
義　於无上道皆得發心　時四如來忽然不現
是大會中唯釋迦在
金光明經三身分別品第三
是時虛空藏菩薩摩訶薩在大衆中從座而
起　偏袒右肩　右膝着地　合掌恭敬　頂礼佛足
以上微妙金寶之華寶幢幡蓋恭以供養而
白佛言　世尊　云何菩薩摩訶薩於諸如來如
法正脩行
佛言　善男子　諦聽諦聽　善思念之　吾當為汝
分別解說
善男子　菩薩摩訶薩一切如來有三種身　汝
應當知　何者為三　一者化身　二者應身　三者
法身　如是三身攝受阿耨多羅三藐三菩提
云何菩薩了別化身
善男子　如來昔願脩行地中　為一切衆生脩
種種法　是諸脩法至脩行滿　脩行力故　得至
自在　自在力故　隨衆生意　隨衆生行　隨衆生
界　多種了別　不待時　不過時　䖏所相應　時相
[illegible]

BD02244 號　合部金光明經卷一　（19–9）

種種法是諸脩法至脩行滿脩行力故得至
自在自在力故隨衆生意隨衆生行隨衆生
界多種了別不待時不過時處所相應時相
應行相應說法相應現種種身是名化身
善男子是諸如来為諸菩薩得通達故說於
真諦為通達生死涅槃一味故身見衆生怖
畏歡喜故為无邊佛法而作本故如来相應
如如如如智願力故是身得現具足三十二
相八十種好項背圓光是名應身
善男子云何菩薩摩訶薩了別法身為欲滅
除一切諸煩惱等障為欲具足一切諸善法
故唯有如如如如智是名法身前二種身是
假名有是第三身名為真有為前二身作於
本故何以故離法如如離无分別智一切諸
佛无有別法何以故一切諸佛智慧具足故
一切煩惱究竟滅盡故得清淨佛地故是故
法如如如如智攝一切佛法故
復次善男子一切諸佛利益自他至於究竟
自利益者是法如如利益他者是如如智於
自他利益處而得自在故種種无邊用故是
故分別佛法无量无邊種種故
善男子譬如依妄想思惟說種種煩惱說種
種業說種種果報依如是法如如如如智說
種種佛法說種種緣覺法說種種聲聞法依
法如如依如如智一切佛法得自在成就是
為第一不可思議譬如畫空作莊嚴具亦難
思議如是於法如如如如智攝成佛法亦難

BD02244號　合部金光明經卷一　（19-10）

法如如依如如智一切佛法得自在成就是
為第一不可思議譬如畫空作莊嚴具亦難
思議如是於法如如如如智攝成佛法亦難
思議
善男子云何法如如如如智二種无分別而
得自在事
善男子譬如如来入般涅槃願自在故種種
事未盡故如是法如如如如智而得自在事
復次菩薩摩訶薩入无心定依前願力從禪
定起事如是二法无有分別得自在事故
善男子譬如日月无有分別亦如水鏡无有
分別光明亦无分別三種和合故得有影如
是法如如如如智亦无分別以願自在故衆
生有感故應化二身如日月影和合出生
復次善男子譬如无量无邊水鏡依於光故
空影得現種種異相空者即是无相
善男子如是受化之衆諸弟子等是法身影
以願力故應於二身現種種相貌於法身地
无有異相
善男子依此二身一切諸佛說有餘涅槃依
法身者說无餘涅槃何以故一切餘究竟盡
故依此三身一切諸佛說无住處涅槃何以
故為二身故不住涅槃二身假名不實念念滅
不住故數數出現以不定故法身不尒是故
二身不住涅槃法身者不二是故不住於般
涅槃依三身故說无住涅槃
善男子一切凡夫為三相故有縛有障遠離

BD02244號　合部金光明經卷一　（19-11）

二身不住涅槃法身者不二是故不住於般
涅槃依三身故說无住涅槃
善男子一切凡夫為三相故有縛有障遠離
三身不至三身何者為三一者思惟分別相
二者依他起相三者成就相如是諸相不能
解故不能滅故不能淨故是故不得至於三
身如是三相能解能滅能淨故是故諸佛具
足三身
善男子諸凡夫人未能拔除於三心故遠離
三身不能至故何者為三一者起事心二者
依根本心三者根本心依諸伏道起事心盡
依法斷道依根本心盡依勝拔道根本心盡
起事心滅故得顯化身依根本心滅故得顯
應身根本心滅故得至法身是故一切如来
具足三身
善男子一切諸佛於第一身與諸佛同事於
第二身與諸佛同意於第三身與諸佛同體
善男子是初佛身隨衆生意有多種故現種
種相是故說多第二佛身弟子一意故現一
相是故說一第三佛身過一切種相非執相
境界是故說名不一不二
善男子是第一身依於應身是故得顯是第
二身依於法身故得顯現是法身者是真實
有无依處故
善男子如是三身以有義故而說於常以有
義故說於无常化身者恒轉法輪處處如如
方便相續不斷故是故說常非是本故具足
之用不顯故說无常應身者從无始生

善男子如是三身以有義故而說於常以有
義故說於无常化身者恒轉法輪處處如如
方便相續不斷故是故說常非是本故具足
之用不顯故說无常應身者從无始生
死相續不斷一切諸佛不共之法能攝持故
衆生未盡用亦不盡是故說常非是本故以
具足用不顯現故故說无常法身者非是行
法无有異異是自本故猶如虛空是故說常
善男子離无分別智更无勝智離法如如无
勝境界是法如如是慧如如是二種如如如
如不一不異是故法身慧清淨故滅清淨故
是二清淨是故法身具足清淨
復次善男子分別有四種身有化身非應身
有應身非化身有化身亦應身有非化身亦
非應身何者化身非應身如来已般涅槃以
願自在故如是之身即是化身何者應身非
化身是地前身何者化身亦應身住有餘涅
槃如来之身何者非化身非應身是如来法
身
善男子是法身者二无所有顯現故何者名
為二无所有於此法身相及相處二皆是无
非有非无非一非二非數非非數非明非闇
如是如如智不見相及相處不見非有非无
不見非一非異不見非數非非數不見非明
非闇是故境界清淨智慧清淨不可分別无
有中間為滅道本故於此法身顯現如来
善男子是身因緣境界處所果依於本難思
量故若了義說是身即是大乘是如来性是

有中間爲滅道本故於此法身顯現如来
善男子是身因緣境界處所果依於本難思
量故若了義說是身即是大乘是如来性是
如来藏依於此身得發初心脩行中心而得
顯現不退地心亦皆得見一生補處心金剛
之心如来之心而悉顯現无量无邊如来妙
法皆悉顯現依此法身不可思議摩訶三昧
而得顯現依此法身得現一切大智是故二
身依於三昧依於智慧而得顯現如此法身
依於自體說常說實依大三昧故說於樂依
於大智故說清淨是故如来常住自在安樂
清淨依大三昧一切禪定首楞嚴等一切念
處大法念等大慈大悲一切陁羅尼一切六
神通一切自在一切法平等攝受如是佛法
皆悉出現依此大智佛十力四无所畏四
无礙辯一百八十不共之法一切希有不可
思議法皆悉顯現譬如依如意寶珠出无量
无邊種種諸寶悉皆得現如是依大三昧寶
依大智慧寶出種種无量无邊諸佛妙法之
寶
善男子如是法身三昧智慧過一切相不著
於相不可分別非常非斷是名中道雖有分
別无體分別雖有三數而无三體不增不減
猶如夢幻亦无所執亦无能執法體如如是
解脫處過死王境界越生死闇一切衆生不
能脩行所不能至一切諸佛菩薩之所住處
善男子譬如有人願欲得金處處求覓即見

BD02244號　合部金光明經卷一　（19–14）

解脫處過死王境界越生死闇一切衆生不
能脩行所不能至一切諸佛菩薩之所住處
善男子譬如有人願欲得金處處求覓即見
金鑛既得見已即便破鑛選擇取金以内爐
中加以銷治得清淨金隨意迴轉作諸鐶釧
種種嚴具雖復諸用金性不改
善男子善女人求勝解脫脩行世善得見如
来及弟子衆得親近已而白佛言世尊何者
爲善何者不善何者正脩行爲得清淨離於
不淨諸佛如来及弟子衆如是思惟
是善男子善女人欲求清淨欲聽正法如是
知已即說正法
是善男子善女人已聞正法正念憶持發心
脩行得精進力破懶惰鄣破懶惰鄣已滅除
一切罪鄣破罪鄣已於菩薩學處破无尊重
鄣破无尊重鄣已破悼悔心破悼悔心已入
於初地依於初地拔利益鄣拔利益鄣已得
入二地依於二地破不逼惱因皆鄣破此鄣
已入於三地依此三地破心軟淨鄣破心軟
淨鄣已入於四地依此四地破善方便鄣破
善方便鄣已入於五地依此五地破見真俗
鄣破見真俗鄣已入於六地依此六地破見
行相鄣破見行相鄣已入於七地依此七地
破不見滅相鄣破不見滅相鄣已入於八地
依此八地破不見生相鄣破不見生相鄣已
入於九地依此九地破六通鄣破六通鄣已
入於十地依此十地破一切所知鄣破一切

BD02244號　合部金光明經卷一　（19–15）

依此八地破不見生相鄣破不見生相鄣已
入於九地依此九地破六通鄣破六通鄣已
入於十地依此十地破一切所知鄣破一切
所知鄣已拔除本心入如来地如来地者為
三種淨故得極清淨何者為三一者煩惱淨
二者業淨三者相淨譬如有金鎔銷錬治既
燒打已无復塵垢為顯金體本清淨故是金
清淨不為无金譬如水界澄渟清淨无復穢
濁為顯水性清淨不為无水如是法身煩惱
本起悉皆清淨是法身清淨不為无體譬如
虛空中烟雲塵霧皆悉已淨是空界清淨不
為无空如是法身一切諸苦悉皆滅盡故說
清淨不為无體譬如有人於卧寐中夢見大
水流汎其身運手動足逆流而去從於此岸
得至彼岸以其心力不懈退故從夢覺已不
見有水彼此之岸生死妄想既滅盡已是覺
清淨不為无覺如是法界一切妄想不復更
生故說清淨不為无體說於清淨
復次善男子是法身者煩惱鄣清淨故能現
應身業鄣清淨故能現化身智鄣清淨故能
現法身譬如依空出電依電出光如是依於
法身故出應身依於應身故出化身是故性
極清淨攝受法身智慧清淨攝受應身三昧
清淨攝受化身是三清淨是法如如是不異
如如一味如如解脫如如究竟如如是故諸
佛體一不異
善男子若有善男子善女人說於如来是我

清淨攝受化身是三清淨是法如如是不異
如如一味如如解脫如如究竟如如是故諸
佛體一不異
善男子若有善男子善女人說於如来是我
大師當知是善男子善女人悉知悉見如来
之身无有別身
善男子是故於一切境界不正思惟悉除斷
故而於此法无有二相无有分別聖所脩行
於如如无二相法中以脩行故如是如是一
切種鄣悉皆除滅如如一切鄣滅如是如是
法如如如如智寂得清淨如如法界智慧清
淨如是如是一切自在具足攝受故得一切
自在者一切諸鄣悉滅除故一切種清淨故
是如如智相如是見者是名聖見是則名為
真實見佛何以故如如得見如如故是故如
来見一切如来何以故聲聞緣覺已出三界
覓於真境不能知見如是聖人所不知見一
切凡夫皆生疑惑顛倒分別不能得度譬如
蠡子欲度大海何以故不能通達法如如故
一切如来无分別心於一切法得大自在无
礙清淨智慧見故是自境界不共他故是故
於无量无邊阿僧祇劫不惜身命難行能行
為得此身如此之身寂上无比是處寂勝不
可思議過言說界是方寂靜過一切怖畏
善男子如是知見如法如如不生不老不死
壽命无限无有寢卧无有食身心常在定无
有散動若於如来起諍訟心則不能得見於

可思議過言說界是方寂靜過一切怖畏
善男子如是知見如法如如不生不老不死
壽命无限无有寢臥无有食身心常在定无
有散動若於如來起諍訟心則不能得見於
如來如來所說皆能利益有聽聞者皆蒙解
脫若有惡人惡鳥惡禽獸等不相逢值於佛
起業果報无邊一切如來无无記事一切境
界无欲知心生死涅槃无有異心如來所說
无不決定諸佛如來四威儀中无非智攝一
切諸法无有不為慈悲所攝无有不為利益
一切諸衆生者
善男子若有善男子善女人於此金光明經
聽聞信解不墮地獄餓鬼畜生阿脩羅道常
生人天不為下劣恒得親近諸佛如來聽受
正法常生諸佛清淨國土何以故是甚深法
得入於耳是善男子如來已見已記當得不
退阿耨多羅三藐三菩提
是善男子如是甚深之法得經於耳當知是
人不謗如來不謗正法不謗聖僧一切衆生
未種善根令得種故已種善根令增長成熟
故一切世界所有衆生皆悉能行六波羅蜜
是時虛空藏菩薩梵釋四王諸天衆等即從
座起偏袒右肩合掌恭敬頂禮佛足而白佛
言世尊若有處處國土講說是金光明微妙
經典於其國土四種利益何者為四一者國
王軍衆熾盛无諸怨敵離於疾疫壽命脩長
吉祥安樂正法興隆二者輔相大臣和悅无
[illegible]

BD02244號　合部金光明經卷一　（19–18）

經典於其國土四種利益何者為四一者國
王軍衆熾盛无諸怨敵離於疾疫壽命脩長
吉祥安樂正法興隆二者輔相大臣和悅无
諍王所敬愛三者沙門婆羅門及諸國邑人
民脩行正法利益无量年命長遠富逸安樂
於諸福田悉得脩立四者三時之中四大調
適是諸人天增加守護慈悲平等心无傷害
令一切衆生誠心歸仰皆悉脩行菩提之行
如是四種利益功德我等皆當處處為作利
益
佛言善哉善哉善男子如是如是汝等應當
如是脩行如此經典則法久住於世
金光明經卷第一

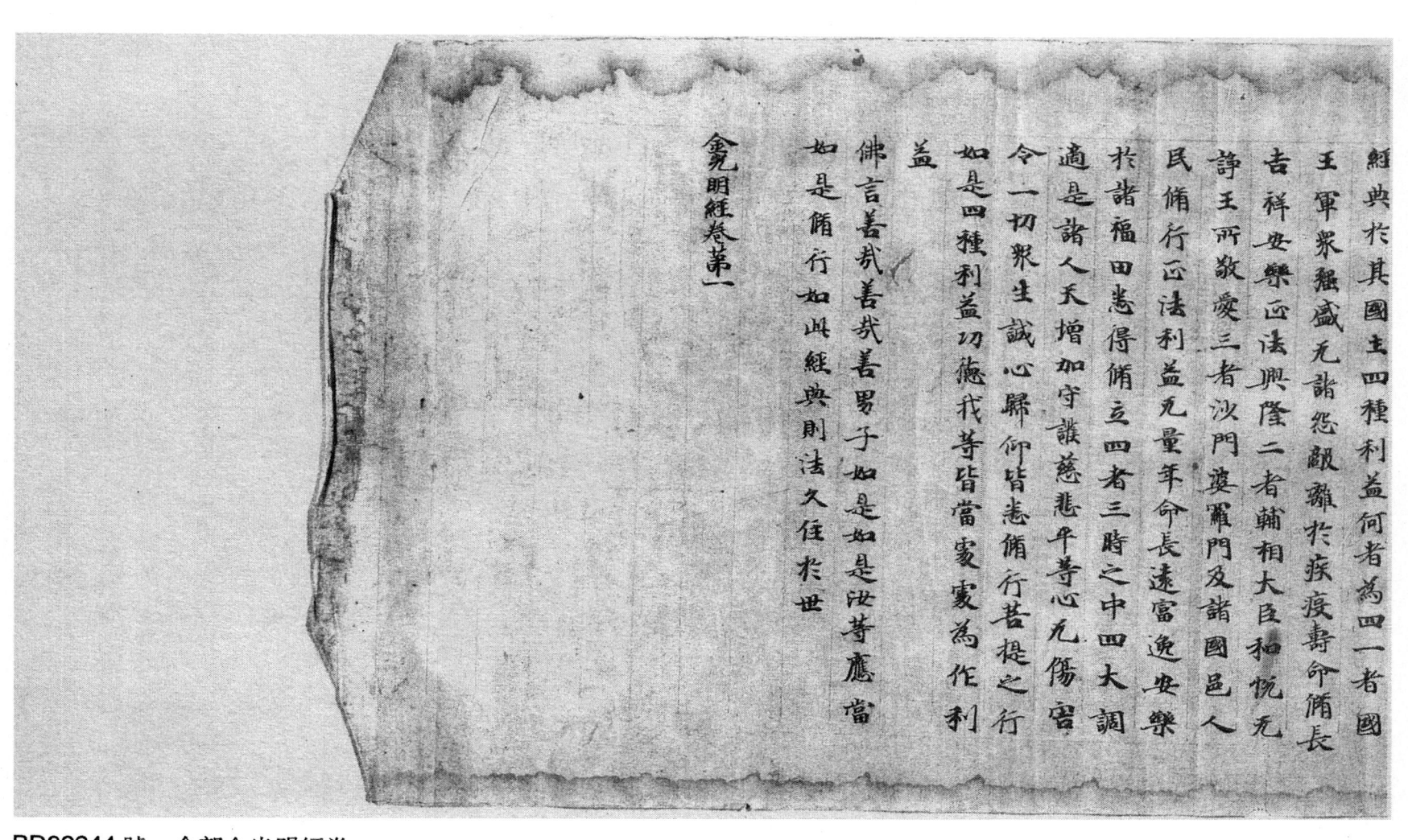

BD02244號　合部金光明經卷一　（19–19）

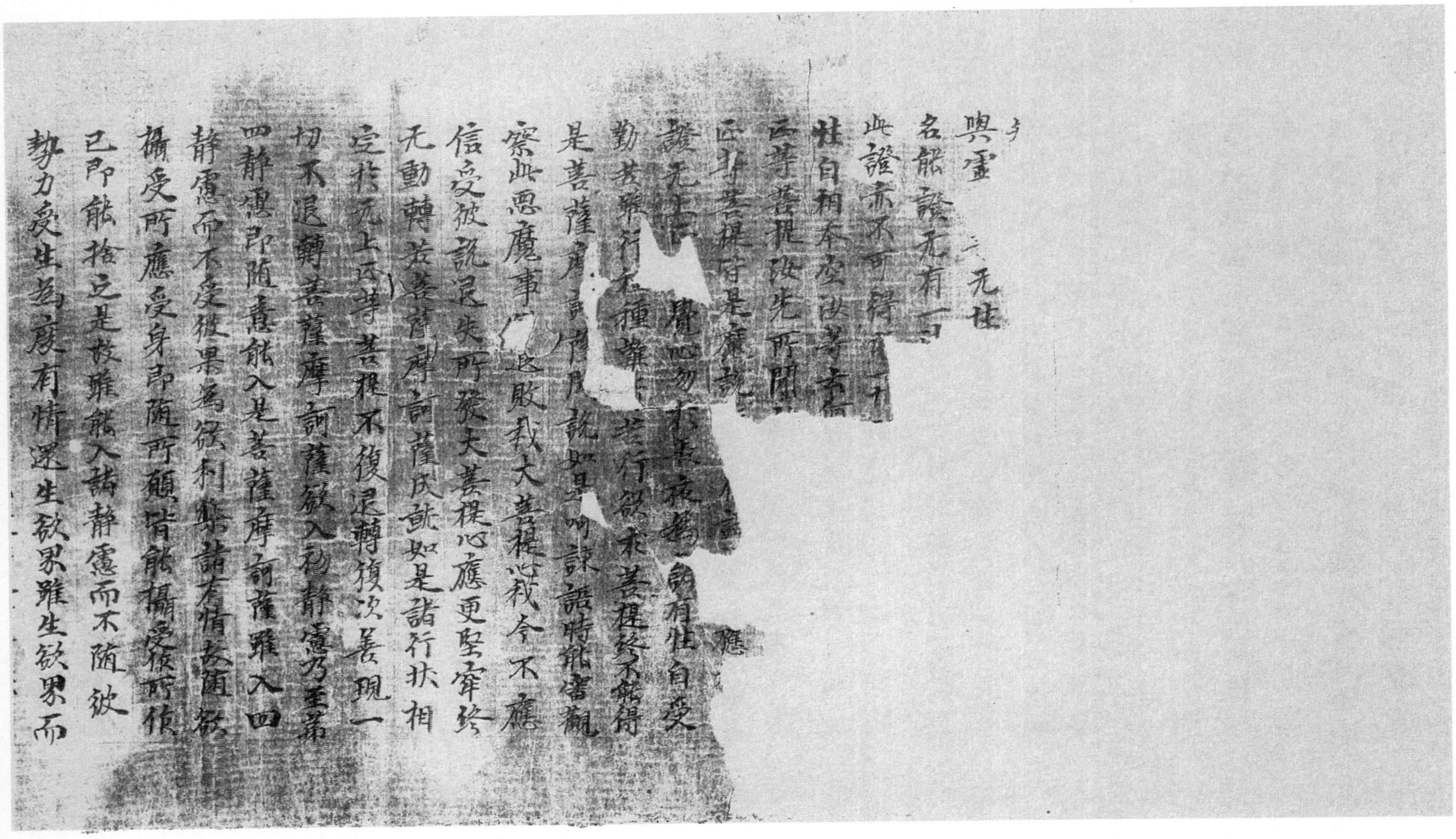

與靈……无性
名能證无有一□
此證亦不可得……
性自相本空汝等……
正等菩提汝先所聞……
正等菩提皆是魔說
證无上……覺心勿於其……有性自受
勤苦難行不種……苦行欲求菩提終不能得
是菩薩摩訶薩……說如是呵諫語時能審觀
察此惡魔事……退敗我大菩提心我今不應
信受彼說退失所發大菩提心應更堅牢終
无動轉若菩薩摩訶薩成就如是諸行狀相
定於无上正等菩提不復退轉復次善現一
切不退轉菩薩摩訶薩欲入初靜慮乃至第
四靜慮即隨意能入是菩薩摩訶薩雖入四
靜慮而不受彼果為欲利樂諸有情故隨欲
攝受所應受身即隨所願皆能攝受依所依
已即能捨之是故雖能入諸靜慮而不隨彼
勢力受生為度有情還生欲界雖生欲界而

BD02245 號　大般若波羅蜜多經卷五四九　（11–1）

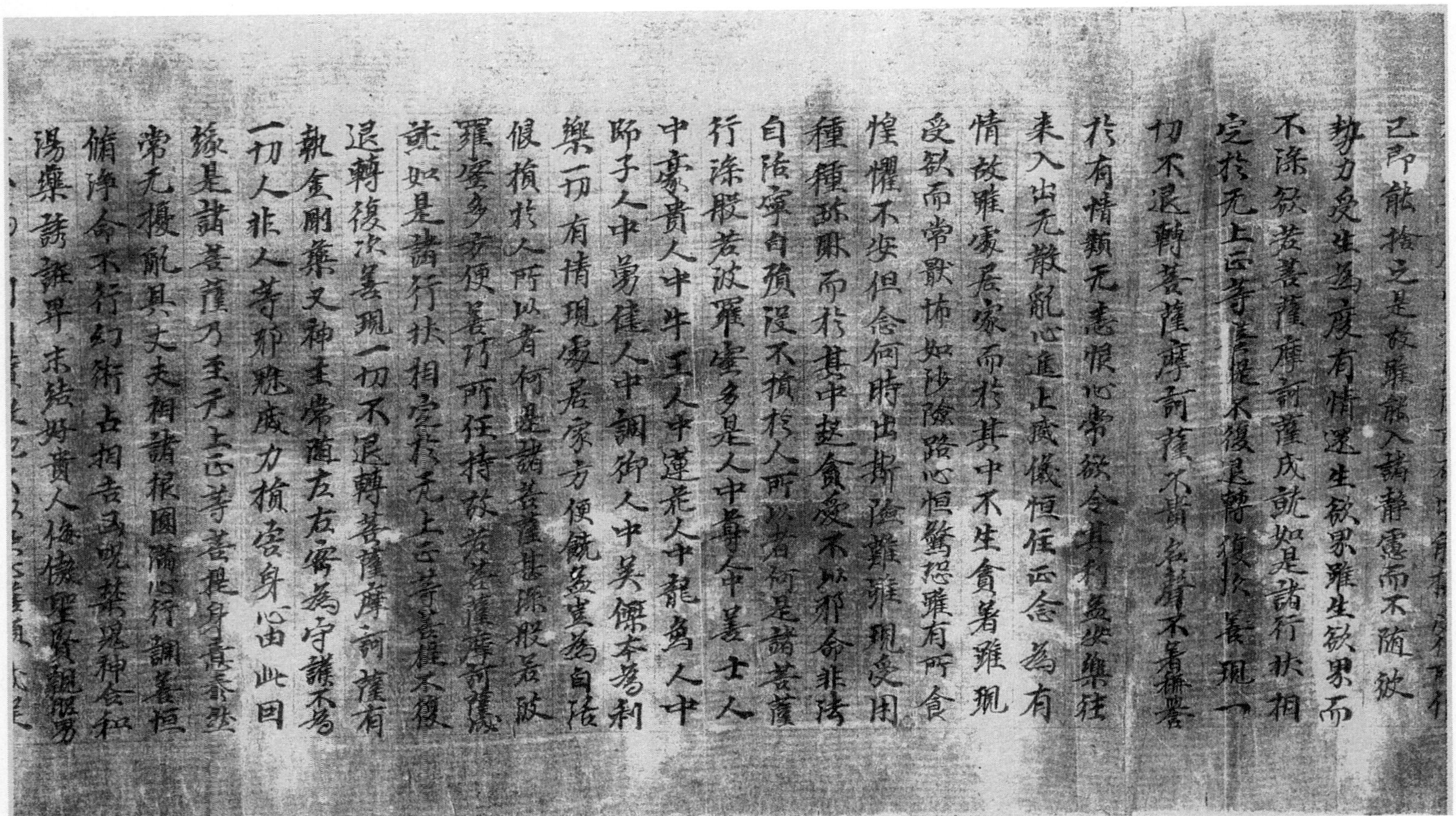

已即能捨之是故雖能入諸靜慮而不隨彼
勢力受生為度有情還生欲界雖生欲界而
不染欲若菩薩摩訶薩成就如是諸行狀相
定於无上正等菩提不復退轉復次善現一
切不退轉菩薩摩訶薩不皆名聲不著稱譽
於有情類无恚恨心常欲令其利益安樂往
來入出无散亂心進止威儀恒住正念為有
情故雖處居家而於其中不生貪著雖現
受欲而常猒怖如涉險路心恒驚恐雖有所食
惶懼不安但念何時出斯險難雖現受用
種種珍財而於其中起貪愛不以邪命非法
自活寧自殞沒不損於人所以者何是諸菩薩
行深般若波羅蜜多是人中尊人中善士人
中豪貴人中牛王人中蓮花人中龍象人中
師子人中勇健人中調御人中英傑人中猛利
樂一切有情現處居家方便饒益豈為自活
假損於人所以者何是諸菩薩深般若波
羅蜜多方便善巧所任持故若菩薩摩訶薩成
就如是諸行狀相定於无上正等菩提不復
退轉復次善現一切不退轉菩薩摩訶薩有
執金剛藥叉神王常隨左右密為守護不為
一切人非人等邪魅威力損害身心由此因
緣是諸菩薩乃至无上正等菩提身意泰然
常无擾亂具大夫相諸根圓滿心行調善恒
脩淨命不行幻術占相吉凶呪禁鬼神合和
湯藥誘誑界求結好貴人倚像聖賢親昵男

BD02245 號　大般若波羅蜜多經卷五四九　（11–2）

常无穢䬸具丈夫相諸根圓滿心行調善恒
脩淨命不行幻術占相吉凶呪禁鬼神合和
湯藥誘誑卑末結好貴人倭傲聖賢親昵男
女不為多利自讚毀他不以染心瞻顧戲咲
或見清淨志性淳質若菩薩摩訶薩成就如
是諸行狀相定於无上正等菩提不復退轉
復次善現一切不退轉菩薩摩訶薩於諸世
間文章伎藝雖得善巧而不愛著達一切法
不可得故皆離穢語邪命攝故於諸世俗外
道書論雖亦善知而不樂著達一切法本性
空故又諸世俗外道書論所說理事多有增
減於菩薩道非隨順故若菩薩摩訶薩成就
如是諸行狀相定於无上正等菩提不復退
轉復次善現一切不退轉菩薩摩訶薩復有
所餘諸行狀相吾當為汝分別解說謂彼菩
薩行深般若波羅蜜多達諸法空不樂觀察
論說衆事王事賊事軍事戰事城邑聚落象
馬車乘衣服飲食卧具花香男女好醜園林
池沼山海等事不樂觀察論說藥叉邏刹娑
等諸鬼神事不樂觀察論說街衢市肆樓
閣商賈等事不樂觀察論說歌儛伎樂排憂
戲譃等事不樂觀察論說洲渚橋梁舡舫珠寶
等事不樂觀察論說星辰風雨寒熱吉凶等
事不樂觀察論說種種法義相違文頌等事
不樂觀察論說異生聲聞獨覺相應之事但
樂觀察說論般若波羅蜜多相應之事善現

BD02245號　大般若波羅蜜多經卷五四九　（11–3）

事不樂觀察論說種種法義相違文頌等事
不樂觀察論說異生聲聞獨覺相應之事但
樂觀察說論般若波羅蜜多相應之事善現
當知是菩薩摩訶薩常不遠離甚深般若波
羅蜜多相應作意常不遠離薩般若心不好
乖違樂和諍訟常希正法不愛非法恒慕善
友不樂惡友好出法言離非法言樂見如來
欣出家衆十方國土有佛世尊宣說法要願
往生彼親近供養聽聞正法善現當知是菩
薩摩訶薩多從欲界色界天沒生贍部洲中
國人趣善於伎藝呪術經書地理天文及諸
法義或生邊地大國大城興諸有情作大饒
益善現當知是菩薩摩訶薩終不自疑我為
退轉為不退轉於自地法亦不生疑為有為
无於諸摩事善能覺了如預流者於自地法
終不生疑設有惡魔種種惑亂不能傾動如
是不退轉菩薩摩訶薩於自地法定不生疑妙
覺魔事不隨魔力如有造作无間業者彼
无間心恒常隨逐乃至命盡不能捨離設起
餘心不能遮伏此諸菩薩亦復如是不退轉
心恒常隨逐安住菩薩不退轉地世間天人
阿素洛等不能動壞自所得法於諸魔事善
能覺知所證法中常无疑惑雖生他世亦不
發起聲聞獨覺相應之心亦不自疑我於來
世能證无上佛菩提不安住自地不隨他緣
於自地法无能壞者所以者何是諸菩薩成

BD02245號　大般若波羅蜜多經卷五四九　（11–4）

發聲聞獨覺相應之心亦不自疑我於未
世能證无上佛菩提不安住自地不隨他緣
於自地法无能壞者所以者何是諸菩薩成
就无動无退轉智一切惡緣不能傾動其心
堅固踰於金剛設有惡魔作佛形像來到其
所作如是言汝今應求阿羅漢果永盡諸漏
入般涅槃汝未堪受大菩提記亦未證得无生
法忍汝今未有不退轉地諸行狀相如來不
應受汝无上大菩提記是菩薩摩訶薩聞
彼語時心无變動不退不沒无驚无怖但作
是念此定惡魔或魔眷屬化作佛像來至
我所作如是說若真佛說不應有異善現當知
若菩薩摩訶薩聞彼語時能作如是觀察
憶念定是惡魔化為佛像令我遠離甚深般
若波羅蜜多令我棄捨所求无上正等菩提是
故不應隨彼所說時魔驚怖即便隱沒是菩
薩摩訶薩定已安住不退轉地過去諸佛久
已受彼大菩提記所以者何是菩薩摩訶薩
具足成就不退轉地諸行狀相故能覺知惡
魔事業令彼隱沒更不復現若菩薩摩訶薩
成就如是諸行狀相定於无上正等菩提不
復退轉復次善現諸有不退轉菩薩摩訶薩
行深般若波羅蜜多攝護正等法不惜身命況
餘珍財朋友眷屬為護正等法勇猛精進恒作
是念如是正法即是諸佛清淨法身一切如
來恭敬供養我今攝護過去未來現在佛法

BD02245 號　大般若波羅蜜多經卷五四九　（11–5）

餘珍財朋友眷屬為護正等法勇猛精進恒作
是念如是正法即是諸佛清淨法身一切如
來恭敬供養我今攝護過去未來現在佛法
即為攝護三世諸佛清淨法身故我今應不
惜身命珍財親友攝護此法復作是念如是
正法通屬三世諸佛世尊我亦預在未來佛
數佛已受我大菩提記由此因緣諸佛正法
即是我法我應攝護不惜身命珍財親友我
未來世得作佛時亦為有情宣說此法是菩
薩摩訶薩見斯義利攝護如來所說正法不
惜身命乃至菩提常无懈倦若菩薩摩訶薩
成就如是諸行狀相定於无上正等菩提不
復退轉復次善現有不退轉菩薩摩訶薩
聞諸如來應正等覺所說正等无惑无疑聞
已受持能不忘失乃至无上正等菩提已得
聞持陁羅尼故介時善現便白佛言是菩薩
摩訶薩但聞如來應正等覺所說正法无惑
无疑乃至菩提常不忘失為聞菩薩及諸聲
聞天龍藥叉人非人等所說正法亦能於彼
无惑无疑乃至菩提常不忘失佛告善現是菩
薩摩訶薩普聞一切有情言音文字義理皆
能通達无惑无疑常不忘失所以者何是菩
薩摩訶薩於諸法中得无生忍已善通達諸
法實性聞皆可順蓋无疑惑又得聞持陁羅
尼故常能憶念終无忘失若菩薩摩訶薩成
就如是諸行狀相定於无上正等菩提不復
退轉善現當知是為不退轉菩薩摩訶薩諸

BD02245 號　大般若波羅蜜多經卷五四九　（11–6）

㞐故常能憶念終无忘失若菩薩摩訶薩成
就如是諸行狀相定於无上正等菩提不復
退轉善現當知是為不退轉菩薩摩訶薩諸
行狀相

第四分空相品第十八

介時具壽善現復白佛言世尊如是不退轉
菩薩摩訶薩成就希有廣大功德世尊能如
殑伽沙劫宣說不退轉菩薩摩訶薩諸行狀
相由佛所說諸行狀相顯示不退轉菩薩摩
訶薩成就无量殊勝功德唯願如來應正等
覺復為宣說甚深般若波羅蜜多相應義處
令諸菩薩安住其中脩諸功德速疾圓滿佛
告善現善哉善哉汝今乃能為諸菩薩摩訶
薩衆請問如來應正等覺甚深般若波羅蜜
多相應義處令諸菩薩安住其中脩諸功德
速疾圓滿善現當知甚深般若波羅蜜多相
應義處謂空无相无願无作无生无滅非有
寂靜離染涅槃具壽善現復白言佛為但此
法名深般若波羅蜜多相應義處為一切法
皆得名為甚深般若波羅蜜多相應義處佛
告善現餘一切法亦得名為甚深般若波羅
蜜多相應義處所以者何謂一切色受想行
識亦得名為甚深般若波羅蜜多相應義處
善現云何說一切色受想行識亦得名為甚
深般若波羅蜜多相應義處善現當知如真
如甚深故色亦甚深如真如甚深故受想行
識亦甚深故一切色受想行識亦得名為甚

BD02245號　大般若波羅蜜多經卷五四九　（11–7）

深般若波羅蜜多相應義處善現當知如真
如甚深故色亦甚深如真如甚深故受想行
識亦甚深故一切色受想行識亦得名為甚
深般若波羅蜜多相應義處復次善現如色
真如甚深故色亦甚深如受想行識真如甚
深故受想行識亦甚深故一切色受想行識
亦得名為甚深般若波羅蜜多相應義處復
次善現若處无色名色甚深若處无受想行
識名受想行識甚深故一切色受想行識亦
得名為甚深般若波羅蜜多相應義處介時
善現復白佛言世尊甚奇微妙方便遮遣諸
色顯示涅槃遮遣受想行識顯示涅槃佛告
善現如是如是如來所說善現當知諸菩薩
摩訶薩應於如是甚深般若波羅蜜多相應
義處審諦思惟應作是念我今應如甚深般
若波羅蜜多所教而住我今應如甚深般若
波羅蜜多所說而學善現當知若菩薩摩訶
薩能於如是甚深般若波羅蜜多相應義處
審諦思惟如深般若波羅蜜多所教而住如深
般若波羅蜜多所說而學是菩薩摩訶薩由
能如是依深般若波羅蜜多審諦思惟精
勤脩學乃至一日所獲福聚无量无邊如貪
行人復多尋伺與他美女共為期契彼女限
礙不獲赴期此人欲心熾盛流注善現於意
云何其人欲心於何處轉世尊此人欲心於
女處轉謂作是念彼何當來共會於此歡娛
戲樂善現於意云何其人晝夜發幾念生世

BD02245號　大般若波羅蜜多經卷五四九　（11–8）

云何其人欲心於何處轉世尊此人欲心於
女處轉謂作是念彼何當來共會於此歡娛
戲樂善現於意云何其人晝夜欲念生世
尊此人晝夜欲念甚多佛告善現若菩薩摩
訶薩依深般若波羅蜜多審諦思惟精勤修
學乃至一日所起生死流轉劫數與貪行人
經一晝夜所起欲念其數量等善現當知是
菩薩摩訶薩隨依如是甚深般若波羅蜜多
審諦思惟精勤修學隨能解脫能礙无上正
等菩提所有過失是故菩薩依深般若波
羅蜜多審諦思惟精勤修學疾證无上正等
菩提善現當知若菩薩摩訶薩依深般若波
羅蜜多審諦思惟精勤修學經一晝夜所獲
功德勝諸菩薩離深般若波羅蜜多經殑
伽沙數大劫布施功德无量无邊復次善現
若菩薩摩訶薩依深般若波羅蜜多審諦
思惟精勤修學經一晝夜所獲功德勝諸菩薩
離深般若波羅蜜多經如殑伽沙數大劫以
諸供具供養預流一來不還阿羅漢果獨覺菩
薩如來布施功德无量无邊復次善現若菩
薩摩訶薩依深般若波羅蜜多所說而住經一
晝夜精勤修學布施淨戒安忍精進靜慮般
若所獲功德勝諸菩薩離深般若波羅蜜多
經如殑伽沙數大劫精勤修學布施淨戒安
忍精進靜慮般若所獲功德无量无邊復次
善現若菩薩摩訶薩依深般若波羅蜜多所
說而住經一晝夜以微妙法施諸有情所獲

BD02245 號　大般若波羅蜜多經卷五四九　（11–9）

經如殑伽沙數大劫精勤修學布施淨戒安
忍精進靜慮般若所獲功德无量无邊復次
善現若菩薩摩訶薩依深般若波羅蜜多所
說而住經一晝夜以微妙法施諸有情所獲
功德勝諸菩薩離深般若波羅蜜多經如殑
伽沙數大劫以微妙法施諸有情所獲功德无
量无邊復次善現若菩薩摩訶薩依深般若
波羅蜜多所說而住經一晝夜修三十七菩
提分法及餘善根所獲功德勝諸菩薩離深
般若波羅蜜多經如殑伽沙數大劫修三十
七菩提分法及餘善根所獲功德无量无邊
復次善現若菩薩摩訶薩依深般若波羅蜜
多所說而住經一晝夜修行種種財施法施
住空閑處繫念思惟先所修行種種福業
與諸有情平等共有迴向无上正等菩提所獲
功德勝諸菩薩離深般若波羅蜜多經如殑
伽沙數大劫修行種種財施法施住空閑處
繫念思惟先所修行種種福業與諸有情平
等共有迴向无上正等菩提所獲功德无量
无邊復次善現若菩薩摩訶薩依深般若波
羅蜜多所說而住經一晝夜普緣三世諸佛
世尊及諸弟子功德善根和合稱量現前隨
喜與諸有情平等共有迴向无上正等菩提
所獲功德勝諸菩薩離深般若波羅蜜多經
如殑伽沙數大劫普緣三世諸佛世尊及諸
弟子功德善根和合稱量現前隨喜與諸有
情平等共有迴向无上正等菩提所獲功德

BD02245 號　大般若波羅蜜多經卷五四九　（11–10）

復次善現若菩薩摩訶薩依深般若波羅蜜
多所說而住經一晝夜脩行種種財施法施
住空閑處繫念思惟先所脩行種種福業
與諸有情平等共有迴向无上正等菩提所獲
功德勝諸菩薩離深般若波羅蜜多經如殑
伽沙數大劫脩行種種財施法施住空閑處
繫念思惟先所脩行種種福業與諸有情平
等共有迴向无上正等菩提所獲功德无量
无邊復次善現若菩薩摩訶薩依深般若波
羅蜜多所說而住經一晝夜普緣三世諸佛
世尊及諸弟子功德善根和合稱量現前隨
喜與諸有情平等共有迴向无上正等菩提
所獲功德勝諸菩薩離深般若波羅蜜多經
如殑伽沙數大劫普緣三世諸佛世尊及諸
弟子功德善根和合稱量現前隨喜與諸有
情平等共有迴向无上正等菩提所獲功德
无量无邊

大般若波羅蜜多經卷第五百卌九

BD02245號　大般若波羅蜜多經卷五四九　（11–11）

思惟是已復欲持嗟復發是言不足為難若
毀害者諸佛賢聖之所呵責有復世間善惡
不別此是惡人懷毒陰謀欲來害我若不
忍與彼惡人則无有異於忍之人一切愛敬
不忍之人衆所增惡增長煩惱長煩惱故生
死增長長生死故生諸難處生難處故遠離
善友遠善友故不聞正法不聞法故重覆疑
網以疑網故遠離阿耨多羅三藐三菩提是
故我今不應起惡作是念已即說偈言
願自喪身命　終不起惡心　向於壞色服　願自喪身命
終不起惡心　向於出家人
說是偈已即便命終天地六反震動驚諸禽
狩四散馳走无雲雨血日无精光尒時獵師
即脫袈裟持刀剝之擔負還歸既至家已奉
上國王王見歡喜問諸臣言我從生以來未
聞畜狩身毛金色如何今日親自眼見奇哉
怪哉徐問獵師以何方便而得是皮尒時獵
師即前白王唯願大王賜我无畏當以上事
向大王說王聞是語心生憂惱譬如人噎復
不得咽又不得吐即出宣令一切大臣及
諸小王大眾已集即自宣言諸君當知我曾

BD02246號　大方便佛報恩經（兑廢稿）卷七　（2–1）

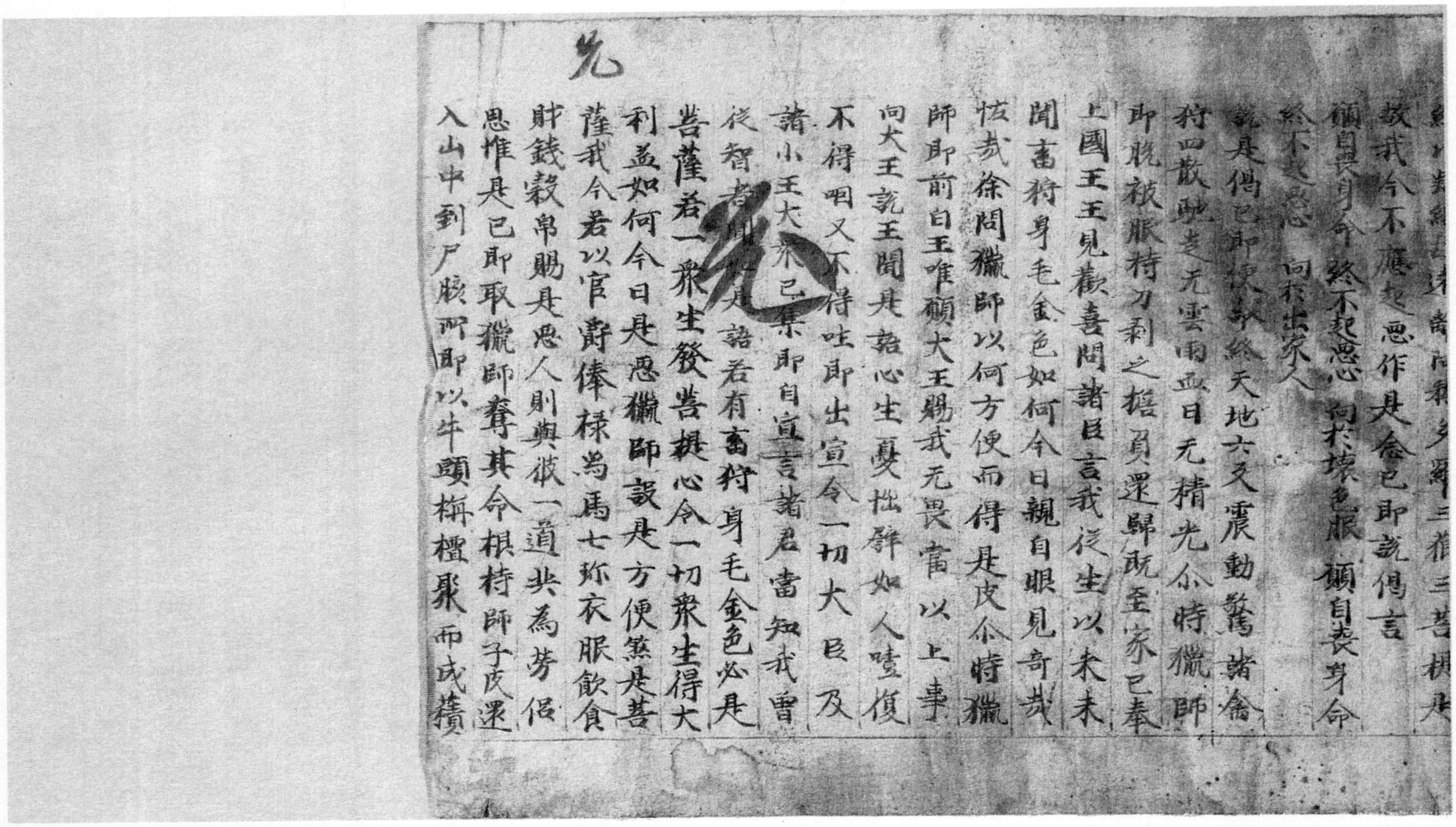
紙以煞…
教我今不應起惡作是念已即說偈言
願自喪身命　終不起惡心　向於壞色服　願自喪身命
終不起惡心　向於出家人
說是偈已即便命終天地六反震動驚諸禽
狩四散馳走无雲雨血日无精光尒時獵師
即脫袈裟持刀剝之擔負還歸既至家已奉
上國王王見歡喜問諸臣言我從生以來未
聞畜狩身毛金色如何今日親自眼見奇哉
怪哉徐問獵師以何方便而得是皮尒時獵
師即前白王唯願大王賜我无畏當以上事
向大王說王聞是語心生憂惱譬如人噎復
不得咽又不得吐即出宣令一切大臣及
諸小王大衆已集即自宣言諸君當知我曾
從智者聞如是語若有畜狩身毛金色必是
菩薩若一衆生發菩提心令一切衆生得大
利益如何今日是惡獵師設是方便煞是菩
薩我今若以官爵俸祿為馬七珍衣服飲食
財錢穀帛賜是惡人則與彼一道共為侶
思惟是已即取獵師奪其命根持師子皮還
入山中到尸骸所即以牛頭栴檀聚而成積

BD02246 號　大方便佛報恩經（兌廢稿）卷七　（2–2）

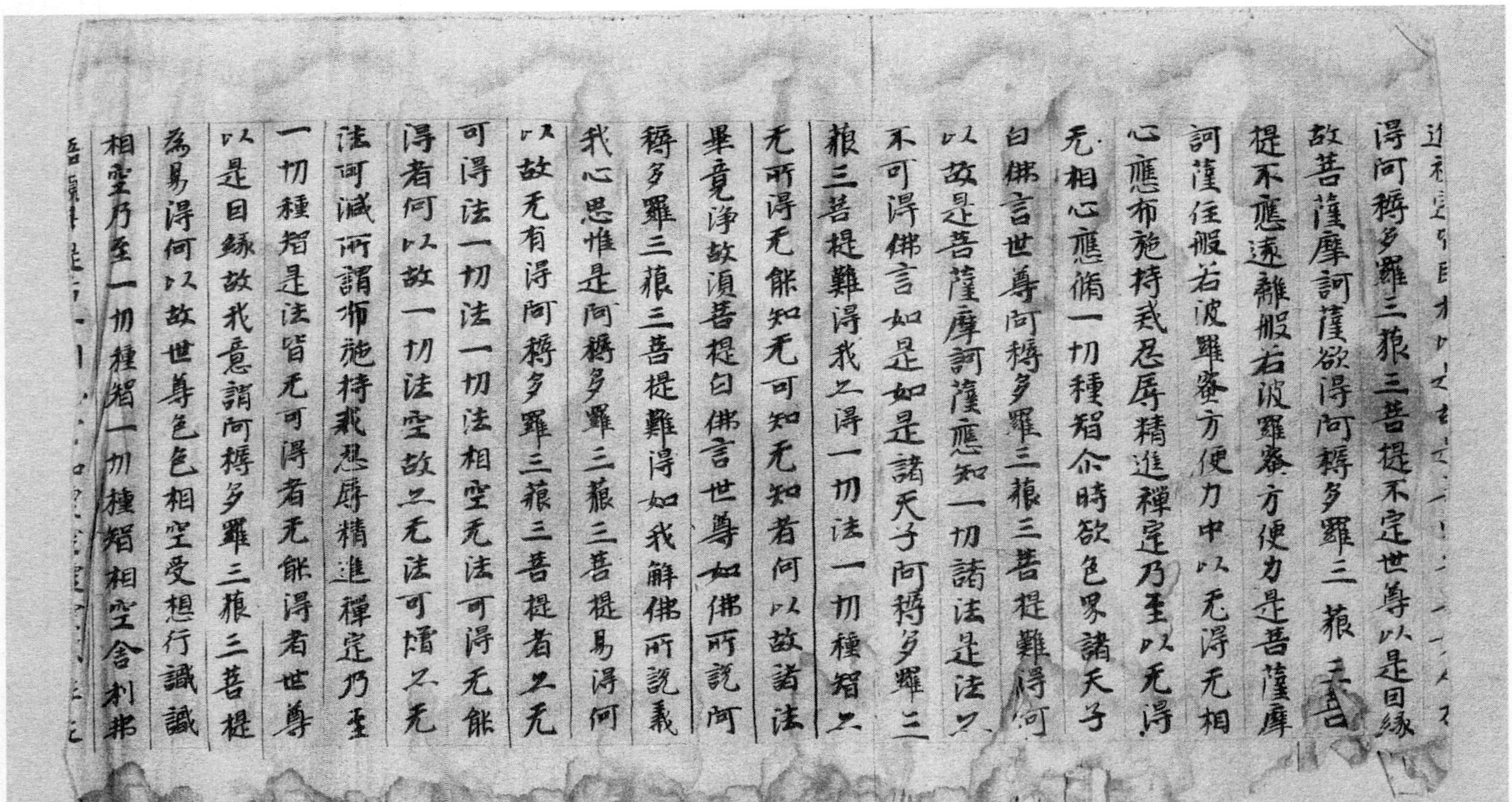
得阿耨多羅三藐三菩提不定世尊以是因緣
故菩薩摩訶薩欲得阿耨多羅三藐三菩
提不應遠離般若波羅蜜方便力是菩薩摩
訶薩住般若波羅蜜方便力中以无得无相
心應布施持戒忍辱精進禪定乃至以无得
无相心應脩一切種智尒時欲色界諸天子
白佛言世尊阿耨多羅三藐三菩提難得何
以故是菩薩摩訶薩應知一切諸法是法以
不可得佛言如是如是諸天子阿耨多羅三
藐三菩提難得我之得一切法一切種智之
无所得无能知无可知无知者何以故諸法
畢竟淨故須菩提白佛言世尊如佛所說阿
耨多羅三藐三菩提難得如我解佛所說義
我心思惟是阿耨多羅三藐三菩提易得何
以故无有得阿耨多羅三藐三菩提者之无
可得法一切法一切法相空无法可得无能
得者何以故一切法空故之无法可增不无
法可滅所謂布施持戒忍辱精進禪定乃至
一切種智是法皆无可得者无能得者世尊
以是因緣故我意謂阿耨多羅三藐三菩提
為易得何以故世尊色色相空受想行識識
相空乃至一切種智一切種智相空舍利弗

BD02247 號　摩訶般若波羅蜜經卷一六　（1–1）

善根而得生
善男子譬如……
心利衆生故……
子譬如大地持
蜜因譬如師……
故是名第三忍……
延力勇壯速疾……
羅蜜因譬如七寶……
來吹四門受安隱……
名第五靜慮波羅蜜因
此心速能破滅生死……
慧波羅蜜因譬如商主能……心願
此心能度生死險道獲功德寶故是名第七
方便勝智波羅蜜因譬如淨月圓滿無翳此
心能於一切境界清淨具足故是名第八願
波羅蜜因譬如轉輪聖王主兵寶臣隨意自
在此心善能莊嚴淨佛國土無量功德廣利
群生故是名第九力波羅蜜因譬如虛空及
轉輪聖王此心能於一切境界無有障礙於
一切處皆得自在至灌頂位故是名第十智
波羅蜜因善男子是名菩薩摩訶薩十種菩
提心因如是十因汝當修學

BD02248號　金光明最勝王經卷四　（16–1）

轉輪聖王此心能於一切境界無有障礙於
一切處皆得自在至灌頂位故是名第十智
波羅蜜因善男子是名菩薩摩訶薩十種菩
提心因如是十因汝當修學
善男子依五種法菩薩摩訶薩成就布施波
羅蜜云何為五一者信根二者慈悲三者無
求欲心四者攝受一切衆生五者願求一切
智智善男子是名菩薩摩訶薩成就布施波
羅蜜善男子復依五法菩薩摩訶薩成就持
戒波羅蜜云何為五一者三業清淨二者不
為一切衆生作煩惱因緣三者閉諸惡道開
善趣門四者過於聲聞獨覺之地五者一切
功德皆悉滿足善男子是名菩薩摩訶薩成
就持戒波羅蜜善男子復依五法菩薩摩訶
薩成就忍辱波羅蜜云何為五一者能伏貪
瞋煩惱二者不惜身命不求安樂止息之想
三者思惟往業遭苦能忍四者發慈悲心成
就衆生諸善根故五者為得甚深無生法忍
善男子是名菩薩摩訶薩成就忍辱波羅蜜
善男子復依五法菩薩摩訶薩成就勤策波
羅蜜云何為五一者與諸煩惱不樂共住二
者福德未具不受安樂三者於諸難行苦行
之事不生厭心四者以大慈悲攝受利益方
便成熟一切衆生五者願求不退轉地善男
子是名菩薩摩訶薩成就勤策波羅蜜善男
子復依五法菩薩摩訶薩成就靜慮波羅蜜

BD02248號　金光明最勝王經卷四　（16–2）

之事不生厭心四者以大慈悲攝受利益方
便成熟一切衆生五者願求不退轉地善男
子是名菩薩摩訶薩成就勤策波羅蜜善男
子復依五法菩薩摩訶薩成就靜慮波羅蜜
云何為五一者於諸善法攝令不散故二者
常願解脫不著二邊故三者願得神通成就
衆生諸善根故四者為淨法界蠲除心垢故
五者為斷衆生煩惱根本故善男子是名菩
薩摩訶薩成就靜慮波羅蜜善男子復依五
法菩薩摩訶薩成就智慧波羅蜜云何為五
一者常於一切諸佛菩薩及明智者供養親
近不生厭背二者諸佛如來說甚深法心常
樂聞無有厭足三者真俗勝智樂善分別四
者見修煩惱咸速斷除五者世間技術五明
之法皆悉通達善男子是名菩薩摩訶薩成
就智慧波羅蜜善男子復依五法菩薩摩訶
薩成就方便波羅蜜云何為五一者於一切
衆生意樂煩惱心行差別悉皆通達二者無
量諸法對治之門心皆曉了三者大慈悲定
出入自在四者於諸波羅蜜多皆願修行成
熟滿足五者一切佛法皆願了達攝受無遺
善男子是名菩薩摩訶薩成就方便勝智波
羅蜜善男子復依五法菩薩摩訶薩成就願
波羅蜜云何為五一者於一切法從本以來
不生不滅非有非無心得安住二者觀一切
法最妙理趣離垢清淨心得安住三者過一

BD02248號　金光明最勝王經卷四　（16–3）

波羅蜜云何為五一者於一切法從本以來
不生不滅非有非無心得安住二者觀一切
法最妙理趣離垢清淨心得安住三者過一
切相心本真如無作無行不異不動心得安
住四者為欲利益諸衆生事於俗諦中心得
安住五者於奢摩他毗鉢舍那同時運行心
得安住善男子是名菩薩摩訶薩成就願波
羅蜜善男子復依五法菩薩摩訶薩成就力
波羅蜜云何為五一者以正智力能了一切
衆生心行善惡二者能令一切衆生入於甚
深微妙之法三者一切衆生輪迴生死隨其
緣業如實了知四者於諸衆生三種根性以
正智力能分別知五者於諸衆生如理為說
令種善根成就度脫皆是智力故善男子是
名菩薩摩訶薩成就力波羅蜜善男子復依
五法菩薩摩訶薩成就智波羅蜜云何為五
一者能於諸法分別善惡二者於黑白法遠
離攝受三者能於生死涅槃不厭不喜四者
具福智行至究竟處五者受勝灌頂能得諸
佛不共法等及一切智智善男子是名菩薩
摩訶薩成就智波羅蜜善男子何者是波羅
蜜義所謂修習勝利是波羅蜜義滿足無量
大甚深智是波羅蜜義行非行法心不執著
是波羅蜜義生死過失涅槃功德正覺正觀
是波羅蜜義愚人智人皆悉攝受是波羅蜜
[illegible]

BD02248號　金光明最勝王經卷四　（16–4）

蜜義所謂修習勝利是波羅蜜義滿足無量
大甚深智是波羅蜜義行非行法心不執著
是波羅蜜義生死過失涅槃功德正覺正觀
是波羅蜜義愚人智人皆悉攝受是波羅蜜
義能現種種珍妙法寶是波羅蜜義無礙解
脫智慧滿足是波羅蜜義法界衆生界正分
別知是波羅蜜義施等及智能令至不退轉
是波羅蜜義無生法忍能令滿足是波羅蜜
義一切衆生功德善根能令成熟是波羅蜜
義能於菩提成佛十力四無所畏不共法等
皆悉成就是波羅蜜義生死涅槃了無二相
是波羅蜜義濟度一切是波羅蜜義一切外
道來相詰難善能解釋令其降伏是彼羅蜜
義能轉十二妙行法輪是波羅蜜義無所著
無所見無患累是波羅蜜多義
善男子初地菩薩是相先現三千大千世界
無量無邊種種寶藏無不盈滿菩薩悉見善
男子二地菩薩是相先現三千大千世界地
平如掌無量無邊種種妙色清淨珍寶莊嚴
之具菩薩悉見善男子三地菩薩是相先現
自身勇健甲仗莊嚴一切怨賊皆能摧伏菩
薩悉見善男子四地菩薩是相先現四方風
輪種種妙花悉皆散灑充布地上菩薩悉見
善男子五地菩薩是相先現有妙寶女衆寶
瓔珞周遍嚴身首冠名花以為其飾菩薩悉
見善男子六地菩薩是相先現七寶花池有

BD02248 號　金光明最勝王經卷四　（16–5）

善男子五地菩薩是相先現有妙寶女衆寶
瓔珞周遍嚴身首冠名花以為其飾菩薩悉
見善男子六地菩薩是相先現七寶花池有
四階道金砂遍布清淨無穢八功德水皆悉
盈滿嗢鉢羅花拘物頭花分陁利花隨處莊
嚴於花池所遊戲快樂清涼無比菩薩悉見
善男子七地菩薩是相先現於菩薩前有諸
衆生應墮地獄以菩薩力便得不墮無有損
傷亦無恐怖菩薩悉見善男子八地菩薩是
相先現於身兩邊有師子王以為衛護一切
衆獸悉皆怖畏菩薩悉見善男子九地菩薩
是相先現轉輪聖王無量億衆圍繞供養頂
上白蓋無量衆寶之所莊嚴菩薩悉見善男
子十地菩薩是相先現如來之身金色晃耀
無量淨光悉皆圓滿有無量億梵王圍繞恭
敬供養轉於無上微妙法輪菩薩悉見
善男子云何初地名為歡喜謂初證得出世
之心昔所未得而今始得於大事用如其所
願悉皆成就生極喜樂是故最初名為歡喜
諸微細垢犯戒過失皆得清淨是故二地名
為無垢無量智慧三昧光明不可傾動無能
摧伏聞持陁羅尼以為根本是故三地名為
明地以智慧火燒諸煩惱增長光明修行覺
品是故四地名為焰地修行方便勝智自在
極難得故見修煩惱難伏能伏是故五地名
為難勝行法相續了了顯現無相思惟皆悉

BD02248 號　金光明最勝王經卷四　（16–6）

明地以智慧火燒諸煩惱增長光明修行覺
品是故四地名為焰地修行方便勝智自在
極難得故見修煩惱難伏能伏是故五地名
為難勝行法相續了了顯現無相思惟皆悉
現前是故六地名為現前無漏無間無相思
惟解脫三昧遠修行故是地清淨無有障礙
是故七地名為遠行無相思惟修得自在諸
煩惱行不能令動是故八地名為不動說一
切法種種差別皆得自在無患無累增長智
慧自在無礙是故九地名為善慧法身如虛
空智慧如大雲皆能遍滿覆一切故是故第
十名為法雲
善男子執著有相我法無明怖畏生死惡趣
無明此二無明障於初地微細學處誤犯無
明發起種種業行無明此二無明障於二地
未得令得愛著無明能障殊勝總持無明此
二無明障於三地味著等至喜悅無明微妙
淨法愛樂無明此二無明障於四地欲背生
死無明希趣涅槃無明此二無明障於五地
觀行流轉無明麁相現前無明此二無明障
於六地微細諸相現行無明作意欣樂無相
無明此二無明障於七地於無相觀功用無
明執相自在無明此二無明障於八地於所
說義及名句文此二無量未善巧無明於詞
辯才不隨意無明此二無明障於九地於大
神通未得自在變現無明微細祕密未能悟

BD02248號　金光明最勝王經卷四　（16–7）

說義及名句文此二無量未善巧無明於詞
辯才不隨意無明此二無明障於九地於大
神通未得自在變現無明微細祕密未能悟
解事業無明此二無明障於十地於一切境
微細所知障礙無明極細煩惱麁重無明此
二無明障於佛地
善男子菩薩摩訶薩於初地中行施波羅蜜
於第二地行戒波羅蜜於第三地行忍波羅
蜜於第四地行勤波羅蜜於第五地行定波
羅蜜於第六地行慧波羅蜜於第七地行方
便勝智波羅蜜於第八地行願波羅蜜於第
九地行力波羅蜜於第十地行智波羅蜜善
男子菩薩摩訶薩最初發心攝受能生妙寶
三摩地第二發心攝受能生可愛樂三摩地
第三發心攝受能生難動三摩地第四發心
攝受能生不退轉三摩地第五發心攝受能
生寶花三摩地第六發心攝受能生日圓光
焰三摩地第七發心攝受能生一切願如
意成就三摩地第八發心攝受能生現前證
住三摩地第九發心攝受能生智藏三摩地
第十發心攝受能生勇進三摩地善男子是
名菩薩摩訶薩十種發心善男子菩薩摩訶
薩於此初地得陁羅尼名依功德力爾時世
尊即說呪曰
怛　姪　他　晡啢你　曷奴喇剃
獨虎　獨　虎獨虎　耶跋　菻　剎　踰

BD02248號　金光明最勝王經卷四　（16–8）

尊所說呪曰
怛姪他 晡嵂你 寫奴喇剃
獨虎 獨虎 獨虎 耶䟦蘓利瑜
阿婆婆薩底丁里反下皆同 耶䟦旃達囉
調怛底 多䟦達洛叉潟
悍荼鉢喇 訶嚧 珥嚕 莎訶
善男子此陁羅尼是過一恒河沙數諸佛所
說為護初地菩薩故若有誦持此陁羅尼呪
者得脫一切怖畏所謂虎狼師子惡獸之類
一切惡鬼人非人等怨賊災横及諸苦惱解脫
五障不忘念初地善男子菩薩摩訶薩於第二
地得陁羅尼名善安樂住
怛姪他 嗢篅入聲下同里
質里質里 嗢篅羅羅引喃
繕覩繕覩 嗢篅里 虎嚕虎嚕莎訶
善男子此陁羅尼是過二恒河沙數諸佛所
說為護二地菩薩故若有誦持此陁羅尼呪
者脫諸怖畏惡獸惡鬼人非人等怨賊災横
及諸苦惱解脫五障不忘念二地
善男子菩薩摩訶薩於第三地得陁羅尼名
難勝力
怛姪他 憚宅枳 般宅枳
羯喇㰂 高喇㰂 雞由哩 憚㰂里莎訶
善男子此陁羅尼是過三恒河沙數諸佛所
說為護三地菩薩故若有誦持此陁羅尼呪
者脫諸怖畏惡獸惡鬼人非人等怨賊災横

BD02248 號　金光明最勝王經卷四　（16–9）

善男子此陁羅尼是過三恒河沙數諸佛所
說為護三地菩薩故若有誦持此陁羅尼呪
者脫諸怖畏惡獸惡鬼人非人等怨賊災横
及諸苦惱解脫五障不忘念三地
善男子菩薩摩訶薩於第四地得陁羅尼名
大利益
怛姪他 室喇 室喇
陁弭你 陁弭你 陁哩 陁哩你
室喇 室喇你 毗舍羅波世波始娜
畔陁弭帝莎訶
善男子此陁羅尼是過四恒河沙數諸佛所
說為護四地菩薩故若有誦持此陁羅尼呪
者脫諸怖畏惡獸惡鬼人非人等怨賊災横
及諸苦惱解脫五障不忘念四地
善男子菩薩摩訶薩於第五地得陁羅尼名
種種功德莊嚴
怛姪他 訶哩 訶哩你
遮哩 遮哩你 羯喇摩引你
僧羯喇摩引你 三婆山你 瞻跋你
悉耽婆你 謨漢你 碎闍步陛 莎訶
善男子此陁羅尼是過五恒河沙數諸佛所
說為護五地菩薩故若有誦持此陁
羅尼呪者脫諸怖畏惡獸惡鬼人非人等怨
賊災横及諸苦惱解脫五障不忘念五地
善男子菩薩摩訶薩於第六地得陁羅尼名
圓滿智

BD02248 號　金光明最勝王經卷四　（16–10）

羅尼呪者脫諸怖畏惡獸惡鬼人非人等怨
賊災橫及諸苦惱解脫五障不忘念五地
善男子菩薩摩訶薩於第六地得陁羅尼名
圓滿智
怛　姪　他　毗徒哩毗徒哩
摩哩你迦里迦里　毗度　漢　底
嚕　嚕　嚕　嚕　主　嚕　主　嚕
杜嚕婆　杜嚕婆　捨　捨設者婆哩灑
莎入悉底薩婆薩埵喃　悉　甸　覩　漫
曼怛囉鉢陁你莎訶
善男子此陁羅尼是過六恒河沙數諸佛所
說為護六地菩薩摩訶薩故若有誦持此陁
羅尼呪者脫諸怖畏惡獸惡鬼人非人等怨
賊災橫及諸苦惱解脫五障不忘念六地
善男子菩薩摩訶薩於第七地得陁羅尼名
法勝行
怛　姪　他　句訶上句訶引嚕
句訶句訶句訶嚕　鞞陸枳鞞陸枳
阿蜜栗多嚧漢你　勃里山你
鞞嚕勃枳婆嚕伐底　鞞提呬枳
頻陁鞞哩你　阿蜜哩底枳
薄虎主愈　薄虎主愈莎訶
善男子此陁羅尼是過七恒河沙數諸佛所
說為護七地菩薩故若有誦持此陁羅尼呪
者脫諸怖畏惡獸惡鬼人非人等怨賊災橫
及諸苦惱解脫五障不忘念七地

BD02248 號　金光明最勝王經卷四　（16–11）

者脫諸怖畏惡獸惡鬼人非人等怨賊災橫
及諸苦惱解脫五障不忘念七地
善男子菩薩摩訶薩於第八地得陁羅尼名
無盡藏
怛　姪　他　室唎室唎室唎你
蜜底蜜底　底　羯哩羯哩醯嚕醯嚕
主嚕主嚕　嚕　畔陁弭莎訶
善男子此陁羅尼是過八恒河沙數諸佛所說
為護八地菩薩故若有誦持此陁羅尼呪者
脫諸怖畏惡獸惡鬼人非人等怨賊災橫及
諸苦惱解脫五障不忘念八地
善男子菩薩摩訶薩於第九地得陁羅尼名
無量門
怛　姪　他　訶哩旃荼哩枳
俱藍婆唎體天里反　都　刺　死
拔吒拔吒死室唎室唎　迦室哩迦必室唎
莎蘇活反　悉　底　薩婆薩埵喃莎訶
善男子此陁羅尼是過九恒河沙數諸佛所
說為護九地菩薩故若有誦持此陁羅尼呪
者脫諸怖畏惡獸惡鬼人非人等怨賊災橫
及諸苦惱解脫五障不忘念九地
善男子菩薩摩訶薩於第十地得陁羅尼名
破金剛山
怛　姪　他　悉提去　蘇悉提去
謨折你　木察你　毗木底菴末麗
毗末麗　涅末麗　忙　揭　麗

BD02248 號　金光明最勝王經卷四　（16–12）

怛　姪　他　　悉提去　蘇悉提去
謨折你　木察你　　毗木底　菴末麗
毗末麗　涅末麗　　忙　揭　麗
㗔囒若　揭鞞　　曷喇怛娜　揭鞞
三曼多　跋姪　嚩　　薩婆頞他　娑憚你
摩捺斯　莫訶摩捺斯　　頞　步　底
頞　窒　步　底　　阿喇揩　毗喇揩
頞主底　菴竂　栗底　　阿喇揩　毗　喇揩
跋　嚧　謎　　跋囉鉗甘火　麼莎入　嚩
晡喇　你晡喇娜　　曷奴喇剃　莎訶
善男子此陀羅尼灌頂吉祥句是過十恒河
沙數諸佛所說爲護十地菩薩故若有誦持
此陀羅尼呪者脫諸怖畏惡獸惡鬼人非人
等怨賊災横一切毒害皆悉除滅解脫五障
不忘念十地
尒時師子相無礙光燄菩薩聞佛說此不可
思議陀羅尼已即從座起偏袒右肩右膝著
地合掌恭敬頂礼佛足以頌讚佛
敬礼無譬喻　甚深無相法　衆生失正知　唯佛能濟度
如來明慧眼　不見一法相　復以正法眼　普照不思議
不生於一法　亦不滅一法　由斯平等見　得至無上處
不壞於生死　亦不住涅槃　不著於二邊　是故證圓寂
於淨不淨品　世尊知一味　由不分別故　獲得最清淨
世尊無邊身　不說於一字　令諸弟子衆　法雨皆充滿
佛觀衆生相　一切種皆無　然於苦惱者　常與於救護

BD02248號　金光明最勝王經卷四　（16–13）

於淨不淨品　世尊知一味　由不分別故　獲得最清淨
世尊無邊身　不說於一字　令諸弟子衆　法雨皆充滿
佛觀衆生相　一切種皆無　然於苦惱者　常與於救護
苦樂常無常　有我無我等　不一亦不異　不生亦不滅
如是衆多義　隨說有差別　譬如空谷響　唯佛能了知
法界無分別　是故無異乘　爲度衆生故　分別說有三
尒時大自在梵天王亦從座起偏袒右肩右
膝著地合掌恭敬頂礼佛足而白佛言世尊
此金光明最勝王經希有難量初中後善文
義究竟皆能成就一切佛法若受持者是人
則爲報諸佛恩佛言善男子如是如是如汝
所說善男子若得聽聞是經典者皆不退於
阿耨多羅三藐三菩提何以故善男子是能
成熟不退地菩薩殊勝善根是第一法印是
衆經王故應聽聞受持讀誦何以故善男子
若一切衆生未種善根未成熟善根未親近
諸佛者不能聽聞是微妙法若善男子善女
人能聽受者一切罪障皆悉除滅得最清淨
常得見佛不離諸佛及善知識勝行之人恒
聞妙法住不退地獲得如是勝陀羅尼門所
謂無盡無減海印出妙功德陀羅尼無盡無
減通達衆生意行言語陀羅尼無盡無減日
圓無垢相光陀羅尼無盡無減滿月相光陀
羅尼無盡無減能伏諸惑演功德流陀羅尼
無盡無減破金剛山陀羅尼無盡無減說不
可說義因緣藏陀羅尼無盡無減通達實語

BD02248號　金光明最勝王經卷四　（16–14）

羅尼無盡無减能伏諸惑演功德流陀羅尼
無盡無减破金剛山陀羅尼無盡無减說不
可說義因緣藏陀羅尼無盡無减道達實語
法則音聲陀羅尼無盡無减虛空無垢心行
印陀羅尼無盡無减無邊佛身皆能顯現陀
羅尼無盡無减
善男子如是等無盡無减諸陀羅尼門得成
就故是菩薩摩訶薩能於十方一切佛土化
作佛身演說無上種種正法於法真如不動
不住不來不去善能成熟一切衆生善根亦
不見一衆生可成熟者雖說種種諸法於言
詞中不動不住不去不來能於生滅證無生
滅以何因緣說諸行法無有去來由一切法
體無異故說是法時三万億菩薩摩訶薩得
無生法忍無量諸菩薩不退菩提心無量無
邊苾芻苾芻尼得法眼淨無量衆生發菩提
心尒時世尊而說頌曰
勝法能逆生死流　甚深微妙難得見
有情盲冥貪欲覆　由不見故受衆苦
尒時大衆俱從座起頂禮佛足而白佛言世
尊若所在處講宣讀誦此金光明最勝王經
我等大衆皆悉往彼為作聽衆是說法師令
得利益安樂無障身意泰然我等皆當盡心
供養亦令聽衆安隱快樂所住國土無諸怨
賊恐怖厄難飢饉之苦人民熾盛此說法處
道場之地一切諸天人非人等一切衆生不

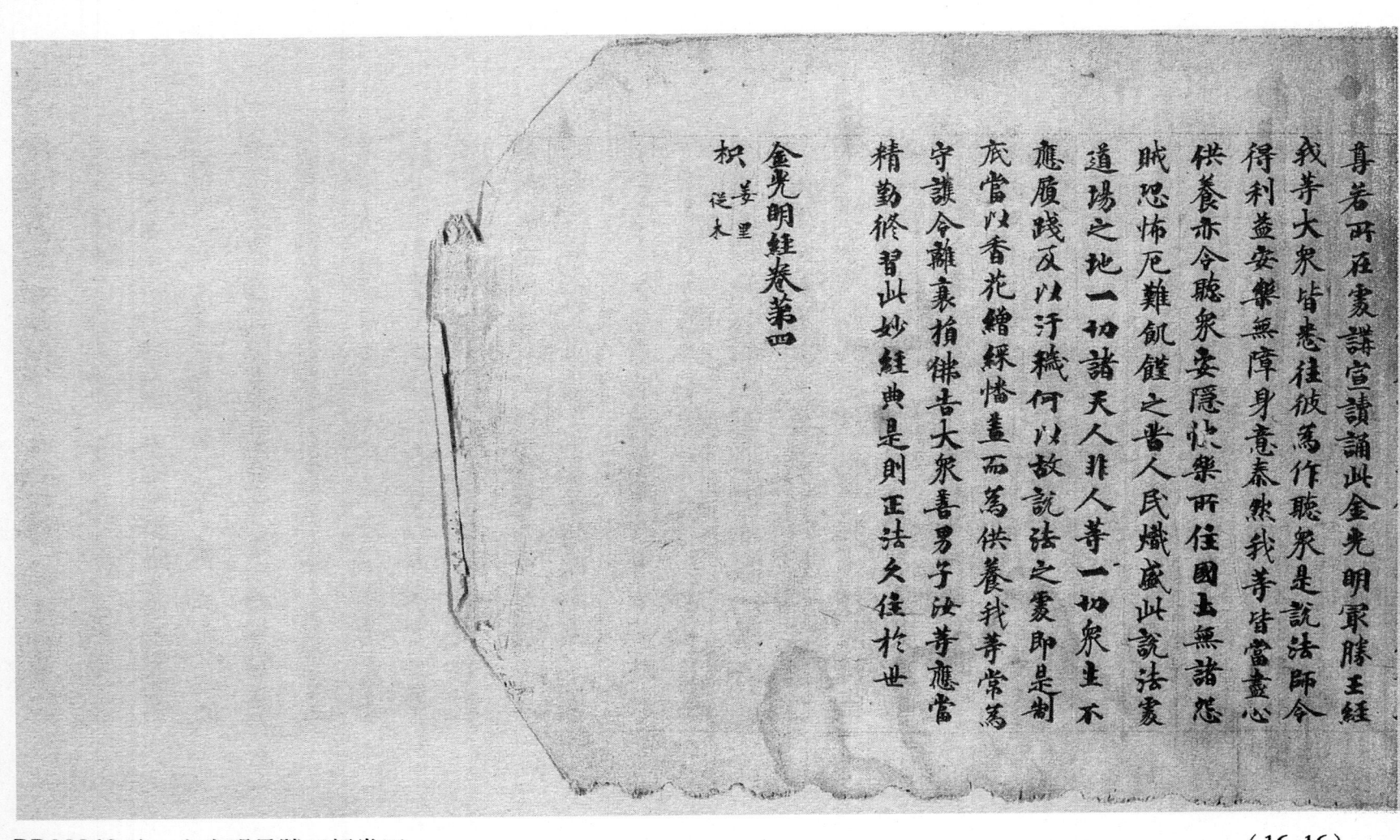

BD02248 號　金光明最勝王經卷四　（16–15）

尊若所在處講宣讀誦此金光明最勝王經
我等大衆皆悉往彼為作聽衆是說法師令
得利益安樂無障身意泰然我等皆當盡心
供養亦令聽衆安隱快樂所住國土無諸怨
賊恐怖厄難飢饉之苦人民熾盛此說法處
道場之地一切諸天人非人等一切衆生不
應履踐及以汙穢何以故說法之處即是制
底當以香花繒綵幡蓋而為供養我等常為
守護令離衰損佛告大衆善男子汝等應當
精勤修習此妙經典是則正法久住於世

金光明經卷第四

枳　姜里　從木

BD02248 號　金光明最勝王經卷四　（16–16）

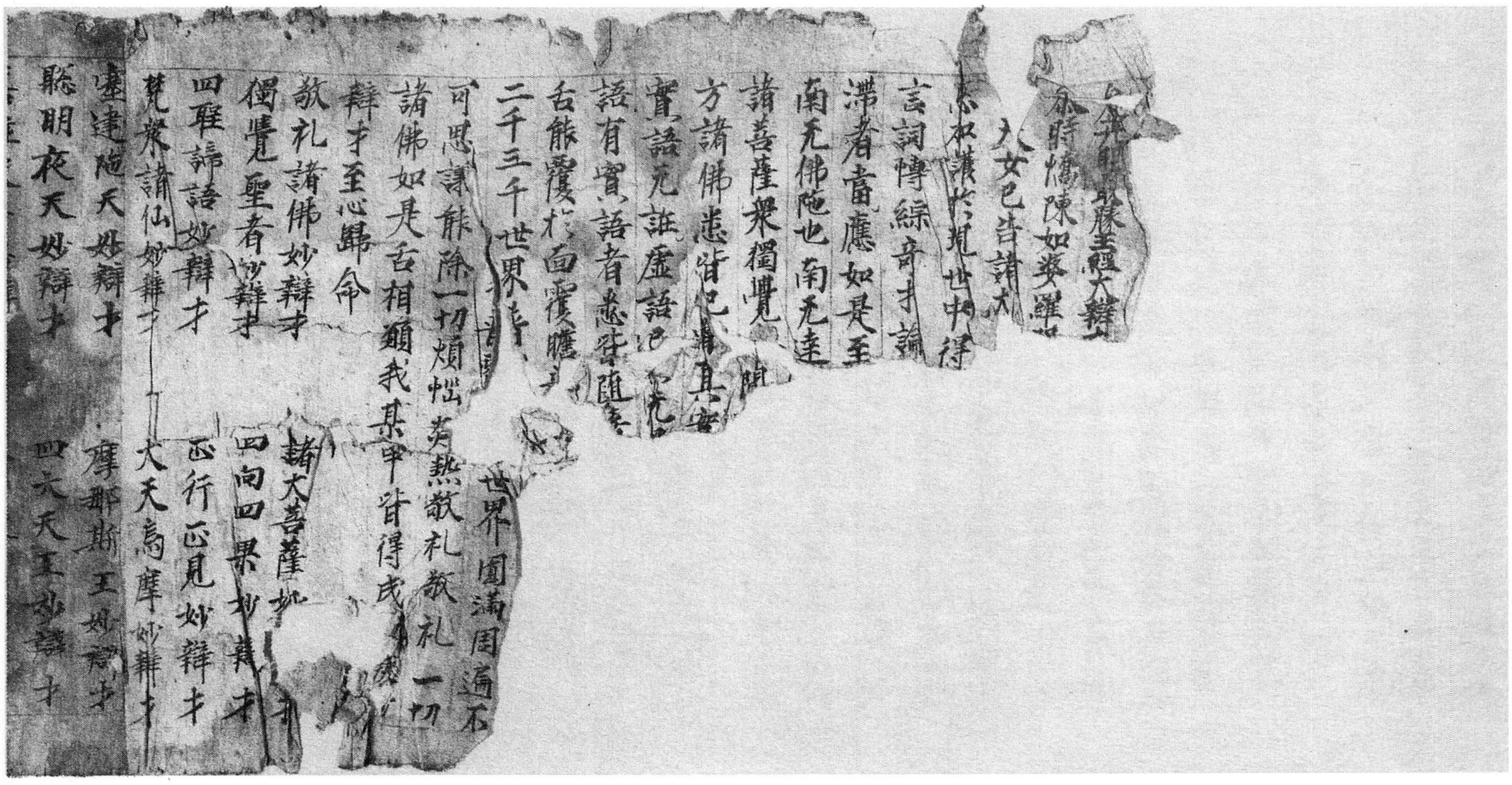
金光明最勝王經大辯
爾時憍陳如婆羅
入女已皆請大
恭敬讚歎現世中得
言詞博綜奇才論
滞者當應如是至
南无佛陁也　南无達
諸菩薩衆獨覺聞
方諸佛悉皆已為其
實語无誑虛語已
語有實語者悉皆隨喜
舌能覆於面覆臘
二千三千世界　世界圓滿周遍不
可思議能除一切煩惱炎熱敬礼敬礼一切
諸佛如是舌相願我某甲皆得成就
辯才至心歸命
敬礼諸佛妙辯才　諸大菩薩妙
獨覺聖者妙辯才　四向四果妙辯才
四聖諦語妙辯才　正行正見妙辯才
梵衆諸仙妙辯才　大天爲摩妙辯才
塞建陁天妙辯才　摩那斯王妙辯才
聡明夜天妙辯才　四大天王妙辯才

BD02249 號　金光明最勝王經卷八　（19–1）

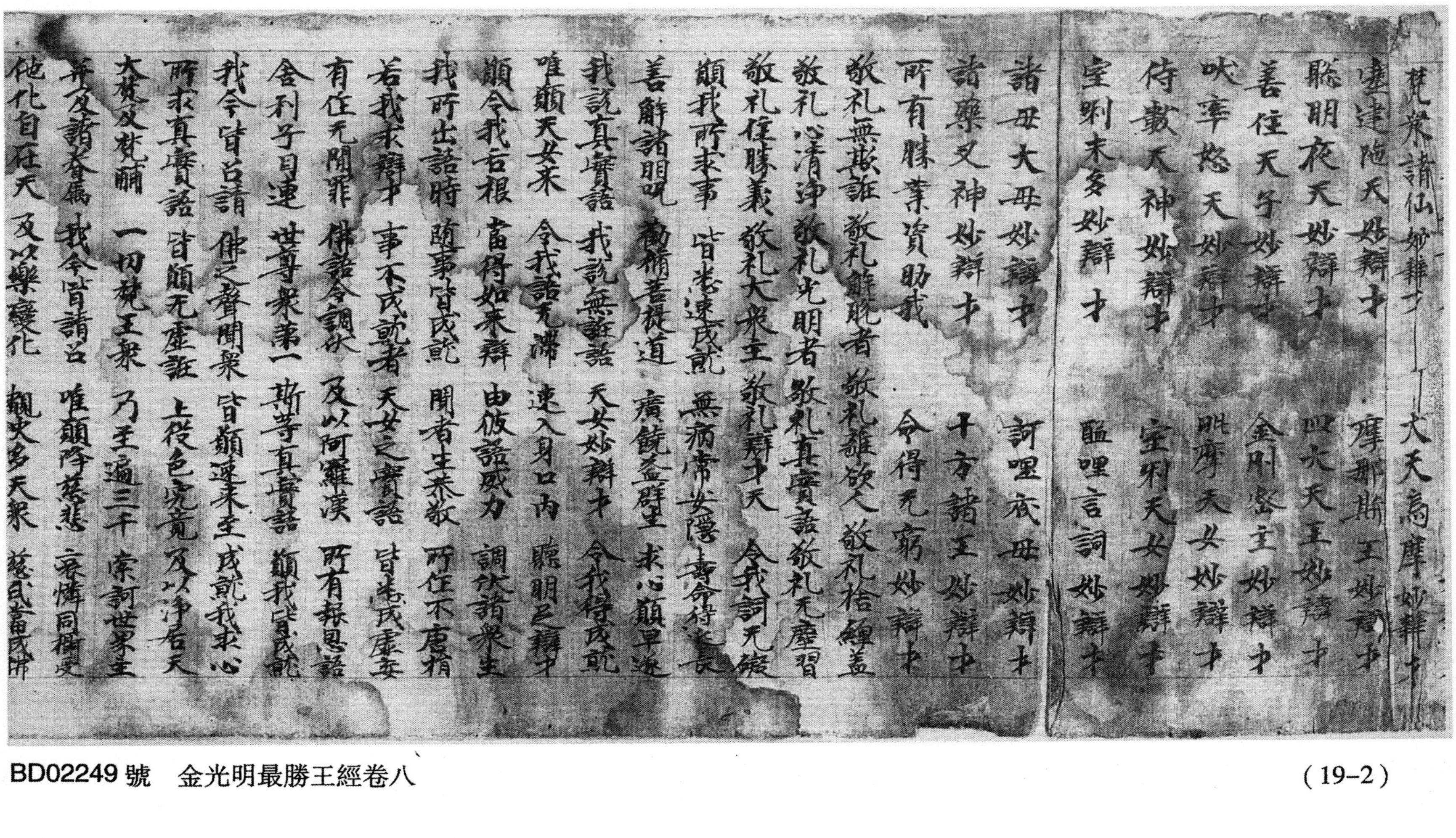
梵衆諸仙妙辯才　大天爲摩妙辯才
塞建陁天妙辯才　摩那斯王妙辯才
聡明夜天妙辯才　四大天王妙辯才
善住天子妙辯才　金剛密主妙辯才
吠率怒天妙辯才　毗摩天女妙辯才
侍數天神妙辯才　室唎天女妙辯才
室唎末多妙辯才　臨哩言詞妙辯才
諸母大母妙辯才　訶哩底母妙辯才
諸藥叉神妙辯才　十方諸王妙辯才
所有勝葉資助我　令得无窮妙辯才
敬礼無欺誑　敬礼離眠者　敬礼離欲人　敬礼捨纏蓋
敬礼心清淨　敬礼光明者　敬礼真實語　敬礼无塵習
敬礼住勝義　敬礼大衆主　敬礼辯才天　令我詞无礙
願我所求事　皆悉速成就　無病常安隱　壽命得長
善解諸明呪　勤脩菩提道　廣饒益群生　求心願早遂
我説真實語　我説無誑語　天女妙辯才　令我得成就
唯願天女來　令我語无滞　速入身口内　聰明足辯才
願令我舌根　當得如來辯　由彼語威力　調伏諸衆生
我所出語時　隨事皆成就　聞者生恭敬　所作不唐捐
若我求辯才　事不成就者　天女之實語　皆悉成虛妄
有作无間罪　佛語令調伏　及以阿羅漢　所有報恩語
舍利子目連　世尊衆第一　斯等真實語　願我皆成就
我今皆召請　佛之聲聞衆　皆願速來至　成就我求心
所求真實語　皆願无虛誑　上從色究竟　及以淨居天
大梵及梵輔　一切梵王衆　乃至遍三千　索訶世界主
并及諸眷屬　我今皆請召　唯願降慈悲　哀憐同攝受
他化自在天　及以樂變化　覩史多天衆　慈氏當成佛

BD02249 號　金光明最勝王經卷八　（19–2）

我今皆已請　俱之眷屬衆　皆願速來至　成就我求心
所求真實語　皆願无虛誑　上從色究竟　及以淨居天
大梵及梵輔　一切梵王衆　乃至遍三千　索訶世界主
并及諸眷屬　我今皆請召　唯願降慈悲　哀憐同擁受
他化自在天　及以樂變化　覩史多天衆　慈氏當成佛
夜摩諸天衆　及三十三天　四大王衆天　一切諸天衆
地水火風神　依妙高山住　七海山神衆　所有諸眷屬
滿財及五頂　日月諸星辰　如是諸天衆　令世間安隱
斯等諸天神　不樂作罪業　敬佛鬼子母　及最小愛兒
天龍藥叉衆　乾闥阿蘇羅　及以緊那羅　莫呼洛伽等
我以世尊力　悉皆申請召　願降慈悲心　與我无礙辯
一切人天衆　能了他心者　皆願加神力　與我妙辯才
乃至盡虛空　周遍於法界　所有含生類　與我妙辯才
爾時辯才天女聞是請已告婆羅門言善哉
大士若有男子女人能依如是呪及呪讚如
前所說受持法式歸敬三寶虔心正念於所
求事皆不唐捐兼復受持讀誦此金光明微
妙經典所願求者無不果遂速得成就除不
至心時婆羅門深心歡喜合掌頂受
爾時佛告辯才天女善哉善哉善女天汝能
流布是妙經王擁護所有受持經者及能利
益一切衆生令得安樂說如是法施與辯才
不可思議得福無量諸發心者速趣菩提
金光明最勝王經大吉祥天女品第十六
爾時大吉祥天女即從座起前禮佛足合掌
恭敬白佛言世尊我若見有苾芻苾芻尼鄔
波索迦鄔波斯迦受持讀誦為人解說是金

BD02249 號　金光明最勝王經卷八　（19–3）

金光明最勝王經大吉祥天女品第十六
爾時大吉祥天女即從座起前禮佛足合掌
恭敬白佛言世尊我若見有苾芻苾芻尼鄔
波索迦鄔波斯迦受持讀誦為人解說是金
光明最勝王經者我當專心恭敬供養此等
法師所謂飲食衣服臥具醫藥及餘一切所
須資具皆令圓滿無有乏少若晝若夜於此
經王所有句義觀察思量安樂而住令此經
典於贍部洲廣行流布為彼有情已於无量
百千佛所種善根者常使得聞不速隱沒復
於無量百千億劫當受人天種種勝樂常得
豐稔永除飢饉一切有情恒受安樂亦得值
遇諸佛世尊於未來世速證无上大菩提果
永絕三塗輪迴苦難世尊我念過去有瑠璃
金山寶花光照吉祥功德海如來應正等覺
十号具足我於彼所種諸善根由彼如來慈
悲愍念威神力故令我今日隨所念處隨所
視方隨所至國能令无量百千萬億衆生受
諸快樂乃至所須衣服飲食資生之具金銀
瑠璃硨磲碼碯珊瑚虎珀真珠等寶悉令充
足若復有人至心讀誦是金光明最勝王經
亦當日日燒衆名香及諸妙花為我供養彼
瑠璃金山寶花光照吉祥功德海如來應正
等覺復當每日於三時中稱念我名別以香
花及諸美食供養於我亦常聽受此妙經王
得如是福而說頌曰
由能如是持經故　自身眷屬離諸衰

BD02249 號　金光明最勝王經卷八　（19–4）

等覺復當每日於三時中稱念我名別以香
花及諸美食供養於我亦常聽受此妙經王
得如是福而說頌曰
由能如是持經故　自身眷屬離諸衰
所須衣食无乏時　威光壽命難窮盡
能使地味常增長　諸天降雨隨時節
令彼天衆咸歡悅　及以園林穀果神
叢林果樹並滋榮　所有苗稼咸成就
欲求珎財皆滿願　隨所念者遂其心
佛告大吉祥天女善哉善哉汝能如是憶念
昔因報恩供養利益安樂无邊衆生流布是
經功德无盡
金光明最勝王經大吉祥天女增長財物品第十七
尒時大吉祥天女復白佛言世尊北方薜室
羅末拏天王城名有財城不遠有園名曰
妙花福光中有勝殿七寶所成世尊我常住
彼若復有人欲求五穀日日增多倉庫盈溢
者應當發起敬信之心淨治一室瞿摩塗地
應畫我像種種瓔珞周帀莊嚴當洗浴身著
淨衣服塗以名香入淨室內發心爲我每日
三時稱彼佛名及此經名号而申礼敬南謨
瑠璃金山寶花光照吉祥功德海如來持諸
香花及以種種甘美飲食至心奉獻亦以香
花及諸飲食供養我像復持飲食散擲餘方
施諸神等實言邀請大吉祥天發所求願若
如所言是不虛者於我所請勿令空尒于時
吉祥天女知是事已便生愍念令其宅中財

BD02249號　金光明最勝王經卷八　（19–5）

花及諸飲食供養我像復持飲食散擲餘方
施諸神等實言邀請大吉祥天發所求願若
如所言是不虛者於我所請勿令空尒于時
吉祥天女知是事已便生愍念令其宅中財
穀增長即當誦呪請召於我先稱佛名及菩
薩名字一心敬礼
南謨一切十方三世諸佛　南謨寶髻佛
南謨无垢光明寶幢佛　南謨金幢光佛
南謨百金光藏佛　南謨金蓋寶積佛
南謨金花光幢佛　南謨大燈光佛
南謨大寶幢佛　南謨東方不動佛
南謨南方寶幢佛　南謨西方无量壽佛
南謨北方天鼓音佛　南謨妙幢菩薩
南謨金光菩薩　南謨金藏菩薩
南謨常啼菩薩　南謨法上菩薩
南謨善安菩薩
敬礼如是佛菩薩已次當誦呪請召我大吉
祥天女由此呪力所求之事皆得成就即說
呪曰
南謨室唎莫訶天女　怛姪他
鉢唎脯拏折囉　三曼頞
達唎設泥去下皆同　莫訶毗訶囉揭帝
三曼多毗曇末泥　莫訶迦里也
鉢喇底瑟佗鉢泥　薩婆頞他娑彈泥
蘇鉢唎底脯囉　痾耶娜達摩多
莫訶毗俱比帝　莫訶迷咄嚕
鄔波僧呬羝　莫訶頡唎使

BD02249號　金光明最勝王經卷八　（19–6）

鉢唎底瑟侘鉢泥　薩婆頞他娑彈泥
薩鉢唎底晡囉　痾耶娜達摩多
莫訶毗俱比帝　莫訶迷咄嚕
郁波僧四敍　莫訶頡唎使
薩僧近入里四敍　三曼多頞他
阿奴波唎泥　莎訶
世尊若人誦持如是神呪請召我時我聞請
已即至其所令願得遂世尊是灌頂法句定
成就句真實之句无虛誑句是平等行於諸
衆生是正善根若有受持讀誦呪者應七日
七夜受八支戒於晨朝時先嚼齒木淨澡漱
已及於晡後香花供養一切諸佛自陳其罪
當爲已身及諸含識迴向發願令所希求速
得成就淨治一室或在空閑阿蘭若處瞿摩
爲壇燒栴香而爲供養置一勝座幡蓋莊
嚴以諸名花布列壇內應當至心誦持前呪
希望我至我於尒時即便護念觀察是人來
入其室就座而坐受其供養從是以後當令
彼人於睡夢中得見於我隨所求事以實告
知若聚落空澤及僧住處隨所求者皆令圓
滿金銀財寶牛羊穀麦飲食衣服皆得隨心
受諸快樂既得如是勝妙果報當以上分供
養三寶及施於我廣修法會設諸飲食布列
香花既供養已所有供食貨之取直復爲供
養我當終身常住於此擁護是人令无闕之
隨所希求悉皆稱意亦當時時給濟貧之不

BD02249 號　金光明最勝王經卷八　（19–7）

香花既供養已所有供食貨之取直復爲供
養我當終身常住於此擁護是人令无闕之
隨所希求悉皆稱意亦當時時給濟貧之不
應慳惜獨爲己身常讀是經供養不絕當以
此福普施一切迴向菩提願出生死速得解
脫尒時世尊讚言善哉吉祥天女汝能如是
流布此經不可思議自他俱益
金光明最勝王經堅牢地神品第十八
尒時堅牢地神即於衆中從座而起合掌恭
敬而白佛言世尊是金光明最勝王經若現
在世若未來世若在城邑聚落王宮樓觀及
阿蘭若山澤空林有此經王流布之處世尊
我當往詣其所供養恭敬擁護流通若有方
處爲說法師敷置高座演說經者我以神力
不現本身在於座所頂戴其足我得聞法深
心歡喜得食法味增益威光慶悅无量自身
既得如是利益亦令大地深十六万八千踰
繕那至金剛輪際令其地味悉皆增益乃至
四海所有土地亦使肥濃田疇沃壤倍勝常
日亦復令此贍部洲中江河池沼所有諸樹
藥草叢林種種花果根莖枝葉及諸苗稼形
相可愛衆所樂觀色香具足皆堪受用若諸
有情受用如是勝飲食已長命色力諸根安
隱增益光輝无諸痛惱心慧勇健无不堪能
又此大地凡有所須百千事業悉皆周備世
尊以是因緣諸贍部洲安隱豊樂人民熾盛
无諸衰惱所有衆生皆受安樂既受如是身

BD02249 號　金光明最勝王經卷八　（19–8）

又此大地凡有所須百千事業悉皆周備世
尊以是因緣諸贍部洲安隱豐樂人民熾盛
无諸衰惱所有衆生皆受安樂既受如是身
心快樂於此經王深加愛敬所在之處皆願
受持供養恭敬尊重讚歎又復於彼說法大
師法座之處悉皆往彼爲諸衆生勸請說是
最勝經王何以故世尊由說此經我之自身
并諸眷屬咸蒙利益光輝氣力勇猛威勢顏
容端正倍勝於常世尊我堅牢地神蒙法味
已令贍部洲縱廣七千踰繕那地皆沃壤乃
至如前所有衆生皆受安樂是故世尊時彼
衆生爲報我恩應作是念我當必定聽受是
經恭敬供養尊重讚歎作是念已即從住處
城邑聚落舍宅空地詣法會所頂礼法師聽
受是經既聽受已各還本處心生慶喜共作
是言我等今者得聞甚深无上妙法即是攝
受不可思議功德之聚由經力故我等當值
无量无邊百千俱胝那庾多佛承事供養永
離三塗極苦之處復於未來世百千生中常
生天上及在人間受諸勝樂時彼諸人各還本
處爲諸人衆說是經王若一喻一品昔因緣
一如來名一菩薩名一四句頌或復一句爲
諸衆生說是經典乃至首題名字世尊隨諸
衆生所住之處其地悉皆沃壤肥濃過於
餘處凡是土地所生之物悉得增長滋茂廣
大令諸衆生受於快樂多饒財好行惠施

BD02249號　金光明最勝王經卷八　（19–9）

諸衆生說是經典乃至首題名字世尊隨諸
衆生所住之處其地悉皆沃壤肥濃過於
餘處凡是土地所生之物悉得增長滋茂廣
大令諸衆生受於快樂多饒財好行惠施
心常堅固深信三寶作是語已尒時世尊告
堅牢地神曰若有衆生聞是金光明最勝經
王乃至一句命終之後當得往生三十三天
及餘天處若有衆生爲欲供養是經王故莊
嚴宅宇乃至張一傘蓋懸一繒幡由是因緣
六天之上如念受生七寶妙宮隨意受用各
各自然有七千天女共相娛樂日夜常受不
可思議殊勝之樂作是語已尒時堅牢地神
白佛言世尊以是因緣若有四衆昇於法座
說是法時我當晝夜擁護是人自隱其身在
於座所頂戴其足世尊如是經典爲彼衆生
已於百千佛所種善根者於贍部洲流布不
滅是諸衆生聽斯經者於未來世无量百千
俱胝那庾多劫天上人中常受勝樂得遇諸
佛速成阿耨多羅三藐三菩提不歷三塗生
死之苦尒時堅牢地神白佛言世尊我有心
呪能利人天安樂一切若有男子女人及諸
四衆欲得親見我真身者應當至心持此陁
羅尼隨其所願皆悉遂心所謂資財珍寶伏
藏及求神通長年妙藥并療衆病降伏怨
敵制諸異論當特淨室安置道場洗浴身已著
鮮潔衣踞草座上於有舍利尊像之前或有
舍利制底之所燒香散花飲食供養於白月

BD02249號　金光明最勝王經卷八　（19–10）

敵制諸異論當持淨室安置道場洗浴身已著
鮮潔衣踞草座上於有舍利尊像之前或有
舍利制底之所燒香散花飲食供養於白月
八日布灑星合即可誦此請召之呪
怛姪他只里只里 主嚕主嚕句嚕句嚕
拘柱句柱覩柱覩柱 縛訶 上 縛 訶
代捨 代 捨 莎訶
世尊此之神呪若有四衆誦一百八遍請召
於我我爲是人即來赴請又復世尊若有衆
生欲得見我現身共語者亦應如前安置法
式誦此神呪
怛姪他頻祈涅去 頡力利涅室尸達哩
訶訶呬呬嘔 嚕 代灑 莎訶
世尊若人持此呪時應誦一百八遍并誦前
呪我必現身其所願悉得成就終不虛然若
欲誦此呪時先誦護身呪曰
怛姪他你室里 末捨羯徽捺徽矩 徽
勒地上 勒地灑 底徽婢徽矩句徽
佉婆上 只 里 莎訶
世尊誦此呪時取五色線誦呪二十一遍作
二十一結繫在左髆肘後即便護身无有所
懼若有至心誦此呪者所求必遂我不妄語
我以佛法僧寶而爲要契證知是實
尒時世尊告地神日善哉善哉汝能以是實
語神呪護此經王及說法者以是因緣令汝
獲得无量福報

BD02249 號　金光明最勝王經卷八　（19–11）

尒時世尊告地神日善哉善哉汝能以是實
語神呪護此經王及說法者以是因緣令汝
獲得无量福報
金光明最勝王經僧慎尒耶藥叉大將品第十九
尒時僧慎尒耶藥叉大將并與二十八部藥
叉諸神於大衆中皆從座起偏袒右肩右膝
著地合掌向佛白言世尊此金光明最勝經
王若現在世及未來世所在宣揚流布之處
若於城邑聚落山澤空林或王宮殿或僧住
處世尊我僧慎尒耶藥叉大將并與二十八
部藥叉諸神俱詣其所各自隱形隨處擁護
彼說法師令離衰惱常受安樂及聽法者若
男若女童男童女於此經中乃至受持一四
句頌或持一句或此經王首題名号及此經
中一如來名一菩薩名發心稱念恭敬供養
者我當救護攝受令无災橫離苦得樂世尊
何故我名正了知此之因緣是佛親證我知
諸法我曉一切法隨所有一切法如所有一切
法諸法種類體性差別世尊如是諸法我
能了知我有難思智光我有難思智炬我有
難思智行我有難思智聚我於難思智境而能
通達世尊如我於一切法正知正曉正覺 能
正觀察世尊以是因緣我藥叉大將名正了
知以是義故我能令彼說法之師言詞辯了
具足莊嚴亦令精氣從毛孔入身力充足威
光勇健難思智光皆得成就得正憶念无有
退屈增益彼身令无衰減諸根安樂常生歡

BD02249 號　金光明最勝王經卷八　（19–12）

具足莊嚴亦令精氣從毛孔入身力充足威
光勇健難思智光皆得成就得正憶念无有
退屈增益彼身令无衰減諸根安樂常生歡
喜以是因緣爲彼有情已於百千佛所殖諸
善根脩福業者於贍部洲廣宣流布不速隱
沒彼諸有情聞是經已得不可思議大智光
明及以无量福智之聚於未來世當受无量
俱胝那庾多劫不可思量人天勝樂常與諸
佛共相值遇速證无上正等菩提閻羅之界
三塗極苦不復經過
尒時正了知藥叉大將白佛言世尊我有陁
羅尼今對佛前親自陳說爲欲饒益憐愍諸
有情故即說呪曰
南謨佛陁引也　南謨達摩也
南莫僧伽引也　南謨跋囉甜(含)摩也
南謨因達囉也　南謨析咄喃
莫呬囉闍喃　怛姪他呬里呬里
弭里弭里瞿里　莫訶瞿里健陁里
莫訶健陁里　達羅弭雉
莫訶達羅弭雉　單荼曲勸(駈問)第(去)
訶訶訶訶訶　呬呬呬呬呬
呼呼呼呼呼　漢魯曇謎瞿曇謎
者者者者　只只只只主主主主
蒱荼彌(沙之)鉢攞　尸揭囉上尸揭囉
嗢底瑟侘呬　薄伽梵僧慎尒耶
若復有人於此明呪能受持者我給與資
生樂具飲食衣服花果珎異或求男女童

BD02249號　金光明最勝王經卷八　（19-13）

嗢底瑟侘呬　薄伽梵僧慎尒耶
若復有人於此明呪能受持者我給與資
生樂具飲食衣服花果珎異或求男女童
男童女金銀珎寶諸瓔珞具我皆供給隨所願
求令无闕乏此之明呪有大威力若誦呪時
我當速至其所令无障礙隨意成就若持此
呪時應知其法先畫一鋪僧慎尒耶藥叉形
像高四五尺手執鉾鑹於此像前作四方壇
安四滿瓶蜜水或沙糖水塗香粖香燒香及
諸花鬘又於壇前作地火爐中安炭火蘇
摩芥子燒於爐中口誦前呪一百八遍一遍
一燒乃至我藥叉大將自來現身問呪人曰
尒何所須意所求者即以事答我即隨言
於所求事皆令滿足或須金銀及諸伏藏或欲
神仙乘空而去或求天眼通或知他心事於
一切有情隨意自在令斷煩惱速得解脫皆
得成就
尒時世尊告正了知藥叉大將曰善哉善哉
汝能如是利益一切衆生說此神呪擁護正
法福利无邊
金光明最勝王經王法正論品第廿
尒時此大地神女名曰堅牢於大衆中從座
而起頂礼佛足合掌恭敬白佛言世尊於諸
國中爲人王者若无正法不能治國安養衆
生及以自身長居勝位唯願世尊慈悲哀愍
當爲我說王法正論治國之要令諸人王得

BD02249號　金光明最勝王經卷八　（19-14）

而起頂礼佛足合掌恭敬白佛言世尊於諸
國中為人王者若无正法不能治國安養衆
生及以自身長居勝位唯願世尊慈悲哀愍
當為我說王法正論治國之要令諸人王得
聞法已如說脩行正化於世能令勝位永保
安寧國內居人咸蒙利益
尔時世尊於大衆中告堅牢地神曰汝當
諦聽過去有王名力尊幢其王有子名曰妙幢
受灌頂位未久之頃尔時父王告妙幢言有
王法正論名天主教法我於昔時受灌頂位
而為國主我之父王名智力尊幢為我說是
王法正論我依此論於二万歲善治國土我
不曾憶起一念心行於非法汝於今日亦應
如是勿以非法而治於國云何名為王法正
論汝今善聽當為汝說尔時力尊幢王即為
其子以妙伽他說正論曰
我說王法論　利安諸有情　為斷世間疑　滅除衆過失
一切諸天主　及以人中王　當生歡喜心　合掌聽我說
往昔諸天衆　集在金剛山　四王從座起　請問於大梵
梵主最勝尊　天中大自在　願哀愍我等　為斷諸疑惑
云何處人世　而得名為天　復以何因緣　号名曰天子
云何生人間　獨得為人主　云何在天上　復得作天王
如是護世間　問彼梵王已　尔時梵天主　即便為彼說
護世汝當知　為利有情故　問我治國法　我說應善聽
由先善業力　生天得作王　若在於人中　統領為人主
諸天共加護　然後入母胎　既至母胎中　諸天復守護
雖生在人世　尊勝故名天　由諸天護持　亦得名天子

由先善業力　生天得作王　若在於人中　統領為人主
諸天共加護　然後入母胎　既至母胎中　諸天復守護
雖生在人世　尊勝故名天　由諸天護持　亦得名天子
三十三天主　分力助人王　及一切諸天　亦資自在力
除滅諸非法　惡業令不生　教有情脩善　使得生天上
人及蘇羅衆　并健闥婆等　羅剎旃荼羅　悉皆資半力
父母資半力　令捨惡脩善　諸天共護持　示其善業
若造善惡業　令於現世中　諸天共護持　示其善惡報
國人造惡業　王捨不禁制　斯非順正理　治擯當如法
若見惡不遮　非法便滋長　遂令王國內　姦詐日增多
王見國中人　造惡不遮止　三十三天衆　咸生忿怒心
因此損國政　諂偽行世間　被他怨敵侵　破壞其國土
居家及資具　積財皆散失　種種詐諍生　更互相侵奪
由正法得王　而不行其法　國人皆破散　如象踏蓮池
惡風起无恒　暴雨非時下　妖星多變怪　日月蝕无光
五穀衆花果　果實皆不成　國土遭飢饉　由王捨正法
若王捨正法　以惡法化人　諸天處本宮　見已生憂惱
彼諸天王衆　共作如是言　此王作非法　惡黨相親附
王位不久安　諸天皆忿恨　由彼懷忿故　其國當敗亡
以非法教人　流行於國內　鬪諍多姦偽　疾疫生衆苦
天主不護念　餘天咸捨棄　國土當滅亡　王身受苦厄
父母及妻子　兄弟并姊妹　俱遭愛別離　乃至身亡歿
變怪流星墮　二日俱時出　他方怨賊來　國人遭喪亂
國所重大臣　枉橫而身死　所愛象馬等　亦復皆散失
處處有兵戈　人多非法死　惡鬼來入國　疾疫遍流行
國中最大臣　及以諸輔相　其心懷諂佞　並悉行非法
見行非法者　而生於愛敬　於行善法人　苦楚而治罰

[illegible]
處處有兵戈 人多非法死 惡鬼來入國 疾疫遍流行
國中最大臣 及以諸輔相 其心懷諂佞 並悉行非法
見行非法者 而生於愛敬 於行善法人 苦楚而治罰
由愛敬惡人 治罰善人故 星宿及風雨 皆不以時行
有三種過生 正法當隱沒 衆生无光色 地肥皆下沉
由敬惡輕善 復有三種過 非時降霜雹 飢疫苦流行
穀稼諸果實 滋味皆損減 於其國土中 衆生多疾病
國中諸樹林 先生甘美果 由斯皆損減 苦澀无滋味
先有妙園林 可愛遊戲處 忽然皆枯悴 見者生憂惱
稻麦諸果實 美味漸消亡 食時心不喜 何能長諸大
衆生光色減 勢力盡衰微 食噉雖復多 不能令飽足
於其國界中 所有衆生類 少力無勢力 所作不堪能
國人多疾患 衆苦逼其身 鬼魅遍流行 隨處生羅刹
若王作非法 親近於惡人 令三種世間 因斯受衰損
如是无邊過 出在於國中 皆由見惡人 棄捨不治擯
由諸天加護 得作於國王 而不以正法 守護於國界
若人修善行 當得生天上 若造惡業者 死必墮三塗
若王見國人 縱其造過失 三十三天衆 皆生熱惱心
不順諸天教 及以父母言 此是非法人 非王非孝子
若於自國中 見行非法者 如法當治罰 不應生捨棄
是故諸天衆 皆護持此王 以滅諸惡法 能修善根故
王於此世中 必招於現報 由於善惡業 行捨勸衆生
為示善惡報 故得作人王 諸天共護持 一切咸隨喜
由自利利他 治國以正法 見有諂佞者 應當如法治
假使失王位 及以害命緣 終不行惡法 見惡而捨棄
害中極重者 无過失國位 皆因諂佞人 為此當治罰
若有諂誑人 當亡於國位 由斯損王政 如象入花園

若於自國中 見行非法者 如法當治罰 不應生捨棄
是故諸天衆 皆護持此王 以滅諸惡法 能修善根故
王於此世中 必招於現報 由於善惡業 行捨勸衆生
為示善惡報 故得作人王 諸天共護持 一切咸隨喜
由自利利他 治國以正法 見有諂佞者 應當如法治
假使失王位 及以害命緣 終不行惡法 見惡而捨棄
害中極重者 无過失國位 皆因諂佞人 為此當治罰
若有諂誑人 當亡於國位 由斯損王政 如象入花園
天主皆瞋恨 阿蘇羅亦然 以彼為人王 不以法治國
是故應如法 治罰於惡人 以善化衆生 不順於非法
寧捨於身命 不隨非法友 於親及非親 平等觀一切
若為正法王 國內无偏黨 法王有名稱 普聞三界中
三十三天衆 歡喜作是言 贍部洲法王 彼即是我子
以善化衆生 正法治於國 勸行於正法 當令生我宮
天及諸天子 及以蘇羅衆 因王正法化 常得心歡喜
天衆皆歡喜 共護於人王 衆星依位行 日月无乖度
和風常應節 甘雨順時行 苗實皆善成 人无飢饉者
一切諸天衆 充滿於自宮 是故汝人王 忘身弘正法
應尊重法寶 由斯衆安樂 常當親正法 功德自莊嚴
眷屬常歡喜 能遠離諸惡 以法化衆生 恒令得安隱
令彼一切人 修行於十善 率土常豐樂 國土得安寧
王以法化人 善調於惡行 當得好名稱 安樂諸衆生
尒時大地一切人王及諸大衆聞佛說此古
昔人王治國要法得未曾有皆大歡喜信
受奉持

金光明經卷第八

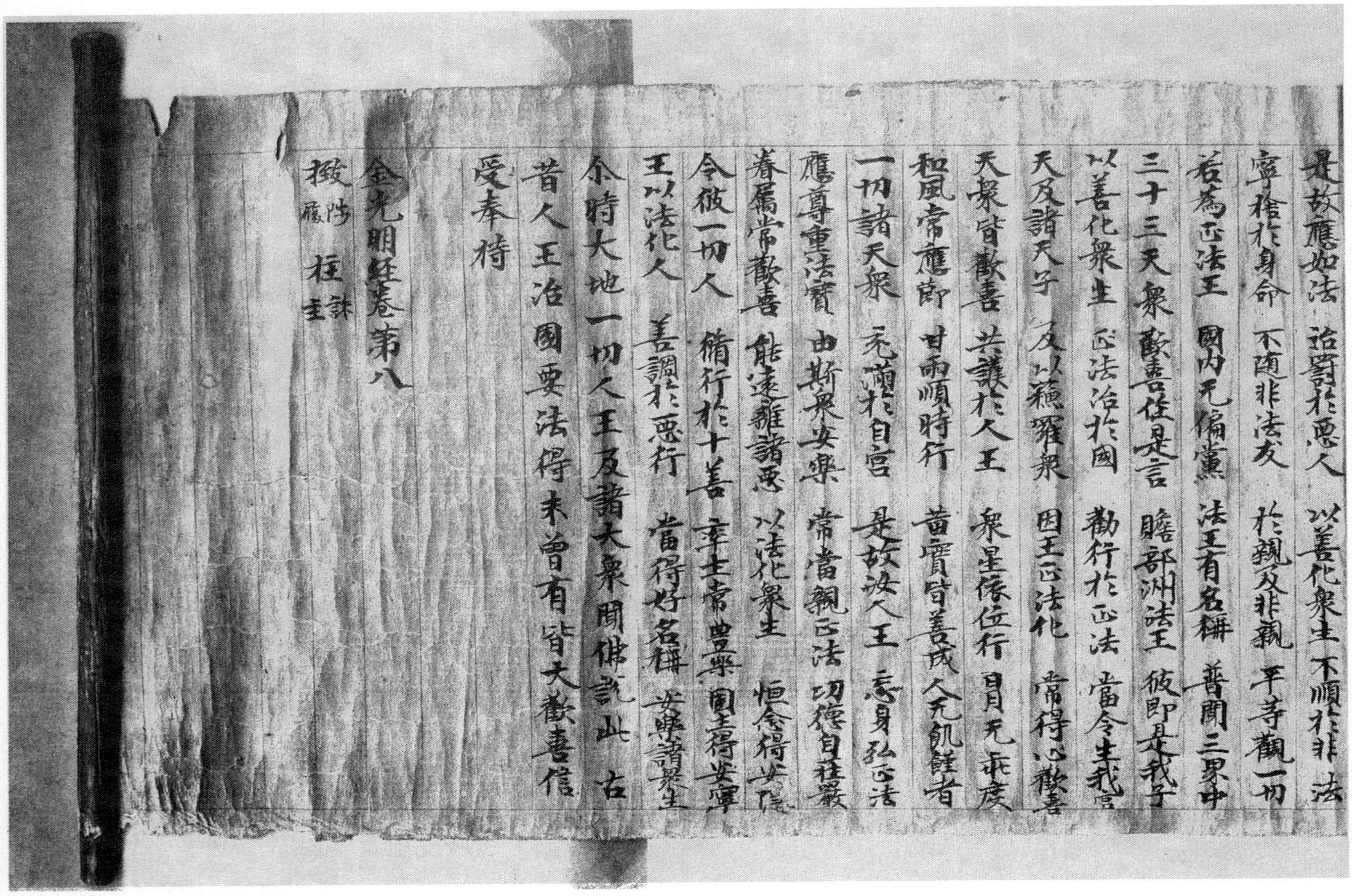
是故應如法　治罰於惡人　以善化衆生　不順於非法
寧捨於身命　不隨非法友　於親及非親　平等觀一切
若爲正法王　國内无偏黨　法王有名稱　普聞三界中
三十三天衆　歡喜作是言　贍部洲法王　彼即是我子
以善化衆生　正法治於國　勸行於正法　當令生我宮
天及諸天子　及以蘇羅衆　因王正法化　常得心歡喜
天衆皆歡喜　共護於人王　衆星依位行　日月无乖度
和風常應節　甘雨順時行　苗實皆善成　人无飢饉者
一切諸天衆　充滿於自宮　是故汝人王　忘身弘正法
應尊重法寶　由斯衆安樂　常當親正法　功德自莊嚴
眷屬常歡喜　能遠離諸惡　以法化衆生　恒令得安隱
令彼一切人　脩行於十善　率土常豐樂　國土得安寧
王以法化人　善調於惡行　當得好名稱　安樂諸衆生
尒時大地一切人王及諸大衆聞佛說此古
昔人王治國要法得未曾有皆大歡喜信
受奉持
金光明經卷第八
撿藏陟　桂誅圭

BD02249 號　金光明最勝王經卷八　　　　（19–19）

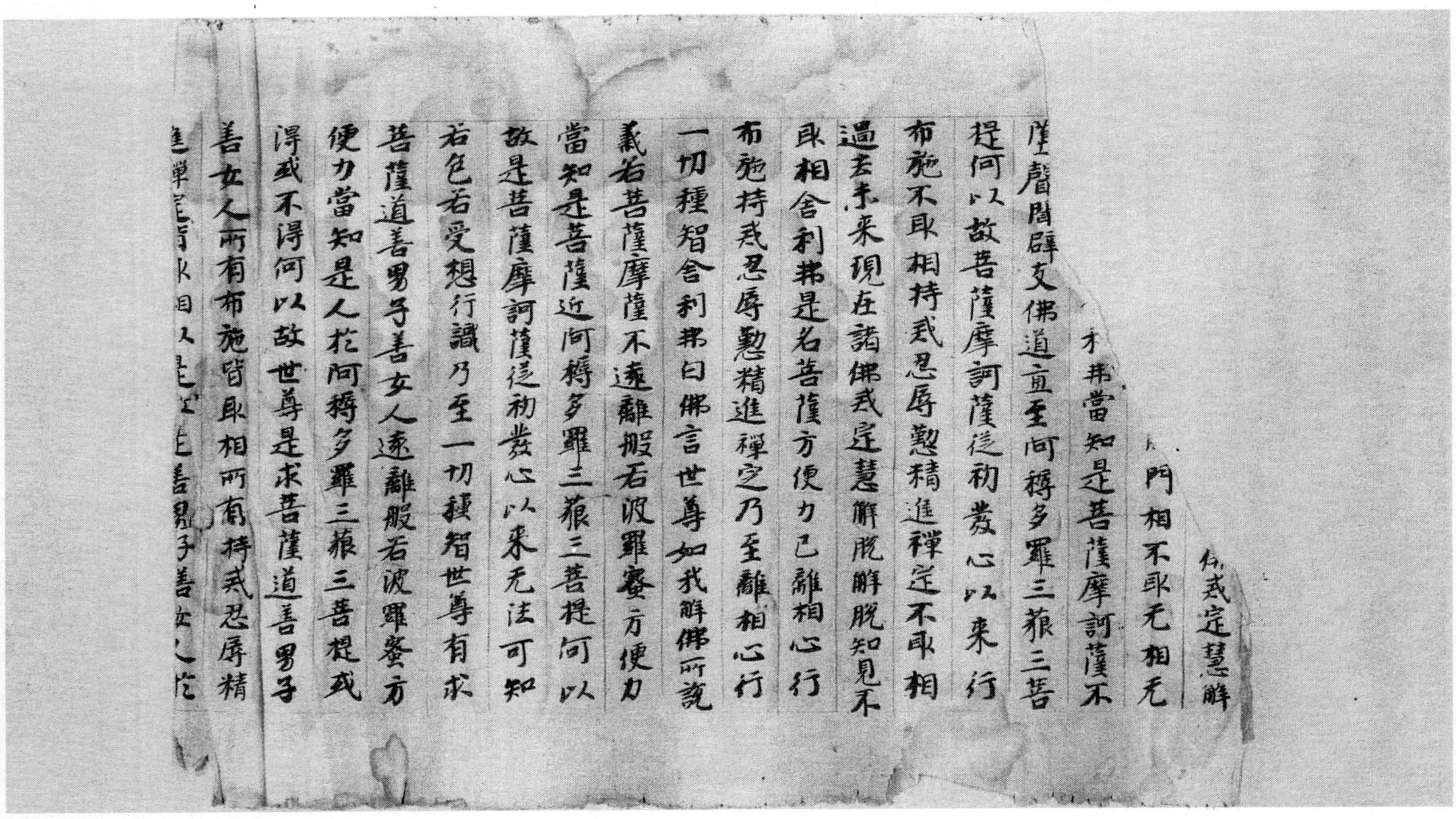
行戒定慧解
門　相不取无相无
舍利弗當知是菩薩摩訶薩不
墮聲聞辟支佛道直至阿耨多羅三藐三菩
提何以故菩薩摩訶薩從初發心以來行
布施不取相持戒忍辱懃精進禪定不取相
過去未來現在諸佛戒定慧解脫解脫知見不
取相舍利弗是名菩薩方便力已離相心行
布施持戒忍辱懃精進禪定乃至離相心行
一切種智舍利弗白佛言世尊如我解佛所說
義若菩薩摩訶薩不遠離般若波羅蜜方便力
當知是菩薩近阿耨多羅三藐三菩提何以
故是菩薩摩訶薩從初發心以來无法可知
若色若受想行識乃至一切種智世尊有求
菩薩道善男子善女人遠離般若波羅蜜方
便力當知是人於阿耨多羅三藐三菩提或
得或不得何以故世尊是求菩薩道善男子
善女人所有布施皆取相所有持戒忍辱精
進禪[illegible]善男子善女人於

BD02250 號　摩訶般若波羅蜜經卷一六　　　　（1–1）

惡人廿二者跡遠賢善廿三者作破戒人廿
四者无慚无愧廿五者不守六情廿六者縱
色放逸廿七者人所憎惡不憙見之廿八者
貴重親屬及諸知識所共擯棄廿九者行不
善法卅者棄捨善法卅一者明人智士所不
信用何以故酒放逸故卅二者遠離涅槃卅
三者種狂癡因緣卅四者身壞命終墮惡道
泥梨中卅五者若得為人所生之處常當狂
騃如是等種種過失是故不飲如偈說
酒失覺知相　身色濁而惡　智心動而亂　慚愧已被劫
失念增瞋心　失歡毀宗族　如是雖名飲　實為飲死毒
不應瞋而瞋　不應咲而咲　不應哭而哭　不應打而打
不應語而語　與狂人无異　奪諸善功德　知愧者不飲
如是四罪不作是身善律儀妄語不作是口
善律儀名為優婆塞五戒律儀問曰若八種
律儀及淨命是名為戒何以故優婆塞於口
律儀中无三律儀及淨命答曰白衣居家受
世間樂兼脩福德不能盡行戒法是故佛令
持五戒復次四種口業中妄語最重復次妄
語心生故作餘者或故作或不故作復次但

BD02251 號　大智度論卷一三　（12–1）

律儀中无三律儀及淨命答曰白衣居家受
世間樂兼脩福德不能盡行戒法是故佛令
持五戒復次四種口業中妄語最重復次妄
語心生故作餘者或故作或不故作復次但
說妄語已攝三事復次諸善法中實為最大
若說實語四種正語皆已攝得復次白衣處
世當官理務家業作使是故難持不惡口法
妄語故作事重故不應作是五戒有五種受
名五種優婆塞一者一分行優婆塞二者少
分行優婆塞三者多分行優婆塞四者滿行
優婆塞五者斷婬優婆塞一分行者於五戒
中受一戒不能受持四戒少行分者若受二
戒若受三戒多分行者受四戒滿行者盡持
五戒斷婬者受五戒已師前更作誓言我於
自婦不復行婬是名五戒如佛偈說
不殺亦不盜　亦不有邪婬　實語不飲酒　正命以淨心
若能行此者　二世憂畏除　戒福恒隨身　常與天人俱
世間六時華　榮曜色相發　以此一歲華　天上一日具
天樹自然生　華鬘及瓔珞　丹葩如燈照　眾色相間錯
天衣无央數　其色若干種　鮮白映天日　輕密无間廁
金色映繡文　斐亹如雲氣　如是上妙服　悉從天樹出
明珠天耳璫　寶磲曜手足　隨心所好愛　亦從天樹出
金華琉璃莖　金剛為華鬚　柔濡香芬熏　悉從寶池出
琴瑟箏箜篌　七寶為挍飾　器妙故音清　皆亦從樹出
波質垢樹　天上樹中王　在彼歡喜園　一切无有比

BD02251 號　大智度論卷一三　（12–2）

明珠天衣飾　寶環曜手足　隨心所好愛　亦從天樹出
金華瑠璃莖　金剛為華鬚　柔濡香芬薰　悉從寶池出
琴瑟箏箜篌　七寶為挍飾　器妙故音清　皆亦從樹出
波質妓樹　天上樹中王　在彼歡喜園　一切无有比
持戒為福田　天樹從中出　天廚甘露味　飲食除飢渴
天女得自在　亦无任身難　嬉怡縱逸樂　食无便利患
持戒常攝心　得生自恣地　无事亦无難　常得肆樂志
諸天得自在　憂苦不復生　所欲應念至　身光照幽冥
如是種種樂　皆由施與戒　若欲得此報　當懃自勉厲
問曰今說尸羅波羅蜜當以成佛何以乃讚
天福答曰佛言三事必得報果不虛布施得
大福持戒生好處脩定得解脫若單行尸羅
得生好處若脩定智慧慈悲和合得三乘道
今但讚持戒現世功德名聞安樂後世得報
如偈所讚譬如小兒蜜塗苦藥然後能服今
先讚戒福然後人能持戒能持戒已立大誓
願得至佛道是為尸羅生尸羅波羅蜜又以
一切人皆著樂世間之樂天上為冣若聞天
上種種快樂便能受行尸羅復聞天上无常
猒患心生能求解脫更聞佛无量功德若慈
悲心生依尸羅波羅蜜得至佛道以是故雖
說尸羅報无咎問曰白衣居家唯此五戒更
有餘法耶答曰有一日戒六齋日持功德无
量若十二月一日至十五日受持此戒其福
甚多問曰云何受一日戒答曰受一日戒法
長跪合掌應如是言我某甲今一日一夜歸

BD02251號　大智度論卷一三　（12–3）

量若十二月一日至十五日受持此戒其福
甚多問曰云何受一日戒答曰受一日戒法
長跪合掌應如是言我某甲今一日一夜歸
依佛歸依法歸依僧如是二如是三歸依我
某甲歸依佛竟歸依法竟歸依僧竟如是二
如是三歸依竟我某甲若身業不善若口業
不善若意業不善貪欲瞋恚愚癡故若今世
若先世有如是罪今白誠心懺悔身清淨口
清淨心清淨受行八戒是則布薩秦言善宿
如諸佛盡壽不殺生我某甲一日一夜不殺
生亦如是如諸佛盡壽不盜我某甲一日一夜
不盜亦如是如諸佛盡壽不婬我某甲一日
一夜不婬亦如是如諸佛盡壽不妄語我
某甲一日一夜不妄語亦如是如諸佛盡
壽不飲酒我某甲一日一夜不飲酒亦如是
如諸佛盡壽不坐高大牀上我某甲一日一
夜不坐高大牀上亦如是如諸佛盡壽不著
華瓔珞不香塗身不著香薰衣我某甲一日
一夜不著華瓔珞不香塗身不著香薰衣亦
如是如諸佛盡壽不自歌儛作樂不往觀聽
我某甲一日一夜不自歌儛作樂不往觀聽
亦如是已受八戒如諸佛盡壽不過中食我某
甲一日一夜不過中食亦如是我某甲受行
八戒隨學諸佛法名為布薩願持是布薩福
報生生不墮三惡八難我亦不求轉輪聖王
梵釋天王世界之樂願諸煩惱盡逮薩婆若

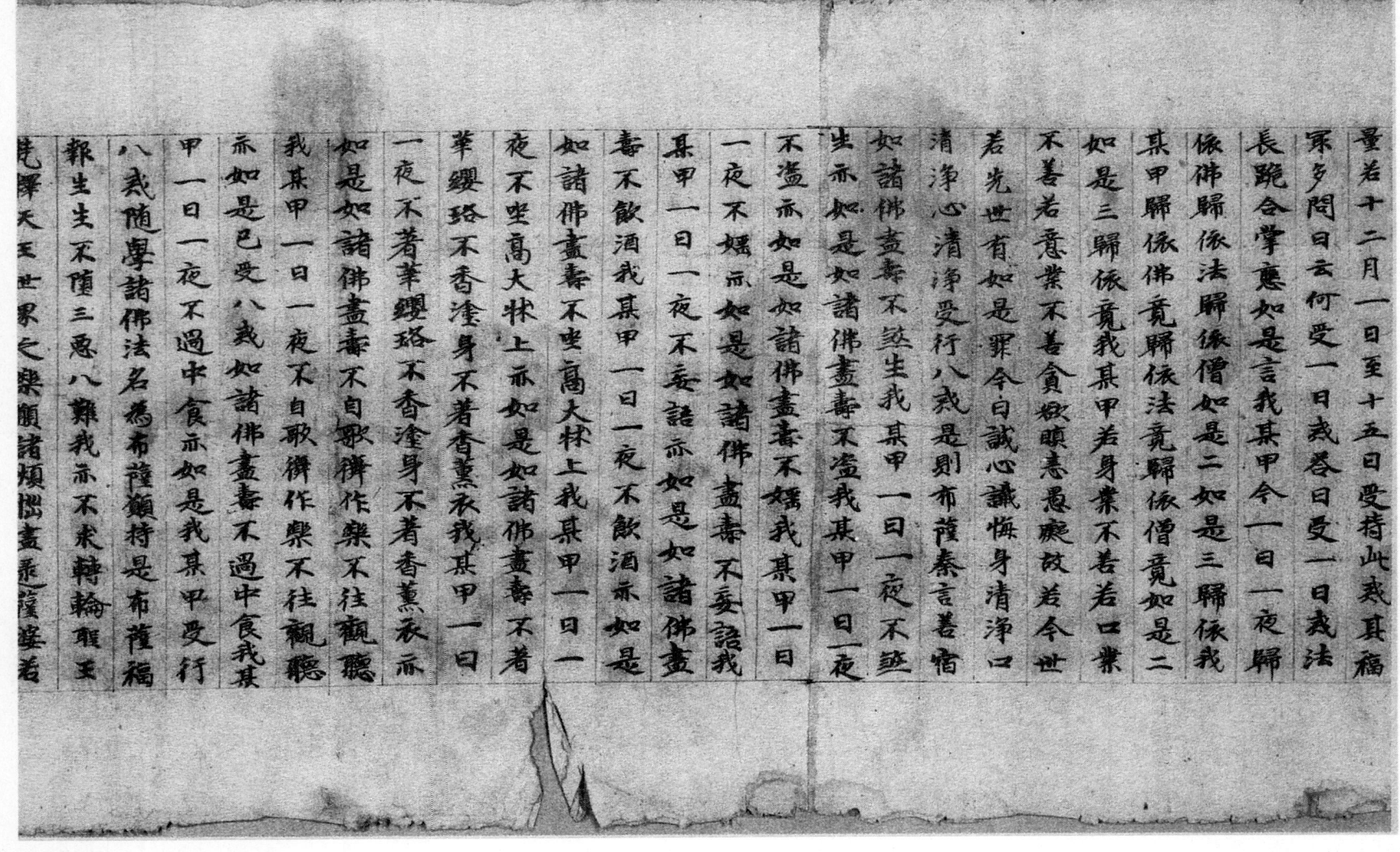

BD02251號　大智度論卷一三　（12–4）

八戒隨學諸佛法名為布薩願持是布薩福
報生生不墮三惡八難我亦不求轉輪聖王
梵釋天王世界之樂願諸煩惱盡逮薩婆若
成就佛道問曰云何受五戒答曰受五戒法
長跪合手言我某甲歸依佛歸依法歸依僧
如是二如是三我某甲歸依佛竟歸依法竟
歸依僧竟如是二如是三我是釋迦牟尼佛
優婆塞證知我某甲從今日盡壽歸依戒師
應言汝優婆塞聽是多陁阿伽度阿羅呵三
藐三佛陁知人見人為優婆塞說五戒如是
汝盡壽持何等五盡壽不殺生是優婆塞戒
是中盡壽不應故殺生是事若能持言諾盡
壽不盜是優婆塞戒是中盡壽不應盜是事
若能當言諾盡壽不邪婬是優婆塞戒是中
盡壽不應邪婬是事若能當言諾盡壽
不妄語是優婆塞戒是中盡壽不應妄語是
事若能當言諾盡壽不飲酒是優婆塞戒是
中盡壽不應飲酒是事若能當言諾是優婆
塞五戒盡壽受持當供養三寶佛寶法寶比
丘僧寶懃脩福德以求佛道問曰何以故六
齋日受八戒脩福德答曰是日惡鬼逐人欲
奪人命疾病凶衰令人不吉是故劫初聖人
教人持齋脩善作福以避凶衰是齋時法不
受八戒直以一日不食為齋後佛出世教語
之言汝當一日一夜如諸佛持八戒過中不
食是功德將人至涅槃如四天王經中佛說

BD02251號　大智度論卷一三　（12–5）

受八戒直以一日不食為齋後佛出世教語
之言汝當一日一夜如諸佛持八戒過中不
食是功德將人至涅槃如四天王經中佛說
月六齋日使者太子及四天王自下觀察衆
生布施持戒孝順父母少者便上忉利以啓
帝釋帝釋諸天心皆不悅說言阿脩羅種多
諸天種少若布施持戒孝順父母多者諸天
帝釋心皆歡喜說言增益諸天衆減損阿脩
羅是時釋提婆那民說此偈言
六日神足月　受持清淨戒　是人壽終後　功德必如我
佛告諸比丘釋提桓因不應說如是偈所以
者何釋提桓因三衰三毒未除云何妄言持
一日戒功德福報必得如我若受持此戒必
應如佛是則實說諸大尊天歡喜因緣故得
福增多復次此六齋日惡鬼害人惱亂一切
若所在丘聚郡縣國邑有持齋受戒善人者
以此因緣惡鬼遠去住處安隱以是故六日
持齋受戒得福增多問曰何以故諸惡鬼輩
以此六日惱害於人答曰天地本起經說劫
初成時有異梵天王子諸鬼神父脩梵志苦
行滿天上十二歲於此六日割宍出血以著
火中以是故諸惡鬼神於此六日輙有勢力
問曰諸鬼神父母何以於此六日割身肉血

BD02251號　大智度論卷一三　（12–6）

行滿天上十二歲於此六日割宍出血以著
火中以是故諸惡鬼神於此六日輙有勢力
問曰諸鬼神父母何以於此六日割身肉血
以著火中荅曰諸神中摩醯首羅神最大弟
一諸神皆有日分摩醯首羅一月有四日分
八日廿三日十四日廿九日餘神一月有二
日分月一日十六日月二日十七日其十五日
卅日屬一切神摩醯首羅為諸神王又得日
多故數其四日為齋二日是一切諸神日亦
數以為齋是故諸鬼神於此六日輙有力勢
復次諸鬼神父於此六日割肉出血以著火
中過十二歲已天王來下語其子言汝求何
願荅言我求有子天王言仙人供養法以燒
香甘菓諸清淨事汝云何以肉血著火中如
罪惡法汝破善法樂為惡事令汝生惡子噉
肉飲血當説是時火中有八大鬼出身黑如
墨髮黃眼赤有大光明一切鬼神皆從此
八鬼生以是故於此六日割身肉血以著
火中而得勢力如佛法中日无好惡隨世惡
日因緣故教持齋受戒問曰五戒一日戒何
者為勝荅曰有因緣故二戒俱等但五戒終
身持八戒一日持又五戒常持時多而戒少
一日戒時少而戒多復次若无大心雖復終
[illegible]

BD02251號　大智度論卷一三　（12–7）

[illegible]
身持八戒一日持又五戒常持時多而戒少
一日戒時少而戒多復次若无大心雖復終
身持戒不如有大心人一日持戒也辟如軟
夫為將雖復將兵終身智勇不足卒无功名
若如英雄奮發禍亂立定一日之勳功蓋天
下是二種戒名居家憂婆塞法居家持戒
凡有四種有下中上有上上下人持戒為今世樂
故戒為怖畏稱譽名聞故戒為家法曲隨他
意故戒避苦役求離危難故如是種種是下
人持戒中人持戒為人中富貴歡娛適意或
期後世福樂剋己自勉為苦日少所得甚多
如是思惟堅固持戒辟如高人遠出深入
得利必多持戒之福令人受後世福樂亦復
如是上人持戒為涅槃故知諸法一切无常
故欲求離苦常樂无為故復次持戒之人其
心不悔心不悔故得喜樂得喜樂故得一心
得一心故得實智得實智故得猒心得猒心
故得離欲得離欲故得解脫得解脫故得涅
槃如是持戒為諸善法根本復次持戒為八
正道初門入道初門必至涅槃問曰如八正
道正語正業在中正見正行在初今何以言
戒為八正道初門荅曰以數言之大者為始
正見最大是故在初復次行道故以見為先
諸法次第故戒在前辟如作屋棟梁雖大以

BD02251號　大智度論卷一三　（12–8）

戒為八正道初門答曰以數言之大者為始
正見第大是故在初復次行道故以見為先
諸法次第故戒在前譬如作屋棟梁雖大以
地為先上上人持戒憐愍眾生為佛道故以
知諸法求實相故不畏惡道不求樂故如是
種種是上上人持戒是四總名憂婆塞戒出
家亦有四種一者沙弥沙弥尼戒二者式叉
摩那戒三者比丘尼戒四者比丘僧戒問曰
若居家戒得生天上得菩薩道亦得至涅槃
復何用出家戒答曰雖俱得度然有難易居
家生業種種事務若欲專心道法家業則廢
若欲專脩家業道事則廢不取不捨乃應行
法是名為難若出家離俗絕諸忿亂一向專
心行道為易復次居家憒鬧多事多務結使
之根眾惡之府是為甚難若出家者譬如有
人出在空野无人之處而一其心无憂无慮
內想既除外事亦去如偈說

閑坐林樹間　寂然滅眾惡　恬澹得一心　斯樂非天樂
人求富貴利　名衣好床蓐　斯樂非安隱　求利无猒足
納衣行乞食　動止心常一　自以智慧眼　觀知諸法實
種種法門中　皆以等觀入　解慧心寂然　三界无能及

以是故知出家脩戒行道為易復次出家脩
戒得无量善律儀一切具足滿以是故白衣
等應出家受戒復次佛法中出家法第一難
脩如閻浮呿提梵志問舍利弗於佛法中何

BD02251號　大智度論卷一三　(12–9)

戒得无量善律儀一切具足滿以是故白衣
等應出家受戒復次佛法中出家法第一難
脩如閻浮呿提梵志問舍利弗於佛法中何
者最難舍利弗答曰出家為難又問出家何
等難答曰出家樂法為難既得樂法復何者
為難脩諸善法難以是故應出家復次若人
出家時魔王驚疑言此人諸結使欲薄必得
涅槃墮僧寶數中復次佛法中出家人雖破
戒墮罪罪畢必得解脫如優鉢羅華比丘尼
本生經中說佛在世時此比丘尼得六神通
阿羅漢入貴人舍常讚出家法語諸貴人婦
女言姊妹可出家諸貴婦女言我等少壯容
色盛美持戒為難或當破戒比丘尼言但出
家破戒便破問言破戒當墮地獄云何可破
答言墮地獄便墮諸貴婦女咲之言地獄受
罪云何可墮比丘尼言我自憶念本宿命時
作戲女著種種衣服而說舊語或時著比丘
尼衣以為戲咲以是因緣故迦葉佛時作比
丘尼自恃貴姓端政心生憍慢而破禁戒破
戒罪故墮地獄受種種罪受罪畢竟值釋迦
牟尼佛出家得六神通阿羅漢道以是故知
出家受戒雖復破戒以戒因緣故得阿羅漢
道若但作惡无戒因緣不得道也我乃昔時
世世墮地獄出為惡人惡人死還入地獄都

BD02251號　大智度論卷一三　(12–10)

出家受戒雖復破戒以戒因緣故得阿羅漢
道若但作惡无戒因緣不得道也我乃昔時
世世墮地獄出為惡人惡人死還入地獄都
无所得今以此證知出家受戒雖復破戒以
是因緣可得道果復次如佛在祇桓有一醉
婆羅門來到佛所作比丘佛勑阿難與剃頭
著法衣醉酒既醒驚怪己身忽為比丘即便
走去諸比丘問佛何以聽此醉婆羅門作比
丘佛言此婆羅門无量劫中初无出家心今
因醉故暫發微心以是因緣故當出家得道
如是種種因緣出家之利功德无量以是故
白衣雖有五戒不如出家是出家律儀有四
種沙弥沙弥尼式叉摩尼比丘尼比丘云何
沙弥沙弥尼出家受戒法白衣來欲求出家
應求二歸一和上一阿闍梨和上如父阿闍
梨如母以棄本生父母當求出家父母著袈
裟衣剃除鬚髮應兩手急捉和上兩足何以
捉足天竺法以捉足為第一恭敬供養阿闍
梨應教十戒如受戒法沙弥尼亦如是唯以
比丘尼為和上式叉摩那受六法二歲問曰
沙弥十戒便受具足戒比丘尼法中何以有
式叉摩那然後得受具足戒答曰佛在世時
有一長者婦不覺懷任出家受具足戒其後
身大轉現諸長者譏嫌比丘因此制有二年
學戒受六法然後受具足戒問曰若為譏嫌

有一長者婦不覺懷任出家受具足戒其後
身大轉現諸長者譏嫌比丘因此制有二年
學戒受六法然後受具足戒問曰若為譏嫌
式叉摩那童不致譏答曰式叉摩那未受具
足譬如小兒亦如給使雖有罪穢人不譏嫌
是式叉摩那有二種一者十八歲童女受六
法二者夫家十歲得受六法若受具足戒應
二部僧中五衣鉢杅比丘尼為和上及教師
比丘為戒師餘如受戒法略說則五百戒廣
說則八萬戒第三羯磨訖即得无量律儀成
就比丘尼比丘則有三衣鉢杅三師十僧如
受戒法略說二百五十廣說則八萬第三羯
磨訖即得无量律儀法是總名為戒是為尸
羅

大智論卷第十三

金有陀羅尼經
如是我聞一時薄伽梵住如蘿阿刪與藥叉
剡手俱
尒時天百施往世尊所到已頂礼佛足退
一面坐一面已天帝百施白佛言世尊
入戰陣而鬪戰時以阿修羅幻惑呪術藥
於貧處而知己不唯然願世尊慈愍
於我為今催伏阿修羅衆幻惑呪術及
藥力故善說最勝大密之呪時薄伽
梵告天帝百施曰憍尸迦如是如是與阿
修羅而鬪戰時實以明呪秘密藥力而
墮貧處憍尸迦為哀愍故今說明呪欲令
幻惑明呪退散鬪戰靜訟悉皆消滅一切秘
呪及諸藥等而得斷除說於明呪
尒時薄伽梵說大金有明呪之日我今為說
三無數劫諸餘外道行者遍遊裸形而起
惡思作諸鄣㝵我從彼來所有幻惑一切
明呪悉能降伏六度圓滿斷除諸餘外道行
者遍遊裸形諸惱亂曰明呪秘呪藥及一切
諸魔明熏大明之呪憍尸迦汝當攝受諸
有情故受持最勝大秘密呪天帝白言

BD02252號　金有陀羅尼經　（4–1）

明呪悉能降伏六度圓滿斷除諸餘外道行
者遍遊裸形諸惱亂曰明呪秘呪藥及一切
諸魔明熏大明之呪憍尸迦汝當攝受諸
有情故受持最勝大秘密呪天帝白言
如是世尊唯然受教尒時世尊即說金有大
明呪曰
怛也他唵　希你希你　希蘿希蘿　命蘿命蘿
希明蘿　你希你希　你希羅𠸪你　執佐那波羶
哺羶抱哆蒲怛羅　阿地訖梨羶　閉羶閉羶
閉哆蒲怛羅　阿地迦羅羶　訶那訶那　訶婆訶
婆　親馱親馱　頻那頻那　薄伽跋羶
佉电秋佉电　擯婆你　悉談婆你　畔馱你　牟
訶你　阿牟伽藥羶馱羅你　訖梨那訖梨那
迦多𧿹磨那婆　揩婆也揩鑫也　畔佐也畔佐也
悉戰婆也　悉戰婆也　畔馱也畔馱也　牟訶也
牟訶也　所有一切若天幻惑若龍幻惑若藥叉
幻惑若羅刹幻惑若緊那羅幻惑若乾闥婆幻
惑若阿修羅幻惑若莫呼洛迦幻惑若大腹
行幻惑若持明呪幻惑若持明呪成就王幻
惑若仙幻惑若持一切明呪幻惑若群生幻惑若
一切幻惑羅囉囉囉　羅佐也囉佐也　妬磨
妬磨　妬妬磨　羅婆羅婆　羅婆那　作割蘭羅
伽蘭他你　訶那訶那　薩婆鞞哆　奢吐盧難
悉談婆也　婆尹悉談婆也　秀近悉談也婆
穩南悉談婆也　婆嚧難悉談婆也　惡你宿悉談
婆也　斛軌哆梨哆　梨馱羅羶惟　馱羅寧波
奢訶悉羶　斡奢他也　婆世那　若有於我能
[illegible]

BD02252號　金有陀羅尼經　（4–2）

揺南悉談婆也　婆嚧雞悉談婆也　惡你宮悉談
婆也　爾軋哆梨哆　梨馱羅粒惟　馱羅寧波
奢訶悉粒　斡奢他也　婆世那　若有於我能
為惡毅諸賊嗔恚具起惡心鬪諍起圭諍欲作
一切無利益者　訶那訶那哆訶哆訶　波佐
波佐　半佐也半佐也　攢婆也攢婆也　悉談婆也　悉
談婆也　半馱也　半馱也　牟訶也牟訶也　摩訶
牟訶你　薄伽跋释婆訶
於一切怖畏嬈惱疾疫願守護我叭馱婆訶
憍尸迦　若善男子若善女人若王若王大臣能
憶此金有明呪者彼無他怖畏於彼部黨他所
敵軍不能侵惱亦非天亦非龍亦非藥叉亦非乾
闥婆亦非阿修羅　亦非緊那羅　亦非莫呼
洛迦　亦非持明呪者亦非飛空母等亦不非時
而捨壽命明呪秘呪一切諸藥不能為害他
所敵軍不能侵逸他所敵軍而不傷命刀
不能害水火毒藥明呪秘呪一切諸藥而不能
侵遝者於彼自作教他隨喜造罪彼之處
所憍尸迦　是淨故信薩菩薩尼烏波索
迦烏波斯迦　善男子善女人等以此明呪呪
水七遍自洗其身能護於身　若有欲令於一
切怖畏一切嬈惱一切疾疫一切明呪一切秘呪一
切諸藥一切厭蠱而超過者當念此金有
明呪若王若王大臣若欲催他軍衆伏他軍
衆亦當念此金有明呪若呪線七遍作七結已
繫於身上若呪水七遍能護自身若書寫
於一切怖畏無鄣𢔁陁羅尼或能受持或繫
置高幢入軍陣者善安得脫以此明

BD02252號　金有陁羅尼經　（4–3）

水七遍自洗其身能護於身　若有欲令於一
切怖畏一切嬈惱一切疾疫一切明呪一切秘呪一
切諸藥一切厭蠱而超過者當念此金有
明呪若王若王大臣若欲催他軍衆伏他軍
衆亦當念此金有明呪若呪線七遍作七結已
繫於身上若呪水七遍能護自身若書寫
於一切怖畏無鄣𢔁陁羅尼或能受持或繫
脛下若置高幢入軍陣者善安得脫以此明
呪威神之力內族眷屬善安超過未成能成
若欲催伏諸明呪者於白線上呪七遍已作七
結者能繫催伏若欲催伏諸幻惑者取塚
間土呪七遍已而散擲者能催幻惑論覺之時
欲禁其口取秦芥蘼呪七遍已而嚥嚼者一
切言論悉能對答受持讀誦而稱讚者一
切諸罪悉皆消滅劫往於彼造作之者及思
惟所或繫於纏及木自護者於彼身上一切明呪
秘呪諸藥不能為害未成辦者悉能成辦彼所
求事一切順從時薄伽梵說是語已天帝百施
聞佛所說信受奉行

金有陁羅尼經一卷

BD02252號　金有陁羅尼經　（4–4）

如是我聞一時佛
與大比丘衆千二
時著衣持鉢入
第乞已還至本
座而坐時長老須
偏袒右肩右膝著地合掌
有世尊如來善護念諸
世尊善男子善女人發阿
提心應云何住云何降伏其
我須菩提如汝所說如來
付囑諸菩薩汝今諦聽當
女人發阿耨多羅三藐三菩提心應如
如是降伏其心唯然世尊願樂欲聞
佛告須菩提諸菩薩摩訶薩應如是降伏其
心所有一切衆生之類若卵生若胎生若濕
生若化生若有色若无色若有想若无想
非有想非无想我皆令入无餘涅槃而滅
度之如是滅度无量无數无邊衆生實无衆

BD02253號　金剛般若波羅蜜經　（15–1）

佛告須菩提諸菩薩摩訶薩應如是降伏其
心所有一切衆生之類若卵生若胎生若濕
生若化生若有色若无色若有想若无想
非有想非无想我皆令入无餘涅槃而滅
度之如是滅度无量无數无邊衆生實无衆
生得滅度者何以故須菩提若菩薩有我相
人相衆生相壽者相即非菩薩
復次須菩提菩薩於法應无所住行於布施
所謂不住色布施不住聲香味觸法布施須
菩提菩薩應如是布施不住於相何以故若
菩薩不住相布施其福德不可思量須菩提
於意云何東方虛空可思量不不也世尊須
菩提南西北方四維上下虛空可思量不不
也世尊須菩提菩薩无住相布施福德亦復
如是不可思量須菩提菩薩但應如所教住
須菩提於意云何可以身相見如來不不也
世尊不可以身相得見如來何以故如來所
說身相即非身相佛告須菩提凡所有相皆
是虛妄若見諸相非相則見如來
須菩提白佛言世尊頗有衆生得聞如是言
說章句生實信不佛告須菩提莫作是說如
來滅後後五百歲有持戒脩福者於此章句
能生信心以此為實當知是人不於一佛二
佛三四五佛而種善根已於无量千万佛所
種諸善根聞是章句乃至一念生淨信者須
菩提如來悉知悉見是諸衆生得如是无量
福德何以故是諸衆生无復我相人相衆生

BD02253號　金剛般若波羅蜜經　（15–2）

來滅後後五百歲有持戒修福者於此章句
能生信心以此為實當知是人不於一佛二
佛三四五佛而種善根已於无量千万佛所
種諸善根聞是章句乃至一念生淨信者須
菩提如來悉知悉見是諸衆生得如是无量
福德何以故是諸衆生无復我相人相衆生
相壽者相无法相亦无非法相何以故是諸
衆生若心取相則為著我人衆生壽者若取
法相即著我人衆生壽者何以故若取非法
相即著我人衆生壽者是故不應取法不應
取非法以是義故如來常說汝等比丘知我
說法如筏喻者法尚應捨何况非法
須菩提於意云何如來得阿耨多羅三藐三
菩提耶如來有所說法耶須菩提言如我解
佛所說義无有定法名阿耨多羅三藐三菩
提亦无有定法如來可說何以故如來所說
法皆不可取不可說非法非非法所以者何
一切賢聖皆以无為法而有差別
須菩提於意云何若人滿三千大千世界七
寶以用布施是人所得福德寧為多不須菩
提言甚多世尊何以故是福德即非福德性
是故如來說福德多若復有人於此經中受
持乃至四句偈等為他人說其福勝彼何以
故須菩提一切諸佛及諸佛阿耨多羅三藐
三菩提法皆從此經出須菩提所謂佛法者
即非佛法
須菩提於意云何須陁洹能作是念我得須

BD02253號　金剛般若波羅蜜經　（15–3）

持乃至四句偈等為他人說其福勝彼何以
故須菩提一切諸佛及諸佛阿耨多羅三藐
三菩提法皆從此經出須菩提所謂佛法者
即非佛法
須菩提於意云何須陁洹能作是念我得須
陁洹果不須菩提言不也世尊何以故須陁
洹名為入流而无所入不入色聲香味觸法
是名須陁洹須菩提於意云何斯陁含能作
是念我得斯陁含果不須菩提言不也世
尊何以故斯陁含名一往來而實无往來是名
斯陁含須菩提於意云何阿那含能作是念
我得阿那含果不須菩提言不也世尊何以
故阿那含名為不來而實无來是名阿那
含須菩提於意云何阿羅漢能作是念我得
阿羅漢道不須菩提言不也世尊何以故實
无有法名阿羅漢世尊若阿羅漢作是念我
得阿羅漢道即為著我人衆生壽者世尊佛
說我得无諍三昧人中最為第一是第一離
欲阿羅漢我不作是念我是離欲阿羅漢世
尊我若作是念我得阿羅漢道世尊則不說
須菩提是樂阿蘭那行者以須菩提實无
所行而名須菩提是樂阿蘭那行
佛告須菩提於意云何如來昔在燃燈佛
所於法有所得不世尊如來在燃燈佛所於
法實无所得須菩提於意云何菩薩莊嚴佛
土不不也世尊何以故莊嚴佛土者則非莊嚴
是名莊嚴是故須菩提諸菩薩摩訶薩應

BD02253號　金剛般若波羅蜜經　（15–4）

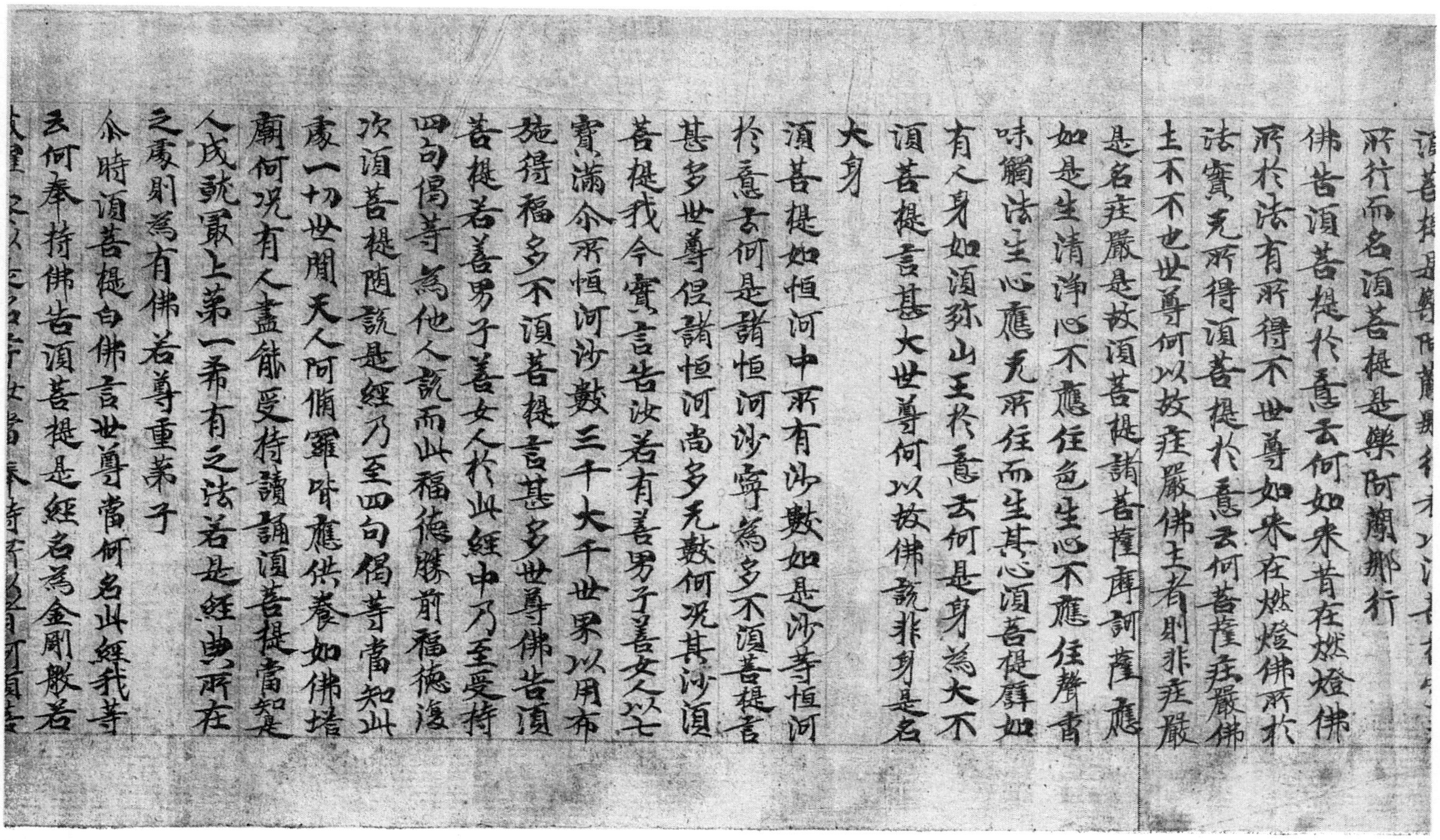

所行而名須菩提是樂阿蘭那行
佛告須菩提於意云何如來昔在然燈佛
所於法有所得不世尊如來在然燈佛所於
法實无所得須菩提於意云何菩薩莊嚴佛
土不不也世尊何以故莊嚴佛土者則非莊嚴
是名莊嚴是故須菩提諸菩薩摩訶薩應
如是生清淨心不應住色生心不應住聲香
味觸法生心應无所住而生其心須菩提譬如
有人身如須弥山王於意云何是身為大不
須菩提言甚大世尊何以故佛說非身是名
大身
須菩提如恒河中所有沙數如是沙等恒河
於意云何是諸恒河沙寧為多不須菩提言
甚多世尊但諸恒河尚多无數何況其沙須
菩提我今實言告汝若有善男子善女人以七
寶滿尒所恒河沙數三千大千世界以用布
施得福多不須菩提言甚多世尊佛告須
菩提若善男子善女人於此經中乃至受持
四句偈等為他人說而此福德勝前福德復
次須菩提隨說是經乃至四句偈等當知此
處一切世間天人阿脩羅皆應供養如佛塔
廟何況有人盡能受持讀誦須菩提當知是
人成就最上第一希有之法若是經典所在
之處則為有佛若尊重弟子
尒時須菩提白佛言世尊當何名此經我等
云何奉持佛告須菩提是經名為金剛般若

BD02253號　金剛般若波羅蜜經　（15–5）

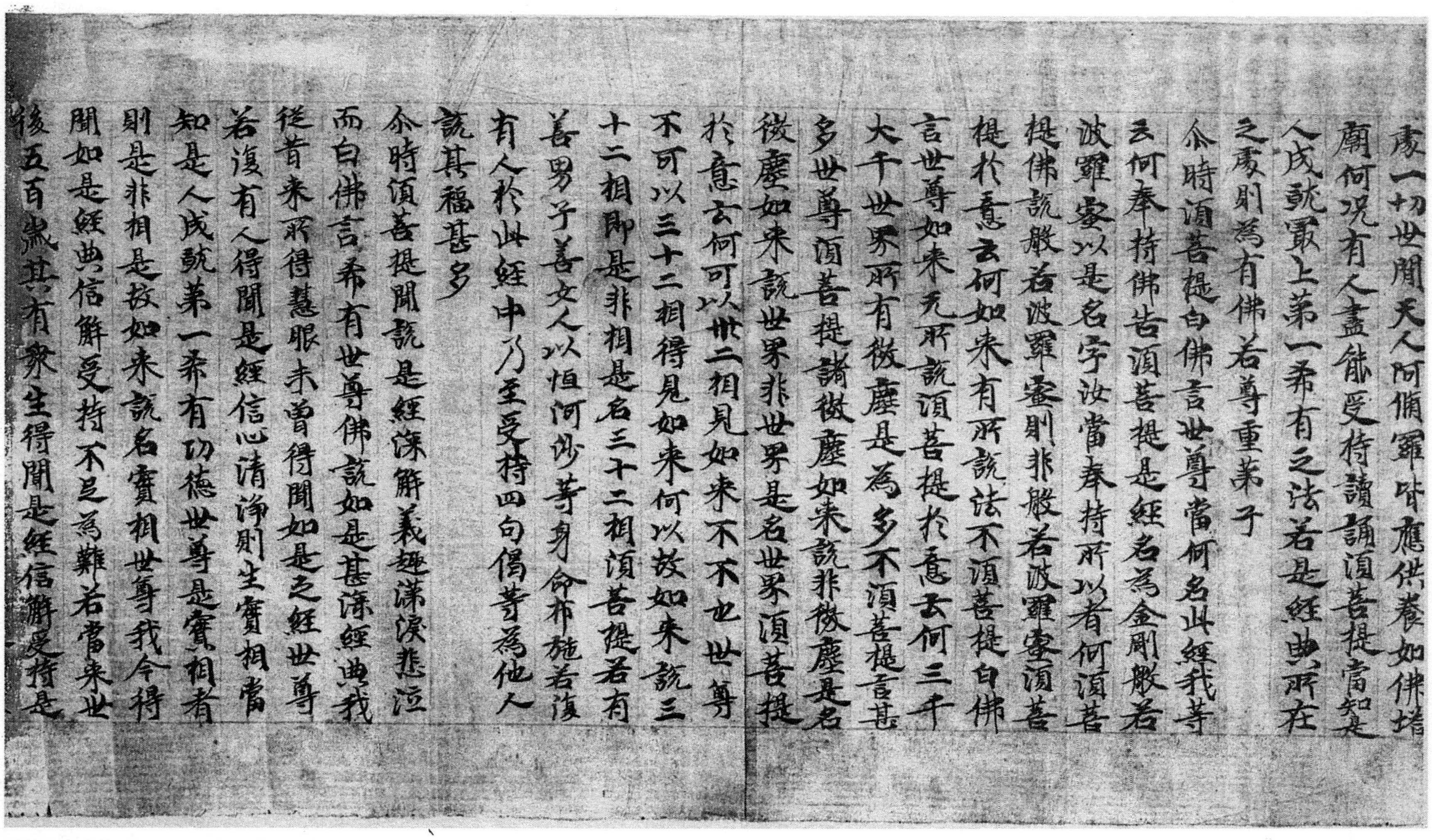

處一切世間天人阿脩羅皆應供養如佛塔
廟何況有人盡能受持讀誦須菩提當知是
人成就最上第一希有之法若是經典所在
之處則為有佛若尊重弟子
尒時須菩提白佛言世尊當何名此經我等
云何奉持佛告須菩提是經名為金剛般若
波羅蜜以是名字汝當奉持所以者何須菩
提佛說般若波羅蜜則非般若波羅蜜須菩
提於意云何如來有所說法不須菩提白佛
言世尊如來无所說須菩提於意云何三千
大千世界所有微塵是為多不須菩提言甚
多世尊須菩提諸微塵如來說非微塵是名
微塵如來說世界非世界是名世界須菩提
於意云何可以卅二相見如來不不也世尊
不可以三十二相得見如來何以故如來說三
十二相即是非相是名三十二相須菩提若有
善男子善女人以恒河沙等身命布施若復
有人於此經中乃至受持四句偈等為他人
說其福甚多
尒時須菩提聞說是經深解義趣涕淚悲泣
而白佛言希有世尊佛說如是甚深經典我
從昔來所得慧眼未曾得聞如是之經世尊
若復有人得聞是經信心清淨則生實相當
知是人成就第一希有功德世尊是實相者
則是非相是故如來說名實相世尊我今得
聞如是經典信解受持不足為難若當來世
後五百歲其有眾生得聞是經信解受持是

BD02253號　金剛般若波羅蜜經　（15–6）

而白佛言希有世尊佛說如是甚深經典我
從昔來所得慧眼未曾得聞如是之經世尊
若復有人得聞是經信心清淨則生實相當
知是人成就第一希有功德世尊是實相者
則是非相是故如來說名實相世尊我今得
聞如是經典信解受持不足為難若當來世
後五百歲其有眾生得聞是經信解受持是
人則為第一希有何以故此人无我相人相眾
生相壽者相所以者何我相即是非相人相
眾生相壽者相即是非相何以故離一切諸
相則名諸佛
佛告須菩提如是如是若復有人得聞是經不
驚不怖不畏當知是人甚為希有何以故
須菩提如來說第一波羅蜜非第一波羅蜜
是名第一波羅蜜
須菩提忍辱波羅蜜如來說非忍辱波羅蜜
何以故須菩提如我昔為歌利王割截身體
我於尒時无我相无人相无眾生相无壽者
相何以故我於往昔節節支解時若有我相
人相眾生相壽者相應生瞋恨須菩提又念
過去於五百世作忍辱仙人於尒所世无我
相无人相无眾生相无壽者相是故須菩提
菩薩應離一切相發阿耨多羅三藐三菩提
心不應住色生心不應住聲香味觸法生心
應生无所住心若心有住則為非住是故佛
說菩薩心不應住色布施須菩提菩薩為利
益一切眾生應如是布施如來說一切諸相

BD02253號　金剛般若波羅蜜經　（15–7）

菩薩應離一切相發阿耨多羅三藐三菩提
心不應住色生心不應住聲香味觸法生心
應生无所住心若心有住則為非住是故佛
說菩薩心不應住色布施須菩提菩薩為利
益一切眾生應如是布施如來說一切諸相
即是非相又說一切眾生則非眾生須菩提
如來是真語者實語者如語者不誑語者不
異語者須菩提如來所得法此法无實无虛
須菩提若菩薩心住於法而行布施如人入
闇則无所見若菩薩心不住法而行布施如
人有目日光明照見種種色須菩提當來之
世若有善男子善女人能於此經受持讀誦
則為如來以佛智慧悉知是人悉見是人皆得
成就无量无邊功德
須菩提若有善男子善女人初日分以恒河沙
等身布施中日分復以恒河沙等身布施後
日分亦以恒河沙等身布施如是无量百千
萬億劫以身布施若復有人聞此經典信心
不逆其福勝彼何況書寫受持讀誦為人解
說須菩提以要言之是經有不可思議不可
稱量无邊功德如來為發大乘者說為發最
上乘者說若有人能受持讀誦廣為人說如
來悉知是人悉見是人皆得成就不可量不
可稱无有邊不可思議功德如是人等則為
荷擔如來阿耨多羅三藐三菩提何以故須
菩提若樂小法者著我見人見眾生見壽者
見則於此經不能聽受讀誦為人解說須菩提

BD02253號　金剛般若波羅蜜經　（15–8）

上乘者說若有人能受持讀誦廣為人說如
来悉知是人悉見是人皆得成就不可量不
可稱无有邊不可思議功德如是人等則為
荷擔如来阿耨多羅三藐三菩提何以故須
菩提若樂小法者著我見人見衆生見壽者
見則於此經不能聽受讀誦為人解說須菩提
在在處處若有此經一切世間天人阿脩羅
所應供養當知此處則為是塔皆應恭敬作
礼圍繞以諸華香而散其處
復次須菩提善男子善女人受持讀誦此經
若為人輕賤是人先世罪業應墮惡道以今
世人輕賤故先世罪業則為消滅當得阿耨
多羅三藐三菩提須菩提我念過去无量阿
僧祇劫於燃燈佛前得值八百四千万億那
由他諸佛悉皆供養承事无空過者若復有
人於後末世能受持讀誦此經所得功德於
我所供養諸佛功德百分不及一千万億分
乃至筭數譬喻所不能及須菩提若善男子
善女人於後末世有受持讀誦此經所得功德
我若具說者或有人聞心則狂亂狐疑不信須
菩提當知是經義不可思議果報亦不可思議
尒時須菩提白佛言世尊善男子善女人發
阿耨多羅三藐三菩提心云何應住云何降
伏其心佛告須菩提善男子善女人發阿耨
多羅三藐三菩提者當生如是心我應滅度
一切衆生滅度一切衆生已而无有一衆生
實滅度者何以故若菩薩有我相人相衆生

尒時須菩提白佛言世尊善男子善女人發
阿耨多羅三藐三菩提心云何應住云何降
伏其心佛告須菩提善男子善女人發阿耨
多羅三藐三菩提者當生如是心我應滅度
一切衆生滅度一切衆生已而无有一衆生
實滅度者何以故若菩薩有我相人相衆生
相壽者相則非菩薩所以者何須菩提實无
有法發阿耨多羅三藐三菩提心者須菩提
於意云何如来於燃燈佛所有法得阿耨多羅
三藐三菩提不不也世尊如我解佛所說義佛
於燃燈佛所无有法得阿耨多羅三藐三菩提
佛言如是如是須菩提實无有法如来得阿
耨多羅三藐三菩提須菩提若有法如来得
阿耨多羅三藐三菩提燃燈佛則不與我受
記汝於来世當得作佛号釋迦牟尼以實无
有法得阿耨多羅三藐三菩提是故燃燈佛
與我受記作是言汝於来世當得作佛号釋
迦牟尼何以故如来者即諸法如義若有人
言如来得阿耨多羅三藐三菩提須菩提實
无有法佛得阿耨多羅三藐三菩提須菩提
如来所得阿耨多羅三藐三菩提於是中无
實无虛是故如来說一切法皆是佛法須菩
提所言一切法者即非一切法是故名一切法
須菩提譬如人身長大須菩提言世尊如来
說人身長大則為非大身是名大身須菩提
菩薩亦如是若作是言我當滅度无量衆
生則不名菩薩何以故須菩提實无有法名為

寳无虛是故如來說一切法皆是佛法須菩
提所言一切法者即非一切法是故名一切法
須菩提譬如人身長大須菩提言世尊如來
說人身長大則爲非大身是名大身須菩提
菩薩亦如是若作是言我當滅度无量衆
生則不名菩薩何以故須菩提實无有法名爲
菩薩是故佛說一切法无我无人无衆生无
壽者須菩提若菩薩作是言我當莊嚴佛
土是不名菩薩何以故如來說莊嚴佛土者
即非莊嚴是名莊嚴須菩提若菩薩通達无
我法者如來說名真是菩薩
須菩提於意云何如來有肉眼不如是世尊
如來有肉眼須菩提於意云何如來有天眼
不如是世尊如來有天眼須菩提於意云何
如來有慧眼不如是世尊如來有慧眼須菩
提於意云何如來有法眼不如是世尊如來
有法眼須菩提於意云何如來有佛眼不如
是世尊如來有佛眼須菩提於意云何如恒河
中所有沙佛說是沙不如是世尊如來說是
沙須菩提於意云何如一恒河中所有沙有
如是等恒河是諸恒河所有沙數佛世界如
是寧爲多不甚多世尊佛告須菩提尒所國
土中所有衆生若干種心如來悉知何以故
如來說諸心皆爲非心是名爲心所以者何須
菩提過去心不可得現在心不可得未來心
不可得須菩提於意云何若有人滿三千大

如是等恒河是諸恒河所有沙數佛世界如
是寧爲多不甚多世尊佛告須菩提尒所國
土中所有衆生若干種心如來悉知何以故
如來說諸心皆爲非心是名爲心所以者何須
菩提過去心不可得現在心不可得未來心
不可得須菩提於意云何若有人滿三千大
千世界七寳以用布施是人以是因緣得福
多不如是世尊此人以是因緣得福甚多須
菩提若福德有實如來不說得福德多以
福德无故如來說得福德多
須菩提於意云何佛可以具足色身見不不
也世尊如來不應以具足色身見何以故如來
說具足色身即非具足色身是名具足色身
須菩提於意云何如來可以具足諸相見不不
也世尊如來不應以具足諸相見何以故如
來說諸相具足即非具足是名諸相具足須
菩提汝勿謂如來作是念我當有所說法莫
作是念何以故若人言如來有所說法即爲
謗佛不能解我所說故須菩提說法者无法
可說是名說法須菩提白佛言世尊佛得阿
耨多羅三藐三菩提爲无所得耶如是如是
須菩提我於阿耨多羅三藐三菩提乃至无
有少法可得是名阿耨多羅三藐三菩提復
次須菩提是法平等无有高下是名阿耨多
羅三藐三菩提以无我无人无衆生无壽者
脩一切善法則得阿耨多羅三藐三菩提須
菩提所言善法者如來說非善法是名善法

須菩提我於阿耨多羅三藐三菩提乃至无
有少法可得是名阿耨多羅三藐三菩提復
次須菩提是法平等无有高下是名阿耨多
羅三藐三菩提以无我无人无衆生无壽者
脩一切善法則得阿耨多羅三藐三菩提須
菩提所言善法者如來說非善法是名善法
須菩提若三千大千世界中所有諸須弥山
王如是等七寶聚有人持用布施若人以此般
若波羅蜜經乃至四句偈等受持讀誦為他
人說於前福德百分不及一百千万億分乃
至筭數譬喻所不能及
須菩提於意云何汝等勿謂如來作是念我
當度衆生須菩提莫作是念何以故實无有
衆生如來度者若有衆生如來度者如來則
有我人衆生壽者須菩提如來說有我者則
非有我而凡夫之人以為有我須菩提凡夫
者如來說則非凡夫須菩提於意云何可以
卅二相觀如來不須菩提言如是如是以卅
二相觀如來佛言須菩提若以卅二相觀如
來者轉輪聖王則是如來須菩提白佛言世
尊如我解佛所說義不應以卅二相觀如來
尒時世尊而說偈言
若以色見我 以音聲求我 是人行耶道 不能見如來
須菩提汝若作是念如來不以具足相故得阿
耨多羅三藐三菩提須菩提莫作是念如來
不以具足相故得阿耨多羅三藐三菩提須
菩提汝若作是念發阿耨多羅三藐三菩提

BD02253號　金剛般若波羅蜜經　（15–13）

尒時世尊而說偈言
若以色見我 以音聲求我 是人行耶道 不能見如來
須菩提汝若作是念如來不以具足相故得阿
耨多羅三藐三菩提須菩提莫作是念如來
不以具足相故得阿耨多羅三藐三菩提須
菩提汝若作是念發阿耨多羅三藐三菩提
者說諸法斷滅莫作是念何以故發阿耨多
羅三藐三菩提者於法不說斷滅相須菩提
若菩薩以滿恒河沙等世界七寶布施若復
有人知一切法无我得成於忍此菩薩勝前
菩薩所得功德須菩提以諸菩薩不受福德
故須菩提白佛言世尊云何菩薩不受福德
須菩提菩薩所作福德不應貪著是故說
不受福德須菩提若有人言如來若來若去
若坐若卧是人不解我所說義何以故如來
者无所從來亦无所去故名如來須菩提若
善男子善女人以三千大千世界碎為微塵
於意云何是微塵衆寧為多不甚多世尊何
以故若是微塵衆實有者佛則不說是微塵
衆所以者何佛說微塵衆則非微塵衆是名
微塵衆世尊如來所說三千大千世界則非
世界是名世界何以故若世界實有者則是一
合相如來說一合相則非一合相是名一合相
須菩提一合相者則是不可說但凡夫之人
貪著其事須菩提若人言佛說我見人見衆
生見壽者見須菩提於意云何是人解我所
說義不世尊是人不解如來所說義何以故

BD02253號　金剛般若波羅蜜經　（15–14）

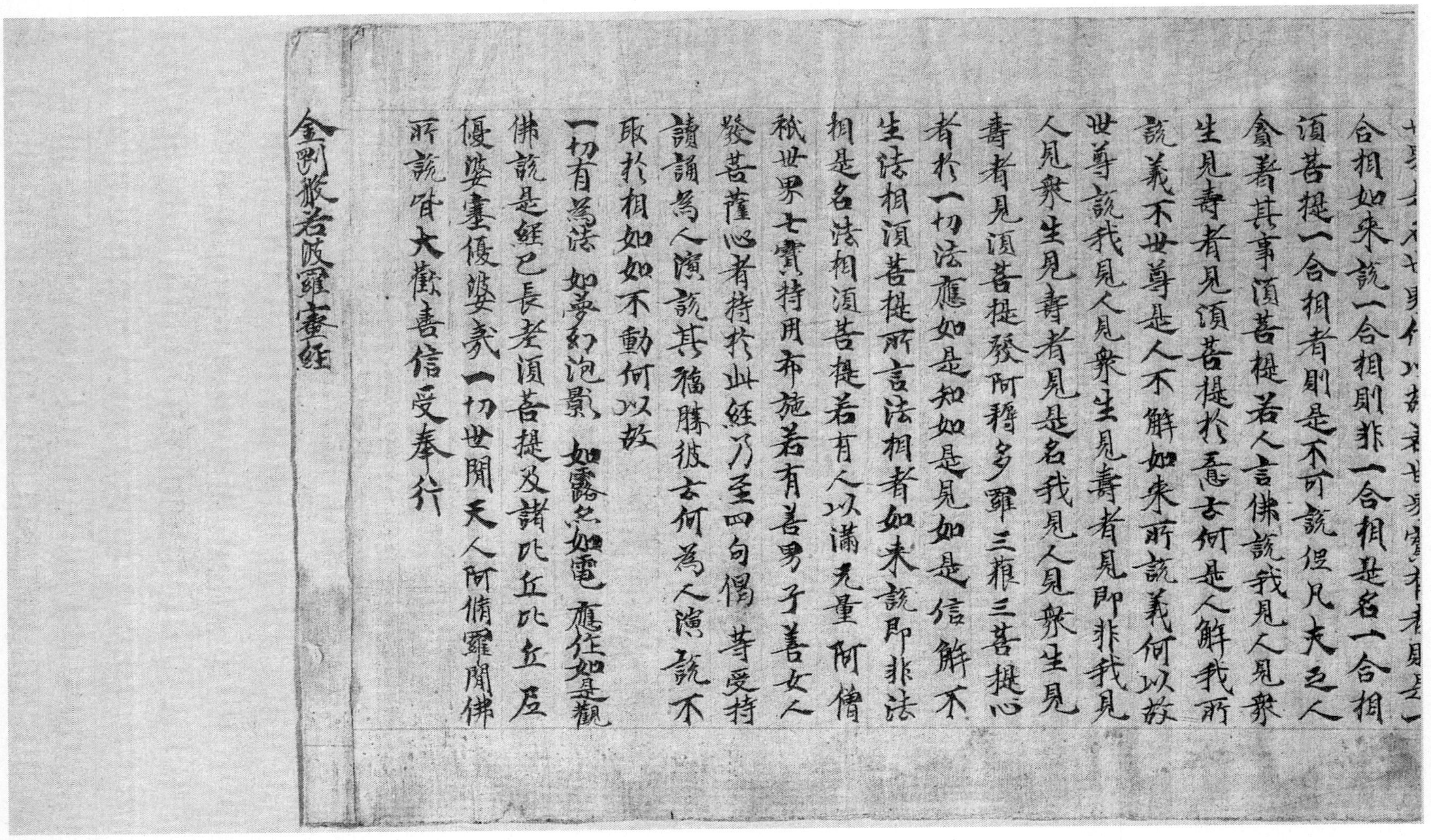
……何以故若世界實有者則是一
合相如來說一合相則非一合相是名一合相
須菩提一合相者則是不可說但凡夫之人
貪著其事須菩提若人言佛說我見人見衆
生見壽者見須菩提於意云何是人解我所
說義不世尊是人不解如來所說義何以故
世尊說我見人見衆生見壽者見即非我見
人見衆生見壽者見是名我見人見衆生見
壽者見須菩提發阿耨多羅三藐三菩提心
者於一切法應如是知如是見如是信解不
生法相須菩提所言法相者如來說即非法
相是名法相須菩提若有人以滿无量阿僧
祇世界七寶持用布施若有善男子善女人
發菩薩心者持於此經乃至四句偈等受持
讀誦為人演說其福勝彼云何為人演說不
取於相如如不動何以故
一切有為法 如夢幻泡影 如露亦如電 應作如是觀
佛說是經已長老須菩提及諸比丘比丘尼
優婆塞優婆夷一切世間天人阿脩羅聞佛
所說皆大歡喜信受奉行
金剛般若波羅蜜經

BD02253 號　金剛般若波羅蜜經　　（15–15）

BD02254 號背　佛名經（十六卷本）卷一六護首　　（1–1）

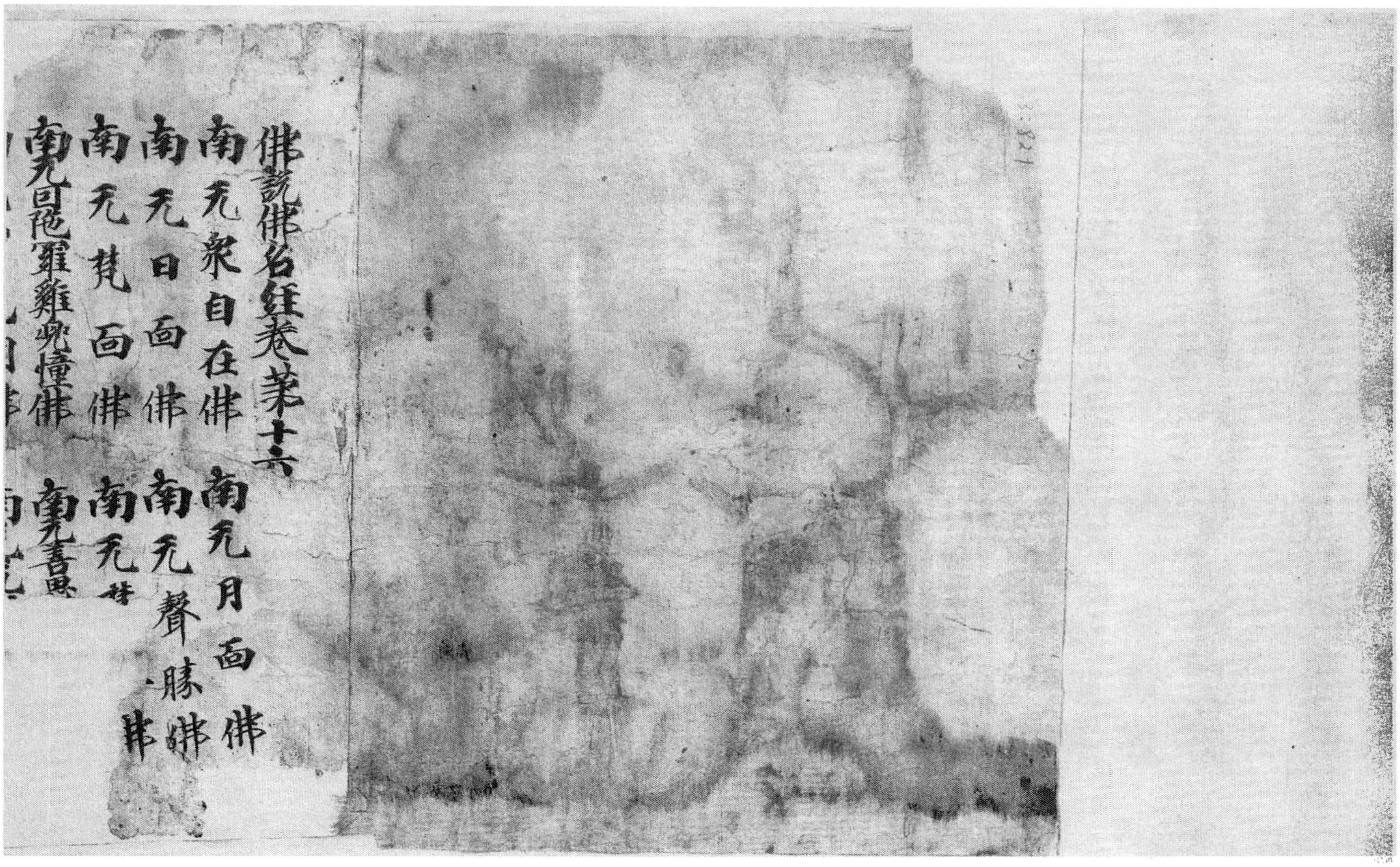

佛說佛名經卷第十六
南无衆自在佛　南无月面佛
南无日面佛　南无聲勝佛
南无梵面佛　南无卄
南无因陀羅雞兜幢佛　南无善思

BD02254 號　佛名經（十六卷本）卷一六　　（34–1）

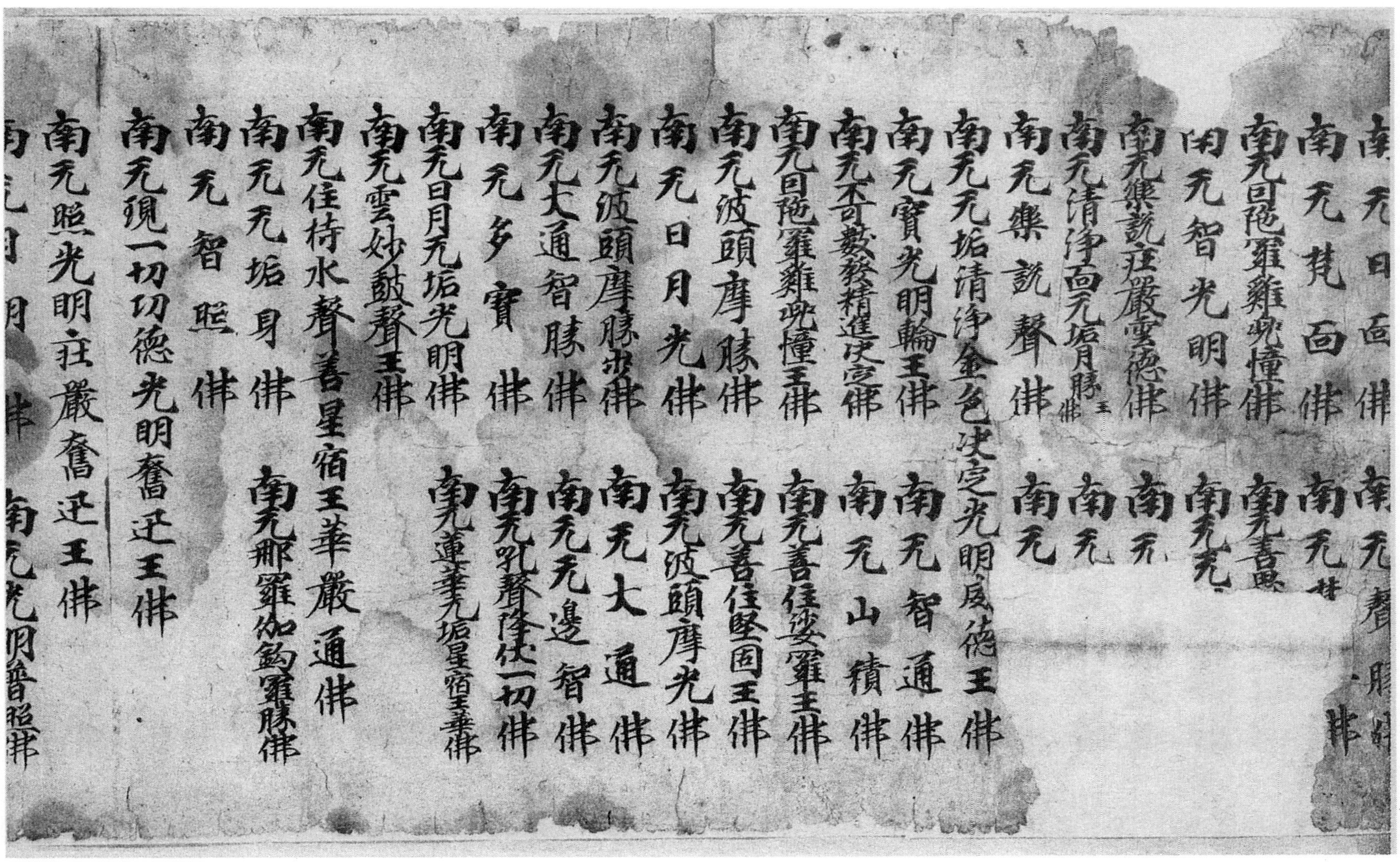

南无日面佛　南无聲勝佛
南无梵面佛　南无卄佛
南无因陀羅雞兜幢佛　南无善思
南无智光明佛　南无光
南无集說莊嚴雲德佛　南无
南无清淨面无垢月勝王佛　南无
南无集說聲佛　南无
南无无垢清淨金色決定光明辰德王佛
南无寶光明輪王佛　南无智通佛
南无不可數發精進決定佛　南无山積佛
南无因陀羅雞兜幢王佛　南无善住婆羅王佛
南无波頭摩勝佛　南无善住堅固王佛
南无日月光佛　南无波頭摩光佛
南无波頭摩勝山佛　南无大通佛
南无大通智勝佛　南无无邊智佛
南无多寶佛　南无乳聲降伏一切佛
南无日月无垢光明佛　南无蓮華无垢星宿王華佛
南无雲妙鼓聲王佛
南无住持水聲善星宿王華嚴通佛
南无无垢身佛　南无那羅延鉤羅勝佛
南无智照佛
南无現一切功德光明奮迅王佛
南无照光明莊嚴奮迅王佛
南无日月佛　南无光明普照佛

BD02254 號　佛名經（十六卷本）卷一六　　（34–2）

南无□一切功德光明奮迅王佛
南无照光明莊嚴奮迅王佛
南无月明佛
南无光明普照佛
南无寶莊嚴佛
南无散華佛
南无普然燈佛
南无普華佛
從此以上一万二千三百佛十二部經一切賢聖
南无普光明勝山王佛
南无善住功德摩尼佛
南无光明王佛
南无不可降伏幢佛
南无勝功德佛
南无世間自在佛
南无普華佛
南无香根佛
南无盡空輪清淨王佛
南无勝光明波頭摩敷身佛
南无一切寶摩尼王佛
南无寶光明日月輪智佛
南无威德頂頭聲王佛
南无大導師佛
南无樂說山佛
南无住佛
南无師子鳥奮迅佛
南无功德王光明佛
南无功德幢佛
南无功德作佛
南无聖天佛
南无寶幢佛
南无金剛合佛
南无一切勝佛
南无安隱色佛
南无妙行佛
南无波娑羅娑伽羅佛
南无非波難兜佛
南无梨師摇多佛
南无破頂惱佛
南无妙佛
南无數寺佛
南无非□羅佛
南无善光佛

南无波娑羅娑伽羅佛
南无非波難兜佛
南无梨師摇多佛
南无破頂惱佛
南无妙佛
南无數寺佛
南无非迦羅佛
南无善光佛
南无吉佛
南无師子威德佛
南无住智德佛
南无娑耶多香佛
南无寶法廣稱佛
南无跡沙佛
南无世間喜佛
南无廣光明佛
南无寶稱佛
南无寶威德佛
南无妙色佛
南无脩盧遮那佛
南无善華佛
南无真聲佛
南无非威德佛
南无微咲眼佛
南无善行色佛
南无雲聲佛
南无功德山佛
南无命威德佛
南无妙色佛
南无世間求佛
南无勝步行佛
南无供養佛
南无降伏怨佛
南无舍尸難兜佛
南无喜莊嚴佛
南无大威德佛
南无非若功德光佛
南无那羅延佛
南无善寶蓋佛
南无離優佛
南无成就行佛
南无无垢光明佛
南无无垢喜佛
南无无垢雲王佛
南无摩堅固佛

南无成就行佛　南无離□佛
南无无垢喜佛　南无无垢光明佛
南无摩堅固佛　南无无垢雲王佛
南无勝讚佛　南无梵功德天王佛
南无盡空步佛　南无妙智佛
南无法寶佛　南无不空見佛
南无難降伏光佛　南无月光佛
南无月佛　南无普光明佛
南无寶勝佛　南无普觀佛
南无不可數見佛　南无通佛
南无清淨光明寶佛　南无无垢臂佛
南无善洗淨无垢成就无邊功德勝王佛
南无寶勝无垢王劫佛　南无義成就佛
南无第一然燈佛　南无大自在佛
南无功德寶勝佛　南无无垢光明佛
南无樂說莊嚴佛　南无无垢月難兜稱佛
南无拘蘊摩莊嚴佛　南无火步佛
南无寶上佛　南无无畏觀佛
南无師子奮迅佛　南无離怖畏佛
從此以上二万二千四百佛十二部經一切賢聖
南无不怯弱離驚怖佛
南无金剛王威德佛　南无梵勝天王佛
南无善月佛　南无光明王佛
南□□□□佛　南无閻浮光明佛

BD02254號　佛名經（十六卷本）卷一六　（34-5）

南无不怯弱離驚怖佛
南无金剛王威德佛　南无梵勝天王佛
南无善月佛　南无光明王佛
南无難兜稱佛　南无閻浮光明佛
南无多摩羅跋栴檀香佛
南无不動佛　南无弥留山佛
南无師子聲佛　南无師子幢佛
南无住虛空佛　南无常入涅槃佛
南无因陁羅幢佛　南无甘露佛
南无降伏一切世間怨佛　南无得度佛
南无弥留劫佛　南无多摩羅跋栴檀香佛
南无雲自在王佛　南无能破一切世間驚怖畏佛
南无普光明佛　南无法光明佛
南无海住持奮迅通佛　南无法虛空勝王佛
南无七寶波頭摩佛　南无寶難兜佛
南无一切眾生愛見佛　南无滿足百千光明幢佛
南无婆羅自在王佛　南无法莊嚴王佛
南无普一寶蓋佛　南无星宿佛
南无普光明奮迅王佛　南无法莊嚴王佛
南无山燈佛　南无堅精進佛
南无法照光佛　南无住清淨眼佛
南无善住淨境界佛　南无月山佛
南无畢竟莊嚴佛　南无无邊功德王佛
南无離諸煩惱佛　南无不空見佛

BD02254號　佛名經（十六卷本）卷一六　（34-6）

南无善住淨境界佛　南无月山佛
南无畢竟莊嚴佛　南无无邊功德王佛
南无離諸煩惱佛　南无不空見佛
南无智上光明佛
南无成就无垢无邊清淨功德勝王佛
南无寶勝智威德莊嚴自在王佛
南无清淨光佛　南无敷華婆羅自在王佛
南无大華敷王佛　南无月輪清淨佛
南无寂靜月聲王佛　南无无邊堅精進住勝佛
南无波頭摩勝佛　南无法雞兜佛
南无然燈佛　南无功德雞兜佛
南无功德成佛　南无聖天佛
南无寶山佛　南无金剛山佛
南无一切勝佛　南无普香佛
南无善華佛　南无善勝佛
南无功德山佛　南无勝成就佛
南无拘隣佛　南无善眼佛
南无頭陁羅吒佛　南无善生佛
南无梵勝佛　南无寂靜佛
南无梵德佛　南无因陁羅幢佛
南无月色佛　南无无垢色佛
南无无染佛　南无勝龍佛
南无龍天佛　南无金光明佛

BD02254號　佛名經（十六卷本）卷一六　（34–7）

南无月色佛　南无无垢色佛
南无无染佛　南无勝龍佛
南无龍天佛　南无金光明佛
南无勝聲因陁羅王佛　南无善須弥山佛
南无善色藏佛　南无火光佛
南无威德因陁羅佛　南无地迦佛
南无琉璃華佛　南无勝琉璃金光明佛
南无月勝佛　南无日乳佛
南无散華莊嚴光明佛
南无婆伽羅勝智奮迅通佛
南无水光明佛　南无大香行光明佛
南无離一切瞋恨意佛　南无寶勝佛
從此以上二万二千五百佛十二部經一切賢聖
南无勝積佛　南无勝山佛
南无住持多功德通王佛　南无日月琉璃光佛
南无心菩提華勝佛　南无日月佛
南无日月光佛　南无華鬘色王佛
南无鉤脩弥多通佛　南无水月光明佛
南无破无明闇佛　南无普蓋寶佛
南无增長法樂佛　南无種師子聲增長王佛
南无梵自在龍吼佛　南无世間自在佛
南无寶作佛　南无甘露聲佛
南无勝光佛　南无龍天佛
南无增上力佛　南无无垢光佛

BD02254號　佛名經（十六卷本）卷一六　（34–8）

南无寶作佛　南无甘露聲佛
南无勝光佛　南无龍天佛
南无增上力佛　南无无垢光佛
南无師子佛　南无世間增上佛
南无德山佛　南无人王佛
南无華勝佛　南无德无畏佛
南无能平等作佛　南无金剛步佛
南无初發心離諸畏一切煩惱勝德佛
南无寶光明步烏佛　南无離諸魔疑佛
南无初發心成就不退輪勝佛
南无寶蓋勝光明佛　南无能教化諸菩薩佛
南无初發心人斷一切煩惱染佛
南无降伏煩惱佛
南无勝光明王佛　南无三昧手勝佛
南无波頭摩上勝佛　南无日輪光明佛
南无日輪光明勝佛　南无均寶蓋佛
南无增上三昧奮迅佛　南无寶華普照勝佛
南无眾妙波頭摩步佛　南无寶輪光明勝德佛
南无寶藏佛　南无寶勝佛
南无寶燈王佛　南无堅精進思惟成就義佛
南无普光明觀勝佛　南无慈莊嚴一切德稱佛
南无世間自在王佛　南无難勝佛
南无稱一切眾生念勝功德佛　南无吉稱功德佛

BD02254號　佛名經（十六卷本）卷一六　（34–9）

南无世間自在王佛　南无難勝佛
南无稱一切眾生念勝功德佛　南无吉稱功德佛
南无畢竟慚愧稱勝佛　南无廣光明佛
南无樂說莊嚴思惟佛　南无无垢月離光稱佛
南无鉢循摩莊嚴光明佛　南无寶稱佛
南无畏觀佛　南无師子力奮迅佛
南无伽耶歌王光明佛　南无賢作佛
南无无垢光明佛　南无功德寶光明佛
南无精進力成就佛　南无善清淨光佛
南无得集一切縛佛　南无无垢波頭摩藏勝佛
南无得无障礙力解脫佛　南无十方稱名无畏佛
南无金剛勢佛　南无大寶聚佛
南无无邊功德莊嚴威德王劫佛
南无功德寶山佛　南无說一切莊嚴勝佛
南无无邊樂說莊嚴成就智佛
南无十雲吼聲王佛
南无妙金色光明威德勝照佛
南无種種威德王劫佛
南无阿僧祇億劫成就智佛
南无清淨金盡變吼光明佛　南无功德多寶海王佛
南无普光明佛
南无不變功德佛
南无照一切處佛　南无妙鼓聲佛

BD02254號　佛名經（十六卷本）卷一六　（34–10）

南无不變功德佛
南无照一切處佛　南无妙鼓聲佛
南无法自在佛　南无普見佛
南无大炎聚佛　南无光明幢佛
南无智雞兜佛　南无婆羅胎佛
從此以上一万二千六百佛十二部經一切賢聖
南无寶尸棄佛　南无波頭摩藏佛
南无一切勝佛　南无婆伽羅佛
南无波頭摩藏佛　南无婆羅自在王佛
南无華佛　南无勝稱佛
次礼十二部尊經大藏法輪
南无五切怖經　南无父母因緣經
南无內外无爲經　南无五失蓋經
南无浮木經　南无內外六波羅蜜經
南无佛立莊嚴淨經　南无鬼子母經
南无難龍王經　南无佛說菩意經
南无觀行移四事經　南无難提和羅經
南无佛有百比丘經　南无禰陁越經
南无觀世音大勢至受決經　南无悔有八事經
南无佛從上所行卅偈經　南无目連上淨居士經
南无佛在竹園經　南无堅心經
南无目佉經　南无佛告舍利日經
次礼十方諸大菩薩

BD02254號　佛名經（十六卷本）卷一六　（34–11）

南无佛在竹園經　南无堅心經
南无目佉經　南无佛告舍利日經
次礼十方諸大菩薩
南无日慧世界堅固林菩薩
南无清淨慧世界如來林菩薩
南无梵慧世界智林菩薩
南无因陁羅世界法慧菩薩
南无蓮華世界一切慧菩薩
南无衆寶世界勝慧菩薩
南无優鉢羅世界功德慧菩薩
南无妙行世界精進慧菩薩
南无善行世界善慧菩薩
南无歡喜世界智慧菩薩
南无星宿世界真實慧菩薩
南无欣慈世界无上慧菩薩
南无虛空世界堅固慧菩薩
南无堅固寶王世界金剛幢菩薩
南无堅固金世界夜光幢菩薩
南无堅固摩尼世界智幢菩薩
南无堅固金剛世界寶幢菩薩
南无堅固蓮華世界精進幢菩薩
南无堅固青蓮華世界離垢菩薩
南无堅固旃檀世界真實幢菩薩

BD02254號　佛名經（十六卷本）卷一六　（34–12）

南无□國道華世界精進□菩薩
南无堅固青蓮華世界離垢菩薩
南无堅固旃檀世界真實幢菩薩
南无堅固香世界法幢菩薩
南无淨光世界念意菩薩
次礼聲聞緣覺一切賢聖
南无香辟支佛　南无有香辟支佛
南无見人飛騰辟支佛　南无可波羅辟支佛
南无泰摩利辟支佛　南无月淨辟支佛
南无善智辟支佛　南无脩陁羅辟支佛
南无善法辟支佛　南无應求辟支佛
南无驕求辟支佛　南无大勢辟支佛
南无脩行不著辟支佛　南无難捨辟支佛
南无寶辟支佛　南无不可比辟支佛
南无歡喜辟支佛　南无喜辟支佛
南无隨喜辟支佛　南无十二波羅闍辟支佛
南无十同名婆羅辟支佛　南无大身辟支佛
礼三寶已次復懺悔
弟子今以怱相懺悔一切諸業今當次弟更
復一一別相懺悔若怱若別若麤若細若輕
若重若說不說品類相從願皆消滅別相懺
者先懺身三次懺口四其餘諸障次弟稽顙
身三業者弟一煞害如經所明怒己可爲喻
勿殺勿行杖雖復禽獸之殊保命畏死其事

BD02254號　佛名經（十六卷本）卷一六　（34–13）

者先懺身三次懺口四其餘諸障次弟稽顙
身三業者弟一煞害如經所明怒己可爲喻
勿殺勿行杖雖復禽獸之殊保命畏死其事
是一若尋此衆生无始以來或是我父母兄
弟六親眷屬以業因緣輪迴六道出生入死
改形易報不復相識而今興害食噉其肉傷
慈之甚是故佛語設得餘食當如飢世食子
肉想何况食噉此魚肉耶又言爲利煞衆生
以錢納衆生肉二俱是惡業死墮叫呼地獄故
知煞害及以食噉罪深河海過重丘岳然弟
子等无始以來不遇善友皆爲此業是故經
言煞害之罪能令衆生墮於地獄餓鬼受苦
若在畜生則受虎豹犲狼鷹鷂等身或受
毒蛇蝮蝎等身常懷惡心或受麞鹿熊羆等
身常懷恐怖若生人中得二種果報一者多病
二者短命煞害食噉既有如是无量種種諸
惡果報是故弟子至到稽顙歸依佛
南无東方滅諸怖畏佛　南无南方日月燈明佛
南无西方覺華光佛　南无北方發一切德佛
南无東南方除衆生暗感寘佛　南无西南方无生自在佛
南无西北方大神通王佛　南无東北方虛空離垢心佛
南无下方同像虛空无佛　南无上方无稱藏勝佛
如是十方盡虛空界一切三寶至心歸命常
住三寶

BD02254號　佛名經（十六卷本）卷一六　（34–14）

南无下方迴像變无佛　南无上方殊藏勝佛
如是十方盡虛空界一切三寶至心歸命常
住三寶
弟子等自從无始以來至於今日有此心識常
懷慘毒无慈愍心或因貪起煞因瞋因癡及
以憍煞或興惡方便誓煞願煞及以呪煞或
破決湖池焚燒山野田獵魚捕或因風放火飛
鷹放犬惱害一切如是等罪今悉懺悔至
心歸命常住三寶
或以檻穽坑撥叉戟槍稍弓弩彈射飛鳥走獸
之類或以罘網罾釣撩漉水性魚鼈黿鼉蝦
蜆螺蚌濕居之屬使水陸之與空行藏竄无
地或畜養雞豬牛羊犬豕鵝鴨之屬自供庖
廚或貨他宰煞使其哀聲未盡毛羽脫落
鱗甲傷毀身首分離骨肉銷碎剝裂屠割炮
燒煮炙楚毒酸切橫加无辜但取一時之快口
不知嬰苦之者痛得來甚宜不過三寸舌根
而已然其罪報殃咎累劫如是等罪今日至
誠皆悉懺悔至心歸命常住三寶
又復无始以來至於今日或復興師相伐疆埸
交諍兩陣相向更相煞害或自煞教煞聞煞歡
喜或習屠膾賃為刑戮烹宰他命行於
不忍或恣忿怒揮戈儛刃或斬或刺或推著
坑塹或以水沉溺或塞穴壞巢土石磓押或以

喜或習屠膾賃為刑戮烹宰他命行於
不忍或恣忿怒揮戈儛刃或斬或刺或推著
坑塹或以水沉溺或塞穴壞巢土石磓押或以
車馬雷轢踐蹹一切眾生如是等罪无量无
邊今日發露皆悉懺悔至心歸命常住三寶
又復无始以來或墮胎破卵毒藥蠱道傷殺
眾生墾土掘地種殖田園養蠶煮繭傷煞滋
甚或打撲蚊蚋掐齧蚤虱或燒除糞掃開決溝
渠枉害一切或噉菓實或用穀米或水或菜
橫煞眾生或然薪或露燈燭焚諸虫類或
食醬酢不看搖動或寫湯水澆殺虫蟻如是
乃至行住坐臥四威儀中恒常傷煞飛空著
地細微眾生弟子以凡夫識暗不覺不知今
日發露皆悉懺悔至心歸命常住三寶
又復弟子无始以來至於今日或以鞭杖枷鎖
桁械壓捺拷掠打擲手腳蹴蹹拘縛籠繫斷
絕水穀如是種種諸惡方便苦惱眾生今日
至誠向十方佛尊法聖眾皆悉懺悔至心歸
命常住三寶
願弟子等承是懺悔煞害等罪所生功德生
生世世得金剛身壽命无窮永離怨憎无煞
害想於諸眾生得一子地若見危難急厄之
者不惜身命方便救解令得解脫然後為說

害想於諸衆生得一子地若見危難急厄之
者不惜身命方便救解令得解脫然後爲說
微妙正法使諸衆生覩形見影皆蒙安樂聞
名聽聲恐怖悉除至心歸命常住三寶
佛說罪業報應教化地獄經
復有衆生五根不具何罪所致佛言以前世
時飛鷹走狗彈射鳥獸或破其頭或斷其
足生滅頭翼故獲斯罪
復有衆生癃殘背僂腰跨不隨脚跛手折
不能行步何罪所致佛言以前世時爲人阬
穽行道安鉾或施射弋陥墜衆生前後非一
故獲斯罪
復有衆生爲諸獄卒執繫其身杻械苦厄
不能得免何罪所致佛言以前世時網捕衆
生籠繫六畜或爲宰主令長貪取民物枉
繫良善怨訴无所故獲斯罪
復有衆生或顛或癡或狂或騃不別好醜何
罪所致佛言以前世時飲酒醉亂卅六失
後得癡身如似醉人不別尊卑故獲斯罪
南无見寶佛　南无智弥留佛
南无龍德佛　南无勝行佛
南无星宿佛　南无大莊嚴佛
南无光明王佛　南无能人佛

BD02254號　佛名經（十六卷本）卷一六　（34–17）

南无龍德佛　南无勝行佛
南无星宿佛　南无大莊嚴佛
南无光明王佛　南无能人佛
南无自在山佛　南无日面佛
南无善意佛　南无龍勝佛
南无弗沙佛　南无衆王佛
從此以上二万二千七百佛十二部經一切賢聖
南无師子山佛　南无住持勝功德佛
南无飲甘露佛　南无放炎佛
南无山佛　南无護世間供養佛
南无多伽羅尸棄佛　南无難勝佛
南无大燈佛　南无波頭摩上佛
南无法幢佛　南无能然燈佛
南无難勝佛　南无難可意佛
南无真聲佛　南无妙聲佛
南无婆羅步佛　南无寶炎佛
南无愛見佛　南无須弥劫佛
南无栴檀光佛　南无日光佛
南无藥樹勝佛　南无覺佛
南无記佛　南无愛作佛
南无作无畏佛　南无波頭摩寶胷佛
南无勝德佛　南无无垢佛
南无照佛　南无无煩惱佛

BD02254號　佛名經（十六卷本）卷一六　（34–18）

南无竹无畏佛　南无波頭摩寶香佛
南无勝德佛　南无无垢佛
南无照佛　南无无煩惱佛
南无善来佛　南无善光佛
南无金色佛　南无能作光明佛
南无清淨佛　南无得解脫勝佛
南无迦陵頻伽聲佛　南无能與法佛
南无善讙諸門佛　南无能意佛
南无離愛佛　南无未生寶佛
南无善讙諸根佛　南无梵聲佛
南无勝聲佛　南无妙聲佛
南无大慧佛　南无无諸濁佛
南无不可動佛　南无樂解勝佛
南无勝二足佛　南无具足一切德莊嚴佛
南无相莊嚴佛　南无拘牟陁語佛
南无不可降伏語佛　南无常相應語佛
南无梵聲安隱衆生佛　南无婆羅華佛
南无金枝華佛　南无拘牟陁相佛
南无妙頂佛　南无大牟尼佛
南无一切法到彼岸佛　南无无染佛
南无不散心佛　南无荷吒伽色佛
南无善寂成就佛　南无睺頭羅步佛
南无清淨手佛　南无常来佛
南无畢竟成就大悲佛　南无成就堅佛

BD02254號　佛名經（十六卷本）卷一六　（34–19）

南无善寂成就佛　南无睺頭羅步佛
南无清淨手佛　南无常来佛
南无畢竟成就大悲佛　南无成就堅佛
南无常行成就佛　南无離諍濁佛
南无清淨一切德相佛　南无不泣千尼羅佛
南无勝藏佛　南无般若齊佛
南无般若寶畢竟佛　南无滿足意佛
南无世間自在王佛　南无无量命佛
南无大炎積佛　南无无邊寶佛
南无淨勝天佛　南无內外淨佛
南无寂諸根佛　南无聚勝燈佛
南无成就不思惟頻婆羅王佛　南无師子意佛
南无降伏力佛　南无住持速行佛
南无放光明王佛　南无毗頭奚吼佛
南无无念覺法王佛　南无國土莊嚴身佛
南无智根本華幢佛　南无化稱佛
從此以上二万二千八百佛十二部經一切賢聖
南无一切色摩尼藏佛　南无法藏自在佛
南无法獻波婆羅佛　南无无邊一切德藏佛
南无淨華聲佛　南无大法王稿循摩勝佛
南无一切无盡藏佛　南无一切德山藏佛
南无星宿山藏佛　南无虛空智山藏佛
南无智力天王佛　南无无障礙海隨順智佛
南无无邊覺海藏佛　南无智王无盡稱佛

BD02254號　佛名經（十六卷本）卷一六　（34–20）

南无智力天王佛
南无无障礙海随順智佛
南无无邊覺海藏佛
南无智王无盡稱佛
南无心意奮迅王佛
南无自性清淨智佛
南无智自在法王佛
南无差別去佛
南无自在見佛
南无随順音見法端佛
南无龍月佛
南无因陁羅波婆羅无㝵王佛
南无智雞兜佛
南无智燈佛
南无大光明照佛
南无不可勝佛
南无照佛
南无銀雞兜幢蓋佛
南无威德自在王佛
南无覺王佛
南无寶藏佛
南无大婆伽羅佛
南无十力差別佛
南无降伏魔佛
南无降伏貪佛
南无降伏瞋佛
南无降伏癡佛
南无无憍慢佛
南无降伏瞋恨垢佛
南无法清淨佛
南无業勝得名佛
南无如意清淨得名佛
南无得施越名佛
南无得清淨戒名佛
南无越忍辱成就佛
南无得越精進名佛
南无得越禪名佛
南无得越般若名佛
南无成就施不可思議名佛
南无成就戒不可思議名佛
南无成就忍不可思議佛

南无成就施不可思議名佛
南无成就戒不可思議名佛
南无成就忍不可思議佛
南无成就精進佛
南无成就禪不可思議名佛
南无成就般若不可思議名佛
南无行成就得名佛
南无成就陁羅尼清淨得名佛
南无陁羅尼色清淨得名佛
南无陁羅尼施清淨得名佛
南无空无我自在得名佛
南无眼陁羅尼自在佛
南无耳陁羅尼自在佛
南无鼻陁羅尼自在佛
南无舌陁羅尼自在佛
南无身陁羅尼自在佛
南无意陁羅尼自在佛
南无色陁羅尼自在佛
南无聲陁羅尼自在佛
南无香陁羅尼自在佛
南无味陁羅尼自在佛
南无觸陁羅尼自在佛
南无法陁羅尼自在佛
南无地陁羅尼自在佛
南无水陁羅尼自在佛
南无火陁羅尼自在佛
南无風陁羅尼自在佛
南无苦自在佛
南无集自在佛
南无滅自在佛
南无道自在佛
南无陰自在佛
南无界自在佛
南无入自在佛
南无三世自在佛
南无陁羅尼華自在佛

南无道自在佛
南无果自在佛　南无入自在佛
南无三世自在佛　南无陀羅尼華自在佛
南无吉光明佛　南无寶燈炎自在光明佛
南无法幢佛　南无師子聲佛
南无照藏佛　南无法明散身佛
南无一切通光佛　南无月智佛
南无妙勝佛　南无賢勝佛
南无普滿佛　南无普賢佛
南无那羅延王佛　南无成就一切義佛
南无住持威德佛　南无无畏觀佛
從此以上二万二千九百佛十二部經一切賢聖
南无如是等現在過去未來无量无邊佛
南无十千同名滿足佛　南无二万同名龍聖佛
南无二千同名拘隣佛　南无十八億同名寶體法佛
南无十八億同名日月燈佛　南无千五百同名大威德佛
南无一万五千同名歡喜佛　南无八万四千九百同名龍奮佛
南无一万五千同名日佛　南无万八千同名娑羅王佛
南无一万八千同名因陁羅幢王佛
南无八千同名善光佛
南无八百同名寂滅佛
南无卅六億十一万九千五百同名淨王佛
此諸佛名百千万劫不可得聞如憂曇鉢華
若人受持讀誦此諸佛名畢竟遠離諸煩

BD02254號　佛名經（十六卷本）卷一六　（34–23）

南无八百同名寂滅佛
南无卅六億十一万九千五百同名淨王佛
此諸佛名百千万劫不可得聞如憂曇鉢華
若人受持讀誦此諸佛名畢竟遠離諸煩
惱　舍利弗應當敬礼波頭摩勝如來佛
南无寂王佛　南无燈作佛
南无天光佛　南无德山佛
南无勝上佛　南无娑羅王佛
南无淨王佛　南无大慧梁佛
南无須弥佛　南无大智慧須弥慧佛
南无寶作佛　南无寶藏佛
南无破金剛佛　南无賢智不動佛
南无香普佛　南无甘露命佛
南无難勝佛　南无月光佛
南无日照佛　南无智難勝佛
南无大師子佛　南无弥留山佛
南无香光佛　南无德山佛
南无大通佛　南无阿摩羅藏佛
南无寶國佛　南无金剛藏佛
南无優波羅藏佛　南无大日佛
南无橋梁載佛　南无月勝佛
南无樂堅固佛　南无不可思議法身佛
南无勝藏佛　南无不空王佛
南无金剛无畏智佛　南无寶炎佛

BD02254號　佛名經（十六卷本）卷一六　（34–24）

南无樂堅固佛　南无不可思議德身佛
南无勝藏佛　南无不空王佛
南无金剛无㝵智佛　南无寶炎佛
南无賒施燈佛　南无降伏一切怨佛
南无自在佛　南无大智真聲佛
南无般若香象佛　南无天王佛
舍利弗若善男子善女人聞此諸佛名受
持讀誦不生疑者是人八千億劫不入地獄
不入畜生不入餓鬼道不生邊地不生貧窮家
不生下賤家常生天人豪貴之家常得歡
喜適樂无㝵常得一切世間尊重供養
乃至得大涅槃
舍利弗汝等應當敬礼不可嫌身佛
南无稱聲佛　南无稱威德佛
南无稱名佛　南无華施佛
南无聲炎佛　南无聲分勇猛佛
南无智勝佛　南无智善智佛
南无智聚佛　南无智勇猛佛
南无梵勝佛　南无淨婆藪佛
南无淨佛　南无淨天佛
南无淨聲佛　南无梵自在佛
南无威德佛　南无毗摩勝佛
南无毗摩意佛　南无毗摩面佛
南无毗摩上佛　南无无邊聲佛

BD02254號　佛名經（十六卷本）卷一六　（34–25）

南无威德佛　南无毗摩勝佛
南无毗摩意佛　南无毗摩面佛
南无毗摩上佛　南无无邊聲佛
南无寶見佛　南无善眼月佛
南无染聲佛　南无放聲佛
南无鶩怖摩力聲佛　南无淨眼佛
南无无邊眼佛　南无普眼佛
南无勝眼佛　南无不可行佛
南无齋勝佛　南无善齋心佛
南无善齋根佛　南无善齋意佛
南无善齋德佛　南无善住佛
南无衆自在王佛　南无大衆自在佛
南无衆解脫佛　南无法幢佛
從此以上二万三千佛十二部經一切賢聖
南无法山佛　南无法勝佛
南无法體佛　南无法力佛
南无法勇猛佛　南无法體決定佛
南无第二劫八十億同名法體決定佛
舍利弗若善男子善女人受持是佛名
畢竟不入地獄速得三昧
舍利弗過是佛名无量无邊阿僧祇劫有
佛名人自在聲汝當歸命彼人自在聲佛
壽命七十千万劫住世初會諸三億聲聞衆

BD02254號　佛名經（十六卷本）卷一六　（34–26）

舍利弗過是佛名无量无邊阿僧祇劫有
佛名人自在聲汝當歸命彼人自在聲佛
壽命七十千万劫住世初會諸三億聲聞衆
集八十那由他千万菩薩衆集皆得諸神通
具四无㝵智通達一切空到彼岸我若无量劫
住世說彼佛大會國土莊嚴如大海水中
一渧之分舍利弗應當敬礼十方諸大菩薩
次礼十二部尊經大藏法輪
南无文殊師利藏龍海遍經　南无開居經
南无大愛道受戒經　南无文陁偈經
南无分和檀王經　南无度世經
南无解无常經　南无大善權經
南无要真經　南无八念經
南无大本藏經　南无照明三昧經
南无八正道經　南无大六向拜經
南无胡般泥洹經　南无諸神呪經
南无大愛道泥洹經　南无本相猗致經
南无六淨經　南无十思惟經
南无流攝經　南无六十二見經
次礼十方諸大菩薩
南无淨世界陁羅尼自在王菩薩
南无善見世界堅固莊嚴菩薩
南无淨光世界功德山王勝菩薩

BD02254 號　佛名經（十六卷本）卷一六　（34-27）

南无淨世界陁羅尼自在王菩薩
南无善見世界堅固莊嚴菩薩
南无淨光世界功德山王勝菩薩
南无淨光世界法慧菩薩
南无淨光世界山王菩薩
南无淨光世界師子吼菩薩
南无淨光世界弥勒菩薩
南无淨光世界功德聚菩薩
南无好成世界智積菩薩
南无寂靜世界進淨菩薩
南无善信淨菩薩
南无現在西方菩薩名
南无旃檀香世界普明菩薩
南无旃檀香世界大光菩薩
南无金剛世界法首菩薩
南无思惟樹世界善首菩薩
南无離闇冥世界光曜內菩薩
南无日慧世界福德王菩薩
南无星宿世界然燈菩薩
南无旃檀香世界海慧菩薩
南无意入世界无量華照垂驗菩薩
南无金色世界文殊師利菩薩
南无樂色世界覺首菩薩
南无華色世界甘首菩薩

BD02254 號　佛名經（十六卷本）卷一六　（34-28）

南无金色世界文殊師利菩薩
南无樂色世界覺首菩薩
南无華色世界財首菩薩
南无瞻蔔華色世界寶首菩薩
次礼聲聞緣覺一切賢聖
南无脩行不著辟支佛　南无難捨辟支佛
南无寶辟支佛　南无不可比辟支佛
南无歡喜辟支佛　南无喜辟支佛
南无随喜辟支佛　南无十二婆羅墮辟支佛
南无十同名婆羅辟支佛　南无大身辟支佛
南无同菩提辟支佛　南无摩訶男辟支佛
南无心上辟支佛　南无髮淨辟支佛
南无善快辟支佛　南无園陁辟支佛
南无吉沙辟支佛　南无優波吉沙辟支佛
南无新有辟支佛　南无優波婆羅辟支佛
礼三寶已次復懺悔
次復懺悔劫盜之業經中說言若物屬他他
所守護於此物中一草一葉不與不取何况但
自衆生雖見現在利故以種種方便非道
而取致使未來受此殃累是故經言劫盜之
罪能令衆生墮於地獄餓鬼受苦若在畜
生則受牛馬驢騾駱駝等形以其所有身力
血肉償他宿債若生人中為他奴婢衣不蔽形

BD02254號　佛名經（十六卷本）卷一六　（34–29）

而取致使未來受此殃累是故經言劫盜之
罪能令衆生墮於地獄餓鬼受苦若在畜
生則受牛馬驢騾駱駝等形以其所有身力
血肉償他宿債若生人中為他奴婢衣不蔽形
食不充命貧寒困苦人理殆盡劫盜既有如
是苦報是故弟子今日至到稽首歸依佛
南无東方壞諸煩惱佛　南无南方妙音自在佛
南无西方大雲光佛　南无北方雲自在王佛
南无東南方无緣莊嚴佛　南无西南方過諸魔界佛
南无西北方見无怖懼佛　南无東北方一切德嚴佛
南无下方妙善住王佛　南无上方蓮華藏光佛
如是十方盡虚空界一切三寶至心歸命常
住三寶
弟子等自從无始以來至於今日或盜他財寶
興刃強奪或自恃身逼迫而取或恃公威或
假勢力高折大秤枉押良善吞納姦詐考直
為曲為此因緣身羅憲綱或任邪治或領他
財物侵公益私侵私益公損彼利此損此利彼
割他自饒口與心悋或竊沒祖估偷度關稅
匿公課輸藏隱使役如是等罪今悉懺悔
至心歸命常住三寶
或是佛法僧物不與而取或取經像物或治營
塔寺物或供養常住僧物或擬招提僧物或
盜取誤用恃勢不還或自借或貸人或復換

BD02254號　佛名經（十六卷本）卷一六　（34–30）

塔寺物或供養常住僧物或擬招提僧物或
盜取俁用恃勢不還或自借或貸人或復換
貸漏忘或三寶物无分溷亂雜用或以衆物
穀米蒭薪塩豉醬酢菜茹菓實錢帛竹木
繒綵幡蓋香花油燈隨情逐意或自用或與人
或摘佛華菓用僧鬘物回三寶財私自利己
如是等罪无量无邊今日慚愧皆悉懺悔
至心歸命常住三寶
又復无始以來至于今日或作同旋明友師
僧同學父母兄弟六親眷屬共住同止百一
所須更相欺罔或於鄉鄰比近移籬拓墻侵他
地宅改標易相虜略田園回公託私奪人邸
店及以屯墅如是等罪今悉懺悔至心歸
命常住三寶
又復无始以來或攻城破邑燒村壞柵偷賣
良民誘他奴婢或復枉押无罪之人使其形
殂血刃身被徒鎖家業破散骨肉生離分
張異域生死隔絕如是等罪无量无邊今
悉至到皆盡懺悔至心歸命常住三寶
又復无始以來至於今日或商侶博貨邸店
市易輕秤小外減割尺寸盜竊分銖欺罔圭
合以麤易好以短換長巧欺百端希望毫利

BD02254號　佛名經（十六卷本）卷一六　（34–31）

市易輕秤小外減割尺寸盜竊分銖欺罔圭
合以麤易好以短換長巧欺百端希望毫利
如是等罪今悉懺悔至心歸命常住三寶
又復无始以來至於今日或穿踰墻壁斷道抄
掠抵捍債息負情違要面欺心口或非道陵
奪鬼神禽獸四生之物或假託卜相取人財
寶如是乃至以利求利惡求多求无猒无足
如是等罪无量无邊不可說盡今向十方
佛尊法聖衆皆悉懺悔至心歸命常住三寶
願弟子等承是懺悔劫盜等所生功德生
生世世得如意寶常雨七珎上妙衣服百味
甘露種種湯藥隨意所須應念即至一切衆
生无偷奪想一切皆能少欲知足不耽不染
常樂惠施行急濟道頭目髓腦捨身如棄
涕唾迴向滿足檀波羅蜜至心歸命常住三寶
佛說罪業報應教化地獄經
復有衆生其形矩小陰藏甚大挽之身皮
復皆進引行步坐臥以之爲妨何罪所致佛言
以前世時於市販賣自譽己物毀辱他財賤
升抹外踊秤前後欺獲斯罪
復有衆生其形甚醜身黑如漆兩目復青
高頰俱埠皰面平鼻兩眼黃赤牙齒踈缺口

BD02254號　佛名經（十六卷本）卷一六　（34–32）

復有衆生其形甚醜身黑如漆兩目復青
高類俱埤電面平鼻兩眼黄赤牙齒踈缺口
氣腥臭痤短癰腫大腹逹寬脚復了戾僂脊
佌勦費衣徤食惡瘡膿血水腫干消疥癩
癰疽種種諸惡集在其身雖親附人人不在意
若他作罪横羅其殃永不見佛永不聞法永
不識僧何罪所致佛言以前世時坐為子不
孝父母為臣不忠其君為上不接其下為下
不敬其上朋友不實其信鄉黨不以不其齒
朝庭不以其爵心意顛到无有期度不信
三尊煞君害師伐國掠民攻城破塢偷塞過
盜惡業非一美以惡人侵陵孤老誣謗賢善
輕慢尊長欺誑下賤一切罪報集俱犯之衆
生業報故獲斯罪

佛說佛名經卷第十六

BD02254號　佛名經（十六卷本）卷一六　（34–33）

孝父母為臣不忠其君為上不接其下為下
不敬其上朋友不實其信鄉黨不以不其齒
朝庭不以其爵心意顛到无有期度不信
三尊煞君害師伐國掠民攻城破塢偷塞過
盜惡業非一美以惡人侵陵孤老誣謗賢善
輕慢尊長欺誑下賤一切罪報集俱犯之衆
生業報故獲斯罪

佛說佛名經卷第十六

BD02254號　佛名經（十六卷本）卷一六　（34–34）

著　錄　凡　例

本目錄採用條目式著錄法。諸條目意義如下：

1.1　著錄編號。用漢語拼音首字“BD”表示，意為“北京圖書館藏敦煌遺書”，簡稱“北敦號”。文獻寫在背面者，標註為“背”。一件遺書上抄有多個文獻者，用數字1、2、3等標示小號。一號中包括幾件遺書，且遺書形態各自獨立者，用字母A、B、C等區別。

1.2　著錄分類號。本條記目錄暫不分類，該項空缺。

1.3　著錄文獻的名稱、卷本、卷次。

1.4　著錄千字文編號。

1.5　著錄縮微膠卷號。

2.1　著錄遺書的總體數據。包括長度、寬度、紙數、正面抄寫總行數與每行字數、背面抄寫總行數與每行字數。如該遺書首尾有殘破，則對殘破部分單獨度量，用加號加在總長度上。凡屬這種情況，長度用括弧標註。

2.2　著錄每紙數據。包括每紙長度及抄寫行數或界欄數。

2.3　著錄遺書的外觀。包括：(1) 裝幀形式。(2) 首尾存況。(3) 護首、軸、軸頭、天竿、縹帶，經名是書寫還是貼簽，有無經名號，扉頁、扉畫。(4) 卷面殘破情況及其位置。(5) 尾部情況。(6) 有無附加物（蟲繭、油污、線繩及其他）。(7) 有無褙補及其年代。(8) 界欄。(9) 修整。(10) 其他需要交待的問題。

2.4　著錄一件遺書抄寫多個文獻的情況。

3.1　著錄文獻首部文字與對照本核對的結果。

3.2　著錄文獻尾部文字與對照本核對的結果。

3.3　著錄錄文。

3.4　著錄對文獻的説明。

4.1　著錄文獻首題。

4.2　著錄文獻尾題。

5　著錄本文獻與對照本的不同之處。

6.1　著錄本遺書首部可與另一遺書綴接的編號。

6.2　著錄本遺書尾部可與另一遺書綴接的編號。

7.1　著錄題記、題名、勘記等。

7.2　著錄印章。

7.3　著錄雜寫。

7.4　著錄護首及扉頁的內容。

8　著錄年代。

9.1　著錄字體。如有武周新字、合體字、避諱字等，予以説明。

9.2　著錄卷面二次加工的情況。包括句讀、點標、科分、間隔號、行間加行、行間加字、硃筆、墨塗、倒乙、刪除、兌廢等。

10　著錄敦煌遺書發現後，近現代人所加內容，裝裱、題記、印章等。

11　備註。著錄揭裱互見、圖版本出處及其他需要説明的問題。

上述諸條，有則著錄，無則空缺。

為避文繁，上述著錄中出現的各種參考、對照文獻，暫且不列版本説明。全目結束時，將統一編制本條記目錄出現的各種參考書目。

本條記目錄為農曆年份標註其公曆紀年時，未進行歲頭年末之換算，請讀者使用時注意自行換算。

條　記　目　錄

BD02201—BD02254

1.1　BD02201 號
1.3　大般若波羅蜜多經卷二四六
1.4　閏 001
1.5　084:2647
2.1　107×27.1 厘米；3 紙；共 60 行，行 17 字。
2.2　01：48.1，28；　02：47.5，28；　03：11.4，04。
2.3　卷軸裝。首脱尾全。有烏絲欄。
3.1　首殘→大正 220，6/245A21。
3.2　尾全→6/245C23。
4.2　大般若波羅蜜多經卷第二百卌六（尾）。
6.1　首→BD02202 號。
8　8～9 世紀。吐蕃統治時期寫本。
9.1　楷書。
11　圖版：《敦煌寶藏》，74/337B～338B。

1.1　BD02202 號
1.3　大般若波羅蜜多經卷二四六
1.4　閏 002
1.5　084:2646
2.1　239.9×27.5 厘米；5 紙；共 139 行，行 17 字。
2.2　01：48.2，28；　02：48.2，28；　03：48.3，28；
04：48.0，28；　05：47.2，27。
2.3　卷軸裝。首尾均脱。有烏絲欄。
3.1　首殘→大正 220，6/243B27。
3.2　尾殘→6/245A21。
6.2　尾→BD02201 號。
8　8～9 世紀。吐蕃統治時期寫本。
9.1　楷書。
11　圖版：《敦煌寶藏》，74/334A～337A。

1.1　BD02203 號
1.3　妙法蓮華經卷四
1.4　閏 003
1.5　105:5224
2.1　（1101.3+23）×25.5 厘米；23 紙；共 618 行，行 17 字。
2.2　01：12.8，07；　02：49.0，28；　03：49.0，28；
04：49.0，28；　05：49.0，28；　06：49.0，28；
07：49.2，28；　08：51.5，28；　09：51.8，28；
10：51.0，28；　11：51.0，28；　12：51.0，28；
13：51.0，28；　14：51.0，28；　15：51.0，28；
16：51.0，28；　17：51.0，28；　18：51.0，28；
19：51.0，28；　20：51.0，28；　21：51.0，28；
22：51.0，28；　23：28+23，23。
2.3　卷軸裝。首斷尾殘。原卷為經黄紙；前 6 紙為歸義軍時期後補。卷首有殘洞，卷尾上邊剪斷殘缺，下邊有等距離火燒殘缺。有烏絲欄。
3.1　首殘→大正 262，9/28A9。
3.2　尾 12 行上殘→9/36C12～37A2。
4.2　□□蓮華經卷第四（尾）。
5　與《大正藏》本對照，分段略有不同。
8　7～8 世紀。唐寫本。
9.1　楷書。
9.2　有刮改。
11　圖版：《敦煌寶藏》，90/1A～16A。

1.1　BD02204 號
1.3　大般若波羅蜜多經卷五四二
1.4　閏 004
1.5　084:3315
2.1　754.8×26.5 厘米；17 紙；共 469 行，行 17 字。
2.2　01：45.2，28；　02：44.0，28；　03：44.5，28；
04：44.2，28；　05：44.2，28；　06：44.6，28；
07：44.5，28；　08：44.3，28；　09：44.2，28；
10：44.6，28；　11：44.3，28；　12：44.3，28；
13：44.6，28；　14：44.4，28；　15：44.4，28；
16：44.4，28；　17：44.1，21。

2.3　卷轴装。首尾均全。有燕尾。烏絲欄。
3.1　首全→大正 220，7/785B6。
3.2　尾全→7/790C12。
4.1　大般若波羅蜜多經卷第五百卌二，/第四分福門品第五之二，三藏法師玄奘奉詔譯/（首），
4.2　大般若波羅蜜多經卷第五百卌二（尾）。
7.1　卷端背面有勘記："五百卌二（本文獻卷次），五十五（所屬袟次），二（袟内卷次）。"
8　8～9 世紀。吐蕃統治時期寫本。
9.1　楷書。
9.2　有行間加行。有刮改。
11　圖版：《敦煌寶藏》，77/216B～226A。

1.1　BD02205 號
1.3　無量壽宗要經
1.4　閏 005
1.5　275:7745
2.1　(2+169)×31.5 厘米；4 紙；共 110 行，行 30 餘字。
2.2　01：2+44，30；　02：47.0，31；　03：47.0，31；
04：31.0，18。
2.3　卷轴装。首尾均全。首紙下邊殘損，卷中間有殘洞。有烏絲欄。
3.1　首全→大正 936，19/82A3。
3.2　尾全→19/84C29。
4.1　大乘無量壽經（首），
4.2　佛說無量壽宗要經（尾）。
8　8～9 世紀。吐蕃統治時期寫本。
9.1　楷書。
9.2　有刮改。
11　圖版：《敦煌寶藏》，107/488A～490A。

1.1　BD02206 號
1.3　佛名經（十六卷本）卷一六
1.4　閏 006
1.5　063:0822
2.1　(9+996.7)×29 厘米；20 紙；共 524 行，行 17 字。
2.2　01：9+41，27；　02：50.5，28；　03：50.4，27；
04：50.4，27；　05：50.4，27；　06：50.4，27；
07：50.4，27；　08：50.4，27；　09：50.4，27；
10：50.4，27；　11：50.5，27；　12：50.5，27；
13：50.5，27；　14：50.5，27；　15：50.5，27；
16：50.5，27；　17：50.5，27；　18：50.5，27；
19：48.0，26；　20：50.0，11。
2.3　卷轴装。首殘尾全。卷首污穢、殘破嚴重，接縫處有開裂，卷尾下部殘損、有蟲繭。有烏絲欄。
3.1　首 5 行中下殘→《七寺古逸經典研究叢書》，3/第 802 頁第 115 行～第 803 頁第 118 行。
3.2　尾殘→《七寺古逸經典研究叢書》，3/第 839 頁第 595 行。
4.2　佛名經卷第十六（尾）。
5　與七寺本相比，本文獻卷中及卷尾多出《罪業報應教化地獄經》兩段，一為 14 行，一為 19 行。卷尾多出懺悔文 30 行。
8　9～10 世紀。歸義軍時期寫本。
9.1　楷書。
9.2　有行間校加字。
11　圖版：《敦煌寶藏》，62/553A～564B。

1.1　BD02207 號
1.3　金剛般若波羅蜜經
1.4　閏 007
1.5　094:4379
2.1　79.8×24.3 厘米；2 紙；共 44 行，行 17 字。
2.2　01：46.3，28；　02：33.5，16。
2.3　卷轴装。首脫尾全。經黄紙。尾有蟲繭。有烏絲欄。
3.1　首殘→大正 235，8/752A14。
3.2　尾全→8/752C3。
4.2　金剛般若波羅蜜經（尾）。
8　7～8 世紀。唐寫本。
9.1　楷書。
9.2　有行間校加字。有硃筆斷句、間隔符號。卷上邊有小字註釋 6 處。
11　圖版：《敦煌寶藏》，83/82A～83A。

1.1　BD02208 號
1.3　大般若波羅蜜多經卷八八
1.4　閏 008
1.5　084:2245
2.1　139.9×27.5 厘米；3 紙；共 83 行，行 17 字。
2.2　01：46.7，27；　02：46.6，28；　03：46.6，28。
2.3　卷軸裝。首全尾脫。第 1、2 紙有殘洞，接縫處有開裂，尾紙下邊殘缺。有烏絲欄。
3.1　首全→大正 220，5/489A3。
3.2　尾殘→5/490A1。
4.1　大般若波羅蜜多經卷第八十八，/初分學般若品第廿六之四，三藏法師玄奘奉詔譯/（首）。
7.1　首紙背寫有勘記"九（本文獻所屬袟次）"、寺院題名"乾（敦煌乾元寺簡稱）"。
8　8～9 世紀。吐蕃統治時期寫本。
9.1　楷書。
9.2　有刮改。
11　圖版：《敦煌寶藏》，72/423B～425A。

1.1　BD02209 號
1.3　楞伽阿跋多羅寶經卷二
1.4　閏 009

1.5　036:0328
2.1　874×26.7 厘米；22 紙；共 499 行，行 17 字。
2.2　01：41.5，24；　02：41.0，24；　03：41.3，24；
04：41.3，24；　05：41.5，24；　06：41.5，24；
07：40.5，23；　08：34.0，20；　09：41.5，24；
10：22.7，13；　11：19.0，11；　12：41.5，24；
13：41.0，24；　14：41.5，24；　15：41.5，24；
16：43.0，24；　17：43.5，24；　18：43.3，24；
19：43.3，24；　20：43.3，24；　21：43.3，24；
22：43.0，24。
2.3　卷軸裝。首尾均脱。卷首右下殘缺。有烏絲欄。
3.1　首脱→大正 670，16/491A7。
3.2　尾脱→16/497C6。
5　卷中有音釋。
8　8 世紀。唐寫本。
9.1　楷書。
9.2　通卷有硃筆行間校加字、斷句、校改。
11　圖版：《敦煌寶藏》，58/88B～100B。

1.1　BD02210 號
1.3　維摩詰所説經卷中
1.4　閏 010
1.5　070:1164
2.1　584.5×26 厘米；13 紙；共 334 行，行 17 字。
2.2　01：47.0，28；　02：47.0，28；　03：47.0，28；
04：47.0，28；　05：47.0，28；　06：47.0，28；
07：47.0，28；　08：47.0，28；　09：47.0，28；
10：47.0，28；　11：47.0，28；　12：46.5，26；
13：21.0，拖尾。
2.3　卷軸裝。首脱尾全。有烏絲欄。
3.1　首殘→大正 475，14/547B5。
3.2　尾全→14/551C27。
4.2　維摩經卷中（尾）。
8　8～9 世紀。吐蕃統治時期寫本。
9.1　楷書。
11　圖版：《敦煌寶藏》，65/528B～536A。

1.1　BD02211 號
1.3　大佛頂如來密因修證了義諸菩薩萬行首楞嚴經卷一
1.4　閏 011
1.5　237:7387
2.1　（1.7+469.9）×27.2 厘米；10 紙；共 255 行，行 17 字。
2.2　01：1.7+36，21；　02：50.1，28；　03：50.4，28；
04：50.3，28；　05：50.2，28；　06：50.4，28；
07：50.1，28；　08：50.1，28；　09：50.2，28；
10：32.1，10。
2.3　卷軸裝。首殘尾全。卷首上下有撕裂殘損及殘洞，卷面卷背有鳥糞，尾有蟲繭。有燕尾。
3.1　首行上殘→大正 945，19/107A13。
3.2　尾全→19/110A7。
4.2　大佛頂萬行首楞嚴經卷第一（尾）。
8　8 世紀。唐寫本。
9.1　楷書。
9.2　有行間校加字。有刮改。
11　圖版：《敦煌寶藏》，106/15A～21A。

1.1　BD02212 號
1.3　妙法蓮華經卷一
1.4　閏 012
1.5　105:4683
2.1　200×25.9 厘米；5 紙；共 108 行，行 20 字（偈）。
2.2　01：47.2，27；　02：45.8，28；　03：46.6，28；
04：43.2，25；　05：17.2，拖尾。
2.3　卷軸裝。首脱尾全。第 1、2 紙，2、3 紙接縫處脱開，第 4、5 紙接縫處上部開裂，拖尾殘破。有燕尾。有烏絲欄。
3.1　首殘→大正 262，9/8A10。
3.2　尾全→9/10B21。
4.2　妙法蓮華經卷第一（尾）。
8　8 世紀。唐寫本。
9.1　楷書。
11　圖版：《敦煌寶藏》，85/273A～275B。

1.1　BD02213 號
1.3　大般若波羅蜜多經卷三四八
1.4　閏 013
1.5　084:2943
2.1　（27.2+745.9）×25.6 厘米；16 紙；共 437 行，行 17 字。
2.2　01：27.2+19.9，26；　02：49.1，28；　03：49.3，28；
04：49.4，28；　05：49.4，28；　06：49.4，28；
07：49.4，28；　08：49.6，28；　09：47.3，28；
10：47.5，28；　11：47.6，28；　12：47.9，28；
13：47.5，28；　14：47.7，28；　15：47.6，28；
16：47.3，19。
2.3　卷軸裝。首尾均全。卷首上下殘破，卷中下邊有殘破，尾有蟲繭。有烏絲欄。
3.1　首 15 行下殘→大正 220，6/786C2～19。
3.2　尾全→6/791B26。
4.1　大般若波羅蜜多經卷第三□…□，/初分無盡品第五十九之二□…□/（首）
4.2　大般若波羅蜜多經卷第三百卌八（尾）。
7.1　首紙背有勘記“卷第三百卌八（本文獻卷次）”，“第卌五袟（所屬袟次）”。
8　8～9 世紀。吐蕃統治時期寫本。
9.1　楷書。

9.2　有倒乙。
11　圖版:《敦煌寶藏》，75/562B～572B。

1.1　BD02214 號
1.3　妙法蓮華經卷六
1.4　閏 014
1.5　105:5749
2.1　（138.8+11.5）×26 厘米；3 紙；共 84 行，行 17 字。
2.2　01：50.0，28；　02：49.8，28；　03：39+11.5，28。
2.3　卷軸裝。首脱尾殘。經黄紙。卷上邊有黴爛污穢，下邊有殘裂，卷面有火灼殘洞，有油污，接縫處有開裂。有烏絲欄。
3.1　首殘→大正 262，9/49C3。
3.2　尾 6 行下殘→9/50C23～29。
6.1　首→BD02225 號。
8　7～8 世紀。唐寫本。
9.1　楷書。
11　圖版:《敦煌寶藏》，94/610A～612A。

1.1　BD02215 號
1.3　佛名經（十六卷本）卷一二
1.4　閏 015
1.5　063:0727
2.1　1313×30.5 厘米；30 紙；共 600 行，行 21 字。
2.2　01：43.0，護首；　02：42.0，20；　03：43.8，21；
04：43.8，21；　05：43.8，21；　06：43.8，21；
07：43.8，21；　08：43.8，21；　09：43.8，21；
10：43.8，21；　11：44.0，21；　12：44.0，21；
13：44.0，21；　14：44.0，21；　15：44.0，21；
16：44.0，21；　17：44.0，21；　18：44.0，21；
19：44.0，21；　20：44.0，21；　21：44.0，21；
22：44.0，21；　23：44.0，21；　24：43.8，21；
25：43.8，21；　26：43.8，21；　27：43.8，21；
28：43.8，21；　29：43.8，21；　30：42.8，13。
2.3　卷軸裝。首尾均全。有護首，有芨芨草天竿，有經名及經名號。第 2 紙上下部有破裂，尾紙上部有長條殘洞。有烏絲欄。已修整。
3.1　首全→《七寺古逸經典研究叢書》，3/第 586 頁第 1 行。
3.2　尾全→《七寺古逸經典研究叢書》，3/第 635 頁第 648 行。
4.1　佛說佛名經卷第十二（首）。
4.2　佛說佛名經卷第十二（尾）。
5　與七寺本相比，尾題前多出懺悔文 7 行。
7.3　卷背有雜劃。
7.4　護首有經名、卷次及寺院題名：“佛說佛名經卷第十二，界（敦煌三界寺簡稱），◇。”
8　9～10 世紀。歸義軍時期寫本。
9.1　楷書。
11　圖版:《敦煌寶藏》，61/561B～576B。

1.1　BD02216 號
1.3　金剛般若波羅蜜經
1.4　閏 016
1.5　094:4182
2.1　（32+377.5）×28 厘米；10 紙；共 237 行，行 17 字。
2.2　01：32.0，18；　02：42.0，24；　03：42.0，25；
04：42.0，25；　05：42.0，25；　06：42.0，25；
07：42.5，25；　08：42.0，25；　09：42.0，25；
10：41.0，20。
2.3　卷軸裝。首殘尾全。經黄紙。首紙下部殘缺，有殘片脱落，已綴接；卷面中、下部有嚴重殘損。尾有原軸，上軸頭塗棕色漆，下軸頭已斷。有烏絲欄。已修整。
3.1　首 18 行下殘→大正 235，8/749C16～750A7。
3.2　尾全→8/752C3。
4.2　金剛般若波羅蜜經（尾）。
8　7～8 世紀。唐寫本。
9.1　楷書。
11　圖版:《敦煌寶藏》，82/331A～336A。

1.1　BD02217 號
1.3　佛名經（十六卷本）卷八
1.4　閏 017
1.5　063:0689
2.1　51×26.4 厘米；1 紙；共 28 行，行 13 字。
2.3　卷軸裝。首尾均脱。麻紙，未入潢。卷上部有黴爛。有烏絲欄。
3.1　首殘→《七寺古逸經典研究叢書》，3/第 394 頁第 187 行。
3.2　尾殘→《七寺古逸經典研究叢書》，3/第 396 頁第 214 行。
5　與七寺本對照，卷中佛名略有出入。
7.1　卷尾背有勘記“佛說……經一卷”。
8　7～8 世紀。唐寫本。
9.1　楷書。
11　圖版:《敦煌寶藏》，61/290A～290B。

1.1　BD02218 號
1.3　妙法蓮華經度量天地品
1.4　閏 018
1.5　106:6192
2.1　（23.8+422）×28 厘米；11 紙；共 250 行，行 17 字。
2.2　01：13.3，07；　02：10.5+33，25；　03：43.0，25；
04：43.5，26；　05：43.0，25；　06：43.5，25；
07：43.5，25；　08：43.0，25；　09：43.5，25；
10：43.5，25；　11：42.5，17。
2.3　卷軸裝。首殘尾全。第 3 紙下部有殘損，接縫處有開裂。背有古代裱補。有燕尾。有烏絲欄。
3.4　說明：
本文獻首 13 行下殘，尾全。為中國人抄輯佛經所編纂的經

典。未為我國歷代大藏經所收。日本《大正藏》根據敦煌遺書斯01298號殘卷收入第85卷。本文獻前13行相當於《大正藏》2872，85/1355C28～1356A11。尾部為《大正藏》本所不存。
4.2　妙法蓮華經卷第九（尾）。
8　8～9世紀。吐蕃統治時期寫本。
9.1　楷書。
9.2　有刮改。
11　圖版：《敦煌寶藏》，97/227B～233A。

1.1　BD02219號1
1.3　諸法無行經卷上
1.4　閏019
1.5　045:0432
2.1　（4＋712.7）×26.3厘米；15紙；共511行，行32字。
2.2　01：4＋32，25；　02：48.5，35；　03：49.0，35；
04：48.8，36；　05：49.0，36；　06：49.0，35；
07：48.7，35；　08：48.7，35；　09：48.8，34；
10：48.7，35；　11：48.6，35；　12：48.7，35；
13：46.2，33；　14：49.0，37；　15：49.0，30。
2.3　卷軸裝。首殘尾全。卷面有多處等距離黴爛殘洞，接縫處有開裂。有烏絲欄。
2.4　本遺書包括2個文獻：（一）《諸法無行經卷上》，272行，今編為BD02219號1。（二）《諸法無行經卷下》，239行，今編為BD02219號2。
3.1　首2行中殘→大正650，15/750A19。
3.2　尾全→15/756B12。
4.2　卷上（尾）。
5　與《大正藏》本對照，首3行文字有顛倒重複。
8　8～9世紀。吐蕃統治時期寫本。
9.1　楷書。
9.2　有硃筆校改、行間校加字。有刮改。
11　圖版：《敦煌寶藏》，59/118A～126B。

1.1　BD02219號2
1.3　諸法無行經卷下
1.4　閏019
1.5　045:0432
2.4　本遺書由2個文獻組成，本號為第2個，239行。餘參見BD02219號1之第2項、第11項。
3.1　首全→15/756B15，
3.2　尾全→15/761B22。
4.1　諸法無行經卷下（首）
4.2　諸法無行經卷下（尾）。
8　8～9世紀。吐蕃統治時期寫本。
9.1　楷書。
9.2　有硃筆校改、行間校加字。有刮改。
11　圖版：《敦煌寶藏》，59/118A～126B。

1.1　BD02220號
1.3　大般若波羅蜜多經卷三五二
1.4　閏020
1.5　084:2957
2.1　（2＋785.2）×25.9厘米；18紙；共455行，行17字。
2.2　01：02.0，01；　02：47.1，28；　03：47.6，28；
04：47.7，28；　05：47.8，28；　06：47.8，28；
07：47.8，28；　08：47.8，28；　09：47.9，28；
10：47.8，28；　11：47.8，28；　12：47.7，28；
13：47.8，28；　14：47.7，28；　15：47.8，28；
16：47.6，28；　17：47.5，28；　18：22.0，06。
2.3　卷軸裝。首殘尾全。尾有原軸，兩端塗硃漆，上軸頭已斷。第2紙有殘洞，下邊殘破。有烏絲欄。
3.1　首行上殘→大正220，6/809A6。
3.2　尾全→6/814A24。
4.2　大般若波羅蜜多經卷第三百五十二（尾）。
7.1　首紙背有勘記“卅六”（本文獻所屬袟次）。尾題後有題名“法應”。
8　8～9世紀。吐蕃統治時期寫本。
9.1　楷書。有武周新字“正”。
11　圖版：《敦煌寶藏》，75/618B～628B。

1.1　BD02221號
1.3　金剛般若疏（擬）卷下
1.4　閏021
1.5　100:4445
2.1　315.1×28.5厘米；8紙；共184行，行27字。
2.2　01：39.6，23；　02：39.7，23；　03：39.3，23；
04：40.0，23；　05：39.4，23；　06：39.5，23；
07：38.6，23；　08：39.0，23。
2.3　卷軸裝。首尾均脫。紙薄。接縫處有開裂，第1、2紙，第3、4紙及第7、8紙脫開，部分紙下部有等距離殘缺。有烏絲欄。已修整。
3.1　首殘→《藏外佛教文獻》，3/第311頁第18行。
3.2　尾殘→《藏外佛教文獻》，3/第323頁第11行。
6.1　首→BD02228號A。
6.2　尾→BD02228號B。
8　7～8世紀。唐寫本。
9.1　楷書。
9.2　有行間校加字。有倒乙符號。
11　圖版：《敦煌寶藏》，83/281B～285A。

1.1　BD02222號
1.3　金剛般若波羅蜜經
1.4　閏022
1.5　094:3833
2.1　（14.5＋399）×29厘米；9紙；共237行，行18～19字。

2.2 01：14.5+4.5，13； 02：49.5，29； 03：49.5，29；
04：49.5，29； 05：49.5，30； 06：49.5，30；
07：49.0，28； 08：49.5，28； 09：48.5，21。

2.3 卷軸裝。首殘尾全。卷面有白色污痕，卷中多紙有殘裂，接縫處有開裂，尾有蟲繭。有烏絲欄。

3.1 首10行下殘→大正235，8/749B11～21。

3.2 尾全→8/752C3。

4.2 金剛般若波羅蜜經（尾）。

8 9～10世紀。歸義軍時期寫本。

9.1 楷書。

9.2 有行間校加字。有刮改。

11 圖版：《敦煌寶藏》，80/505A～510A。

1.1 BD02223號

1.3 妙法蓮華經卷六

1.4 閏023

1.5 105:5681

2.1 957.5×26厘米；20紙；共535行，行17字。

2.2 01：34.0，19； 02：49.8，28； 03：50.0，28；
04：50.0，28； 05：50.0，28； 06：49.6，28；
07：51.0，28； 08：50.0，28； 09：50.0，28；
10：48.0，28； 11：51.0，28； 12：50.0，28；
13：51.0，28； 14：49.8，28； 15：50.0，28；
16：50.0，28； 17：49.7，28； 18：49.8，28；
19：49.8，28； 20：24.0，12。

2.3 卷軸裝。首脱尾全。經黄紙。接縫處有開裂。有烏絲欄。

3.1 首殘→大正262，9/47B7。

3.2 尾全→9/55A9。

4.2 妙法蓮華經卷第六（尾）。

7.1 卷首背有經名、卷次勘記“法華經弟（第）四”。卷面上邊與卷背邊沿有多處回鶻文或粟特文字符。

8 7～8世紀。唐寫本。

9.1 楷書。

9.2 有刮改。

11 圖版：《敦煌寶藏》，94/224A～238B。

1.1 BD02224號

1.3 涅槃經疏（擬）

1.4 閏024

1.5 120:6615

2.1 （5+1313）×29厘米；32紙；共804行，行20餘字。

2.2 01：5+29，21； 02：42.0，26； 03：42.5，26；
04：42.5，25； 05：42.5，26； 06：42.5，26；
07：42.5，26； 08：42.5，26； 09：42.5，25；
10：42.5，26； 11：42.5，26； 12：42.5，26；
13：42.5，26； 14：42.5，26； 15：42.5，26；
16：42.5，26； 17：42.5，26； 18：42.5，26；
19：42.5，26； 20：42.5，25； 21：42.5，26；
22：42.5，26； 23：42.5，26； 24：42.5，26；
25：42.5，26； 26：42.5，26； 27：42.5，26；
28：41.0，25； 29：31.0，19； 30：42.0，26；
31：42.5，26； 32：23.0，14。

2.3 卷軸裝。首尾均殘。薄紙。首紙殘破，第2紙下邊有殘缺。卷中上邊有破裂。有烏絲欄。已修整。

3.4 説明：

本文獻首3行中上殘，尾殘。疏釋南本《大般涅槃經》。未為歷代大藏經所收。參見《敦煌學大辭典》有關條目。

8 5～6世紀。南北朝寫本。

9.1 行楷。

9.2 有行間校加字。上邊有校改。有倒乙、删除符號。

11 圖版：《敦煌寶藏》，100/593A～609B。

1.1 BD02225號

1.3 妙法蓮華經卷六

1.4 閏025

1.5 105:5757

2.1 197×26厘米；4紙；共113行，行17字。

2.2 01：49.0，28； 02：49.5，28； 03：49.5，28；
04：49.0，29。

2.3 卷軸裝。首尾均脱。經黄紙。首紙右下有殘缺，上下邊有破裂；後2紙有破裂；卷面油污。有烏絲欄。

3.1 首殘→大正262，9/47C9。

3.2 尾殘→9/49C3。

6.2 尾→BD02214號。

8 7～8世紀。唐寫本。

9.1 楷書。

11 圖版：《敦煌寶藏》，94/628A～630B。

1.1 BD02226號

1.3 妙法蓮華經卷三

1.4 閏026

1.5 105:5188

2.1 243.9×27.3厘米；5紙；共137行，行17字。

2.2 01：48.8，28； 02：49.0，28； 03：48.7，28；
04：48.7，28； 05：48.7，25。

2.3 卷軸裝。首脱尾全。接縫處有開裂，前2紙接縫處脱開。有烏絲欄。

3.1 首殘→大正262，9/25A22。

3.2 尾全→9/27B9。

4.2 妙法蓮華經卷第三（尾）。

8 9～10世紀。歸義軍時期寫本。

9.1 楷書。

11 圖版：《敦煌寶藏》，89/371A～374B。

1.1 BD02227 號 1
1.3 大方便佛報恩經卷一
1.4 閏 027
1.5 052:0444
2.1 968.6×29.3 厘米；23 紙；共 721 行，行 31 字。
2.2 01：42.5，31； 02：43.2，34； 03：43.0，34；
04：41.0，32； 05：43.0，33； 06：43.2，34；
07：43.0，34； 08：43.0，33； 09：43.0，32；
10：43.3，33； 11：41.5，32； 12：43.0，34；
13：43.1，33； 14：40.6，32； 15：40.4，30；
16：41.7，32； 17：42.8，34； 18：43.0，33；
19：42.8，33； 20：41.5，32； 21：43.0，33；
22：43.0，33； 23：34.0，拖尾。
2.3 卷軸裝。首尾均全。卷首有殘缺，卷面油污。經文未抄完整，另接拖尾，紙質不同。有烏絲欄。
2.4 本遺書包括 3 個文獻：（一）《大方便佛報恩經卷一》，269 行，今編為 BD02227 號 1。（二）《大方便佛報恩經卷二》，222 行，今編為 BD02227 號 2。（三）《大方便佛報恩經卷三》，230 行，今編為 BD02227 號 3。
3.1 首 3 行上中殘→大正 156，3/124A18~25。
3.2 尾全→3/130B4。
4.1 （大方便）佛報恩經序品第一（首）
4.2 大方便佛報恩經卷第一（尾）。
8 8~9 世紀。吐蕃統治時期寫本。
9.1 楷書。
9.2 有刮改。
11 圖版：《敦煌寶藏》，59/173A~185B。

1.1 BD02227 號 2
1.3 大方便佛報恩經卷二
1.4 閏 027
1.5 052:0444
2.4 本遺書由 3 個文獻組成，本號為第 2 個，222 行。餘參見 BD02227 號 1 之第 2 項、第 11 項。
3.1 首全→大正 156，3/130B7。
3.2 尾全→3/136B10。
4.1 大方便佛報恩經對治品第三，二（首）
4.2 大方便佛報恩經卷第二（尾）。
8 8~9 世紀。吐蕃統治時期寫本。
9.1 楷書。

1.1 BD02227 號 3
1.3 大方便佛報恩經卷三
1.4 閏 027
1.5 052:0444
2.4 本遺書由 3 個文獻組成，本號為第 3 個，230 行。餘參見 BD02227 號 1 之第 2 項、第 11 項。
3.1 首全→大正 156，3/136B13。
3.2 尾殘→3/142B14。
4.1 大方便佛報恩經論品第五，三（首）。
5 與《大正藏》本對照，該件未抄完，僅差本卷末三行。
8 8~9 世紀。吐蕃統治時期寫本。
9.1 楷書。

1.1 BD02228 號 A
1.3 金剛般若疏卷下
1.4 閏 028
1.5 100:4444
2.1 （2.5+98.5）×28.3 厘米；3 紙；共 60 行，行 24~25 字。
2.2 01：2.5+20，14； 02：39.5，23； 03：39.0，23。
2.3 卷軸裝。首殘尾脫。薄紙。下部多處等距離殘損。有烏絲欄。
3.1 首 1 行上殘→《藏外佛教文獻》，3/第 308 頁第 1 行。
3.2 尾全→《藏外佛教文獻》，3/第 311 頁第 18 行。
6.2 尾→BD02221 號。
8 7~8 世紀。唐寫本。
9.1 楷書、行書。本件爲兩種字體抄寫而成。
11 圖版：《敦煌寶藏》，83/272A~281A。

1.1 BD02228 號 B
1.3 金剛般若疏卷下
1.4 閏 028
1.5 100:4444
2.1 659.7×28.3 厘米；17 紙；共 380 行，行 24~25 字。
2.2 01：39.4，23； 02：39.5，23； 03：39.5，22；
04：39.6，23； 05：39.3，22； 06：39.6，23；
07：39.5，23； 08：40.0，23； 09：40.0，23；
10：39.1，23； 11：39.1，22； 12：38.5，23；
13：39.7，23； 14：39.7，23； 15：39.7，23；
16：39.0，23； 17：28.5，15。
2.3 卷軸裝。首脫尾全。薄紙。接縫處有開裂。有烏絲欄。
3.1 首殘→《藏外佛教文獻》，3/第 323 頁第 11 行。
3.2 尾殘→《藏外佛教文獻》，3/第 347 頁第 18 行。
4.2 金剛般若疏卷下（尾）。
6.1 首→BD02221 號。
8 7~8 世紀。唐寫本。
9.1 楷書、行書。本件爲兩種字體抄寫而成。
11 圖版：《敦煌寶藏》，83/272A~281A。

1.1 BD02229 號
1.3 摩訶般若波羅蜜經鈔
1.4 閏 029
1.5 088:3472
2.1 230×25.6 厘米；5 紙；共 140 行，行 17 字。

2.2　01：46.2，28；　02：45.9，28；　03：45.9，28；
　04：45.9，28；　05：46.1，28。
2.3　卷軸裝。首尾均脫。經黄紙。各紙接縫上方開裂。卷首背有古代裱補。有烏絲欄。
3.4　説明：
本文獻為《摩訶般若波羅蜜經鈔》，共抄錄五段，情況如下：
①第1行～第10行→大正223，8/218C18～219A6。
②第11行～第32行→大正223，8/221A21～C10。
③第33行～第128行→大正223，8/225A21～228B1。
④第129行→大正223，8/232C18～21。
⑤第130行～第140行→大正223，8/233C20～234A2。
6.2　尾→BD02237號。
8　7～8世紀。唐寫本。
9.1　楷書。
9.2　有行間校加字。有刮改。
11　圖版：《敦煌寶藏》，78/159A～161B。

1.1　BD02230號
1.3　妙法蓮華經卷六
1.4　閏030
1.5　105:5677
2.1　（16.3+491.6）×27.5厘米；12紙；共345行，行27字。
2.2　01：16.3+5.7，16；　02：42.9，32；　03：47.7，34；
　04：49.0，36；　05：50.0，35；　06：50.3，35；
　07：48.7，33；　08：50.0，35；　09：49.0，36；
　10：41.0，25；　11：49.8，28；　12：07.5，拖尾。
2.3　卷軸裝。首殘尾全。首紙破碎較嚴重，尾有蟲繭。有烏絲欄。
3.1　首12行下殘→大正262，9/46C25～47A17。
3.2　尾全→9/55A9。
4.2　妙法蓮華經卷第六（尾）。
8　9～10世紀。歸義軍時期寫本。
9.1　楷書。
9.2　有行間校加字。有刮改。
11　圖版：《敦煌寶藏》，94/172A～179A。

1.1　BD02231號
1.3　大般若波羅蜜多經卷二八三
1.4　閏031
1.5　084:2771
2.1　（16.8+324.4）×25.6厘米；7紙；共192行，行17字。
2.2　01：16.8+33.9，24；　02：48.2，28；　03：48.6，28；
　04：48.5，28；　05：48.2，28；　06：48.5，28；
　07：48.5，28。
2.3　卷軸裝。首殘尾脫。卷首殘破嚴重，卷中下邊有殘破。背有古代裱補，部分裱補紙上有字，粘向内，難以辨認。有烏絲欄。

3.1　首10行中下殘→大正220，6/436A26～B6。
3.2　尾殘→6/438B16。
8　8～9世紀。吐蕃統治時期寫本。
9.1　楷書。
11　圖版：《敦煌寶藏》，75/52B～56B。

1.1　BD02232號
1.3　灌頂章句拔除過罪生死得度經
1.4　閏032
1.5　250:7475
2.1　（4.7+452.8）×28.2厘米；12紙；共282行，行18字。
2.2　01：4.7+33.7，24；　02：38.1，24；　03：38.2，24；
　04：38.3，24；　05：38.4，24；　06：38.3，24；
　07：38.4，24；　08：38.6，24；　09：38.7，24；
　10：38.8，24；　11：38.7，24；　12：34.6，18。
2.3　卷軸裝。首殘尾全。首紙有殘洞，有撕裂殘損；卷面油污，尾有蟲繭。有烏絲欄。
3.1　首3行上下殘→大正1331，21/532B20～23。
3.2　尾全→21/536B5。
8　8～9世紀。吐蕃統治時期寫本。
9.1　楷書。
11　圖版：《敦煌寶藏》，106/380B～386A。

1.1　BD02233號
1.3　大方廣佛華嚴經（唐譯八十卷本）卷七七
1.4　閏033
1.5　002:0069
2.1　（20+1050.1）×27.5厘米；22紙；共596行，行17字。
2.2　01：20+21，23；　02：49.0，28；　03：49.2，28；
　04：49.0，28；　05：49.0，28；　06：49.0，28；
　07：47.9，27；　08：48.5，28；　09：49.0，28；
　10：49.0，28；　11：49.0，28；　12：49.0，28；
　13：49.0，28；　14：49.0，28；　15：49.0，28；
　16：49.0，28；　17：49.0，28；　18：49.0，28；
　19：49.0，28；　20：49.0，28；　21：50.0，28；
　22：49.5，14。
2.3　卷軸裝。首殘尾全。首紙有殘洞，卷前部上邊有破損。有烏絲欄。已修整。
3.1　首11行上殘→大正279，10/419C14～24。
3.2　尾全→10/428A25。
4.2　大方廣佛花嚴經卷第七十七（尾）。
8　9～10世紀。歸義軍時期寫本。
9.1　楷書。
11　圖版：《敦煌寶藏》，56/282B～297B。

1.1　BD02234號1
1.3　梵網經菩薩戒序

1.4　閏 034
1.5　143:6688
2.1　(4+574.2)×27.4 厘米；13 紙；共 316 行，行 18～21 字。
2.2　01：4+42.3，26；　02：47.6，27；　03：47.6，26；
04：47.5，25；　05：47.3，27；　06：47.7，26；
07：47.5，26；　08：47.8，26；　09：47.8，26；
10：32.7，18；　11：46.7，27；　12：46.9，27；
13：24.8，09。
2.3　卷轴装。首殘尾全。卷首殘破。有蟲繭。有烏絲欄。
2.4　本遺書包括 4 個文獻：（一）《梵網經菩薩戒序》，13 行，今編為 BD02234 號 1。（二）《梵網經菩薩戒受戒羯磨文》（擬），84 行，今编為 BD02234 號 2。（三）《鳩摩羅什法師誦法》，22 行，今編為 BD02234 號 3。（四）《梵網經盧舍那佛說菩薩心地戒品第十卷下》，197 行，今編為 BD02234 號 4。

上述文獻實際為鳩摩羅什授菩薩戒時所用實用文書及解釋性說明，本為一個整體。此處為分清文本組成結構，故予以分別著錄。
3.1　首殘→大正 1484，24/1003A19。
3.2　尾全→24/1003B2。
4.1　菩薩戒序（首）。
8　7～8 世紀。唐寫本。
9.1　楷書。
11　圖版：《敦煌寶藏》，101/204A～211A。

1.1　BD02234 號 2
1.3　梵網經菩薩戒受戒羯磨文（擬）
1.4　閏 034
1.5　143:6688
2.4　本遺書由 4 個文獻組成，本號為第 2 個，84 行。餘參見 BD02234 號 1 之第 2 項、第 11 項。
3.4　說明：

本文獻首尾均殘。為依據鳩摩羅什所譯《梵網經》舉行羯磨時所用羯磨文。未為歷代大藏經所收。
8　7～8 世紀。唐寫本。
9.1　楷書。

1.1　BD02234 號 3
1.3　鳩摩羅什法師誦法
1.4　閏 034
1.5　143:6688
2.4　本遺書由 4 個文獻組成，本號為第 3 個，22 行。餘參見 BD02234 號 1 之第 2 項、第 11 項。
3.4　說明：

本文獻首尾均全。是慧融撰寫的關於鳩摩羅什授《梵網經》菩薩戒之第一手資料。未為歷代大藏經所收。
4.1　鳩摩羅什法師誦出，慧融集（首）。
8　7～8 世紀。唐寫本。
9.1　楷書。

1.1　BD02234 號 4
1.3　梵網經盧舍那佛說菩薩心地戒品第十卷下
1.4　閏 034
1.5　143:6688
2.4　本遺書由 4 個文獻組成，本號為第 4 個，197 行。餘參見 BD02234 號 1 之第 2 項、第 11 項。
3.1　首 2 行中殘→大正 1484，24/1003A14～19。
3.2　尾全→24/1006A15。
4.1　梵網經盧舍那佛說菩薩十重四十八輕戒（首）
4.2　菩薩戒經（尾）。
8　7～8 世紀。唐寫本。
9.1　楷書。

1.1　BD02235 號
1.3　大般若波羅蜜多經卷四七八
1.4　閏 035
1.5　084:3191
2.1　(17.9+896.3)×25.5 厘米；19 紙；共 520 行，行 17 字。
2.2　01：17.9+26.9，26；　02：48.5，28；　03：48.7，28；
04：48.8，28；　05：49.2，28；　06：49.2，28；
07：49.0，28；　08：48.1，28；　09：48.2，28；
10：48.3，28；　11：48.2，28；　12：48.3，28；
13：48.3，28；　14：48.4，28；　15：48.2，28；
16：48.4，28；　17：48.3，28；　18：47.9，28；
19：45.4，18。
2.3　卷轴装。首殘尾全。卷首上下邊有殘損，脫落 2 塊殘片，文可綴接；接縫處有開裂。尾有原軸，兩端塗紫紅色漆。有烏絲欄。
3.1　首 10 行下殘→大正 220，7/420A16～29。
3.2　尾全→7/426A15。
4.1　大般若波羅□…□/第二分無事品第八十三□…□/（首）。
4.2　大般若波羅蜜多經卷第四百七十八（尾）。
7.1　首紙背面有 2 行題記："其經保宜誦裏中義理，省似頭尾/題名錯。/"
8　8～9 世紀。吐蕃統治時期寫本。
9.1　楷書。
9.2　有行間校加字。
11　圖版：《敦煌寶藏》，76/589B～601B。

1.1　BD02236 號
1.3　妙法蓮華經（八卷本）卷六
1.4　閏 036
1.5　105:5595
2.1　(7+815)×26 厘米；18 紙；共 478 行，行 17 字。

2.2　01：7 +22.3，17；　02：47.1，28；　03：47.7，28；
04：47.6，28；　05：47.6，28；　06：47.7，28；
07：47.7，28；　08：47.7，28；　09：47.7，28；
10：47.6，28；　11：47.8，28；　12：47.8，28；
13：47.8，28；　14：48.0，28；　15：47.8，28；
16：47.8，28；　17：47.8，28；　18：29.5，13。
2.3　卷軸裝。首殘尾全。經黄打紙，研光上蠟。尾有原軸，兩端塗硃漆。有烏絲欄。
3.1　首4行下殘→大正262，9/42C9～14。
3.2　尾全→9/50B22。
4.2　妙法蓮華經卷第六（尾）。
5　與《大正藏》本對照，分卷不同，相當於《大正藏》本卷五如來壽量品第十六前部開始至卷六法師功德品第十九全文。為八卷本。
8　7～8世紀。唐寫本。
9.1　楷書。
9.2　有校改。
11　圖版：《敦煌寶藏》，93/257B～269B。

1.1　BD02237號
1.3　摩訶般若波羅蜜經鈔
1.4　閏037
1.5　088:3473
2.1　642.3×25.7厘米；14紙；共392行，行17字。
2.2　01：45.7，28；　02：45.9，28；　03：45.7，28；
04：45.8，28；　05：45.9，28；　06：45.8，28；
07：45.7，28；　08：45.7，28；　09：45.8，28；
10：46.1，28；　11：46.1，28；　12：46.1，28；
13：46.1，28；　14：45.9，28。
2.3　卷軸裝。首尾均脱。經黄紙。接縫處有開裂，卷面有破損。有烏絲欄。
3.4　説明：
本文獻為《摩訶般若波羅蜜經鈔》，共抄録八段，情況如下：
①第1行～第11行→大正223，8/234A2～A15。
②第12行～第92行→大正223，8/241C10～242C11。
③第93行～第133行→大正223，8/247A19～C5。
④第134行～第156行→大正223，8/255A27～B22。
⑤第157行～第167行→大正223，8/255C24～256A8。
⑥第168行～第293行→大正223，8/261A17～262C3。
⑦第294行～第334行→大正223，8/264B22～265A4。
⑧第335行～第392行→大正223，8/271B19～272A22。
5　與《大正藏》本對照，此文獻中所抄品名、品次或與《大正藏》本有不同。
6.1　首→BD02229號。
8　7～8世紀。唐寫本。
9.1　楷書。
9.2　有刮改。

11　圖版：《敦煌寶藏》，78/162A～170A。

1.1　BD02238號
1.3　大般若波羅蜜多經卷四五五
1.4　閏038
1.5　084:3155
2.1　（6.4 +737）×27厘米；17紙；共450行，行17字。
2.2　01：6.4 +20.8，17；　02：45.7，28；　03：45.9，28；
04：45.7，28；　05：45.8，28；　06：45.9，28；
07：45.9，28；　08：46.0，28；　09：46.1，28；
10：46.0，28；　11：45.8，28；　12：45.9，28；
13：46.1，28；　14：45.8，28；　15：46.1，28；
16：45.9，28；　17：27.6，13。
2.3　卷軸裝。首殘尾全。卷首有殘缺、破損，卷中有破裂，尾紙上邊下邊有破損。背有古代裱補。有烏絲欄。
3.1　首4行上下殘→大正220，7/295A28～B2。
3.2　尾全→7/300B14。
4.2　大般若波羅蜜多經卷第四百五十五（尾）。
8　9～10世紀。歸義軍時期寫本。
9.1　楷書。
9.2　有行間校加字。
11　圖版：《敦煌寶藏》，76/499A～508B。

1.1　BD02239號
1.3　四分律（異卷）卷二七
1.4　閏039
1.5　155:6801
2.1　（12 +434.5）×28厘米；11紙；共313行，行27字。
2.2　01：12 +37，32；　02：49.0，35；　03：23.0，16；
04：49.0，35；　05：48.5，35；　06：13.0，09；
07：48.5，35；　08：49.0，35；　09：49.0，35；
10：49.0，35；　11：19.5，11。
2.3　卷軸裝。首殘尾全。卷面油污，有殘洞。背有古代裱補。有烏絲欄。
3.1　首6行上殘→大正1428，22/755A20～28。
3.2　尾全→22/762A14。
4.2　四分律藏卷第廿七第二分卷第七（尾）。
5　與《大正藏》本對照，分卷不同。經文相當於《大正藏》本《四分律》卷二七至卷二八。
8　8～9世紀。吐蕃統治時期寫本。
9.1　楷書。有武周新字“年”、“授”、“初”、“國”，使用不周遍。
9.2　有行間校加字。
11　圖版：《敦煌寶藏》，102/1A～6B。

1.1　BD02240號
1.3　金剛般若波羅蜜經

1.4 閏 040
1.5 094:3521
2.1 （35 +149.7）×25 厘米；4 紙；共 111 行，行 17 字。
2.2 01：35 +13.5，28； 02：43.7，27； 03：46.5，28；
04：46.0，28。
2.3 卷軸裝。首殘尾脫。經黄紙。卷面破裂多處。背有多處古代裱補。有烏絲欄。已修整。
3.1 首 23 行下殘→大正 235，8/748C17 ~749A14。
3.2 尾殘→8/750A21。
4.1 金剛般若波羅蜜經（首）。
8 7 ~8 世紀。唐寫本。
9.1 楷書。
9.2 有刮改。
11 圖版：《敦煌寶藏》，78/419B ~421B。

1.1 BD02241 號
1.3 思益梵天所問經卷一
1.4 閏 041
1.5 043:0410
2.1 360.9 ×26 厘米；7 紙；共 188 行，行 17 字。
2.2 01：52.0，28； 02：51.7，28； 03：51.8，28；
04：51.8，28； 05：51.8，28； 06：51.8，28；
07：50.0，20。
2.3 卷軸裝。首脫尾全。卷尾有蟲繭。有烏絲欄。
3.1 首脫→大正 586，15/37C25。
3.2 尾全→15/40B20。
4.2 思益經卷第一（尾）。
8 8 世紀。唐寫本。
9.1 楷書。
11 圖版：《敦煌寶藏》，58/628B ~633A。

1.1 BD02242 號
1.3 金剛經注頌釋（擬）
1.4 閏 042
1.5 101:4447
2.1 （40.5 +4.5）×29.5 厘米；1 紙；正面 31 行，背面 35 行，行 30 ~32 字。
2.3 卷軸裝。首脫尾殘。本件兩面皆硃墨兩色書寫。兩面雖然文字不相聯綴，但為同一個文獻。
3.4 説明：
正面：
首殘→《藏外佛教文獻》，9/75 頁第 5 行。
尾 3 行下殘→《藏外佛教文獻》，9/78 頁第 4 ~6 行。
背面：
首 3 行下殘→《藏外佛教文獻》，9/86 頁第 8 ~15 行。
尾殘→9/89 頁第 20 行。
依經文内容看，本件與 BD01901 號原屬同一件文獻。經文接續的順序爲：①BD02242 號正面→②BD01901 號正面→③BD01901 號背面→④BD02242 號背面。
6.2 尾→BD01901 號。
8 9 ~10 世紀。歸義軍時期寫本。
9.1 行書。
11 圖版：《敦煌寶藏》，83/287B ~288A。

1.1 BD02243 號
1.3 七階佛名經
1.4 閏 043
1.5 305:8309
2.1 （4 +247.5）×25 厘米；6 紙；共 131 行，行 17 字。
2.2 01：4 +28，17； 02：51.0，28； 03：51.5，28；
04：51.0，28； 05：51.5，28； 06：14.5，02。
2.3 卷軸裝。首殘尾全。經黄打紙。前 5 紙下部多有等距離殘損，第 5、6 兩紙脫開爲兩截。第 1 至 3 紙背有古代裱補，第 12 紙裱補紙正面有補寫經文。有燕尾。有烏絲欄。
3.4 説明：
本文獻首 2 行上下殘，尾全。中國人所撰禮懺文，形態甚爲歧雜多變。未為歷代大藏經所收。
4.2 佛說七階禮佛名經（尾）。
8 7 ~8 世紀。唐寫本。
9.1 楷書。
9.2 有墨筆勾劃。
11 圖版：《敦煌寶藏》，109/606B ~609B。

1.1 BD02244 號
1.3 合部金光明經卷一
1.4 閏 044
1.5 082:1427
2.1 734.3 ×26.2 厘米；16 紙；共 440 行，行 17 字。
2.2 01：45.8，28； 02：45.9，28； 03：45.9，28；
04：45.8，28； 05：45.8，28； 06：45.9，28；
07：46.0，28； 08：46.0，28； 09：46.0，28；
10：46.0，28； 11：46.0，28； 12：45.8，28；
13：46.0，28； 14：45.7，28； 15：45.7，28；
16：46.0，20。
2.3 卷軸裝。首脫尾全。經黄打紙，砑光上蠟。首紙有殘洞，卷中有破洞。有燕尾。有烏絲欄。
3.1 首脫→大正 664，16/360A13。
3.2 尾全→16/365B11。
4.2 金光明經卷第一（尾）。
8 7 ~8 世紀。唐寫本。
9.1 楷書。
11 圖版：《敦煌寶藏》，67/466B ~475B。

1.1 BD02245 號

1.3　大般若波羅蜜多經卷五四九
1.4　閏 045
1.5　084:3324
2.1　(14.8+377.9)×26.2 厘米；9 紙；共 233 行，行 17 字。
2.2　01：14.8+22.6，22；　02：46.8，28；　03：46.6，28；
04：47.0，28；　05：46.9，28；　06：46.9，28；
07：46.6，28；　08：46.6，28；　09：27.9，15。
2.3　卷軸裝。首殘尾全。首紙有殘裂，卷前部油污嚴重，紙張變色變脆。背有古代裱補。有烏絲欄。
3.1　首 9 行下殘→大正 220，7/827B9～18。
3.2　尾全→7/830A8。
4.2　大般若波羅蜜多經卷第五百卌九（尾）。
8　8～9 世紀。吐蕃統治時期寫本。
9.1　楷書。
11　圖版：《敦煌寶藏》，77/258A～263A。

1.1　BD02246 號
1.3　大方便佛報恩經（兌廢稿）卷七
1.4　閏 046
1.5　394:8529
2.1　44.5×26 厘米；1 紙；共 28 行，行 17 字。
2.3　卷軸裝。首尾均脫。有烏絲欄。
3.1　首殘→大正 156，3/163A7。
3.2　尾殘→3/163B9。
8　7～8 世紀。唐寫本。
9.1　楷書。本件中部卷面及上邊各有一“兌”字。
11　圖版：《敦煌寶藏》，110/518B～519A。

1.1　BD02247 號
1.3　摩訶般若波羅蜜經卷一六
1.4　閏 047
1.5　088:3444
2.1　41.6×25.4 厘米；2 紙；共 22 行，行 17 字。
2.2　01：17.2，09；　02：24.4，13。
2.3　卷軸裝。首斷尾殘。首紙下邊殘破。有烏絲欄。
3.1　首殘→大正 223，8/337A11。
3.2　尾殘→8/337B4。
6.1　首→BD02250 號。
8　5～6 世紀。南北朝時期寫本。
9.1　楷書。
11　圖版：《敦煌寶藏》，78/1A。

1.1　BD02248 號
1.3　金光明最勝王經卷四
1.4　閏 048
1.5　083:1668
2.1　(20.8+584.2)×26 厘米；14 紙；共 344 行，行 17 字。
2.2　01：20.8+22.4，25；　02：43.0，25；　03：43.2，25；
04：43.0，25；　05：43.0，25；　06：43.2，25；
07：43.2，25；　08：44.2，25；　09：43.2，25；
10：43.3，25；　11：43.2，25；　12：43.2，25；
13：43.1，25；　14：43.0，19。
2.3　卷軸裝。首脫尾全。經黄紙。首紙右下殘缺，卷尾有蟲繭。有燕尾。有烏絲欄。
3.1　首 12 行下殘→大正 665，16/418A18～B3。
3.2　尾全→16/422B21。
4.2　金光明經卷第四（尾）。
5　尾附音義。
8　7～8 世紀。唐寫本。
9.1　楷書。
11　圖版：《敦煌寶藏》，69/193A～200B。

1.1　BD02249 號
1.3　金光明最勝王經卷八
1.4　閏 049
1.5　083:1860
2.1　(20+683.7)×23.5 厘米；16 紙；共 413 行，行 17 字。
2.2　01：20+10.5，20；　02：10.4，06；　03：47.3，28；
04：47.6，28；　05：47.6，28；　06：47.6，28；
07：47.4，28；　08：47.5，28；　09：47.6，28；
10：47.3，28；　11：47.3，28；　12：47.3，28；
13：47.3，28；　14：47.2，28；　15：47.3，28；
16：46.5，23。
2.3　卷軸裝。首殘尾全。卷首殘破嚴重，卷面多水漬。尾有原軸，上端鑲亞腰形紫紅色軸頭。有烏絲欄。
3.1　首 13 行下殘→大正 665，16/437C16～438A4。
3.2　尾全→16/444A9。
4.1　金光明最勝王經大辯才□…□（首）。
4.2　金光明經卷第八（尾）。
5　尾有音義。
8　8～9 世紀。吐蕃統治時期寫本。
9.1　楷書。
9.2　有刮改。
11　圖版：《敦煌寶藏》，70/371B～380B。

1.1　BD02250 號
1.3　摩訶般若波羅蜜經卷一六
1.4　閏 050
1.5　088:3443
2.1　(7.4+26.3)×25.4 厘米；1 紙；共 19 行，行 17 字。
2.3　卷軸裝。首尾均殘。有烏絲欄。
3.1　首 4 處上殘→大正 223，8/336C21～23。
3.2　尾行殘→8/337A10～11。
6.1　首→BD02198 號。

6.2　尾→BD02247 號。
8　5～6 世紀。南北朝寫本。
9.1　楷書。
11　圖版：《敦煌寶藏》，77/663B。

1.1　BD02251 號
1.3　大智度論卷一三
1.4　閏 051
1.5　218:7269
2.1　458.5×28.5 厘米；11 紙；共 250 行，行 17 字。
2.2　01：41.5，23；　02：42.0，24；　03：42.0，24；
04：42.0，24；　05：41.0，23；　06：41.5，23；
07：42.0，23；　08：42.0，23；　09：41.5，23；
10：42.0，23；　11：41.0，17。
2.3　卷軸裝。首殘尾全。第 4、6 紙下部殘裂。有烏絲欄。
3.1　首殘→大正 1509，25/158B21。
3.2　尾全→25/161C22。
4.2　大智論卷第十三（尾）。
8　5～6 世紀。南北朝寫本。
9.1　楷書。
11　圖版：《敦煌寶藏》，105/222A～227B。

1.1　BD02252 號
1.3　金有陀羅尼經
1.4　閏 052
1.5　254:7578
2.1　（13+121）×26.2 厘米；3 紙；共 81 行，行 15～17 字。
2.2　01：13+31，26；　02：45.0，28；　03：45.0，27。
2.3　卷軸裝。首尾均全。卷首右下部有殘損。有烏絲欄。
3.1　首 6 行下殘→大正 2910，85/1455C16～22。
3.2　尾全→85/1456C10。
4.1　金有陀羅尼經（首）
4.2　金有陀羅尼經一卷（尾）。
8　8～9 世紀。吐蕃統治時期寫本。
9.1　楷書。
9.2　有倒乙。
11　圖版：《敦煌寶藏》，107/36B～38A。

1.1　BD02253 號
1.3　金剛般若波羅蜜經
1.4　閏 053
1.5　094:3592
2.1　（35.5+475.8）×26.5 厘米；12 紙；共 307 行，行 17 字。
2.2　01：35.5+8.6，27；　02：46.5，28；　03：47.0，28；
04：46.7，28；　05：46.5，28；　06：46.8，28；
07：46.5，28；　08：46.5，28；　09：46.5，28；
10：46.4，28；　11：46.0，27；　12：01.8，01。
2.3　卷軸裝。首殘尾斷。卷首下邊有殘缺。有烏絲欄。已修整。
3.1　首 13 行上下殘→大正 235，8/748C17～749A3。
3.2　尾全→8/752C3。
4.1　□…□蜜經（首）
4.2　金剛般若波羅蜜經（尾）。
8　8～9 世紀。吐蕃統治時期寫本。
9.1　楷書。
11　圖版：《敦煌寶藏》，79/31A～37B。

1.1　BD02254 號
1.3　佛名經（十六卷本）卷一六
1.4　閏 054
1.5　063:0821
2.1　1300.2×27.1 厘米；28 紙；共 653 行，行字不等。
2.2　01：23.1，護首；　02：47.0，24；　03：48.0，25；
04：48.0，25；　05：48.0，25；　06：48.0，25；
07：48.0，25；　08：48.0，25；　09：48.0，25；
10：48.0，25；　11：48.0，25；　12：48.0，25；
13：48.0，25；　14：48.0，25；　15：48.0，25；
16：48.0，25；　17：48.0，25；　18：48.0，25；
19：48.0，25；　20：48.0，25；　21：48.5，25；
22：41.6，21；　23：49.4，26；　24：49.2，25；
25：47.5，25；　26：41.9，21；　27：40.0，20；
28：48.0，16。
2.3　卷軸裝。首尾均全。有護首，護首上有蟲繭。第 2 紙上方有殘洞，下部殘缺嚴重。卷背裱補一塊古代藍色綾子。有烏絲欄。已修整。
3.1　首全→《七寺古逸經典研究叢書》，3/第 794 頁第 1 行。
3.2　尾全→《七寺古逸經典研究叢書》，3/第 839 頁第 595 行。
4.1　佛說佛名經卷第十六（首）
4.2　佛說佛名經卷第十六（尾）。
5　與七寺本相比，卷中及尾題前，多出兩段《罪業應報教化地獄經》，一為 15 行，一為 20 行。卷尾多出懺悔文 30 行。
7.4　護首有經名、卷次“佛名經卷第十六”。
8　9～10 世紀。歸義軍時期寫本。
9.1　楷書。
11　從該號上揭下古代裱補紙 1 塊，今編爲 BD16034 號。
圖版：《敦煌寶藏》，62/536B～552B。

新舊編號對照表

一、千字文號與北敦號、縮微膠卷號對照表

千字文號	北敦號	縮微膠卷號
閏 001	BD02201 號	084：2647
閏 002	BD02202 號	084：2646
閏 003	BD02203 號	105：5224
閏 004	BD02204 號	084：3315
閏 005	BD02205 號	275：7745
閏 006	BD02206 號	063：0822
閏 007	BD02207 號	094：4379
閏 008	BD02208 號	084：2245
閏 009	BD02209 號	036：0328
閏 010	BD02210 號	070：1164
閏 011	BD02211 號	237：7387
閏 012	BD02212 號	105：4683
閏 013	BD02213 號	084：2943
閏 014	BD02214 號	105：5749
閏 015	BD02215 號	063：0727
閏 016	BD02216 號	094：4182
閏 017	BD02217 號	063：0689
閏 018	BD02218 號	106：6192
閏 019	BD02219 號 1	045：0432
閏 019	BD02219 號 2	045：0432
閏 020	BD02220 號	084：2957
閏 021	BD02221 號	100：4445
閏 022	BD02222 號	094：3833
閏 023	BD02223 號	105：5681
閏 024	BD02224 號	120：6615
閏 025	BD02225 號	105：5757
閏 026	BD02226 號	105：5188
閏 027	BD02227 號 1	052：0444
閏 027	BD02227 號 2	052：0444
閏 027	BD02227 號 3	052：0444
閏 028	BD02228 號 A	100：4444
閏 028	BD02228 號 B	100：4444
閏 029	BD02229 號	088：3472
閏 030	BD02230 號	105：5677
閏 031	BD02231 號	084：2771
閏 032	BD02232 號	250：7475
閏 033	BD02233 號	002：0069
閏 034	BD02234 號 1	143：6688
閏 034	BD02234 號 2	143：6688
閏 034	BD02234 號 3	143：6688
閏 034	BD02234 號 4	143：6688
閏 035	BD02235 號	084：3191
閏 036	BD02236 號	105：5595
閏 037	BD02237 號	088：3473
閏 038	BD02238 號	084：3155
閏 039	BD02239 號	155：6801
閏 040	BD02240 號	094：3521
閏 041	BD02241 號	043：0410
閏 042	BD02242 號	101：4447
閏 043	BD02243 號	305：8309
閏 044	BD02244 號	082：1427
閏 045	BD02245 號	084：3324
閏 046	BD02246 號	394：8529
閏 047	BD02247 號	088：3444
閏 048	BD02248 號	083：1668
閏 049	BD02249 號	083：1860
閏 050	BD02250 號	088：3443
閏 051	BD02251 號	218：7269
閏 052	BD02252 號	254：7578
閏 053	BD02253 號	094：3592
閏 054	BD02254 號	063：0821

二、縮微膠卷號與北敦號、千字文號對照表

縮微膠卷號	北敦號	千字文號
002：0069	BD02233 號	閏 033
036：0328	BD02209 號	閏 009
043：0410	BD02241 號	閏 041
045：0432	BD02219 號 1	閏 019
045：0432	BD02219 號 2	閏 019
052：0444	BD02227 號 1	閏 027
052：0444	BD02227 號 2	閏 027
052：0444	BD02227 號 3	閏 027
063：0689	BD02217 號	閏 017
063：0727	BD02215 號	閏 015
063：0821	BD02254 號	閏 054
063：0822	BD02206 號	閏 006
070：1164	BD02210 號	閏 010
082：1427	BD02244 號	閏 044
083：1668	BD02248 號	閏 048
083：1860	BD02249 號	閏 049
084：2245	BD02208 號	閏 008
084：2646	BD02202 號	閏 002
084：2647	BD02201 號	閏 001
084：2771	BD02231 號	閏 031
084：2943	BD02213 號	閏 013
084：2957	BD02220 號	閏 020
084：3155	BD02238 號	閏 038
084：3191	BD02235 號	閏 035
084：3315	BD02204 號	閏 004
084：3324	BD02245 號	閏 045
088：3443	BD02250 號	閏 050
088：3444	BD02247 號	閏 047
088：3472	BD02229 號	閏 029
088：3473	BD02237 號	閏 037
094：3521	BD02240 號	閏 040
094：3592	BD02253 號	閏 053
094：3833	BD02222 號	閏 022
094：4182	BD02216 號	閏 016
094：4379	BD02207 號	閏 007
100：4444	BD02228 號 A	閏 028
100：4444	BD02228 號 B	閏 028
100：4445	BD02221 號	閏 021
101：4447	BD02242 號	閏 042
105：4683	BD02212 號	閏 012
105：5188	BD02226 號	閏 026
105：5224	BD02203 號	閏 003
105：5595	BD02236 號	閏 036
105：5677	BD02230 號	閏 030
105：5681	BD02223 號	閏 023
105：5749	BD02214 號	閏 014
105：5757	BD02225 號	閏 025
106：6192	BD02218 號	閏 018
120：6615	BD02224 號	閏 024
143：6688	BD02234 號 1	閏 034
143：6688	BD02234 號 2	閏 034
143：6688	BD02234 號 3	閏 034
143：6688	BD02234 號 4	閏 034
155：6801	BD02239 號	閏 039
218：7269	BD02251 號	閏 051
237：7387	BD02211 號	閏 011
250：7475	BD02232 號	閏 032
254：7578	BD02252 號	閏 052
275：7745	BD02205 號	閏 005
305：8309	BD02243 號	閏 043
394：8529	BD02246 號	閏 046